Rehabilitation und Prävention `19

Detlef von Cramon   Josef Zihl   (Hrsg.)

Neuropsychologische Rehabilitation

Grundlagen – Diagnostik – Behandlungsverfahren

Mit 34 Abbildungen und 24 Tabellen

Springer-Verlag Berlin Heidelberg New York
London Paris Tokyo

Professor Dr. Detlef von Cramon
Städtisches Krankenhaus München-Bogenhausen
Abteilung für Neuropsychologie
Englschalkinger Straße 77
8000 München 81

Professor Dr. Josef Zihl
Max-Planck-Institut für Psychiatrie
Neuropsychologische Abteilung
Kraepelinstraße 10
8000 München 40

ISBN 3-540-18684-0 Springer-Verlag Berlin Heidelberg New York
ISBN 0-387-18684-0 Springer-Verlag New York Berlin Heidelberg

CIP-Kurztitelaufnahme der Deutschen Bibliothek
Neuropsychologische Rehabilitation : Grundlagen - Diagnostik - Behandlungsverfahren / Detlef
von Cramon ; Josef Zihl (Hrsg.). - Berlin ; Heidelberg ; New York ; London ; Paris ; Tokyo :
Springer, 1988
(Rehabilitation und Prävention ; 19)
ISBN 3-540-18684-0 (Berlin ...) brosch.
ISBN 0-387-18684-0 (New York ...) brosch.
NE: Cramon, Detlef von [Hrsg.]; GT

Die Wiedergabe von Gebrauchsnamen, Handelsnamen, Warenbezeichnungen usw. in diesem Werk
berechtigt auch ohne besondere Kennzeichnung nicht zu der Annahme, daß solche Namen im
Sinne der Warenzeichen- und Markenschutz-Gesetzgebung als frei zu betrachten wären und daher
von jedermann benutzt werden dürften.

Produkthaftung: Für Angaben über Dosierungsanweisungen und Applikationsformen kann vom
Verlag keine Gewähr übernommen werden. Derartige Angaben müssen vom jeweiligen Anwender
im Einzelfall anhand anderer Literaturstellen auf ihre Richtigkeit überprüft werden.

Satz-, Druck- und Bindearbeiten: Appl, Wemding
2121/3145-543210

Vorwort

Dieses Buch wurde von Mitarbeitern der Abteilungen für Neuropsychologie am städtischen Krankenhaus München-Bogenhausen und am Max-Planck-Institut für Psychiatrie geschrieben.

Es wendet sich an Ärzte, Psychologen, Linguisten, Logopäden, Ergotherapeuten usw., die mit der Behandlung und Betreuung hirngeschädigter Erwachsener befaßt sind.

Ziel ist ein kritischer Überblick über den gegenwärtigen Stand in der neuropsychologischen Diagnostik und Rehabilitation. Dabei werden neben unseren eigenen Erfahrungen auch wichtige Ergebnisse aus der Literatur ausgewertet und, was die angelsächsische Literatur betrifft, oft erstmals einem breiteren Leserkreis zugänglich gemacht. Der multidisziplinäre Ansatz erlaubt die Einbeziehung von Rahmenbedingungen und Wechselwirkungen zwischen bisher weitgehend isoliert betrachteten Störungen. Damit ist ein Blick über das eigene Fachgebiet hinaus möglich, der nicht nur die Zusammenarbeit der verschiedenen, in der Rehabilitation tätigen Berufsgruppen erleichtert, sondern auch eine kritische Überprüfung der jeweils eigenen Praxis ermöglicht.

Unsere eigenen Erfahrungen in der Erkennung und Behandlung von Hirnleistungsstörungen, wie wir sie in den letzten 6 Jahren gesammelt haben, beruhen auf dem Umgang mit unserer, natürlich nicht repräsentativen Patientenstichprobe, die im Anhang näher beschrieben wird. Diese Patienten befinden sich überwiegend im „stabilen" Stadium der Hirnschädigung, d. h. nach weitgehender Beendigung der durch das hirnschädigende Ereignis bedingten zerebralen Nekrose-, Abräum- und Reparationsvorgänge. Aus diesem Grund finden sich nur am Rande einige Hinweise auf die Behandlung von zerebralen Leistungsstörungen im Frühstadium nach der Hirnschädigung.

Wir sind uns der Tatsache bewußt, daß viele unserer Konzepte unfertig und unvollständig sind, andere erst auf ihre Richtigkeit überprüft werden müssen. Dennoch schien es uns sinnvoll, in einer gemeinsamen Anstrengung einmal alle diejenigen Fragen anzusprechen und zu formulieren, die für die neuropsychologische Rehabilitation im Alltag von besonderer Bedeutung sind. Als Herausgeber sind wir dabei übereingekommen, bewußt auf den Anspruch einer „vollständigen" Darstellung rehabilitationsrelevanter Themenbereiche zu verzichten. So mag man bemängeln, daß ein Beitrag zur Erkennung und Behandlung der verschiedenartigen sensomotorischen Störungen (mit Ausnahme der Handfunktionsstörungen, die in Kap. 20 abgehandelt werden) fehlt. Wir haben darauf verzichtet, weil wir derzeit zu diesem Thema nichts beizutragen hätten, was nicht durch andere Autoren bereits gültiger beschrieben worden wäre. Dies gilt im Prinzip auch für die Darstellung der Apraxien; wir haben dennoch ein kurzes Kapitel über „Bewegungsfolgen" (Kap. 15) eingefügt, weil wir der Auffassung sind, daß in einem Buch über neuropsychologische Rehabilitation zumindest einige Anmerkungen zu den apraktischen Störungen erwartet werden können.

Man kann diesem Buch zweifellos vorwerfen, es sei nicht „aus einem Guß". Die Heterogenität der Beiträge ergibt sich jedoch zwangsläufig aus der Verschiedenheit der Themen sowie der Vielfalt der Denk- und Sprachstile in einem multidisziplinären Team.

Selbstverständlich spiegelt dieses Buch auch wider, in welchem Problembereich wir mehr, in welchem weniger Wissen und Erfahrung besitzen. So kann beispielsweise der Beitrag über „Planen und Handeln" (Kap. 14) nur als ein erster Versuch gelten, Ordnung in einem Wirrwarr von Phänomenen und Aspekten zu schaffen, während das Kapitel über „Zerebrale Sehstörungen" (Kap. 7) auf Daten und Erfahrungen aufbaut, die in 10 Jahren Forschungsarbeit zusammengetragen wurden.

Wir hoffen, daß unser Buch dazu beiträgt, auch in unserem Land die Diskussion über die verschiedenen Themenbereiche der neuropsychologischen Rehabilitation anzuregen, damit die Ziele und Wege unserer diagnostischen und therapeutischen Bemühungen klarer erkennbar werden und wir den uns anvertrauten hirngeschädigten Patienten wirksamere Hilfe geben können.

München, Frühjahr 1988   D. von Cramon
                                                               J. Zihl

Inhaltsverzeichnis

1 Methodische Voraussetzungen der neuropsychologischen Rehabilitation
(J. Zihl) *1*

1.1   Einleitung *1*
1.2   Voraussetzungen für die Behandlung von Leistungseinbußen . . *2*
1.2.1 Aufgaben und Bedeutung der neuropsychologischen Diagnostik *2*
1.2.2 Verfügbarkeit „allgemeiner" Leistungen *3*
1.2.3 Motivation als Voraussetzung für eine erfolgreiche Behandlung *4*
1.3   Mittel neuropsychologischer Intervention *5*
1.4   Das Problem der Indikationsstellung in der
       neuropsychologischen Rehabilitation *8*
1.5   Feststellung der Behandlungswirkung und Verlaufsmessungen . *10*
1.5.1 Spontanrückbildung von neuropsychologischen
       Leistungseinbußen. *11*
1.5.2 Feststellung des Interventionseffekts *11*
1.5.3 Nachweis der Stabilität des Interventionseffekts *13*
1.5.4 Isolierter und generalisierter Interventionseffekt *14*
1.6   Evaluation neuropsychologischer Behandlungseffekte *15*
1.7   Ausblick *16*
       Literatur *18*

2 Prognostische Faktoren
(D. von Cramon) *21*

2.1   Einleitung *21*
2.2   Personenbezogene Faktoren *21*
2.2.1 Alter *21*
2.2.2 Geschlecht *23*
2.2.3 Händigkeit *24*
2.2.4 Prämorbide Persönlichkeitsfaktoren *25*
2.2.5 Psychosoziale Faktoren *27*
2.3   Faktoren der Hirnschädigung *28*
2.3.1 Art, Ausmaß und Lokalisation der Hirnschädigung *28*
2.3.2 Zeit seit der Hirnschädigung *34*
       Literatur *37*

3   **Bildgebende Verfahren in der neuropsychologischen Rehabilitation**
(N. Hebel) 40

3.1   Zielsetzung 40
3.2   Verfügbare bildgebende Verfahren 40
3.3   Darstellungsmöglichkeiten fokaler und diffuser Hirnläsionen . . 42
3.3.1   Darstellung fokaler zerebraler Läsionen 42
3.3.2   Darstellung diffuser Hirnschädigungen 44
3.4   Anatomische Evaluation von fokalen Hirnschädigungen mit
Hilfe der CCT und MRT 45
3.4.1   Untersuchungszeitpunkt 45
3.4.2   Anatomische Referenzsysteme 46
3.5   Ausblick 47
   Literatur 48

4   **Elektrophysiologische Verfahren in der neuropsychologischen Diagnostik: Evozierte Potentiale**
(M. Scherg) 50

4.1   Einleitung 50
4.2   Primär-sensorisch evozierte Potentiale 51
4.3   Kognitive Potentiale 52
4.4   Antizipatorische und motorische Potentiale 54
4.5   Bedeutung für die neuropsychologische Diagnostik 54
   Literatur 55

5   **Psychopathologische Symptome und Syndrome bei erworbenen Hirnschädigungen**
(M. Prosiegel) 57

5.1   Einleitung 57
5.2   Psychiatrische Befunderhebung und Dokumentation bei
Patienten mit erworbener Hirnschädigung 57
5.2.1   Psychiatrisches Untersuchungsgespräch,
Verhaltensbeobachtung, Fremdanamnese 57
5.2.2   Selbst- und Fremdbeurteilungsskalen 58
5.2.3   Diagnostische Klassifikation der psychischen Störungen mittels
DSM-III 59
5.3   Allgemeine Bedingungen für das Auftreten psychischer
Störungen bei Patienten mit erworbener Hirnschädigung 59
5.4   Psychopathologische Symptome und Syndrome 61
5.4.1   Einleitung 61
5.4.2   DSM-III-Diagnosen 62
5.4.3   Sonstige psychopathologische Symptome und Syndrome 68
5.5   Therapie mit Psychopharmaka 74
5.6   Neuroanatomische Grundlagen 75
5.6.1   Neuroanatomie affektsteuernder Systeme 75

5.6.2   Befunde und Hypothesen zur Beziehung zwischen Ort der
Läsion und affektiven Störungen *77*
Literatur *80*

6   **Psychotherapie und Sozialtherapie**
(T. Thun) *83*

6.1   Der Arbeitskreis Sozialtherapie *83*
6.2   Der Weg des Patienten durch die Abteilung *83*
6.3   Aufgaben des Arbeitskreises Sozialtherapie *85*
6.3.1   Spezielle Maßnahmen für stationäre Patienten *85*
6.3.2   Allgemeine Maßnahmen innerhalb der Abteilung *86*
6.3.3   Hilfen bei der Reintegration außerhalb der Klinik *90*
6.4   Der therapeutische Prozeß in der klinischen Erfahrung *92*
6.4.1   Bewältigungsstrategien *92*
6.4.2   Phasen der Krankheitsbewältigung *93*
6.5   Einige spezielle Aspekte des Umgangs mit
neuropsychologischen Patienten *96*
6.6   Arbeit mit Angehörigen *99*
6.7   Nachsorge/Selbsthilfegruppe *102*
6.8   Neuropsychologische Rehabilitation in einer Tagklinik –
ein erfolgversprechender Weg *102*
Literatur *104*

7   **Sehen**
(J. Zihl) *105*

7.1   Einleitung *105*
7.2   Zerebral bedingte Gesichtsfeldstörungen *105*
7.2.1   Homonyme Gesichtsfeldausfälle *106*
7.2.2   Störungen der Farb- und Formwahrnehmung in homonymen
Gesichtsfeldbereichen *108*
7.3   Beeinträchtigungen „elementarer" Sehleistungen *109*
7.3.1   Hell- und Dunkeladaptation *109*
7.3.2   Sehschärfe *110*
7.3.3   Farbsehen *112*
7.3.4   Raumsehen *113*
7.4   Störungen der visuellen Exploration *117*
7.4.1   Beeinträchtigung bzw. Verlust der visuellen Exploration
in einem Halbfeld *117*
7.4.2   Vernachlässigung von optischen Reizen in beiden Halbfeldern . *118*
7.5   Beeinträchtigung der Objekt- und Gesichterwahrnehmung
(Objektagnosie und Prosopagnosie) *119*
7.5.1   Beeinträchtigung der Objekt- und Gesichterwahrnehmung
durch Einbußen „elementarer" Sehleistungen *120*
7.5.2   Störungen der Objektwahrnehmung (Objektagnosie) *120*
7.5.3   Störungen der Gesichterwahrnehmung (Prosopagnosie) *121*
7.6   Zur Behandlung zerebral bedingter Sehstörungen *122*

7.6.1   Zur Behandlung der „hemianopischen" Lesestörung *122*
7.6.2   Die Behandlung der Beeinträchtigung der Exploration
        bei Patienten mit Gesichtsfeldeinbußen *126*
        Literatur *129*

8   Hören
        (M. Scherg) *132*

8.1   Einteilung zerebraler Hörstörungen *132*
8.1.1   Einteilung nach anatomischen Kriterien *132*
8.1.2   Einteilung nach psychoakustischen Kriterien *133*
8.1.3   Einteilung nach neuropsychologischen Kriterien *133*
8.2   Untersuchungsmethoden *134*
8.2.1   Konventionelle tonaudiometrische Verfahren *134*
8.2.2   Sprachaudiometrische Verfahren *134*
8.2.3   Psychoakustische Verfahren *135*
8.2.4   Akustisch evozierte Potentiale *136*
8.2.5   Stapediusreflexmessung *137*
8.3   Phänomenologie und Diagnostik der zerebralen Hörstörung . . *137*
8.3.1   Hörstörungen nach Hirnstammläsion *138*
8.3.2   Dienzephale Hörstörungen *141*
8.3.3   Telenzephale Hörstörungen *142*
8.4   Therapieansätze *147*
        Literatur *148*

9   Riechen
        (M. Vogel) *151*

9.1   Einleitung *151*
9.1.1   Formen der Riechstörung *151*
9.1.2   Bedeutung von Riechstörungen nach Schädel-Hirn-Trauma . . . *152*
9.2   Untersuchungsmethoden *152*
9.2.1   Subjektive Methoden *152*
9.2.2   Objektive Methoden *153*
9.3   Mechanismen der traumatisch bedingten Riechstörungen *153*
9.3.1   Schädigungsmechanismen *153*
9.3.2   Häufigkeit und Rückbildung *155*
9.4   Ausblick *155*
        Literatur *156*

10   Aufmerksamkeit
        (W. Säring) *157*

10.1   Aspekte der Aufmerksamkeit *157*
10.2   Aufmerksamkeitsstörungen hirngeschädigter Patienten *159*
10.2.1 Reduktion der Informationsverarbeitungsgeschwindigkeit *159*
10.2.2 Einschränkung der Daueraufmerksamkeitsleistung *161*
10.2.3 Ablenkbarkeit – Interferenzanfälligkeit *162*
10.2.4 Klinische Bedeutung von Aufmerksamkeitsstörungen *163*

10.3   Diagnostisches Vorgehen *164*
10.3.1   Fremd- und Selbstbeobachtung von Aufmerksamkeitsstörungen *164*
10.3.2   Untersuchung der Informationsverarbeitungsgeschwindigkeit . . *166*
10.3.3   Untersuchung von Daueraufmerksamkeit und
          Konzentrationsfähigkeit *171*
10.4   Therapieansätze *171*
10.4.1   Möglichkeiten des gezielten Trainings von
          Aufmerksamkeitsleistungen *172*
10.4.2   Einsatz computerunterstützter Verfahren *176*
          Literatur *177*

11   Neglect
          (W. Säring) *182*

11.1   Der Begriff des Neglects *182*
11.2   Phänomenologie und Diagnostik des Neglects *182*
11.2.1   Methodische Probleme der Verhaltens- und
          Verlaufsbeobachtung *182*
11.2.2   Vernachlässigungsphänomene *184*
11.2.3   Störungen der Repräsentation des externen und internen
          Raums *187*
11.2.4   Anosognosie *189*
11.3   Strukturelle und funktionelle Hypothesen *190*
11.4   Therapeutische Ansätze *191*
11.4.1   Allgemeine und pflegerische Aktivitäten *191*
11.4.2   Selbsthilfetraining und Handfunktionstraining *192*
11.4.3   Gezieltes Funktionstraining *193*
          Literatur *194*

12   Visuelle Raumwahrnehmung und Raumoperationen
          (G. Kerkhoff) *197*

12.1   Einführung *197*
12.2   Störungen visueller Raumwahrnehmungsleistungen und
          visueller Raumoperationen bei „konstruktiver Apraxie" *197*
12.3   Rückbildung visuo-konstruktiver und visuell-räumlicher
          Störungen *199*
12.4   Untersuchungsverfahren *202*
12.4.1   Standardisierte Untersuchungsverfahren *202*
12.4.2   Nichtstandardisierte Untersuchungsverfahren *203*
12.4.3   Kritik der gegenwärtig verfügbaren Verfahren zur Untersuchung
          visuo-konstruktiver und visuell-räumlicher
          Wahrnehmungsleistungen *204*
12.4.4   Untersuchungsprogramm zur Erfassung visueller
          Raumwahrnehmungsstörungen und Störungen visueller
          Raumoperationen *205*
12.5   Behandlungsverfahren bei visuo-konstruktiven und
          visuell-räumlichen Wahrnehmungsstörungen *206*
12.6   Ein exemplarisches Fallbeispiel *208*
          Literatur *212*

13   Lernen und Gedächtnis
        (U. Schuri) 215

13.1   Einleitung 215
13.2   Diagnostik von Lern- und Gedächtnisstörungen 216
13.2.1 Ziele und allgemeine Probleme der Diagnostik 216
13.2.2 Relevante Diagnostikbereiche 218
13.2.3 Gebräuchliche Lern- und Gedächtnistests 225
13.2.4 Eigene Tests und Ablauf der Diagnostik 227
13.3   Therapie bei Lern- und Gedächtnisstörungen 232
13.3.1 Indikation, Ziele und Organisation 232
13.3.2 Methoden zur Förderung von Gedächtnisleistungen 233
13.3.3 Therapeutisches Vorgehen 235
13.3.4 Bewertung des Therapieerfolgs 244
        Literatur 245

14   Planen und Handeln
        (D. von Cramon) 248

14.1   Einleitung 248
14.2   Phänomenologie der klinisch beobachtbaren Störungen des
        Planens und Handelns 249
14.3   Diagnostische Verfahren 255
14.4   Ansätze zur Therapie 259
14.4.1 Verhaltenskontrolle durch die Umwelt 259
14.4.2 S-R-Konditionierung 259
14.4.3 Training von Planungskomponenten 259
14.4.4 Training von Rückkopplungsprozessen 261
14.4.5 Training von Bewältigungsstrategien im Alltag 261
        Literatur 262

15   Bewegungsfolgen
        (M. Prosiegel und W. Säring) 264

15.1   Einleitung 264
15.2   Begriffsbestimmung, funktionelle und strukturelle Hypothesen . 264
15.3   Klinische Phänomenologie und Diagnostik 266
15.3.1 Ideomotorische Apraxie 266
15.3.2 Ideatorische Apraxie 267
15.4   Differentialdiagnose apraktischer Störungen 268
15.5   Therapeutische Ansätze 270
        Literatur 272

16   Sprache
        (G. Greitemann) 274

16.1   Einleitung 274
16.2   Prognose 274
16.3   Diagnostik 275

16.3.1   Ziele 275
16.3.2   Verfahren der Diagnostik 277
16.4   Therapie 278
16.4.1   Ziel der Therapie 279
16.4.2   Phasen der Therapie 279
16.4.3   Sprachsystematische Therapie 280
16.4.4   Kommunikative Therapie 284
16.4.5   Einzeltherapie, Gruppentherapie, Selbsttherapie 285
16.5   Verlaufskontrolle 286
16.6   Angehörigenberatung und Selbsthilfegruppen 286
         Literatur 287

17   **Lesen und Schreiben**
         (E. G. de Langen) 289

17.1   Einleitung 289
17.1.1   Alexien 289
17.1.2   Agraphien 291
17.1.3   Primäre Störungsbereiche 292
17.1.4   Untersuchungs- und Therapieverfahren 292
17.2   Diagnostische Verfahren 293
17.2.1   Aufbau der Untersuchung 293
17.2.2   Durchführung und Auswertung der Untersuchung 294
17.2.3   Befundungsanleitung 294
17.2.4   Verlaufsuntersuchung 295
17.3   Methodische Ansätze in der Alexie- und Agraphietherapie . . . 295
17.3.1   Therapie der primären Störungsbereiche 296
17.3.2   Computerunterstützte Alexie- und Agraphietherapie 299
17.3.3   Komplexe Übungen 300
17.3.4   Training des funktionalen Einsatzes 301
17.3.5   Therapie der Wortformalexie 301
17.3.6   Ungeeignete Behandlungsmethoden 302
17.4   Prognose 303
17.5   Weiterentwicklung der Diagnostik und der Therapieverfahren . 304
         Literatur 304
         Glossar 305

18   **Zahlenverarbeitung und Arithmetik**
         (D. Claros Salinas) 306
18.1   Einleitung 306
18.2   Fehlersymptomatik der Akalkulie 306
18.2.1   Störungen des Schreibens und Lesens von Zahlen 306
18.2.2   Störungen der Verarbeitung von Rechenzeichen 307
18.2.3   Störungen der Rechenfähigkeit 308
18.3   Diagnostik 310
18.3.1   Akalkulie und prämorbides Leistungsniveau 310
18.3.2   Bestehende Verfahren 310
18.3.3   Eigene Verfahren 311

18.3.4 Fehlerkonfigurationen *314*
18.4   Therapie *314*
18.4.1 Indikation *314*
18.4.2 Therapieinhalte *315*
18.4.3 Therapieformen *317*
        Literatur *317*

19   Sprechen
        (M. Vogel, W. Ziegler und H. Morasch) *319*

19.1   Vorbemerkung *319*
19.2   Dysarthrien *319*
19.2.1 Einleitung *319*
        - Definition und Pathophysiologie *319*
        - Untersuchungen *320*
        - Therapieverfahren *321*
19.2.2 Klinische Diagnostik *321*
        - Inspektive Untersuchung der Sprechorgane *322*
        - Auditiv-phonetische Untersuchung *325*
        - Verständlichkeit *330*
19.2.3 Therapie *331*
        - Leitlinien *331*
        - Behandlungsmethoden *334*
        - Therapeutische Hilfsmittel *341*
19.3   Sprechapraxie *347*
19.3.1 Zum Syndromstatus der Sprechapraxie *347*
19.3.2 Klinische Diagnostik *348*
        - Indikation und diagnostische Ziele *348*
        - Gliederung der Symptomatik *349*
        - Diagnostische Schritte *349*
19.3.3 Therapie *352*
        - Konzeptuelle Vorbemerkung *352*
        - Indikation zur Therapie *352*
        - Behandlungsziel *353*
        - Behandlungsmethoden *353*
        Literatur *357*

20   Störungen der Handfunktionen
        (N. Mai) *360*

20.1   Einleitung *360*
20.2   Untersuchung der Sensibilität *361*
20.2.1 Mechanorezeptoren der Haut *363*
20.2.2 Wahrnehmung von Fingerbewegungen und -positionen *365*
20.2.3 Aktives Tasten *366*
20.2.4 Gestörte Sensibilität und Handmotorik *367*
20.2.5 Vorschlag zur klinischen Untersuchung der Sensibilität *368*
20.3   Ansätze zur Behandlung sensibler Defizite *370*
20.4   Untersuchung der Handmotorik *375*

20.4.1 Taxonomie der Motorik *375*
20.4.2 Klinische Untersuchung der Motorik *377*
20.5   Ansätze zur Behandlung motorischer Defizite *379*
        Literatur *384*

Anhang: Beschreibung der Patientenstichprobe einer neuropsychologischen
Rehabilitationsklinik
        (M. Prosiegel) *386*

Sachverzeichnis *399*

Autorenverzeichnis

CLAROS SALINAS, D.
Städtisches Krankenhaus München-Bogenhausen, Abteilung für
Neuropsychologie, Englschalkinger Straße 77, 8000 München 81

VON CRAMON, D., Prof. Dr.
Städtisches Krankenhaus München-Bogenhausen, Abteilung für
Neuropsychologie, Englschalkinger Straße 77, 8000 München 81

GREITEMANN, G.
Städtisches Krankenhaus München-Bogenhausen, Abteilung für
Neuropsychologie, Englschalkinger Straße 77, 8000 München 81

HEBEL, N., Dr.
Städtisches Krankenhaus München-Bogenhausen, Abteilung für
Neuropsychologie, Englschalkinger Straße 77, 8000 München 81

KERKHOFF, G.
Städtisches Krankenhaus München-Bogenhausen, Abteilung für
Neuropsychologie, Englschalkinger Straße 77, 8000 München 81

DE LANGEN, E.G., Dr.
Max-Planck-Institut für Psychiatrie, Neuropsychologische Abteilung,
Kraepelinstraße 10, 8000 München 40

MAI, N., Dr.
Max-Planck-Institut für Psychiatrie, Abteilung Klinische Psychologie,
Kraepelinstraße 10, 8000 München 40

MORASCH, H.
Max-Planck-Institut für Psychiatrie, Neuropsychologische Abteilung,
Kraepelinstraße 10, 8000 München 40

PROSIEGEL, M., Dr.
Städtisches Krankenhaus München-Bogenhausen, Abteilung für
Neuropsychologie, Englschalkinger Straße 77, 8000 München 81

SÄRING, W., Dr.
Städtisches Krankenhaus München-Bogenhausen, Abteilung für
Neuropsychologie, Englschalkinger Straße 77, 8000 München 81

SCHERG, M., Dr.
Max-Planck-Institut für Psychiatrie, Neuropsychologische Abteilung,
Kraepelinstraße 10, 8000 München 40

SCHURI, U., Dr.
Städtisches Krankenhaus München-Bogenhausen, Abteilung für
Neuropsychologie, Englschalkinger Straße 77, 8000 München 81

THUN, T., Dr.
Städtisches Krankenhaus München-Bogenhausen, Abteilung für
Neuropsychologie, Englschalkinger Straße 77, 8000 München 81

VOGEL, M.
Städtisches Krankenhaus München-Bogenhausen, Abteilung für
Neuropsychologie, Englschalkinger Straße 77, 8000 München 81

ZIEGLER, W.
Max-Planck-Institut für Psychiatrie, Neuropsychologische Abteilung,
Kraepelinstraße 10, 8000 München 40

ZIHL, J., Prof. Dr.
Max-Planck-Institut für Psychiatrie, Neuropsychologische Abteilung,
Kraepelinstraße 10, 8000 München 40

1 Methodische Voraussetzungen der neuropsychologischen Rehabilitation

J. ZIHL

1.1 Einleitung

Übergeordnetes Ziel jeder Rehabilitationsbemühung bei Patienten mit neuropsychologischen Störungen ist die Reduzierung der durch die Hirnschädigung eingetretenen Behinderung, die ohne Intervention chronisch würde (Poppelreuter 1917; Peters 1918; Barth u. Boll 1981; Diller u. Gordon 1981; Miller 1984). Im (sozialversicherungs-)rechtlichen Sinn wird in der Bundesrepublik Deutschland die Behinderung nach dem Grad der „Behinderung" (GdB) eingestuft. Der „Grad der Behinderung" ist dabei allgemein das Maß für die Auswirkungen eines „Mangels an funktioneller Intaktheit", also für einen „Mangel an körperlichem, geistigem oder seelischem Vermögen", wobei eine chronische, d. h. über einen Zeitraum von mehr als 6 Monaten dauernde Gesundheitsstörung vorausgesetzt ist (vgl. dazu Brambring 1985).

Die Spontanrückbildung der Defizite sowie verschiedene Arten der „Selbsthilfe" können in der Regel keine ausreichende Abnahme der Behinderung bewirken (vgl. Poppelreuter 1917; Miller 1984). Falsche Anpassungsstrategien können sogar zu einer zunehmenden Behinderung führen (vgl. Brinkmann 1979). Daher ist nahezu immer eine therapeutische Intervention notwendig. Dieses Eingreifen reicht von der geplanten und systematischen „Manipulation" der Fähigkeiten des Patienten (der beeinträchtigten ebenso wie der erhaltenen) bis hin zur Anpassung der Umgebung an den Patienten, um bestimmte Fähigkeiten wieder zu erlangen. Schließlich gehört aber auch die Verhinderung oder, wenn nötig, der Abbau einer falschen Anpassung des Patienten an sein Defizit oder an seine Umgebung zu den Aufgaben neuropsychologischer Intervention, weil solche Fehlanpassungen ihrerseits das Ausmaß der Behinderung vergrößern und so die verfügbaren Rehabilitationsmöglichkeiten hemmen oder sogar vermindern können. Die Überlegenheit systematischer rehabilitativer Maßnahmen steht bei hirngeschädigten Patienten gegenüber allen Formen „spontaner" Verbesserung – von Einzelfällen mit nahezu vollständiger Spontanrückbildung der Störung abgesehen – außer Zweifel (Poppelreuter 1917; Lehmann et al. 1975a; Diller u. Gordon 1981; Basso et al. 1979; Sivenius et al. 1985; Wertz et al. 1985).

Neuropsychologische Rehabilitation ist der eine aktive Prozeß, in dem für den behinderten Patienten Verfahren bereitgestellt werden, mit deren Hilfe das Ausmaß der durch die Hirnschädigung bedingten Beeinträchtigung reduziert, das Höchstmaß an erwerbbaren Fähigkeiten gefördert und so die Behinderung überwunden werden kann (Diller u. Gordon 1981). Neuropsychologische Behandlung sollte daneben immer bedeuten, dem Patienten *nicht zu schaden*. Die „Manipulation" seiner Fähigkeiten und/oder der Umgebung darf nicht ihrerseits zu einer Zunahme der Behinderung etwa aufgrund von Fehlanpassungen oder von Fehlmotivationen, z. B. durch eine dem Patienten individuell nicht angepaßte Zielvorgabe führen.

Neben der Behandlung von Leistungseinbußen zählt auch die Therapie von psychosozialen Fähigkeiten des Patienten zu den Aufgaben neuropsychologischer Rehabilitation (z. B. Wiederaufnahme sozialer Aktivitäten; vgl. Kap. 6), wie sie entweder als direkte Folge der Hirnschädigung oder als indirekte Konse-

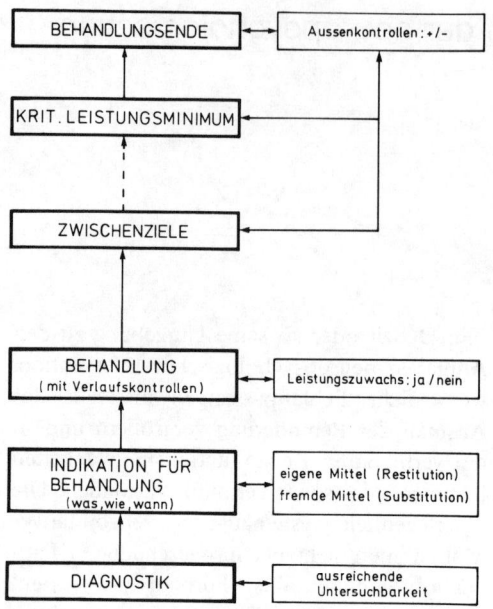

Abb. 1.1. Übersicht über die wichtigsten Komponenten und Entscheidungsschritte in der neuropsychologischen Rehabilitation

quenz (z. B. als Reaktion auf die Folgen der Hirnschädigung) auftreten können (vgl. dazu Barth u. Boll 1981; Herrmann 1985).

Im folgenden sollen einige grundlegende Überlegungen vor allem zu den *methodischen Voraussetzungen* neuropsychologischer Behandlung dargestellt werden, mit dem Ziel, dem Leser heuristische Regeln an die Hand zu geben, die ihm als Hilfe für die eigene Vorgehensweise und zur Überprüfung der Auswirkungen der durchgeführten Maßnahmen dienen können. Zur besseren Orientierung sind die wesentlichen Aspekte und Entscheidungsschritte neuropsychologischer Rehabilitation in Abb. 1.1 als Schaubild dargestellt.

1.2 Voraussetzungen für die Behandlung von Leistungseinbußen

Die Durchführbarkeit neuropsychologischer Rehabilitationsmaßnahmen hängt von einer Reihe von Voraussetzungen ab:

a) eine auf die Behandlung hin ausgerichtete diagnostische Erfassung der Leistungsstörung,

b) die Verfügbarkeit geeigneter Behandlungsverfahren,

c) Methoden zum Nachweis des Behandlungseffekts,

d) die ausreichende Intaktheit spezifischer Leistungen (z. B. Sprachverständnis- und Gedächtnisleistungen für die Durchführung eines Wahrnehmungs- oder eines motorischen Trainings; ausreichende Wahrnehmungsleistungen für das Gedächtnis- oder Sprachtraining),

e) eine zumindest für kurze Zeiträume ausreichende Verfügbarkeit sog. globaler Leistungen (z. B. Aufmerksamkeit, Belastbarkeit),

f) eine „Mindestmotivation" von seiten des Patienten.

Die Faktoren e) und f) gelten natürlich auch als Voraussetzungen für die Durchführung der neuropsychologischen Diagnostik.

1.2.1 Aufgaben und Bedeutung der neuropsychologischen Diagnostik

Indikationsstellung und Erfolg der rehabilitativen Maßnahmen hängen wesentlich davon ab, wie zuverlässig das Störungsbild diagnostisch erfaßt und auf welche Weise es unter dem Aspekt der Rehabilitation beschrieben werden kann. Die neuropsychologische Diagnostik muß also den Untersucher bzw. Therapeuten in die Lage versetzen, aus den diagnostischen Daten möglichst zuverlässige Rückschlüsse auf die Art und das Ausmaß des Leistungsdefizits sowie den Umfang und die Qualität möglicher Restleistungen zu ziehen. Auf der Basis dieser Informationen soll dann eine Behandlungsindikation gestellt werden können, die – falls erforderlich – auch die Wahl der Behandlungsverfahren sowie bei Vorliegen mehrerer Leistungseinbußen auch eine Festlegung der Reihenfolge der zu behandelnden Störungen ermöglicht (vgl. 1.4).

Die diagnostische Erfassung der Leistungseinbußen umfaßt im wesentlichen 2 Aspekte:

a) Abgrenzung der Störung von anderen gestörten Komponenten der betroffenen Leistung bzw. anderen durch die Hirnschädigung beeinträchtigten Leistungen,
b) Bestimmung der noch (ausreichend) intakten Leistungen bzw. Komponenten der betroffenen Leistung als Voraussetzung für die Behandlung oder als Mittel zur Reduzierung der Behinderung (s. 1.3).

Die Beschreibung des Leistungsdefizits kann dabei als Symptom- bzw. Syndromklassifikation erfolgen oder aber als Darstellung der Störung in ihrer Auswirkung auf eine definierte Fähigkeit (sog. operationale Beschreibung). Zweifellos ist letztere Beschreibungsform im Hinblick auf zu treffende neuropsychologische Rehabilitationsmaßnahmen günstiger, weil sie Aufschluß über Auftretensbedingung(en), Schweregrad und vor allem über die Auswirkung auf bestimmte andere, von der betroffenen Leistung kritisch abhängige Fähigkeiten im Alltag oder im Beruf geben kann (Mayer et al. 1986). So gibt z. B. die Diagnose „komplette homonyme Hemianopsie" keinen Aufschluß über die visuelle Exploration im betroffenen Halbfeld, die trotz der Gesichtsfeldeinbuße relativ intakt oder aber nahezu vollständig beeinträchtigt sein kann. Ähnliches gilt in noch ausgeprägterer Form für Syndromdiagnosen: die Diagnose „Balint-Syndrom" sagt nichts über die tatsächlich vorhandenen Störungen der visuellen Exploration, der Aufmerksamkeit, der visuellen Raum- und Objektwahrnehmung einschließlich des Lesens aus, da diese Teilkomponenten des Syndroms im Einzelfall nicht alle gemeinsam, nicht in qualitativ gleicher Weise und nicht im gleichen Ausprägungsgrad beeinträchtigt sein müssen (vgl. Zihl u. von Cramon 1986). Es erscheint daher besonders unter dem Aspekt der Vergleichbarkeit von diagnostischen Ergebnissen sowie für die Beurteilung von Art und Schweregrad der Behinderung und damit für die Erstellung einer dem Abbau dieser Behinderung „angepaßten" Indikationsstellung vernünftig und notwendig, das Störungsbild operational zu formulieren. Damit müssen diagnostische Methoden eingesetzt werden, die

die Erfassung des Störungsbilds und seiner Komponenten sowie seiner Auswirkungen auf grundlegende Aktivitäten im Alltag (z. B. Waschen, Essen etc.), im Beruf und in der Freizeit (einschließlich der damit verbundenen Aspekte des „Sozialverhaltens") zuverlässig und zutreffend erlauben. Eine Operationalisierung der Leistungsbereiche scheint also immer dann sinnvoll, wenn die „Leistungsdiagnostik" keine sicheren Schlußfolgerungen über die Auswirkungen der Störung(en) bzw. über die Verfügbarkeit und den Grad des Einsatzes der noch bestehenden Restleistung(en) erlaubt. Diese Art von Funktionsdiagnostik kann dann auch als Grundlage für die Beurteilung der Behinderung vor und nach der neuropsychologischen Behandlung dienen. In vielen Fällen werden jedoch die entsprechenden Tests erst entwickelt werden müssen, da auch sog. Testbatterien (z. B. Halstead-Reitan- oder Luria-Nebraska-Testserien) dies nicht leisten können und selbst unter Berücksichtigung strikter Kriterien für die Klassifikation der Störungs*kategorie* eine relative geringe Treffsicherheit von nur etwa 70% aufweisen (Hartje 1981). Selbstverständlich müssen die zu entwickelnden Untersuchungsverfahren den objektiven Anforderungen wissenschaftlich orientierter Tests genügen, zusätzlich aber auch vom Aufwand für Durchführung und Auswertung her vertretbar sein.

1.2.2 Verfügbarkeit „allgemeiner" Leistungen

Bereits Poppelreuter (1917) beobachtete bei seinen Patienten neben Ausfällen spezifischer Sehleistungen, wie z. B. Gesichtsfeld, Farbsehen, visuelle Exploration usw., eine allgemeine Herabsetzung der „geistigen und körperlichen Leistungsfähigkeit", die zu einer Verminderung der Belastbarkeit, zu Verlangsamung und zu erhöhter (interner und externer) Ablenkbarkeit führen können (vgl. dazu Kap. 10). Bei der Behandlung von hirngeschädigten Patienten gilt es daher besonders zu bedenken, ob die für die Behandlung „spezifischer" Leistungseinbußen erforderlichen Voraussetzungen in ausreichender Form gegeben sind oder ihrerseits eines systematischen Trainings bedürfen (vgl. Barth u. Boll 1981). Bei der Planung des Behandlungsprogramms ist darauf zu achten, daß der Patient weder dauernd über- noch unterfordert wird; es sollte eine optimale Mitte gefunden werden, die es ihm ermöglicht, die gestellte(n) Aufgabe(n) noch zu lösen. Dabei ist es wünschenswert, daß der Patient allmählich an seine Leistungsgrenze herangeführt wird, um den Spielraum für die Behandlung (z. B. Umfang der je Sitzung durchgeführten Aufgaben; Dauer einer Einzelbehandlung; vgl. Diller 1979; Golden 1981) zu erweitern.

1.2.3 Motivation als Voraussetzung für eine erfolgreiche Behandlung

Hinsichtlich der *Motivation des Patienten,* sich einer ausführlichen neuropsychologischen Diagnostik zu unterziehen und anschließend an einer Heilbehandlung mitzuarbeiten, sollen an dieser Stelle nur ein paar wesentliche Aspekte angeführt werden. Gerade in Hinsicht auf die Bereitschaft des Patienten, das ihm angebotene Programm rehabilitativer Maßnahmen sowie den (bzw. die) Therapeuten anzunehmen und aktiv mitzuarbeiten (vgl. Barth u. Boll 1981) spielt die Motivation eine Schlüsselrolle in der neuropsychologischen Rehabilitation. Sie sollte daher mit allen zur Verfügung stehenden Mitteln (z. B. ein Trainingsprogramm, das dem Patienten möglichst frühzeitig ein Erfolgserlebnis verschafft, „soziale" Belohnung durch Verstärkung von seiten des Therapeuten bzw. der jeweiligen Bezugsperson usw.) geweckt, gefördert und aufrechterhalten werden (vgl. Golden 1981).

Zunächst aber muß der Patient die Folgen der erlittenen Hirnschädigung insofern akzeptieren, daß er die Einbuße an Leistungen bzw. Fähigkeiten sieht. Diese Akzeptanz hängt von der Fähigkeit ab, Entscheidungen über Vorschläge zur Lösung des bestehenden Problems zu treffen und mit den Belastungen, die sich direkt und indirekt durch die Behinderung ergeben, umgehen zu können (vgl. Fogel u. Rosillo 1971). Letzteres betrifft vor allem das

Wartenkönnen auf einen Behandlungserfolg zu einem Zeitpunkt, in dem keine sichere Prognose über den Umfang der Reduzierung der Behinderung möglich ist, sowie das Vertrauen in die Richtigkeit der Diagnose und der Indikationsstellung. Eine gewisse Einsicht in die Folgen der Hirnschädigung wirkt sich also sicher günstig auf das Annehmen der Rehabilitationsmaßnahmen aus (vgl. z. B. Groswasser et al. 1977), doch muß die „Verleugnung" der Defizite (engl. „denial") nicht unbedingt eine Einbuße an Therapieeffektivität bedeuten. In manchen Fällen kann sich das fehlende Bewußtsein einer Sörung sogar positiv auf Beginn und Verlauf der Rehabilitation auswirken, weil der Patient keinen (zu engen) Vergleich seines jetzigen Zustandes mit den Leistungen vor der Erkrankung zieht (Barth u. Boll 1981). Eine solche Einstellung sollte daher vom Therapeuten ebenso akzeptiert werden wie die psychologischen Reaktionen des Patienten im Sinne „protektiver Mechanismen" (Angst, Rationalisierungen, Widerstand und Mißtrauen, usw.; vgl. Small 1973). Das Umgehen mit diesen Reaktionen bzw. die aktive Mithilfe zu ihrer Reduzierung gehört zum Aspekt der „psycho-sozialen" Rehabilitation (vgl. Kap. 6).

Der Erfolg neuropsychologischer Rehabilitationsmaßnahmen hängt jedoch nicht nur von der „Motivation" des Patienten ab, sondern auch von der *Motivation des Therapeuten.* In vielen Fällen dürften mangelnde Kenntnisse über die Art der Behinderung bzw. über Behandlungsmöglichkeiten zu einer Verunsicherung des Therapeuten führen und somit seine Motivation negativ beeinflussen. In diesem Zusammenhang gibt eine Studie zu denken, nach der etwa 25% des therapeutischen Personals (d. h. jeder vierte!) eine ungünstige bis negative Einstellung zu hirngeschädigten Patienten aufweisen (s. Isaacs 1978).

4

1.3 Mittel neuropsychologischer Intervention

Unter dem Begriff „Mittel" sollen hier – in Anlehnung an Miller (1984) – alle Möglichkeiten verstanden werden, die als therapeutische Maßnahme(n) bei Patienten mit Hirnschädigung zum Einsatz kommen können. Diese Möglichkeiten reichen dabei von Behandlungsverfahren unterschiedlichster Art bis hin zum Einsatz von technischen Hilfsmitteln (Geräten) und Personen bzw. zur Änderung der Umgebung (z. B. Wohnung) des Patienten. Übergeordnetes Ziel ist immer, den Grad der durch die Hirnschädigung bedingten Behinderung zu reduzieren.

Bereits Goldstein (1942) hat darauf hingewiesen, daß es grundsätzlich 2 Möglichkeiten der „Anpassung" eines Patienten an die Auswirkungen der Hirnschädigung auf seine Leistungen und Fähigkeiten gibt:

a) Modifikation der Verhaltensorganisation, im wesentlichen mit Hilfe der von der Hirnschädigung nicht oder nicht kritisch beeinträchtigten Leistungen,

b) Veränderung der Umgebung derart, daß die Auswirkungen der Behinderung auf das Verhalten im Alltag oder Beruf merklich reduziert werden können.

Zwischen diesen beiden extremen Positionen gibt es eine Reihe von Mischformen. Eine Kombination aus beiden Möglichkeiten, d. h. aus der Adaptation des Patienten an die Umwelt und der Anpassung der Umwelt an sein(e) Störung(en) dürfte am häufigsten sein.

Im folgenden sind die wichtigsten Mittel neuropsychologischer Intervention zusammengefaßt:

1. *Verwendung eigener Mittel:* Adaptation des Patienten an seine Behinderung
   - Restitution
   - Kompensation

2. *Verwendung fremder Mittel:* Anpassung der Umwelt an die Behinderung des Patienten

   - technische Hilfsmittel
   - Personen

Unter *eigene Mittel* sollen alle jene Leistungen bzw. Leistungskomponenten (einschließlich der Restleistungen) verstanden werden, über die der Patient selbst noch verfügt und die für eine Reduzierung der Behinderung eingesetzt werden können. *Restitution* einer beeinträchtigten Leistung ist in diesem Kontext die teilweise oder (seltener) vollständige Wiederherstellung der betroffenen Leistung oder Teilleistung; sie setzt die prinzipielle Restituierbarkeit dieser Leistung(en) voraus. *Kompensation* der betroffenen Leistung meint die Minderung oder gar Aufhebung der Folgen einer Leistungseinbuße durch die Verwendung anderer Leistungen bzw. Leistungskomponenten; dies setzt die prinzipielle Substituierbarkeit der betroffenen Leistung voraus.

Die Verwendung *fremder Mittel* ist der Einsatz von Resourcen „außerhalb" des Patienten, die – bei Unersetzbarkeit der betroffenen Leistung durch eigene Mittel – den Grad der Behinderung trotzdem reduzieren können. Die Verwendung fremder Mittel meint somit die Anpassung der Umwelt an die Behinderung des Patienten durch Rückgriffe auf *technische Hilfsmittel* oder auf *Personen,* die die verlorene Leistung teilweise oder vollständig ersetzen können.

Soweit wissenschaftliche Erkenntnisse vorliegen, kann festgestellt werden, daß eine Wiederherstellung der betroffenen Leistung selbst oder sie konstituierender Teilleistungen in der Regel selten möglich ist (vgl. Basso et al. 1979; Zihl u. von Cramon 1985). Beeinträchtigte oder verlorene Leistungen oder Teilleistungen müssen weitaus häufiger durch andere „unterstützt" oder gar ersetzt werden, so daß eine bestimmte Fähigkeit zwar wieder in ausreichendem Umfang zur Verfügung steht, aber nun auf andere Art und Weise realisiert werden muß (Poppelreuter 1917; Caplan 1982; Miller 1984). Wenig bekannt ist bisher über die Möglichkeiten, die der Einsatz technischer Hilfsmittel als Substitut für gestörte Leistungen bzw. Fähigkeiten („Prothesen") bei hirngeschädigten Patienten bietet (vgl. dazu Webster

5

et al. 1985). Das gleiche gilt auch für den Einsatz von Personen (z. B. aus dem Kreis der Familie oder der Bekannten) als „Mittel" zur Reduzierung der Behinderung. Es liegen kaum Kenntnisse darüber vor, in welcher „Rolle" diese Personen einen optimalen Ersatz für die verlorenen Leistungen darstellen können. Unzweifelhaft ist aber, daß dieser Personenkreis auf die ihm zukommende Aufgabe systematisch und spezifisch vorbereitet werden muß (vgl. z. B. Brinkmann 1979).

Spezifische und unspezifische Behandlungsverfahren

Aus methodischer Sicht bedürfen Art und Durchführung von Behandlungsverfahren einer besonderen Betrachtung, gleichgültig ob sie auf der Verwendung eigener oder fremder Mittel aufbauen. Im folgenden sind zunächst die Vor- und Nachteile einer *unspezifischen* Vorgehensweise zusammengefaßt:

Vorteile:
- Geringe Anforderung an Diagnostik,
- geringer instrumenteller Aufwand (z. B. Materialien, Geräte),
- geringe Anforderungen an den Therapeuten (keine „Spezialisten" erforderlich).

Nachteile:
- Keine zuverlässige und ausreichende Abklärung der Leistungseinbußen,
- nur subjektive Kriterien für die Behandlungsindikation,
- Behandlungsverfahren haben keine objektiv nachweisbaren und spezifischen Effekte, führen aber u. U. zu einer allgemeinen Leistungssteigerung,
- Gefahr falscher Behandlung.

Diese Art der Behandlung zeichnet sich durch ihre „Genügsamkeit" hinsichtlich Aufwand und Kosten aus. Allerdings beruhen Diagnose, Behandlungsindikation und Behandlungsmethode auf einer Ansammlung von im wesentlichen subjektiven Erfahrungskriterien. Diese Art der „Intervention" kann trotzdem zu positiven Therapieeffekten führen, z. B. im Sinne einer Steigerung „globaler" Leistungen oder der Akzeptanz der Behinderung. Es besteht jedoch auch die Gefahr, daß aufgrund einer falschen Diagnose- oder Indikationsstellung bzw. aufgrund einer ungünstigen oder gar falschen Vorgehensweise anstelle des gewünschten Behandlungserfolges negative Effekte eintreten, die dem Patienten mehr schaden als nützen.

Dieser Art von Behandlung steht eine *spezifische* Vorgehensweise gegenüber, die möglichst auf die jeweilige(n) Leistungsstörung(en) abgestimmt ist. Sie baut auf einer an der Störung der jeweiligen Leistung ausgerichteten, objektiven Diagnostik und Indikationsstellung auf und orientiert sich an überprüften und damit auch im jeweiligen Einzelfall überprüfbaren Entscheidungskriterien; so gesehen, ist die spezifische Vorgehensweise nicht nur wünschenswert, sondern sollte zum Standard erhoben werden (Brinkmann 1979). Die Vorteile dieser Vorgehensweise müssen jedoch durch einen wesentlichen höheren Aufwand erkauft werden.

Voraussetzungen für den Einsatz spezifischer Behandlungsverfahren sind:

1. Das auf das jeweilige Störungsbild individuell und spezifisch abgestimmte Behandlungsverfahren erfordert eine sorgfältige Erfassung und Analyse der Leistungseinbußen mit Hilfe entsprechend detaillierter objektiver diagnostischer Testverfahren.
2. Die Vielzahl der auftretenden spezifischen neuropsychologischen Defizite macht die Entwicklung und Beherrschung entsprechend vielfältiger Behandlungsverfahren erforderlich.
3. Die kontrollierte und standardisierte therapeutische Vorgehensweise erfordert den Einsatz von Meßverfahren zur Feststellung des Interventionseffekts (Verlaufskontrollen).
4. Die spezifische Intervention ist zeit- und kostenintensiv und erfordert eine entsprechende Spezialisierung der Therapeuten.

„Spezifische" neuropsychologische Behandlung setzt spezifisches Wissen über das Wesen von Leistungseinbußen, die Beherrschung der jeweiligen Behandlungsverfahren einschließlich der Bedingungen ihres systematischen Einsatzes sowie methodische Kenntnisse über

Entscheidungsprozesse und Verlaufskontrollen voraus (vgl. Peters 1918; Barth u. Boll 1981). Dies bedeutet natürlich nicht, daß das gesamte therapeutische Personal über ein vollständiges „Spezialwissen" in den jeweiligen Einzelbereichen neuropsychologischer Diagnostik und Behandlung verfügen muß; anzustreben wäre jedoch die Beherrschung der im jeweiligen Tätigkeitsfeld unbedingt erforderlichen Mindestanforderungen.

Systematischer Behandlungsaufbau

Eine *systematische* Vorgehensweise bei der Behandlung zeichnet sich dadurch aus, daß eine bestimmte Regelmäßigkeit hinsichtlich der Häufigkeit und Dauer der Behandlungen eingehalten wird, daß die Aufgabenbedingungen (einschließlich Instruktion und Rückmeldung an den Patienten) und die Art der vom Therapieverfahren her erforderlichen Interaktionen zwischen Patient und Therapeut annähernd konstant gehalten werden. Die Standardisierung dieser Bedingungen erscheint deshalb wichtig, weil Fortschritte der Behandlung eher zu erwarten sind, wenn es gelingt, die für die Wirkung des gewählten Interventionsverfahrens optimalen Bedingungen zu finden und beizubehalten, so daß unerwünschte Störeffekte (z. B. Ablenkung durch ungewohnte Umgebung, Änderung der Behandlungszeiten, der Instruktion oder Rückmeldung, Wechsel des Therapeuten usw.) möglichst vermieden werden können. Daneben ist eine systematische Vorgehensweise auch deshalb wünschenswert, weil sich der Patient auf diese Art und Weise selbst von Sitzung zu Sitzung besser auf die Therapieanforderung(en) einstellen und damit konzentrierter und ausdauernder mitarbeiten kann. Ein *unsystematischer* Einsatz von Interventionsmaßnahmen würde bedeuten, daß der Patient aufgrund „unklarer" Therapiebedingungen, auf die er sich nicht oder nicht ausreichend einstellen kann, sowie bei mangelnder Erfolgserfahrung eher entmutigt wird, was seine Motivation erheblich beeinträchtigen kann. Eine solche Entwicklung würde aber dem Ziel neuropsychologischer Rehabilitation entgegenstehen.

Für den Einsatz bzw. für die Entwicklung von Aufgaben, die als Behandlungsschritte vorgesehen sind, sollten einige grundsätzliche Regeln beachtet werden (vgl. Diller u. Gordon 1981; Golden 1981):

1) Die Aufgaben sollten wesentlich die Leistungseinbuße beinhalten, die behandelt werden soll, d. h. möglichst spezifisch auf das Störungsbild abgestimmt sein. Alle anderen Aufgabenkomponenten sollten so gewählt sein, daß sie dem Patienten keine oder nur geringe Schwierigkeiten bereiten.

2) Der Schwierigkeitsgrad einer Aufgabe sollte vom einfachsten Niveau, das die Störung des Patienten zuläßt, bis zum höchsten Schwierigkeitsgrad (in der Regel Normalfunktion) gesteigert werden können. Die Anzahl der Schwierigkeitsgrade sollte in Abhängigkeit von Art und Ausmaß der Störung gewählt werden; die einzelnen Aufgabenstufen sollten jedoch in jedem Fall möglichst klar definiert sein.

3) Die Aufgaben„lösungen" sollten quantifizierbar sein, so daß sowohl der Fortschritt innerhalb eines Schwierigkeitsgrads als auch der Sprung zum nächsten Schwierigkeitsgrad auf objektiver Basis verfolgt werden können und Fehler bzw. Lösungszeiten erfaßbar sind.

4) Die Aufgabe sollte eine möglichst frühe und unmittelbare Rückmeldung für den Patienten zulassen, damit er auch selbst in die Lage versetzt wird, den Fortschritt bzw. die auf der jeweiligen Schwierigkeitsstufe bestehenden Probleme erkennen und berichten zu können, so daß eine Problemanalyse vom Therapeuten und vom Patienten gemeinsam vorgenommen werden kann. Zusätzlich aber lassen sich auf diese Weise aufgabenspezifische Fehler früh erkennen, und die Aufgabe kann somit rechtzeitig entsprechend modifiziert werden.

Einer kurzen Bemerkung bedarf die Verwendung *technischer Hilfen* (elektronische Geräte) als Therapiemittel. Der Einsatz elektronischer Geräte (z. B. Kleincomputer) ist in einigen Bereichen bereits erprobt worden und hat sich sehr bewährt, z. B. zur Behandlung von Aufmerksamkeitsstörungen (Fitzgerald et al. 1986), von Gedächtnisstörungen (Glisky et al. 1986) und von Lesestörungen, die durch Gesichtsfeldausfälle bedingt sind (Zihl et al. 1984; vgl. Kap. 7). Der Vorteil solcher Therapiemittel liegt in ihrer großen Flexibilität hinsichtlich der Variation des Therapiematerials, der Abstufung des Schweregrads der Aufgaben und der Art der Durchführung, so daß eine optimale Anpassung der Aufgabe an die individuellen Bedingungen des einzelnen Patienten möglich ist. Außerdem erleichtern solche Mittel eine standardisierte Durchführung der Therapie.

1.4 Das Problem der Indikationsstellung in der neuropsychologischen Rehabilitation

Aufgrund der Ethik ärztlichen Handelns gilt grundsätzlich, daß *jeder Patient* ein Anrecht auf Behandlung hat und deshalb auch behandelt werden muß, es sei denn, sein gesundheitlicher Zustand erlaubt dies nicht (Delisa et al. 1982). Zeitpunkt, Wahl der Mittel und Dauer bzw. Umfang der Behandlung hängen dann von den jeweiligen Voraussetzungen bzw. von der Indikation und der Definition des erreichbaren Behandlungsziels ab. Eine wesentliche Bedingung für die Therapieindikation ist sicher die Stabilität der Erkrankung.

Sichere Prognosen über den Umfang möglicher Therapieeffekte und somit über den Grad der Reduzierung der Behinderung sind nicht möglich. Dies ist darauf zurückzuführen, daß bei der Vielzahl von Faktoren und ihrer Wechselwirkungen zuverlässige Kriterien fehlen (vgl. Lehmann et al. 1975b; Delisa et al. 1982), da die jeweils kritischen Einflußgrößen nicht sicher bekannt und damit abschätzbar sind (vgl. dazu Kap. 2). Allerdings lassen sich aus größeren, annähernd vergleichbaren Patientengruppen gewisse „statistische Trends" ablesen. Damit ist - bei vergleichbaren Voraussetzungen - auch im Einzelfall eine grobe Abschätzung der Erfolgsaussichten neuropsychologischer Rehabilitationsmaßnahmen möglich (Gogstad u. Kjellman 1976).

Die Indikationsstellung in der neuropsychologischen Rehabilitation setzt sich aus mehreren Entscheidungsschritten zusammen und umfaßt 4 wesentliche Punkte:

1. *Was soll behandelt werden?*
   - Kenntnis der Leistungseinbuße(n)
   - Entscheidung über die zeitliche Reihenfolge der zu behandelnden Störungen bzw. der Komponenten einer betroffenen Leistung (parallele/serielle Behandlung; Erstellung einer Prioritätenliste)
2. *Wie soll behandelt werden?*
   - Wahl der Mittel (eigene/fremde Mittel)
3. *Wann soll behandelt werden?*
   - Vorhandensein der für die Durchführung einer Behandlung erforderlichen *spezifischen* (z. B. Wahrnehmungs-, Gedächtnis- oder Sprachleistungen) sowie *globalen* Grundlagen (Belastbarkeit, Aufmerksamkeit; Motivation)
   - Wahl eines frühestmöglichen Zeitpunkts (günstig für Motivation, zur Verhinderung falscher Strategien usw.)
4. *Wann kann die Behandlung beendet bzw. abgebrochen werden?*
   - Wenn das Behandlungsziel erreicht ist
   - Wenn kein Zuwachs mehr feststellbar ist
   - Wenn kein Behandlungseffekt erzielt wurde (Berücksichtigung des erforderlichen Mindestzeitraums; Verwendung anderer Mittel)

Die Entscheidung der Frage „*Was soll behandelt werden?*" setzt natürlich eine ausreichende Kenntnis des Störungsbilds aufgrund der durchgeführten diagnostischen Untersuchung(en) voraus, die sowohl die beeinträchtigten als auch die intakten Leistungen einschließt. Das Wissen um die zugrundeliegende Störung ermöglicht auch die Erstellung einer Prioritätenliste, wenn mehrere Komponenten einer Leistung beeinträchtigt sind oder wenn eine Mehrfachbehinderung vorliegt (vgl. Golden 1981).

Die *Wahl der Interventionsverfahren* beginnt bei der grundsätzlichen Entscheidung über die

Wahl der Mittel. Die wesentliche Frage ist, ob die Behandlung auf die dem Patienten eigenen Ressourcen aufbauen kann oder ob fremde Mittel in Anspruch genommen werden sollen. Wenn die Voraussetzungen für eine Behandlung mit Hilfe eigener Mittel gegeben sind, so muß entschieden werden, ob eine – zumindest partielle – Restitution der betroffenen Leistung möglich ist oder ob sie grundsätzlich durch eine oder sogar mehrere andere Leistungen ersetzt werden muß. Als Hinweise für die prinzipielle Wiederherstellbarkeit einer gestörten Leistung bieten sich das Ausmaß an Restleistung und der Grad der Unvollständigkeit der zugrundeliegenden Hirnschädigung an, wobei zwischen den beiden Faktoren ein positiver Zusammenhang zu erwarten ist (vgl. Kap. 2).

Bei der Auswahl von Kompensationsverfahren muß bekannt sein, durch welche der intakt gebliebenen Leistungen die beeinträchtigte oder verlorene Leistung ausreichend substituierbar ist. Diese „Ersatzmittel" müssen jedoch häufig anders eingesetzt werden als bei einem Gesunden. Dies bedeutet, daß die neue Form des Gebrauchs dieser Mittel (d.h. die neue Strategie) in der Regel vom Patienten erst gelernt werden muß, d.h. zum Gegenstand der Behandlung wird, um als effektive Substitution dienen zu können. Meist wird eine Kombination aus eigenen und fremden Ressourcen für die Reduzierung der Behinderung erforderlich sein. Diese Entscheidung kann jedoch häufig erst im Verlauf einer Behandlung getroffen werden.

Der *Zeitpunkt eines möglichen Behandlungsbeginns* hängt im wesentlichen davon ab, ob die für die Behandlung erforderlichen Voraussetzungen in ausreichendem Umfang gegeben sind (vgl. 1.2.2 und 1.2.3). Allgemein kann gesagt werden, daß die Behandlung zum frühest möglichen Zeitpunkt beginnen sollte (vgl. Poppelreuter 1917; Smith et al. 1982). Dies scheint vor allem angesichts der Tatsache wichtig, daß Patienten häufig Fehlstrategien ausbilden, die sowohl die Erkennung von Art und Ausmaß der tatsächlichen Leistungseinbuße als auch die Wahl und Durchführung eines spezifischen Interventionsverfahrens be- oder verhin-

dern können (Brinkmann 1979). In solchen Fällen muß der Abbau von Fehlstrategien der erste Behandlungsschritt sein, um die Voraussetzung für die spezifische Behandlung des „echten" Defizits zu schaffen. Ein Plan für den zeitlichen Ablauf der neuropsychologischen Intervention sollte aber auch die Behandlungsreihenfolge der einzelnen (Teil-)Leistungseinbußen festlegen, wobei zu entscheiden ist, welche Leistung bei Mehrfachbehinderung zuerst wieder verfügbar sein muß, weil z.B. die Behandlung der übrigen Defizite wesentlich von einer ausreichenden Verfügbarkeit dieser Leistung abhängt.

Die Entscheidung über die *Dauer der Behandlung* hängt im wesentlichen davon ab, welches Behandlungsziel erreicht werden soll oder kann. Für das Beenden einer Intervention lassen sich 2 Kriterien formulieren:

1) Das gestellte Behandlungsziel ist vollständig oder nahezu vollständig erreicht worden,
2) es ergibt sich kein signifikanter Zuwachs (mehr).

Abbruchkriterien stellen immer nur Schätzwerte dar (z.B.: im Durchschnitt sind soundso viele Behandlungen für die Reduzierung einer bestimmten Störung erforderlich) und dürfen nur unter Berücksichtigung der Gesamtbedingungen verwendet werden (z.B. zusätzliche Leistungsdefizite, Gesamtleistungsvermögen, persönliche und soziale Einflüsse etc.). Insofern müssen sie immer individuell festgelegt und aufgrund des Behandlungsverlaufs nach unten oder oben korrigiert werden.

Wenn nach einem bestimmten Behandlungsumfang keine Änderung des Defizits erreicht werden kann, so kann dies im Einzelfall bedeuten, daß die Leistungseinbuße nicht behandelbar ist. Es kann aber auch bedeuten, daß entweder die Leistungsstörung(en) nicht eindeutig identifiziert werden konnte(n), daß die gewählte Interventionsmethode nicht richtig durchgeführt wurde oder daß sie für die Behandlung der vorliegenden Störung gar nicht geeignet ist. In diesem Fall wäre eine erneute Abklärung des Defizits (unter Berücksichtigung dieser neuen Erfahrung) bzw. ein

Wechsel des Behandlungsverfahrens oder seiner Durchführung erforderlich.

Indikationsstellungen neuropsychologischer Rehabilitation sind natürlich von den in der jeweiligen klinischen Einrichtung vorhandenen Ressourcen (vor allem hinsichtlich des therapeutischen Personals) abhängig. Unter diesem Aspekt erscheint es um so wichtiger, Prioritäten zu setzen, d. h. die *tatsächliche Notwendigkeit* zur Behandlung einer Störung in den Mittelpunkt der Entscheidungen zu stellen und nicht so sehr von der Möglichkeit auszugehen, daß diese oder jene Leistungseinbuße behandelt werden *könnte* (z. B. weil die Einrichtungen dafür vorhanden sind), auch wenn ihre Behandlung für das Ziel der Rehabilitation eher unwesentlich ist. Außerdem wird hinsichtlich der im Einzelfall als notwendig eingestuften Behandlungsmaßnahmen eine Entscheidung darüber zu treffen sein, auf welche Art und Weise die gewählten Rehabilitationsmaßnahmen am *effektivsten* und *ökonomischsten* durchgeführt werden können. Gerade dieser Aspekt erfordert vom jeweiligen Therapeuten eine laufende Überprüfung seiner Vorgehensweisen und seiner eigenen Effektivität im Sinne einer Kosten-Nutzen-Analyse, wobei „Nutzen" nicht nur den jeweiligen Rehabilitationserfolg meint, sondern auch die Effektivität der zeitlichen Planung der Behandlungsmaßnahme(n) (s. dazu auch Hart u. Hayden 1986).

1.5 Feststellung der Behandlungswirkung und Verlaufsmessungen

Methoden zur Verlaufskontrolle der neuropsychologischen Behandlung erfüllen mehrere wichtige Funktionen:

1. Feststellung, ob grundsätzlich ein „signifikanter" Zuwachs stattgefunden hat,
2. Erfassung des zeitlichen Verlaufs,
3. Grundlage für die Modifizierung bzw. Beendigung der Behandlung,
4. Messung der Stabilität des erreichten Behandlungseffekts nach Beendigung der Intervention,
5. Selbstkontrolle für den Therapeuten.

Die erste Frage, die sich während einer Behandlung stellt, ist, ob das gewählte Verfahren *grundsätzlich* eine im Vergleich zum Ausmaß der Leistungseinbuße vor der Behandlung signifikante Änderung bewirkt hat, da davon die Fortsetzung der Therapie bzw. die Entscheidung zur Modifikation des gewählten Verfahrens oder der Rückgriff auf ein anderes Verfahren abhängt.

Allzuselten wird leider die Stabilität des erreichten Interventionseffekts auch im Zeitraum nach Beendigung der Behandlung kontrolliert (vgl. Golden 1981; Barth u. Boll 1981). Sehr wichtig sind Verlaufsmessungen schließlich zur Selbstkontrolle des Therapeuten hinsichtlich seines Vorgehens im jeweiligen Einzelfall, und zwar vor allem deshalb, weil sich die subjektive Einschätzung eines möglichen Behandlungseffekts durch den Patienten und den Therapeuten an sehr unterschiedlichen und damit häufig nicht vergleichbaren Kriterien orientiert. Während Patienten häufig – vor allem in der ersten Zeit der Behandlung – jeden Zuwachs danach einschätzen, wie weit sie noch von ihrem Leistungszustand vor der Erkrankung entfernt sind, beurteilen Therapeuten jeden Zuwachs in Relation zum Leistungszustand vor dem Beginn der Behandlung. Für den Patienten führt der Maßstab, den er anlegt, eher zu Entmutigung und zu Zweifeln an der Effektivität der getroffenen Rehabilitationsmaßnahme(n), am Sinn der Therapie generell und auch an der fachlichen Kompetenz des Therapeuten. Diese Diskrepanz kann zumindest gemildert werden, wenn der Therapeut dem Patienten aufgrund empirisch nachprüfbarer, damit auch vermittelbarer, weil eher einsichtiger Entscheidungsgrundlagen die Behandlungsindikation, den Behandlungsplan und anhand des bisher erreichten Therapieerfolgs den jeweiligen Stand der Fortschritte bzw. den Wechsel zu einer anderen Vorgehensweise erläutern kann. Die Festlegung der jeweils zu erreichenden Behandlungseffekte sollte daher in Schritten

(„Zwischenziele") erfolgen und auch in dieser Form formuliert werden, um dem Patienten die Möglichkeit zu geben, das jeweils Erreichte nachvollziehen und so selbst erfahren zu können. Dies setzt aber voraus, daß das angestrebte Ziel der Behandlung und die jeweils zu erreichenden Zwischenziele operational definiert und nach Möglichkeit mit dem Patienten zum jeweils entsprechenden Zeitpunkt abgesprochen werden (Harvey u. Jellinek 1981; Golden 1981; Miller 1984).

1.5.1 Spontanrückbildung von neuropsychologischen Leistungseinbußen

Will man eine Therapiewirkung beurteilen, so muß man sie zunächst von durch Spontanrückbildung bedingten Leistungssteigerungen abgrenzen. Dazu muß jedoch der Zeitraum, innerhalb dessen eine spontane Rückbildung von Leistungseinbußen zu erwarten ist, bekannt sein. „Therapieeffekte" innerhalb dieses Zeitraums könnten dann auch als Folge der Spontanrückbildung interpretiert werden. Allerdings setzt die Kenntnis der Spontanrückbildung auch eine entsprechend zeitlich engmaschige Verlaufskontrolle voraus. Wenn Verlaufsmessungen z.B. innerhalb der ersten 4-6 Wochen und dann erst wieder nach 6 Monaten durchgeführt werden, und auch nach diesem Zeitraum noch eine spontane Rückbildung festgestellt wird, so kann daraus nicht der Rückschluß gezogen werden, daß eine Spontanrückbildung der betreffenden Störung bis zu einem Zeitraum von 6 Monaten nach Eintreten der Hirnschädigung erwartet werden kann, weil die nach 6 Monaten festgestellte Änderung des Befundes beispielsweise bereits innerhalb der ersten 6 oder 8 Wochen eingetreten sein könnte. Nun ist es natürlich nicht vertretbar, in allen Fällen die Spontanrückbildung abzuwarten, d.h. die Therapie grundsätzlich erst nach Ablauf des Zeitraums zu beginnen, in dem spontane Rückbildungsprozesse möglich sind, zumal wenn genauere Zeitschätzungen ihrer Dynamik nicht zur Verfügung stehen. Vom Standpunkt eines möglichst raschen und umfangreichen Wiedergewinns

von beeinträchtigten oder verlorenen Fähigkeiten aus ist es vermutlich unerheblich, ob ein Teil der erreichten Reduzierung der Behinderung auf Spontanrückbildung zurückzuführen ist oder nicht. Dazu kommt, daß klinische Erfahrung wie auch Ergebnisse von Therapiestudien zur neuropsychologischen Rehabilitation den Schluß nahelegen, daß ein zu einer wirksamen Verminderung der Behinderung führender Leistungszuwachs ohne jede Behandlung sehr selten zu beobachten ist. Dies bedeutet, daß auch in Fällen mit möglicher Spontanrückbildung eine systematische Behandlung erforderlich ist.

Selbstverständlich darf der „spontane" (d.h. außerhalb der Therapie stattfindende) Zuwachs an Leistung, der durch die Wiederbenutzung einer Funktion durch den Patienten, also durch „Selbsttraining" erreicht wird, nicht mit der im Rahmen spontaner Rückbildungsprozesse auftretenden Leistungsverbesserung verwechselt werden. Die Erfahrung zeigt jedoch, daß Zuwachs durch „Selbsttraining" meist erst beobachtet werden kann, wenn ein „kritisches" Leistungsminimum im betroffenen Bereich wieder zur Verfügung steht (vgl. 1.6), so daß der Patient nicht nur motiviert ist, an seiner Behandlung aktiv mitzuwirken, sondern die „Selbsttherapie" auch richtig durchführen kann.

1.5.2 Feststellung des Interventionseffekts

Läßt sich mit Hilfe des Leistungsvergleichs vor und nach der Intervention eine Leistungszunahme feststellen, ist dies der erste sichere Hinweis auf die Beeinflußbarkeit der Störung einerseits und die Wirksamkeit des Behandlungsverfahrens andererseits (vgl. Abb. 1.2). Die Wiederholbarkeit des Interventionseffekts beim gleichen Patienten (z.B. nach behandlungsfreien Intervallen) sowie bei Patienten mit vergleichbarem Defizit läßt auf eine (gewisse) Generalisierbarkeit des Behandlungsverfahren schließen. Die oft geforderte Verwendung von unbehandelten Patienten als Kontrollgruppe, wie es in der „klassischen" Therapieforschung üblich ist, ist aus methodi-

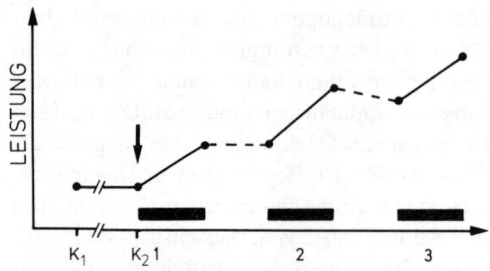

Abb.1.2. Schematische Darstellung einer Leistungskurve bei Einführung trainingsfreier Intervalle zur Abgrenzung des Leistungszuwachses durch Behandlung von der durch Spontanrückbildung auftretenden Leistungssteigerung. *K1* und *K2:* Verlaufsmessungen zwischen dem klinischen Auftreten einer neuropsychologischen Störung (Erstdiagnostik) und Behandlungsbeginn zur Erfassung der Spontanrückbildung bzw. der Stabilität eines Defizits. Der Beginn der Behandlung ist durch den *Pfeil* gekennzeichnet. Die Behandlung wird in mehreren Perioden *(schwarze Balken, 1-3)* durchgeführt, die durch trainingsfreie Intervalle unterbrochen wird. Der Leistungszuwachs ist zeitlich eindeutig an die Behandlungsperioden gebunden; in trainingfreien Intervallen ist keine wesentliche Veränderung der Leistung zu beobachten

schen (Problem der Vergleichbarkeit aufgrund der Inhomogenität der Patientengruppen) und ethischen Gründen (negative Auswirkungen durch die zeitliche Verzögerung oder das Vorenthalten rehabilitativer Maßnahmen) nicht möglich (vgl. dazu O'Leary u. Borkovec 1978). Dagegen erscheint die Einführung trainingsfreier Intervalle zum Nachweis der - zumindest zeitlichen - Abhängigkeit des Behandlungseffekts von der durchgeführten Therapie vertretbarer - nicht nur wegen der besseren Vergleichbarkeit, sondern auch aus organisatorischen Gründen -, zumal ja Patienten in der Regel nicht innerhalb einer einzigen, Monate dauernden Periode behandelt werden, sondern zwischenzeitlich öfter für kürzere Zeitabschnitte zu ihren Angehörigen zurückkehren.

Patienten, bei denen kein Interventionseffekt festgestellt werden kann, übernehmen in zweierlei Hinsicht eine wesentliche „Kontrollfunktion": Einerseits bilden sie den „Nachweis", daß die Wiederherstellung der betreffenden

Leistung nicht in allen Fällen möglich ist; andererseits aber „liefern" sie wichtige Hinweise für Einsatzmöglichkeiten und Wirksamkeit eines Behandlungsverfahrens.

Zur frühen Überprüfung der Wirksamkeit des Behandlungsverfahrens, zur Erfassung externer Einflüsse auf die Behandlung, zur Überprüfung von erreichten Zwischenzielen und für die zeitliche Festlegung von Abbruchkriterien ist eine regelmäßige Verlaufskontrolle während der Behandlung erforderlich. Die wiederholte Anwendung desselben Meßinstruments birgt jedoch die Gefahr in sich, daß unter Umständen ein testspezifischer Lerneffekt (z. B. bessere Handhabung der Testaufgaben durch den Patienten) einen Leistungszuwachs aufgrund verbesserter Testwerte nur vortäuscht.

Eine Möglichkeit, den testspezifischen Einfluß bei Verlaufsmessungen möglichst gering zu halten, wäre die Verwendung sog. Paralleltests. Dies setzt aber voraus, daß mehrere Varianten eines Meßinstruments vorliegen, die eine bestimmte Leistung trotz unterschiedlichen Materials und unterschiedlicher Aufgabenstellung mit einer annähernd gleichen Validität und Reliabilität erfassen. Das Problem liegt jedoch darin, daß Paralleltests, die in ihrer Aussagekraft bei Normalpersonen eine hohe Übereinstimmung zeigen, diese nicht von vornherein auch in gleicher Weise bei hirngeschädigten Patienten aufweisen werden. Dies hängt mit dem Problem der gegenseitigen Abhängigkeit von Leistungen zusammen, die miteinander in einer nicht näher bekannten Weise interagieren. Eine Hirnschädigung kann nun diese Wechselwirkungen und Abhängigkeiten zwischen verschiedenen Leistungen in unterschiedlicher und oft nicht vorhersagbarer Weise beeinträchtigen. Aus diesem Grunde müßten aber Paralleltests zuerst für alle Arten neuropsychologischer Störungen bzw. Interferenzen zwischen diesen validiert und normiert werden - eine Aufgabe, die in der Praxis nur selten lösbar sein wird.

Als Kompromiß für die Verlaufsmessungen bietet sich die Verwendung desselben Meßinstruments an, wobei das Testergebnis jedoch um den Betrag korrigiert wird, der als testspezifischer Lerneffekt bei wiederholter Durchführung zu erwarten ist. Der durch Testwiederholung bedingte Zuwachs müßte strenggenommen für jede Kategorie von Leistungseinbußen eigens geschätzt werden. Dies kann dadurch geschehen, daß ein Test (zumindest in ausgewählten Teilen) mehrmals, mindestens aber zweimal, an zwei verschiedenen Tagen, durchgeführt wird, um aufgrund der Veränderung in den Ergebnissen den rein testspezifischen Leistungszuwachs abschätzen zu können (Bestimmung der sog. „baseline"; vgl. Goodkin 1966; Golden 1981). Jede Aufgabe – und dies gilt auch für diagnostische „Aufgaben" – sollte jedoch so konstruiert und eingesetzt werden, daß das aufgabenspezifisches Lernen möglichst gering ist, so daß eine Verbesserung im Sinne eines spezifischen, d.h. vom Abbau der Störung herrührenden Leistungszuwachses gedeutet werden kann (vgl. Golden 1984).

1.5.3 Nachweis der Stabilität des Interventionseffekts

Die Stabilität des Interventionseffekts umfaßt sowohl den kurzzeitigen Bereich (Zeit zwischen Einzelbehandlungen) als auch längere Zeitbereiche (zwischen Behandlungsperioden) und schließlich die Zeit nach Beendigung der Behandlung. Ihr Nachweis wird ebenfalls über standardisierte Verlaufsmessungen geführt (vgl. dazu Herson u. Barlow 1976).
Eine häufige Durchführung von Verlaufskontrollen ist sinnvoll, wenn man bedenkt, daß punktuelle Messungen zu einer Über- bzw. auch zu einer Unterschätzung von Leistungsänderungen führen können, weil sich das jeweilige Leistungsniveau noch nicht ausreichend stabilisiert hat (vgl. Abb. 1.3). Golden (1981) hat die Verwendung des jeweils höchsten Testwerts für diese Art von Verlaufskontrolle vorgeschlagen. Zur besseren Abschätzung des Grads an Stabilität bzw. Instabilität empfiehlt sich jedoch eher die Verwendung eines Durchschnittswerts mit Angabe der oberen und unteren Grenzwerte.
Für die Feststellung eines die Behandlungs-

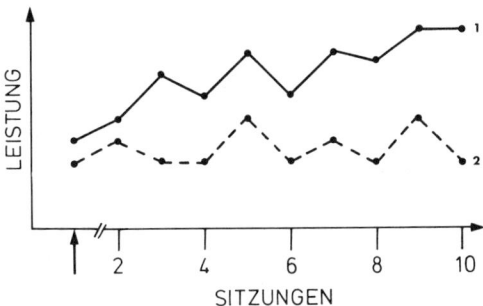

Abb. 1.3. Schematische Darstellung von Leistungsschwankungen während des Behandlungsverlaufs und Auswirkung dieser Schwankungen auf die Einschätzung des jeweiligen Leistungsniveaus bei einem Patienten mit Leistungszuwachs *(ausgezogene Linie; Fall 1)* und bei einem ohne Zuwachs *(unterbrochene Linie; Fall 2)*. Bei nur „punktueller" Messung besteht die Gefahr der Über- (vgl. *Fall 2, Sitzung 5)* bzw. Unterschätzung von Einzelwerten (vgl. *Fall 1, Sitzung 6)*. Außerdem wäre ein trendmäßiger Zuwachs (Fall 1) bzw. das Ausbleiben einer Leistungssteigerung (Fall 2) praktisch nicht feststellbar. Schließlich könnten keine zuverlässigen Aussagen über die Stabilität bzw. „Schwankungsbreite" der betreffenden Leistung zwischen den Einzelbehandlungen (Sitzungen) gemacht werden. Aus diesen Gründen sind Verlaufsmessungen in regelmäßigen Abständen zur Erfassung des Leistungszuwachses und damit zur Abschätzung der Wirksamkeit eines Behandlungsverfahren wichtig

zeit überdauernden Interventionseffekts sind Nachkontrollen in bestimmten Zeitabständen nach Therapieende erforderlich. Dabei muß bedacht werden, daß der Übergang von der stationären bzw. ambulanten Behandlung zum Leben außerhalb bzw. zum beruflichen Wiedereinstieg aufgrund der Veränderung der Anforderungssituation(en) (z.B. Zunahme der Dauer und des Ausmaßes an Belastung) vorübergehend zu einem Absinken der Leistung führen kann (vgl. Abb. 1.4). In jedem Fall aber sollte eine Langzeitverlaufskontrolle durchgeführt werden, da zuverlässige Prognosen selten möglich und außerdem die durch diese Verlaufskontrollen gewonnenen Erfahrungen in der Einschätzung vergleichbarer Fälle von Nutzen sein werden (vgl. Anderson et al. 1977; Barth u. Boll 1981).

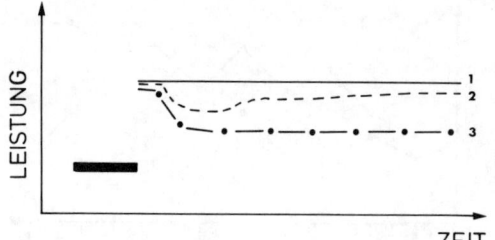

Abb. 1.4. Möglicher Verlauf der „Leistungskurve" nach Beendigung der Behandlung *(Ende des schwarzen Balkens)*: Stabilität *(1)*, kurfristiges Absinken und Rückkehr zum vorherigen Leistungsniveau *(2)*, Absinken der Leistung und Verbleiben auf einem niedrigeren Niveau *(3)*

1.5.4 Isolierter und generalisierter Interventionseffekt

Eine weitere wichtige Frage betrifft die „Breite" des Interventionseffekts. Das Ausmaß der Behandlungswirkung ist dabei von der Spezifität des Interventionsverfahrens einerseits und vom Grad der Abhängigkeit der betroffenen (Teil-)Leistung von anderen (Teil-)Leistungen andererseits abhängig. Je enger Leistungen miteinander assoziiert sind bzw. je mehr Aspekte von Leistungseinbußen in die Behandlung mit eingehen, desto größer wird die „Breite" der Behandlungswirkung sein (s. Abb. 1.5). Zur Abschätzung dieses Sachverhaltes bietet sich die Anwendung der sog. „multiple baseline" an (vgl. dazu z. B. Hersen u. Barlow 1976). Dabei werden *mehrere* Komponenten einer Leistung bzw. mehrere Leistungen vor der Behandlung testmäßig bestimmt und die Auswirkungen der auf die Verbesserung *einer* Leistungskomponente bzw. einer Leistung ausgewählten Therapiemaßnahmen auf die anderen nicht behandelten Leistungskomponenten bzw. Leistungen erfaßt. Im einfachsten Fall kann man die Anzahl der zu messenden Komponenten/Leistungen auf 2 oder 3 reduzieren. Dies gilt vor allem dann, wenn das Störungsbild diagnostisch zuverlässig bestimmt werden kann und die Wechselwirkung bzw. Abhängigkeit der Leistungskomponenten bzw. Leistungen bekannt ist. Eine solche Vorgehensweise ist - als „Minimallösung" - auch

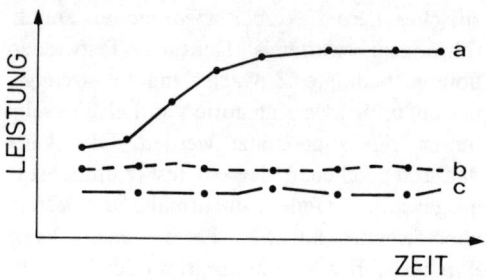

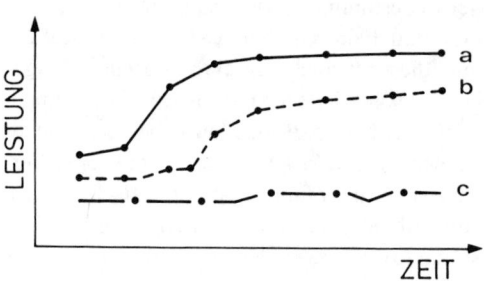

Abb. 1.5. Schematische Darstellung der Dissoziation *(oben)* bzw. Assoziation von Leistungen *(unten)* und ihrer Auswirkung auf die Bandbreite eines Behandlungsverfahrens. In beiden Fällen wird nur eine (Teil-)Leistung *(a)* behandelt. Die Behandlung kann sich entweder nur auf diese Leistung auswirken *(oben)*; dies bedeutet, daß Leistungen *b* und *c* mit *a* nicht oder nicht eng verknüpft sind. Im Fall *unten* hingegen zeigt sich - wenn auch zeitversetzt - eine Leistungszunahme auch für *b*. Dies bedeutet, daß es zwischen den Leistungen *a* und *b*, nicht aber zwischen *a* und *c* bzw. *b* und *c* eine enge Verknüpfung gibt. In diesem Falle wäre die Behandlung von *a* ausreichend, um auch eine Besserung von *b* zu erreichen. Die Beispiele gelten sowohl für intra- als auch für intermodale Assoziationen bzw. Dissoziationen

unter ökonomischen Aspekten, denen eine klinische Rehabilitationseinrichtung unterliegt, zu vertreten.

Ein gewisser Generalisierungseffekt, besonders in Hinsicht auf die Steigerung „globaler" Leistungen wie Aufmerksamkeit, Belastbarkeit etc. wird nahezu immer beobachtbar sein (vgl. Poppelreuter 1917). In besonderer Weise trifft dies für Verfahren der sog. kognitiven Rehabilitation zu, da diese Verfahren die für „globale" Leistungen kritischen Anteile (z. B. Wechsel zwischen gerichteter und freier Aufmerksamkeit, Geschwindigkeit der Analyse und

Verwendung von Information, Verfügbarkeit von Gedächtnisinhalten und Denkleistungen usw.) in hohem Maße enthalten (vgl. Diller u. Gordon 1981). Bei Verwendung eines solchen Behandlungsprogramms kann bei Zunahme der genannten Leistungen jedoch nicht (immer) davon ausgegangen werden, daß spezifischere Defizite, wie z. B. Wahrnehmungs-, motorische oder Gedächtnisstörungen, selbst reduziert worden sind, sondern vermutlich sind „nur" deren Auswirkungen gemildert worden. Gerade bei einer solchen Vorgehensweise erscheint die Benützung einer „multiple baseline" zur Erfassung des Störungsbilds vor und nach der Behandlung angebracht.

1.6 Evaluation neuropsychologischer Behandlungseffekte

Reduzierung des Störungsumfangs

Poppelreuter (1917) hat die Forderung aufgestellt, daß das erste Behandlungsziel ein „merklicher Zuwachs" an Leistung sein muß, wobei er auch die Evaluation dieses „kritischen" Zuwachses formuliert hat: „Es sollte zumindest das Ziel so gesteckt sein, daß der Mann wieder sich verständlich unterhalten, seinen Brief schreiben, seine Zeitung lesen und seine Geldausgaben rechnen kann". Natürlich läßt sich die Liste der jeweiligen „Minimalziele" beliebig fortsetzen; sie sind in den einzelnen Behandlungsbereichen jeweils gesondert festzulegen. Als „Mindestziel" jeder Rehabilitationsbemühung sollte aber in jedem Bereich angestrebt werden, daß ein Patient unter Rückgriff auf im wesentlichen nur von ihm abhängige Möglichkeiten, d. h. eigene Mittel und technische Hilfen, so viel Selbstständigkeit wie möglich wiedererlangt (Golden 1981; Miller 1984). Die wieder verfügbaren Fähigkeiten sollen also eine sichere, zuverlässige und möglichst ohne Hilfe durch andere Personen realisierbare Erfüllung der wichtigsten Bedürfnisse ermöglichen, die die Grundlage für „Lebensqualität" darstellen (vgl. Isaacs 1978).

Die Festlegung dieses „kritischen Minimums" hängt natürlich auch von den jeweiligen Anforderungen an den Patienten im Alltag bzw. am Arbeitsplatz ab. Für manche Leistungen sind die Anforderungen relativ gut bekannt (z. B. Lesen, Schreiben); für andere Leistungen dagegen kann das erforderliche Leistungsausmaß häufig erst nach entsprechender Inspektion und Berücksichtigung der Umstände zu Hause bzw. am Arbeitsplatz eingeschätzt werden (z. B. visuelle Exploration, Gedächtnis- oder Sprachleistungen, motorische Fähigkeiten).

Reduzierung der Behinderung im Alltag

Der zweite Aspekt der Evaluation gilt dem erreichten Leistungszuwachs im Sinne der Reduzierung der Behinderung; er impliziert damit auch die Frage nach der Übertragbarkeit der in der Behandlungssituation erreichten Leistung auf die Alltags- oder Arbeitssituation (vgl. dazu Anderson et al. 1978; Eames u. Wood 1985; Acker 1986). In Fällen, in denen die „Leistungsdiagnostik" direkt Auskunft über die entsprechende(n) Fähigkeiten geben kann und die Krankenhausbedingungen denen des Alltags annähernd entsprechen, wird eine vergleichsweise gute Voraussage über die noch bestehende Art und den Grad der Behinderung möglich sein. Häufig aber – und dies gilt vor allem bei Mehrfachbehinderung bzw. bei entsprechend ausgeprägter Beeinträchtigung sog. globaler Leistungen – reicht die Kenntnis der wieder zur Verfügung stehenden bzw. noch gestörten (Teil-)Leistungen in der Testsituation nicht aus, um die Verfügbarkeit und Stabilität von Leistungen oder davon abhängigen Fähigkeiten, wie sie dann tatsächlich außerhalb der doch eher beschützenden Therapiesituation erforderlich sein werden, einschätzen zu können.

Natürlich muß sich eine solche Evaluation auf wesentliche Bereiche beschränken; die Anzahl dieser Bereiche wird von Patient zu Patient in Abhängigkeit von den jeweiligen Umständen und Erfordernissen schwanken. Es sind jedoch in der Literatur einige grundsätzliche Leistungsbereiche formuliert worden, z. B.:

- ausreichende Selbständigkeit im Alltagsleben (z. B. essen, sich waschen, die Toilette benutzen können),
- eine zur größeren Unabhängigkeit von der Umgebung erforderliche Mobilität (auch mit Rollstuhl),
- Wahrnehmungs-, Gedächtnis- sowie Sprachleistungen bzw. kommunikative Fähigkeiten, die für die Wiederaufnahme bestimmter Aktivitäten (beruflich, in der Freizeit) notwendige Voraussetzungen sind,
- schließlich Fähigkeiten zum (Wieder)-Erreichen bestimmter sozialer Positionen bzw. Rollen innerhalb und außerhalb der Familie (Weddell et al. 1980).

Die Beeinträchtigung bzw. der Verlust der eigenen Möglichkeiten in diesen Bereichen werden von den meisten Patienten und deren Angehörigen häufig als die entscheidenden Komponenten der Einbuße an „Lebensqualität" und damit ihrer Behinderung angegeben (Diller u. Gordon 1981).

Zur Bestimmung der wiedererlangten Fähigkeiten in den als wesentlich angesehenen Lebensbereichen gibt es eine Reihe von Instrumenten, die eine Einschätzung der Effizienz des Rehabilitationsprogramms (Feigenson et al. 1979; Brown et al. 1980; Carey u. Posavac 1982), des Grades der Behinderung vor und nach der Behandlung (vgl. z. B. Adler et al. 1977; Buijk 1986) und verschiedener Formen der Erhebung der Alltagsaktivitäten („activities of daily living", ADLs) erlauben (vgl. Lehmann et al. 1975a; Harvey u. Jellinek 1981; Sheikh et al. 1979; Gresham et al. 1980; Schütte et al. 1984). Natürlich erfassen diese Instrumente jeweils nur einen Ausschnitt von Fähigkeiten, und auch den nur in eher globaler Form. Trotzdem stellen sie eine gute Möglichkeit der Einschätzung dar und können aufgrund der Standardisierung zweifelsohne zuverlässigere Informationen liefern als die subjektive Einschätzung durch den Therapeuten (oder durch Dritte), wobei diese „subjektiven" Beobachtungen deshalb keineswegs ihre Bedeutung verlieren. Allerdings gilt für jede Art der Evaluation, daß die Aussage über die Wirksamkeit der gewählten Behandlungsform

davon abhängig sein wird, wie zuverlässig und „spezifisch" das Störungsbild bereits vor Beginn der Intervention festgelegt werden konnte. Eine nur aus allgemeinen Kategorien bestehende Diagnose des Störungsbilds bzw. der Behinderung wird sowohl die Indikation hinsichtlich der Art der Behandlung als auch die Evaluation der Behandlungsauswirkung ungünstig beeinflussen (vgl. z. B. bei Lincoln et al. 1985).

1.7 Ausblick

Es erscheint angebracht, am Ende dieses Kapitels noch einmal an den Ausgangspunkt zurückzukehren und den „Stand der Kunst" noch einmal aufzugreifen. Übereinstimmend mit einer Reihe von Autoren darf wohl festgestellt werden, daß die Hauptprobleme neuropsychologischer Rehabilitation im Fehlen entsprechender methodischer Voraussetzungen zu suchen sind (vgl. Isaacs 1978; Humphrey u. Oddy 1980; Miller 1984). Dies gilt auch für die Erfassung der Spontanrückbildung von Störungen. Die Verwendung eines ungeeigneten Zeitrasters für Verlaufsmessungen sowie die Reduzierung der Einschätzung von Leistungseinbußen und ihrer Rückbildung auf wenige, sehr enge Kategorien (z. B. vorhanden/nicht vorhanden) und das Fehlen von quantitativen Daten über das Ausmaß der beobachteten Spontanrückbildung wie z. B. bei Hier et al. (1983) erlauben keine zuverlässigen und ausreichend genauen Rückschlüsse über den tatsächlichen Zeitraum und den Umfang an spontaner Rückbildung. Ein weiteres Problem liegt in der meist fehlenden Standardisierung der Behandlungsverfahren selbst. Diese Situation ist um so erstaunlicher, als die Bedeutung rehabilitativer Maßnahmen bei hirnverletzten Patienten bereits Anfang dieses Jahrhunderts (vgl. Poppelreuter 1917; Peters 1918), aber auch neuerdings (vgl. z. B. Isaacs 1978; Barth u. Boll 1981; Cramon et al. 1984; Miller 1984) immer wieder betont wurde. Für diesen eher „mangelhaften" Entwicklungsstand dürfte es mehrere Gründe geben:

1) Neuropsychologische Rehabilitation ist aufgrund der Verschiedenartigkeit und Komplexität der Leistungseinbußen eine multidisziplinäre Aufgabe, erfordert also das Zusammenwirken mehrerer Fachrichtungen (Neurologie, physikalische Medizin, Psychologie, medizinische Hilfsberufe; vgl. Poppelreuter 1917; Barth u. Boll 1981; Cramon et al. 1984; Schütte et al. 1984). In der Regel arbeitet jedoch jede Fachrichtung mehr oder weniger für sich. Ein solches Rehabilitationsmanagement erschwert jedoch die Einführung von Standards für die Diagnostik (einschließlich der Verwendung von „operationalen" Syndrom- und Symptombegriffen), für die Indikationsstellung in den verschiedenen Therapiebereichen sowie für die Behandlungsdurchführung einschließlich ihrer Verlaufskontrollen. Die unterschiedlichen Betrachtungsweisen und „Sprachen" in den einzelnen Fachrichtungen können zudem die Kommunikation und damit den notwendigen Erfahrungsaustausch zwischen den Vertretern der beteiligten Fachrichtungen untereinander bzw. auch zwischen verschiedenen Rehabilitationseinrichtungen erschweren oder manchmal sogar verhindern.

2) Das „klassische" Gebiet der wissenschaftlich orientierten Neuropsychologie ist die Aufdeckung und Abgrenzung von Defiziten in den einzelnen Leistungsbereichen mit Hilfe psychometrischer Testverfahren, die Zuordnung der so gefundenen Leistungseinbußen zum Läsionsort sowie die Entwicklung von Modellen über die nervöse Organisation so komplexer Bereiche wie etwa der Objekterkennung, von Einspeicherungs- und Abrufprozessen, der Erkennung und Produktion von Sprache usw. Diese Modelle bzw. Konzepte beruhen jedoch im wesentlichen auf einer statischen Betrachtungsweise von Leistungen und den möglicherweise zugrundeliegenden zentralnervösen Funktionsweisen. Demgegenüber blieben die wissenschaftliche Erforschung der Dynamik von Leistungseinbußen bei Intervention und damit auch die Entwicklung von systematischen Behandlungsver-

fahren eher im Hintergrund (vgl. Barth u. Boll 1981; Caplan 1982; Miller 1984).

3) Neuropsychologische Rehabilitation ist im Gegensatz zur „reinen" neuropsychologischen Diagnostik ungleich aufwendiger und erfordert:
- ein detailliertes Wissen über die verschiedenen Leistungseinbußen und ihre Wechselwirkungen einschließlich ihrer Dynamik bzw. der Überlagerung durch (spontane) Adaptationsprozesse, die eine erfolgreiche Langzeitrehabilitation erschweren können (vgl. Brinkmann 1979);
- die Entwicklung bzw. Modifikation von diagnostischen Verfahren, die Aussagen über die im Einzelfall vorhandenen Rehabilitationsmöglichkeiten zulassen und damit als Grundlage für die Behandlungsindikation dienen können („Rehabilitationsdiagnostik");
- die Beherrschung bereits vorhandener Behandlungsverfahren sowie die Fähigkeit, diese Verfahren individuell an den jeweiligen Patienten „anpassen" zu können;
- die Entwicklung neuer Behandlungsverfahren bzw. die Modifikation bestehender Techniken in Anlehnung an die unterschiedlichen Ausprägungsarten und -grade von Leistungseinbußen;
- die Verfügbarkeit von Methoden zur Feststellung der Auswirkungen der Intervention einschließlich der Verlaufskontrolle während und nach der Behandlung.

Die Schwierigkeiten, in denen sich die neuropsychologische Rehabilitation derzeit befindet, liegen also im wesentlichen im methodischen Bereich begründet. Das Fehlen von Konzepten, wie bei der Entwicklung und systematischen Durchführung von Behandlungsverfahren sowie der Verlaufskontrolle und Evaluation des Interventionseffekts vorzugehen ist, muß sich auf einem Gebiet wie der therapeutischen Intervention ganz allgemein um so gravierender auswirken, als diese methodischen Mittel übereinstimmend als wesentliche Voraussetzungen für eine erfolgreiche Durchführung rehabilitativer Maßnahmen anzusehen sind.

Wissenschaftliche Rehabilitationsforschung in der Neuropsychologie sollte Diagnostik, Therapie und klinische Hirnforschung umfassen, eine Forderung, die bereits von Poppelreuter, einem Pionier auf dem Gebiet neuropsychologischer Rehabilitation, im Jahre 1917 formuliert worden ist. Erst in der Interaktion dieser drei Disziplinen können die entscheidenden Fragen nach der Natur, der Dynamik und nach den verschiedenen Auswirkungen einer Hirnschädigung auf das Verhalten eines Menschen erfaßt und verstanden werden. Die Übertragung der Ergebnisse wissenschaftlicher Untersuchungen auf den „Rehabilitationsalltag" ist ein wichtiger Zwischenschritt, der nur gemeinsam von den in der klinischen Hirnforschung wissenschaftlich Tätigen und den in der Praxis der neuropsychologischen Rehabilitation Arbeitenden geleistet werden kann.

Die Wechselwirkung zwischen beiden Bereichen hat außerdem auch eine wichtige regulative Funktion. Viele wichtige Fragestellungen kommen aus Beobachtungen, die im „Rehabilitationsalltag" gewonnen werden. Diagnostische Methoden und Interventionsverfahren müssen sich in eben diesem Alltag bewähren. Die tägliche Rehabilitationsarbeit am und mit dem Patienten muß aber ihrerseits kontrollierbar bleiben, d.h. sie muß auf Entscheidungen begründet werden können, die auf den in der klinischen Hirnforschung gewonnenen Erkenntnissen beruhen.

Einerseits gibt es also erst für wenige Leistungseinbußen überprüfte Behandlungsverfahren. Andererseits stehen für die Mehrzahl der Störungen Interventionsmöglichkeiten zur Verfügung, deren Effizienz jedoch bisher unter wissenschaftlichen Aspekten nicht oder nicht ausreichend untersucht und überprüft worden ist. Beim derzeitigen „Stand der Kunst" könnte man nun die Bedeutung der neuropsychologischen Intervention für die Rehabilitation hirngeschädigter Patienten leicht pauschal in Frage stellen. Nahezu jeder bisher publizierten Studie, in der ein Behandlungseffekt gefunden wurde, läßt sich vorwerfen, daß die verschiedenen Einflußgrößen, die die Reduzierung einer Leistungseinbuße beeinflussen können, nicht oder nicht ausreichend berücksichtigt worden sind. Zweifelsohne werden Studien über die Wirksamkeit neuropsychologischer Interventionsverfahren auch noch in der näheren Zukunft nur eine begrenzte Aussagekraft vorweisen können. Es bleibt aber zu hoffen, daß mit Hilfe der (Weiter-)Entwicklung der angeführten methodischen Schwerpunkte die relevanten Faktoren erkannt und nachgewiesen werden können und der Anteil verschiedener Einflußgrößen an der zeitlichen Änderung einer Leistungseinbuße zuverlässiger abschätzbar wird. Bei diesem Vorhaben wird der experimentell ausgerichteten psychologischen Forschung eine aktivere Rolle zukommen müssen als bisher, da sie aufgrund ihrer methodischen Möglichkeiten und ihrer Themenbereiche die zur Klärung der methodischen und auch inhaltlichen Fragen im Zusammenhang mit der diagnostischen Erfassung der Leistungseinbußen, der Indikationsstellung zur Behandlung und der Erfassung des Interventionseffekts notwendigen „Werkzeuge" besitzt (vgl. Poppelreuter 1917; Dück 1918; Peters 1918; Goldberg 1977; Caplan 1982; Rosenthal u. Kolpan 1986). Dies bedeutet aber auch, daß vor allem die psychologische bzw. neuropsychologische Forschung in diesem Bereich vorangetrieben werden muß, da die bisherigen Themenbereiche ebenso wie die bisherige methodische Vorgehensweise - wie oben dargestellt - nicht ausreichend auf die Bedürfnisse neuropsychologischer Rehabilitation ausgerichtet sind. In der Übergangszeit gilt es, mit Hilfe einer empirisch ausgerichteten, heuristischen Vorgehensweise systematische Erfahrungen zu sammeln, die die angesprochenen, aber auch bisher weniger bekannte Problembereiche einer wissenschaftlichen Untersuchung zugänglich machen können.

Literatur

Acker MB (1986) Relationship between test scores and everyday life functioning. In: Uzzell BP, Gross Y (eds) Clinical neuropsychology of intervention. Martinus Nijhoff, Boston, p 85

Adler M, Hamaty D, Brown CC, Potts H (1977)

Medical audit of stroke rehabilitation: a critique of medical care review. J Chronic Dis 30: 461-471

Anderson E, Anderson TP, Kottke FJ (1977) Stroke rehabilitation: Maintenance of achieved gains. Arch Phys Med Rehabil 58: 345-352

Anderson TP, McClure WJ, Athelstan G et al. (1978) Stroke rehabilitation: Evaluation of its quality by assessing patient outcomes. Arch Phys Med Rehabil 59: 170-175

Barth JT, Boll TJ (1981) Rehabilitation and treatment of central nervous system dysfunction: a behavioral medicine perspective. In: Prokop CH K, Bradky L A (eds) Medical psychology. Academic Press, New York, p 241

Basso A, Capitani E, Vignolo LA (1979) Influence of rehabilitation on language skills in aphasic patients. Arch Neurol 36: 190-196

Brambring M (1985) Rehabilitationspsychologie: Abgrenzung und Systematik eines neuen Anwendungsfaches in der Diplompsychologenausbildung. Psychol Beitr 27: 332-344

Brinkmann SD (1979) Rehabilitation of the neurologically impaired patient: the contribution of the neuropsychologist. Clin Neuropsychologist 1: 39-44

Brown M, Diller L, Fordyce W, Jacobs D, Gordon W (1980) Rehabilitation indicators: their nature and uses for assessment. In: Bolton B, Cook DWE (eds) Rehabilitation client assessment. University Park Press, Baltimore, p 103

Buijk CA (1986) The development of a General Handicapped Attitude Scale (GHAS). Int J Rehabil Res 9: 53-68

Caplan B (1982) Neuropsychology in rehabilitation: its role in evaluation and intervention. Arch Phys Med Rehabil 63: 362-366

Carey RG, Posavac EJ (1982) Rehabilitation program evaluation using a revised level of rehabilitation scale (LORS-II). Arch Phys Med Rehabil 63: 367-370

Cramon D von, Zihl J, Benz R (1984) Ansätze zur Rehabilitation höherer Hirnfunktionen bei Patienten mit Hirndurchblutungsstörungen. In: Paal G (Hrsg) Therapie der Durchblutungsstörungen. edition medizin, Weinheim, p 789

Delisa JA, Miller RM, Melnick RR, Mikulic MA (1982) Stroke rehabilitation: Part I. Cognitive deficits and prediction of outcome. Am Family Phys 26: 207-214

Diller L (1979) A model for cognitive retraining in rehabilitation. Clin Psychol 29: 13-15

Diller L, Gordon WA (1981) Rehabilitation and clinical neuropsychology. In: Filskov B, Boll TJ (eds) Handbook of clinical neuropsychology. Wiley & Sons, New York, p 702

Dück J (1918) Die experimentelle Psychologie im Dienste der Wieder-Ertüchtigung Hirnverletzter. Angew Psychol 13: 140-146

Eames P, Wood R (1985) Rehabilitation after severe brain injury: a follow-up study of behaviour modification approach. J Neurol Neurosurg Psychiatry 48: 613-619

Feigenson JS, Polkow L, Meikle R, Ferguson W (1979) Burke stroke time-oriented profile (BUSTOP): an overview of patient function. Arch Phys Med Rehabil 60: 508-511

Fitzgerald G, Fick L, Milich R (1986) Computer-assisted instruction for students with attentional difficulties. J Learn Disabil 19: 376-379

Fogel ML, Rosillo RH (1971) Correlation of psychological variables and progress in physical rehabilitation. III. Ego functions and defensive and adaptive mechanisms. Arch Phys Med Rehabil 52: 15-21

Glisky EL, Schacter DL, Tulving E (1986) Computer learning by memory impaired patients: acquisition and retention of complex knowledge. Neuropsychologia 24: 313-328

Gogstad AC, Kjellman AM (1976) Rehabilitation prognosis related to clinical and social factors in brain injured of different etiology. Soc Sci Med 10: 283-288

Goldberg RT (1977) Rehabilitation research on disalility. J Rehabil 43: 14-18

Golden CJ (1981) Diagnosis and rehabilitation in clinical neuropsychology. Thomas, Springfield

Goldstein K (1942) The two ways of adjustment of the organism to cerebral defects. J Mt Sinai Hosp 9: 504-413

Goodkin R (1966) Case studies in behavioral research in rehabilitation. Percept Mot Skills 23: 171-182

Gresham GE, Phillips TF, Labi MLC (1980) ADL Status in Stroke: Relative Merits of Three Standard Indices. Arch Phys Med Rehabil 61: 355-358

Groswasser Z, Mendelson L, Stern MJ, Schechter I, Najenson T (1977) Re-evaluation of prognostic factors in rehabilitation after severe head injury. Scand J Rehabil Med 9: 147-149

Hart T, Hayden ME (1986) The ecological validity of neuropsychological assessment and remediation. In: Uzzell BP, Gross Y (eds) Clinical Neuropsychology of Intervention. Martinus Nijhoff Publishing, Boston Dordrecht, p 21

Hartje W (1981) Neuropsychologische Diagnose zerebraler Funktionsbeeinträchtigungen. Nervenarzt 52: 649-654

Harvey RF, Jellinek HM (1981) Functional performance assessment: a program approach. Arch Phys Med Rehabil 62: 456-461

Herrmann JM (1985) Schlaganfall aus psychosomatischer Sicht. MMW 127: 511-514

Hersen M, Barlow DH (1976) Single-case experimental designs: strategies for studying behavior change. Pergamon Press, New York Oxford

Hier DB, Mondlock J, Caplan LR (1983) Recovery

of behavioral abnormalities after right hemisphere stroke. Neurology 33: 345-350

Humphrey M, Oddy M (1980) Return to work after head injury: a review of post-war studies. Injury 12: 107-114

Isaacs B (1978) Problems and solutions in rehabilitation of stroke patients. Geriatrics 33: 87-91

Lehmann JF, DeLateur BJ, Fowler RS et al. (1975a) Stroke: Does rehabilitation affect outcome? Arch Phys Med Rehabil 56: 375-382

Lehmann JF, DeLateur BJ, Fowler RS et al. (1975b) Stroke rehabilitation: outcome and prediction. Arch Phys Med Rehabil 56: 383-389

Lincoln NB, Whiting SE, Cockburn J, Bhavnani G (1985) An evaluation of perceptual retraining. Int Rehabil Med 7: 99-110

Mayer NH, Keating DJ, Rapp D (1986) Skills, routines, and activity patterns of daily living: a functional nested approach. In: Uzzell BP, Gross Y (eds) Clinical neuropsychology of intervention. Martinus Nijhoff, Boston, p 205

Miller E (1984) Recovery and management of neuropsychological impairment. Wiley & Sons, Chichester

O'Leary KD, Borkovec TD (1978) Conceptual, methodological, and ethical problems of placebo groups in psychotherapy research. Am Psychologist 33: 821-830

Peters W (1918) Psychologie und Hirnverletztenfürsorge. Z Angew Psychol 14: 75-89

Poppelreuter W (1917) Die psychischen Schädigungen durch Kopfschuß im Kriege 1914/16. Band I: Die Störungen der niederen und höheren Sehleistungen durch Verletzungen des Okzipitalhirns. L Voss, Leipzig

Rosenthal M, Kolpan KI (1986) Head injury rehabilitation: psycholegal issues and roles for the rehabilitation psychologist. Rehabil Psychology 31: 37-46

Schütte T, Summa JD, Platt D (1984) Zur rehabilitativen Behandlung von zerebralen apoplektischen Insulten im höheren Lebensalter und ihrer Effezienzbeurteilung - Ergebnisse eines Modellprojektes -. Z Gerontologie 17: 214-222

Sheikh K, Smith DS, Meade TW, Goldenberg E, Brennan PJ, Kinsella G (1979) Repeatability and validity of a modified Activites of Daily Living (ADL) index in studies of chronic disability. Int Rehabil Med 1: 51-58

Sivenius J, Pyörälä K, Heinonen OP, Salonen JT, Riekkinen P (1985) The significance of intensity of rehabilitation in stroke - a controlled trial. Stroke 16: 928-931

Small L (1973) Neuropsychodiagnosis in psychotherapy. Brunner - Mazel, New York

Smith ME, Garraway WM, Smith DL, Akhtar AJ (1982) Therapy Impact on Functional Outcome in a Controlled Trial of Stroke Rehabilitation. Arch Phys Med Rehabil 63: 21-24

Webster JG, Cook AM, Tompkins WJ, Vanderheiden GC (1985) Electronic Devices for Rehabilitation. Chapman and Hall Medical, London

Weddell R, Oddy M, Jenkins D (1980) Social adjustment after rehabilitation: a two year follow-up of patients with severe head injury. Psychol Med 10: 257-263

Wertz RT, Weiss DG, Aten JL et al. (1986) Comparison of clinic, home, and deferred language treatment for aphasia. Arch Neurol 43: 653-658

Zihl J, von Cramon D (1985) Visual field recovery from scotoma in patients with postgeniculate damage. Brain 108: 335-365

Zihl J, von Cramon D (1986) Zerebrale Sehstörungen. Kohlhammer, Stuttgart

Zihl J, Krischer C, Meißen R (1984) Die hemianopische Lesestörung und ihre Behandlung. Nervenarzt 55: 317-323

2 Prognostische Faktoren

D. von CRAMON

2.1 Einleitung

In diesem Kapitel sollen einige Faktoren dargestellt und diskutiert werden, die unmittelbar oder mittelbar die Prognose für die Wiederherstellung von Hirnleistungen nach erworbener Hirnschädigung beeinflussen.

Zu den unmittelbar wirksamen Faktoren gehören vor allem die Variablen *Art, Ausmaß und Lokalisation der Hirnschädigung* sowie der Faktor *Zeit seit der Hirnschädigung*.

Zu den mittelbar wirksamen, *personenbezogenen* Einflußgrößen zählen verschiedene probabilistische Faktoren, die ihren prognostischen Wert hauptsächlich durch ihren engen Zusammenhang mit anderen (kovariierenden) Faktoren bzw. bei Betrachtung größerer Patientengruppen erhalten. Dazu gehören *Alter, Geschlecht, Händigkeit, prämorbide Persönlichkeitsmerkmale und psychosoziale Faktoren*.

Unter der Wirkung all dieser Einflußgrößen gestaltet sich die zerebrale Leistungseinbuße und ihre Prognose als individuelles „Schicksal", wobei identische Konstellationen dieser verschiedenartigen Einflußgrößen eine sehr geringe Auftretenswahrscheinlichkeit haben.

Während die einzelnen Faktoren für sich hinreichend beschrieben werden können, ist über ihre Wechselwirkungen derzeit nur sehr wenig bekannt. Das macht es im Einzelfall so schwierig, zu einem zuverlässigen Urteil über die tatsächlich erreichbare Reduzierung der *Behinderung* zu gelangen.

Da eine „Heilung" von Hirnleistungsstörungen nach erworbenen Hirnschädigungen nur ausnahmsweise erwartet werden darf, kommt der Abschätzung der Prognose eine herausragende Bedeutung in der neuropsychologischen Rehabilitation zu. Sicherheit über die Prognose ist die verläßlichste Grundlage einer realistischen Lebensplanung für die hirngeschädigten Patienten.

Die genaue Kenntnis dieser Einflußgrößen und ihrer Wechselwirkungen erlaubt eine Abschätzung des *verfügbaren Rehabilitationspotentials*. Je größer dieses Potential ist, um so geringer wird die bleibende Behinderung ausfallen. Eine möglichst realistische Abschätzung des verfügbaren Wiederherstellungspotentials ist notwendige Voraussetzung für die Formulierung des erreichbaren Therapieziels.

2.2 Personenbezogene Faktoren

2.2.1 Alter

Bei der Erörterung des Einflußfaktors „Alter" soll auf die Darstellung und Diskussion des sog. Kennard-Prinzips und damit verknüpfter Fragen zu den Auswirkungen „früher" Hirnschädigungen verzichtet werden, weil nach Auffassung des Autors diese Sachverhalte für die Einschätzung der Bedeutung des Alterseffekts bei erwachsenen Hirngeschädigten wenig Bedeutung haben dürften.

Nach allgemeiner klinischer Erfahrung wird das Alter als bedeutsamer prognostischer Faktor angesehen. Als Faustregel gilt dabei, daß die Wahrscheinlichkeit für die Wiederherstellung von Hirnleistungsstörungen mit zunehmendem Alter abnimmt. Es stellt sich allerdings die Frage, ob nicht mit verschiedenen Altersstufen eng verknüpfte Faktoren, wie Art und Ausmaß der Hirnschädigung, extrazerebrale Begleiterkrankungen sowie die psychosozialen Lebensbedingungen die eigentlichen prognostisch relevanten Faktoren sind.

Als Beispiel für eine Anzahl von Studien, die einen Alterseffekt vermutet haben, mag die Studie von Teuber (1975) stehen. Untersucht wurden Soldaten des Korea-Krieges, die eine Schußverletzung des Gehirns erlitten hatten; sie waren innerhalb der ersten Woche nach der penetrierenden Hirnverletzung und dann erneut 20 Jahre später untersucht worden. Die 167 hirnverletzten Soldaten wurden in 3 Altersgruppen eingeteilt: Gruppe 1 (17–20 Jahre), Gruppe 2 (21–25 Jahre) und Gruppe 3 (26 und mehr Jahre). Obwohl der Altersbereich also ziemlich begrenzt war, ergab sich für Gruppe 1 generell eine deutlich bessere Symptomreduktion als in Gruppe 2 und vor allem als in Gruppe 3. Verglichen wurden dabei motorische und somatosensible Defizite, Gesichtsfelddefekte und aphasische Sprachstörungen.

Allerdings gibt es eine Reihe von Einwänden gegen diese Studie. So wurden nur qualitative Angaben gemacht, die zugrundeliegenden Meßdaten nicht mitgeteilt und Unterschiede in Ausmaß und Lokalisation der Hirnschädigung nicht berücksichtigt. Fraglich ist auch, ob die Hirnleistungsstörungen zu den beiden Zeitpunkten mit vergleichbaren diagnostischen Verfahren untersucht worden waren. Die untersuchten Gruppen in bezug auf manche Ausfälle waren zu klein, es fehlen auch Angaben zur Streuung innerhalb der Gruppen und innerhalb der untersuchten Hirnleistungen. Schließlich bleibt offen, ob die 3 Altersgruppen hinsichtlich ihrer psychosozialen Lebensbedingungen vergleichbar waren. Aus den genannten Gründen stellt sich die Frage, ob diese häufig zitierte Studie tatsächlich einen Alterseffekt in der Rückbildung komplexer Hirnleistungsstörungen belegen kann.

Einen sehr deutlichen Alterseffekt vermuteten Carlsson et al. (1968); während in ihrer Studie bei 20jährigen Patienten mit Schädel-Hirn-Trauma (SHT) (wobei ein substantielles SHT unterstellt werden kann) nahezu 100% eine „normale" Hirnleistungsfähigkeit erreichten,

war dies nur noch bei knapp 80% der 40- bis 50jährigen Patienten und etwa 20% der über 70jährigen der Fall.

Alterseffekte sind auch für das (auditive) Sprachverständnis vermutet worden. Jüngere Patienten nach zerebrovaskulären Erkrankungen (CVE) und auch nach schwerem Schädel-Hirn-Trauma (SHT) sollen eine bessere Rückbildungsrate für Störungen des (auditiven) Sprachverständnisses als ältere Patienten mit vergleichbaren Hirnläsionen aufweisen (Schechter et al. 1985).

Eine überraschende Inkonsistenz des Alterseffekts zeigt sich in der Untersuchung von Hier et al. (1983). Diese Autoren beobachteten für CVE-Patienten unter 60 Jahren eine raschere Rückbildung der Beeinträchtigung in der Gesichtererkennung und eine raschere Abnahme eines unilateralen (räumlichen) Neglects. Demgegenüber schienen sich CVE-Patienten über 60 Jahre rascher von einer „Armparese" zu erholen.

Andere Untersuchungen lassen das Alter für sich genommen nicht als bedeutsamen prognostischen Faktor erscheinen. Meist wurde der Einfluß des Alters auf die Prognose zentraler Sprachstörungen untersucht, wobei keine eindeutig negative Korrelation zwischen Alter und Prognose verschiedener Aphasietypen nachgewiesen wurde (z. B. Pickersgill u. Lincoln 1983).

Die mutmaßlich bessere Rückbildung verschiedener Hirnleistungsstörungen bei jüngeren Patienten könnte also letztlich auf Unterschieden in Ätiologie, Ausmaß und Lokalisation der Hirnschädigung (s. 2.3.1) beruhen. Eslinger und Damasio (1981) konnten z. B. nachweisen, daß die älteren Aphasiker jeweils auch die größeren Gewebsläsionen in der „hinteren" Sprachregion aufwiesen.

Als generelle Hypothese ließe sich formulieren, daß im statistischen Mittel der jüngere Mensch die geringere Hirnschädigung erleidet. Dies könnte zum einen an unterschiedlichen Ursachen der Hirnschädigung für die verschiedenen Altersbereiche liegen; der jüngere Mensch erleidet mit größerer Wahrscheinlichkeit ein Schädel-Hirn-Trauma als beispielsweise einen subtotalen Mediainfarkt.

Zum anderen könnte für den Durchschnitt der Fälle gelten, daß jüngere Menschen von weniger ausgedehnten Hirnschädigungen betroffen werden.

Für Patienten nach schwerem Schädel-Hirn-Trauma ließe sich somit postulieren, daß nicht ihr im Mittel jüngeres Alter (ca. 30 Jahre) der entscheidende prognostische Faktor ist, sondern die im Vergleich z.B. mit dem älteren, zerebrovaskulär erkrankten Patienten (Median ca. 55 Jahre) geringere Hirnschädigung den Ausschlag für die bessere Rückbildung von Hirnleistungsstörungen gibt.

Die Beziehung zwischen Alter und Rückbildungswahrscheinlichkeit für verschiedene Hirnleistungen wird jedenfalls durch den engeren Zusammenhang der Rückbildungswahrscheinlichkeit mit Art, Ausmaß und Lokalisation der Hirnschädigung überdeckt.

In zahlreichen Studien wird ein Alterseffekt an der Tatsache festgemacht, daß bei jüngeren Patienten (vor allem nach SHT) die soziale und berufliche Wiedereingliederung sehr viel besser gelinge. In der Untersuchung von Heiskanen und Sipponen (1970, zitiert nach Humphrey und Oddy, 1980) kehrten 70% der unter 20jährigen, aber nur 30% der über 50jährigen an den Arbeitsplatz zurück. In einer eigenen Stichprobe von 350 hirngeschädigten Patienten verschiedener Ätiologien kehrten etwa 50% der unter 40jährigen und nur noch etwa 25% der über 40jährigen in das Erwerbsleben zurück.

Es ist jedoch zu bedenken, daß dies vor allem von einer höheren Bereitschaft der Arbeitgeber abhängt, einem jungen Hirnverletzten, der sein Leben noch vor sich hat, eine Chance zum beruflichen (Wieder-)Anfang zu geben als einem älteren Hirngeschädigten, den nur noch wenige Jahre vom Altersruhegeld trennen. (Analog mag es sich auch mit der Motivation des jüngeren und älteren Arbeitnehmers zur Arbeit verhalten.) In Zeiten hoher Arbeitslosigkeit dürfte die schlechtere berufliche Wiedereingliederung älterer Arbeitnehmer überwiegend durch die Tatsache erklärt werden, daß ein hirngeschädigter Patient über 50 Jahre nur noch sehr schwer auf dem freien Arbeitsmarkt vermittelt werden kann.

Zusammenfassend läßt sich feststellen, daß das höhere Alter eines hirngeschädigten Patienten a priori nicht als negativer prognostischer Faktor gewertet werden kann. Da aber mit zunehmendem Lebensalter die Wahrscheinlichkeit für (chronische) Begleiterkrankungen, möglicherweise für ausgedehntere Hirnläsionen und oftmals auch für schlechtere psychosoziale Bedingungen (s. 2.4) ansteigt, ist das Alter als *probabilistischer* Faktor zur Abschätzung der Rehabilitationschancen zweifellos brauchbar.

2.2.2 Geschlecht

Es darf heute als gesichert angesehen werden, daß sich Hirnorganisation und Verhalten bei Frauen und Männern in vielen Bereichen deutlich unterscheiden. Im Gruppendurchschnitt erweisen sich Frauen Männern als überlegen im Wahrnehmungstempo, in visuellen Gedächtnisleistungen, in der Wortflüssigkeit, im Buchstabieren sowie in der Artikulation, um nur die wichtigsten Hirnleistungen zu nennen. Andererseits scheinen Männer im Gruppendurchschnitt bessere Leistungen im mathematisch-schließenden Denken, bei der Transformation (Rotation) räumlicher Figuren und auch bei „Figur-Grund-Aufgaben" (z.B. „hidden figures") aufzuweisen (s. dazu Filskov u. Catanese 1986). Frauen haben gegenüber Männern eine niedrigere Inzidenz von Linkshändigkeit.

Es ist wahrscheinlich, daß die genannten Unterschiede zwischen den Geschlechtern wesentlich von Unterschieden in der Asymmetrie (bzw. Symmetrie) des Gehirns abhängen (s. dazu McGlone 1980). So scheinen bei Frauen die postrolandischen Rindenareale symmetrischer angelegt zu sein, während dies bei Männern eher für die prärolandischen Rindenfelder zutreffen soll.

Diskutiert wird auch, ob die rechte Großhirnhemisphäre und der posteriore Teil des Balkens (vor allem das Splenium) bei Frauen im Gruppendurchschnitt größer ausgebildet sind.

Aus den Unterschieden in der Hirnorganisation zwischen den Geschlechtern könnten sich Abweichungen auch in der Rückbildung von Hirnleistungsstörungen ergeben.

Falls beispielsweise McGlone's (1980) Annahme einer geringeren Lateralisierung der Sprachfunktionen bei Frauen zuträfe, sollten Frauen eine bessere Rückbildung aphasischer Symptome zeigen als Männer. In der Tat haben Basso et al. (1982) in einer Studie mit 385 aphasischen Patienten (davon 264 Männer und 121 Frauen) behauptet, daß Frauen in der Spontansprache („oral expression"), wenngleich nicht im auditiven Sprachverständnis, eine bessere Rückbildungsrate aufwiesen als Männer.

Im Gegensatz dazu fanden Sarno et al. (1985) bei 60 aphasischen Patienten (davon 37 Männer und 23 Frauen) keinen Geschlechtsunterschied bezüglich der (verbalen) Kommunikationsfähigkeit, der Spontansprache und des auditiven Sprachverständnisses.

In diesem Zusammenhang sei noch erwähnt, daß der Schweregrad einer persistierenden Aphasie bei Frauen in der Regel höher ist als bei Männern; ausgenommen von dieser Regel sind allerdings aphasische Männer mit (temporo-)parietalen Gewebsläsionen (Kimura, unveröffentlichte Daten).

Nach dieser Autorin sollen aphasische Frauen häufiger prärolandische, aphasische Männer umgekehrt häufiger postrolandische Hirnläsionen aufweisen. Diese Anterior-Posterior-Differenz soll unabhängig vom Alter der Patienten, aber auch von der Ätiologie der Hirnschädigung bestehen. Die insgesamt niedrigere Inzidenz von Aphasien bei CVE-Patientinnen könnte sich somit, abgesehen von der ohnedies geringeren Auftretenswahrscheinlichkeit dieser Hirnerkrankungen bei Frauen, auch aus der Tatsache erklären, daß prärolandische Hirninfarkte (aufgrund besonderer anatomischer und pathologischer Bedingungen der Hirngefäße) insgesamt seltener vorkommen.

Die geschlechtsabhängige Anterior-Posterior-Differenz soll prinzipiell auch für die ideomotorische Apraxie und für die konstruktive Apraxie bestehen (Kimura, unveröffentlichte Daten). Für eine bessere Rückbildung visuell-

räumlicher und räumlich-konstruktiver Leistungen bei Frauen ergab sich bisher jedoch kein Anhalt (s. dazu Hier et al. 1983).

2.2.3 Händigkeit

Unter den personenbezogenen Faktoren, die die Prognose einer Hirnschädigung des erwachsenen Menschen bestimmen, sollte die Händigkeit nicht unerwähnt bleiben.

Zunächst einmal muß festgehalten werden, daß sich das Merkmal Händigkeit nicht einfach auf die Begriffe „Rechtshändigkeit" oder „Linkshändigkeit" reduzieren läßt. Zwischen dem reinen Linkshänder, den es nur selten zu geben scheint, und dem reinen Rechtshänder spannt sich ein Kontinuum von Individuen mit unterschiedlicher Handpräferenz aus (Subirana 1969).

Man kann aber davon ausgehen, daß die Hirnorganisation vorzugsweise rechts- bzw. linkshändiger Menschen deutliche Unterschiede aufweist, womit keinesfalls gesagt ist, daß sich die Hirnorganisation eines Linkshänders einfach spiegelbildlich zu der eines Rechtshänders verhielte; vielmehr ist die „linkshändige" Hirnorganisation eine (im Verlauf der Evolution offenbar rezessive) Variante und nicht nur eine seitenverkehrte Ausgabe des menschlichen Gehirns.

Man hat den Eindruck, daß zwischen linkshirnigen und rechtshirnigen Gewebsläsionen beim Linkshänder weniger Unterschiede bestehen als beim Rechtshänder; das würde bedeuten, daß der Linkshänder eine geringere Hemisphärenspezialisierung besitzt, was sich z. B. für visuell-räumliche und räumlich-konstruktive Hirnleistungen konstatieren läßt (s. dazu auch Filskov u. Catanese 1986).

Einen Einblick in die unterschiedliche Hirnorganisation von links- und rechtshändigen Menschen geben Daten über die Sprachrepräsentation (Milner, unveröffentlichte Daten). Von 645 mit dem Amytaltest untersuchten rechtshändigen Patienten (Epileptiker ohne sensomotorisches Defizit und mit normalen allgemeinen Intelligenzleistungen) hatten 97,1% eine linkshirnige, 1,7% eine rechtshirnige und 1,2% eine bilaterale Sprachrepräsentation. Von 122 in gleicher Weise untersuchten linkshändigen bzw. beidhändigen Patienten hatten 70% eine linkshirnige, 15% eine rechtshirnige und gleichfalls 15% eine bilaterale Sprachrepräsentation. Die bilaterale Sprachrepräsentation fand sich vor allem bei Patienten mit familiärer Linkshändigkeit.

Aufgrund dieser Zahlen kann man annehmen, daß die rechtshirnigen Sprachfunktionen bei linkshändigen Menschen besser entwickelt sind, was nach Milner (1974) auch für die Mehrzahl der Linkshänder gelten soll, für die die *linke* Hirnhälfte sprachdominant ist.

Allerdings müßte man auch fordern, daß Linkshänder aufgrund ihrer häufiger bilateralen Sprachrepräsentation eine höhere Inzidenz an aphasischen Sprachstörungen aufweisen. In der Tat schienen die Daten von Conrad (1949) dafür Evidenz zu liefern. Bei genauerer statistischer Betrachtung dieser Daten ergeben sich jedoch keine sicheren Unterschiede in der Inzidenz aphasischer Störungen zwischen den links- und rechtshändigen Patienten.

Was die aphasischen Symptome im einzelnen angeht, so berichten Hecaen und Albert (1978), daß Störungen des auditiven Sprachverständnisses, des Buchstabierens und des Schreibens bei linkshändigen Patienten seltener, verschiedene zerebral bedingte Lesestörungen (ausgenommen die hemianope Lesestörung) häufiger auftreten sollen.

Es ist behauptet worden, daß Linkshänder eine bessere Rückbildung aphasischer Symptome zeigen (Subirana 1958).

Für diese Annahme steht der endgültige Beweis allerdings noch aus. Möglicherweise hängt die Vermutung einer besseren Rückbildung aphasischer Symptome bei Linkshändern mit der Beobachtung zusammen, daß diese im Trend weniger „schwere" Aphasien aufweisen als rechtshändige Patienten; ein statistisch signifikanter Unterschied bezüglich des Schweregrads findet sich allerdings nicht.

Es gibt Anhaltspunkte dafür, daß linkshändige Menschen eine bilaterale Organisation komplexer motorischer „Programme" besitzen, während für den Rechtshänder hierfür eine striktere Lateralisation angenommen wird.

Das könnte bedeuten, daß Linkshänder häufiger als Rechtshänder eine der verschiedenen Formen der Apraxie (Sprechapraxie, buccofaciale, ideomotorische Apraxie?) aufweisen.

Die Bedeutung der Händigkeit als prognostischer Faktor läßt sich derzeit nicht umfassend beurteilen. Es ist aber sehr wahrscheinlich, daß die verschiedenartige Hirnorganisation von Rechts- und Linkshändern unterschiedliche Symptomkonfigurationen und abweichende Rückbildungsmuster von Hirnleistungen bedingt. Die Komplexität dieses Sachverhalts wird offensichtlich, wenn man auch noch die Interaktionen zwischen Händigkeit und Geschlecht für verschiedene Hirnleistungen berücksichtigt. So könnte es zutreffen, daß die Hirnorganisation eines linkshändigen Mannes der einer Frau ähnlicher ist als der eines rechtshändigen Geschlechtsgenossen.

2.2.4 Prämorbide Persönlichkeitsfaktoren

Prämorbide Persönlichkeitsfaktoren haben einen wichtigen Einfluß auf die Bewältigung der Folgen einer Hirnschädigung (Ruesch u. Bowman 1934; Kozol 1946; Lishman 1978; Brooks u. McKinlay 1983). In welcher Weise sie aber auf die Rückbildung einer im Erwachsenenalter erworbenen Hirnschädigung einwirken, ist bisher unzureichend untersucht worden. Ein wichtiger Grund dafür mag darin bestehen, daß das Konstrukt „Persönlichkeit" nur schwer zu operationalisieren ist. In den bisher vorliegenden Studien wurden entweder psychopathologische Begriffe zur Kennzeichnung von Persönlichkeitsmerkmalen verwendet (Kozol 1946) oder „Persönlichkeitstypen" beschrieben (Stevens et al. 1984). Eine besondere Schwierigkeit „prämorbide" und „postmorbide" Persönlichkeitsfaktoren voneinander abzugrenzen, ergibt sich bei allen prozeßhaft ablaufenden Hirnerkrankungen, wozu beispielsweise neben primär-degenerativen Hirnerkrankungen durchaus auch Hirngefäßprozesse zu rechnen sind. Haben diese Hirnprozesse lange vor der ersten ärztlichen und psychologischen Untersuchung eingesetzt, lassen sich oftmals im eigentlichen Sinn prämorbide Persönlichkeitsmerkmale nicht mehr eindeutig von bereits krankheitsbedingten Veränderungen der Persönlichkeit unterscheiden.

Schließlich muß in Betracht gezogen werden, daß die Untersuchung von Persönlichkeitsvariablen durch nichtstandardisierte Befragungen der Patienten und ihrer Bezugspersonen keine hohen Ansprüche an die Objektivität stellen kann, da Verfälschungen sowohl seitens der Befragten wie auch der Fragenden nicht ausgeschlossen werden können.

In der Arbeit von Kozol (1946) wurden 101 SHT-Patienten hinsichtlich posttraumatischer Symptome wie Ängstlichkeit, vorschnelle Ermüdbarkeit, allgemein gesteigerte Nervosität, Hypochondrie, Zwangsvorstellungen, depressive Verstimmung oder Euphorie in Abhängigkeit von ihren prämorbiden Persönlichkeitsmerkmalen untersucht. Es zeigte sich, daß die prämorbide Persönlichkeitsstruktur keine eindeutige Voraussage posttraumatischer Symptome zuläßt, wenngleich sich ein leichter Trend zeigte, daß Patienten mit prämorbid „psychoneurotischer" Persönlichkeit eher posttraumatische Symptome der oben genannten Art entwickelten. Andererseits fanden sich bei denjenigen Patienten die wenigsten posttraumatischen psychischen Störungen und die erfolgreichsten Bewältigungsstrategien, die vor ihrem SHT eher altruistisch, sozial kompetent und verantwortungsbewußt waren, unabhängig von eventuell begleitenden neurotischen Verhaltensweisen (s. dazu auch Lishman 1978).

In Ergänzung zu den Befunden von Kozol (1946) sei hier noch angefügt, daß Stuss und Benson (1986) in ihrem Buch über die Frontallappen anmerken, daß die Ausgestaltung der emotionalen Veränderungen nach traumatisch bedingten Stirnhirnläsionen in beträchtlichem Umfang von prämorbiden Persönlichkeitsmerkmalen beeinflußt werde. Eine Akzentuierung vorbestehender Persönlichkeitsmerkmale scheine hierbei häufiger vorzukommen als ein Auftreten prämorbid nicht beobachteter Persönlichkeitsmerkmale („Wesensänderung"). Diese Feststellung trifft sich auch mit eigenen Beobachtungen (Michael 1987), wonach sich bei einem Vergleich „prämorbider" und „post-

morbider" Persönlichkeitsfaktoren mit dem Gießen-Test (Beckmann et al. 1983) in keinem Fall eine „Wesensänderung" nachweisen ließ. Es kam in nahezu allen Fällen (n=200) zu einer Nivellierung bzw. Akzentuierung prämorbider Persönlichkeitszüge nach der Hirnschädigung, die Entstehung „neuer" Persönlichkeitsmerkmale mit zur prämorbiden Persönlichkeit entgegengesetztem Vorzeichen fand sich dagegen nicht.

Die von Eysenck (1952) behauptete Extraversionstendenz (Enthemmung, Euphorie, Infantilismus, Dramatisierungstendenz) von Patienten mit vermutlich vorzugsweise frontoorbitalen Gewebsläsionen könnte bei prämorbid introvertierten Patienten allerdings als Wesensänderung eingeordnet werden, wenn man davon ausgeht, daß die Persönlichkeitsmerkmale Introversion/Extraversion als besonders stabil gelten dürfen.

Neuere Untersuchungen an CVE-Patienten haben gezeigt, daß Patienten mit sog. Typ-A-Verhalten (ungeduldig, aggressiv, perfektionistisch, ständig unter Zeitdruck, schneller sein wollen als die anderen Menschen, mit dem Selbstbild eines harten Arbeiters) nicht nur Gefahr laufen, eine koronare Herzerkrankung zu entwickeln, sondern offenbar auch eine höhere Wahrscheinlichkeit für einen „Schlaganfall" aufweisen (s. Adler et al. 1971; Carasso et al. 1981; Stevens et al. 1984).

Eine mögliche „Vordatierung" einer zerebrovaskulären Erkrankung soll auch in kausalem Zusammenhang mit einem vorzeitigen psychologischen Alterungsprozeß stehen (Gruen 1962); Menschen, die schon vor dem Senium ihre Spontaneität, Vitalität und Flexibilität im Handeln eingebüßt haben, sollen ein deutlich höheres Risiko für einen „Schlaganfall" aufweisen.

Nach der Untersuchung von Michael (1987) an 200 hirngeschädigten Patienten (CVE und SHT) ergab sich, daß Patienten, die prämorbid von ihren Bezugspersonen als „sozial impotent", „unterkontrolliert" und „zwanghaft" charakterisiert wurden, hinsichtlich ihrer Fähigkeit, die Folgen der Hirnschädigung angemessen zu bewältigen, eine sehr schlechte Prognose haben.

Patienten mit prämorbid höheren Fähigkeiten und Fertigkeiten sollen bessere Fortschritte in der Rehabilitation ihrer Hirnleistungsstörungen erzielen als Patienten, die über geringere Ausgangsleistungen verfügen (Golden 1981). In diesem Zusammenhang gehören auch Befunde, wonach das prämorbide Intelligenzniveau eine prognostische Bedeutung zu haben scheint. Patienten, die vor ihrer Hirnerkrankung einen hohen (verbalen) Intelligenzquotienten (gemessen mit dem HAWIE) erreichten, hatten offensichtlich bessere Rückbildungschancen für Aufgaben, die verbale Fähigkeiten verlangten (Ben Yishay et al. 1970; Salazar et al. 1986).

Nach eigener Erfahrung scheint ein höheres Intelligenzniveau prognostisch günstig zu sein, vorausgesetzt, daß der Intelligenzbonus nicht durch eine (häufig korrelierte) überhöhte Anspruchshaltung aufgezehrt wird. Es liegt auf der Hand, daß eine unrealistische Anspruchs- und Erwartungshaltung adäquate Bewältigungsstrategien zumindest erschwert.

2.2.5 Psychosoziale Faktoren

Die Bedeutung psychosozialer Faktoren für die Prognose einer erworbenen Hirnschädigung kann nicht hoch genug eingeschätzt werden. Sie läßt sich unter zwei Aspekten fassen, die mittelbar miteinander verknüpft sind: Einerseits verändern die Folgen einer Hirnschädigung (z. B. die Verminderung der körperlichen und mentalen Fähigkeiten sowie Verhaltensauffälligkeiten) das psychosoziale Umfeld des hirngeschädigten Patienten, d. h. sie verändern die Familie, den Freundes- und Bekanntenkreis ebenso wie die beruflichen Partner. Andererseits wirkt dieses psychosoziale Umfeld auf den hirngeschädigten Patienten zurück und beeinflußt so unmittelbar seine Chancen für eine erfolgreiche medizinische und soziale Rehabilitation.

Dabei gibt es signifikante Unterschiede in den psychosozialen Problemen zwischen rechts- und linkshirnig geschädigten Patienten (Hirschenfang et al. 1968).

Angehörige rechtshirnig geschädigter Patienten berichten vor allem von beruflichen und finanziellen Schwierigkeiten, Eheproblemen, gestörten Beziehungen zu Kindern, Verwandten und Freunden. Demgegenüber brachten Angehörige linkshirnig geschädigter Patienten eher „psychologische" Probleme vor, wie Zukunftssorgen, Ängstlichkeit, depressiv-abhängiges Verhalten, inadäquate Krankheitsbewältigung.

Bei den rechtshirnig geschädigten Patienten verschlechterten sich prämorbid als gut bewertete Ehen in 72% der Fälle durch den „Schlaganfall", während dies bei den linkshirnig geschädigten Patienten nur in 36% vorkam. Bestanden schon vor der Hirnerkrankung Partnerkonflikte, so verstärkten sich diese bei 84% der rechtshirnig geschädigten Patienten. Überraschenderweise ergab sich für die linkshirnig geschädigten Patienten eine Verbesserung der ehelichen Beziehungen in 41% der Fälle, bei den rechtshirnig geschädigten Patienten dagegen nur in 16%.

Diese Befunde lassen sich wohl am ehesten durch Unterschiede in den Hirnleistungsstörungen und Verhaltensmanifestationen nach Hirninfarkten der rechten oder linken Großhirnhemisphäre erklären. Linkshirnige Hirninfarkte betreffen bei der Mehrzahl der Bevölkerung mit einer hohen Wahrscheinlichkeit sprachrelevante Hirnstrukturen, so daß hier hauptsächlich Patienten zu finden sind, deren verbale und zum nicht geringen Teil auch nonverbale Kommunikationsfähigkeit beeinträchtigt ist, wodurch andere mentale Defizite und auch manche Verhaltensauffälligkeit möglicherweise „maskiert" werden.

In diesem Zusammenhang ist auch von Interesse, daß rechtshirnig geschädigte männliche Patienten häufiger als linkshirnig geschädigte an einer Verminderung von Libido und Potenz leiden sollen (Coslett u. Heilman 1986), was ein Faktor der so häufigen ehelichen Probleme dieser Patienten sein könnte.

Aus einer Reihe von Studien (s. dazu Powell 1979) ergeben sich Hinweise dafür, daß rechtshirnige Gewebsläsionen in stärkerem Maße affektive Störungen und Verhaltensauffälligkeiten (z. B. regressive Verhaltensweisen) hervorrufen sollen.

27

Die Beziehung hirngeschädigter Patienten zu ihren Ehepartnern, Eltern oder Schwiegereltern scheint sich innerhalb der ersten 6 Monate nach dem Ereignis nicht wesentlich zu verändern, obwohl ein Trend zu vermehrten Auseinandersetzungen nachweisbar ist. Bei ledigen Patienten tritt ein verstärkt abhängiges, zuweilen sogar deutlich regressives Verhalten auf, das sich bei Verheirateten weder im Verhältnis zum Ehepartner noch im Verhältnis zu den Eltern einstellt (Oddy et al. 1978).

Dabei muß allerdings berücksichtigt werden, daß nicht nur der Hirngeschädigte abhängiges Verhalten zeigen kann, sondern daß ihn umgekehrt die Bezugspersonen in der Rolle des abhängig Kranken fixieren (Holland u. Whalley 1981).

Entsprechend den oben erwähnten Befunden zeigen auch eigene Beobachtungen, daß sich die Beziehungen hirngeschädigter Patienten zu ihren engsten Bezugspersonen innerhalb des ersten Halbjahrs nur selten ändern. Familienstandsänderungen (z. B. Heirat, Scheidung) finden sich innerhalb des ersten Jahres nach der Hirnschädigung nur ausnahmsweise.

Sobald aber die Hoffnung auf eine vollständige oder zumindest weitgehende Genesung des Patienten aufgegeben werden muß und die durch die Hirnschädigung bedingten Verhaltensauffälligkeiten und Persönlichkeitsänderungen als bleibende Störungen erkannt werden, nehmen Trennungen und Scheidungsbegehren deutlich zu. Dabei scheinen die Partnerbeziehungen der älteren Patienten (> 40 Jahren) in einem höheren Prozentsatz erhalten zu bleiben als die der jüngeren.

Ein „reiches" psychosoziales Umfeld ist zweifellos die beste Voraussetzung für eine erfolgreiche soziale und berufliche Wiedereingliederung des hirngeschädigten Patienten. Die geringste Wahrscheinlichkeit für einen günstigen Verlauf der sozialen Rehabilitation findet man bei Patienten mit keinen oder auf wenige Bezugspersonen reduzierten Sozialkontakten. Psychosoziale Bedingungen dürfen hierbei nicht mit ökonomischen gleichgesetzt werden. Selbstverständlich sind geordnete finanzielle Verhältnisse günstige Voraussetzungen für eine erfolgreiche Rehabilitation, wichtiger aber ist die „moralische" Unterstützung und die verläßliche Empathie der jeweiligen Bezugspersonen.

Prigatano et al. (1984) stellten in diesem Zusammenhang fest, daß ein festes Arbeitsverhältnis und ein unterstützendes soziales Milieu vor der Hirnerkrankung entscheidend dazu beitragen können, den Patienten zu einer realistischen Einschätzung seiner verbliebenen beruflichen Möglichkeiten zu bringen.

Es ist wiederholt behauptet worden, daß es für Arbeiter weniger wahrscheinlich sein soll, in das Erwerbsleben zurückzukehren, als beispielsweise für einen leitenden Angestellten. Nach eigener Erfahrung sind solche generalisierenden Aussagen nicht zutreffend. Im Einzelfall entscheiden über die Chancen für eine Rückkehr an den/einen Arbeitsplatz zahlreiche interagierende Faktoren, unter denen dem psychosozialen Status nur eine, wenngleich gewichtige Rolle zuzukommen scheint. Prigatano et al. (1984) ist zuzustimmen, daß das Ausbildungsniveau keinen nennenswerten Einfluß auf die Wahrscheinlichkeit einer erfolgreichen beruflichen Wiedereingliederung hat; allerdings muß man einräumen, daß manche Befunde für eine günstige prognostische Wertigkeit eines höheren Ausbildungsniveaus sprechen.

2.3 Faktoren der Hirnschädigung

2.3.1 Art, Ausmaß und Lokalisation der Hirnschädigung

Jede Diskussion über die Wiederherstellung von Hirnleistungen nach erworbener Hirnschädigung muß von der Tatsache ausgehen, daß sich ein beschädigtes Zentralnervensystem *unwiederbringlich* von seinem vorherigen Leistungsmaximum entfernt oder, anders ausgedrückt, eine irreparable Leistungsminderung erfahren hat.

Eine realistische Prognose der zerebralen Leistungseinbuße ist ohne Kenntnis der durch die verschiedenartigen Hirnschädigungsformen verursachten geweblichen Läsionen des ZNS nicht möglich. Allein schon die Beurteilung der Chancen zur Wiederherstellung von Hirn-leistungen verlangt ein exaktes neuropatholo-gisches und pathophysiologisches Wissen. Es reicht beispielsweise nicht aus, nur einen „Schlaganfall" („stroke") zu konstatieren; viel-mehr sollte gerade bei den verschiedenartigen zerebrovaskulären Erkrankungen (CVE), die einem „Schlaganfall" zugrundeliegen können, auf die für die prognostische Einschätzung be-deutsamen geweblichen und topologischen Unterschiede der zerebralen Läsionen geach-tet werden.

Während im klinischen Alltag des Rehabilita-tionsmediziners nur verhältnismäßig selten völlige Unklarheit über die Art (Ätiologie) der verursachenden Hirnschädigung besteht (aus-genommen schwierige differentialdiagnosti-sche Entscheidungen bei beginnender De-menz), ist die Beurteilung des tatsächlichen Ausmaßes und der exakten Lokalisation der abgelaufenen zerebralen Gewebsschädigung ein Standardproblem.

Schädel-Hirn-Trauma

Als bestes Beispiel dafür mag die Unsicherheit über das Ausmaß der Gewebsschädigung nach (schwerem) gedecktem Schädel-Hirn-Trauma (SHT) stehen. Betrachtet man z.B. die diffusen traumatischen Hirnschädigungen, so lassen sich die „diffuse axonale Schädigung" und die (vor allem beim Polytrauma häufig hinzutretende) „hypoxische Hirnschädigung" mit den in den Kliniken derzeit verfügbaren bildgebenden Verfahren nicht eindeutig nach-weisen, obschon sie für die prognostische Ein-schätzung von größter Bedeutung sind.

Unterstellt man einmal, daß Patienten mit dif-fuser axonaler Schädigung nicht zur neuropsy-chologischen Rehabilitation gelangen, weil sie in aller Regel im apallischen (chronisch-vege-tativen) Syndrom verbleiben (Adams et al. 1985), so gibt die hypoxische Hirnschädigung für das Ausmaß von Hirnleistungsstörungen wie z.B. den Störungen „globaler" Hirnlei-stungen (Gedächtnisleistungen, Informations-verarbeitungsgeschwindigkeit) sehr wahr-scheinlich den prognostisch entscheidenden Ausschlag.

Von vergleichbarer Wichtigkeit dürfte auch das mit bildgebenden Verfahren nachweisbare diffuse traumatische Hirnödem sein, das sich aber leider derzeit als prognostischer Indikator für die Wahrscheinlichkeit bleibender neuro-psychologischer Defizite nicht eindeutig fas-sen läßt. Dennoch kann man annehmen, daß ein enger Zusammenhang zwischen Ausmaß und Dauer des (durch Schädigung der Blut-Hirn-Schranke) verursachten vasogenen Ödems und der Prognose für verschiedenarti-ge (wiederum vor allem „globale") Hirnlei-stungsstörungen besteht.

In einer Untersuchung von Van Dongen und Braakman (1980) ergab sich – im wesentlichen für jüngere SHT-Patienten – ein enger Zusam-menhang zwischen der Erweiterung der (Sei-ten-)Ventrikel (als Folge diffuser traumatischer Hirnschädigungen) und bleibenden „kogniti-ven" Beeinträchtigungen.

Die prognostische Wertigkeit fokaler traumati-scher Gewebsschäden ist generell etwas leich-ter zu fassen, wenngleich auch hier Unsicher-heiten bestehen. Zum einen lassen sich Rin-denprellungsherde, die in größerer Zahl durchaus funktionelle Bedeutung haben mö-gen, oftmals nicht sicher erkennen, zum ande-ren erlaubt der Nachweis eines Kontusions-herds bzw. einer Kontusionsblutung noch kei-ne Aussage über das tatsächliche Ausmaß der fokalen Gewebsschädigung. Man darf aber annehmen, daß eine fokale Gewebsschädi-gung durch Kontusionsherde bei Patienten *mit* einer Schädelfraktur signifikant schwerer ist als bei Patienten ohne Schädelfraktur (Adams et al. 1985).

(Am Rande sei hier erwähnt, daß andererseits die Gewebsschäden durch Kontusionen bei Patienten mit diffuser axonaler Schädigung weniger schwer ausfallen.)

Mitentscheidend für die Prognose der fokalen traumatischen Gewebsschädigungen ist selbst-verständlich ihre anatomische Lokalisation. Die genaue topologische Analyse aller, vor al-lem auch der in den ersten Tagen (und Wo-chen) angefertigten kranialen Computerto-gramme bzw. Kernspintomogramme ist für eine realistische Abschätzung später oftmals nicht mehr nachweisbarer zerebraler Gewebsläsionen und damit für die Erarbeitung der Prognose unerläßlich.

Für das „visuelle Benennen" konnte gezeigt werden, daß weniger die Lokalisation fokaler, die „Sprachregion" betreffender Gewebsläsionen für die Beeinträchtigung der Benennensleistung ausschlaggebend war als vielmehr die *Komadauer*, die ihrerseits wohl, zumindest bei telenzephalen Läsionen, mehr mit dem Ausmaß der diffusen traumatischen Gewebsschäden korreliert (Levin et al. 1981). Durch dieses Beispiel soll aber nicht der Eindruck erweckt werden, als ob den fokalen, traumatischen Gewebsschäden nur eine untergeordnete Bedeutung zukäme. Für eine Vielzahl neuropsychologischer und wohl auch psychopathologischer Symptome (vgl. Kap. 5) sind fokale traumatische Gewebsläsionen zumindest mitverantwortlich.

Hypoxische Hirnschädigungen, (Meningo-)Enzephalitis

Die Schwierigkeit einer zuverlässigen Abschätzung der abgelaufenen Gewebsschäden ergibt sich auch bei einigen anderen Arten von Hirnschädigungen. Darunter sind die hypoxischen Hirnschäden (z. B. bei anoxischer oder ischämischer Hypoxie) und auch verschiedene Formen der (Meningo-)Enzephalitis zu erwähnen. Die modernen bildgebenden Verfahren zeigen bei beiden Arten der Hirnschädigung mitunter diagnostisch verwertbare Befunde (z. B. diffuse hypodense Veränderungen in den Großhirnmarklagern nach Hypoxie), das volle Ausmaß der eingetretenen Hirnschädigung wird jedoch nicht deutlich. Bei viraler Enzephalitis (ausgenommen in aller Regel die Herpers-simplex-Enzephalitis) können schwerste Hirnleistungsstörungen bei unauffälligem kranialem Computertomogramm und Kernspintomogramm vorliegen. Die prognostische Einschätzung hypoxischer und enzephalitischer Hirnschäden bleibt daher im Einzelfall mit einer hohen Unsicherheit behaftet. Bei den meisten Patienten muß man trotz „unsichtbarer" zerebraler Gewebsschäden mit einem geringen Wiederherstellungspotential rechnen.

Hirnblutungen

Auch bei den zerebrovaskulären Erkrankungen (CVE) ist die Abschätzung der Prognose aus der Beobachtung der sichtbaren zerebralen Gewebsschäden keine leichte Aufgabe.

Bei einer intrazerebralen Blutung beispielsweise wird zunächst durch die Intrusion von Blutbestandteilen in das Hirngewebe eine akute Stoffwechselstörung der ortsständigen neuronalen, glialen und mesenchymalen Gewebselemente in einem größeren Hirngebiet und dadurch eine erhebliche Funktionsstörung verursacht. Nach Resorption der plasmatischen und dem zellulären Abbau der korpuskulären Blutbestandteile kann jedoch letztlich nur eine kleine, oftmals strichförmige Nekrose zurückbleiben, die in Einzelfällen nach Jahren mit den verfügbaren bildgebenden Verfahren nicht mehr nachgewiesen werden kann.

Die prognostische Einschätzung der neuropsychologischen Störungen einer intrazerebralen Hirnblutung hängt demzufolge vom Volumen der persistierenden Gewebsschädigung und in gleicher Weise auch von ihrer genauen Lokalisation ab.

Putaminäre, thalamische und Kapselblutungen haben dabei oftmals eine schlechtere Langzeitprognose als „lobäre" Blutungen. Die Prognose einer „lobären" Blutung hängt im Einzelfall allerdings wiederum von der Lokalisation ab; betrifft der Blutungsherd einen „Faserknotenpunkt" im Marklager - mit Auswirkungen auf lokale und „überregionale" Hirnstrukturen - dann ist die Prognose in der Regel schlechter, als wenn er „nur" ein interkortikales, lokales Fasersystem beschädigt (s. unten).

Betrachtet man die intrazerebralen Blutungen insgesamt, so scheinen bei etwa einem Drittel keine bleibenden Hirnleistungsstörungen zu resultieren. Bei den „lobären" Blutungen bleiben bei etwas über 40% keine und bei weiteren 40% nur geringe bis mittelgradige neuropsychologische Defizite bestehen. Am ungünstigsten scheint die Prognose bei temporoparietal lokalisierten Blutungen zu sein, vor allem wenn die „dominante" Großhirnhemisphäre betroffen ist.

Nicht selten entsteht eine intrazerebrale Blutung als fokales Ereignis auf der Grundlage einer bereits lange Zeit vorbestehenden diffus-disseminierten Hirnschädigung bei chronischem Bluthochdruck mit Umbau der (kleinen) Hirngefäße. Zur realistischen Abschätzung des Wiederherstellungspotentials muß hier die diffus-disseminierte Hirnschädigung (z. B. Leukoaraiosis mit lakunären Infarkten; s. unten) mitberücksichtigt werden, selbst wenn diese vor Eintritt des fokalen Blutungsereignisses keine klinische Bedeutung gehabt haben sollte. Die Erfahrung zeigt, daß die Prognose solcher „unterlagerter" erheblich ungünstiger ist als die Prognose „reiner" Hirnblutungen. Zusätzliche diffus-disseminierte Hirnläsionen engen den Spielraum für die Wiederherstellung von Hirnleistungen, die durch die fokale Gewebsschädigung bedingt sind, erheblich ein. Außerdem können die diffus-disseminierten Hirnläsionen erst durch den Eintritt der fokalen Gewebsläsion klinisch relevant werden. Die umschriebene Gewebsläsion wirkt dabei wie „der Funke im Pulverfaß".

Intrazerebrale Blutungen, die durch arteriovenöse Gefäßmißbildungen (einschließlich der Mikroangiome) verursacht werden, haben eine gute Prognose, wenn es gelingt, die Gefäßmißbildung ohne wesentliche Beeinträchtigung der (betroffenen) Hirnzirkulation auszuschalten. Im Einzelfall hängt hierbei die Prognose von den Faktoren Volumen und Lokalisation der Hirnblutung sowie der durch den therapeutischen (neurochirurgischen, neuroradiologischen) Eingriff bedingten lokalen Gewebsschädigung ab.

Für die Subarachnoidalblutungen (SAB) gilt, daß ihre Prognose zunächst einmal von der Schwere der Initialphase der Primärblutung abhängt, wobei die zerebrale Leistungseinbuße mit dem Ausmaß des im CCT nachweisbaren Bluts zu korrelieren scheint (Caplan 1985). Bei SAB mit primär intrazerebralem Blutungsanteil sind bleibende zerebrale Leistungsdefizite sehr wahrscheinlich. Patienten mit typischer SAB ohne nachweisbare Blutungsquelle haben insgesamt eine bessere Prognose als Patienten, bei denen eine Blutungsquelle angio-graphisch dargestellt werden konnte. Sollte es sich - wie meist - um eine SAB als Folge rupturierter Aneurysmen handeln, ist es für den Rehabilitationsmediziner wichtig, auch die präoperativen kranialen Computertomogramme bzw. Kernspintomogramme einzusehen, um Ausmaß und Lage der Primärblutung und ihrer Auswirkungen auf das Hirngewebe besser abschätzen zu können. Nach einer operativen Ausschaltung des Aneurysmas (der Aneurysmen) ist oftmals die Beurteilung der Gewebsschäden im Operationssitus durch Maschinenartefakte der Computertomogramme (in der Umgebung von Gefäßclips und Knochendeckel) erschwert. Solange noch Metallclips verwendet werden, kann auch die Kernspintomographie nicht durchgeführt werden.

Eine Verschlechterung der Prognose in bezug auf bleibende zerebrale Leistungseinbußen kann sich durch eine Rezidivblutung ergeben, wobei nach Meinung von Sasaki et al. (1985) jedoch nur 1% der Patienten, die die Rezidivblutung überleben, wesentliche zusätzliche Hirnleistungsdefizite davontragen. Die Prävention abhängiger ischämischer Gewebsläsionen durch eine wirksame Bekämpfung des zerebralen Vasospasmus (der in aller Regel in der Klinik auftritt!) wäre eine wichtige Voraussetzung für eine Verminderung der langfristigen zerebralen Leistungseinbußen nach SAB. Man kann annehmen, daß etwa 15-25% der Patienten mit SAB nach Aneurysmaruptur einen (vasospastischen) Hirninfarkt erleiden.

Für die prognostische Gesamtbewertung einer SAB darf der Hydrocephalus aresorptivus nicht unerwähnt bleiben, der bei etwa 12% der SAB-Patienten als Folge einer Blockade des Liquorabflusses in den äußeren Liquorräumen durch eine leptomeningeale Fibrose entsteht. Ein enger Zusammenhang zwischen Ventrikelweite und persistierenden Hirnleistungsstörungen scheint nicht zu bestehen. Es muß derzeit noch offen bleiben, inwieweit sich Patienten mit und ohne Ventrikeldrainage hinsichtlich ihrer langfristigen neuropsychologischen Leistungsdefizite unterscheiden. Diese Frage bedarf weiterer eingehender Untersuchungen.

Hirninfarkte

Grundsätzlich gilt für die prognostische Beurteilung zerebraler Gewebsschäden im Rahmen eines oder mehrerer Hirninfarkte nichts anderes, als was schon beim SHT und der intrazerebralen Blutung ausgeführt wurde. Eine realistische Einschätzung der abgelaufenen Gewebsschäden und damit der zerebralen Leistungseinbuße verlangt die Beachtung der diffusen (diffus-disseminierten) ebenso wie der fokalen Gewebsschäden.

Lakunäre Infarkte, die neben einem „ins Auge stechenden" Hirninfarkt im Versorgungsgebiet der großen Hirnarterien vorliegen können (s. dazu auch weiter unten), sind für die prognostische Bewertung zweifellos von Bedeutung. Allerdings ist unser Wissen über die vermutlich kumulativen Wirkungen dieser lakunären Infarkte derzeit noch sehr unzureichend. Lakunäre Infarkte werden im CCT nur zu etwa 30% entdeckt (Wade et al. 1985). Der Nachweis von nur einigen wenigen „Lakunen" im CCT legt den Verdacht nahe, daß weitere lakunäre Infarkte vorliegen, die eben nicht sichtbar gemacht werden können. Da lakunäre Infarkte im Grenzbereich des Auflösungsvermögens bildgebender Verfahren liegen, muß auch mit falsch-positiven Befunden gerechnet werden.

Gering ist auch unser Wissen über die prognostische Wertigkeit der sog. Leukoaraiosis (Hachinski et al. 1987), wie sie beispielsweise bei der subkortikalen arteriosklerotischen Enzephalopathie, aber auch in mittleren Stadien der Alzheimer-Erkrankung vorkommt. Man darf wohl annehmen, daß diese Marklagerveränderungen mit kognitiven Beeinträchtigungen bis zur Demenz einhergehen können. Bei einer nicht geringen Anzahl von Patienten beobachtet man allerdings bereits deutliche Markveränderungen (noch) ohne wesentliche Beeinträchtigung ihrer kognitiven und affektiven Hirnleistungen. Der Zeitdauer des Bestehens der Leukoaraiose könnte hier die entscheidende Bedeutung zukommen.

Dem hämorrhagischen Hirninfarkt, wie er zweimal häufiger bei embolisch bedingten als bei primärthrombotischen Hirninfarkten vorkommt, wird eine schlechtere Prognose als dem anämischen Hirninfarkt zugesprochen. Verläßliche Angaben über Unterschiede in den Langzeiteffekten liegen jedoch derzeit kaum vor.

Hirninfarkte mit Dichtewerten unter 15 Hounsfield-Einheiten im kranialen Computertomogramm entsprechen mit hoher Wahrscheinlichkeit pseudozystisch umgewandelten, kompletten Gewebsnekrosen. Für diese „ausgelöschten" Hirnbezirke kann selbstverständlich kein Wiederherstellungspotential erwartet werden. Anders ist die Situation bei Hirninfarkten mit Dichtewerten über 15 Hounsfield-Einheiten. Nach eigener Erfahrung läßt sich bei solchen, vermutlich unvollständigen Gewebsnekrosen für die Mehrzahl der Patienten eine (zumindest begrenzte) Wiederherstellung von Hirnleistungen erwarten. Patienten mit transitorischen ischämischen Attacken oder RIND („reversible ischaemic neurological deficit") zeigen häufig im CCT nachweisbare dichtegeminderte Gewebsbezirke ohne neurologisches Defizit. Eine lückenhafte oder zu grobe Untersuchung der betreffenden Hirnleistungen ausgeschlossen, würde auch diese Beobachtung für eine prinzipiell günstige prognostische Beurteilung mutmaßlich unvollständiger kreislaufabhängiger Gewebsnekrosen sprechen.

Zweifellos haben Hirnleistungsstörungen ohne nachweisbare pathologische Dichteänderungen im CCT bei klinisch wahrscheinlichem „Schlaganfall" statistisch die beste Rückbildungschance. Am Rande sei hier erwähnt, daß sich in solchen Fällen die SPECT (s. Kap. 3) zum Nachweis der Hirnschädigung sehr gut eignet.

Das Wiederherstellungspotential wird einerseits durch den Schweregrad der zerebralen Gewebsläsionen, andererseits aber auch durch deren Lokalisation im ZNS bestimmt. Grundsätzlich kann man feststellen, daß „strategische" Gewebsläsionen, das sind umschriebene zerebrale Läsionen mit Auswirkungen auf weite Bereiche des ZNS, das Wiederherstellungspotential deutlich reduzieren. Ziemlich kleine Gewebsläsionen im oralen Hirnstamm, im Thalamus, in den Stammganglien, bewirken infolge der von diesen Hirnstrukturen ausgehenden divergierenden oder umgekehrt der auf sie zulaufenden konvergierenden Projektionen Funktionsstörungen in weiten Teilen der Großhirnrinde. Aber auch „strategische" Gewebsläsionen in den langen Assoziationsbündeln (z. B. im Fasciculus arcuatus) können vergleichbare Auswirkungen besitzen.

Während in der klassischen Hirnpathologie manchmal allzu einseitig der Kortex, die telenzephale Hirnrinde und ihre Schädigungen betrachtet wurden, gilt es heute zusätzlich auch jene „strategischen" Marklagerläsionen als *Knotenpunktdefekte* zu begreifen. Bei einer regionalen Gewebsläsion sollten auch deren „überregionale Wirkungen" beachtet werden. Ein Posteriorastinfarkt beschädigt nicht nur okzipitale Rinden- und Markstrukturen, sondern zumeist auch Faserbündel, die die Kooperation okzipitaler Neuronenpopulationen mit ihren Partnern im Frontalhirn zu gewährleisten haben. Die prognostische Einschätzung fokaler zerebraler Gewebsläsionen wird künftig um so besser gelingen, je mehr die dreidimensionalen Fernwirkungen solcher Knotenpunktdefekte verstanden werden.

Multiple Hirninfarkte, wie sie z. B. der sog. Multiinfarktdemenz zugrundeliegen, engen das Wiederherstellungspotential drastisch ein. Dies scheint auch der Fall zu sein, wenn die Mehrfachinfarkte nur eine und dabei vor allem die dominante Großhirnhemisphäre betreffen.

Einen Sonderfall mit sehr geringer Rückbildungschance stellen Hirninfarkte dar, die bilateral-homologe Hirnstrukturen beschädigt haben (z. B. bilateral-homologe kreislaufabhängige Gewebsläsionen des Thalamus oder des Neostriatums). Diffus-disseminierte kreislaufabhängige Gewebsläsionen, die zugleich bilateral-homologe Hirnstrukturen betreffen, reduzieren das Wiederherstellungspotential nahezu auf Null.

Hirntumoren

Zum Schluß darf die Gruppe der Patienten mit Hirntumoren nicht unerwähnt bleiben. Wenn der Hirntumor, wie das häufig vorkommt, durch Einsatz therapeutischer Maßnahmen (Teilresektion, Bestrahlung, Chemotherapie) nur unvollständig beseitigt werden kann, hängt das Rehabilitationspotenzial unmittelbar von der biologischen Dignität des verbleibenden Resttumors ab. Patienten mit deutlichen Zeichen der Raumforderung (z. B. durch die Tumormasse und das begleitende Hirnödem) sind wegen der dadurch bedingten subjektiven Beschwerden und objektiven Ausfallssymptome (zu denen vor allem „globale" Hirnleistungsstörungen wie quantitative und auch qualitative Bewußtseinsstörungen, Verminderung von Aufmerksamkeit und Konzentration sowie eine Beeinträchtigung der Lernfähigkeit und des Gedächtnisses zählen) nur ausnahmsweise einer neuropsychologischen Rehabilitation zuzuführen. Dies wird immer dann der Fall sein können, wenn der „Wachstumsdruck" des Hirntumors gering ist und regressive Veränderungen (Blutungen, Nekrosen, sekundäre Malignisierung) des Tumorgewebes ausbleiben.

Gelingt es, wie bei einer Reihe mesenchymaler Hirntumoren möglich, das Tumorgewebe vollständig zu beseitigen, hängt das Wiederherstellungspotential zum einen von dem durch die Beseitigung des Tumorgewebes entstandenen Gewebsschaden, zum andern von indirekten präoperativen Tumorwirkungen ab. Hierzu zählen Ödemnekrosen, Schnürfurchen nach supra- oder infratentorieller Herniation und auch Gewebsschäden, die durch „toxische" Tumorsubstanzen (z. B. falsche Neurotransmitter?) oder durch entzündliche und hypoxische Komplikationen eingetreten sind. Auch in diesen Fällen können die (in den bildgebenden Verfahren) „unsichtbaren" Hirnschädigungen die Prognose mehr bestimmen als die sichtbaren. Selbstverständlich kommt der Lokalisation der Hirntumoren eine entscheidende Bedeutung für die Abschätzung des Wiederherstellungspotentials zu.

Zusammenfassend läßt sich feststellen, daß zur Erarbeitung einer soliden Prognose, wie sie zweifellos jeder realistisch geplanten Rehabilitationsmaßnahme zugrunde liegen sollte, 4 Elemente benötigt werden:

1) neuropathologisches und neuroanatomisches Wissen über die Art und Lokalisation geweblicher Veränderungen bei den in Rede stehenden Hirnerkrankungen;
2) diagnostische Hypothesen über die im Einzelfall mit hoher Wahrscheinlichkeit abgelaufenen Hirnschäden, was eine möglichst exakte Rekonstruktion der pathogenetischen Abläufe verlangt, die zur Hirnschädigung geführt haben;
3) eine anatomische Beschreibung der in den bildgebenden Verfahren sichtbaren Gewebsläsionen;
4) eine umfassende und detaillierte Hirnleistungsdiagnostik, die ihrerseits zur Plausibilitätsprüfung für das Vorliegen diffuser, disseminierter oder fokaler zerebraler Gewebsläsionen herangezogen werden kann.

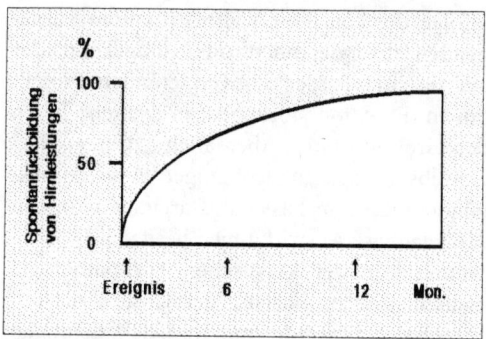

Abb. 2.1. Idealtypische Kurve der Spontanrückbildung von Hirnleistungen vom Zeitpunkt des hirnschädigenden Ereignisses an. 6 Monate nach der Hirnschädigung ist bereits der größte Anteil der Spontanrückbildung erfolgt; nach 12 Monaten kann nur noch mit einer (geringen) Spontanrückbildung über lange Zeiträume gerechnet werden

2.3.2 Zeit seit der Hirnschädigung

Die klinische Erfahrung lehrt, daß die spontane Rückbildung von Hirnleistungsstörungen mit dem zeitlichen Abstand vom Eintritt der Hirnschädigung abnimmt. *Idealtypische* Kurven der Spontanrückbildung entsprechen einer rechtsgekrümmten Kurve mit einer in der Regel deutlichen Veränderung (Rückbildung) der Hirnleistungsstörung(en) in den ersten Monaten nach dem Ereignis und einem asymptotischen Kurvenverlauf (spätestens) 1 Jahr nach dem Ereignis (s. Abb. 2.1). Die meisten klinischen Verlaufsuntersuchungen zu verschiedenen Hirnleistungsstörungen zeigen, daß der größere Teil der Spontanrückbildung schon innerhalb der ersten 6 Monate nach der Hirnschädigung erfolgt (z. B. Lind 1982; Bond u. Brooks 1978; Brocklehurst et al. 1978).

Eine spätere „Verbesserung" von Hirnleistungen ist vermutlich auch das Ergebnis einer optimierten Anpassung des hirngeschädigten Patienten an seine irreversiblen (körperlichen und mentalen) Leistungsdefizite. Die Optimierung dieser Anpassungsvorgänge hängt wesentlich von den in 2.2 dargestellten personenbezogenen Faktoren ab.

Bei einer Reihe von Hirnschädigungen kann man den Zeitpunkt, zu dem sie eingetreten

sind, ausreichend genau angeben, beim schweren SHT zum Beispiel auf die Stunde genau. Infolgedessen kann auch die seit der primären Hirnschädigung verstrichene Zeitspanne ziemlich exakt bezeichnet werden.

Die relative Gültigkeit prognostischer Indikatoren wie „Komadauer" (z. B. bestimmt mit der Glasgow Coma Scale von Teasdale u. Jennett 1974) oder „posttraumatische Amnesie" (Russell u. Nathan 1946) für die Wiederherstellung verschiedener Hirnleistungsstörungen beim schweren SHT hat mit der engen Beziehung zwischen dem Schweregrad (diffuser) traumatischer Hirnschädigungen und der Zeitdauer ihrer (vollständigen oder teilweisen) Rückbildung zu tun. Treten jedoch zu einer primären Hirnschädigung sekundäre zerebrale Gewebsläsionen hinzu, wie z. B. eine begleitende zerebrale Hypoxie bei Hämatopneumothorax und schwerer Lungenkontusion oder eine aszendierende Meningoenzephalitis bei traumatischer Rhinootoliquorrhö, kann sich eine erhebliche Abweichung von der oben erwähnten idealtypischen Rückbildungskurve ergeben.

Es liegt auf der Hand, daß die Rückbildungskurve für eine fokale zerebrale Gewebsläsion anders aussehen wird als die für eine diffusdisseminierte zerebrale Gewebsläsion mit zusätzlich bilateral-homologen Hirnläsionen.

Wesentlichen Einfluß auf die Verlaufsdynamik von Hirnleistungsstörungen nehmen auch extrazerebrale Faktoren, wie Änderungen kardiovaskulärer und Stoffwechselparameter oder des Elektrolytgleichgewichts.

Bei den zerebrovaskulären Erkrankungen, die unter dem klinischen Bild des „Schlaganfalls" auftreten, kann der Eintritt des akuten Ereignisses gleichfalls zeitlich gut markiert werden. Meist handelt es sich bei dem Schlaganfall schon um ein sekundäres Geschehen, dem häufig über lange Zeit geringfügige, aber multitope zerebrale Gewebsveränderungen vorausgegangen sind. Der Eintritt der primären Hirnschädigung ist bei diesen Erkrankungen nicht eigentlich zeitlich festzumachen. Am Ende einer Zeitdauer von mehreren Jahren kann hier ein akutes Ereignis stehen, das letztlich erst in der Summe der fokalen und diffusen zerebralen Gewebsschäden den Zusammenbruch verschiedener Hirnleistungen bewirkt hat. Berücksichtigt man nur den Zeitabstand vom akuten Ereignis, so mag es nicht überraschen, wenn der zeitliche Verlauf der Spontanrückbildung der entstandenen Hirnleistungsstörungen nicht in allen Fällen der erwarteten Exponentialfunktion entspricht.

Eine idealtypische Rückbildungskurve wird sich vermutlich nur dann ergeben, wenn

a) einer „akuten" Hirnschädigung keine weiteren zerebralen Gewebsläsionen vorausgegangen sind oder nachfolgen;
b) ausreichend funktionsfähiges Hirngewebe erhalten geblieben ist, um eine Restitution bzw. Kompensation der betroffenen Hirnleistungen zu ermöglichen.

Die Steilheit des ansteigenden Schenkels einer Rückbildungskurve dürfte mit dem Wiederherstellungspotential für eine bestimmte Hirnleistung korreliert sein. Je steiler der ansteigende Schenkel verläuft, um so größer ist die Wahrscheinlichkeit für eine funktional bedeutsame Rückbildung einer Hirnleistungsstörung (Erreichen des kritischen Leistungszuwachses; s. dazu Kap. 1).

In aller Regel wird das Ausmaß und mithin auch die zeitliche Charakteristik der Spontanrückbildung in engem Zusammenhang mit den nach einer Hirnschädigung erfolgenden Resorptions- und Abräumvorgängen im ZNS gesehen. Daneben wirken andere, im einzelnen noch gar nicht bekannte oder nicht näher verstandene neurale Mechanismen, die nach einer Hirnschädigung ins Spiel kommen, entscheidend mit. Dazu sei auf einschlägige Publikationen verwiesen (z. B. Nicholls 1982) und nur soviel hier angemerkt, daß neben lokalen Reparationsvorgängen (z. B. „collateral sprouting", Regeneration von Synapsen) Änderungen in den Übertragungseigenschaften „unspezifischer" monoaminerger und cholinerger Neuronenpopulationen von großer Bedeutung sein mögen; unter ihnen wiederum könnten noradrenerge Projektionen aus dem Locus coeruleus für die Wiederherstellung von Hirnleistungsstörungen sehr wichtig sein.

Im folgenden soll nun an einigen ausgewählten Beispielen der Zusammenhang zwischen Zeit seit der Hirnschädigung und Spontanrückbildung von Hirnleistungsstörungen dargestellt werden. Dabei muß in Kauf genommen werden, daß methodisch akzeptable Längsschnittuntersuchungen bisher überwiegend an SHT-Patienten vorgenommen wurden. Eine Ausnahme bilden nur die Untersuchungen zur Spontanrückbildung der zentralen Sprachstörungen, die vorwiegend bei CVE-Patienten durchgeführt wurden. Ob die Befunde auf jeweils andere Arten der Hirnschädigung übertragen werden können, muß vorerst offenbleiben.

Zusätzlich sollte hier noch angemerkt werden, daß die Angabe, eine bestimmte Hirnleistungsstörung würde sich innerhalb eines bestimmten Zeitraums im wesentlichen spontan zurückbilden, mit Vorsicht betrachtet werden muß, da in der Regel relativ weite zeitliche Abstände zwischen den Verlaufsmessungen liegen. Wurden die Leistungsänderungen z. B. bei einer zentralen Sprachstörung 4 Wochen und dann wiederum 6 Monate nach der Hirnschädigung gemessen, kann dadurch nicht ausgeschlossen werden, daß die Spontanrückbildung bereits nach 4 Monaten abgeschlossen war, zu einem Zeitpunkt also, zu dem keine Messung durchgeführt worden war.

„Intelligenz"

Vorausgesetzt, daß ein hirngeschädigter Patient prämorbid durchschnittliche intellektuelle Leistungen erzielt hat, ist die Wiederherstellung dieser intellektuellen Leistungen eine notwendige, wenngleich nicht hinreichende Voraussetzung für ein befriedigendes Rehabilitationsergebnis.

Mandleberg und Brooks (1975) fanden, daß bei SHT-Patienten, deren „posttraumatische Amnesie" (PTA) in der Mehrzahl der Fälle mehr als 1 Woche betrug, die verbalen Intelligenzleistungen (gemessen mit dem WAIS/HAWIE) innerhalb von 5 Monaten die Werte einer vergleichbaren Kontrollgruppe erreichten, während der Handlungs-IQ erst nach 13 Monaten eine Asymptote erreichte. 36 Monate nach dem SHT lagen beide IQ-Werte innerhalb der Wertegrenzen der Vergleichsgruppe. Nach Levin (1985) scheint eine Wiederherstellung der intellektuellen Fähigkeiten auf das (geschätzte) prämorbide Niveau nur bei SHT-Patienten mit einer Komadauer von weniger als 1 Woche erwartet werden zu können. (Die *Niveauunterschiede* in den Rückbildungskurven für Intelligenzleistungen hängen in erster Linie vom Schweregrad der abgelaufenen Hirnschädigung ab. Dieser Sachverhalt gilt in gleicher Weise auch für die unten dargestellten Hirnleistungsstörungen.)

Kognitive Leistungsgeschwindigkeit

Nach den Befunden von van Zomeren und Dellman (1978) und auch nach eigener Erfahrung zeigen die einfachen Reaktionszeiten (z.B. Knopfdruck auf imperative visuelle oder akustische Stimuli) eine sehr flache Rückbildungskurve, d.h. es ergeben sich keine signifikanten Änderungen über die Zeit. Bei den Mehrfachwahl-Reaktionszeiten findet sich dagegen ein deutlicher „Zeiteffekt". Sie erreichen bei SHT-Patienten innerhalb des ersten Jahres eine Asymptote. Auch hierbei scheint der Haupteffekt innerhalb von 6 Monaten nach dem SHT einzutreten. Die unterschiedlichen Rückbildungskurven von einfachen und Mehrfachwahl-Reaktionszeiten legen die An-

nahme nahe, daß für die Unterschiede die Informationsverarbeitungsgeschwindigkeit, die mit der Komplexität einer Reaktionszeitaufgabe ansteigt, und weniger die „motorische" Reaktionsgeschwindigkeit verantwortlich ist.

Veränderungen im Zahlenverbindungstest als einem Maß für die kognitive Leistungsgeschwindigkeit lassen sich bis zu 18 Monaten nach dem SHT beobachten, wobei zu diesem Zeitpunkt das initiale Defizit durchschnittlich um etwa 50% gemindert sein soll (Dikmen et al. 1983).

Gedächtnis

Aus der Untersuchung von Brooks (1975) an 30 SHT-Patienten ergeben sich Hinweise dafür, daß sich Störungen des „Arbeitsgedächtnisses" eher zurückbilden als Beeinträchtigungen im längerfristigen Behalten von Informationen. Für die Zahlenspanne (vorwärts und rückwärts) finden sich signifikant bessere Leistungen in der „späten" Patientengruppe (mittlere Zeit seit der Hirnschädigung 26,6 Monate) gegenüber der frühen (mittlere Zeit seit der Hirnschädigung 2,4 Monate). Ob die Rückbildung von Leistungen des „Arbeitsgedächtnisses" im wesentlichen innerhalb der ersten 6 Monate nach dem SHT erfolgte, wurde dabei nicht untersucht.

Längsschnittuntersuchungen bei Patienten mit linkstemporalen Läsionen nach SHT haben gezeigt, daß sich Beeinträchtigungen der verbalen Lernfähigkeit und des verbalen Gedächtnisses (längerfristige Behaltensleistungen) in einem Zeitbereich zwischen 6 und 12 Monaten nach dem Ereignis vollständig zurückbilden können, vorausgesetzt, daß die traumatisch bedingten (diffusen) Hirnschäden (abgeschätzt an der Komadauer) nur geringgradig waren (Levin 1985).

Es ist schon lange bekannt (s. Russell 1932), daß die retrograde Amnesie bei SHT-Patienten innerhalb der ersten Wochen nach dem Ereignis „schrumpft"; sie kann sich von einem initial sehr langen Intervall (von Jahren) auf ein sehr kurzes Intervall (von Minuten) vor dem Ereignis verkürzen. Dabei muß man allerdings neuere Befunde berücksichtigen, die belegen, daß eine partielle retrograde Amnesie sehr viel weiter in die Vergangenheit zurückreichen kann als der komplette Erinnerungsverlust (Levin 1985).

Sehen

In einer eigenen Untersuchung an 111 Patienten (Zihl u. von Cramon 1986) mit Gesichtsfelddefekten fanden wir Spontanrückbildung bei 12% der Patienten ausschließlich innerhalb der ersten 6 Wochen nach dem Ereignis. Es gibt jedoch Befunde, daß sich vor allem periphere Gesichtsfeldausfälle bis zu einem Zeitbereich von 6 Monaten zurückbilden können. Hier et al. (1983) wollen sogar eine Spontanrückbildung von Gesichtsfelddefekten bis zu 8 Monaten beobachtet haben.

Für Beeinträchtigungen der visuell-räumlichen Wahrnehmung bei CVE-Patienten soll gleichfalls gelten, daß eine nennenswerte Rückbildung (nicht selten sogar zu einem „normalen" Leistungsniveau) innerhalb von 6 Monaten nach dem Schlaganfall eintritt (Meerwaldt 1983).

Bei Patienten mit Hemineglect kann eine signifikante Spontanrückbildung nur innerhalb von 8 Wochen nach dem hirnschädigenden Ereignis erwartet werden. Allerdings läßt sich noch bis zu einem Zeitraum von 18 Monaten ein Rückbildungstrend beobachten.

Sprache

Die bei weitem umfangreichste Literatur liegt für die Spontanrückbildung der zentralen Sprachstörungen einschließlich der Beeinträchtigungen schriftsprachlicher Leistungen vor. Bei den meisten Autoren scheint Übereinstimmung darüber zu bestehen, daß sich die sprachlichen Fähigkeiten am deutlichsten in einem Zeitraum von 4-10 Wochen nach dem Schlaganfall verbessern (z.B. Culton 1969; Demeurisse et al. 1980; Lendrem u. Lincoln 1985), daß aber weitere Leistungszunahmen auch noch bis zum 4. (6.) Monat nach dem Ereignis erwartet werden können (Willmes u. Poeck 1984).

Davon weichen die Befunde von Kertesz u. McCabe (1977) ab, die zumindest in Einzelfällen zum Teil beträchtliche Spontanrückbildungen bei allen Standardaphasien in einem Zeitraum von bis zu 5 Jahren beobachtet haben.

In diesem Zusammenhang sei auf die Befunde von Sarno und Levita (1981) hingewiesen, die eine Verbesserung der nichtlinguistischen Kommunikationsfähigkeit bei Globalaphasikern in einem Zeitraum von 6-12 Monaten nach dem Schlaganfall beobachtet haben. In diesem Fall ist offensichtlich, daß es sich nicht um die spontane Rückbildung einer sprachlichen Leistung, sondern vielmehr um nonverbale „Umwegstrategien" zur Kompensation der gestörten verbalen Kommunikationsfähigkeit handelt. Diese „Ersatzstrategien" können nur eingesetzt werden, wenn die kompensatorisch benutzten mimischen und gestischen Ausdrucksmittel zumindest teilweise erhalten geblieben sind.

Rückbildungskurven sind auch für erworbene Lesestörungen ermittelt worden (Newcombe et al. 1974). Wie schon bei einer Anzahl zuvor erwähnter Hirnleistungsstörungen wird auch bei nicht behandelten aphasischen Lesestörungen eine Asymptote für die Rückbildung von Lesefehlern im Zeitraum von einem Jahr nach dem hirnschädigenden Ereignis erreicht.

Literatur

Adams JH, Graham DI, Gennarelli TA (1985) Contemporary neuropathological considerations regarding brain damage in head injury. In: Becker DP, Povlishock JT (eds) Central nervous system trauma status report. National Institute of Neurological and Communicative Disorders and Stroke, pp 65-78

Adler R, MacRitchie K, Engel GL (1971) Psychologic processes and ischemic stroke (occlusive cerebrovascular disease). Psychosom Med 33; 1-29

Basso A, Capitani E, Zanobio ME (1982) Pattern of recovery of oral and written expression and comprehension in aphasic patients. Behav Brain Res 6: 115-128

Beckmann D, Brähler E, Richter HE (1983) Der Gießen-Test. Huber, Bern

Ben-Yishay Y, Gerstman L, Diller L, Haas A (1979) Prediction of rehabilitation outcomes from psychometric parameters in left hemiplegics. J Cons Clin Psychol, 34: 436-441

Bond MR, Brooks DN (1978) Understanding the process of recovery as a basis for the investigation of rehabilitation for the brain injured. Scand J Rehabil Med, 8: 127–133

Brocklehurst JC, Andrews K, Morris PE, Richards B, Laycock PJ (1978) Medical, social and psychological aspects of stroke – Final report. University of Manchester

Brooks DN (1975) Long and short term memory in head injured patients. Cortex 11: 329–340

Brooks DN, McKinlay W (1983) Personality and behavioral change after severe blunt head injury – a relative's view. J Neurol Neurosurg Psychiatr 46: 336–344

Caplan LR (1985) Computed tomography and stroke. In: McDowell F, Caplan LR (eds) Cerebrovascular survey report. National Institute of Neurological and Communicative Disorders and Stroke, pp 61–74

Carasso R, Yehuda S, Yehuda BU (1981) Personality type life events and sudden cerebrovascular attack. Int J Neurosci 14; 223–225

Carlsson CA, von Essen C, Löfgren J (1968) Factors affecting the clinical course of patients with severe head injuries. Part 1: Influence of biological factors. Part 2: Significance of posttraumatic coma. J Neurosurg 29: 242–251

Conrad K (1949) Über aphasische Sprachstörungen bei hirnverletzten Linkshändern. Nervenarzt 20: 148–154

Coslett HB, Heilman KM (1986) Male sexual function: impairment after right hemisphere stroke. Arch Neurol 43: 1036–1039

Culton GL (1969) Spontaneous recovery from aphasia. J Speech Hear Disord 12: 825–832

Eslinger PJ, Damasio AR (1981) Age and type of aphasia in patients with stroke. J Neurol Neurosurg Psychiatr 44: 377–381

Eysenck HJ (1952) The scientific study of personality. McMillan, New York

Demeurisse G, Demol O, Derouck M, De Beuckelaer R, Coekaerts MJ, Capon A (1980) Quantitative study of the rate of recovery from aphasia due to ischemic stroke. Stroke 11: 455–458

Dikmen S, Reitan RM, Temkin NR (1983) Neuropsychological recovery in head injury. Arch Neurol 40: 333–338

Filskov SB, Catanese RA (1986) Effects of sex and handedness on neuropsychological testing. In: Filskov SB, Boll TJ (eds) Handbook of clinical neuropsychology, vol II. Wiley & Sons, New York

Golden CHJ (1981) Diagnosis and rehabilitation in clinical neuropsychology. Thomas. Springfield

Gruen A (1962) Psychologic ageing as a pre-existing factor in strokes. J Nerv Ment Dis, 134: 109–116

Hachinski VC, Potter P, Merskey H (1987) Leuko-Araiosis. Arch Neurol 44: 21–23

Hecaen H, Albert ML (1978) Human neuropsychology. Wiley & Sons, New York

Hier DB, Mondlock J, Caplan LR (1983) Recovery of behavioral abnormalities after right hemisphere stroke. Neurology, 33: 345–350

Hirschenfang S, Shulman L, Benton JG (1968) Psychosocial factors influencing the rehabilitation of the hemiplegic patient. Dis Nerv Syst 29: 373–379

Holland LK, Whalley J (1981) The work of a psychiatrist in a rehabilitation hospital. Br J Psychiatr 138: 222–229

Humphrey M, Oddy M (1980) Return to work after head injury: a review of post-war studies. Injury 12: 107–114

Kertesz A, McCabe P (1977) Recovery patterns and prognosis in aphasia. Brain, 100: 1–18

Kozol HL (1946) Pretraumatic personality and psychiatric sequelae of head injury. Arch Neurol Psychiatr 56: 245–275

Lendrem W, Lincoln NB (1985) Spontaneous recovery of language in patients with aphasia between 4 and 35 weeks after stroke. J Neurol Neurosurg Psychiatr 48: 743–748

Levin HS (1985) Neurobehavioral recovery: Part II. In: Becker DP, Povlishock JT (eds) Central nervous system trauma status report. National Institute of Neurological and Communicative Disorders and Stroke, pp 281–299

Levin HS, Meyers CA, Grossman RG, Sarwar M (1981) Ventricular enlargement after closed head injury. Arch Neurol 38: 623–629

Lezak MD (1979) Recovery of memory and learning functions following traumatic brain injury. Cortex 15: 63–72

Lind K (1982) A synthesis of studies on stroke rehabilitation. J Chronic Dis 35: 133–149

Lishman WA (1978) Organic psychiatry. Blackwell, Oxford

Mandleberg IA, Brooks DN (1975) Cognitive recovery after severe head injury. 1. Serial testing on the Wechsler Adult Intelligence Scale. J Neurol Neurosurg Psychiatry 38: 1121–1126

McGlone J (1980) Sex differences in human brain asymmetry: a critical survey. Behav Brain Sci 3: 215–263

Meerwaldt JD (1983) Spatial disorientation in right-hemisphere infarction: a study of the speed of recovery. J Neurol Neurosurg Psychiatr 46: 426–429

Michael C (1987) Die Untersuchung von Persönlichkeitsfaktoren bei hirngeschädigten Patienten mit dem Gießen-Test. Psychologische Diplomarbeit, Universität München

Milner B (1974) Functional recovery after lesions of the nervous system. Neurosci Res Progr Bull, 12: 213–217

Newcombe F, Marshall JC, Carrivick PJ, Hiorns RW (1974) Recovery curves in acquired dyslexia. J Neurol Sci, 24: 127–133

Nicholls JG (1982) Repair and regeneration of the nervous system. (Report of the Dahlem Workshop

Berlin 1981, Nov. 29-Dec. 4). Springer, Berlin Heidelberg New York

Oddy M, Humphrey M, Uttley D (1978) Subjective impairment and social recovery after closed head injury. J Neurol Neurosurg Psychiatr 41: 611-616

Pickersgill MJ, Lincoln NB (1983) Prognostic indicators and the pattern of recovery of communication in aphasic stroke patients. J Neurol Neurosurg Psychiatr 46: 130-139

Powell GE (1979) Brain and personality. Saxon House, Westmead

Prigatano GP, Fordyce DJ, Zeiner HK, Roueche JR, Pepping M, Case-Wood B (1984) Neuropsychological rehabilitation after closed head injury in young adults. J Neurol Neurosurg Psychiatr 47: 505-513

Ruesch J, Bowman KM (1934) Prolonged post-traumatic syndroms following head injury. Am J Psychiatr 91: 155-187

Russell WR (1932) Cerebral involvement in head injury. Brain 55: 549-603

Russell WR, Nathan PW (1946) Traumatic amnesia. Brain 69: 183-187

Salazar AM, Grafman J, Schlesselman S, Vance SC, Mohr JP, Carpenter M, Pevsner P, Ludlow C, Weingartner H (1986) Penetrating war injuries of the basal forebrain: neurology and cognition. Neurology 36: 459-465

Sarno MT, Levita E (1981) Some observations on the nature of recovery in global aphasia after stroke. Brain Lang 13: 1-12

Sarno MT, Buonaguro A, Levita E (1985) Gender and recovery from aphasia after stroke. J Nerv Ment Dis, 173: 605-609

Sasaki T, Kassell NF, Colohan ART, Nazar GB (1985) Cerebral vasospasm following subarachnoid hemorrhage. In: McDowell FH, Caplan LR (eds) Cerebrovascular survey report. National Institute of Neurological and Communicative Disorders and Stroke, pp 109-132

Schechter I, Scheijter J, Abarbanel M, Groswasser Z, Solzi P (1985) Age and aphasic syndroms. Scand J Rehab Med [Suppl] 12: 60-63

Stevens JH, Turner CW, Rhodewalt F, Talbot S (1984) The type A behavior pattern and carotid artery atherosclerosis. Psychosom Med 46: 105-113

Stuss DT, Benson DF (1986) The frontal lobes. Raven New York

Subirana A (1958) The prognosis in aphasia in relation to cerebral dominance and handedness. Brain 81: 415-425

Subirana A (1969) Handedness and cerebral dominance. In: Vinken PJ, Bruyn GW (eds) Handbook of clinical neurology, vol 4, North Holland, Amsterdam, pp 248-272

Teasdale G, Jennett B (1974) Assessment of coma and impaired consciousness. A practical scale. Lancet 2: 81-84

Teuber HL (1975) Effects of focal injury on human behavior. In: Tower DB (ed) The nervous system, vol 2: 11 Clinical neurosciences. Raven New York, pp 457-480

Van Dongen KJ, Braakman R (1980) Late computer tomography in survivers of severe head injuries. Neurosurg 7: 14-22

Van Zomeren AH, Deelman BG (1978) Long-term recovery of visual reaction time after closed head injury. J Neurol Neurosurg Psychiatr 41: 452-457

Wade DT, Langton-Hewer R, Skilbeck CE, David RM (1985) Stroke. A critical approach to diagnosis, treatment and management. Chapman and Hall Medical, London, p 32

Willmes K, Poeck K (1984) Ergebnisse einer multizentrischen Untersuchung über die Spontanprognose von Aphasien vaskulärer Ätiologie. Nervenarzt 55: 62-71

Zihl J, von Cramon D (1986) Recovery of visual field in patients with postgeniculate damage. In: Poeck K, Freund H, Gänshirt H (eds) Neurology. Proceedings of the XIII. World Congress of Neurology. Springer, Berlin Heidelberg New York, pp 188-192

3 Bildgebende Verfahren in der neuropsychologischen Rehabilitation

N. HEBEL

3.1 Zielsetzung

„Brainimaging" – unter diesem angloamerikanischen Begriff werden eine Reihe von computergestützten Verfahren zusammengefaßt, welche eine bildhafte In-vivo-Darstellung des Gehirns anstreben. Die Möglichkeit, Struktur- oder Stoffwechselveränderungen bei Hirnschädigungen abzubilden, revolutionierte im Lauf des letzten Jahrzehnts die neurologische Diagnostik. Die in der Akutmedizin im Vordergrund stehende Frage nach der Artdiagnose, dem „was liegt vor", ist zu Beginn der neuropsychologischen Rehabilitation meist hinreichend beantwortet: die Klassifizierung der Hirnschädigungen – z. B. Hirninfarkt oder Substanzdefekt nach intrazerebraler Blutung – steht bereits fest. Was können die Verfahren also zur Rehabilitation von Hirnschädigungen beitragen? Hier wird von der Neuroradiologie die möglichst exakte Beschreibung von Lokalisation und Ausmaß der abbildbaren Hirnschädigungen gefordert, um Aufschluß darüber zu erhalten, welche zerebralen Funktionssysteme möglicherweise beeinträchtigt sind.

Die detaillierte Läsionsbeschreibung verfolgt zwei Ziele. Zum einen kann durch eine Abgrenzung der geschädigten zerebralen Strukturen eine Orientierungshilfe für die neuropsychologische Diagnostik gewonnen werden. So wird beispielsweise die Darstellung einer Läsion des Corpus callosum weiterführende Untersuchungen auf mögliche Leistungsstörungen durch Hemisphärendiskonnektion nach sich ziehen. Die technischen Verfahren können hier Hilfestellungen geben, die im Untersuchungsablauf ein spezifischeres diagnostisches Vorgehen ermöglichen. Eine zweite Zielsetzung besteht in der Erfassung zusätzlicher Informationen zur Abschätzung des rehabilitativen Potentials. Zum Beispiel: Bei der homonymen Hemianopsie als Folge einer ischämischen Schädigung des primären postgenikulären Sehsystems kann entsprechend der computertomographischen Darstellung das weitere therapeutische Vorgehen geplant werden; bei gering hypodensen Werten des ischämischen Areals bestehen günstige Voraussetzungen für eine Therapie, im umgekehrten Fall ist das rehabilitative Potential als gering einzuschätzen (Zihl u. Cramon 1985). Im Falle von Gedächtnisstörungen nach einem unilateralen Posteriorinfarkt ist die Prognose dieses Defizits entscheidend ungünstiger zu bewerten, wenn durch ein bildgebendes Verfahren eine zusätzliche Beteiligung des polaren Thalamusterritoriums gezeigt wird.

Zur prognostischen Beurteilung erworbener Hirnschädigungen durch die bildgebenden Verfahren gibt es derzeit im Verhältnis zu ihrem hohen diagnostischen Standard wenig Erfahrung. Notwendig sind differenzierte katamnestische Beobachtungen, an deren Anfang die möglichst detailgenaue „anatomische" Beschreibung der zugrundeliegenden Hirnläsion steht.

3.2 Verfügbare bildgebende Verfahren

Als computergestützte Techniken zur Bildrekonstruktion stehen Transmissionsverfahren (kraniale Computertomographie, CCT) und Emissionsverfahren (Positronenemissionstomographie, PET, und Single-photon-Emissionscomputertomographie, SPECT) sowie die Magnetresonanztomographie (MRT) zur Verfügung.

Bei bestimmten Fragestellungen kann auch die zweidimensionale Darstellung des regionalen zerebralen Blutflusses (rCBF) durch die Gammakamera angewandt werden. Die einzelnen Techniken untersuchen unterschiedliche Hirngewebsfaktoren. Es können anatomische, gewebsspezifische, hämodynamische oder auch metabolische Parameter gemessen werden.

Der Bildgenerierung bei den einzelnen Verfahren liegt ein gemeinsames Prinzip zugrunde: Für einen kleinen Gewebsbezirk wird mittels unterschiedlicher Methoden ein Meßwert gewonnen (z. B. Gewebsdichte oder Gehalt an einer radioaktiven Substanz). Der Gewebsbezirk, der durch diesen Meßwert und seine Raumkoordinaten definiert ist, wird entsprechend einer Grau- oder Farbtonskala als Bildpunkt kodiert. Durch die mosaikartige Zusammensetzung zahlreicher solcher Bildpunkte einer Ebene entsteht ein Schnittbild des Gehirns.

Die Beurteilung der generierten Bilder stellt hohe Anforderungen an den untersuchenden Neuroradiologen. Der in Schnitten dargestellte Befund muß in der Vorstellung räumlich rekonstruiert und anatomischen Hirnstrukturen zugeordnet werden. Trotz des hohen technischen Aufwands bleibt die Interpretation der Schnittbilder subjektiv. Dieser Teilschritt der subjektiven Auswertung hat in der neuropsychologischen Rehabilitation ein größeres Gewicht als in der Akutmedizin, da über die ätiologische Identifikation der Hirnläsion hinaus eine genaue Beschreibung ihrer Ausdehnung und anatomischen Zuordnung gefordert wird.

Kraniale Computertomographie

Die unumstritten größte Bedeutung hat derzeit noch die CCT wegen ihrer hohen diagnostischen Aussagekraft bei gleichzeitiger Verfügbarkeit dieser Technologie für die klinische Routine.

Gemessen werden in der CCT die Dichtewerte von kleinen Hirngewebsvolumina. Es können normale, makroskopische anatomische Hirnstrukturen wie auch pathologische Prozesse mit einer vom normalen Gewebe abweichenden Dichte dargestellt werden. Das Verfahren generiert horizontale Schnittbilder mit einer Schichtdicke von 3–10 mm. Die Größe eines Bildpunkts beträgt in der Regel 1 mm^2; durch nachgeschaltete Verfahren ist eine rechnerische Verkleinerung der Bildpunkte unter 1 mm^2 möglich. Apparative Bildrekonstruktionen in der Sagittal- oder Koronarebene enthalten grundsätzlich nicht mehr Information als horizontale Schnitte und haben wegen ihrer geringeren Trennschärfe derzeit nur Bedeutung als räumliche Orientierungshilfen.

Kernspintomographie

Die konventionelle Kernspintomographie (MRT) mißt das elektromagnetische Signal von Wasserstoffatomen eines kleinen Hirngewebsbezirks, die durch einen Magnetpuls angeregt wurden. Die oft gewürdigten Vorteile gegenüber der CCT liegen zum einen im Entfallen der Strahlenbelastung für den Patienten. Ein weiterer Vorteil zeigt sich in den überlegenen Darstellungsmöglichkeiten durch einen größeren Spielraum in der Schichtanwahl in allen 3 Raumebenen und die größere Vielfalt in den Meßtechniken; der Schwerpunkt der Darstellung kann entweder auf eine möglichst exakte räumliche Trennschärfe oder auf das Erfassen von minimalen Signalunterschieden gelegt werden. Die MRT hat das höchste Auflösungsvermögen aller bildgebenden Verfahren, so daß in anatomischen Darstellungen beispielsweise die Abgrenzung von grauer und weißer Substanz möglich ist.

Emissionsverfahren (PET, SPECT und rCBF)

Bei den computertomographischen Emissionsverfahren wird nach der Verabreichung unterschiedlicher radioaktiver Marker ihre Verteilung und Konzentration im Hirngewebe über die emittierte Strahlung approximativ errechnet. Die regionale Verteilung der radioaktiven Marker wird in horizontalen Bildrekonstruktionen dargestellt.

In der *Positronenemissionstomographie* (PET) werden lokale Unterschiede in der zerebralen Durchblutung und im neurochemischen Stoffwechsel dargestellt. Zahlreiche positronenstrahlende Radionuklide stehen zur Verfügung und können entsprechend ihrem unterschiedlichen Verhalten im Hirnstoffwechsel Aufschluß über verschiedene Fragestellungen geben. Eine Übersicht über die für die neuropsychologische Rehabilitation wichtigsten Nuklide gibt die Arbeit von Heiss et al. (1986); verschiedene physiologische Variablen können untersucht werden, wie zerebraler Blutfluß und -volumen, Sauerstoffverbrauch, Glukosemetabolismus und -transport sowie die Funktionsfähigkeit der Blut-Hirn-Schranke und die lokale Verteilung von Dopamin-, Benzodiazepin- und Opiatrezeptoren. Während einer Untersuchung können derzeit bis zu 9 Hirnschnitte generiert werden. Die Bildauflösung ist mit einer 2-Punkt-Diskrimination von 10–15 mm deutlich gröber als diejenige von CCT oder MRT. Der hohe technische Aufwand des Verfahrens selbst und die notwendige enge Verbindung zu einem Zyklotron, die durch die kurze Halbwertszeit der Radionuklide bedingt ist, machen die PET zu einem exklusiven Verfahren, das für Routineuntersuchungen in der neuropsychologischen Rehabilitation derzeit nicht zur Verfügung steht.

Single-photon-Emissionscomputertomographie

Die (SPECT) ist eine Technik, die es ermöglicht, nach Aufnahme von gammastrahlenden Isotopen die regionale Hirndurchblutung in horizontalen Schichten darzustellen. Der technische Aufwand ist, vor allem wegen der besseren Verfügbarkeit der verwendeten Isotope weitaus geringer als bei der PET. Wegen der relativ langen Halbwertszeit der gebräuchlichen Isotopen (^{133}Xe) hat die Methode ein sehr geringes, räumliches Auflösungsvermögen (zwischen 20 und 25 mm), zu ungenau um einen Bezug zwischen den gemessenen Flußwerten und anatomisch definierten Hirnregionen herzustellen. Jodamphetaminmarker mit einem deutlich besseren Raumauflösungsvermögen haben ihrerseits den Nachteil, daß sie durch ihre lange Verweildauer im Körper eine nicht unerhebliche Strahlenbelastung verursachen.

Beim Verfahren zur Bestimmung *des regionalen zerebralen Blutflusses* (rCBF) mit der Gammakamera wird nach Einatmen oder intravenöser Verabreichung eines gammastrahlenden Isotops die Blutdurchströmung von Hirnkompartimenten anhand der lokalen Strahlungsintensität errechnet. Die rCBF-Messung nach Inhalation von ^{133}Xe ist relativ kostengünstig und mit etwa 100 mrad pro Messung wenig belastend. Die resultierenden Messungen stellen im wesentlichen die Durchblutung der kortexnahen Anteile dar, da emittierte Strahlung aus dem Hirninnern zu einem großen Teil absorbiert wird. Es handelt sich also um eine zweidimensionale Darstellung der lokalen Durchblutungsverhältnisse im Bereich der Hirnoberfläche. Der räumliche Abstand zwischen zwei unterscheidbaren Meßpunkten beträgt 3–5 cm (Risberg, 1986).

3.3 Darstellungsmöglichkeiten fokaler und diffuser Hirnläsionen

3.3.1 Darstellung fokaler zerebraler Läsionen

Paradigmatisch für eine Hirnschädigung mit fokaler Gewebsläsion sollen hier die ischämischen Infarkte abgehandelt werden. Mit ihren flächigen, deutlich abgrenzbaren Läsionsarealen gehören sie zur Domäne der Verfahren mit anatomischen Meßparametern, CCT und MRT. In ihrem pseudozystischen Stadium können von ischämischen Infarkten realitätsnahe Abbildungen des geschädigten Hirngewebes gewonnen werden.

Obwohl die CCT- oder MRT-Bilder in ihrer Schärfe teilweise an anatomische Schnitte erinnern, bleiben die einzelnen Bildpunkte doch Mittelwerte von meist 1 cm hohen Gewebssäulen. Kleinere Strukturen können in diesem Mittelwert untergehen; dreidimensional angeordnete Flächen, z. B. eine schräg durch die untersuchte Schicht verlaufende Windungsfurche, werden als Linie dargestellt, die nur näherungsweise die genaue Lokalisation und räumliche Orientierung abbilden. Auch für den geübten Betrachter sind deshalb Fehlinterpretationen möglich.

Zusätzlich wird die Bildrekonstruktion durch die Variation der Meßparameter manipuliert. Bei der CCT-Untersuchung ist die Auflösung von Dichteunterschieden proportional zur Schichtdicke; bei Verminderung der Schichtdicke verringert sich auch die auf die Detektoren auftreffende Strahlung, das Systemrauschen nimmt zu und überlagert diskrete Gewebsunterschiede. Umgekehrt ist bei geringen Schichtdicken (3–5 mm) die räumliche Auflösung schärfer. Sehr kleine Befunde mit deutlich hypo- oder hyperdensen Werten lassen sich demnach realistischer in schmalen Schichtungen abbilden. Umgekehrt gelingt die Darstellung von ausgedehnten Arealen mit nur geringen Dichteunterschieden zum umliegenden Gewebe besser in 1-cm-Schichten. Auch in der Kernspintomographie gelten die gleichen Abhängigkeiten zwischen Schichtdicke und Signal-Rausch-Verhältnis einerseits und räumlicher Auflösung andererseits. Hohe Feldstärken und multiple Messungen wirken sich günstig auf das Signal-Rausch-Verhältnis aus. Optimale Bildqualität von MRT-Darstellungen findet sich bei geringer Schichtdicke (5 mm), hochauflösender Matrix (256×256) und hohen Feldstärken zwischen 1,2 und 1,5 Tesla (Koehler et al. 1986).

Die Grenzen der CCT zeigen sich bei Infarkten in der hinteren Schädelgrube, im basalen Temporallappen und im Hirnstamm. Die hohe Dichte von Felsenbein und Clivus führt in diesen Regionen meist zu Streifenartefakten in den generierten Bildern. Zusätzlich erschwert die geringe Wasseraufnahme der meist kleinen Infarkte im Bereich des Hirnstamms ihre Darstellung.

An den Grenzen des Anwendungsbereichs und Auflösungsvermögens der CCT beginnt die Indikation für die MRT. Am deutlichsten zeigt sich der Vorteil der MRT gegenüber der CCT bei Infarkten in der hinteren Schädelgrube; so konnten in einer Studie von Simmons et al. (1986) nur ca. die Hälfte der durch die

MRT diagnostizierten Kleinhirninfarkte auch mittels CCT festgestellt werden. Wegen der paramagnetischen Effekte von Hämoglobinabbauprodukten ist die MRT äußerst sensitiv für sehr kleine, auch petechiale Blutungen im Infarktgebiet, die der CCT-Darstellung oft entgehen (Brant-Zawadzki et al. 1987). Die Unterscheidung ischämischer/hämorrhagischer Infarkt, die bei der prognostischen Einschätzung eine Rolle spielen kann, gelingt dadurch sicherer. Zusätzlich kann durch Verwendung von paramagnetischen Kontrastsubstanzen die Funktionstüchtigkeit der Blut-Hirn-Schranke im Bereich des Infarktareals dargestellt werden (Carr et al. 1984).

Mit Hilfe der PET kann ein ischämisches Areal durch Messung der veränderten Durchblutung, des gestörten Sauerstoff- oder Glukosestoffwechsels, des veränderten pH oder der gestörten Blut-Hirn-Schranke vom umliegenden Gewebe abgegrenzt werden (Heiss et al. 1985). Der wesentliche Meßparameter bei der SPECT ist die regional veränderte zerebrale Durchblutung.

Zur anatomischen Beschreibung und Lokalisation einer fokalen ischämischen Läsion sind die Emissionsverfahren weniger geeignet. Vergleichsmessungen von ischämischen Infarkten ergaben, daß PET-Bilder ein weit größeres pathologisch verändertes Areal als CCT-Bilder zeigen (Kuhl et al. 1980), da auch Stoffwechseländerungen in der Umgebung der Infarkte markiert werden.

Die Emissionsverfahren weisen jedoch darauf hin, daß die anatomischen Darstellungen „selektiver“ fokaler Läsionen durch das CCT oder MRT nur die „Spitze des Eisbergs“ der tatsächlich beeinträchtigten Hirnareale sein können. Durch die Untersuchung von metabolischen und hämodynamischen Faktoren können die Auswirkungen einer ischämischen Läsion auf läsionsferne Hirnregionen abgebildet werden. Reversible Funktionsstörungen von neuronalen Systemen, die über direkte Faserzüge mit dem entfernten Sitz der Hirnschädigung verbunden sind, werden als „Diaschisisphänomene“ bezeichnet. Es gibt zahlreiche PET-Beschreibungen von deutlich vermindertem Stoffwechsel in läsionsfernen Hirnarealen; ein bekanntes ist die „gekreuzte zerebelläre Diaschisis", der nach unilateralen supratentoriellen Infarkten auftretende Hypometabolismus in der kontralateralen Kleinhirnhemisphäre (Patano et al. 1986). Thalamusinfarkte führen zu einer Reduktion des Stoffwechsels in kortikalen Projektionsgebieten (D'Antona et al. 1985; Baron et al. 1986; Pappata et al. 1987). Olsen et al. (1986) beschrieben eine Hypoperfusion von Rindengebieten bei subkortikalen Läsionen und konnten damit die funktionelle Bedeutung von Marklagerläsionen für die abhängigen kortikalen Areale darstellen. Die kontralaterale zerebrale Diaschisis von transcallosal mit dem Läsionsareal verbundenen Rindengebieten ist umstritten (Baron 1985); weder PET (Kuhl et al. 1980) noch SPECT (Slater et al. 1977; Lenzi et al. 1982) konnten diese Form der Diaschisis zweifelsfrei darstellen.

Obwohl läsionsferne Atrophien nach Infarkten bekannt sind, ist eine neuronale Degeneration, sei sie retrograd oder transneuronal, als alleiniges Erklärungsmodell der Diaschisisphänomene unwahrscheinlich, da diese bereits wenige Stunden bis Tage nach einem Infarkt zu beobachten sind (Meneghetti et al. 1984; Baron 1985). Gegen eine degenerative Verursachung sprechen auch MRT-Untersuchungen, die keine faßbaren strukturellen Veränderungen in den läsionsfernen, hypometabolen Arealen zeigen können (Pappata et al. 1987). Der läsionsferne Hypometabolismus ist gemäß der ursprünglichen Diaschisisdefinition entweder reversibel (D'Antona et al. 1985) oder persistiert (Martin u. Raichle 1983; Lenzi et al. 1982). Eine mögliche diagnostische Unterscheidung von reversiblen Diaschisisphänomenen und irreversiblem Hypometabolismus als Vorläufer einer Degeneration könnte für Rehabilitationsstrategien richtungsweisend werden.

3.3.2 Darstellung diffuser Hirnschädigungen

Diffuse Substanzschäden sind in allen bildgebenden Verfahren derzeit schwer faßbar. In CCT und MRT muß oft das Vorliegen und Ausmaß von diffusen Läsionen aufgrund indirekter Zeichen, wie Erweiterung innerer oder äußerer Liquorräume, erschlossen werden. Metabolische oder hämodynamische Untersuchungen mit der PET oder der SPECT liefern ebenfalls noch keine quantitativ auswertbaren Ergebnisse, die mit den Hirnleistungsdefiziten korrelierbar sind. Eine Sonderstellung unter den diffusen Hirnschädigungen nimmt die neuroradiologische Diagnostik dementieller Prozesse, namentlich der subkortikalen arteriosklerotischen Enzephalopathie und der Demenz vom Alzheimer-Typ (DAT), ein. Hier steht die Artdiagnose der Erkrankung gegenüber dem Abschätzen ihres Ausmaßes im Vordergrund. Für Strukturveränderungen im Rahmen einer subkortikalen arteriosklerotischen Erkrankung sind sowohl die MRT wie auch die CCT sensitive Verfahren. In 4–16% der Fälle kann sie damit im Anfangsstadium bei noch fehlender klinischer Symptomatik diagnostiziert werden (Kinkel et al. 1985). Nach anderen CCT- und MRT-Studien sind Marklagerveränderungen bei dementen Patienten zwar häufiger, meist auch ausgedehnter, können jedoch nicht signifikant von normalen Altersveränderungen unterschieden werden (Hershey et al. 1987; George et al. 1986). Nach den letztgenannten Autoren korreliert auch der Schweregrad der Marklagerveränderungen bei dementen Patienten nicht mit dem Ausmaß der kognitiven Leistungsstörungen (vgl. Kap. 2).

Für die Diagnostik einer Alzheimer-Demenz gibt es in der konventionellen CCT zwei Ansätze. Zum einen wird versucht, durch Messungen der inneren und äußeren Liquorräume Unterscheidungskriterien zum normalen Alterungsprozeß zu finden. In CCT-Bildern von Alzheimer-Patienten zeigt sich eine diffuse Substanzminderung im vorderen und mittleren Temporallappen durch die Erweiterung der Unterhörner der Seitenventrikel und der Cisterna ambiens (Damasio et al. 1983; LeMay 1986). Daneben wird versucht, mit nachgeschalteten Computerverfahren Unterscheidungsmerkmale herauszufinden. Naeser et al. (1982) fanden bei Alzheimer-Patienten signifikante Unterschiede in den Dichtemittelwerten von grauer und weißer Substanz. Weitere Zugänge zur neuroradiologischen Diagnose einer Alzheimer-Erkrankung werden derzeit mit Hilfe der PET, SPECT und rCBF-Messungen mit der Gammakamera gesucht. Da sich der Glukosemetabolismus und die regionale Hirndurchblutung ebenfalls im Rahmen des normalen Alterungsprozesses verändern (Horwitz et al. 1986), ist bei diesen Untersuchungsparametern eine kritische Unterscheidung zum veränderten Stoffwechsel bei Alzheimer-Demenz schwierig. Die Emissionsverfahren zeigen eine mehr oder weniger spezifische regionale Stoffwechseldepression im Frontal-, Temporal- und hinteren Parietallappen. Johnson et al. (1987) fanden bei Patienten mit aufgrund klinischer Kriterien angenommener Alzheimer-Erkrankung ein Aufnahme- und Verteilungsmuster von [123]Jodamphetamin-Markern, das deutlich von altersangepaßten Kontrollpersonen unterschieden werden konnte. Als charakteristisches Merkmal war die Isotopenaufnahme über frontalen und hinteren parietalen Rindengebieten relativ vermindert. Vergleichbare Muster des regionalen Stoffwechsels von Alzheimer-Patienten ergaben PET-Untersuchungen bei Verwendung von [15]O markiertem Oxygen (Frackowiak et al. 1983). Hypometabolismus in beiden Temporallappen im Vergleich zu den Frontallappen konnten Friedland et al. (1983) beobachten. Risberg (1985) fand bei der Diagnose einer Alzheimer-Erkrankung eine hohe Übereinstimmung zwischen rCBF-Messungen und nachfolgenden Autopsiebefunden.

Als differentialdiagnostisches Kriterium zeigt bei Alzheimer-Erkrankung der primär sensomotorische Kortex meist keinen Hypometabolismus, während für vaskuläre Demenzformen fokal betonte und oft asymmetrische hypometabolische Areale typisch sind (Benson et al. 1983).

Insgesamt hat die neuroradiologische Unterscheidung und Früherkennung von dementiellen Prozessen derzeit noch geringe diagnostische Sicherheit. Die deutlichen Ergebnisse mancher Studien sind zum Teil auf die Selektion von Patienten mit fortgeschrittener Erkrankung in der Stichprobe zurückzuführen.

3.4 Anatomische Evaluation von fokalen Hirnschädigungen mit Hilfe der CCT und MRT

3.4.1 Untersuchungszeitpunkt

Da sich die Hirnläsionen in verschiedenen Stadien durch Umbauprozesse verändern, kann der Untersuchungszeitpunkt für eine realistische Abschätzung der anatomischen Schädigung entscheidend sein. Die einzelnen Ätiologien verlangen dabei ein unterschiedliches Vorgehen.

Bei fokalen Hirnläsionen kann erst nach Abbau des geschädigten Gewebes bzw. Resorption von extravasalem Blut und Abklingen von Begleiteffekten eine zuverlässige Läsionsbeschreibung durchgeführt werden. Eine Kontrolluntersuchung im morphologisch stabilen Stadium der Erkrankung ist daher in jedem Fall notwendig.

Bei Hirninfarkten sind die ischämisch geschädigten Bezirke mit Abschluß der Phagozytose nach spätestens 8 Wochen in einen pseudozystischen Raum transformiert (Tubman 1981), dessen deutliche Abgrenzung zum umliegenden Gewebe optimale Voraussetzungen für eine CCT- bzw. MRT-Darstellung bietet. Die Resorption einer intrazerebralen Blutung vollzieht sich in einem etwas kürzeren Zeitraum, der in Abhängigkeit vom Ausmaß der Blutung und von individuellen Faktoren deutlich variieren kann.

Die Ausdehnung einer diffusen Hirnschädigung kann wegen ihrer schwierigen Abgrenzung meist nur aufgrund mehrerer Untersuchungen abgeschätzt werden, da sich Befunde entweder nur zu frühen oder nur zu späten Zeitpunkten darstellen. Beispielsweise können sich im Rahmen eines Schädel-Hirn-Traumas entstandene kleine, primärtraumatische Blutungen nur bei frühen Untersuchungen darstellen, während die indirekten Zeichen einer diffusen Substanzminderung erst später auftreten.

3.4.2 Anatomische Referenzsysteme

Die normale anatomische Variabilität des telenzephalen Windungsrelief zusammen mit dem Fehlen zuverlässiger Landmarken machen die Identifikation von Hirnstrukturen in horizontalen Schnitten schwierig. Es wurden Versuche unternommen, einzelne zerebrale Strukturen durch Abstandsmessungen zu knöchernen Orientierungspunkten oder durch ihre invariante Konfiguration zu identifizieren. Am Beispiel des Gyrus praecentralis konnte seine konstante Lagebeziehung zur Sutura coronaria und seine in nahezu 100% der Fälle zu beobachtende Hakenkonfiguration beschrieben werden (Ebeling et al. 1986). Als Methode für eine zuverlässige anatomische Auswertung von CCT-/MRT-Bildern trotz individueller Variation schlagen Vanier et al. (1985) ein „proportionales Lokalisationssystem" vor. Dabei wird ein Gitter mit anatomischen Bezeichnungen auf das CCT-/MRT-Bild projiziert, um stereotaktische Positionsdaten, basierend auf dem Atlas von Talairach et al. (1967), auf die spezielle Hirnschicht zu übertragen. Einschränkungen dieser Methode ergeben sich durch den Bezug auf die sehr variable CM-Linie (s. unten) und durch die Tatsache, daß der Referenzatlas von Talairach et al. (1967) nur rechte Großhirnhemisphären abbildet.

Neben der anatomischen Variation von Hirnstrukturen ist die Abbildungsvariation durch unterschiedliche Orientierung der Schnittbilder im Raum ein Problem. CCT- und MRT-Daten werden primär in horizontalen Schnittbildern dargestellt. „Horizontal" bezeichnet allerdings nur die grobe Orientierung der einzelnen Schnitte, die bei verschiedenen Patienten, je nach diagnostischer Fragestellung bis zu 45° Abweichung aufweisen kann. Um bei einer Wiederholungsuntersuchung vergleichbare Schnittbilder zu erhalten oder die generierten Bilder verschiedener Patienten vergleichen zu können, ist es notwendig, den Kopf des Patienten nach einer gemeinsamen Referenzlinie auszurichten. Von einer solchen Linie ist zu fordern, daß die individuelle Variabilität der Hirnstrukturen zu ihr möglichst gering ist und ferner daß sie routinemäßig anwendbar

ist. Als Referenzlinie wird in den meisten neuroradiologischen Atlanten die Canthomeatallinie oder auch Orbitomeatallinie (CM-Linie), seltener die Frankfurt-Horizontale (Reids Basislinie) verwandt. Die CM-Linie ist durch 2 Orientierungspunkte am knöchernen Schädel definiert, den Mittelpunkt des Meatus acusticus externus und den temporalen Augenwinkel. Die Frankfurt-Horizontale zieht vom Unterrand der Orbita zum Oberrand des Meatus acusticus externus. Es ist offensichtlich, daß solche Orientierungspunkte, die den Gesichtsschädel miteinbeziehen, erhebliche individuelle Unterschiede zeigen und außerdem in einer äußerst variablen Beziehung zu Hirnstrukturen stehen. Bei verschiedenen Patienten können daher in entsprechenden CCT-Schnittbildern sehr unterschiedliche Hirnstrukturen zur Darstellung kommen. Die Ungenauigkeit anatomischer Aussagen, die bei der Benutzung dieser gebräuchlichen Bezugssysteme auftreten müssen, zeigten auch statistische Untersuchungen der Lagevariation von Hirnstrukturen (von Keyserlingk 1979; von Keyserlingk und Lange 1979). Für die Interpretation von CCT-Bildern, die über eine Artdiagnose hinaus eine möglichst genaue anatomische Lokalisation der Befunde anstrebt, sind diese Referenzsysteme also nicht verwendbar.

In der Neurochirurgie wurde für stereotaktische Eingriffe ein Referenzsystem mit Bezug auf die sog. ACPC-Linie, definiert durch eine Ebene durch die vordere und hintere Kommissur, entwickelt. Entsprechend den hohen Anforderungen von stereotaktischen Eingriffen wurde eine Linie gewählt, zu welcher interindividuelle Lageschwankungen der Hirnstrukturen vergleichsweise gering sind. Zur ACPC-Linie zeigen sowohl die Stammganglien und das Dienzephalon wie auch die Primärfissuren des telenzephalen Kortex ein konstantes Lageverhältnis (Talairach et al. 1967). In Ausrichtung auf diese Linie generierte CCT- oder MRT-Bilder von verschiedenen Patienten können sowohl untereinander wie auch mit einem stereotaktischen Atlas verglichen werden. Die für die Pneumenzephalographie konzipierte ACPC-Linie kann in den bildgebenden Verfahren nicht selbst, sondern muß in einer Annäherung, der Frontokzipitallinie (FO-Linie) angewandt werden. Die FO-Linie entspricht dem größten Längsdurchmesser des Gehirns und zieht von der tiefsten Impression der Gyri frontales zur tiefsten Impression des Okzipitalpols. Nach Tokunaga et al. (1977) verläuft diese Linie – in engen Grenzen – parallel zur ACPC-Linie. Die üblichen Bezugslinien, CM-Linie und Frankfurt-Horizontale, können dagegen beträchtliche individuelle Winkel zur FO-Linie aufweisen. In der am Anfang einer CCT- oder MRT-Untersuchung angefertigten seitlichen Schädelübersichtsaufnahme kann die FO-Linie als Basislinie für die Schnittführung routinemäßig eingestellt werden.

Ein vergleichbares Verfahren für die PET wurde von Fox et al. (1985) vorgeschlagen; auch hier wird über ein seitliches Röntgenbild anatomische Information aus stereotaktischen Atlanten auf die PET-generierten Bilder übertragen.

3.5 Ausblick

Entscheidende Verbesserungen in der detailgenauen Bestimmung geschädigter bzw. funktionell beeinträchtigter Hirnareale würden sich ergeben, wenn bildgebende Verfahren mit der Möglichkeit, Stoffwechselprozesse abzubilden, für die neuropsychologische Rehabilitation routinemäßig zur Verfügung stünden.

Neue technische Ansätze bei der CCT, wie die Kombination mit der Inhalation von (nichtradioaktivem) Xenon zur Messung der regionalen Hirndurchblutung (Gur et al. 1981), konnten bis jetzt noch keine bahnbrechenden Ergebnisse liefern, zeigen jedoch in der Diagnostik dementieller Prozesse neue Ansatzpunkte (Kitagawa et al. 1984).

In der Demenzdiagnostik wird vor allem der SPECT ein Entwicklungspotential zugetraut (Benson 1985). Bei der Verwendung von Tc-Markern mit ihrer geringeren Strahlenbelastung sind Fortschritte mit diesem Verfahren wegen der Verfügbarkeit und Anwendbarkeit für die klinische Arbeit als vielversprechend einzuschätzen.

Die Weiterentwicklung der zweidimensionalen rCBF-Messungen wird durch Verwendung von 254 Detektoren (bislang 16 oder 32 Detektoren) mit einer erwarteten räumlichen Auflösung von ca. 10 mm versucht (Risberg 1986).

Die Kernspintomographie bietet ein weites technisches Entwicklungsfeld, da sie neben der Möglichkeit, anatomische Informationen zu gewinnen, mit der MRT-Spektroskopie über ein Potential zur Messung regionaler metabolischer Aktivität verfügt. Über diese Methode können physiologische Parameter beispielsweise während der Entwicklung und des Verlaufs von Hirninfarkten dargestellt werden. Die ^{1}H-Spektroskopie zeigt Laktatanhäufungen in Neuronenpopulationen, wenn infolge einer Ischämie die anaerobe Glykolyse zunimmt; die ^{31}P-Spektroskopie bildet quantitative Änderungen von energiereichen Substraten und ihrer Spaltprodukte im Hirngewebe ab.

Die positive Einschätzung der Entwicklung der PET ist neben der zu erwartenden besseren Bildauflösung (Raichle 1986) darin begründet, daß für neue Fragestellungen, z.B. zur Untersuchung der regionalen Verteilung von Neurotransmitterrezeptoren, entsprechende Isotopenmarker entwickelt werden können. So könnte, sofern es gelingt spezifische Marker herzustellen, eine Unterscheidung von Demenzsubtypen auf der Basis von „Dysfunktionen" bestimmter Neurotransmittersysteme möglich sein (Wagner et al. 1983). Weiterhin könnte das Wissen über die genaue Infarktausdehnung, ihren zeitlichen Verlauf und die Bedeutung der ischämischen Läsion innerhalb eines funktionellen Systems erweitert werden, wenn es gelingt, Isotopenmarker für irreversibel geschädigte Zellen zu erzeugen; einen Überblick über die derzeitigen Ansatzpunkte bei Tieren gibt die Arbeit von Dienel et al. (1986).

Literatur

Baron JC (1985) Positron tomography in cerebral ischemia. A review. Neuroradiology 27: 509–516

Baron JC, D'Antona R, Serdaru M et al. (1986). Hypometabolisme cortical apres lesion thalamique chez homme. Etude par la tomographie a positrons. Rev Neurol 142: 465–474

Benson DF (1985) CT scan, magnetic resonance imaging, and single photon emission tomography in Alzheimer's disease. Bull Clin Neurosci 50: 16–17

Benson DF, Kuhl DE, Randall A (1983) The fluoro-deoxyglucose 18 F scan in Alzheimer's disease and multi-infarct-dementia. Arch Neurol 40: 711–714

Brant-Zawadzki M, Weinstein P, Bartkowski H et al. (1987) MR imaging and spectroscopy in clinical and experimental cerebral ischemia: a review. Am J Neurorad 8: 39–48

Carr DH, Brown J, Bydder GM et al. (1984) gadolinium-DTPA as a contrast agent in MRI: initial clinical experience in 20 patients. AJR 143: 215–224

Damasio H, Eslinger P, Damasio AR (1983) Quantitative computed tomographic analysis in the diagnosis of dementia. Arch Neurol 40: 715–719

D'Antona R, Baron JC, Pantano P et al. (1985) Effects of thalamic lesions on cerebral cortex metabolism in humans. J Cereb Blood Flow Metab 5 [Suppl 1]: 457–458

Dienel GA, Pulsinelli WA (1986) Uptake of radiolabeled ions in normal and ischemia-damaged brain. Ann Neurol 19: 465–472

Ebeling U, Huber P, Reulen HJ (1986) Localization of the precentral gyrus in computed tomography and its clinical application. J Neurol 233: 73–76

Fox PT, Perlmutter JS, Raichle M (1985) Brain mapping in positron emission tomography. J Comput Assist Tomogr 9: 141–153

Frackowiak RSJ, Pozilli C, Legg NJ et al. (1983) Regional cerebral oxygen supply and utilization in dementia. Brain 104: 753–778

Friedland PR, Budinger TF, Ganz E et al. (1983) Regional cerebral metabolic alterations in dementia of the Alzheimer type: positron emission tomography with [18 F]-2-fluorodeoxyglucose. J Comput Assist Tomogr 7: 590–598

George AE, de Leon MJ, Gentes CI et al. (1986) Leukencephalopathy in normal and pathologic aging: 1. CT of brain lucencies. 2. MRI of brain lucencies. Amer J Neurorad 7: 561–566 and 567–570

Gur D, Yonas H, Herbert D et al. (1981) Xenon enhanced dynamic computed tomography: Multilevel cerebral blood flow studies. J Comput Assist Tomogr 5: 334–340

Heiss WD, Beil C, Herholz K et al. (1985) Atlas der Positronen-Emissions-Tomographie des Gehirns. Springer, Berlin Heidelberg New York Tokyo

Heiss WD, Herholz K, Pawlik G et al. (1986) Positron emission tomography in neuropsychology. Neuropsychologia 24: 141–149

Hershey LA, Modic MT, Greenough PG et al. (1987) Magnetic resonance imaging in vascular dementia. Neurology 37: 29–36

Horwitz B, Duara R, Rapoport SI (1986) Age differences in intercorrelations between regional cerebral metabolic rates for glucose. Ann Neurol 19: 60–67

Johnson KA, Mueller ST, Walshe TM et al. (1987) Cerebral perfusion imaging in Alzheimer's disease. Use of single photon emission computed tomography and iofetamine hydrochloride I 123. Arch Neurol 44: 165–168

Keyserlingk DG von (1979) Topographische Anatomie und zerebrale Computertomographie. Verh Anat Ges 73: 53–57

Keyserlingk DG von, Lange S (1979) Lagevariation von Hirnstrukturen im Bezugssystem der Computertomographie. Anat Anz 146: 245–255

Kinkel WR, Jacobs L, Polachini I (1985) Subcortical Arteriosclerotic encephalopathy (Binswanger's disease). Computer tomographic, nuclear magnetic resonance and clinical correlations. Arch Neurol 42: 951–959

Kitagawa Y, Meyer JS, Tachibana H et al. (1984) CT-CBF correlations of cognitive deficits in multi-infarct dementia. Stroke 15: 1000–1009

Koehler PR, Daniels DL, Williams AL et al. (1986) Technical factors in MR image quality. Neuroradiology 28: 74–77

Kuhl DE, Phelps ME, Kowell AP et al. (1980) Effects of stroke on local cerebral metabolism and perfusion: Mapping by emission computed tomography of 18-FDG and 13-NH3. Ann Neurol 8: 47–60

LeMay M (1986) CT in dementing diseases. Am J Neuroradiol 7: 841–853

Lenzi GL, Frackowiak RSJ, Legg NJ et al. (1982) Cerebral oxygen metabolism and blood flow in human cerebral ischemic infarction. J Cereb Blood Flow Metab 2: 321–335

Martin WRW, Raichle M (1983) Cerebellar blood flow and metabolism in cerebral hemisphere infarction. Ann Neurol 14: 168–178

Meneghetti G, Vostrup S, Mickey B et al. (1984) Crossed cerebellar diaschisis in ischemic stroke: a study of regional cerebral blood flow by ^{133}Xe inhalation and single photon emission tomography. J Cereb Blood Flow Metab 4: 235–240

Naeser MA, Albert MS, Kleefield J (1982) New methods of CT scan diagnosis of Alzheimer's disease: Examination of white and grey matter mean CT density numbers. In: Corkin S, Davis KL, Growdon JH, Usdin E, Wurtman RJ (eds) Alzheimer's disease: a review of progress, vol 19. Raven Press, New York

Olsen TS, Bruhn P, Öberg RGE (1986) Cortical hypoperfusion as a possible cause of ‚subcortical aphasia'. Brain 109: 393-410

Pappata S, Tran Dinh S, Baron JC et al. (1987) Remote metabolic effects of cerebrovascular lesions: magnetic resonance and positron emisson tomography imaging. Neuroradiology 29: 1-6

Patano P, Baron JC, Samson (1986) Crossed cerebellar diaschisis. Brain 109: 677-694

Raichle M (1986) Neuroimaging. Trends Neurosci 9: 525-529

Risberg J (1985) Cerebral blood flow in dementias. Dan Med Bull 32 [Suppl 1]: 48-50

Risberg J (1986) Regional cerebral blood flow in neuropsychology. Neuropsychologia 24: 123-140

Slater R, Reivich M, Goldberg H et al. (1977) Diaschisis with cerebral infarction. Stroke 8: 684-690

Simmons Z, Biller J, Adams HP et al. (1986) Cerebellar infarction: comparison of computed tomography and magnetic resonance imaging. Ann Neurol 19: 291-293

Talairach J, Szikla G, Tournoux P et al. (1967) Atlas d'anatomie stéréotaxique du teléncéphale. Masson, Paris

Tokunaga A, Takase M, Otani K (1977) The Glabella-Inion line as a baseline for CT-scanning of the brain. Neuroradiology 14: 67-71

Tubman DE, Ethier R, Melançon D et al. (1981) The computerized tomographic assessment of brain infarcts. Can J Neurol Sci 8: 121-126

Vanier M, Lecours AR, Ethier R et al. (1985) Proportional localization system for anatomical interpretation of cerebral computed tomograms. J Comput Assist Tomogr 9: 715-724

Wagner HN, Burns HD, Dannals RF et al. (1983) Imaging dopamine receptors in the human brain by positron tomography. Science 221: 1264-1266

Zihl J, von Cramon D (1985) Visual field recovery from scotoma in patients with postgeniculate damage. A review of 55 cases. Brain 108: 335-365

4 Elektrophysiologische Verfahren in der neuropsychologischen Diagnostik: Evozierte Potentiale

M. SCHERG

4.1 Einleitung

An der Kopfhaut kann man kontinuierlich kleine Potentialschwankungen messen, die durch die elektrische Hirnaktivität hervorgerufen werden. Die fortlaufende Ableitung der Spontanaktivität des Gehirns wird als Elektroenzephalogramm (EEG) bezeichnet, während man bei systematischen Potentialveränderungen, die durch einen externen sensorischen Reiz ausgelöst werden, von einem evozierten Potential (EP) spricht. Auch bei komplexeren zerebralen Informationsverarbeitungsprozessen, z.B. bei der Erwartung eines bestimmten Ereignisses oder bei der Vorbereitung von Willkürbewegungen, treten systematische EEG-Veränderungen auf. Deshalb bezeichnet man alle Potentialänderungen, die in einem zeitlichen Zusammenhang zu einem extern meßbaren Ereignis stehen, sei es zu einem Reiz oder zum Beginn einer Bewegung bzw. einer Reaktion, als „ereigniskorrelierte Potentiale" (EKP).

In der neuropsychologischen Diagnostik bietet das EKP prinzipiell die Möglichkeit, kognitive Prozesse in ihrem Ablauf, angefangen von der peripheren Sinneswahrnehmung bis zu höheren Informationsverarbeitungsschritten, unabhängig vom Reaktionsverhalten des Patienten zu verfolgen. Andererseits spiegelt sich auch das Reaktionsverhalten des Patienten z.B. in den Erwartungspotentialen („contingent negative variation", CNV), im Bereitschaftspotential und in motorischen Potentialkomponenten wider (Deecke et al. 1984; Rohrbaugh et al. 1986). Während testpsychologische Verfahren es üblicherweise nur erlauben, Aufgabe und Antwort bzw. Reiz und Reaktion in Verbindung zu setzen, zeigt das EKP eine Vielzahl von Komponenten, welche Ausdruck der zwischen Reiz und Reaktion ablaufenden Informationsverarbeitungsprozesse sind. Im Prinzip ermöglicht dies nicht nur, Störungen im zeitlichen Ablauf dieser Prozesse, sondern auch die Ebene und Art einer Funktionsstörung zu erfassen, sofern die Zuordnung der einzelnen Komponenten zur Hirnstruktur und Funktion bekannt ist.

Eine schematische Einteilung der Komponenten des EKP ist in Abb. 4.1 gegeben. Die primär-sensorischen und motorischen Potentiale werden in der Literatur auch als obligatorisch bezeichnet, weil sie in jedem Fall von einem Reiz ausgelöst werden bzw. vor einer Reaktion auftreten und in festem zeitlichem Zusammenhang dazu stehen. Kognitive und antizipatorische Komponenten des EKP hängen dagegen stark von der Instruktion, der subjektiven Erwartunghaltung und dem Verhalten des Patienten ab. Diese psychologischen Faktoren sind experimentell zwar schwerer zu kontrollieren, erlauben es aber auch, entsprechende neuropsychologische Defizite abzubilden.

Allerdings besteht die Einschränkung, daß das EKP nur unter bestimmten experimentellen Bedingungen meßbar ist. In der Regel muß nämlich eine große Anzahl von ähnlichen Ereignissen beobachtet werden, um überhaupt eines systematische Potentialänderung vom Hintergrunds-EEG unterscheiden zu können. Auch führt nicht jeder zerebrale Verarbeitungsprozeß notwendigerweise zu einer makroskopisch sichtbaren Potentialveränderung. Umgekehrt steht eine gemessene Potentialwelle nur in sehr indirektem Bezug zu einem speziellen Informationsverarbeitungsschritt. Im

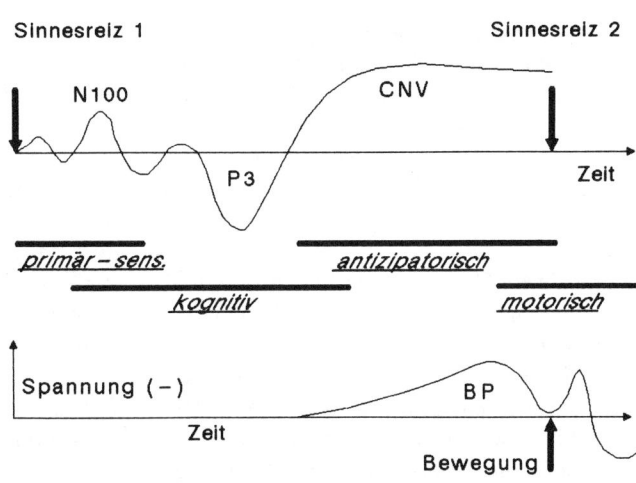

Abb. 4.1. Schematische Einteilung der EKP-Komponenten. Es besteht ein unklarer Überlappungsbereich zwischen primärsensorischen (bzw. exogenen) und kognitiven Komponenten sowie zwischen kognitiven und antizipatorischen (bzw. endogenen) Komponenten. Auch prämotorische Potentialkomponenten treten gemeinsam mit anderen antizipatorischen EKP auf. (*BP* Bereitschaftspotential vor einer Willkürbewegung, *CNV* "contingent negative variation" vor dem erwarteten Sinnesreiz 2)

allgemeinen sind Potentialkomponenten nämlich eine komplexe Überlagerung mehrerer elektrischer Hirnaktivitäten. Dieses Problem der zeitlichen und räumlichen Überlagerung hat bisher eine Zuordnung der Potentialwellen zu Hirnstruktur und Funktion sehr erschwert; neuere Ansätze zur Lösung des Quellenproblems versprechen jedoch eine bessere Interpretation des EKP (Scherg u. v. Cramon 1985, 1986). Gleichwohl ist das EKP nur als ein Epiphänomen anzusehen, dessen zeitliches Auftreten a priori nicht gleichzeitig mit dem auslösenden zerebralen Prozeß erfolgen muß.

Aus diesen Gründen ist die Bedeutung des EKP für die neuropsychologische Diagnostik nur aufgrund von Ergebnissen in anderen Bereichen ersichtlich, z. B. in der neurologischen und psychiatrischen Diagnostik (Überblick in Stöhr et al. 1982; Curry et al. 1986; Roth et al. 1986) sowie in der kognitiven Psychologie und in der Psychophysiologie (Rockstroh et al. 1982; McCallum et al. 1986; Karrer et al. 1984). Es sollen deshalb zunächst die klinisch verfügbaren primär-sensorischen EP in ihrem Wert für die neuropsychologische Diagnostik betrachtet werden, bevor die Bedeutung kognitiver und antizipatorischer EKP-Komponenten umrissen werden kann. Dabei kann es hier nicht um eine detaillierte Beschreibung

einzelner, zum Teil noch kontrovers diskutierter EKP-Komponenten gehen; diese sind in verschiedenen Übersichten ausführlich beschrieben (Stöhr et al. 1982; McCallum et al. 1986; Gaillard u. Ritter 1983). Vielmehr sollen in diesem Kapitel nur prinzipielle Aspekte der EKP-Diagnose bei neuropsychologischen Erkrankungen erörtert werden.

4.2 Primär-sensorisch evozierte Potentiale

Jeder Sinnesreiz löst synchronisierte Nervenaktivitäten in den aufsteigenden afferenten Bahnen und Kerngebieten sowie in den primären kortikalen Sinnesarealen aus. Allerdings spiegelt sich die aufsteigende Erregung in den einzelnen Sinnessystemen in unterschiedlichem Maß im evozierten Potential wider. Wegen der hohen durch den Reiz erzielbaren Synchronisation finden sich im akustisch (AEP) und somatosensorisch (SEP) evozierten Potential Komponenten, die der Erregung des peripheren Nervs und den Schaltstellen im Hirnstamm bzw. im Rückenmark und in der Medulla oblongata zugeordnet werden können. In beiden Systemen kann das EP damit zur Differentialdiagnostik von peripheren und zentralen Störungen eingesetzt werden (Stöhr et al. 1982, Chiappa et al. 1983). Das akustisch evozierte Hirnstammpotential (AEHP) ermöglicht zudem eine Bestimmung der peripheren Hörschwellen bei nichtkooperativen Patienten und Kleinkindern sowie eine Lokalisation von hirnstammbedingten Hörstörungen (s. Kap. 8).

Kortikale EP-Komponenten finden sich in allen Sinnesmodalitäten, auch nach olfaktorischer Reizung (Kobal u. Plattig 1978). Die primäre Erregung des sensorischen Kortex äußert sich in den einzelnen Modalitäten jedoch zu sehr verschiedenen Zeiten, nämlich sehr früh im somatosensorisch (Negativität bei 20 ms: N 20) und im akustisch evozierten Potential (N 19-P 30), später im visuellen (N 70-P 110) und in den olfaktorischen Potentialen (ab 200 ms). Wegen der starken Variabilität der Potentialamplitude beschränkt sich die klinische Anwendung bisher aber darauf, einen einseitigen Ausfall oder eine Verzögerung der kortikalen Erregung nachzuweisen. Infolge der komplexen Überlagerung und Ausbreitung elektrischer Felder ist eine Zuordnung der Potentiale zur jeweils stimulierten Hemisphäre aus der gemessenen Skalpverteilung unmöglich, wenn der erregte primäre Kortex in Einfaltungen nahe der Mittellinie liegt, z. B. nach visueller oder Beinnervenstimulation, oder wenn beide Hemisphären aktiviert werden, wie nach akustischer Stimulation. Hier werden Verfahren der Quellenlokalisation (Kavanagh et al. 1978; Wood 1982) und Berechnungen der Quellenaktivität (Scherg u. Cramon 1986) erst in Zukunft eine genauere Bestimmung von pathologischen Veränderungen ermöglichen.

Die Bedeutung der primär-sensorischen EP für die Neuropsychologie liegt deshalb vor allem im Nachweis einer Funktionsstörung der peripheren Sinnesorgane, der afferenten Bahnen oder der primären kortikalen Sinnesareale, besonders dann, wenn diese Funktionsstörung nicht sicher mit Hilfe bildgebender Verfahren ausgeschlossen werden kann. Allerdings sind fundierte Kenntnisse der Einflüsse peripherer Störungen nötig, um die zerebralen Anteile mit Hilfe der primär-sensorischen EP

sicher abgrenzen zu können (Chiappa et al. 1983). Auch ist die Aussage, die sich über das Funktionsdefizit machen läßt, dadurch eingeschränkt, daß die meisten Potentialwellen nur das Vorhandensein eines Reizes signalisieren, ohne seinen spezifischen Informationsgehalt abzubilden. Eine Erniedrigung oder Verzögerung einer Komponente läßt deshalb keinen Rückschluß auf die Art der Wahrnehmungsstörung zu. Höchstens indirekt kann bei bekannter Zuordnung des gestörten Potentialmusters zur Struktur und Kenntnis der Funktion dieser Struktur eine entsprechende Funktionsstörung angenommen werden.

4.3 Kognitive Potentiale

Bei kontinuierlicher Darbietung des gleichen Reizes besteht das EKP-Muster vorwiegend aus primär-sensorischen Komponenten. Jede Veränderung des Reizes führt dagegen zu einer Serie von unterschiedlichen bzw. zusätzlichen Potentialwellen (Rösler 1982; Rösler et al. 1986). Diese Wellen gehen offenbar einher mit der zerebralen Verarbeitung des neuen, abweichenden Reizes und der Evaluierung des Unterschieds zum voraufgegangenen Reiz. Das einfachste Beispiel eines Experiments zur Auslösung kognitiver Potentialkomponenten ist das sog. Odd-ball-Paradigma, bei dem die Versuchsperson die Aufgabe hat, selten auftretende Zielreize (Targets) in einer Serie gleichförmiger Reize zu entdecken.

Von besonderem Interesse für die neuropsychologische Diagnostik sind unter den kognitiven Potentialkomponenten die „mismatch negativity", die ca. 120-160 ms nach Beginn eines abweichenden (=„mismatch") Reizes auftritt, und die P3, eine zentroparietale Positivität, die je nach Reizparadigma eine Latenz von 300-600 ms hat. Die „mismatch negativity" zeigt im Gegensatz zur P3 eine modalitätsspezifische Skalpverteilung und signalisiert offenbar die Diskrimination des physikalischen Unterschieds der Stimuli (Näätänen u. Picton 1986). Dies unterstreicht die prinzipielle Bedeutung dieser kognitiven EKP-Komponente für die Diagnostik von elementaren Wahrnehmungsstörungen. Neben der „mismatch negativity" gibt es weitere negative EKP-Komponenten („processing negativities"), die mit der kognitiven Reizverarbeitung einhergehen (Ritter et al. 1984). So führt z. B. das selektive Ausrichten der Aufmerksamkeit auf einen Kanal, z. B. auf Töne einer bestimmten Frequenz, zu einer als Nd-Welle bezeichneten Negativität, die 100–150 ms nach Reizbeginn einsetzt und nach 180–250 ms ein Maximum erreicht (Hansen u. Hillyard 1980). Welche kognitiven Prozesse nun genau die Ursache der verschiedenen „processing negativities" sind, ist noch umstritten (Ritter et al. 1984; Näätänen u. Picton 1986).

Die P3-Komponente hängt dagegen vor allem von der Relevanz und der subjektiven Erwartung eines Reizes ab. Je bedeutungsvoller ein Reiz für die Testaufgabe ist und je seltener er vorkommt, um so größer ist die Amplitude der P3. Gleichzeitig nimmt die Latenz der P3 zu, je schwieriger die relevante Information eines Reizes zu extrahieren ist. Es besteht heute Übereinstimmung darüber, daß die Latenz der P3 eng mit der Dauer der für die Aufgabe nötigen zerebralen Reizverarbeitung („stimulus evaluation time") zusammenhängt und daß sie weitgehend unabhängig ist von der Art und der Latenz der geforderten Reaktion (Rösler et al. 1986). Die Latenz der P3 stellt damit eine Meßgröße für kognitive Verarbeitungsprozesse dar, während die Reaktionszeit immer ein integrales Maß von kognitiver Verarbeitung und motorischer Antwort ist. Außerdem soll die Größe der späteren Anteile des P3-Komplexes in Zusammenhang stehen mit dem für die Reizverarbeitung nötigen Aufwand (Rösler et al. 1986).

Diese Ergebnisse aus der kognitiven Psychophysiologie zeigen, daß P3-Testparadigmen für die neuropsychologische Diagnostik prädestiniert sein müssen. Die P3 wurde jedoch bisher vorwiegend im psychiatrischen Bereich zur Messung der kognitiven Verlangsamung bei dementiellen Prozessen eingesetzt (Roth et al. 1986), während nur wenige neuropsychologische Untersuchungen bekannt sind. So haben Ragot et al. (1982) bei 2 Patienten mit ideomotorischer Apraxie eine normale Latenz von P3 gefunden, was einen kognitiven Anteil an den erhöhten Reaktionszeiten bei dieser Störung weitgehend ausschließt. Kognitive Verlangsamung war dagegen vermutlich die Ursache für verlängerte P3-Latenzen bei einer Patientengruppe mit Hirntumoren und einer Gruppe nach Schädel-Hirn-Trauma (Olbrich et al. 1986). Cooper et al. (1984) fanden eine Verlängerung von P3-Latenz und Reaktionszeit in einer Gruppe von Patienten nach Schädel-Hirn-Trauma. Allerdings war bei leichterer Symptomatik nur die Reaktionszeit signifikant verlängert. Im Verlauf bildete sich auch in schweren Fällen die Verlängerung der Latenz- und der Reaktionszeit zurück. Die P3-Latenz bietet sich deshalb besonders als Maß zur Verlaufsuntersuchung bei kognitiver Verlangsamung an.

Versuche, sprachspezifische Potentialkomponenten zu isolieren, waren bisher wenig erfolgreich (Squires u. Ollo 1986), wenn man von der N400-Komponente absieht, die bei Darbietung von semantisch inkongruenten Worten am Satzende ausgelöst wird (Kutas u. Hillyard 1980). Durch Subtraktion der unter verschiedenen experimentellen Bedingungen gemessenen Wellenformen konnten Novick et al. (1985) offenbar EKP-Komponenten extrahieren, die sich auf die akustische und auf die semantische Verarbeitung von Einzelworten beziehen ließen. In der bisherigen EKP-Sprachforschung war die Bestimmung der Hemisphärendominanz für sprachliche Reize ein weiterer wichtiger Aspekt. Signifikante Effekte, unter anderem auch für phonologische Kontraste, ergaben sich dabei aber nur im Gruppenmittel bei Anwendung von varianzanalytischen Verfahren, die zudem keine eindeutige Identifikation von sprachspezifischen EKP-Komponenten erlaubten (Molfese 1983). Auch hier dürfte ein Fortschritt vor allem über verbesserte Methoden zur räumlich-zeitlichen Trennung der EKP-Komponenten zu erzielen sein. Der mögliche Einsatz des EKP in der Diagnostik von Sprachperzeptionsstörungen läßt sich auch wegen des Mangels an adäquaten Testparadigmen für die Zukunft noch nicht richtig einschätzen.

4.4 Antizipatorische und motorische Potentiale

Viele psychologische Testparadigmen benutzen einen Warn- oder „priming-Reiz" vor dem eigentlichen Testreiz oder einen zusätzlichen imperativen Reiz zur Auslösung der Antwortreaktion. Im Intervall zwischen dem ersten und zweiten Reiz treten dann negative EKP-Komponenten auf, die mit der Antizipation des zweiten Reizes bzw. mit der Vorbereitung der Reaktion im Zusammenhang stehen (vgl. Abb. 4.1). Wegen ihres Bezugs zum zweiten Reiz wird diese negative Potentialverschiebung als „contingent negative variation" (CNV) bezeichnet (Walter et al. 1964). Ob die CNV mehr von kognitiven Informationsverarbeitungsprozessen oder mehr von der Vorbereitung der Reaktion abhängt, ist allerdings nach wie vor strittig; letztlich ist die Zusammensetzung der CNV und die Zuordnung ihrer Unterkomponenten zur Hirnstruktur und Hirnleistung noch unklar (Rohrbaugh et al. 1986).

Auch wenn eine Bewegung spontan, also nicht als Reaktion auf einen Stimulus erfolgt, tritt bereits ca. 1 s vor der Muskelkontraktion eine negative Potentialverschiebung am Vertex auf, das sog. „Bereitschaftspotential" (Kornhuber u. Deecke 1965). Kurz vor der Bewegung sind über den entsprechenden kontralateralen präzentralen Arealen spezifische motorische Potentiale ableitbar. Unmittelbar nach der Bewegung treten über der kontralateralen Postzentralregion auch reafferente sensorische Potentialkomponenten auf. Wegen der Vielzahl dieser motorischen Komponenten sowie wegen der unterschiedlichen Terminologie und Interpretation kann hier nur auf ausführliche Übersichten verwiesen werden (Deecke et al. 1984; Rohrbaugh et al. 1986).

Veränderungen antizipatorischer und motorischer Potentialkomponenten nach Hirnschädigung wurden bisher kaum untersucht und sind unseres Wissens nur bei dyslektisch-dysgraphischen und hypermotorischen Kindern beobachtet worden, wobei die funktionelle Bedeutung der Potentialänderungen noch nicht

geklärt ist (Chiarenza et al. 1986; Rothenberger et al. 1986). Es ist jedoch zu erwarten, daß mit zunehmendem Verständnis und verbesserten Auswertungsverfahren die antizipatorischen und motorischen EKP-Komponenten hilfreich bei der neuropsychologischen Diagnose sein können.

Als Ausdruck der affektiven Reizverarbeitung dürfte in Zukunft möglicherweise auch eine weitere negative Potentialkomponente für die neuropsychologische Diagnostik von Interesse sein, die sog. „post-imperative negative variation" (PINV). Diese Negativierung dauert unter bestimmten Bedingungen deutlich über den imperativen Reiz hinaus an, wenn z. B. die Versuchsperson einen zweiten aversiven Reiz nicht mehr unter Kontrolle halten kann (Rockstroh et al. 1982). Ein Überblick über psychiatrische Anwendungen der PINV, die auch als CNV-Verlängerung bezeichnet wird, findet sich bei Roth et al. 1986.

4.5 Bedeutung für die neuropsychologische Diagnostik

Ein endgültiges Urteil über die Bedeutung der EKP für die neuropsychologische Diagnostik abzugeben, wäre verfrüht, da die Möglichkeiten dieser Untersuchungstechnik weder von der experimentellen Seite noch von den mathematischen Analyseverfahren her voll ausgeschöpft sind. Auch lassen die stürmische Entwicklung der Magnetoenzephalographie (Weinberg et al. 1985) sowie das Interesse für die elektrischen Quellen des EKP, das sich in zunehmenden Anwendungen der elektrischen Skalpkartographie äußert, für die Zukunft eine bessere Identifikation von EKP-Komponenten und damit von zerebralen Informationsverarbeitungsprozessen erwarten. Allerdings sollte die inkorrekte Bezeichnung „brain mapping" für die in Mode gekommene farbige Darstellung der elektrischen Potentialverteilung am Skalp nicht dazu verleiten, diese Skalpkarten wie computertomographische Schnittbilder zu betrachten und auffällige Foci einfach den darunterliegenden Hirnstrukturen zuzuordnen. Ohne eine genaue Analyse der zugrundeliegenden Quellenstruktur führt die phänomenologische Betrachtung der Skalpkarten sonst leicht zu fehlerhaften Interpretationen (Scherg u. v. Cramon 1985, 1986).

Zum gegenwärtigen Zeitpunkt liegt der Schwerpunkt der EKP-Anwendung bei neuropsychologischen Patienten sicher in der Abklärung sensorischer Defizite, z. B. von zerebralen Hörstörungen (vgl. Kap. 8) oder zerebralen Sehstörungen (vgl. Kap. 7), die mit Hilfe von Leistungstests nicht oder nur schwer objektivierbar sind. Aber auch für die Messung von kognitiver Verlangsamung und von Aufmerksamkeitsstörungen ist zu erwarten, daß das EKP neben der Reaktionszeit ein wichtiger Leistungsindex sein wird. Besonders gut sollte sich das EKP eigentlich für Verlaufsuntersuchungen eignen, da dann die hohe interindividuelle Variabilität, z. B. der Latenz und Amplitude von P3, wegfällt. Zudem stellt die Unabhängigkeit von der motorischen Reaktion einen großen Vorteil kognitiver EKP-Komponenten dar. Er wird allerdings erst dann voll zum Tragen kommen, wenn die analytischen Verfahren zur Signalextraktion optimiert sind, so daß die Zahl der Meßdurchgänge reduziert werden kann.

Die genannten methodischen Probleme zeigen, daß der Anwendungsbereich der kognitiven, antizipatorischen und motorischen EKP-Komponenten zur Zeit noch sehr eingeschränkt ist. Die fortschreitende Entwicklung der EKP-Methodik wird jedoch sicher dazu beitragen, daß auch diese Verfahren in der neuropsychologischen Diagnostik einen festen Platz finden werden.

Literatur

Chiappa KH (1983) Evoked potentials in clinical medicine. Raven, New York

Chiarenza GA, Papakostopoulos D, Grioni A, Tengattini MB, Mascellani P, Guareschi-Cazzullo A (1986) Movement-related brain macropotentials during a motor perceptual task in dyslexic-dysgraphic children. In: McCallum WC, Zappoli R, Denoth F (eds) Cerebral psychophysiology: studies in event-related potentials. Elsevier, Amsterdam, pp 489–491

Cooper R, Curry SH, Cummins BH (1984) Late components and slow potentials in disturbed mental states. In: Nodar RH, Barber C (eds) Evoked potentials II. Butterworth, Boston, pp 446–454

Curry SH, Woods DL, Low MD (1986) Applications of cognitive ERPs in neurosurgical and neurological patients. In: McCallum WC, Zappoli R, Denoth F (eds) Cerebral psychophysiology: studies in event-related potentials. Elsevier, Amsterdam, pp 469–484

Deecke L, Bashore T, Brunia CHM, Grünewald-Zuberbier E, Grünewald G, Kristeva R (1984) Movement-associated potentials and motor control. In: Karrer R, Cohen J, Tueting P (eds) Brain and information: event-related potentials. Ann NY Acad Sci 425: 398–428

Gaillard AWK, Ritter W (eds) (1983) Tutorials in event related potential research: endogenous components. North-Holland, Amsterdam

Hansen JC, Hillyard SA (1980) Endogenous brain potentials associated with selective auditory attention. Electroenceph Clin Neurophysiol 49: 277–290

Karrer R, Cohen J, Tueting P (eds) (1984) Brain and information: Event-related potentials. Ann NY Acad Sci 425

Kavanagh RN, Darcey TM, Lehmann D, Fender DH (1978) Evaluation of methods for three-dimensional localization of electrical sources in the human brain. IEEE Trans Biomed Eng 25: 421–429

Kobal G, Plattig KH (1978) Methodische Anmerkungen zur Gewinnung olfaktorischer EEG-Antworten des wachen Menschen (objektive Olfaktometrie). Z EEG-EMG 9: 135–145

Kornhuber HH, Deecke L (1965) Hirnpotentialänderungen bei Willkürbewegungen und passiven Bewegungen des Menschen: Bereitschaftspotential und reafferente Potentiale. Pflügers Arch Ges Physiol 284: 1–17

Kutas M, Hillyard SA (1980) Reading senseless sentences: Brain potentials reflect semantic incongruity. Science 207: 203–205

McCallum WC, Zappoli R, Denoth F (eds) (1986) Cerebral psychophysiology: studies in event-related potentials. Elsevier, Amsterdam

Molfese DL (1983) Event related potentials and language processes. In: Gaillard AWK, Ritter W (eds) Tutorials in event related potential research: endogenous components. North-Holland, Amsterdam, pp 345–368

Näätänen R, Picton TW (1986) N 2 and automatic versus controlled processes. In: McCallum WC, Zappoli R, Denoth F (eds) Cerebral psychophysiology: studies in event-related potentials. Elsevier, Amsterdam, pp 169–186

Novick B, Lovrich D, Vaughan HG Jr. (1985) Event-related potentials associated with the discrimination of acoustic and semantic aspects of speech. Neuropsychologia 23: 87–101

Olbrich HM, Lanczos L, Lodemann E, Zerbin D, Engelmeier MP, Nau HE, Schmit-Neuerburg KP (1986) Ereigniskorrelierte Hirnpotentiale und intellektuelle Beeinträchtigung – Eine Untersuchung bei Patienten mit Hirntumor und Schädelhirntrauma. Fortschr Neurol Psychiatr 54: 182–188

Ragot R, Derouesne C, Renault B, Lesevre N (1982) Ideomotor apraxia und P300: a preliminary study. In: Courjon J, Mauguiere F, Revol M (eds) Clinical application of evoked potentials in neurology. Raven, New York, pp 263–269

Ritter W, Ford JM, Gaillard AWK, Harter MR, Kutas M, Näätänen R, Polich J, Renault B, Rohrbaugh J (1984) Cognition and event related potentials. I. The relation of negative potentials and cognitive processes. Ann NY Acad Sci 425: 24–38

Rockstroh B, Elbert T, Birbaumer N, Lutzenberger W (Hrsg) (1982) Slow brain potentials and behavior. Urban & Schwarzenberg, Baltimore

Rösler F (1982) Hirnelektrische Korrelate kognitiver Prozesse. In: Albert D, Pawlik K, Stapf KH, Stroebe W (Hrsg) Lehr- und Forschungstexte Psychologie, 2. Aufl. Springer, Berlin Heidelberg New York

Rösler F, Sutton S, Johnson R Jr., Mulder G, Fabiani M, Plooijvan Gorsel E, Roth WT (1986) Endogenous ERP components and cognitive constructs. A review. In: McCallum WC, Zappoli R, Denoth F (eds) Cerebral psychophysiology: studies in event-related potentials. Elsevier, Amsterdam, pp 51–92

Rohrbaugh JW, McCallum WC, Gaillard AWK, Simons RF, Birbaumer N, Papakostopoulus D (1986) ERPs associated with preparatory and movement-related processes. A review. In: McCallum WC, Zappoli R, Denoth F (eds) Cerebral psychophysiology: studies in event-related potentials. Elsevier, Amsterdam, pp 189–229

Roth WT, Duncan CC, Pfefferbaum A, Timsit-Berthier M (1986) Applications of cognitive ERPs in psychiatric patients. In: McCallum WC, Zappoli R, Denoth F (eds) Cerebral psychophysiology: studies in event-related potentials. Elsevier, Amsterdam, pp 419–438

Rothenberger A, Kemmerling S, Schenk GK, Zerbin D, Voss M (1986) Movement-related potentials in children with hypermotoric behaviour. In: McCallum WC, Zappoli R, Denoth F (eds) Cerebral psychophysiology: studies in event-related potentials. Elsevier, Amsterdam, pp 496–498

Scherg M, von Cramon D (1985) Two bilateral sources of the late AEP as identified by a spatio-temporal dipole model. Electroenceph Clin Neurophysiol 62: 32–44

Scherg M, von Cramon D (1986) Evoked dipole source potentials of the human auditory cortex. Electroenceph Clin Neurophysiol 65: 344–360

Squires NK, Ollo C (1986) Human evoked potentials techniques: possible applications to neuropsychology. In: Hannay HJ (ed) Experimental techniques in human neuropsychology. Oxford University Press, New York, pp 386–418

Stöhr M, Dichgans J, Diener HC, Buettner UW (1982) Evozierte Potentiale: SEP – VEP – AEP. Springer, Berlin Heidelberg New York

Walter WG, Cooper R, Aldridge VJ, McCallum WC, Winter AL (1964) Contingent negative variation: an electric sign of sensorimotor association and expectancy in the human brain. Nature 203: 380–384

Weinberg H, Stroink G, Katila T (1985) Biomagnetism: applications & theory. Pergamon, New York

Wood CC (1982) Application of dipole localization methods to source identification of human evoked potentials. In: Bodis-Wollner I (ed) Evoked potentials. Ann NY Acad Sci 388: 139–155

5 Psychopathologische Symptome und Syndrome bei erworbenen Hirnschädigungen

M. PROSIEGEL

5.1 Einleitung

Psychische Störungen bei Patienten mit erworbener Hirnschädigung können deutliche Beeinträchtigungen im sozialen und/oder beruflichen Bereich oder aber subjektive Beschwerden von Krankheitswert verursachen. Insofern spielen sie neben sensomotorischen und kognitiven Leistungsstörungen für den Erfolg oder Nichterfolg der neuropsychologischen Rehabilitation eine große Rolle.

In diesem Kapitel sollen daher diejenigen psychopathologischen Symptome und Syndrome behandelt werden, die bei Patienten einer neuropsychologischen Rehabilitationseinrichtung am häufigsten vorkommen bzw. unserer Erfahrung nach für die Wiedereingliederung dieser Patienten besonders bedeutsam sind. Da sich in einer neuropsychologischen Abteilung keine Patienten in der „Frühphase" nach erworbener Hirnschädigung befinden (s. Anhang), wird die für diese Phase charakteristische Psychopathologie (z. B. die vielfältige Symptomatik der sog. Durchgangssyndrome) hier nicht erörtert. Desgleichen wird auf die für dementielle Syndrome typischen psychischen Störungen nur am Rande eingegangen, da wegen des in aller Regel progredienten Verlaufs derartiger Erkrankungen eine neuropsychologische Rehabilitation meist nicht sinnvoll ist.

Ein Hauptanliegen dieses Kapitels ist es zu verdeutlichen, daß der Begriff „organisches Psychosyndrom" der Komplexität des Sachverhalts heute nicht mehr gerecht wird und daher zugunsten einer möglichst exakten Beschreibung der im einzelnen vorliegenden psychischen Störungen vermieden werden sollte (s. Poeck 1982).

5.2 Psychiatrische Befunderhebung und Dokumentation bei Patienten mit erworbener Hirnschädigung

5.2.1 Psychiatrisches Untersuchungsgespräch, Verhaltensbeobachtung, Fremdanamnese

Nach Kind (1979) ist das optimale psychiatrische Untersuchungsgespräch „eine dem Einzelfall und dem jeweiligen Zweck der Untersuchung angepaßte Kombination von Interview, Exploration und Anamneseerhebung". Diese Feststellung gilt auch für Patienten mit erworbener Hirnschädigung. Allerdings ergeben sich für diese 3 Komponenten des psychiatrischen Untersuchungsgesprächs bestimmte Einschränkungen, die durch Art und Ausmaß der jeweiligen neuropsychologischen Hirnleistungsstörungen determiniert werden. So setzt die Erhebung eines sog. standardisierten Interviews, z. B. in Form der Present State Examination (PSE) von Wing et al. (1973) unter anderem ein ungestörtes Sprachverständnis voraus, was die Anwendung der PSE z. B. bei Patienten mit bestimmten Aphasiesyndromen ausschließt. In derartigen Fällen ist oftmals nur ein unstrukturiertes Interview möglich. Auskunft über die Erlebnisweise eines Patienten in Form der Exploration ist abhängig von dessen intakter Introspektions- bzw. Kritikfähigkeit, die z. B. bei Anosognosie oder Anosodiaphorie nicht vorausgesetzt werden kann (s. S. 72–73). Der Erhebung der Eigenanamnese sind z. B. Grenzen gesetzt bei Patienten mit schweren Störungen des biographischen Gedächtnisses, sofern sie sich an Lebensereignisse nicht erinnern können, die für die Entstehung bzw. Ausgestaltung der psychiatrischen Symptome und Syndrome Bedeutung besitzen. Insofern stellt die *systematische Verhaltensanalyse* gerade bei Patienten mit neuropsychologischen Leistungsstörungen eine besonders wichtige Informationsquelle im Rahmen der psychiatrischen Befunderhebung dar. Allerdings birgt gerade die Verhaltensbeobachtung die Gefahr falscher Einschätzungen der Affektivität: Patienten mit Reduktion der mimischen und gestischen Ausdrucksmittel erwecken oft den Eindruck der Affektstarre, obgleich sie in Wirklichkeit eine ungestörte affektive Modulationsfähigkeit besitzen; auch prosodische Störungen, z.B. in Form einer monotonen Sprechweise (s. Kap. 19), können eine Affektstarre vortäuschen; pathologisches Lachen bzw. pathologisches Weinen werden unter Umständen als Zeichen von Affektinkontinenz bzw. -labilität (fehl)gedeutet, wenn der Beobachter es versäumt, den Patienten danach zu fragen, ob das Lachen bzw. Weinen stimmungskongruent ist. Die Erhebung der *Fremdanamnese* mit Bezugspersonen des Patienten ist in der klinischen Neuropsychologie von besonderer Bedeutung, gerade wenn es darum geht, eine „Persönlichkeitsänderung" festzustellen. So werden Patienten vom Team der neuropsychologischen Einrichtung oft als in psychopathologischer Hinsicht nicht oder nicht grob auffällig empfunden, während Bezugspersonen eine subjektiv u. U. schwer belastende Änderung bestimmter prämorbider Persönlichkeitsmerkmale feststellen. In diesem Zusammenhang häufig vorgebrachte Klagen sind: „Er ist nicht mehr der gleiche Mensch wie der, den ich geheiratet habe" oder „Ich habe keine innere Beziehung mehr zu meinem Mann. Früher merkte er sofort jede innere Regung bei mir; dafür scheint er jetzt überhaupt kein Empfinden mehr zu haben". Welche Bedeutung einer derartigen Persönlichkeitsänderung als Belastungsfaktor für Bezugspersonen zukommt, unterstreicht eine Untersuchung von Brooks und Aughton (1979). Sie erfragten bei den Bezugspersonen von 89 Patienten nach schwerem gedecktem Schädel-Hirn-Trauma die für sie besonders belastenden sensomotorischen, neuropsychologischen und psychiatrischen Symptome bzw. Syndrome. Dabei gaben 71% der Befragten eine Persönlichkeitsänderung („personality change") an, (dagegen beispielsweise nur 1,5% der Interviewten das Item „paralysis").

5.2.2 Selbst- und Fremdbeurteilungsskalen

Wegen der zahlreichen durch die unterschiedlichsten neurologischen und neuropsychologischen Leistungsstörungen bedingten Einschränkungen benutzen wir in der Regel keine Selbstbeurteilungsskalen. Lediglich in Einzelfällen lassen wir den Gießen-Test in der Selbstbeurteilungsversion vom Patienten ausfüllen – entweder wenn keine Bezugsperson zur Verfügung steht, uns aber die Selbsteinschätzung prämorbider Persönlichkeitsmerkmale (bzw. solcher nach der Hirnschädigung) durch den Patienten interessiert oder wenn wir uns von einer Gegenüberstellung der Selbst- mit der Fremdeinschätzung einen Informationsgewinn versprechen.

Unter den Fremdbeurteilungsskalen verwenden wir das von der Arbeitsgemeinschaft für Methodik und Dokumentation in der Psychiatrie (AMDP) entwickelte *AMDP-System* (1981). Es handelt sich dabei um ein standardisiertes Dokumentationssystem psychiatrischer Symptome. Die Beurteilung des Ausprägungsgrads jedes psychopathologischen Symptoms erfolgt aufgrund der Ergebnisse „aller zur Verfügung stehenden objektiven (bei der Untersuchung, im Gespräch und aus der Verhaltensbeobachtung durch Arzt, Pfleger, Angehörigen gewonnenen) und subjektiven (vom Patienten selbst erfragten) Informationen" (S. 19 des AMDP-Manuals; 1981). Das AMDP-System hat sich bei uns u. a. auch deshalb sehr bewährt, weil es alle Mitarbeiter der Abteilung zum einheitlichen Gebrauch psychiatrischer Termini (AMDP-Manual) zwingt.

Als weiteren Fremdbeurteilungstest verwenden wir den bereits erwähnten *Gießen-Test* (Beckmann et al. 1983). Er wird – sowohl was die Zeit vor, als auch nach der Hirnschädigung betrifft – von der Bezugsperson ausgefüllt, die den Patienten am besten kennt. Mit dem Gießen-Test, der als Instrument mittlerer Bandbreite und Präzision gilt und neben Persönlichkeitsmerkmalen auch Anteile des „Selbstkonzepts" und soziale Interaktionsformen erfaßt, läßt sich die Merkmalsausprägung folgender 6 Faktoren bestimmen: soziale Resonanz, Dominanz, Kontrolle, Grundstimmung, Durchlässigkeit sowie soziale Potenz. Eine faktorenanalytische Untersuchung an 243 Patienten unserer Abteilung hat ergeben, daß der Gießen-Test in Fremdbeurteilungsversion ein ausreichend valides Meßinstrument zur Erfassung der (prämorbiden und für die Zeit nach der Hirnschädigung geltenden) genannten 6 Persönlichkeitsmerkmale bei Patienten mit erworbener Hirnschädigung ist (Michael 1987). Gerade zur Beurteilung leichter (und dennoch oft genug als belastend empfundener) Persönlichkeitsänderungen der Patienten (aus der Sicht der Bezugspersonen) hat sich uns der Gießen-Test als sehr nützliches Hilfsinstrument erwiesen.

5.2.3 Diagnostische Klassifikation der psychischen Störungen mittels DSM-III

Die 1980 von der American Psychiatric Association offiziell eingeführte 3. Revision des „Diagnostic and Statistical Manual of Mental Disorders" (DSM-III) liegt seit 1984 in deutscher Übersetzung vor (Koehler u. Saß 1984). Es handelt sich um ein operationales, multiaxiales Klassifikationssystem. Aufgrund klinischer Erfahrungen und teilweise auch vorangegangener Validierungsstudien wurden für jede Diagnose – vorrangig am Querschnittsbefund orientiert – Ein- und Ausschlußkriterien festgelegt. Neben einer Beurteilung psychopathologischer Störungen auf Achse I (sog. klinische Achse) kann jeder Patient auf einer zweiten Achse („Persönlichkeitsstörungen und Spezifische Entwicklungsstörungen") beurteilt werden. Über die Vor- und Nachteile des DSM-III wird lebhaft diskutiert; dabei wird die operationale Definition der Diagnosekriterien, insbesondere auf Achse I (psychische Störungen im Sinne zeitlich umschriebener Zustände) überwiegend positiv beurteilt, wäh-

rend die Einteilung der Persönlichkeitsstörungen auf Achse II den Hauptkritikpunkt darstellt (Saß 1986). In unserer neuropsychologischen Einrichtung hat sich die Klassifikation mittels DSM-III insgesamt bewährt, wenngleich dieses Dokumentationssystem von der Konzeption her (ebenso wie das AMDP-System) nicht speziell auf psychische Störungen von Patienten mit erworbener Hirnschädigung abhebt.

5.3 Allgemeine Bedingungen für das Auftreten psychischer Störungen bei Patienten mit erworbener Hirnschädigung

Warum tritt bei einem Patienten mit erworbener Hirnschädigung eine psychische Störung auf, beim anderen nicht?
Auf verschiedene Weise wirken dabei folgende Faktoren zusammen (modifiziert nach Lishman 1980):

- prämorbide Persönlichkeit(sstörungen),
- emotionale Bedeutung des hirnschädigenden Ereignisses,
- soziales Umfeld,
- ausstehende Schadensersatzansprüche,
- symptomatische zerebrale Anfälle,
- Art und Schweregrad der kognitiven Störungen,
- Art, Ausmaß und Lokalisation der Hirnschädigung.

Jeder, der über Erfahrungen im Umgang mit hirngeschädigten Patienten verfügt, wird wohl *prämorbiden Persönlichkeitsmerkmalen* eine wichtige Rolle bei der Entstehung und Ausgestaltung psychiatrischer Symptome und Syndrome zugestehen. Um so erstaunlicher ist es, daß es zu diesem Thema bisher keine systematischen Studien gibt.
Ein hirnschädigendes Ereignis ist seiner Natur nach von hoher *emotionaler Bedeutung* für die konkrete Lebenssituation eines Betroffenen, da das „Zentralorgan" einen Angriff erlitten hat. Das Wort „Schlaganfall" (englisch „stroke" von „stroke of God's hand"; erstmals

im Jahre 1599 in diesem Sinne erwähnt, s. Dirckx 1986) bezeugt, wie sehr Menschen sich seit jeher durch ein derartiges hirnschädigendes Ereignis in ihrer Selbstintegrität „getroffen" fühlten. So erstaunt es auch nicht, daß unter Schädel-Hirn-Traumatikern gerade jene „neurotische Tendenzen" entwickeln, die sich wegen Fehlens einer Amnesie genau an den Unfallhergang erinnern können (Miller 1961). Dabei darf nicht übersehen werden, daß eine sich nach einem hirnschädigenden Ereignis entwickelnde psychische Störung auch Ausdruck bereits (latent) vorbestehender intra- oder interpsychischer Konflikte sein kann.

Ein ideales *soziales Umfeld* ist nach einer Hirnschädigung schwer vorstellbar. Es würde voraussetzen, daß in jeder Krankheitsphase die Familie maximal funktioniert, der Arbeitgeber verständnisvoll den Arbeitsplatz modifiziert, die Bank großzügig Kredit gewährt, die Freunde und Bekannten ihre Freizeit auf den Betroffenen abstimmen etc. Meistens sieht die Wirklichkeit anders aus und ist insofern mit „krankmachend" (s. Kap. 6).

Bei Schädel-Hirn-Traumen können *ausstehende Schadensersatzansprüche* die Entwicklung psychiatrischer Symptome begünstigen bzw. zu ihrer Chronifizierung führen. Miller (1961) fand, daß bei 200 Patienten, die er unter versicherungsrechtlichen Gesichtspunkten zu begutachten hatte, in über einem Drittel der Fälle Schadensersatzansprüche wegen „psychoneurotischer Beschwerden" oder wegen eines „posttraumatischen Syndroms" gestellt wurden. Ferner konnte er nachweisen, daß „posttraumatische Syndrome" besonders häufig bei Patienten auftraten, die einen Arbeitsunfall erlitten hatten, dabei wiederum gehäuft unter Arbeitern oder Angestellten größerer oder großer privater oder staatlicher Unternehmen (selten in kleinen, familiären - „intimate" - Betrieben). Unfälle, die sich beim Sport oder zu Hause ereignen und daher in der Regel keine Schadensersatzansprüche nach sich ziehen, bedingen nach Miller nur sehr selten „posttraumatische Syndrome". Unter Umständen kann sich bei Patienten, die sich vergeblich um die versicherungsrechtliche Anerkennung ihrer Beschwerden bemühen, der Kampf ums Rechtbekommen verselbständigen. In derartigen Fällen können zu den bereits vorliegenden, durch die Hirnschädigung entstandenen neuropsychologischen bzw. psychischen Störungen psychopathologische Symptome hinzutreten, die u. U. persistieren und/oder die Entwicklung einer „Rentenneurose" fördern können. Umgekehrt bewirkt eine rasche versicherungsrechtliche „Bereinigung" bzw. Anerkennung der traumabedingten Gesundheitsstörungen oft eine Verbesserung oder gar ein Verschwinden psychischer Störungen.

Symptomatische zerebrale Krampfanfälle, die sich bei unseren Patienten in beiden ätiologischen Hauptgruppen - zerebrovaskuläre Erkrankungen und Schädel-Hirn-Trauma - zu jeweils ca. 10% entwickeln, stellen in mehrfacher Hinsicht ätiologische Faktoren für das Auftreten psychischer Störungen dar. Ein zerebraler Krampfanfall wird in aller Regel als ein einschneidendes, bedrohliches, oftmals unverständliches Ereignis empfunden, das zu dem Schicksalsschlag Schlaganfall oder Schädel-Hirn-Trauma nun noch hinzutritt. Furcht vor weiteren Anfällen, eine allgemeine Ängstlichkeit oder depressive Verstimmungen sind daher häufig die Folge zerebraler Krampfanfälle und können unserer Erfahrung nach eine erfolgreiche neuropsychologische Rehabilitation über längere Zeit hin erheblich beeinträchtigen. Zerebrale Anfälle legen dem Patienten zusätzlich zu den Beeinträchtigungen durch das hirnschädigende Ereignis noch weitere Einschränkungen in den Bereichen Arbeit, Sport/Freizeit, Führen von Kraftfahrzeugen etc. auf. Schließlich begünstigt die Entwicklung eines symptomatischen zerebralen Anfallsleidens - insbesondere, wenn es sich um Schläfenlappenepilepsien handelt - die Entstehung chronischer interiktaler psychischer Störungen, auf die auf S. 70-71 näher eingegangen wird.

Die Beziehung zwischen psychopathologischen Symptomen und *Art bzw. Schweregrad kognitiver Störungen* erscheint nur auf den ersten Blick einfach. Was die Art kognitiver Störungen betrifft, so sind Aphasien wegen ihrer negativen Auswirkungen auf die Kommunikationsfähigkeit besonders geeignet, depressive

Syndrome auszulösen. Ansonsten kann hier nur summarisch festgestellt werden, daß die psychische Reaktionsweise eines Individuums auf bestimmte kognitive Defizite abhängt vom Grad der „Einsicht" in die Defizite (so hat z.B. der Patient mit thalamischer Amnesie meist überhaupt „keinen Zugang" zu seinen Gedächtnisdefiziten und bietet daher das Bild der „happy amnesia") sowie von der Bedeutung und vom Stellenwert, den die gestörte kognitive Leistung im Leben hatte. (Ein Mensch, der im Leben schon vor seinem Schlaganfall nur selten gelesen hat, wird das Auftreten einer hemianopen Lesestörung in psychischer Hinsicht als weniger belastend empfinden als der Lektor eines Buchverlags.) Insofern gestaltet sich bei jedem Menschen die Auseinandersetzung mit den kognitiven Defiziten als individueller Versuch, wieder im Leben zurechtzukommen. Goldstein (1952) ging soweit, dieser Auseinandersetzung mit den kognitiven Defiziten die Schlüsselrolle bei der Entstehung psychischer Störungen nach einer Hirnschädigung zuzuschreiben; nach ihm sind psychiatrische Symptome „the expression of the struggle of the changed organism to cope with the (primary) defect and to meet the demands of the milieu with which it is no longer equipped to deal". Nach Goldstein spiegeln bestimmte psychische Störungen direkt diesen Kampf wider, andere den Versuch der Bewältigung durch bestimmte (Ersatz-)Strategien.

Die Schwere kognitiver Störungen korreliert keineswegs immer positiv mit der Schwere psychiatrischer Symptome. Mittelgradige oder hochgradige Defizite werden vom sozialen Umfeld des Patienten in aller Regel erkannt und anerkannt, meist mit der Folge, daß die Umwelt den Behinderten „schont", ihn zumindest nicht zu überfordern versucht. Demgegenüber werden geringgradige Defizite besonders leicht „übersehen", so daß an den Betroffenen die gleichen oder ähnliche Anforderungen gestellt werden wie vor der Hirnschädigung. Diesen Anforderungen kann oft nicht oder nur durch stete Daueranspannung entsprochen werden mit der möglichen Folge der Entstehung psychischer bzw. psychosomatischer Störungen. Besonders bei der Genese

des „posttraumatischen Syndroms" wird dieser Mechanismus des Versuchs eines Zurechtkommens (englisch: „to cope") durch übermäßige Anspannung diskutiert (zur Copinghypothese s. van Zomeren et al. 1984).

Letztendlich ist die primäre Einflußgröße *Art, Ausmaß und Lokalisation der Hirnläsion* der wichtigste ätiologische Faktor für das Auftreten psychiatrischer Symptome, hängt doch von ihr die Art und die Schwere der kognitiven Defizite, die Wahrscheinlichkeit des Auftretens zerebraler Anfälle und schließlich der „Zugang zum Defizit" ganz wesentlich ab (s. Kap. 2).

5.4 Psychopathologische Symptome und Syndrome

5.4.1 Einleitung

In diesem Abschnitt sollen die psychopathologischen Symptome und (insbesondere) Syndrome behandelt werden, die bei Patienten nach erworbener Hirnschädigung vorkommen. Als Grundlage dienten die Auswertung entsprechender Patientendaten mittels der eigenen Datenbank (s. Anhang) sowie die klinische Erfahrung im Umgang mit unseren Patienten. Die Beschreibung orientiert sich der Übersicht und Einfachheit halber überwiegend am Querschnittsbefund; dabei sind wir uns der Tatsache wohl bewußt, daß sich psychiatrische Symptome entwickeln, daß ein Symptombzw. Syndromwandel möglich ist, daß also letztendlich eine Darstellung der Längsschnittdiagnosen anzustreben wäre. Wir wissen jedoch noch zu wenig über „typische" psychopathologische Verläufe bei Patienten nach erworbener Hirnschädigung, um sie hinreichend genau zu beschreiben.

Dennoch sei an dieser Stelle kurz auf die zeitliche Dynamik der Entwicklung psychopathologischer Störungen, wie sie uns am häufigsten begegnen, eingegangen. In der akuten bzw. subakuten Phase nach dem hirnschädigenden Ereignis dominiert meist Ungewißheit („Was ist eigentlich passiert?"). Darauf folgt oft –

übrigens nicht nur bei den Patienten, sondern auch bei deren Bezugspersonen – eine Phase der Zuversicht („Das wird schon wieder!"), oft verbunden mit Bagatellisierungs- („Natürlich kann er jetzt nicht richtig sprechen, das ist halt eine Frage der Zeit.") bzw. Rationalisierungstendenzen („Ich konnte mir schon früher Namen nie gut merken."). Im Stadium der zunehmenden Gewißheit bleibender Leistungsstörungen kann es einerseits zu aggressiven Verhaltensweisen mit irrationalen Schuldzuweisungen („Wenn ich nur mehr Sprachunterricht bekommen hätte, dann könnte ich jetzt wieder sprechen.") oder eher zu depressiven, oftmals mit Insuffizienzgefühlen einhergehenden Zustandsbildern kommen. In letzterem Fall wird die im Vordergrund stehende Hirnleistungsstörung – wie auch oft im Stadium der Ungewißheit – als Zeichen einer generellen intellektuellen Leistungsminderung empfunden („Ich bin verblödet."). Im günstigsten Fall schließt sich dann eine Phase der Annahme an; dabei ist mit Annahme bleibender Defizite nicht Akzeptanz gemeint (wahrscheinlich kann ein Mensch Hirnleistungsstörungen nicht wirklich „akzeptieren"), sondern ein Zustand des sich Abfindens mit dem Unabänderlichen, der es dem Patienten erlaubt, mehr oder weniger aktiv mit den Defiziten umgehen zu lernen. Nochmals sei hervorgehoben, daß sich derartige Phasen auch bei den Bezugspersonen der Patienten finden. Natürlich gestaltet sich in Abhängigkeit von zahlreichen Variablen bei jedem Patienten das Krankheitsbewältigungsverhalten individuell (siehe hierzu Florin 1985). Die „Phasen" der Krankheitsbewältigung werden in Kap. 6 ausführlich erörtert.

5.4.2 DSM-III-Diagnosen

Eine eingehende Beschreibung der diagnostischen Kriterien der einzelnen Syndrome findet sich in der bereits erwähnten deutschsprachigen Version des DSM-III (Koehler u. Saß 1984). Wörtliche Zitate aus dem DSM-III sind im folgenden in Anführungszeichen, die Krankheitsschlüssel in Klammern gesetzt.

Anpassungsstörungen

Anpassungsstörungen sind die häufigste psychische Störung bei den Patienten unserer Abteilung (s. Anhang). Sie sind die Folge einer „unangepaßten Reaktion auf einen identifizierbaren Belastungsfaktor innerhalb von drei Monaten nach Einsetzen desselben", wobei sich die schlechte Anpassung aus einem der beiden folgenden Merkmale ergibt:

1) „Beeinträchtigung der sozialen oder beruflichen Leistungen";
2) „Symptome, die über eine normale und zu erwartende Reaktion auf den Stressor hinausgehen".

„Es wird angenommen, daß die Beeinträchtigung möglicherweise remittiert, sobald der Stressor abgeklungen ist, oder, falls er andauert, sobald ein neues Adaptationsniveau erreicht wurde". Bei hirngeschädigten Patienten ergeben sich hinsichtlich dieser diagnostischen Kriterien insofern Probleme, als es im Einzelfall oft schwer ist, zu unterscheiden, ob die Beeinträchtigung der sozialen oder beruflichen Leistungen Folge der Anpassungsstörung oder der neuropsychologischen Defizite ist; darüber hinaus stellt sich die Frage, was – z.B. nach einem Schlaganfall mit resultierender schwerer Broca-Aphasie – die normale und zu erwartende Reaktion darstellt bzw. welche Reaktion darüber hinausgeht. Die Diagnose einer Anpassungsstörung ist deshalb bei Patienten mit erworbener Hirnschädigung in besonders hohem Maße abhängig von subjektiven Werturteilen der Beurteiler; oft läßt sich die Diagnose erst (retrospektiv) im Rahmen der Längsschnittbeobachtung stellen, nachdem der Patient ein neues Adaptationsniveau erreicht hat, also mit bzw. trotz seiner Defizite wieder im Alltag zurechtkommt.

Unter den verschiedenen *Typen der Anpassungsstörungen* finden sich bei Patienten mit erworbener Hirnschädigung am häufigsten solche mit

- depressiver Stimmung (309.00),
- ängstlicher Stimmung (309.24),
- gemischten emotionalen Zügen (309.28)
- Rückzug (309.83).

Warum bestimmte Patienten eine Anpassungsstörung entwickeln und andere nicht bzw. warum bei Patienten mit ähnlichen Hirnleistungsstörungen unterschiedliche Typen der Anpassungsstörungen resultieren, ist sicher von zahlreichen Faktoren abhängig (s. 5.3). Auch der letztendlich für die Auslösung der Anpassungsstörung entscheidende *psychosoziale Belastungsfaktor* kann sehr unterschiedlich sein:

- Ungewißheit über die Prognose der Hirnerkrankung und der aus ihr resultierenden Defizite,
- Rollenwechsel in der Familie,
- Störung der Kommunikationsfähigkeit durch eine Aphasie usw.

Insbesondere muß man sich der Tatsache bewußt sein, daß eine unter medizinischen Aspekten verständliche, ja fast zwangsläufige Kausalkette (z. B. Arteriosklerose-Risikofaktor arterielle Hypertonie - Stenose der A. carotis interna links - arterioarterielle Embolie in den linken Mediahauptstamm - subtotaler Mediainfarkt links) mit all ihren Auswirkungen (rechtsseitige Hemiparese, Globalaphasie) vom Patienten - der manchmal nur einen partiellen „Zugang zum Defizit" hat - als unfaßbarer und überwältigender (Schicksals-)Schlag empfunden wird. Man versetze sich in die Situation eines derartigen Patienten, bei dem einige Wochen nach dem akuten Ereignis dann auch noch symptomatische zerebrale Krampfanfälle hinzukommen, die als erneutes, nicht mehr begreifliches Ereignis aufgefaßt werden.

Anpassungsstörungen können bei entsprechender Ausprägung die (erfolgreiche) Durchführung einer Rehabilitation erheblich behindern; besonders schwerwiegend ist es, wenn eine Anpassungsstörung (z. B. mit depressiver Stimmung) nicht erkannt oder aber als „Unmotiviertheit" verkannt wird. Dabei kann es mitunter unmöglich sein, beispielsweise bei einem Globalaphasiker die Symptome einer depressiven Stimmung zu „erfragen". Um so wichtiger ist deshalb bei hirngeschädigten Patienten die genaue Verhaltensbeobachtung durch ein entsprechend geschultes Team. Neben dem richtigen Umgang und der psycho-

therapeutischen Betreuung von Patienten mit Anpassungsstörungen ist mitunter auch der vorübergehende Einsatz von Psychopharmaka notwendig (s. 5.5).

Organisch bedingte psychische Störungen

Nach DSM-III werden die organisch bedingten Störungen eingeteilt in

- Delir (293.00),
- Demenz (294.10),
- amnestisches Syndrom (294.00),
- organisches Wahnsyndrom (293.81),
- organische Halluzinose (293.82),
- organisches affektives Syndrom (293.83),
- organische Persönlichkeitsänderung (310.10),
- atypisches oder gemischtes hirnorganisches Psychosyndrom (294.80).

Schließlich sind noch primärdegenerative Demenzen mit senilem oder präsenilem Beginn sowie die Multiinfarktdemenz mit gesonderten DSM-III-Nummern aufgeführt, wobei bei letzteren Diagnosen jeweils noch spezifiziert wird zwischen „mit Delir", „mit Wahn", „mit Depression" oder „unkompliziert".

Im Einzelfall kann es durchaus schwierig und letztendlich von subjektiven Wertungen abhängig sein, ob eine psychische Störung als „organisch bedingt" oder „reaktiv" (z. B. im Sinne einer Anpassungsstörung) eingestuft wird. Wie in 5.6 noch aufgezeigt wird, nehmen einige Autoren z. B. bei depressiven Zustandsbildern nach Hirninfarkten eine organische Verursachung an, während wir diese Syndrome in der Mehrzahl der Fälle unter den Anpassungsstörungen subsumieren. Da die Umwelt auf „organisch bedingte Störungen" meist in irgendeiner Weise reagiert, ist auch der Patient mit derartigen Störungen gezwungen, seinerseits zu reagieren; schon deshalb gehen in aller Regel in die Ausgestaltung „organisch bedingter Störungen" reaktive Momente mit ein.

Organische Persönlichkeitsänderung

Sie ist bei unseren Patienten mit organisch bedingten psychischen Störungen am häufigsten. Bei Schädel-Hirn-Traumatikern kommt sie wesentlich häufiger vor als bei Schlaganfallpatienten (s. Anhang). Dieser Unterschied dürfte sich zumindest teilweise dadurch erklären lassen, daß Läsionen des präfrontalen Kortex (und des zugehörigen Marklagers) bzw. von Faserverbindungen vom/zum präfrontalen Kortex bei Traumatikern häufiger anzutreffen sind als bei der Mehrzahl der Schlaganfallpatienten. „Frontalen" Läsionen scheint bei der Entstehung und speziellen Ausgestaltung der organischen Persönlichkeitsänderungen eine besondere Bedeutung zuzukommen (s. auch S. 68–70).

Hervorzuheben ist, daß eine organische Persönlichkeitsänderung nur diagnostiziert werden darf, wenn eine ausgeprägte Änderung des Verhaltens oder der Persönlichkeit vorliegt, die auch von einem Beurteiler als pathologisch eingeschätzt wird, der den betreffenden Patienten nicht von prämorbiden Zeiten her kennt. Wenn man sich vergegenwärtigt, wie belastend Bezugspersonen schon leichte Änderungen der Persönlichkeitsmerkmale von Patienten empfinden, die von einem Außenstehenden (ohne die Möglichkeit des Vorhernachher-Vergleichs) als „normal" erlebt werden, so ist es nicht verwunderlich, wie stark sie erst unter der noch viel schwerwiegenderen organischen Persönlichkeitsänderung eines vormals „normalen" Menschen leiden („Er ist nicht mehr er selbst."). Nach der DSM-III-Definition ist eine „ausgeprägte Änderung ..." in „mindestens einem der folgenden Merkmale" Voraussetzung für die Diagnosestellung:

1) „Emotionale Labilität, z. B. explosive Zornausbrüche, plötzliches Weinen";
2) „Beeinträchtigung der Impulskontrolle ...";
3) „ausgeprägte Apathie und Gleichgültigkeit ...";
4) „Mißtrauen oder paranoide Vorstellungen".

Bei Patienten mit organischer Persönlichkeitsänderung können scheinbar sich widersprechende Symptome durchaus auch gemeinsam vorkommen.

So haben wir einen Patienten erlebt, der sich im Rahmen einer Major-Depression in suizidaler Absicht eine Schußverletzung des Hirns zufügte. Der Schußkanal hatte das zentrale frontale Marklager beidseits größtenteils zerstört, der Patient hatte sich also unfreiwillig leukotomiert. Seltsam anmutend war, daß bei diesem Patienten eine hochgradige Affektindifferenz („Wurstigkeit") kontrastierte mit plötzlichen aggressiven Durchbrüchen, oftmals assoziiert mit Verlust der sexuellen Kontrolle, worunter die Ehefrau besonders stark litt. (Übrigens waren bei diesem Patienten seit der Schußverletzung niemals mehr depressive Symptome aufgetreten.)

Es sei noch erwähnt, daß einige Patienten mit organischer Persönlichkeitsänderung ihre beeinträchtigte Impulskontrolle schmerzlich erleben und auch darüber berichten, ohne jedoch in aller Regel darauf Einfluß nehmen zu können. Organische Persönlichkeitsänderungen setzen einer erfolgreichen neuropsychologischen Rehabilitationstherapie oftmals Grenzen.

Organisches affektives Syndrom

Unter den organisch bedingten Störungen findet sich bei unseren Patienten am zweithäufigsten das organische affektive Syndrom. „Dominierendes Merkmal ist eine Verstimmung mit mindestens zwei der Nebensymptome von Kriterium B für Manische oder Typisch depressive Episode". Wir haben bisher keinen Patienten erlebt, bei dem mit Sicherheit alle Kriterien einer organischen Depression hätten vergeben werden können (auf die Problematik der Unterscheidung zwischen organischer Depression und depressiver Anpassungsstörung wurde bereits hingewiesen), allerdings einige Patienten mit entsprechender manischer bzw. hypomanischer Symptomatik.

In letzteren Fällen handelte es sich stets um Patienten mit rechtsseitigen (meist ausgedehnten) Mediateilinfarkten; initial lagen oft eine Neglectsymptomatik sowie eine Anosognosie vor. Nach (partiellem) Abklingen dieser Initialsymptomatik entwickelte sich eine psychische Störung, die charakterisiert war durch gehobene Stimmung, Steigerung des Antriebs (oft verbunden mit starker motorischer Unruhe), Ideenflucht, Logorrhö und ausgeprägte externe Ablenkbarkeit; bei einer Patientin lag das Bild einer gereizten Manie vor. Obgleich eine organische Genese offensichtlich scheint, kann auch hier eine reaktive Komponente nicht ganz ausgeschlossen werden. Denn bei diesen Patienten lagen – wie oben erwähnt – meist ein Restneglect, eine residuale Anosognosie oder Anosodiaphorie und insbesondere eine Störung räumlich-visueller und/oder räumlich-konstruktiver Leistungen vor. Wie Patienten eine in ihren räumlichen Koordinaten „verrückte" Welt und ihren entsprechend veränderten Körper erleben und wie sie darauf reagieren, kann nur sehr schwer nachvollzogen werden.

Organische Wahnsyndrome und organische Halluzinosen

Sie sind bei unseren Patienten selten. In einigen Fällen haben wir derartige Syndrome bei Schädel-Hirn-Traumatikern im Rahmen einer chronischen traumatischen Psychose gesehen. Es handelte sich stets um schwere Schädel-Hirn-Traumen, meist mit computertomographischem Nachweis multipler intrazerebraler Blutungen. Stets waren die Störungen (innerhalb mehrerer Wochen bis Monate) reversibel. Organische Wahnsyndrome und Halluzinosen kommen in der Frühphase nach (traumatischer) Hirnschädigung im Rahmen der Durchgangssyndrome weitaus häufiger vor als in unserem „chronischen" Patientengut. In diesem Zusammenhang ist erwähnenswert, daß Psychosen aus dem schizophrenen Formenkreis bei Patienten nach Schädel-Hirn-Trauma eine etwas höhere Inzidenz aufweisen als in der Gesamtpopulation. Ob in derartigen Fällen das Schädel-Hirn-Trauma Ursache oder Auslöser einer schizophrenen Psychose ist, wird kontrovers diskutiert (Übersicht bei Lishman, 1978).

Amnestisches Syndrom

Auf amnestische Syndrome soll hier nicht näher eingegangen werden, da die Grundstörungen kognitiver Natur sind. Es sei hier nur hervorgehoben, daß die Art und Weise, mit der ein Patient auf seine mnestischen Störungen reagiert, vor allem davon abhängt, ob ein „Zugang zum Defizit" besteht bzw. ob eine adäquate Bewertung des Defizits erfolgt. So sind sich Patienten mit thalamischer Amnesie (s. Kap. 13) ihres Defizits oft nicht bewußt, meist ist daher die Grundstimmung (inadäquat) heiter („happy amnesia"). Demgegenüber realisieren Patienten mit Gedächtnisstörungen infolge eines (linksseitigen) Posteriorteilinfarkts ihre mnestischen Störungen in der Regel voll und reagieren dementsprechend oft mit depressiven Anpassungsstörungen.

Delir

Delirante Zustandsbilder haben wir in unserem Patientengut nie erlebt. Der Vollständigkeit halber sei erwähnt, daß Zustandsbilder, die einem alkoholischen Delir in jeder Hinsicht ähneln können, bei transienten Durchblutungsstörungen im Versorgungsgebiet insbesondere der rechten hinteren Hirnarterie bzw. in der Akutphase nach (meist rechtsseitigen) Posteriorteilinfarkten beschrieben wurden (Horenstein et al. 1967).

Demenz

Unserer Erfahrung nach entsprechen die psychischen Störungen im wesentlichen denen, wie sie unter „organische Persönlichkeitsänderung" beschrieben sind. Im Initialstadium sind die Symptome allerdings meist so diskret, daß sie nur von Bezugspersonen als „Veränderung" erkannt werden. Dabei ist oftmals die „soziale Intelligenz" (Erkennen sozialer Signale, Taktgefühl) als erstes beeinträchtigt. Wie es auch für die kognitiven Leistungsstörungen bei dementiellen Syndromen gilt, kommt der Längsschnittbeurteilung psychiatrischer Symptome (Progredienz?) in diagnostischer Hinsicht große Bedeutung zu. Die differentialdiagnostische Abgrenzung der Demenzen von Depressionen kann dann schwierig sein, wenn Depressive über „kognitive" Störungen klagen („depressive Pseudodemenz"). Im folgenden seien einige grobe Faustregeln zur Unterscheidung dieser beiden unterschiedlichen Erkrankungen genannt.

Bei depressiver Pseudodemenz ist im Gegensatz zur Demenz in der Regel der Beginn der Symptomatik zeitlich klarer abgrenzbar, die „kognitiven" Störungen entwickeln sich rascher (bzw. können sich unter antidepressiver Therapie zurückbilden); gelingt es die durch die Depression bedingte Denkhemmung und damit den „lack of mental effort" in der neuropsychologischen Testsituation (zumindest für eine gewisse Zeit) zu überwinden, den Depressiven also „anzuregen", so wird er im Gegensatz zum Dementen „gute" Testleistungen erbringen. Bei älteren depressiven Patienten (über 65 Jahre) ist die letztere Unterscheidung oft nicht mehr möglich, da infolge des „natürlichen Alterungsprozesses des Hirns" organisch bedingte Leistungseinbußen zunehmend ins Spiel kommen. Schließlich ist immer zu berücksichtigen, daß – sich in der Ausgestaltung gegenseitig beeinflussend – z. B. eine (endogene) Depression und eine Demenz auch gleichzeitig auftreten können (zum Problem der Demenz-Diagnostik siehe die Übersichtsarbeit von Denzler et al. 1986).

Somatoforme Störungen

Das Somatisierungssyndrom im engeren Sinne (300.81) haben wir bisher bei keinem unserer Patienten angetroffen. (Ein wichtiges diagnostisches Kriterium sind „Klagen über mindestens 14 Symptome bei Frauen und 12 Symptome bei Männern" aus einer Liste von im DSM-III-Manual im einzelnen aufgeführten 37 Symptomen.)

Atypische somatoforme Störung

Hingegen findet sich die atypische somatoforme Störung (300.71) bei Patienten nach erworbener Hirnschädigung häufiger. Diese „Restkategorie" ist einzusetzen, wenn die herausra-

gende Beeinträchtigung in der Bildung körperlicher Symptome und Beschwerden besteht, die aufgrund von Organbefunden oder eines pathophysiologischen Mechanismus nicht erklärbar sind und bei denen offensichtlich psychische Faktoren mitspielen". Dabei liefern unserer Erfahrung nach organisch bedingte körperliche Symptome meist das Muster, nach dem sich das atypische somatoforme Syndrom ausgestaltet.

Beispiel: Nach einem rechtshirnigen ischämischen Mediateilinfarkt treten bei einem Patienten brachiofazialbetonte Kribbelparästhesien links auf. Nach einigen Wochen verschwinden sie, um nach einiger Zeit mit erhöhter Frequenz und Intensität wieder aufzutreten; dabei hat sich die Lokalisation auf weite Teile der linken Körperhälfte, u.a. auf die Region über der Herzspitze ausgedehnt. Der Patient sucht wegen dieser Mißempfindungen häufig den Arzt auf, er wird immer klagsamer – „aufgehängt" an dem organisch bedingten Symptom „Parästhesien" hat sich ein psychopathologisches Syndrom herausgebildet.

Posttraumatisches Syndrom

Unter der Kategorie der atypischen somatoformen Störung ist (wegen Fehlens einer geeigneteren DSM-III-Kategorie) unseres Erachtens auch die Symptomatologie des *posttraumatischen Syndroms* zu subsumieren. In der ICD-9-Klassifikation ist hierfür die Nummer 310.2 („postkontusionelles Syndrom") vorgesehen. Danach handelt es sich um „Zustände, die nach Hirnkontusion auftreten ...", bei denen aber in der Regel zusätzlich Kopfschmerz, Schwindel, Müdigkeit, Schlaflosigkeit oder ein subjektives Gefühl von verminderter intellektueller Fähigkeit auffallen. Die Stimmung kann schwanken, und ganz normale Belastungen können ausgeprägte Furcht und Besorgnis erregen. Merkliche Intoleranz gegenüber psychischer und körperlicher Anstrengung, übertriebene Lärmempfindlichkeit und hypochondrische Befürchtungen kommen vor. Die Symptomatik ist häufiger bei Personen, die früher an Neurosen oder Persönlichkeitsstörungen gelitten haben, oder wenn die Möglichkeit einer Entschädigung besteht. Dieses Syndrom steht häufig in Zusammenhang mit gedeckten Schädelverletzungen, bei denen

Zeichen einer lokalisierten Hirnschädigung nur diskret sind oder fehlen ..." (ICD-9; deutsche Ausgabe von Degkwitz et al. 1980).

Diese im angloamerikanischen Schrifttum auch als „posttraumatic syndrome" oder „postconcussional syndrome" bezeichnete psychische Störung ist – sowohl was die Symptomgestaltung als auch die ätiologischen Faktoren betrifft – uneinheitlich. Dennoch scheint die sog. Copinghypothese (s. Van Zomeren 1984) ein recht brauchbares Erklärungsmodell für die Entstehung „posttraumatischer Syndrome" zu liefern. Danach kommt es besonders bei Patienten mit geringgradigen kognitiven Defiziten – u. a. weil diese leichter „übersehen" werden – zu einem Mißverhältnis zwischen Umweltanforderungen und vorhandenen Hirnleistungen (wobei Van Zomeren vor allem auf Aufmerksamkeitsstörungen abhebt; siehe dazu ausführlicher Kap. 10). Um trotz dieses Mißverhältnisses „zurechtzukommen", um im Alltag ähnlich gute Leistungen zu erbringen wie in der Zeit vor der Hirnschädigung, ist ständige Daueranspannung nötig. Diese führt im Sinne einer chronischen Überforderungssituation zu psychischen bzw. psychosomatischen Störungen. Es ist insofern plausibel, daß „posttraumatische Syndrome" keineswegs nur nach Schädel-Hirn-Traumen, sondern nach jedweder Art von Hirnschädigung auftreten können.

Hypochondrie

Bei einigen Patienten haben wir im Gefolge der Hirnschädigung Hypochondrien (300.70) beobachtet. Auch hierbei dienen organisch-bedingte somatische Symptome häufiger als Aufhänger für die Ausgestaltung des psychiatrischen Syndroms, in dessen Mittelpunkt „intensive Beschäftigung mit der Furcht oder Überzeugung" steht, „eine schwere Erkrankung zu haben". Sowohl hypochondrische Bilder als auch das atypische somatoforme Syndrom finden sich unserer Erfahrung nach besonders häufig bei Patienten mit (meist traumatisch bedingten) Läsionen des temporalen Marklagers und sind deshalb häufig assoziiert mit symptomatischen zerebralen (komplex-partiellen) Krampfanfällen. Wir haben den Eindruck, daß Patienten mit derartigen Läsionen (auch wenn klinisch keine Anfallsmanifestationen vorliegen) zu einer allgemeinen Überbewertung von (üblicherweise als normal empfundenen) Körpersensationen neigen.

Konversionssyndrom

Unter den somatoformen Störungen haben wir bisher ein einziges Mal alle diagnostischen Kriterien eines Konversionssyndroms (300.11) erfüllt gesehen. Es handelte sich um eine junge Patientin, die im Gefolge eines leichtgradigen globalen zerebralen Hypoxie eine psychogene Gangstörung entwickelte.

Psychogenes Schmerzsyndrom

Ein psychogenes Schmerzsyndrom (307.80) haben wir bisher bei keinem unserer Patienten beobachtet, wohl aber (insbesondere bei Vorliegen histrionischer Persönlichkeitsmerkmale) die psychogene Ausgestaltung zentralbedingter (z. B. thalamischer) Schmerzsyndrome.

Typische (Major) affektive Störungen

Bislang haben wir bei sehr wenigen Patienten eine *typische depressive Episode mit oder ohne Melancholie* (296.23 bzw. 296.22) beobachtet. Eine besondere Lokalisation der entsprechenden Hirnläsion (fast immer handelte es sich um ischämische Infarkte) ist uns dabei (im Gegensatz zu den in 5.6 erwähnten Befunden einiger Autoren) nicht aufgefallen. Dagegen waren all diese Patienten bereits prämorbid in psychiatrischer Hinsicht auffällig (meist lag eine depressive Neurose vor). Auch in der Literatur wird festgestellt, daß bei geeigneter prämorbider Persönlichkeitsstruktur eine „endogene Depression" durch einen Schlaganfall ausgelöst werden kann (z. B. Lishman 1978).

Angstsyndrome

Unter den zahlreichen im DSM-III-Manual näher aufgeführten Angstsyndromen kommt bei Patienten nach erworbener Hirnschädigung besonders der sozialen Phobie (300.23), dem Paniksyndrom (300.01) und dem generalisierten Angstsyndrom 300.02) eine Bedeutung zu.

Soziale Phobie

Die soziale Phobie ist gekennzeichnet durch „eine anhaltende, irrationale Furcht vor einer Situation und der drängende Wunsch, diese zu vermeiden. In der Situation wäre der Betroffene möglicherweise der kritischen Prüfung durch andere Menschen ausgesetzt, und er fürchtet, daß sie in einer demütigenden oder peinlichen Weise reagieren könnten." Während sich einige Patienten nach erworbener Hirnschädigung „schämen", ihr(e) Defizit(e) der Umwelt zu zeigen und entsprechend mit sozialem Rückzug reagieren (meist im Sinne einer passageren Anpassungsstörung), kann es bei anderen Patienten zu so starkem Vermeidungsverhalten kommen, daß die Kriterien einer sozialen Phobie erfüllt sind. Derartige Patienten vermeiden dann ihrer Behinderung(en) wegen z. B. das Essen in der Öffentlichkeit, den Besuch öffentlicher Veranstaltungen etc. Typisch ist, daß beim Betroffenen eine Einsicht besteht für die Tatsache, daß seine Furcht „übermäßig und irrational ist."

Paniksyndrom

Das Hauptmerkmal des Paniksyndroms sind wiederholte Panikattacken „unter Umständen, die nicht auf einer ausgeprägten körperlichen Erschöpfung oder einer lebensbedrohlichen Situation beruhen." Dabei müssen mindestens 4 von 12 im DSM-III-Manual im einzelnen aufgeführten Symptomen vorliegen (u. a. Dyspnoe, Palpitationen, Schmerzen oder Unwohlsein in der Brust, Erstickungs- oder Beklemmungsgefühle etc.). Panikattacken beobachten wir insgesamt selten. Sie treten unserer Erfahrung nach insbesondere auf bei (bereits prämorbid) eher ängstlichen Patienten und typischerweise in Test- oder Therapiesituationen, in denen die Patienten mit ihrem/ihren Leistungsdefizit(en) konfrontiert werden.

Generalisiertes Angstsyndrom

Durch seine meist längere Dauer bzw. evtl. Persistenz und seine Intensität bzw. Symptomenvielfalt unterscheidet sich das generalisierte Angstsyndrom von der Anpassungsstörung mit ängstlicher Verstimmung. Die diagnostischen Kriterien sind eine „generalisierte, anhaltende Ängstlichkeit, die sich aus Symptomen aus mindestens 3 der folgenden 4 Kategorien ausdrückt: 1) Motorische Spannung ..., 2) vegetative Hyperaktivität ..., 3) Erwartungsangst ..., 4) Überwachheit und ständiges Überprüfen der Umgebung ...". Das generalisierte Angstsyndrom beobachten wir im Gegensatz zur Anpassungsstörung mit ängstlicher Stimmung bei unseren Patienten sehr selten.

Paranoide Störungen

Unter den paranoiden Störungen haben wir bisher nur die *akute paranoide Störung* (298.30) beobachtet; in allen Fällen handelte es sich um Patienten mit zentraler Hörstörung (s. Kap. 8), die über einen Zeitraum von einigen Wochen oder Monaten an einem Verfolgungswahn litten. In allen Fällen hatte sie sich innerhalb eines Zeitraums von weniger als 6 Monaten wieder vollständig zurückgebildet (akute paranoide Störung). Die Entstehung einer paranoiden Störung bei diesen Patienten dürfte sich als Reaktion auf die zentralbedingte Taubheit bzw. Schwerhörigkeit erklären lassen. Darüber hinaus sind (insbesondere in der Initialphase) nach zu zentraler Schwerhörigkeit führenden Insulten akustische Pseudohalluzinationen relativ häufig, was die Entwicklung einer paranoiden Symptomatik erst recht plausibel erscheinen läßt.

5.4.3 Sonstige psychopathologische Symptome und Syndrome

Die folgenden psychopathologischen Symptome bzw. Syndrome sind nicht im DSM-III-Manual aufgeführt, haben jedoch für Patienten mit neuropsychologischen Leistungsstörungen Bedeutung.

Psychopathologie bei frontaler Hirnschädigung

Der Begriff „Frontalhirnsyndrom" („Stirnhirnsyndrom", „frontal lobishness") hat sich zwar in der medizinischen Fachsprache eingebürgert, doch ist diese Bezeichnung aus folgenden Gründen nicht korrekt: Zum einen gibt es keine konsistente psychiatrische Symptomkonstellation bei frontalen Läsionen, die den Begriff „Syndrom" rechtfertigen würde; vielmehr sind die psychischen Störungen bei frontalen Läsionen - sowohl was ihre Intensität als auch Qualität betrifft - sehr vielgestaltig. Zum anderen sind „frontale" psychiatrische Symptome keineswegs immer die Folge einer fokalen Gewebsläsion des Stirnhirns (dazu ausführlicher Kap. 14). Allerdings ist - in Analogie zu den Störungen des planenden und problemlösenden Denkens - zu vermuten, daß bestimmte psychische Störungen durch „frontale" Komponenten wesentlich mitbestimmt werden. In der Literatur besteht Einigkeit darüber, daß *Persönlichkeitsänderungen* nach Schädel-Hirn-Traumen hauptsächlich auf traumatische Substanzschädigungen des präfrontalen Kortex bzw. seines zugehörigen Marklagers zurückzuführen sind (Stuss u. Benson 1986). Dabei wurden von zahlreichen Autoren die verschiedensten Symptome bzw. Symptomkonstellationen als „typisch für frontale Läsionen" beschrieben (Übersicht bei Fuster 1980; Stuss u. Benson 1986): Hyperaktivität, motorische Unruhe, Euphorie, Impulsivität, albernes oder läppisches Verhalten, Apathie, Lethargie, Abulie, Antriebsmangel, Mangel an Spontaneität, Verlangsamung, Trägheit, Nichtbeachten sozialer Konventionen, Mangel an Taktgefühl, Distanzlosigkeit etc. Die eben genannten Begriffe lassen sich zum einen schwer operational definieren, zum anderen überschneiden sie sich teilweise in ihrem Bedeutungsgehalt.

Blumer und Benson (1975) haben daher versucht, aus der großen Liste „frontaler" Symptome zwei syndromale (Extrem-)Varianten herauszuschälen: Das „pseudopsychopathische" auf der einen und das „pseudodepressive" Syndrom auf der anderen Seite.

Das *pseudopsychopathische Syndrom* ist nach diesen beiden Autoren meist Folge frontoorbitaler Gewebsläsionen und zeichnet sich durch folgende charakteristischen Merkmale aus: Die Patienten wirken in ihrem Verhalten kindlich-kindisch („puerile"), motorisch unruhig („restless") und übermäßig lebendig („vigorous"). In schwereren Fällen kann es zu vorschnellem und ungerichtetem Handeln, zu einer Verminderung bzw. einem Verlust der Impulskontrolle und evtl. auch der sozialen Intelligenz kommen; denn obgleich diese Patienten die „sozialen Spielregeln" kennen, verstoßen sie gelegentlich gegen sie, so daß das Bild einer antisozialen Persönlichkeitsstörung imitiert werden kann („a state resembling the sociopathic personality"; Stuss u. Benson 1986).

Die zweite (Extrem-)Variante, das *pseudodepressive Syndrom* ist nach Blumer und Benson (1975) meist bei frontodorsalen Läsionen anzutreffen und durch folgende Charakteristika gekennzeichnet: Mangel an Eigeninitiative, affektive Indifferenz („an apparent helpless unconcern") und eine reduzierte Psychomotorik, die an depressive Zustandsbilder erinnert („. . . resembles the psychomotor retardation of depression"). Da jedoch das innere Erleben (affektive Indifferenz!) dieser Patienten ganz im Gegensatz zur (in der Regel alles überbewertenden) Erlebnisweise Depressiver steht, wurde von Luria (1973) anstelle des Begriffs „pseudodepressives" Syndrom die Bezeichnung „apathetisch-akinetisch-abulisches" Syndrom vorgeschlagen. Dieser Begriff trägt der Tatsache Rechnung, daß als schwerster klinischer Ausprägungsgrad (bei bilateralen Läsionen des frontomedialen Cortex) ein akinetischer Mutismus auftreten kann (siehe dazu 5.6.1 dieses Kapitels).

Stuss und Benson (1986), die versuchten, die zahlreichen „frontalhirntypischen" Symptome auf einige wenige Grundstörungen zurückzuführen, sind dabei zu folgendem Schluß gekommen: „. . . nichtsdestoweniger scheint es einige konsistente Erscheinungsbilder zu geben. Die häufigsten sind Mangel an Eigeninitiative (bis hin zur Apathie) und realer Selbsteinschätzung sowie ein Verlust der Impulskontrolle (Enthemmung)." Außerdem vermuten sie, daß die individuelle Ausgestaltung psychiatrischer Symptome/Syndrome nach frontalen Läsionen wohl auch durch prämorbide Persönlichkeitsmerkmale determiniert wird. Kontrovers wird in der Literatur die Frage diskutiert, ob es im Gefolge frontaler Läsionen neben einer Akzentuierung prämorbider Persönlichkeitsmerkmale auch zum Auftreten gänzlich neuer (prämorbid nicht angelegter) Wesenszüge – also zu einer „Wesensänderung" – kommen kann. Tierexperimentelle Befunde (nach operativer Abtragung des präfrontalen Kortex) bei Ratten, Katzen und Affen sprechen eher gegen eine derartige Wesensänderung (Übersicht bei Stuss u. Benson 1986). Beim Menschen wurde von zahlreichen Autoren das (nach Eysenck 1952) relativ stabile Persönlichkeitsmerkmal „Extroversion" (bzw. als Gegenpol die „Introversion") nach frontaler Hirnschädigung untersucht. Während einige Untersucher eine positive Korrelation zwischen Extroversionstendenz und „Frontalhirnschädigung" fanden – was bei den Patienten, die vor Eintritt der Läsion introvertiert waren, einer Wesensänderung gleichkäme –, konnten andere Autoren diesen Befund entweder nicht bestätigen, oder sie fanden sogar gänzlich andere (eher der „Introversion" nahestehende) für frontalhirngeschädigte Patienten typische Persönlichkeitsmerkmale, z. B. Ängstlichkeit, Depression oder Neurotizismus (Übersicht bei Stuss u. Benson 1986).

Diese widersprüchlichen Ergebnisse beruhen zumindest teilweise auf der Tatsache, daß von allen Untersuchern die frontalhirngeschädigten Patienten als eine (homogene) Gruppe betrachtet wurden. Stuss und Benson (1986) vermuten in diesem Zusammenhang, daß z. B. positive Korrelationen existieren könnten zwischen Extroversion und frontoorbitalen Läsionen auf der einen und Introversion und frontodorsalen Läsionen auf der anderen Seite.

In Ergänzung zu den bisherigen Ausführungen über psychische Störungen nach frontalen Läsionen sei festgestellt, daß unserer Erfahrung nach auch Anosodiaphorie oder Anosognosie (s. S. 72–73) häufig zu beobachten sind. Dabei dürfte der Anosodiaphorie als Grundstörung die affektive Indifferenz zugrundeliegen: Die Patienten perzipieren zwar emotional bedeutsames Material in normaler Weise, jedoch findet kein adäquater Abgleich mit dem Erfahrungsschatz statt; eine Folge dieser affektiv-indifferenten Reaktionsweise ist dann auch die nichtadäquate Bewertung der eigenen Erkrankung (Anosodiaphorie). Fehlt der Zugang zu dem/den Defizit(en), so resultiert Anosognosie (bzgl. Anosodiaphorie/Anosognosie siehe Kapitel „Abnormal Awareness" im Buch von Stuss u. Benson 1986). Einige Patienten mit „Frontalhirnschädigung" fallen auch durch eine recht charakteristische Sprechweise auf (Übersicht bei Prigatano et al. 1986, und Milton u. Wertz 1986): Sie kommen oft nur schwer zum Kern der Sache, verfehlen knapp das Wesentliche („tangentiality"), sind logorrhoisch („talkativeness") oder weitschweifig („rambling style"). Wir haben den Eindruck, daß linksfrontale Läsionen wegen ihrer „Sprachnähe" besonders zu diesen Auffälligkeiten prädisponieren (dazu ausführlicher Kap. 16). Was die oft zitierte Hypersexualität von „Frontalhirnpatienten" betrifft, so geben unserer Erfahrung nach die wenigsten betroffenen Patienten eine Libidosteigerung im engeren Sinne an; vielmehr scheint eine mangelnde Kontrolle der Libido oder aber eine „Gleichgültigkeit" (im Rahmen der affektiven Indifferenz) gegenüber sexuellen Verführungen zugrundezuliegen.

Abschließend sei erwähnt, daß sich bei Patienten mit „frontaler" Hirnschädigung die psychischen Störungen nicht immer scharf von den kognitiven Defiziten (planendes und problemlösendes Denken betreffend) abgrenzen lassen, sondern daß sich die beiden Arten von Störungen wechselseitig beeinflussen bzw. bedingen (s. Kap. 14).

Psychopathologie bei Läsionen des Schläfenlappens

Die meisten Untersuchungen über psychiatrische Störungen bei temporalen Läsionen wurden an Patienten mit Schläfenlappenepilepsien angestellt. Dabei lassen sich iktale von interiktalen Störungen unterscheiden, wobei in diesem Beitrag nur auf letztere eingegangen werden soll. Man unterscheidet zwischen interiktalen Psychosen und interiktalen Persönlichkeitsänderungen. Sowohl schizophrene/schizophreniforme als auch affektive *Psychosen* finden sich bei Patienten mit Schläfenlappenepilepsien signifikant häufiger als in der Gesamtpopulation. Die schizophrenen Psychosen sollen sich klinisch meist in einigen Punkten von der Schizophrenie im engeren Sinn unterscheiden, u. a. in der günstigeren Prognose (Spiers et al. 1985), weshalb der Begriff schizophreniforme Psychose in derartigen Fällen dem der schizophrenen Psychose vorzuziehen ist. Daneben wurden in Verbindung mit Schläfenlappenepilepsien Fälle von Anorexia nervosa sowie multipler Persönlichkeit beschrieben (Spiers et al. 1985). In unserem Patientengut konnten wir bislang keine der erwähnten Störungen beobachten.

Was die interiktalen *Persönlichkeitsänderungen* betrifft, so wird bis in die jüngste Zeit kontrovers diskutiert, ob es für Patienten mit Schläfenlappenanfällen typische Bilder gibt, die sich z. B. signifikant unterscheiden von psychischen Auffälligkeiten bei Patienten mit Grandmal-Epilepsien. Die wohl bekanntesten Arbeiten zu diesem Thema stammen von Bear und Fedio (1977), die einen Fragebogen entwickelten, mit dessen Hilfe sie bei Patienten mit Schläfenlappenepilepsien (mit „left and right temporal foci") 18 Persönlichkeitscharakteristika erfragten. Dadurch konnten diese Patienten von Kontrollgruppen (klinisch Gesunde und Patienten mit neuromuskulären Erkrankungen) differenziert werden. Mittels Faktorenanalyse ließen sich dabei 2 Hauptstörungen herauskristallisieren: die eine war „ideativer" Art - Tendenz zu übermäßiger Beschäftigung mit religiösen und moralischen Fragen, Gefühl der persönlichen Bestimmung, paranoide Inhalte und Hypergraphie (detailliertes Aufzeichnen von Erlebnissen und Ereignissen, Tagebuchführen); die andere „emotionaler" Natur - gehobene Stimmung oder aber Depression bzw. eine pathologisch gesteigerte Bedeutungszuweisung („deepening of emotions"). Ferner fanden die Autoren, daß bei linkstemporalen Foci die ideativen, bei rechtstemporalen Foci die emotionalen Störungen

dominierten. Wegen der Auswahl der Kontrollgruppen wurden die Arbeiten der beiden Autoren unter methodischen Gesichtspunkten oft kritisiert.

In einer 1981 veröffentlichten Studie über 14 Patienten mit Schläfenlappenepilepsien und 14 Kontroll-Patienten mit primär-generalisierten Epilepsien konnten Hermann und Riel (1981) die Befunde von Bear und Fedio (1977) teilweise bestätigen, insofern, als sich die erste Gruppe von der zweiten in 4 Persönlichkeitscharakteristika (erfragt mittels des 18-Item-Fragebogens nach Bear und Fedio) signifikant unterschied, nämlich in den Items „Gefühl der persönlichen Bestimmung", „Abhängigkeitsgefühl", „paranoide Störungen" und „philosophische Interessen" („sense of personal destiny, dependence, paranoia, philosophical interests").

Unserer Erfahrung nach findet sich bei Patienten mit (traumatischen) Läsionen des temporalen Marklagers und/oder Schläfenlappenanfällen - insbesondere bei linksseitiger Lokalisation - eine Überbewertung der Defizite (im Sinne des „deepening of emotions") bis hin zum Auftreten somatoformer Störungen (s. S. 66-67). Damit im Einklang steht ein Erklärungsmodell für interiktale Persönlichkeitsstörungen, welches annimmt, daß es als Folge temporaler Läsionen und/oder entsprechender zerebraler Anfälle zu einer Zunahme von sensorisch-limbischen Assoziationen kommt. Diese „sensory-limbic hyperconnectivity" (Bear 1979) könnte gut die pathologisch gesteigerte emotionale Bedeutung, die Objekten, Ereignissen etc. entgegengebracht wird, erklären. Allerdings gibt es noch zahlreiche andere Hypothesen über das Zustandekommen interiktaler psychischer Störungen. So sind z. B. diverse endokrine Auffälligkeiten bei Patienten mit Schläfenlappenepilepsie gefunden worden, die zur Entstehung der beschriebenen psychiatrischen Symptome führen bzw. beitragen könnten (insbesondere erhöhte Serumkonzentrationen von Prolactin und Gonadotropinen; Pritchard 1983). Auf diese hormonalen Störungen wird auch die relativ häufig vorliegende Hyposexualität von Patienten mit Schläfenlappenepilepsie zurückgeführt.

Anosognosie, Anosodiaphorie

Das Phänomen der Anosognosie als „Nichtzugänglichkeit" der akuten Hirnschädigung für den Patienten insbesondere im Rahmen eines Neglectssyndroms wird in Kap. 11 ausführlich dargestellt. Die Diskussion in diesem Abschnitt beschränkt sich deshalb auf das Problem der Anosodiaphorie als Reaktion des Patienten auf die Folgen, die sich aus der Hirnschädigung für seine Lebenssituation ergeben. Anosognosie und Anosodiaphorie sind nicht unabhängig voneinander. In Abhängigkeit von der Schwere der Hirnschädigung wird sich im Verlauf der Rückbildung (bzw. dem Bestehenbleiben) der Defizite der Schwerpunkt von der Anosognosie auf die Anosodiaphorie verlagern.

Bei der Beurteilung der scheinbaren „Sorglosigkeit" des Patienten bezüglich der Folgen seiner Hirnschädigung sind neben dem psychodynamischen Aspekt im engeren Sinne mehrere Problemkreise zu berücksichtigen:

- der Einfluß der Arzt-Patient-Interaktion,
- die fehlende Information des Patienten über die realen Auswirkungen der Defizite,
- die Folgen einer Störung des problemlösenden Denkens.

Von Beutler (1976) werden für die Tatsache, daß sich das sprachliche Verhalten hirngeschädigter und das nicht hirngeschädigter Patienten in bezug auf ihre Krankheit zunächst ähnlich ist, verschiedene Erklärungen diskutiert. Insbesondere die beim ersten Kontakt mit dem Patienten gestellten Standardfragen nach „Ergehen, Beschwerden, Stimmung und Befinden geben dem befragten Patienten zwar formal Anlaß zu einer spontanen Berichterstattung über sich selbst. In Wirklichkeit jedoch hat sich durch eingeschliffenen Sprachgebrauch die Informationsvermittlung bei solchen Fragen wie ‚Wie geht es Ihnen?' darauf reduziert, daß im allgemeinen in einer klischierten Antwort der Befragte zu verstehen gibt, daß er die Absicht seines Gegenübers, sich ihm freundlich-interessiert zuzuwenden, richtig einschätzt". Daraus ergibt sich eine Tendenz zur Abschwächung der vorhandenen

Beschwerden im Sinne einer positiven Antwort. Dies stimmt mit den Ergebnissen von Becker (1985) überein, der eine Tendenz zur Problemabschwächung als charakteristische Bewältigungsform auch „seelisch Gesunder" beschreibt.

Die Feststellung „der Patient unterschätzt die Folgen seiner Hirnschädigung", bezogen beispielsweise auf die an ihn gestellten beruflichen Anforderungen, kann erst getroffen werden, wenn der Patient auch über ausreichende Informationen bzw. Erfahrungen mit den realen Auswirkungen seiner Erkrankung verfügt, diese aber dann falsch bewertet. Während die Behinderung durch eine ausgeprägte Hemiparese oder eine schwere aphasische Störung der Erfahrung unmittelbar zugänglich ist, sind beispielsweise die Beeinträchtigungen, die sich durch leichtere kognitive Defizite wie Aufmerksamkeits-, Gedächtnis- oder Planungsstörungen ergeben, für den Patienten (und oft auch die ihn betreuenden Angehörigen bzw. Arbeitskollegen) nicht a priori nachvollziehbar. Eine adäquate Einschätzung ist hier oft erst im Zuge einer familiären oder beruflichen Wiedereingliederung möglich.

Ein weiterer Punkt ist die Tatsache, daß aus Sicht des Patienten, der in den ersten Wochen oder Monaten eine deutliche Besserung seiner Defizite feststellte, durchaus anzunehmen ist, diese Defizite würden sich auch in Zukunft weiter so rasch bessern. Das Urteil „der Patient ist viel zu optimistisch" kann dann zwar einen objektiven Sachverhalt wiedergeben, es läßt sich hieraus jedoch nicht notwendigerweise eine Anosodiaphorie ableiten.

Eine adäquate Bewertung der Folgen einer Hirnleistungsstörung durch den Patienten setzt nicht nur voraus, daß eine ausreichende Information über die Folgen der Defizite vorliegt, sondern auch, daß das erforderliche problemlösende und bewertende Nachdenken über die sich aus den Defiziten für die häusliche bzw. berufliche Situation ergebenden Konsequenzen nicht gestört ist (vgl. Kap. 14). Insbesondere beim Vorliegen zusätzlicher „frontaler" Gewebsläsionen ist damit zu rechnen, daß diese Fähigkeit des Entwerfens von Handlungsplänen beeinträchtigt sein kann.

Betroffen sein können sowohl die Zielgerichtetheit des Planens als auch die Fähigkeit, auf sich ergebende Schwierigkeiten flexibel mit anderen Verhaltensplänen zu reagieren. Zu beobachten ist häufig auch bei ausgeprägteren Stirnhirnschädigungen ein „Mangel an Interesse", eine „Gleichgültigkeit" hinsichtlich anstehender Probleme. Die Anosodiaphorie im Sinne einer „Sorglosigkeit" in bezug auf die Folgen beispielsweise einer traumatischen Aphasie für die berufliche Leistungsfähigkeit nach einem erlittenen Schädel-Hirn-Trauma kann damit eine der (globalen) Auswirkungen einer begleitenden Stirnhirnläsion und nicht spezifische Folge der Schädigung sprachrelevanter Areale sein.

Wie bereits erwähnt, zeigt sich schon bei nicht Hirngeschädigten eine Tendenz zur Abschwächung bestehender Probleme. Bei hirngeschädigten Patienten sind entsprechend häufig Verhaltensweisen im Umgang mit dem Defizit zu beobachten, die sich unter psychodynamischem Blickwinkel als Verleugnung oder Rationalisierung beschreiben lassen. Eine typische Variante ist die „Vogel-Strauß-Politik": charakteristisch sind Äußerungen wie „dies ist für mich nicht so wichtig, das brauche ich nicht", „das ist nicht so schlimm". Auch eine Art „magischen" Denkens ist häufig zu beobachten („jetzt geht es mir zwar nicht gut, aber warten Sie bis Weihnachten, dann kann ich bestimmt wieder arbeiten", „die Frau Doktor hat aber gesagt, das wird alles wieder"), oder ein isoliertes Defizit wird als limitierend herausgestellt („wenn ich nur auf dem linken Auge wieder sehen könnte"). Bei der Konfrontation mit schlechten Untersuchungs- oder Testergebnissen sind oft Rationalisierungen zu beobachten („ich konnte noch nie rechnen", „so ein blöder Test", „ich bin einfach heute nicht so gut in Form").

Die Auseinandersetzung mit den Folgen des Defizits kann auch dadurch umgangen werden, daß der Haß und die Wut auf den Verursacher der Schädigung, beispielsweise den anderen Autofahrer, der den Unfall verursacht hat, zum alles beherrschenden Thema wird.

In Abhängigkeit von der prämorbiden Persönlichkeit des Patienten und seiner familiären, sozialen und beruflichen Situation werden so verschiedene individuelle Copingstrategien und/oder psychodynamische Prozesse verwendet, die dem Patienten ein allmähliches Akzeptieren der Auswirkungen einer Hirnschädigung auf seine Lebenssituation ermöglichen. Es läßt sich spekulieren, ob das Vorliegen zusätzlicher kognitiver Störungen diese psychodynamischen Möglichkeiten, insbesondere ihre Flexibilität, einschränkt. Die Frage, ob die Anosodiaphorie als Abschwächung der bestehenden Probleme nicht auch eine legitime Strategie zur Aufrechterhaltung der psychischen Integrität angesichts der oft deletären Folgen einer Hirnschädigung für viele Lebensbereiche ist, kann dabei nur im Einzelfall entschieden werden.

Pathologisches Lachen und Weinen

Dabei handelt es sich um Ausdrucksbewegungen, die (in aller Regel) nicht von einem entsprechenden Affekt begleitet werden (Übersicht bei Poeck 1985). Meist leiden die betroffenen Patienten sehr unter dieser Störung oder versuchen - vergeblich - dagegen anzukämpfen. In der Literatur wird allerdings auch über Patienten berichtet, bei denen sich die pathologische Ausdrucksbewegung auf das affektive Erleben überträgt (im Sinne der bekannten Theorie von James und Lange: „Wir sind traurig, weil wir weinen").

Es finden sich folgende Erscheinungsbilder:

- Entweder tritt (bei ein und demselben Patienten) nur pathologisches Lachen oder nur Weinen auf;
- oder es kommen beide Ausdrucksbewegungen vor;
- oder es handelt sich um Mischbilder mit Elementen des Lachens und gleichzeitig des Weinens.

Charakteristischerweise werden diese pathologischen Ausdrucksbewegungen durch unspezifische (externe oder interne) Stimuli ausgelöst (eigener Erfahrung nach sehr häufig bei Ansprechen des Patienten in der Gesprächssituation). Einmal ausgelöst, laufen die Ausdrucksbewegungen schablonenhaft ab, ohne daß der

Patient auf die Automatismen Einfluß nehmen kann. Es ist (für die betroffenen Patienten) fatal, wenn diese pathologischen Ausdrucksbewegungen mit Affektinkontinenz bzw. -labilität verwechselt werden, was sich meist durch einfaches Befragen des Patienten nach dem begleitenden Affekt vermeiden läßt. Als Ursache des pathologischen Lachens bzw. Weinens werden (bilaterale) Läsionen angeschuldigt, die zur Enthemmung eines in den anatomischen Einzelheiten nicht näher bekannten „Kontrollsystems" führen, welches zwischen Medulla oblongata und Thalamus lokalisiert sein soll (Poeck 1985).

Wir sehen diese Störungen daher besonders häufig bei Patienten nach schwerem Schädel-Hirn-Trauma (insbesondere nach traumatischem Mittelhirnsyndrom), bei Multiinfarkterkrankung sowie bei diffus disseminierten Hirnerkrankungen. Im weitesten Sinne ist unter pathologischem Lachen bzw. Weinen auch der einem Schlaganfall in seltenen Fällen vorausgehende „fou rire prodromique" bzw. epileptisches Lachen (sehr selten Weinen) zu subsumieren; äußert sich das epileptische Anfallsleiden (nahezu) ausschließlich in Form des Lachens, spricht man von gelastischer Epilepsie (im Falle des Weinens von dakrystischer Epilepsie).

Klüver-Bucy-Syndrom

1939 beschrieben Klüver und Bucy (1939) eine bei adulten Rhesusaffen nach bilateraler temporaler Lobektomie (einschließlich Nucleus amygdalae, Uncus und Gyrus hippocampalis) aufgetretene Symptomkonstellation: visuelle Agnosie, orale Tendenzen, Hypersexualität, Hypermetamorphose (rascher Wechsel der Aufmerksamkeitszuwendung mit Hinwendung zu jedem neuen Reiz) und Verlust der normalen Wut- und Angstreaktion mit resultierender „placidity" (Zahmheit). Dieses klassische Syndrom kommt isoliert beim Menschen nicht vor; einzelne Symptome können jedoch auftreten. Liegen alle Symptome vor, dann stets in Kombination mit anderen Störungen wie Aphasien, mnestischen Störungen oder dementiellen Syndromen (Lilly et al.

1983). Nur unter Berücksichtigung dieser Einschränkungen ist der Begriff „Klüver-Bucy-Syndrom des Menschen" sinnvoll (s. Poeck 1985). Unter den genannten Symptomen treten beim Menschen am häufigsten orale Tendenzen und „placidity" auf; die Tatsache, daß im Rahmen der oralen Tendenzen auch gefährliche bzw. ungenießbare Gegenstände zum Mund geführt werden, berechtigt nicht dazu, das zusätzliche Vorliegen einer „visuellen Agnosie" zu postulieren, die ohnehin bei den meisten Menschen mit Klüver-Bucy-Syndrom wegen der überlagernden neuropsychologischen Störungen nicht systematisch abgetestet werden kann (Poeck 1985).

Meist handelt es sich beim Klüver-Bucy-Syndrom um eine vorübergehende Störung (z. B. nach einem Schädel-Hirn-Trauma), persistierende Fälle kommen allerdings (besonders nach Herpes-simplex-Enzephalitiden) vor (Lilly et al. 1983). Es finden sich regelmäßig mehr oder weniger ausgedehnte Läsionen im mediobasalen und anterioren Schläfenlappen einschließlich des temporalen Marklagers und/oder im Mandelkernkomplex (Lilly et al. 1983; Poeck 1985).

5.5 Therapie mit Psychopharmaka

Für Einzelheiten der psychiatrischen Pharmakotherapie sei auf die einschlägigen Fachbücher verwiesen (z. B. Benkert u. Hippius 1986). Dieser Abschnitt behandelt nur kurz einige Besonderheiten der Psychopharmakatherapie bei Patienten mit erworbener Hirnschädigung.

Neuroleptika. Grundsätzlich kann festgestellt werden, daß Neuroleptika bei Patienten mit erworbener Hirnschädigung nur sehr selten indiziert sind (z. B. organische Halluzinose, organisches Wahnsyndrom). Gewarnt werden muß vor ihrem Einsatz als „Beruhigungsmittel"; infolge ihrer dopaminantagonistischen Wirkung hemmen sie das mesolimbische System und damit einen wichtigen Teil des – zielgerichtetes (Such-)Verhalten vermittelnden – Curiosity-interest-command-System. Insofern behindern sie interaktives Interesse der Patienten an der Umwelt (Panksepp 1985) und damit eine der Grundvoraussetzungen für neuropsychologische Rehabilitation. Zudem scheinen neuroleptikabedingte Spätdyskinesien bei Patienten mit vorgeschädigtem Hirn häufiger als sonst aufzutreten (Benkert und Hippius 1986).

Antidepressiva. Für depressive Zustandsbilder gilt, daß sich der Gesamtbehandlungsplan prinzipiell an der Ätiologie der Depression zu orientieren hat. Angesichts der Häufigkeit depressiver Anpassungsstörungen ist die Psychotherapie (s. Kap. 6) das Kernstück der Behandlung. Aus einer jüngst publizierten Studie geht allerdings hervor, daß Schlaganfallpatienten, die in der subakuten Krankheitsphase (2 Wochen bis 3 Monate nach dem Ereignis) ein nichttrizyklisches Antidepressivum erhielten, eine raschere Rehabilitationsdynamik aufwiesen als placebobehandelte Kontrollen (Reding et al. 1986). In einer anderen Studie konnte die „post-stroke depression" durch ein trizyklisches Antidepressivum nicht positiv beeinflußt werden (Lipsey et al. 1984). Unserer Erfahrung nach sind Antidepressiva oftmals in der Lage, gerade bei ängstlich-agitierten depressiven Zustandsbildern die interne Ablenkbarkeit (insbesondere infolge ständigen Grübelns) dieser Patienten zu reduzieren und damit eine Psychotherapie zu unterstützen bzw. überhaupt erst zu ermöglichen. Auch bei Patienten mit Panikattacken und/oder Angstsyndromen setzen wir Antidepressiva mit Erfolg ein. Meist können wir dabei auf die (zusätzliche oder alleinige) Gabe von Tranquilizern verzichten, die wir - insbesondere wegen der Gefahr von Abhängigkeitsentwicklungen, ihres sedierenden Effektes und möglicher Paradoxphänomene - wenn, dann nur vorübergehend und möglichst niedrigdosiert einsetzen.

Antiepileptika. Bei Patienten mit erworbener Hirnschädigung, die wegen symptomatischer zerebraler Krampfanfälle antikonvulsiv behandelt werden müssen, geben wir Carbamazepin in aller Regel den Vorzug vor anderen Antiepileptika, nicht zuletzt weil dieses Medikament neben den z. B. im Vergleich zu Phenytoin, Primidon oder Phenobarbital geringeren neuropsychologisch faßbaren unerwünschten Wirkungen möglicherweise auch „positiv psychotrope" Eigenschaften hat (Übersicht bei Schmidt 1984).

Psychostimulanzien. In den Fällen einer erheblichen Antriebsminderung lohnt sich ein Versuch mit Psychostimulanzien. Wir haben dabei allerdings fast nie wirklich dauerhafte Erfolge erzielen können. In vielen Fällen blieb selbst Metamphetamin, das stärkste derzeit im Handel befindliche Psychostimulans, ohne jede antriebssteigernde Wirkung, was unseres Erachtens auf einem durch die Hirnschädigung bedingten Wegfall spezifischer Terminale beruhen könnte.

Nootropika. Der Beweis einer positiven Wirkung von Nootropika auf das verfügbare Rehabilitationspotential von Patienten mit umschriebener Hirnschädigung ist bisher noch nicht erbracht. Bei Patienten mit dementiellen Syndromen ist der Einsatz derartiger Präparate, die kaum ernste Nebenwirkungen verursachen, wohl vertretbar - wenngleich wir auch bei diesen Erkrankungen bislang noch nie eine eindeutige Wirkung beobachten konnten.
Für alle erwähnten Substanzklassen gilt, daß bei Patienten mit erworbener Hirnschädigung vor bzw. bei der Verabreichung die Indikation bzw. Kontraindikationen besonders gründlich abzuwägen sowie einige Besonderheiten zu berücksichtigen sind (Erniedrigung der u. U. ohnehin schon reduzierten Krampfschwelle, Sedierung, paradoxe Wirkungen, Reboundphänomene etc.).

5.6 Neuroanatomische Grundlagen

5.6.1 Neuroanatomie affektsteuernder Systeme

Neuronenpopulationen, denen eine Bedeutung für die Affektsteuerung zukommt, sind auch beteiligt an der Elaborierung kognitiver

Hirnleistungen (z. B. Gedächtnis); die affekt-steuernden Systeme sind neuroanatomisch auf vielfältige Weise miteinander verbunden; Emotionen und Affekte sind schwer zu „messen"; tierexperimentelle Befunde sind nur bedingt auf den Menschen übertragbar. All dies sind Gründe dafür, warum es so schwierig ist, die Bedeutung bestimmter Hirnstrukturen für die Affektsteuerung beim Menschen herauszuarbeiten. Infolgedessen gibt es bis heute kein einheitliches Klassifikationssystem affektsteuernder Systeme des Menschen. In diesem Abschnitt wird dem Einteilungsversuch von Panksepp (1985) gefolgt, der 5 affektsteuernde Systeme („emotive systems") unterscheidet.

Das *Curiosity-interest-expectancy-command-System* (Neugier-Interesse-Erwartungs-System) vermittelt zielgerichtetes Suchverhalten, mittels dessen lebende Organismen ihre Umwelt aktiv erkunden. In diesem Zusammenhang sei auf den Begriff des Appetenzverhaltens aus der vergleichenden Verhaltensforschung hingewiesen, der besagt, daß ein Organismus gewissermaßen nach Außensituationen sucht, die in der Instinkthierarchie eine Endhandlung (also letztendlich einen motorischen Akt) auslösen. Dem mesolimbischen System kommt dabei die Hauptbedeutung zu. Wichtiger Ausgangspunkt aufsteigender (überwiegend dopaminerger) Fasern innerhalb der limbischen Mittelhirn-Vorderhirn-Achse ist die ventrale Haubenregion (Area tegmentalis ventralis Tsai). Von hier projizieren efferente Faserzüge (z. B. das mediale Vorderhirnbündel) – mit dem lateralen Hypothalamus als wichtige Relaisstation – hauptsächlich zu folgenden telenzephalen Strukturen: Nucleus olfactorius anterior, Tuberculum olfactorium, Nucleus septalis lateralis, Mandelkern (Nieuwenhuys et al. 1978). Einige dieser Kerne sind mit dem Nucleus basalis Meynert verknüpft, der – überwiegend cholinerg – zu allen Abschnitten des ipsilateralen telenzephalen Kortex projiziert. Bei Schädigung des Systems resultieren Interesseverlust, Verminderung von Eigeninitiative und Ideenreichtum sowie eine Störung des aktiven Vorausplanens, insgesamt also eine Störung antizipatorischen Suchverhaltens. Appliziert man Gesunden Dopaminantagonisten (z. B. Neuroleptika), so ist die resultierende Störung ein Verlust des interaktiven Interesses an der Umwelt; in ähnlicher Weise kann man sich die Wirkung frontaler Leukotomien erklären. Umgekehrt sind Substanzen, die dieses System stimulieren, offensichtlich in der Lage, zielgerichtetes Verhalten zu übersteigern, so daß der Organismus infolge einer Reizüberflutung („overstimulation") die zahlreichen Eindrücke nicht mehr entsprechend ihrer jeweiligen Wertigkeit verarbeiten kann. Die Entstehung von Amphetaminpsychosen bzw. einiger schizophrener Symptome ist möglicherweise durch einen derartigen Mechanismus erklärbar.

Das *Anger-rage-System* (Zorn-Wut-System) vermittelt aggressives bzw. Dominanzverhalten, welches für das Überleben wichtig ist. Bei Dekortikation des Schläfenlappens (funktionell imitierbar durch übermäßigen Alkoholkonsum) resultiert aggressives Verhalten, ebenso bei Stimulation medialer Anteile des Mandelkerns (weshalb man sich etwas vereinfacht vorstellen kann, daß der mediale Mandelkern unter hemmender Kontrolle des temporalen Kortex steht). Umgekehrt kommt es nach beidseitiger Schläfenlappenabtragung (einschließlich der Mandelkerne) beim adulten Rhesusaffen zum Klüver-Bucy-Syndrom, welches (neben der „visuellen Agnosie", den oralen Tendenzen, der Hypersexualität und der Hypermetamorphose) insbesondere durch eine auffällige Zahmheit („placidity") charakterisiert ist. Klüver-Bucy-ähnliche Bilder sind auch beim Menschen, insbesondere nach Herpes-simplex-Enzephalitis (Schwerpunkt der Entzündung im Schläfenlappen) beschrieben worden (s. S. 74 und Poeck 1985). Das Anger-rage-System steht unter hemmender Kontrolle des Curiosity-interest-expectancy-Systems. Dadurch lassen sich aggressive Tendenzen bei Schädigung des letztgenannten Systems erklären, jedoch auch das Auftreten von Wut und Ärger in Frustrationssituationen (nicht erfüllte Erwartungen).

Das *Fear-anxiety-System* (Furcht-Angst-System) vermittelt rechtzeitiges Fliehen vor lebensbedrohenden Objekten bzw. Lebewesen. Eine Hauptrolle bei der Entstehung von

Angstzuständen kommt dabei dem Nucleus centralis des Mandelkerns zu. Es ist daher verständlich, daß Angst während Schläfenlappenanfällen häufig auftritt, ja einziges iktales Symptom sein kann („pure ictal fear"). Die vegetativen Beschwerden bzw. Somatisierungssyndrome, die wir häufig bei Patienten mit temporalen Läsionen beobachten (s. S. 71), könnten sich zumindest teilweise aus der Tatsache erklären lassen, daß amygdalofugale Fasern direkt zu „vegetativen" Hirnstammarealen (z. B. zum Nucleus tractus solitarii und Nucleus dorsalis nervi vagi) projizieren (Schwaber 1986).

Das *Panic-sorrow-System* (Panik-Kummer-System) vermittelt Trennungsängste (beim Affen z. B. nach Verlust des Muttertiers) und entsprechende soziale Verhaltensweisen. Zumindest beim Affen scheint dabei dem vorderen Gyrus cinguli eine wichtige Rolle zuzukommen. Cingulektomierte Affen zeigen kein Trauerverhalten mehr, aber auch kein adäquates Sozialverhalten ihren Artgenossen gegenüber (Ward 1948). Beim Menschen können Läsionen des vorderen cingulären Kortex möglicherweise zu einer mehr oder weniger ausgeprägten affektiven Indifferenz und damit ebenfalls zu einem beeinträchtigten Sozialverhalten führen. Gesichert ist, daß beim Menschen bilaterale vordere Cingulektomien einen akinetischen Mutismus, einseitige Läsionen des vorderen Gyrus cinguli einen kontralateralen Neglect hervorrufen können (Damasio u. Van Hoesen 1983).

Das *Pleasure-lust-System* (Vergnügen-Lust-System) vermittelt sexuelle (Woll-)Lustgefühle. Beim Affen konnten durch Elektrostimulation der ventralen Septalregion Peniserektionen ausgelöst werden (McLean und Ploog 1962). Analoge Hirnstrukturen beim Menschen sind die Area subcallosa bzw. der Gyrus paraterminalis; Elektrostimulation in diesen Hirnregionen bewirkt beim Menschen sexuelle (Woll-)-Lustgefühle (Heath 1963). Das Pleasure-lust-System steht in enger Faserverbindung mit dem Panic-sorrow-System, was darauf hinweist, daß sexuellen Empfindungen bei der Elaborierung sozialer Verhaltensweisen bzw. sozialer Bindungen eine wichtige Rolle zukommt.

5.6.2 Befunde und Hypothesen zur Beziehung zwischen Ort der Läsion und affektiven Störungen

Bereits im Jahre 1914 hat Babinski darauf hingewiesen, daß Patienten mit Läsionen der rechten Hemisphäre von den resultierenden Defiziten affektiv oft wenig oder gar nicht betroffen zu sein scheinen; vielmehr käme es bei ihnen zu einer Indifferenzreaktion oder gar einer (inadäquaten) Euphorie (Babinski 1914).

Demgegenüber prägte Goldstein im Jahre 1948 den Begriff „Katastrophenreaktion" („catastrophic reaction") für die Art und Weise, mit der Patienten nach linkshirnigen Läsionen typischerweise auf ihre Hirnleistungsstörungen reagierten: ängstlich-erregt, niedergeschlagen, klagsam, verzweifelt und hoffnungslos (Goldstein 1948); diese „Katastrophenreaktion" fand sich aufgrund der in aller Regel linkshirnigen Sprachdominanz besonders häufig bei Aphasikern. Mehrere Autoren gingen mit Hilfe des Wada-Tests der Frage nach, inwieweit den Befunden von Babinski bzw. Goldstein allgemeine Gültigkeit zukäme. Der Versuchsperson wird dabei in die rechte oder linke A. carotis interna Natriumamytal (ein kurzwirksames Barbiturat) injiziert, wodurch es zu einer kurzfristigen funktionellen Ausschaltung der ipsilateralen Hirnhälfte kommt. Die Mehrzahl der Untersucher (z. B. Terzian 1964; Rossi u. Rosadini 1967) konnte die Befunde von Babinski bzw. Goldstein bestätigen: nach linksseitiger Barbituratinjektion fanden sie „Katastrophenreaktionen", nach rechtsseitiger Injektion hingegen Indifferenzreaktionen oder gar euphorisch-manische Zustandsbilder. Milner (1974) konnte diese Befunde nicht bestätigen.

Gainotti (1972) untersuchte 80 Patienten mit linkshirniger und 80 Patienten mit rechtshirniger Läsion (in 111 Fällen lag ein Schlaganfall vor, in 49 Fällen ein Hirntumor oder eine andere neurologische Erkrankung) bezüglich depressiver Zustandsbilder, „Katastrophenreaktionen" und Indifferenzreaktionen. Auch er fand depressive Syndrome und „Katastrophenreaktionen" signifikant häufiger bei Patienten mit linkshirnigem Läsionsort und umgekehrt Indifferenzreaktionen signifikant häufiger bei Patienten mit rechtshirnigem Läsionsort. Darüber hinaus zeigten sich depressive Zustandsbilder besonders häufig bei Broca-Aphasikern, dagegen nur sehr selten bei Wernicke-Aphasikern. Gainotti interpretierte die depressiven Zustandsbilder als verständliche Verzweiflungsreaktion der Patienten, mit der sie versuchten – ganz im Sinne der Hypothese Goldsteins (s. 5.3) – mit der gänzlich neuen Situation zurechtzukommen („... the desperate reaction of the organism, confronted with a task that it cannot face"); Broca-Aphasiker würden ihr kommunikatives Defizit besonders stark erleben und daher häufig depressiv reagieren, während Wernicke-Aphasiker ihre Sprachstörung oftmals nicht in vollem Maße realisierten und daher oft einen „Wegfall von Angst" zeigten. Die Indifferenzreaktionen fand Gainotti überwiegend bei Patienten (nach rechtshirniger Läsion), die an Neglectphänomenen bzw. Anosognosie litten. Gainotti stellte zur Entstehung von Indifferenzreaktionen bzw. Neglectphänomenen die Hypothese auf, die rechte Hemisphäre sei im Gegensatz zur linken „verbal-intellektuellen" Hirnhälfte eher „emotional"; in ihr würden Informationen auf eher „primitive" Weise verarbeitet, „so daß sie ihre Unmittelbarkeit und starke affektive Besetzung behalten". Bei rechtshirnigen Läsionen käme es infolgedessen zu einer „Desorganisation" innerhalb der rechten Hemisphäre mit Durchbruch ihrer „Emotionalität" in Form von Neglectphänomenen und Indifferenzreaktionen.

Einen davon etwas abweichenden Erklärungsversuch hatten zuvor bereits Weinstein und Kahn (1955; vgl. Weinstein 1969) unternommen. Nach rechtshirnigen Läsionen käme die Fähigkeit der intelligenten, analytischen linken Hemisphäre zur Geltung, Erfahrungen mittels „metaphorischer Sprache" zu verarbeiten; Neglectphänomene einschließlich Anosognosie sowie Indifferenzreaktionen seien demnach Ausdruck einer linkshirnig vermittelten Verleugnung der Krankheit („denial of illness"). Umgekehrt – so Weinstein – ist der Aphasiker infolge Fehlens „metaphorischer Sprache"

nicht in der Lage, sein Defizit in positiver Weise (durch Verleugnungsprozesse) zu verarbeiten, sondern reagiert emotional (mit der intakten rechten, „emotional-angelegten" Großhirnhälfte).

Im Gegensatz zu derartigen psychodynamischen Erklärungsversuchen von Phänomenen wie Neglect, Anosognosie und Affektindifferenz stehen die Befunde und Hypothesen von Heilman et al. (1983). Diese Untersucher fanden bei Patienten nach rechthirniger Läsion eine Störung der Perzeption bzw. Verarbeitung affektbesetzter Stimuli (z. B. Bilder mit traurigen oder freudigen Gesichtsausdrücken) sowie eine verminderte Arousalreaktion („hypoarousal") bei Messung der elektrodermalen Reaktion nach elektrischer Stimulation der gesunden Körperhälfte. Demgegenüber konnten sie bei Patienten mit linkshirnigen Läsionen eine normale Perzeption sowie Verarbeitung affektiver Stimuli und eine gegenüber gesunden Kontrollen sogar gesteigerte Arousalreaktion („hyperarousal") nachweisen. Die Autoren ziehen den Schluß, Phänomene wie Neglect, Anosognosie und Affektindifferenz seien die Folge einer Aufmerksamkeits-, Arousal- und Aktivationsstörung („attention-arousal-activation-defect") nach Läsionen der rechten Hemisphäre, die für derartige Aufmerksamkeitsleistungen dominant sei. Umgekehrt käme es nach linkshirniger Läsion zur Prädominanz der rechten – mit „negativen" Emotionen ausgestatteten – Hemisphäre, und infolge einer gesteigerten Arousalreaktion resultierten depressive Zustandsbilder bzw. „Katastrophenreaktionen".

In jüngster Zeit haben Robinson et al. (1984) über interessante Befunde an Patienten mit Depressionen nach Hirninfarkten („poststroke depression") berichtet. Danach korreliert die Schwere des depressiven Syndroms mit dem Abstand des Infarkts vom Frontalpol; dabei gilt für die linke Hemisphäre: je frontalpolnäher die Läsion, um so schwerer die Depression; in der rechten Hemisphäre findet sich eine (insgesamt allerdings schwächere) umgekehrte Korrelation. Beim Vergleich von 18 Patienten nach linkshirnigem Infarkt mit 11 Schädel-Hirn-Traumatikern fanden die gleichen Autoren bei mehr als 60% der ersten Gruppe und bei nur etwa 20% der Traumatiker Depressionen von Krankheitswert (die beiden Gruppen hatten vergleichbare Beeinträchtigungen sowohl bezüglich ihrer kognitiven Leistungen als auch ihrer Alltagsaktivitäten). Die Auswertung der kranialen Computertomogramme zeigte, daß die Läsionsareale der Infarkte weiter vorn lagen als die traumatischen Substanzdefekte, was als Ursache der Häufigkeitsunterschiede depressiver Syndrome zwischen Infarkt- und Schädel-Hirn-Trauma-Patienten gedeutet wurde (Robinson u. Szetela 1981). Aufgrund eigener Erfahrungen und der Ergebnisse zahlreicher anderer Autoren verwundert dieser letzte Befund, sind doch gerade bei SHT-Patienten frontale und den Temporalpol betreffende – und damit anteriore – Läsionen besonders häufig anzutreffen. Die Autoren resümieren ihre Ergebnisse folgendermaßen: a) Es besteht eine Korrelation zwischen Schwere der Depression und Abstand der Läsion vom Frontalpol; b) diese Korrelation erklärt 50–70% der Varianz (gegenüber nur 10–20%, die durch die sensomotorischen und/oder kognitiven Defizite determiniert werden); c) die Natur der depressiven Symptome erinnerte an „endogene" Zustandsbilder. Insofern sei folgende „neurale Hypothese" vertretbar: Anteriore Läsionen zerstören eine größere Menge noradrenerger Neurone als posteriore Läsionen; deshalb kommt es bei anterioren Läsionen (infolge der Noradrenalinverarmung) zur Entstehung depressiver Zustandsbilder – in Analogie zur Katecholaminhypothese endogener Depressionen (Robinson et al. 1984).

In diesem Zusammenhang erscheint die Studie von Reding et al. (1985) erwähnenswert, in der über die Ergebnisse des Dexamethasonhemmtests bei 78 Schlaganfallpatienten berichtet wird: Dieser Test fiel bei 87% der Patienten, die aufgrund klinischer Kriterien als depressiv eingeschätzt wurden, pathologisch aus; pathologische Ergebnisse fanden sich weit häufiger bei Großhirn- als bei Hirnstamm- oder Kleinhirninfarkten bzw. -blutungen; als Prädiktor des Rehabilitationserfolgs war dieser Test jedoch nicht geeignet.

In einer jüngst erschienenen Studie (Sinyor et al. 1986) wird über „poststroke depression and lesion location" an 19 Patienten mit linkshirnigem und 16 Patienten mit rechtshirnigem Infarkt berichtet. Die Autoren konnten die Befunde von Robinson et al. (1984) nicht bestätigen. Sie fanden zwar auch eine Korrelation zwischen Schwere der Depression und Nähe der Läsion zum Frontalpol in der linken Hirnhälfte, jedoch war dieser Befund nicht statistisch signifikant. In bezug auf Läsionen der rechten Hemisphäre ergab sich eine signifikante kurvilineare Beziehung zwischen Schweregrad der Depression einerseits und weit anterior oder weit posterior gelegenen Lokalisationen. Die Autoren kommen zu dem Schluß, daß die Beziehung zwischen Depression und Läsionsort wohl komplexer zu sein scheint als von Robinson et al. vermutet.

An dieser Stelle sei kurz auf die Hypothese von Ross (1981) über Aprosodien bei rechtshirnigen Läsionen hingewiesen. Während die Bedeutung der rechten Großhirnhemisphäre für die Enkodierung und Dekodierung von Affekten bzw. für nonverbale und paralinguistische Kommunikation unumstritten ist, werden die Befunde von Ross zur Aprosodie kontrovers diskutiert. Er stellte aufgrund einer Untersuchung an 10 Patienten mit rechtshirnigen ischämischen Infarkten die Hypothese auf, man könne – gewissermaßen spiegelbildlich zur Anatomie sprachrelevanter Strukturen in der dominanten Hemisphäre – bei rechthirnigen Läsionen folgende Aprosodien unterscheiden: motorische Aprosodie (analog zur Broca-Aphasie), sensorische Aprosodie (analog zur Wernicke-Aphasie), globale Aprosodie (analog zur Globalaphasie) sowie transkortikal motorische, sensorische und gemischte Aprosodie (analog zur transkortikal motorischen, sensorischen und gemischten Aphasie). So würde z. B. bei einer rechtshirnigen Läsion, die spiegelbildlich zur „Broca-Region" gelegen ist, eine motorische Prosodie mit Störung der affektiven Enkodierung, bei einer der „Wernicke-Region" analogen rechtshirnigen Läsion eine sensorische Prosodie mit Störung der affektiven Dekodierung resultieren usw. Die Hypothese von Ross bedarf – wie bereits angedeutet

- der Bestätigung durch weitere Studien. In diesem Zusammenhang erscheint es angebracht, nochmals darauf hinzuweisen, daß trotz einer „starren Mimik", einer „verminderten Gestik", eines „abgeflachten Affekts" etc. das affektive Erleben eines Patienten völlig ungestört sein kann.

Insgesamt kann man sich beim Studium der einschlägigen Literatur des Eindrucks nicht erwehren, bei Patienten mit erworbener Hirnschädigung seien Depression auf der einen und Affektindifferenz auf der anderen Seite die einzig relevanten psychischen Störungen. Zwar ist die Psychopathologie von Patienten mit erworbener Hirnschädigung nicht so „bunt" wie die eines psychiatrischen Patientenklientels, unter anderem deshalb, weil die Patienten durch die Hirnschädigung sowohl in ihrer Psychomotorik als (wahrscheinlich) auch in ihrer Erlebnisfähigkeit beeinträchtigt sind. Dennoch sind Depression und Affektindifferenz nur zwei wichtige Extremvarianten eines breiten Spektrums psychischer Störungen nach erworbener Hirnschädigung. Was die genannten Erklärungsversuche für das Entstehen psychischer Störungen nach erworbener Hirnschädigung betrifft, so werden weder psychodynamische Hypothesen allein noch etwas simpel anmutende Rechts-versus-links- bzw. Vorne-versus-hinten-Vorstellungen der Komplexität des Sachverhalts gerecht. Will man die Zusammenhänge zwischen Läsionsort und resultierenden psychischen Störungen untersuchen, so ist beispielsweise die Angabe, eine Läsion sei 3,5 cm vom linken Frontalpol entfernt, in keiner Weise ausreichend, sondern täuscht eine Pseudogenauigkeit vor.

Es ist zu hoffen, daß sich in naher Zukunft durch exakt durchgeführte neuroanatomische Untersuchungen mit Hilfe der verfügbaren bildgebenden Verfahren einige der Fragen zur Beziehung zwischen Läsionsort und resultierender psychischer Störung beantworten lassen.

Literatur

Arbeitsgemeinschaft für Methodik und Dokumentation in der Psychiatrie (Hrsg) (1981) Das AMDP-Manual. Springer, Berlin Heidelberg New York

Babinski J (1914) Contribution à l'étude des troubles mentaux dans l'hémiplégie cérébrale (Anosognosie). Rev Neurol 27: 845–847

Bear DM (1979) Temporal lobe epilepsy - a syndrome of sensory-limbic hyperconnection. Cortex 15: 357–384

Bear DM, Fedio P (1977) Quantitative analysis of interictal behavior in temporal lobe epilepsy. Arch Neurol 34: 454–467

Becker P (1985) Bewältigungsverhalten und seelische Gesundheit. Z Klin Psychol 14: 169–184

Beckmann D, Brähler E, Richter HE (1983) Der Gießen-Test. Huber, Bern

Benkert O, Hippius H, Wetzel H (1986) Psychiatrische Pharmakotherapie. Springer, Berlin Heidelberg New York Tokyo

Beutler J (1976) Anosognosie. Med Dissertation, RWTH Aachen

Blumer D, Benson DF (1975) Personality changes with frontal and temporal lobe lesions. In: Benson DF, Blumer D (eds) Psychiatric aspects of neurologic disease. Grune & Stratton, New York

Brooks DN, Aughton ME (1979) Psychological consequences of blunt head injury. Int Rehabil Med 1: 160–165

Damasio AR, Van Hoesen GW (1983) Emotional disturbances associated with focal lesions of the limbic frontal lobe. In: Heilman KM, Satz P (eds) Neurosychology of human emotions. Guilford, New York, pp 85–110

Degkwitz R, Helmchen H, Kockott G, Mombour W (1980) Diagnosenschlüssel und Glossar psychiatrischer Krankheiten. Deutsche Ausgabe der internationalen Klassifikation der WHO (ICD), 9. Rev, 5. Aufl. Springer, Berlin Heidelberg New York

Denzler P, Kessler J, Markowitsch HJ (1986) Möglichkeiten und Mängel der psychopathometrischen Demenz-Diagnostik. Fortschr Neurol Psychiatr 54: 382–392

Dirckx JH (1986) Letter to the editor. Stroke 17: 559

Eysenck HJ (1952) The scientific study of personality. Macmillan, New York

Florian I (1985) Klinische Psychologie und körperliche Krankheiten. Kohlhammer, Stuttgart

Fuster JM (1980) The prefrontal cortex. Anatomy, physiology, and neuropsychology of the frontal lobe. Raven, New York

Gainotti G (1972) Emotional behavior and hemisperic side of the lesion. Cortex 8: 41–55

Goldstein K (1948) Language and language disturbances. Grune & Stratton, New York

Goldstein K (1952) The effect of brain damage on the personality. Psychiatry 15: 245-260

Grafman J, Vance SC, Weingartner H, Salazar AM, Amin D (1986) The effects of lateralized frontal lesions on mood regulation. Brain 109: 1127-1148

Heath RG (1963) Electrical self-stimulation of the brain in man. Am J Psychiatr 120: 571-577

Heilman K, Watson RT, Bowers D (1983) Affective disorders associated with hemispheric disease. In: Heilman K, Satz P (eds) Neuropsychology of human emotions. Guilford, New York, pp 45-64

Hermann BP, Riel P (1981) Interictal personality and behavioral traits in temporal lobe and generalized epilepsy. Cortex 17: 125-128

Horenstein S, Chamberlin W, Conomy J (1967) Infarction of the fusiform and calcarine regions: agitated delirium and hemianopia. Trans Am Neurol Assoc 92: 85-89

Kind H (1979) Psychiatrische Untersuchung. Springer, Berlin Heidelberg New York

Klüver H, Bucy PC (1939) Preliminary analysis of functions of the temporal lobes in monkeys. Arch Neurol Psychiatr 42: 979-1000

Koehler, K, Saß H (1984) Diagnostisches und Statistisches Manual Psychischer Störungen DSM-III. Beltz, Weinheim

Lilly R, Cummings JL, Benson F, Frankel M (1983) The human Klüver-Bucy syndrome. Neurology (Cleveland) 33: 1141-1145

Lipsey J, Robinson R, Pearlson GD, Rao K, Price TR (1984) Nortriptyline treatment of post-stroke depression: a double-blind study. Lancet 1: 297-300

Lishman WA (1978) Organic psychiatry. Blackwell Publications, Oxford London Edinburgh Boston Melbourne

Luria AR (1973) The working brain. An introduction to neuropsychology. Basic Books, New York

MacLean PD, Ploog DW (1962) Cerebral representation of penile erection. J Neurophysiol 25: 29-55

Michael C (1987) Die Untersuchung von Persönlichkeitsfaktoren bei hirngeschädigten Patienten mit dem Gießen-Test. Psychologische Diplomarbeit, Universität München

Miller H (1961) Accident neurosis. Br Med J 1: 919-925 and 992-998

Milner B (1974) Hemispheric spezialization: scope and limits. In: Schmitt FO, Worden FG (eds) The neurosciences: third study program. MIT Press, Cambridge Massachusetts

Milton SB, Wertz RT (1986) Management of persisting communication deficits in patients with traumatic brain injury. In: Uzzell BP, Gross Y (eds) Clinical neuropsychology of intervention. Nijhoff, Boston, pp 223-256

Nieuwenhuys R, Voogd J, van Huijzen C (1978) The human central nervous system. Springer, Berlin Heidelberg New York

Panksepp J (1985) Mood changes. In: Frederiks JAM (ed) Clinical neuropsychology. North Holland, Amsterdam (Handbook of clinical neurology, vol I, pp 271-285)

Poeck K (1982) Das sogenannte psychoorganische Syndrom, „hirnlokales Psychosyndrom", „endokrines Psychosyndrom". In: Poeck K (Hrsg) Klinische Neuropsychologie. Thieme, Stuttgart, S 204-209

Poeck K (1985) Pathologic laughter and crying. In: Frederiks JAM (ed) Clinical neuropsychology. North Holland, Amsterdam (Handbook of clinical neurology, vol I, pp 219-225)

Prigatano GP, Roueche JR, Fordyce DJ (1986) Nonaphasic language disturbances after brain injury. In: Prigatano GP (ed) Neuropsychological rehabilitation after brain injury. John Hopkins University Press, Baltimore, pp 18-28

Pritchard PB (1983) Personality and emotional complications of epilepsy. In: Heilman KM, Satz P (eds) Neuropsychology of human emotions. Guilford, New York, pp 165-192

Reding MJ, Orto L, Willensky P, Fortuna I, Day N, Steiner SF, Gehr L, McDowell F (1985) The dexamethasone suppression test: an indicator of depression in stroke but not a predictor of rehabilitation outcome. Arch Neurol 42: 209-212

Reding MJ, Orto LA, Winter SW, Fortuna I, Di Ponte P, McDowell FH (1986) Antidepressant therapy after stroke. A double-blind trial. Arch Neurol 43: 763-765

Robinson RG, Szetela B (1981) Mood chance following left hemispheric brain injury. Ann Neurol 9: 447-453

Robinson RG, Kubos KL, Starr LB, Rao K, Price T (1984) Mood disorders in stroke patients: importance of location of lesion. Brain 107: 81-93

Ross ED (1981) The aprosodias: functional-anatomic organization of the affective components of language in the right hemisphere. Arch Neurol 38: 561-569

Rossi GF, Rosadini G (1967) Experimental analysis of cerebral dominance in man. In: Millikan CH, Darley FL (eds) Brain mechanisms underlying speech and language. Grune & Stratton, New York

Saß H (1986) Zur Klassifikation der Persönlichkeitsstörungen. Nervenarzt 57: 193-203

Schmidt D (1984) Behandlung der Epilepsien. Medikamentös - psychosozial - operativ. Thieme, Stuttgart

Schwaber JS (1986) Neuroanatomical substrates of cardiovascular and emotional-autonomic regulation. In: Magro A, Osswald W, Reis D, Vanhoutte P (eds) Central and peripheral mechanisms of cardiovascular regulation. Plenum, New York, pp 353-384

Sinyor D, Jaques P, Kaloupek D, Becker R, Goldenberg M, Coopersmith H (1986) Poststroke depression and lesion location. Brain 109: 537–546

Spiers PA, Schomer DL, Blume HW, Mesulam M-M (1985) Temporolimbic epilepsy and behavior. In: Mesulam M-M (ed) Principles of behavioral neurology. Davis, Philadelphia, pp 289–326

Stuss DT, Benson DF (1986) The frontal lobes. Raven, New York

Terzian H (1964) Behavioral and EEG effects of intracarotid sodium amytal injections. Acta Neuroch (Vienna) 12: 230–240

Van Zomeren AH, Brouwer WH, Deelman BG (1984) Attentional deficits: the riddles of selectivity, speed and alertness. In: Brooks N (ed) Closed head injury. Psychological, social, and family consequences. Oxford University Press, Oxford, pp 74–107

Ward AA (1948) The cingular gyrus, area 24. J Neurophysiol 11: 13–23

Weinstein E (1969) Disturbances of metaphorical speech with lesions of the non-dominant hemisphere. Paper presented at the 9th International Congress of Neurology, New York

Weinstein E, Kahn R (1955) Denial of illness. Thomas, Springfield-Illinois

Wing JK, Cooper JE, Sartorius N (1973) Present State Examination (PSE). Deutsche Bearbeitung v Cranach M (1978) Standardisiertes Verfahren zur Erhebung des Psychopathologischen Befundes. Beltz, Weinheim

6 Psychotherapie und Sozialtherapie

T. THUN

Um den Rahmen zu verdeutlichen, innerhalb dessen die Erfahrungen gemacht wurden, die diesem Kapitel zugrunde liegen, sollen zunächst Organisation und Arbeitsweise unserer neuropsychologischen Abteilung beschrieben werden. Die Abteilung gliedert sich in eine Tagklinik mit 40 Therapieplätzen und eine Bettenstation mit 30 Betten. Die Patienten der Tagklinik kommen in der Regel aus der Region München. Sollten sie aufgrund ihrer Behinderung öffentliche Verkehrsmittel nicht benutzen können, steht ihnen ein Fahrdienst zur Verfügung. Die Behandlung erfolgt in 2 Schichten zu jeweils 3 Therapieeinheiten (= 50 min) vormittags bzw. nachmittags, abgeschlossen bzw. eröffnet werden diese Einheiten durch ein Mittagessen in der Personalkantine der Klinik. Auf der Station werden diejenigen Patienten behandelt, die sich aufgrund des Schweregrads ihrer Hirnleistungsstörungen zu Hause nicht selbständig versorgen können oder für die wegen zu großer Entfernung des Heimatorts der Anfahrtsweg in die Tagklinik zu weit wäre. Im Unterschied zur Tagklinik bietet die Station die Möglichkeit, die Therapien auf den ganzen Tag zu verteilen. Bei ausreichender Besserung der Hirnleistungsstörungen während der stationären Behandlung oder wenn eine passende Wohnmöglichkeit in München gefunden wird, können diese Patienten in die Tagklinik verlegt werden.

6.1 Der Arbeitskreis Sozialtherapie

Der sozialtherapeutische Arbeitskreis hat die Aufgabe, den Patienten und seine Angehörigen bei der Anpassung an die veränderte Lebenssituation unterstützend zu begleiten. Es geht darum, dem Patienten und den Angehörigen soviel wie möglich an Autonomie zu erhalten bzw. diese soweit wie möglich auszuweiten (wohlgemerkt: Autonomie des Patienten *und* der Angehörigen!).

6.2 Der Weg des Patienten durch die Abteilung

Der Patient wird am ersten Tag von einer Pflegekraft im „Stützpunkt", der Organisationszentrale der Tagklinik bzw. der Station, in Empfang genommen. Er wird eingehend über alle Abläufe informiert und bekommt die wichtigsten Hinweise auch noch schriftlich ausgehändigt. Neben der Erledigung der Anmeldeformalitäten achtet das aufnehmende Pflegepersonal darauf, daß alle seine Fragen oder die der Angehörigen aufgenommen und sofort bearbeitet werden. Dieser erste Kontakt sollte in seiner Bedeutung nicht unterschätzt werden: Hier wird der Grundstein gelegt für eine *Arbeitsatmosphäre,* in der der Patient sich als vollwertige Person - sozusagen als „Mitarbeiter" an seiner eigenen Therapie - akzeptiert fühlt. Das Pflegepersonal des Stützpunkts ist auch für die Betreuung der Patienten während eventueller Freistunden zuständig.
Sobald wie möglich nach der ärztlichen Untersuchung wird von einem Mitglied des Arbeits-

kreises Sozialtherapie die Sozialanamnese erhoben. Ziel des Anamnesegesprächs mit Patient und Angehörigen (getrennt) ist es, einen detaillierten Überblick über seine gegenwärtige Lebenssituation und über Veränderungen im Vergleich zur Zeit vor dem Krankheitsereignis zu bekommen. Im einzelnen wird gefragt nach:

- subjektiver Bewertung der Störungen durch Patient und Angehörigen,
- Lebenssituation (Familie, Freunde etc.),
- Wohnung (der jeweiligen Behinderung gerecht?),
- Beruf (genaue Beschreibung der Tätigkeit bzw. Ausbildungssituation),
- finanzieller Lage,
- Tagesgestaltung, Hobbies/Interessensgebieten,
- Sozialkontakten,
- psychischen und psychosomatischen Auffälligkeiten,
- persönlichen Zukunftsperspektiven des Patienten bzw. des Angehörigen.

Der Mitarbeiter, der die Sozialanamnese durchgeführt hat, erklärt bei dieser Gelegenheit die Funktionsweise der Tagklinik bzw. Station und geht ausführlich auf Fragen, Kritik, Wünsche, Hoffnungen, Befürchtungen etc. von seiten des Patienten oder Angehörigen ein.

Es folgt die erste Patientenkonferenz: Nach der kurzen medizinischen Vorstellung des Patienten werden die wichtigsten Punkte der Sozialanamnese vorgetragen, um den Kollegen der verschiedenen anderen Arbeitskreise die Möglichkeit zu geben, sich ein Bild vom Lebenshintergrund und der augenblicklichen Lage des Menschen zu machen, mit dem sie zusammenarbeiten werden. Zeigt sich dann aufgrund der Diskussion der erhobenen medizinischen und neuropsychologischen Befunde, daß der Patient behandlungsbedürftig und behandlungsfähig ist, so wird ein Therapieplan erstellt, in dem der Therapieverlauf bis zur nächsten Patientenkonferenz festgelegt wird.

Jetzt wird auch der persönliche Betreuer ausgewählt. Dieser hat zu jedem Zeitpunkt den Überblick über das therapeutische Gesamtprojekt, er sorgt zusammen mit den Funktionstherapeuten (ein Patient hat Therapien in durchschnittlich 3-4 verschiedenen Bereichen!) für die bestmögliche Abstimmung der einzelnen Therapien. Er ist Ansprechpartner in allen Fragen, kurz: fühlt sich für „seinen" Patienten verantwortlich. Mit dieser Aufgabe wird in der Regel derjenige Therapeut betraut, der an der für den Patienten zentralen Hirnleistungsstörung arbeitet und dem damit diese Rolle fast von selbst zufällt. Macht die psychische oder soziale Situation des Patienten eine sofortige psycho- und/oder sozialtherapeutische Hilfe notwendig, so wird die persönliche Betreuung einem Mitglied des sozialtherapeutischen Arbeitskreises übertragen.

In der ersten Patientenkonferenz wird auch versucht, ein realistisches Therapieziel zu formulieren. Dieser erste prognostische Entwurf ist wichtig, um den Patienten adäquat führen und notwendige Maßnahmen rechtzeitig einleiten zu können. Folgende Therapieziele haben sich bewährt:

- Leben zu Hause mit weitgehender Betreuung,
- selbständiges Leben zu Hause mit geringer oder keiner Betreuung,
- selbständiges Leben zu Hause mit stundenweiser ehrenamtlicher oder sozialabgabenfreier Tätigkeit,
- selbständiges Leben zu Hause und Berufstätigkeit (Teilzeitbeschäftigung),
- selbständiges Leben zu Hause und volle Berufstätigkeit.

Unmittelbar nach der Patientenkonferenz informieren ein Arzt und der persönliche Betreuer den Patienten über die Ergebnisse. In der Regel ist auch ein Angehöriger anwesend. Wenn eine Therapie in der neuropsychologischen Abteilung nicht in Frage kommt, werden alternative Behandlungsvorschläge gemacht. Kann eine Therapie angeboten werden, folgt eine Erklärung der diagnostizierten Störungen und der geplanten Maßnahmen. Dabei wird streng darauf geachtet, ein Therapie-*Angebot* zu machen, das der Patient annehmen kann oder auch nicht. Die Wertigkeit verschiedener Behandlungen wird von Patient und Therapeuten oft unterschiedlich beurteilt. Möchte der Patient die Akzente anders setzen als die Therapeuten, wird versucht, ihm die Notwendigkeit der geplanten therapeutischen Maßnahmen nochmals zu erklären bzw. das Therapiekonzept ggf. etwas zu modifizieren. Auf diese Weise wird ihm signalisiert, daß er in seiner Entscheidungsfreiheit ernst genommen wird. Voraussetzung dafür ist selbstverständlich, daß der Patient genau versteht, wovon die Rede ist. Gerade bei Hirngeschädigten ist es wichtig, die Information in allgemein verständlicher Form vorzutragen. Wegen den bei vielen Patienten bestehenden Gedächtnisstörungen müssen wichtige Informationen – besonders auch bezüglich des organisatorischen Ablaufs – mehrfach wiederholt werden. Auch deshalb ist es wünschenswert, daß bei solchen Gesprächen Angehörige anwesend sind. Häufig ist es sinnvoll, bestimmte Punkte schriftlich zu notieren.

In den folgenden Wochen wird mit den Therapien in den einzelnen Störungsbereichen begonnen. Nach etwa 4–8 Wochen findet die zweite Patientenkonferenz statt. Der Verlauf in den verschiedenen Bereichen von Hirnleistungsstörungen erfordert nun möglicherweise Korrekturen der jeweiligen Therapieziele – etwa weil der Patient wahrscheinlich doch/nicht in seinen alten Beruf wird zurückkehren können. Patientenkonferenzen dieses Typs werden mehrfach durchgeführt, bis es vom Verlauf her möglich ist, einen Termin für die Abschlußkonferenz bzw. die Entlassung festzulegen. Nach der zweiten Patientenkonferenz beginnt sich langsam herauszuschälen, welches Therapieziel mit dem Patienten zu erreichen sein wird. In die Zeit danach fällt also ein Großteil der in den folgenden Abschnitten genauer beschriebenen Tätigkeiten des sozialtherapeutischen Arbeitskreises.

In der abschließenden Patientenkonferenz stellt der persönliche Betreuer das endgültige Therapieziel vor: Er beschreibt detailliert, wie die Lebenssituation des zu entlassenden Patienten sein wird. Die verschiedenen Therapeuten diskutieren nochmals, ob sie diesen prospektiven „Lebenslauf" in Anbetracht der noch vorliegenden Restdefizite für realistisch halten oder ob noch Modifikationen vorgenommen werden müssen.

6.3 Aufgaben des Arbeitskreises Sozialtherapie

6.3.1 Spezielle Maßnahmen für stationäre Patienten

Das Wohnen zu Hause fordert von den Patienten der Tagklinik ein gewisses Maß an Selbständigkeit. Das Leben auf Station birgt die Gefahr in sich, daß sich der Patient zu sehr mit der Patientenrolle identifiziert, weder Eigeninitiative noch Selbstverantwortung entwickelt und sich in das private „Schneckenhaus" seines Krankheitsgefühls zurückzieht. Der Kontakt mit Pflegepersonal und Mitpatienten ist hier ein zentraler Ansatzpunkt, um das Interesse am Mitmenschen zu fördern und die Scheu vor sozialen Situationen zu mindern. Hierfür wurden viele der folgenden Veranstaltungen geschaffen, an denen möglichst alle Patienten teilnehmen und die weitgehend vom Pflegepersonal durchgeführt werden:

a) Einmal in der Woche treffen sich alle Patienten der Station zu einer „Patientenversammlung", auf der im wesentlichen die folgenden Themen besprochen werden:
   - Gestaltung der nächsten externen Gruppe (s. unten),
   - Planung von Festen und Veranstaltungen,
   - Kritiken und Verbesserungsvorschläge,
   - Verteilung von Aufgaben auf Station (diverse Hilfsdienste; z.B. Zeitungen kaufen, Patienten wiegen, Betten fahren etc.),
   - Verteilung der Themen für die nächsten Vorträge (s. unten).

Die Durchführung dieser Versammlung liegt soweit wie möglich bei den Patienten selbst. Die Mitarbeiter moderieren und beantworten Sachfragen.

b) Der sog. „Vortrag", eine Veranstaltung von ca. 2 Stunden Dauer, bildet den Abschluß jeder Woche. Die Patienten übernehmen allein oder zu mehreren die Gestaltung eines Termins. Die Inhalte werden in den Patientenversammlungen jeweils einige Wochen im voraus geplant. Häufige Themen sind der eigene Beruf, ein Hobby, eine Reise etc. Als Medien werden Fotos, Dias, eigene oder entliehene Filme zu Hilfe genommen. Gelegentlich werden Referenten von auswärts eingeladen.

c) Jeden Morgen finden sich Patienten mit Gedächtnisstörungen für eine Stunde zur „Zeitungsinformation" ein. Von ihnen aus den Tageszeitungen ausgewählte Artikel werden gemeinsam gelesen, die wesentlichen Punkte herausgearbeitet und an die Tafel geschrieben. Anschließend wird über den Inhalt diskutiert. Die Verteilung der Aufgaben innerhalb der Gruppe (Wer liest vor? Wer faßt den Artikel zusammen? Wer arbeitet die wesentlichen Punkte heraus?) erfordert ein hohes Maß an Wissen über die aktuelle Belastbarkeit jedes Teilnehmers hinsichtlich bestimmter Leistungen: Alle Patienten sollen gefordert, aber nicht überfordert werden. Durch die Konfrontation mit dem aktuellen Geschehen sollen sie einen Anreiz bekommen, sich wieder verstärkt mit ihrer Umwelt auseinanderzusetzen.

Das Pflegepersonal hat die Aufgabe, die Patienten durch ein differenziertes und auf den einzelnen zugeschnittenes Betreuungsprogramm (Gestaltung von Abenden, Wochenenden, Festen innerhalb der Klinik sowie Besuch von Veranstaltungen, Kino, Konzerten etc. außerhalb) intensiv zu fördern. Außerdem ist das Pflegepersonal durch die folgenden Tätigkeiten unmittelbar an den Funktionstherapien beteiligt: Handarbeitsgruppe, Selbsthilfetraining (Waschen, Anziehen, Essen etc.), Haushaltstraining, Reorientierungstraining, Gedächtnis- und Planungstraining, Handfunktionstraining, Heimprogramm für Hemiparetiker. Hierin stehen sie unter laufender Supervision durch Fachtherapeuten.

6.3.2 Allgemeine Maßnahmen innerhalb der Abteilung

Psychotherapie

Eine psychotherapeutische Betreuung wird in der Regel nur in den Fällen durchgeführt, in denen psychische Probleme des Patienten einer neuropsychologischen Funktionstherapie im Wege stehen. Spätestens mit deren Abschluß (die mittlere Verweildauer in der Tagklinik liegt bei 3 Monaten) muß auch die Psychotherapie beendet werden, so daß längerfristige Behandlungen nicht möglich sind. Was geleistet werden kann, ist die psychotherapeutische Begleitung des Patienten und der Angehörigen in besonders schwierigen Phasen des Anpassungsprozesses. Ist weitere Psychotherapie notwendig, wird an einen niedergelassenen Kollegen verwiesen. Bei krisenhaften Zuspitzungen (akute Suizidgefahr, Trennungskonflikte bei Paaren etc.) ist gelegentlich eine sehr dichte und umfassende Betreuung im Sinne einer Krisenintervention nötig. Am häufigsten sind depressive Anpassungsstörungen, die in der Regel mit einer Kombination von stützenden Gesprächen (hierzu Houben 1975) und kognitiv orientierter Verhaltenstherapie (hierzu grundlegend Beck 1970, zur Theorie: Seligman 1975) behandelt werden. Seltener kommt es zum Auftreten einer phobischen oder hypochondrischen Symptomatik. Auch diese Störungsbilder werden problemorientiert behandelt, d.h. das Hauptaugenmerk gilt der Bewältigung der aktuellen Problemsituation. Was das Vorgehen generell betrifft, so läßt es sich am besten als „differentielle Therapie" bezeichnen. Zum einen ist damit die Anwendung allgemein-psychologischer Grundlagen (etwa der Motivationspsychologie, z.B. Heckhausen 1980) auf die Therapiesituation gemeint (allgemein hierzu Tunner u. Birbaumer 1986), zum anderen eine kognitiv psychologische Umformung psychotherapeutischer Techniken bzw. die Auswahl der Technik, die am ehesten dem „Problemlösungsparadigma" entspricht: Der Patient soll zum „selbständigen Problemlöser" trainiert werden (van Quekelberghe 1979). Dem Kausalitätsbedürfnis der Patienten wird

Rechnung getragen, indem ihnen geholfen wird, das Krankheitsereignis und seine Folgen Schritt für Schritt in die eigene Lebensgeschichte zu integrieren. Aufdeckende Techniken werden in der Regel zwar nicht angewandt, den psychodynamischen Aspekten – sowohl bezüglich der Persönlichkeitsentwicklung als auch bezüglich der Übertragungsbeziehung – wird jedoch große Aufmerksamkeit gewidmet. Systemtherapeutische Vorgehensweisen tragen gelegentlich dazu bei, den therapeutischen Prozeß in Fluß zu halten (grundlegend: Bandler u. Grinder 1975; Grinder u. Bandler 1976). Elemente der rational-emotiven Therapie (Ellis 1977) können helfen, den „Boden der Realität" wiederzugewinnen und ein positives Selbstbild aufzubauen (zum sozial-psychologischen Begriff des Selbstkonzepts: Heckhausen 1980).

Manchmal entsteht in einem Gespräch über den persönlichen Glauben eine Perspektive, das „Unfaßbare" in einem Rahmen zu sehen, der über die eigene Existenz hinausweist. Zuvor jedoch muß Trauerarbeit geleistet werden über den Verlust von wesentlichen „Teilen seiner selbst" (ein Hemiparetiker sagte einmal: „Ich bin nur noch ein halber Mensch" – und deutete auf seine gelähmte Seite; vgl. auch Kap. 11), die viel Ähnlichkeit mit der Trauer um verlorene Lebenspartner hat, wie sie Bowlby (1979) beschreibt.

Insgesamt gesehen wird schwerpunktmäßig mit verhaltenstherapeutischen Techniken gearbeitet (grundlegend z. B. Dollard u. Miller 1966 bzw. Davidson 1980): Depressive Reaktionen werden behandelt durch Training kognitiver‾ Bewältigungsstrategien und den schrittweisen Aufbau günstigerer Verhaltensweisen, bei Angstsyndromen wird mit Desensibilisierung in der Vorstellung und in vivo gearbeitet. Außerdem finden Anwendung: diverse kognitive Techniken zur Ablenkung, zur Steuerung kompulsiver Abläufe, zur Impulskontrolle, Probehandeln in sozialen Situationen, Entspannungsverfahren.

Abgesehen von den im Zusammenhang mit der Hirnschädigung auftretenden psychischen Störungen sind natürlich auch alle in der Normalpopulation vorkommenden neurotischen und psychiatrischen Krankheitsbilder einschließlich Psychosen anzutreffen, mit denen der Patient bereits prämorbid zu tun hatte. Oft wird diese Problematik durch die Hirnschädigung aktualisiert bzw. verstärkt, z. B. eine Herzphobie oder eine manische bzw. depressive Phase im Rahmen einer Zyklothymie. Sind jedoch die kognitiven und affektiven Bewertungsmechanismen betroffen, wie z. B. bei ausgeprägten Frontalhirnschäden, so kann auch das Gegenteil der Fall sein: eine endogene Psychose etwa kann als supprimiert erscheinen. Ist der Patient wegen einer psychischen Störung bereits vorher ambulant behandelt worden, so wird, wenn er sein Einverständnis gibt, mit dem niedergelassenen Kollegen Kontakt aufgenommen, um mit ihm die spezifischen Aspekte der Hirnschädigung durchzusprechen. Wünschenswert wäre, daß diese Behandlung auch während des Aufenthalts in der Tagklinik weiterläuft, was gelegentlich am Widerspruch der Kostenträger scheitert.

Lebt der Patient mit einem Partner zusammen, wird dieser häufig in die Therapie miteinbezogen. Dasselbe gilt für Kinder und andere Familienangehörige (zur systemisch orientierten Familientherapie: z. B. Satir 1973).

Gesprächskreis

Hier handelt es sich um eine Form der Gruppenpsychotherapie, die den Bedingungen und Zielen neuropsychologischer Rehabilitation angepaßt ist. Der ständige, durch laufende Aufnahme und Entlassung bedingte Wechsel der Teilnehmer macht eine geschlossene Gruppe unmöglich. Diese Tatsache sowie die recht kurze Verweildauer (der Durchschnitt liegt bei ca. 8 Teilnahmen) machen eine klare inhaltliche Zentrierung nötig. Ziel jeder Sitzung ist es, den Patienten die Möglichkeit zu geben, ihr augenblickliches Verhältnis zu sich selbst, ihre gegenwärtigen Beziehungen zu anderen, ihre Erwartungen und Befürchtungen für die Zukunft zu artikulieren und sich mit den anderen Teilnehmern in allen diesen Punkten zu vergleichen, „im anderen sich selbst gegenüberzutreten", aber auch Modellfunktion für ihn zu übernehmen. Die beiden

Therapeuten haben die Aufgabe, Querverbindungen zwischen den Erfahrungen der einzelnen herzustellen und auf diesem Wege Einstellungs- und Verhaltensänderungen zu erleichtern.

Die Grundprinzipien für die Leitung dieser Gruppen sind:

- eine Atmosphäre der Hoffnung und des (Selbst-)Vertrauens schaffen;
- keine konkreten prognostischen Versprechungen machen;
- vorgebrachte Probleme in angehbare Schritte aufgliedern;
- Angst und Unsicherheit durch klare und kompetente Informationen vermindern;
- das Positive herausfragen: „Wie gelingt es Ihnen ...?", „Was tun Sie, um ...?", „Wie machen Sie das, daß Sie mit ... zurechtkommen?", „Wie bringen Sie die Geduld auf, um ...?";
- konkrete Vorschläge machen zum Umgang mit sich selbst (Durchsprechen verschiedener Bewältigungsstrategien und ihrer Wirkung);
- bei der Auswahl von Aufgaben helfen, die der Patient bewältigen kann, damit der Erfolg, nicht aber der Mißerfolg programmiert ist;
- den „Blick zurück" nach Möglichkeit vermeiden - für heute und die nächste Zukunft planen: „Was kann ich heute?", „Was geht nicht?";
- die Patienten animieren, sich auf das konkrete Entdecken und Ausprobieren neuer Lebensalternativen und Interessengebiete einzulassen.

Es wird in erster Linie an den Themen gearbeitet, die die Patienten selbst einbringen. Am häufigsten sind Fragen nach der Prognose, Kritik an Therapien und Organisationsabläufen sowie gegenseitiges Sichbestärken in Heilungshoffnungen. Selten beginnen Patienten von sich aus das Gespräch. Der Moderator, der die augenblickliche Lage der Anwesenden kennt, spricht ein „Standardthema" an, das möglichst für alle aktuell ist. Der beste Ausgangspunkt ist erfahrungsgemäß das Thema „Prognose" („Was ist Ihre Zukunftsperspektive?", „Was wird Ihrer Meinung nach als Reststörung zurückbleiben?", „Was wird Ihnen dann möglich sein?"), da sich hier die aktuelle Verfassung des Patienten am unmittelbarsten wiederspiegelt. Andere wichtige Themen sind:

- Einstellung zu den Therapien/Therapeuten der Institution;
- Kraft, Hoffnung und Vertrauen - worauf gerichtet und woraus geschöpft?;
- Tagesgestaltung, Freizeit, Hobbies, Sport;
- eigene Einstellung zu- und Umgang mit den Störungen, Einstellung zu- und Umgang mit den Störungen seitens der Angehörigen bzw. der Umwelt;
- Statusverlust, Selbstbild, Zukunftsperspektive;
- Umgang mit sich selbst und den Angehörigen bzw. der Umwelt;
- Umgang mit Stimmungstiefs, Ängsten, schwierigen Situationen.

Die günstigste Teilnehmerzahl liegt bei etwa 5. Die Gruppen sollten ungefähr altershomogen sein, damit die Unterschiede in den Lebenssituationen das gegenseitige Sicheindenken nicht zu sehr erschweren. Die Teilnahme ist freiwillig. Etwa ein Drittel aller Patienten von Station und Tagklinik nehmen an den Gesprächskreisen teil, die sich einmal pro Woche für 50 Minuten treffen. Kontraindiziert ist die Teilnahme in der Regel für Patienten mit psychotischer Symptomatik. Patienten, die aufgrund der aktuell deutlichen Besserung ihrer Störungen oder weil die Störungen minimal sind, keinen Grund sehen, sich mit möglichen bleibenden Folgen auseinanderzusetzen sowie solche, die sich durch aktuell fehlenden Zugang zu ihren Störungen oder eine deutliche Fehlbewertung der Auswirkungen auszeichnen, sollten zumindest so lange von der Gruppe ferngehalten werden, wie sie sich nicht einmal ansatzweise mit ihrer Patientenrolle identifizieren können. Schwerste Störungen der Kommunikation (Sprache/Sprechen, Hören) dagegen machen eine Teilnahme nicht von vornherein unmöglich: Auch Globalaphasiker haben auf eigenen Wunsch regelmäßig am Gesprächskreis teilgenommen.

Externe Gruppe

Einmal pro Woche wird auf Station und in der Tagklinik eine „externe Gruppe" angeboten. Es handelt sich um eine Exkursion mit der Gelegenheit für die Patienten, unter dem Schutz der Betreuer und der Gruppe Erfahrungen in verschiedenen Situationen außerhalb der Klinik zu sammeln. Das Programm wird weitgehend von den Patienten selbst festgelegt. Sie besuchen Museen oder Ausstellungen, den Tierpark oder den Botanischen Garten. Wenn Zeit bleibt, setzt man sich anschließend in ein Cafe. Diese auf den ersten Blick „untherapeutische" Situation kann in der Therapie blockierten Patienten die Bereitschaft zur Mitarbeit wiedergeben, Ängste in sozialen Situationen abbauen und helfen, Verbindungen unter den Patienten zu schaffen.

Belastungserprobung

Dank der Mitarbeit zahlreicher Stellen im Hause (Verwaltung, Abrechnungstelle, Patientenaufnahme, Zentrallager, Schreinerei, Post, Schlosserei, Elektrikerwerkstatt, Pforte) kann vielen Patienten die Möglichkeit geboten werden, ihre Belastungsfähigkeit in einer realen Arbeitssituation auszutesten und zu trainieren. Selbst wenn die Tätigkeiten wenig oder nichts mit dem eigenen Beruf zu tun haben, sind hier doch Basisfertigkeiten erforderlich, die Grundlage jeder Berufstätigkeit sind: Verläßlichkeit, Pünktlichkeit, guter Umgang mit Kollegen. Es zeigt sich, welche spezifischen Arbeitsbedingungen (Geräuschniveau, Beleuchtung, Strukturiertheit der Tätigkeit, Anforderung an die Aufmerksamkeit) für den betreffenden Patienten überhaupt in Frage kommen. Die Qualität der Arbeit wird laufend den Möglichkeiten des Patienten angepaßt, z. B. durch Umsetzung von einer Stelle zu einer anderen. Vor allem auf die verminderte Belastbarkeit, das häufige Bedürfnis nach Pausen, eine Folge fast jeder Hirnschädigung, wird besonders geachtet. In vielen Fällen können die Therapien in den einzelnen Störungsbereichen sinnvoll erweitert werden. Umgang mit Zahlen wird in der Abrechnungsstelle, Handfunktion in den Werkstätten, Lesen, Schreiben und Arbeit am Datensichtgerät in der Verwaltung, verbale Fähigkeiten werden an der Pforte trainiert.

Supervision des therapeutischen Arbeitsversuchs

Die Wiedereingliederung in den Beruf wird in der Regel von Mitarbeitern des sozialtherapeutischen Arbeitskreises vorbereitet und begleitet. Sobald der Patient von seinen Hirnleistungsstörungen her dazu in der Lage ist, beginnt er, meist nach erfolgreicher Belastungserprobung in der Klinik, mit einem Arbeitsversuch in seinem Betrieb. Der zeitliche und inhaltliche Rahmen wird mit dem Arbeitgeber und dem Patienten genau abgesprochen. Schrittweise wird er an sein altes Tätigkeitsfeld herangeführt. In der ersten Zeit bleibt er voll im Krankenstand, mit seiner Leistung darf also nicht gerechnet werden (er erhält kein Arbeitsentgelt, sondern Krankengeld). In dieser Phase findet wöchentlich ein Gruppentreffen statt, bei dem alle die Patienten zusammenkommen (gleich welchen Berufs), die sich in dieser Phase der Therapie befinden. Ihre Erfahrungen sowohl mit der Arbeitsbelastung als auch mit der sozialen Situation am Arbeitsplatz werden besprochen. Auch der Stellenwert der Berufstätigkeit im eigenen Leben sowie alternative Perspektiven werden diskutiert. Nötige Änderungen des therapeutischen Arbeitsversuchs (zeitliche oder inhaltliche Ausweitung oder Einschränkung) verhandelt der Patient wenn möglich selbst mit seinem Arbeitgeber, nötigenfalls unterstützt von einem Therapeuten des sozialtherapeutischen Arbeitskreises.

Viele Inhalte des Gesprächskreises kehren wieder: Es handelt sich um ein Wiederholen und Durcharbeiten der alten Kernprobleme im neuen Gewand einer anderen Bewältigungsebene. Oft gelingt es erst in dieser Phase, zu einer realistischen Einschätzung der eigenen beruflichen Möglichkeiten zu kommen. Wenn die Nachteile der gehaltsmäßigen und positionellen Rückstufung in der Praxis erfahren werden, entdeckt ein Patient mitunter „über Nacht", wie wichtig ihm so mancher

Aspekt seines Privatleben ist (ein Garten, eine Briefmarkensammlung, ein Verein), den er früher mit Mißachtung gestraft hatte.

6.3.3 Hilfen bei der Reintegration außerhalb der Klinik

Wohnen

Oft müssen die Wohnverhältnisse den Möglichkeiten des Patients angepaßt werden: Befestigen oder Beseitigen eines rutschigen Teppichs, Beschaffung von Hilfsmitteln (rutschfeste Gummimatte für die Badewanne, Halterung für den Teller etc.), bauliche Veränderungen (Anbringen von Geländern, Adaptieren einer Wohnung für einen Rollstuhlfahrer). Ist eine Wohnung nicht adaptierbar, muß auf dem freien Markt oder mit Hilfe des Wohnungsamts eine andere gefunden werden. Kann ein Patient nicht zu Hause leben, wird eine therapeutische Wohngemeinschaft oder ein Alten- und Pflegeheim gesucht.

Arbeiten

Muß eine Umsetzung innerhalb des Betriebs vorgenommen werden, da der frühere Arbeitsplatz nicht mehr in Frage kommt, so wird gemeinsam mit dem Arbeitgeber und dem Patienten eine Alternative gesucht. Wenn die statusmäßigen und finanziellen Einbußen (einer solchen Änderungskündigung) dem Patienten unerträglich erscheinen oder aus anderen Gründen keine für den Patienten befriedigende Lösung gefunden werden kann, muß zur weiteren Vermittlung die Hauptfürsorgestelle eingeschaltet werden (sie ist zuständig für alle die Patienten, die einen Schwerbehindertenstatus mit einem GdB über 50% haben). Muß der Patient voll berentet werden (Erwerbsunfähigkeitsrente), eröffnet sich manchmal die Möglichkeit einer stundenweisen sozialabgabenfreien Tätigkeit im selben Betrieb. Nur selten finden behinderte Patienten jedoch eine neue Anstellung. Kommt eine Wiedereingliederung in den alten Beruf bzw. die frühere Ausbildungsstelle nicht in Betracht, so wird der Patient an das Arbeitsamt verwiesen, um von dort einen Förderlehrgang, eine Berufsfindungs- und/oder Umschulungsmaßnahme vermittelt zu bekommen. In dringenden Fällen wird interveniert, um eine kurzfristige Aufnahme in einer der genannten Einrichtungen zu erreichen. Sollten die vorliegenden Störungen eine berufliche Wiedereingliederung unmöglich machen, so werden Adressen bzw. Kontakte zu beschützenden Werkstätten vermittelt.

Schule

Befindet sich der Patient noch in der Ausbildung (Schule, Berufsschule, Universität), so wird ein persönlicher Kontakt mit einer verantwortlichen Lehrperson angestrebt. In Schulen haben sich auch der Beratungslehrer oder der Schulpsychologe als Ansprechpartner bewährt. Bei jüngeren Patienten ist es wichtig, die Eltern miteinzubeziehen, da ein besprochener Weg nur dann zum Erfolg führt, wenn er von ihnen mitgetragen wird. Ist evtl. die Modifikation bestimmter Umgebungsbedingungen wichtig, so findet eine Ortsbesichtigung in der Schule statt – bei Bedarf unter Begleitung des zuständigen Funktionstherapeuten (z.B. eines Gedächtnis- und Sprachtherapeuten, wenn es um den Deutschunterricht geht).

Analog wie beim therapeutischen Arbeitsversuch wird, sobald dies von den Störungen her möglich ist, ein Schulversuch mit schrittweiser inhaltlicher und zeitlicher Steigerung der Belastung durchgeführt. Nötigenfalls wird vereinbart, daß eine Klasse wiederholt werden kann, ohne daß sie als nicht bestanden gewertet wird.

Erscheint ein Schulwechsel sinnvoll, wird meist ein Schulberater (Schulpsychologe) zugezogen. Ist eine weitere Schul- oder Universitätsausbildung nicht möglich, wird in Absprache mit dem Arbeitsamt eine Berufsfindungsmaßnahme vorbereitet bzw. der Patient zur weiteren Beratung an das Arbeitsamt verwiesen.

Hobbies

Sehr häufig sind Patienten nicht in der Lage, weiterhin dieselben Hobbies zu pflegen wie vor der Erkrankung. Wenn irgend möglich wird versucht, die alten Freizeitbeschäftigungen durch Hilfsmittel doch noch möglich zu machen (eine Leselupe für sehgestörte Briefmarkensammler, ein Dreirad für gehbehinderte oder gleichgewichtsgestörte Radfahrer, ein elektronisches Saxophon für den Jazzmusiker, dessen Hirngefäße dem beim Blasen erzeugten Druck nicht mehr gewachsen wären etc.). Neue Freizeitbeschäftigungen zu finden ist jedoch oft eine zentrale Aufgabe – vor allem dann, wenn eine Berufstätigkeit nicht mehr möglich ist und dadurch viel unausgefüllte Zeit bleibt. Mit den Patienten und Angehörigen werden konkrete Wege besprochen, wie neue Hobbies entwickelt werden können: etwa die Aufgabe, wöchentlich eine Veranstaltung der Volkshochschule, einen Verein oder eine Gruppe, die sich regelmäßig zu einem bestimmten Zweck trifft, aufzusuchen – so lange, bis der Betreffende eine ihn ansprechende *neue* Beschäftigung gefunden hat. Wichtig ist, daß etwas ausprobiert, nicht aber von vornherein für untauglich erklärt wird. Zu möglichen „neuen Aufgaben" gehören auch ehrenamtliche Tätigkeiten jeder Art – und für manchen Ehemann ein Teil der Hausarbeit. Sinnvolle Tätigkeiten, die den Tag ausfüllen, vorzubereiten und in der Praxis zu erproben, ist ein wichtiger Schritt in der Vorbereitung auf die Entlassung. Vor allem für ältere Ehepaare hat es sich als wichtig erwiesen, mit ihnen einen *Tagesstrukturplan* zu erarbeiten, um eingefahrene Gewohnheiten, die der neuen Situation unangemessen sind (z. B. ein zu langer Mittagsschlaf oder gar keine Mittagsruhe), zu ändern und die richtige Mischung aus Aktivität und Ruhe, aus Alleinsein und mit anderen Zusammensein, aus rezeptiven und produktiven Phasen zusammenzustellen.

Geselligkeit

Die Gefahr des sozialen Rückzugs droht sehr häufig: Patienten haben das Gefühl, sich in ihrer jetzigen Verfassung nicht unter Menschen begeben zu können. Vor allem wenn das unmittelbare Umfeld wenig Anhaltspunkte bietet, muß versucht werden, auf andere Weise einer Vereinsamung vorzubeugen. Pfarrgemeinden mit ihren vielfältigen Aktivitäten, Vereine, Alten- und Servicezentren, Seniorenclubs, die Volkshochschule, für die Jüngeren die verschiedenen Jugendfreizeitangebote bieten Möglichkeiten regelmäßigen Zusammenseins mit anderen. Die Grundregel lautet auch hier: Bevor man etwas ablehnt, muß man es ausprobiert haben.

Behörden

Patienten und Angehörige werden informiert, welche Stellen wofür zuständig sind, um sich dann selbst um ihre Angelegenheiten kümmern zu können. Direkte Interventionen lassen sich aber nicht immer umgehen, etwa wenn spezielle Belange der Hirnschädigung zu vertreten sind, die diesen Stellen nicht bekannt sind, oder wenn Patient und Angehörige sich selbständig nicht zurechtfinden. Es geht dann meist um Vorsprachen bei: Krankenkassen, Rentenversicherungsträgern, Berufsgenossenschaften, Versicherungen, Sozialämtern, Versorgungsämtern (Schwerbehindertenstatus), Wohnungsämtern, Hauptfürsorgestellen, Vormundschaftsgerichten, Rechtsanwälten.

Weitere Hilfen

Ebenso wird verfahren bezüglich der weiteren Betreuung nach der Entlassung: Nur bei Bedarf wird stützend eingegriffen. Am häufigsten wird weiterverwiesen an ambulante Krankenpflege, Haushaltshilfe, Hausbesuchsdienst, Essen auf Rädern, sozialpsychiatrischer Dienst, allgemeiner Sozialdienst, niedergelassener Psychotherapeut, psychotherapeutische Einrichtung. Vor allem bei den vier zuletzt genannten Stellen hat sich ein persönlicher Kontakt mit dem Betreuer der betreffenden Stelle als sinnvoll erwiesen, damit die nötigen Informationen über die Folgen der Hirnschädigung in der richtigen Weise weitergegeben werden. Je früher vor dem Entlassungszeitpunkt dies gelingt, desto reibungsloser ist der Übergang für Patient und Angehörige.

6.4 Der therapeutische Prozeß in der klinischen Erfahrung

Nach der Beschreibung des Vorgehens dienen die folgenden Abschnitte der Reflexion über die eigene Arbeit und dem Versuch einer ersten Systematisierung der gemachten Erfahrung.

6.4.1 Bewältigungsstrategien

Eine Hirnschädigung kann jeden jederzeit treffen – unser jüngster Patient hatte mit 14 Jahren einen „Schlaganfall" beim Fußballspielen. Daß der Betroffene und seine Angehörigen auf einen solchen Schicksalsschlag hin starke emotionale und Verhaltensreaktionen zeigen, ist „normal" in dem Sinne, daß es jedem anderen an ihrer Stelle genauso ergehen würde. Kann man erwarten, daß diese Menschen ohne Hilfe ihren Weg aus der Krise finden?

Wie gut der einzelne und sein Umfeld mit der oft schlagartig und stark veränderten Situation zurechtkommen, hängt von Art und Schwere der Funktionsstörungen, der Persönlichkeit und den persönlichen Lebensumständen ab. Entscheidend sind aber vor allem die Bewältigungsstrategien („coping skills"), die dem Patienten und den Angehörigen zur Verfügung stehen. Was liegt ihnen zugrunde, worauf lassen sie sich zurückführen? Moos u. Schäfer (1984) sprechen von einem „sense of self-efficacy", also einer Art innerer Gewißheit, irgendwie letztlich selbst zurechtzukommen bzw. sich auf sich selbst verlassen zu können (1984, S.6). Wir schlagen vor, den Kreis noch etwas weiter zu ziehen und von „Realitätssinn", also der Fähigkeit, sich auf gegebene Verhältnisse und die damit verbundenen Möglichkeiten realistisch einzustellen, als Grundlage effektiven Bewältigungsverhaltens, zu sprechen. Als die wichtigsten Bewältigungsfertigkeiten, also Vorgehensweisen, die dem Patienten helfen, besser mit seiner augenblicklichen Lage zurechtzukommen, werden von Moos u. Schäfer genannt:

– „Das Problem" in kleine handhabbare Einzelaspekte aufgliedern; auf zurückliegende Erfahrungen in schwierigen Situationen zurückgreifen; verschiedene Handlungsalternativen und ihre möglichen Konsequenzen durchdenken.

– Dem eigenen Kausalitätsbedürfnis nachkommen, indem man einen allgemeinen Sinn, eine göttliche Fügung im Ereignis sieht; den plötzlichen Ablauf zu „normalisieren", indem man sich sagt, der eigene Lebensstil über die Jahre hin oder ein spezifisches Verhalten kurz vor dem Ereignis habe dieses ausgelöst.

– Sich auf den Boden der Tatsachen stellen, dabei aber versuchen, der Situation positive Aspekte abzugewinnen: es könnte schlimmer sein, man ist besser dran als andere, man wird durch das Ereignis auf Lebensmöglichkeiten hingewiesen, die man sonst nicht entdeckt hätte.

– Verleugnen oder bagatellisieren der Störungen; eine ungünstige Diagnose durch das Einholen anderer Fachmeinungen zu neutralisieren (Die Autoren weisen ausdrücklich auf den „konstruktiven Wert" dieser Fertigkeiten hin: „... they can temporarily rescue an individual from being overwhelmed or provide the time needed to garner other personal coping resources." 1984, S.16).

– Sich informieren über die Natur der Schädigung bzw. der Störungen, andere Behandlungsmethoden und deren wahrscheinliches Ergebnis.

– Lernen, sich selbst zu therapieren; anpassen des Tageslaufs an die Störungen; Selbsthilfetechniken entwickeln.

– Gewohnte Freizeitaktivitäten adaptieren und neue entwickeln; sich auf spezielle Ereignisse freuen; in den Tageslauf zahlreiche kleine „Freuden" einbauen.

– Im Versuch, die Hoffnung aufrechtzuerhalten, die eigene Betroffenheit nicht zeigen (z.B. distanziert über die eigenen Störungen sprechen); Gefühle – auch widersprüchliche – wahrnehmen und durcharbeiten; „Haltung bewahren"; nur schrittweise sich selbst und andere dem Anblick/dem Umgang mit den eigenen Störungen aussetzen; Ambiguität ertragen.

- Verzweiflung und Wut offen zeigen; Witze machen, Galgenhumor zeigen; jegliche Art von Handlung, die Spannung abbaut (häufig wechseln emotionale Kontrolle und Entladung einander ab).
- Die Unabänderbarkeit einer Situation anerkennen und sich auf das Unvermeidliche einstellen.

Die vorstehende Aufzählung von Bewältigungsfertigkeiten, eine stark gekürzte und leicht veränderte Wiedergabe der Darstellung von Moos u. Schäfer (1984), zeigt die ganze Bandbreite von Reaktionen, wie sie in den verschiedensten Kombinationen und zeitlichen Abfolgen auch bei unseren Patienten und ihren Angehörigen anzutreffen sind. Wir schließen uns den Autoren an, wenn sie darauf hinweisen, daß keine dieser Reaktionen per se hilfreich oder schädlich ist: Es kommt darauf an, in welcher Situation welche Kompensationsfertigkeit in welcher Weise angewendet wird. In der praktisch-therapeutischen Arbeit geht es immer darum, dem Patienten und den Angehörigen zu helfen, Bewältigungsstrategien zu entwickeln, die für die individuelle Situation die richtige Balance zwischen „Anstrengung zur Auseinandersetzung" mit der Behinderung (aktiv sich der Situation stellen) und „Anstrengung zum Abstandnehmen" von der Behinderung (Leugnen, zeitweiliges Ignorieren etc.) zu finden. In diesem Zusammenhang sei verwiesen auf die streß- bzw. Copingforschung (z.B. Burchfield 1985, Moos u. Schäfer 1984, Florin 1985).

6.4.2 Phasen der Krankheitsbewältigung

Welche Bewältigungsstrategien wir am häufigsten sehen, wird im folgenden dargestellt. Die Beschreibung des Ablaufs in Phasen hat lediglich Modellcharakter. Im Einzelfall kommt jede denkbare Variante vor: Verweilen in immer derselben Phase, Elemente mehrerer Phasen zugleich, Veränderung der Reihenfolge, Auslassen und Wiederholen bestimmter Abschnitte.

1. Phase: Krankenrolle

„Es ist schlimm, daß es mich getroffen hat, aber ich bin jetzt eben krank, und es ist nur eine Frage der Zeit, bis ich wieder ganz gesund werde."

Am Anfang der Therapie sehen die Patienten in der Regel einen direkten Zusammenhang zwischen der Häufigkeit und „Güte" der Funktionstherapien und der Besserung der jeweiligen Störung. „Motorik"- und Sprachprobleme werden von den Patienten subjektiv am störendsten empfunden. Durch auf die eigene Erfahrung bezogene Analogieschlüsse versuchen sie, das Krankheitsgeschehen für sich verstehbar zu machen: Eine zentrale Gehstörung wird dann wie ein Beinbruch erlebt, nach dem es eben eine Weile dauert, bis man wieder problemlos gehen kann, eine Sprachstörung wird als „Vergessen der Sprache" aufgefaßt, das sich durch Nachlernen ausgleichen läßt.
Wenn die Patienten gerade bei den kognitiven Therapien von „Lernen" sprechen, die Assoziation einer Schule haben, so hat das wohl nicht nur „äußere" Gründe (der Therapeut/ Lehrer gestaltet die Stunde; Fortlauf im Stundentakt von einer Therapie zur anderen etc.) sondern auch „innere". Die Patientenäußerungen: „Da bin ich noch dumm", „da fehlt mir noch was", drücken Beschämung aus („Wie kann man nur so vergeßlich sein – das gibts doch gar nicht!"). Andererseits aber kommt hier die Hoffnung zum Ausdruck, sich die fehlenden Leistungen wieder antrainieren zu können.
Für die Therapeuten ist diese Phase häufig ruhig und arbeitsbezogen: Man arbeitet mit dem Patienten an einem gemeinsamen Ziel.

2. Phase: Aktivismus und Abwehr

„Irgendwas läuft bei mir nicht mehr so richtig: Liegt es an der Therapie, den Therapeuten? – Doch am Ende nicht daran, daß es nicht wieder so gut wird, wie ich hoffte? Es muß etwas geschehen!"

Sobald die Rückbildungskurve der Hirnleistungsdefizite abflacht, werden Patienten und Angehörige in der Regel unruhig: Je größer die Befürchtungen werden, sich doch auf bleibende Schäden einstellen zu müssen, um so mehr wird zuerst versucht, diese Gedanken nicht zuzulassen.

In diesen Bemühungen – Patient und Angehörige wirken oft wie ein „eiserner Bund" in ihrer verzweifelt rigiden Abwehr dessen „was nicht sein kann, weil es nicht sein darf" – werden in den Therapeuten Bundesgenossen gesucht: Man fordert klare und definitive Aussagen zur Prognose. Ihre notwendigerweise vagen Äußerungen werden mit „zornigem Optimismus" vom Tisch gewischt: „Sie werden schon sehen, ich/mein Mann schaffe/schafft das!", „Ich trainiere so viel – da kann es nur noch eine Frage der Zeit sein ...".

Mit großem Erfindungsreichtum und Einfühlungsvermögen in die „schwachen Punkte" der betreffenden Therapeuten, werden Mittel und Wege gesucht, diese zu bewegen, von einem selbst als notwendig erachtete Maßnahmen durchzuführen („2 Stunden Sprachtraining sind einfach zu wenig – ich brauche mindestens 4!"), ihnen Schuldgefühle zu bereiten und sie dadurch gefügig zu machen („Schon wieder ist eine Stunde bei mir ausgefallen – ich glaube, ich muß jetzt mal mit dem Chef sprechen!"), oder ihnen immer wieder tatsächliche oder vermeintliche Widersprüche in ihren Aussagen vorzuhalten.

Die Konfrontation mit den Emotionen der Patienten bringt die Therapeuten unter großen Druck: Gefühle der Hilflosigkeit und Wut gegenüber der Krankheit werden auf den Therapeuten projiziert („Ich lasse mich von Ihnen nicht aufs Abstellgleis schieben – es ist Ihre Pflicht, mir zu helfen!") und Inferioritätsgefühle überkompensiert („Nur zu Ihrer Information: Ich bin eine international anerkannte Kapazität!").

Qualitätsvergleiche der Güte von Therapeuten und Therapiemethoden werden sowohl innerhalb als auch außerhalb der Klinik gezogen: Der „gute" Therapeut mit der „richtigen" Methode ist derjenige, während dessen Behandlung es eine deutliche Besserung gegeben hat oder aber der einfach und pauschal geäußert hat: „Das wird schon wieder!". Wünsche nach bestimmten Therapeuten werden laut und gelegentlich mit Sturheit durchgesetzt. Eine Validierung an Außenkriterien wird versucht:

Meinungen anderer – echter und vermeintlicher – Experten werden eingeholt, ein intensives Literaturstudium über die Störungen und Therapiemethoden setzt ein, und alternative Therapiemöglichkeiten werden erforscht und auch konkret ausprobiert („Von einem Arbeitskollegen habe ich gehört, daß solche Störungen optimal in der Kurklinik X behandelt werden – da möchte ich hin!").

3. Phase: Anpassung an die Realität

„Ich habe keine Wahl: Ich muß mich – zumindest vorläufig – auf die Situation einstellen!"

Manchmal wird diese Phase erst nach der Behandlung bzw. während eines späteren Therapieintervalls erreicht: Wenn allen Beteiligten wirklich klar geworden ist, daß es sinnlos ist, auf eine weitere Restitution des Defizits zu setzen, und man sich deswegen auf Anpassung und Kompensation konzentrieren muß. Patient und Angehörige beginnen, sich in ihrem Verhalten auf die veränderten Rahmenbedingungen einzustellen. Was Ziele und Methoden angeht, ziehen sie nun mit den Therapeuten wieder an einem Strang. Der Eintritt in diese Phase setzt eine Grundbereitschaft voraus, so wie man jetzt ist, der Außenwelt gegenüberzutreten. Dieser Schritt wird erleichtert – manchmal fast schlagartig initiiert – durch eine Belastungserprobung oder etwas später durch einen therapeutischen Arbeitsversuch. Die Konfrontation mit einer – oder gar mit der eigenen – Arbeitsrealität macht eine weitere unrealistische Betrachtungsweise der Störungen nahezu unmöglich, was zuerst mit einem Schock verbunden ist: „Ich habe mit den einfachsten Registrierarbeiten Schwierigkeiten – das hätte ich nie gedacht!" Einige Zeit später stellt derselbe Patient dann aber fest: „2 Stunden täglich mit den alten Kollegen zusammen zu sein, tut mir einfach gut!".

Was die Einstellung zu den Störungen betrifft, spricht jedoch vieles dafür, daß sie diese weiterhin als „Krankheit", als etwas, dessen Besserung sie erwarten, nicht aber als „bleibende Behinderung" erleben.

Dies zeigt sich bei Patienten, denen „man nichts ansieht", die z. B. lediglich kognitive

Störungen haben: Jeder Blick in den Spiegel, jede Äußerung von Freunden („Du siehst ja wieder phantastisch aus - völlig unverändert!") stellt eine Versuchung dar, so zu tun, als ob nichts gewesen wäre („Jetzt packst Du mal versuchsweise Deinen Arbeitstag so voll wie früher!"). Die magische Hoffnung des Patienten könnte verbalisiert so lauten: „Versuch mal, Dein Gehirn zu verblüffen, indem Du es einfach mit den alten Arbeitsanforderungen konfrontierst. Vielleicht braucht es nur diesen Anstoß, und alles funktioniert wieder wie früher!"

Leider geschieht es immer wieder, daß dieser wiederholte Versuch eines „Vogels, durch eine geschlossene Scheibe zu fliegen" etwa im Beruf erst durch Kollegen oder Chefs von außen beendet wird, weil der Patient aus seinem Zirkel des „Das darf doch nicht wahr sein" nicht herausfindet.

Eine weitere Gruppe von Patienten, die sich nur schwer auf ihre Hirnschädigung einstellen können, sind diejenigen, die in ihren Funktionen starke Schwankungen erleben. Einmal abgesehen von den phasenweisen Leistungsschwankungen, die bei praktisch sämtlichen Hirnschädigungen beobachtet werden, gilt dies auch für bestimmte Sprach- und Sprechstörungen. Ein solcher Patient - er stammte aus einem technischen Beruf - hat seine jede erfolgversprechende Therapie zunichte machende Einstellung wie folgt beschrieben: „Das ist bei mir wie bei einem stotternden Motor: Wenn auch jetzt erst 3 Zylinder laufen - der vierte wird mit der Zeit schon auch noch kommen."

Anpassungsschritte können manchmal auch sehr plötzlich vollzogen werden. Man hat dann fast den Eindruck eines „Dammbruchs". Mitunter von einem Tag auf den anderen werden alte Therapieziele verleugnet: Ein streßgeplagter Spitzenmanager, der lange ausschließlich auf die Wiedergewinnung seiner früheren Position fixiert war, empfindet plötzlich auch eine gewisse Erleichterung durch die Entlassung aus der Verantwortung. Die Innenarchitektin, für die nur die Rückkehr in den Beruf eine sinngebende Perspektive darstellte, bezichtigt den Therapeuten eines Erinnerungs-

fehlers: Der Beruf sei sicher schön, ihre Kinder und der Haushalt seien ihr aber in Wirklichkeit immer schon wichtiger gewesen. Andere brauchen lange, um ihrer veränderten Situation positive Aspekte abzugewinnen.

Jetzt können auch kleine Fortschritte, mit denen man wochenlang nicht zufrieden war, als Erfolg erlebt werden: „Ich wundere mich über mich selbst: Wie kann mich eine solche Nichtigkeit wie Wäscheaufhängen so glücklich machen" schildert eine Frau ihre Freude, als sie zum ersten Mal trotz Behinderung in der Arm- und Beinmotorik den Inhalt ihrer Waschmaschine erfolgreich auf der Wäscheleine befestigt hatte.

Manchen gelingt es, die Krankheit und die neue Situation als wichtige Lebenserfahrung umzudeuten und damit positiv in ihren Lebenslauf zu integrieren.

Neben dem Entdecken und Entwickeln neuer Tätigkeitsfelder in Freizeit und/oder Beruf ist immer wieder bemerkenswert, wieviele Menschen für sich kontemplative Aspekte des Lebens entdecken:

- „Der Gesang der Vögel im Morgengrauen: Es ist unglaublich, wieviele Stimmen es da gibt. Früher war das bestenfalls ein ärgerliches Geräusch, das mich weckte. Jetzt kann ich gar nicht genug davon bekommen: Ich hätte nie gedacht, daß mich das so fesseln könnte!"
- „Die Menschen und die Natur, die ich jetzt sehe, wenn ich in öffentlichen Verkehrsmitteln fahre: Vor allem die Menschen: Die alte Frau in der Straßenbahn, das junge Mädchen: Was drückt ihr Gesicht aus, was haben sie heute schon erlebt, was sind ihre Pläne und Sorgen? Das sind so meine Phantasien und Gedanken, denen ich nachhänge. Früher als ich mit Auto oder Flugzeug von Termin zu Termin raste, wäre mir so ein Leben sicher abstrus vorgekommen!"
- Ich hatte ja nie viel für Blumen übrig - aber jemand hat mir einen Rosenstock geschenkt. Jetzt beobachte ich täglich auf dem Balkon, ob man an den Knospen schon sehen kann, welche Farbe er haben wird."

Nicht unmittelbar parallel zur Handlungsebene verläuft die Entwicklung auf der Ebene der emotionalen Bewältigung der Störung: Das Hadern mit dem eigenen Schicksal begleitet in verschiedenen Formen und Ausprägungsgraden Patienten und Angehörige für lange Zeit - wahrscheinlich für den Rest ihres Lebens.

6.5 Einige spezielle Aspekte des Umgangs mit neuropsychologischen Patienten

Verhältnis Therapeut – Patient

Der Umgang mit den Patienten ist oft deswegen so schwierig, weil er ein ständiges paralleles Vorgehen auf zwei verschiedenen und in gewisser Weise widersprüchlichen Ebenen verlangt:

Pädagogische Ebene: Die Patienten gehen in die „Tagesschule", in den „Kurs", wie sie selbst häufig die Tagklinik und die Therapien bezeichnen. Dort werden ihnen konkrete Hinweise gegeben, wie sie mit ihren Störungen besser zurechtkommen, was sie sozusagen mechanisch lernen können. Auf dieser Ebene erwartet der Patient vom Therapeuten Autorität, da dieser auf dem Gebiet der Therapietechniken tatsächlich mehr weiß wie er.

Psychotherapeutische Ebene: Die Patienten kämpfen um ihr Selbstwertgefühl angesichts der zunehmenden Gewißheit, auf Dauer mit bestimmten Störungen behaftet zu sein. Hier kann der Therapeut nur begleiten. Er weiß, daß es unterschiedliches Bewältigungsverhalten, verschiedene Phasen der Krankheitsverarbeitung gibt, aber er kann keinen objektiv richtigen Weg vorzeichnen, dem der Patient nur zu folgen braucht.

Am Anfang der Therapie hat der Patient meist noch nicht die Vorstellung, daß er auf Dauer mit einer Hirnschädigung leben muß – für den Therapeuten dagegen versteht sich das meist von selbst: Er verfügt ja über eine reiche Erfahrung mit vielen ähnlichen Fällen. Diese Ungleichzeitigkeit bezüglich der Definition der Patientenrolle ist besonders kritisch. Der Patient „riecht" überall Versuche, ihn in eine Rolle zu drängen, die er nicht als die seine empfindet. Dies trifft vor allem zu für Patienten mit geringgradigen kognitiven Leistungseinbußen.

Es hat sich nicht bewährt, Patienten und Angehörige, die wiederholt um eine „gute Prognose" geradezu betteln, mit der Unausweichlichkeit der verbleibenden Defizite zu konfrontieren. Erfolgversprechender ist es, einerseits die Unsicherheitsmarge von Vorhersagen hervorzuheben („Es ist nicht wahrscheinlich, aber es wäre möglich, daß sich im Verlauf der kommenden Jahre noch etwas verbessert."). Auf diese Weise wurde das Verlangen nach konkreter Hoffnung verbal nicht zurückgewiesen: Der Patient wird also eher bereit sein, auf die konkreten Handlungsvorschläge einzugehen, die ihm für seine augenblickliche Situation gemacht werden. Hätte man dagegen konsequent darauf bestanden, daß der Patient bzw. Angehörige „die Realität sehen muß", wäre bereits eine Abwehrhaltung aufgebaut gewesen, sobald man das wirklich Wichtige, die Verhaltensratschläge, anzubringen versuchte.

Wenn ein technischer Zeichner mit räumlich-visuellen/räumlich-konstruktiven Störungen z.B. behauptet, zu Hause erfolgreich Pläne zu zeichnen, obwohl er in Wirklichkeit nur noch unverwertbare Striche aufs Papier bringt, sollte man ihn nicht in jedem Fall zwingen, dies auch zuzugeben – ist seine Einsichtsfähigkeit in die Störung nicht wesentlich eingeschränkt, wird er sich selbst dieses Faktums schmerzlich bewußt sein. Eine Ausnahme von dieser Regel ist nur dann gegeben, wenn die Gefahr besteht, daß Patient und Angehörige falsche Handlungskonsequenzen aus ihrem oft nur vorgegebenen Glauben ziehen. Es kommt z.B. vor, daß dem Arbeitgeber durch den Patienten und seine Angehörigen bezüglich der Wiederaufnahme der Berufstätigkeit falsche Hoffnungen gemacht werden, wodurch er sich hintergangen fühlt und später nicht mehr bereit ist, nach einer den Möglichkeiten des Patienten angemessenen Tätigkeit zu suchen.

Den Patienten muß von Zeit zu Zeit die eigene Bewunderung (die man oft fühlt, aber nicht sagt) zum Ausdruck gebracht werden dafür, welche Leistung sie vollbringen, tagtäglich bei der Therapie mitzumachen, nicht locker zu lassen oder gar aufzugeben. Sie müssen angespornt werden, sich selbst für diese Leistung die Anerkennung zuteil werden zu lassen, die von außen nicht zu erwarten ist, weil niemand den Kraftaufwand beurteilen kann und ihn deshalb auch nicht würdigt. Bei beruflichen Leistungen vor dem Ereignis z. B. war das anders: Diese wurden mit allgemein sichtbaren „Lorbeeren" belohnt.

Allerdings muß mit Lob sehr vorsichtig umgegangen werden. So wichtig es ist, auch kleine Therapiefortschritte hervorzuheben, so groß ist die Gefahr, daß genau das vom Patienten als Zynismus erlebt wird – vor allem dann, wenn es auf den Patienten übertrieben wirkt, d. h. von seiner eigenen aktuellen Stimmungslage zu weit entfernt ist.

Selbstwertgefühl des Patienten

Es ist wichtig, sich immer wieder klar zu machen, daß es vor allem das Selbstwertgefühl dieser Menschen ist, das schwer getroffen ist. Dementsprechend sind sie ständig auf der Suche nach Selbstbestätigung – manchmal auch dadurch, daß sie einem Therapeuten oder der ganzen Einrichtung Fehler nachzuweisen versuchen. Hier zeigt sich die sehr tief gehende Verunsicherung: „Werde ich noch ernst genommen? Bin ich für mich selbst noch ernst zu nehmen? Kann ich bei einem anderen eine Resonanz hervorrufen? Erachtet er mich überhaupt seiner Freude, seines Ärgers oder seiner Enttäuschung für wert?"

Die Patienten erleben ihre Behinderungen nicht als Werkzeugstörungen, wie die folgenden Äußerungen beweisen: „Ich bin ja dumm/blöd/nicht ganz richtig im Kopf/a Depperl. So einen wie mich hätten sie bei den Nazis vergast etc. ..." Oft werden diese Aussagen ironisch vorgebracht, doch die dahintersteckende Angst und Unsicherheit ist deutlich fühlbar.

Worte wie „akzeptieren", „annehmen", „sich abfinden" sollte man vermeiden, wenn es um das Thema Krankheitsbewältigung geht. Hört man genau zu, kann man feststellen, daß Patienten und auch Angehörige in der Regel einen Bogen um solche Ausdrücke mit Endgültigkeitscharakter machen. Sie entsprechen offenbar auch nach vielen Jahren noch nicht ihrer inneren Realität. Sie selbst sprechen von „anpassen", „sich arrangieren", „einen Weg fin-

den", „sich einstellen auf", „zurechtkommen mit".

Ein Patient hat es einmal so ausgedrückt: „Ich kann es nicht akzeptieren, aber ich muß mich doch damit befreunden, sonst kann ich nicht weiterleben."

Es ist manchmal eine schwere Belastung der eigenen gesunden Abwehr von Krankheit und Tod seitens der Therapeuten, tagtäglich mit Menschen zu arbeiten, die dem Tod oft nur knapp entronnen sind und denen man häufig trotz großer Anstrengungen nicht helfen kann, wieder so gesund zu werden, wie vor dem Krankheitsereignis. Diese Machtlosigkeit gegenüber dem „Schicksal Hirnschädigung" zu ertragen, ist gelegentlich schwer. Die Gefahr besteht darin, daß man, wenn man das ewige Jammern oder die persistierenden positiven Fehleinschätzungen nicht mehr hören kann, dafür sorgt, daß sie unterbleiben. Das kann zur Folge haben, daß die unveränderten Einstellungen und Empfindungen nicht mehr gezeigt werden und Patient und Angehörige vorgeben, sich mit den Störungen abgefunden zu haben. Eine solche unveränderte Einstellung, deren Äußerung in der Klinik nur nicht opportun war, kann nach der Entlassung verhaltenswirksam werden: indem z. B. der Patient doch noch einen Arbeitsversuch durchführt, von dem ihm dringend abgeraten wurde und den er während der Therapie bereits „aufgegeben" hatte. Der Einfluß der sozialen Erwünschtheit darf nicht unterschätzt werden. Angehörige und Patienten haben sehr schnell herausgefunden, was die Therapeuten gern hören: „Ich habe eingesehen, daß ...", „Falls ich nicht in den Beruf zurückkann, habe ich folgende Alternativen durchdacht ...", „Ich akzeptiere meine Störungen ..." etc. Was auf den ersten Blick wie eine Änderung der Einstellung erscheint, stellt sich bei näherem Hinsehen oft als Mittel zum Zweck heraus, um das Wohlwollen des Therapeuten zu erhalten – für eine Verlängerung der Therapie, für einen Urlaub oder irgendwelche andere persönliche Ziele.

Therapeuten werden manchmal fachlich und persönlich angegriffen: „Wenn Sie bessere Sprachtherapie machen würden, wäre ich heute schon wieder an meinem Arbeitsplatz!" Hier ist es für den Therapeuten hin und wieder schwer, eigene aggressive Impulse („am liebsten würde ich ihm die Wahrheit um die Ohren schlagen!"), die aus dem Gefühl kommen, mit dem Rücken zur Wand zu stehen, zu kontrollieren.

Gegenüber den Sozialtherapeuten besteht gelegentlich die Angst, als Sozialfall abgestempelt zu werden („Mit dem Sozialamt will ich nichts zu tun haben!"). Daß die Betreuung durch diese Berufsgruppe z. B. eine wesentliche Hilfe bei der Wiedereingliederung in den Beruf sein kann, muß von Patienten und Angehörigen erst erfahren werden – Sprachtherapie oder Krankengymnastik werden in der Regel auf Anhieb als sinnvoll erlebt.

Manche Patienten streben persönliche Beziehungen zu den Therapeuten an. Neben rein utilitaristischen Erwägungen kann es hier um die Frage gehen: „Bin ich (in jeder Hinsicht) noch so attraktiv, daß man mich einer Freundschaft für wert hält?", „Könnte sich der Therapeut eine Partnerschaft mit mir vorstellen?", „Ich brauche weitere Pflege und Betreuung. Wäre es möglich, daß ein(e) Therapeut(in), der (die) sich so nett um mich kümmert, seine (ihre) Arbeit aufgibt und in Zukunft seine (ihre) Lebensaufgabe darin sieht, micht zu betreuen? Bin ich ihm (ihr) soviel wert?"

Es kann helfen, wenn man sich sowohl gedanklich als auch durch Ausprobieren (mit einer „gelähmten" Hand ein Brot schneiden, sich nur mit der Hilfe von Gesten und drei sinnlosenWorten eine Zeitung kaufen etc.) immer wieder in die Lage der Patienten versetzt, um von neuem Verständnis für die lange Zeit aufzubringen, die Patienten und Angehörige benötigen, um sich auf die veränderten Bedingungen einzustellen.

Einsicht in die Notwendigkeit der Therapien

Je schwerer die Einsichtsfähigkeit des Patienten (manchmal auch die der Angehörigen) in eine Behinderung gestört ist, desto wichtiger ist es, eine feste Vertrauensbasis zu schaffen und diese mit viel Sorgfalt zu pflegen. Nur auf diesem Weg ist nämlich Zustimmung und Mit-

arbeit bei Patient und Angehörigen für eine Therapie zu erreichen, die als unsinnig erlebt wird. Ist dies gelungen, so sagt ein Patient z. B.: „Ich verstehe zwar nicht, wo sie da eine Störung bei mir sehen – aber wenn sie es sagen, dann bin ich eben einverstanden und mache mit". Verständnis zu fordern dort, wo es nicht ist, aufgrund der Hirnschädigung nicht sein kann, führt nicht weiter (psychoreaktives Verhalten im Sinne einer Verleugnung und Hirnschädigung im Sinne einer Anosognosie oder Anosodiaphorie sind manchmal nicht zu trennen). Die in diesen Fällen nötige Hilfe besteht in „gekonnter Überredung". Eine besonders hilfsbedürftige Gruppe sind Patienten mit Hirnstammverletzungen, die sich womöglich im Verlauf diverser Vorbehandlungen zu Simulanten abgestempelt fühlten (häufig bei HWS-Schleudertraumen). Nach dem Inszenieren dramatischer Auftritte können sie, wenn diese von den Betreuern mit Geduld ertragen werden, schrittweise versuchen, Wege zu finden, um mit ihren Störungen zu leben. Damit beschreiben sie eine Kehrtwendung: Sie versuchen, die Störungen „in eine Form zu bringen", die sie möglichst wenig in ihrem täglichen Leben einschränkt. Diese Entwicklung wird dadurch ermöglicht, daß sie endlich in ihrem Leiden ernstgenommen werden.

Patienten und Angehörige müssen sich auf Leistungsschwankungen einstellen und exakt aufgeklärt werden darüber, daß sie in Zukunft mit teilweise starken Schwankungen in einigen oder allen Leistungsbereichen rechnen müssen. Das hilft beiden Seiten, nicht bei jeder Entwicklung nach unten den Mut zu verlieren, ja sogar ein neuerliches Ereignis zu befürchten bzw. umgekehrt bei jeder Besserung einen „Durchbruch auf eine höhere Ebene" zu vermuten – wobei die Enttäuschung natürlich jedesmal groß ist, wenn es wieder abwärts geht.

Die subjektive Bewertung der Relevanz bestimmter Störungen und dementsprechend der Wichtigkeit bestimmter Therapien für Patient und Angehörige sollte nie übergangen werden: Lähmungen liegen dem Bewußtsein des Patienten näher als z. B. Aufmerksamkeitsprobleme. Diese Unterschiede im Setzen von Therapieakzenten zwischen Patienten und Angehörigen einerseits und Therapeuten andererseits liegen in der Natur der verschiedenen Blickpunkte begründet, sind also „normal" und deuten nicht darauf hin, daß der eine recht und der andere unrecht hat. Es gilt daher, bei der Absprache eines Therapieprogramms Kompromisse zu schließen: Dem Patienten werden z. B. zusätzliche Stunden Krankengymnastik angeboten, die er sich wünscht, damit er seinerseits einer weiteren Aufmerksamkeitstherapie zustimmt, die er für überflüssig hält.

Ihre professionelle Erfahrung kann die Therapeuten leicht dazu verführen, die Patienten nicht als autonome Individuen sondern als „Fälle" zu behandeln, d. h. bei ihnen dieselbe fachliche Einsicht in die Notwendigkeit bestimmter Schritte vorauszusetzen, über die sie selbst verfügen. Die innere Einstellung könnte verbalisiert etwa folgendermaßen lauten: „Ich bin Fachmann auf dem Gebiet – laß mich nur machen, ich weiß am besten, worauf es für Dich ankommt!"

Nun hat der Patient aber zum ersten Mal im Leben eine Hirnschädigung und der „typische Verlauf" hat für ihn – auch nach vielen Monaten – absolut nichts „der üblichen Routine Entsprechendes". Dasselbe gilt sinngemäß für die durchgeführten Therapien: Erscheinen ihnen diese nicht plausibel, so besteht die Gefahr, daß Patienten – angesichts der als „lebendiger Stachel" empfundenen offensichtlichen Überlegenheit des Therapeuten (seine Machtposition, seine Professionalität, seine Gesundheit, seine Jugend, seine Attraktivität …) – von vornherein kapitulieren und sich nicht zu fragen trauen: „Was ist das Ziel dieses Trainings? Warum gerade diese Technik?" Bei manchen kommen die lange aufgestauten Zweifel und hilflos-ärgerlichen Gefühle mit aggressivem Überdruck in der Form von Vorwürfen ans Tageslicht: „Nun habe ich solange bei diesem Training mitgemacht! Welchen Zweck Sie damit verfolgen habe ich nie verstanden. Meinen Zielen dient es jedenfalls nicht und deswegen höre ich jetzt damit auf!"

Die tatsächliche und die von den Patienten aufgrund ihrer Selbstzweifel oft übermäßig empfundene Gefahr der Entmündigung wird am besten dadurch gebannt, daß man sie *regelmäßig* fragt, ob ihnen klar ist, warum sie welche Therapien machen, und daß man - notfalls täglich – um ihre Zustimmung wirbt. Die aktiv-positive Einstellung der Patienten zur Therapie ist die Grundvoraussetzung für die gemeinsame Arbeit. Nur der Patient selbst kann sie modifizieren. Von außen ist sie nicht unmittelbar zu beeinflussen.

Das Ziel aller Therapien ist der Transfer des Gelernten in die individuelle Lebenssituation. Voraussetzung für den Transfer ist die *aktive* Übernahme der Techniken durch den Patienten (bei der Strukturierung der Umwelt: durch die Angehörigen bzw. Arbeitskollegen). Voraussetzung für die aktive Übernahme ist, daß der Patient zu jeder Zeit voll informiert ist, *wozu* er etwas tut.

Frage nach der Prognose

Diese letztgenannte „wozu" steht in enger Verbindung mit der zentralen Frage, die jeden Patienten und Angehörigen letztlich am meisten bewegt: „Wie ist die Prognose?"

Die Gefahr ist groß, daß diese Frage nur sporadisch und nach einer Weile gar nicht mehr gestellt wird, weil Patienten und Angehörige die Erfahrung machen, daß Therapeuten auf sie in einer Weise reagieren, die eine Wiederholung nicht angeraten erscheinen läßt. (Die Redundanz dieser Frage ist für Therapeuten tatsächlich schwer zu ertragen: schließlich multipliziert sich ihre Häufigkeit mit der Anzahl der Patienten, die er sieht.) Solange aber diese Frage gestellt wird, hat man als Therapeut den „Finger am Puls der Krankheitsverarbeitung". Der Patient läßt einen teilhaben an seinem Weg der Anpassung an seine Störungen. Die Häufigkeit dieser Frage ist also nicht immer (nur) ein Indikator für das Ausmaß einer Gedächtnisstörung, sondern ein wesentlicher Hinweis darauf, wie intensiv der Patient und die Angehörigen sich mit der augenblicklichen Situation auseinandersetzen: ein Grund zur Zufriedenheit des Therapeuten - wenn auch eine Belastung seiner geduldigen Konzentration.

Jeder geplante Schritt wird dem Patienten am besten im Sinne eines Vorschlags präsentiert. Es wird ihm klargemacht, daß er Alternativen hat und diese werden auch konkret mit ihm durchgesprochen. Viele Beispiele haben gezeigt, daß die meisten Patienten es nur sehr schlecht vertragen, mit einem – in keiner Weise wörtlich gemeinten – „Sie müssen ..." zu irgendetwas aufgefordert zu werden.

„Solche Sätze wirken wie Schläge ins Gesicht – man hat das Gefühl, einer Erklärung nicht für wert befunden zu werden, weil man sowieso hirngeschädigt, also zu dumm ist, sie zu verstehen." Auf diese Weise beschrieb eine Patientin ihre Gefühle, als sie sich in einem katamnestischen Gespräch ein Jahr nach Entlassung an ihre Behandlungszeit erinnerte.

Die Patienten in jeder Bewegung für voll zu nehmen, ist die beste „psychotherapeutische Behandlung" ihres schwer geschädigten Selbstwertgefühls. Den Respekt vor sich selbst gewinnen sie am ehesten dadurch wieder, daß ihnen jederzeit genau der Respekt entgegengebracht wird, den sie sich selbst gegenüber nicht aufbringen („Ich bin ein Nichts!", „Ich bin gar nicht mehr ich selbst!"). Der Patient kann von der ihn regelmäßig traurig stimmenden Erinnerung an das Leben vor dem Ereignis nicht abgebracht werden. Diese Zeit gehört zu seiner Biographie und je mehr er vor diesen Gedanken flieht, desto größer ist die Gefahr, daß er von ihnen verfolgt wird. Besteht jedoch eine Grübelneigung oder gar ein Gedankenzwang, so liegt es nahe, diese verhaltenstherapeutisch zu behandeln.

Die Redundanz der Informationen über wichtige Zusammenhänge muß nicht nur im Umgang mit Gedächtnisgestörten beachtet werden. Immer wieder und in wechselnden Zusammenhängen müssen die wesentlichen Dinge, wie Art der Störungen, Prognose, Art und Dauer der Therapie etc., mit Patient und Angehörigen durchgesprochen werden. Die Äußerung „Das habe ich Ihnen aber schon erklärt!" zeigt, daß man sich als Therapeut noch nicht erfolgreich auf die Hirnschädigung eingestellt hat.

Um Patient und Angehörige anzuregen, über Alternativen nachzudenken, wenn etwa absehbar wird, daß die frühere Berufstätigkeit nicht mehr in Frage kommen wird, kann folgendes Vorgehen Widerstände vermeiden helfen: Wir können ihnen nur mitteilen, wie andere Patienten mit dieser Situation umgegangen sind. Die einen sind fest davon ausgegangen, daß sie ihr Ziel (z.B. volle berufliche Wiedereingliederung) erreichen würden und sagten sich, wenn es doch anders käme, würde es ihnen schon gelingen, ad hoc eine Lösung zu finden. Die anderen zogen es vor, für alle Eventualitäten gewappnet zu sein und überlegten sich Alternativen für alle denkbaren Fälle – einschließlich dem schlechtestmöglichen: daß sich nämlich an ihren Störungen nichts Wesentliches bessern werde. Jeder muß selbst für sich entscheiden, welchen Weg er gehen will. Der erstgenannte Weg bringt allerdings mehr Angst vor der Zukunft mit sich als der zweite.

6.6 Arbeit mit Angehörigen

Wie bereits dargestellt, werden die Angehörigen in allen Phasen der Therapie, von der Sozialanamnese bis zur konkreten Anleitung im Umgang mit dem Patienten, hinzugezogen. Die Erfahrung hat gezeigt, daß dies nicht ausreicht, weil die Situation zu einseitig – nämlich in erster Linie vom Patienten her – gesehen und bearbeitet wird.

Je schwerer die Störung z.B. eines Elternteils in einer Familie mit Kindern, desto größer die Verschiebung von Positionen und Aufgaben in diesem Gefüge:

- Die Mutter im Rollstuhl, wenig belastbar und schwer sprach-, antriebs-, und gedächtnisgestört, wird für ihre kleinen Kinder plötzlich zu einer Art Großmutter, deren Nähe man weiterhin spüren, die man aber nicht mehr so fordern kann wie vordem. Der Ehemann hat zu seinem Beruf, dem er möglicherweise nur noch halbtags nachgehen kann, jetzt auch noch den Haushalt und die Kinder zu versorgen.
- Hat es den Ehemann und Vater getroffen, ist die Ehefrau oft aus finanziellen Gründen

gezwungen, ihren früheren Beruf, den sie vielleicht seit Jahren nicht mehr ausgeübt hat, wiederaufzunehmen. Ein finanzieller Abstieg, der die ganze Familie trifft, ist meist unvermeidlich.

Den hier geschilderten äußeren Anpassungszwängen laufen innere Anpassungsprozesse parallel. Krisen im Beziehungsgefüge brechen häufig dann aus, wenn eine neue Stufe im Rehabilitationsprozeß erreicht wird - aus der Sicht von Patient und Angehörigen ist das meist gleichbedeutend mit dem Verlust bestimmter Hoffnungen.

Ehe- und Familientherapie

Ehe- bzw. familientherapeutische Sitzungen können z.B. der pubertierenden Tochter helfen, in ihrer Ambivalenz zwischen Triumph in den täglichen Auseinandersetzungen mit der schwer sprachgestörten Mutter einerseits sowie schweren Schuldgefühlen, Trauer, Wut, Scham (sich mit der gelähmten Mutter in der Öffentlichkeit zu zeigen) und möglicherweise Angst um ihr Leben andererseits. Ein anderer Patient kann sich auf diesem Weg mit seinen Wünschen nach Versorgtwerden durch die Partnerin auf der einen Seite sowie Hilflosigkeit, Mißtrauen und Neid auf der anderen Seite derjenigen gegenüber, die jetzt „alle Entscheidungen in der Familie trifft und darüber hinaus auch noch berufliche Karriere macht" auseinandersetzen.

Der Prozeß der Anpassung ist für die Angehörigen genauso schwer wie für die Patienten. Wie sich gezeigt hat, ist ihre Belastbarkeit und Zuverlässigkeit aber entscheidend für den Erfolg der Rehabilitation der Patienten. Deswegen muß ihnen besondere Aufmerksamkeit gewidmet werden.

Angehörigengruppe

Wir haben verschiedene Modelle der Angehörigenarbeit erprobt, die alle von der Annahme ausgehen, daß Gruppensolidarität ihnen helfen könnte. Gegenwärtig findet alle 14 Tage ein abendliches Treffen statt, zu dem sämtliche

Angehörige der in Behandlung befindlichen Patienten schriftlich eingeladen, aber auch die Angehörigen bereits entlassener Patienten erwartet werden. Moderiert wird die Runde von einem Mitglied des Arbeitskreises Sozialtherapie. Aus Versuchen mit einem themenzentrierten Vorgehen (z.B. Vortrag über rententechnische Probleme und anschließende Diskussion) und andererseits einer unstrukturierten Gesprächsrunde, die eine Zeitlang von den Teilnehmern auch als Selbsthilfegruppe, also ohne Anwesenheit eines Mitarbeiters, geführt wurde, ist die jetzt praktizierte Mischform entstanden: Der Moderator spricht eines der Standardprobleme („Manche befürchten, den Patienten zuviel, andere, ihn zuwenig zu versorgen.") an, um ein Gespräch anzuregen. Meist entwickelt sich dann eine lebhafte Diskussion, in der die Teilnehmer ihre aktuellen Probleme vortragen. Der Moderator versucht, Parallelen zwischen den individuellen Erfahrungen und Situationen herauszuarbeiten. Im übrigen steht er für die Beantwortung neuropsychologischer Sachfragen zur Verfügung. Häufig stehen diese Fragen am Anfang des Gesprächs. Sie sind die logische Fortsetzung der gegenseitigen Vorstellung („Welche Störungen hat Ihre Frau?", „Wielange liegt das Ereignis schon zurück?", „Wir haben mit der Therapie X die beste Erfahrung gemacht!"). Im Laufe des Abends weitet sich das Spektrum des Besprochenen von der Ebene des Pragmatischen zur emotionalen Verarbeitung sowie Konflikten mit sich selbst und anderen. Von den Angehörigen aktueller Patienten wird vor allem das Zusammentreffen mit denjenigen als hilfreich erlebt, bei denen das Krankheitsereignis ihres Angehörigen schon mehrere Jahre zurückliegt („Unglaublich - Ihr Mann sitzt seit mehreren Jahren im Rollstuhl und Sie haben das durchgehalten!"). Hier spielt das Lernen am Modell eine entscheidende Rolle.

Um dem immer wieder auftauchenden Bedürfnis nach sehr spezifischen Fachinformationen entgegenzukommen, planen wir, periodisch auch Fachtherapeuten an diesen Treffen zu beteiligen.

Daneben möchten wir die Frequenz der Treffen erhöhen, wobei in Rechnung gestellt werden muß, daß die Angehörigen, welche diese Betreuung am dringendsten benötigen, oft dieselben sind, die - als Folge des Ereignisses - am wenigsten Zeit haben. Zu häufige Termine bedeuten dann zusätzlichen Streß. Es ist auch daran gedacht, für die Dauer eines Jahres feste Gruppen zusammenzustellen, die in einer vergleichbaren Lebenssituation stehen (z. B. Eltern jugendlicher Patienten mit Schädel-Hirn-Trauma).

6.7 Nachsorge/Selbsthilfegruppe

Um den Therapieerfolg sicherzustellen, ist oftmals noch nach der Entlassung eine weitere individuelle Betreuung notwendig. Dies gilt vor allem für die Patienten, für die es keine adäquaten weiterführenden Hilfsangebote gibt: Am schlimmsten ergeht es jungen Erwachsenen, die nicht selbständig wohnen können - ihnen bleibt oft nur das Altenheim.

Patienten, die nicht in den Beruf zurückkehren konnten, berichten in der Regel nach der Entlassung von Anpassungsschwierigkeiten. Sobald sie die Geborgenheit der Tagklinik mit ihren Sicherheit vermittelnden menschlichen Kontakten (mit anderen Patienten, mit den Therapeuten) verlassen haben, registrieren sie, wie stark sie durch die Veränderungen in ihrem Leben in ihrer Identität getroffen sind - jenseits aller oft bestens organisierten äußeren Versorgung und zahlreicher Beschäftigungen. Ein großes Bedürfnis nach Bestärkung, Sicherheit in einer bekannten Gruppe und Ausrichtung auf Ziele wird bei Ihnen spürbar. Im wesentlichen wurde hier mit denselben Formen der Betreuung experimentiert wie in der Angehörigenarbeit. Derzeit wird themenzentriert gearbeitet: Ein Betreuer des sozialtherapeutischen Arbeitskreises fungiert bei den monatlichen Treffen als Gastgeber. Gemeinsam mit dem Betreuer hat die Gruppe für die Dauer eines Jahres Themenschwerpunkte für jedes Treffen festgelegt, zu denen auch Referenten von außen eingeladen werden (z. B. von der Bayerischen Architektenkammer zum Thema „Behindertengerechtes Bauen").

6.8 Neuropsychologische Rehabilitation in einer Tagklinik - ein erfolgversprechender Weg

Systematische Katamnesen liegen noch nicht vor, doch macht ein provisorischer Überblick über die bisher von uns behandelten Patienten - aus allen vertretenen Altersstufen, Schweregraden und Schädigungstypen - gewisse Trends sichtbar (der Beobachtungszeitraum erstreckt sich von wenigen Monaten bis zu knapp 3 Jahren).

Die soziale Reintegration kann bei ca. zwei Drittel der Patienten als derzeit geglückt bezeichnet werden. Bei ungefähr der Hälfte dieser Gruppe scheint dies in erster Linie auf funktionierende soziale Stützsysteme zurückzuführen zu sein. Bei ca. einem Viertel der Patienten ist hierfür wahrscheinlich die Geringfügigkeit ihrer Störungen und bei einem weiteren Viertel ihr außergewöhnlich effektives Bewältigungsverhalten („Realisten") verantwortlich.

Nicht zufriedenstellend hingegen gelang die Reintegration bei ca. einem Drittel der Patienten. Die wichtigsten Gründe hierfür verteilen sich etwa wie folgt: Bei ca. 40% stand fehlende oder mangelnde Einsicht in die Defizite im Vordergrund, bei weiteren 40% war es die Schwere der Störung und die hierfür nicht angemessene Versorgung, bei ca. 10% waren es die mangelhaften sozialen Stützsysteme und bei weiteren 10% eine schon prämorbid vorhandene Psychopathologie.

Damit stimmen unsere Ergebnisse im Kern mit der neueren Literatur überein: Derjenige hat die besten Aussichten auf eine erfolgreiche Rehabilitation (= befriedigende soziale Einbindung und Versorgung), *der bereits prämorbid gut sozial integriert war.*

Durch die Verbindung zwischen Privatleben und therapeutischer Betreuung in der Klinik erscheint die Tagklinik als ideale Versorgungsform für rehabilitationsfähige neuropsychologische Patienten. Sie ist einer vollstationären Versorgung, in der die Patienten nur mit großen Einschränkungen auf das Leben draußen einzustellen sind, eindeutig überlegen. („Jetzt bin ich erst mal Patient – bevor ich nicht gesund bin, können die mich nicht nach Hause schicken!") Die Tagklinik erlaubt dem Patienten – ja zwingt ihn geradezu – sich als Gesunder zu verhalten, soweit es ihm irgend möglich ist. Ein zu tiefes Abgleiten in die Krankenrolle kann dadurch in vielen Fällen verhindert werden.

Unseren sämtlichen Maßnahmen liegt das Subsidiaritätsprinzip zugrunde. Jedes Vorhaben muß erst durch den „Filter" der Frage: „Kommen Patient und Angehörige in diesem Punkt nicht allein zurecht?", oder: „Kann man die Intensität der Betreuung nicht vermindern?" Wir wollen nur dort Anstöße geben, Hilfe zur Selbsthilfe leisten, wo das „System" allein auf sich gestellt offensichtlich nicht zurechtkommt. Neben rein arbeitsökonomischen Erwägungen sind auch konzeptionelle Gründe für diese Vorgehen verantwortlich:

- Je weniger wir aktiv geworden sind, desto geringer ist die Lücke, die wir hinterlassen, wenn Patient und Angehörige wieder ohne unsere Hilfe leben müssen.
- Jede Entscheidung, die allein getroffen, jeder Schritt, der selbst getan wurde, ohne daß Therapeuten doch irgendwo „die Finger drin" hatten, ist die beste Therapie für das Selbstwertgefühl der Patienten. Damit werden die Grenzen seiner Autonomie zu jedem gegebenen Zeitpunkt so weit wie möglich hinausgeschoben und ihm und der Umwelt bestätigt, daß er kann und was er kann.
- Wir betonen gegenüber Patienten und Angehörigen immer wieder, daß wir ein „Dienstleistungsbetrieb" sind: Das heißt, wir bieten unterschiedliche Leistungen an, die man in Anspruch nehmen kann oder auch nicht – die Entscheidung liegt beim Patienten.

Was ist nun das Wesentliche an der Tagklinik hinsichtlich der sozialtherapeutischen und psychotherapeutischen Konzeption? Bei der Aufnahme wird der Patient gebeten, möglichst in Straßenkleidung zu erscheinen (die Mitarbeiter tragen – die Ärzte ausgenommen – auch

Straßenkleidung). Damit ist gewährleistet, daß er sich beim Aufenthalt in der Lobby der Klinik mit ihren Geschäften, Café, Sitzgruppen und Litfaßsäulen auf den ersten Blick nicht von anderen Passanten, Besuchern etc. unterscheidet. Er wird gebeten, nach Möglichkeit mit öffentlichen Verkehrsmitteln zu kommen – sollte er dazu nicht in der Lage sein, mit anderen Patienten gemeinsam den Fahrdienst (Kleinbusse des Roten Kreuzes) in Anspruch zu nehmen. Die bis zu einer Stunde dauernde Fahrt, die zweimal täglich zu absolvieren ist, stellt eine gute Gelegenheit dar, andere Patienten kennenzulernen.

In der Tagklinik selbst ist das Angebot an Kontaktmöglichkeiten zu anderen Patienten groß: Je nachdem, ob er vormittags oder nachmittags kommt, trifft er im Verlauf seines Aufenthalts immer dieselben 20–30 Patienten. Die ersten Bekanntschaften werden meist in einer unverbindlichen Situation geschlossen, wenn man z. B. gemeinsam eine Freistunde verbringt. Man vergleicht sich („Wie lange sind Sie krank?", „Wie lange hat es gedauert, bis sich die Störung X gebessert hat?") und kommt sich näher im gemeinsamen Urteil über Therapie und Therapeuten. Beim Mittagessen in der Klinikkantine wählt man sich bald ganz bewußt seinen Platz (neben einem bestimmten Patienten, Therapeuten oder Unbekannten). Eine weitere Möglichkeit des Kennenlernens von Mitpatienten in ungezwungener Atmosphäre bietet die externe Gruppe. Erste Erfahrungen mit sich und anderen Menschen in einer Arbeitsumgebung kann man in der Belastungserprobung sammeln. In den Einzeltherapien begegnen einem hinsichtlich Persönlichkeit, Ausbildung und Interessen sehr unterschiedliche Therapeuten.

In den funktionsbezogenen Gruppentherapien ist man mit einem wenig wechselnden Kreis anderer Patienten zusammen, um eine bestimmte Störung zu trainieren. Man wird gezwungen, den Vergleich mit anderen zu ertragen und in einer „geschützten Öffentlichkeit" mit Erfolg und Mißerfolg konfrontiert zu werden. Im Gesprächskreis und in der Supervision des therapeutischen Arbeitsversuchs tritt man – noch um einen Grad ungeschützter – in der Konfrontation mit anderen sich selbst gegenüber. Von anderen so akzeptiert zu werden, wie man jetzt ist, mit den eigenen Schwierigkeiten bei der Konfrontation mit der Realität (bei sich selbst, bei der Familie, am Arbeitsplatz) nicht allein zu sein, Machbares von Nichtmachbarem trennen zu lernen, stärkt das Selbstvertrauen des Patienten.

Die größte und die gefährlichste Einschränkung für den Menschen nach einer Hirnschädigung ist die soziale Isolierung: In der Tagklinik haben unsere Patienten ein ideales, weil hinsichtlich unterschiedlicher Schwierigkeitsgrade und Konstellationen menschlicher Beziehungen in höchstem Maße differenziertes soziales Lernfeld. So könnte man die Tagklinik als „gesellschaftliche Veranstaltung mit sozialtherapeutischen und psychotherapeutischen Nebenwirkungen" bezeichnen.

Danksagung

An der Entwicklung der hier beschriebenen Konzepte hatten Ingrid Grom, Ursula Schneider und Evelyne Wittmann wesentlichen Anteil.

Literatur

Beck A (1970) Cognitive therapy: nature and relation to behavior therapy. Behav Ther 1: 184–200

Bandler R, Grinder J (1975) The structure of magic. Science and Behavior Books, Palo Alto

Bowlby J (1979) Das Glück und die Trauer. Klett-Cotta, Stuttgart

Burchfield S (1985) Stress – psychological and physiological interactions. Hemisphere, Washington

Davidson PO (Hrsg) (1980) Angst, Depression und Schmerz – Verhaltenstherapeutische Methoden zur Prävention und Therapie. Pfeiffer, München

Dollard J, Miller NE (1966) Personality and psychotherapy – an analysis in learning, thinking and culture. McGraw-Hill, New York

Ellis A (1977) Die rational-emotive Therapie: das innere Selbstgespräch bei seelischen Problemen und seine Veränderung. Pfeiffer, München

Florin I (1985) Klinische Psychologie und körperliche Krankheiten. Kohlhammer, Stuttgart

Grinder J, Bandler R (1976) The structure of magic II. Science and Behavior Books, Palo Alto

Heckhausen A (1980) Motivation und Handeln. Springer, Berlin Heidelberg New York

Houben A (1975) Klinisch-psychologische Beratung. Reinhardt, München

Moos R, Schaefer J (eds) (1977) Coping with physical illness, vol 2. Plenum Medical, New York

Oddy M (1984) Head injury and social adjustment. In: Brooks N (ed) Closed head injury – psychological, social, and family consequences. Oxford University Press, Oxford, pp 108–122

van Quekelberghe R (1979) Systematik der Psychotherapie – Vergleich und kognitiv psychologische Grundlegung psychologischer Therapien. Urban & Schwarzenberg, Wien

Satir V (1973) Familienbehandlung. Lambertus, Freiburg

Seligman MEP (1975) Depression and learned helplessness. In: Friedman RJ, Katz MM (eds) The psychology of depression: contemporary theory and research. Winston-Wiley, Washington, pp 145–191

Thomsen I (1984) Late outcome of severe blunt head trauma: a 10–15 year second follow-up. J Neurol Neurosurg Psychiatr 47: 260–268

Tunner W, Birbaumer N (1986) Über die Bedeutung der allgemeinen Psychologie für die Verhaltenstherapie. Klin Psychol 15: 89–95

7 Sehen

J. ZIHL

7.1 Einleitung

Der Begriff „zerebrale Sehstörungen" meint Einbußen und Veränderungen von Sehleistungen nach Hirnschädigung. Diese Einbußen können „einfache" Sehleistungen, z. B. Gesichtsfeld, Sehschärfe, Kontrast- und Farbsehen, betreffen oder aber komplexere Fähigkeiten wie etwa die Objektwahrnehmung und das Lesen.

Die visuellen Wahrnehmungsleistungen spielen zweifelsohne eine sehr wichtige Rolle in der Steuerung des Verhaltens; der Großteil der Information unserer Umgebung wird visuell „aufgenommen". Diese herausragende Rolle des Sehens läßt sich auch in der neuropsychologischen Forschung nachvollziehen: Die Untersuchung von Sehstörungen war eines der Hauptthemen klinischer und experimenteller Hirnforschung von Anfang an.

Es gibt noch einen weiteren Grund für die Wichtigkeit der Kenntnis zerebraler Sehstörungen: Ein Großteil des Materials, das für die neuropsychologische Testung anderer Hirnleistungen, z. B. Gedächtnis, Sprache, handmotorische Leistungen oder Aufmerksamkeit, verwendet wird, ist visueller Natur; diese Leistungen werden sozusagen „visuell" abgefragt. Daraus ergibt sich, daß verminderte oder gestörte Sehleistungen die Testergebnisse beeinflussen und damit die Testspezifität herabsetzen können. Die Kenntnis der Auswirkung zerebraler Sehstörungen auf andere Hirnleistungen ist daher sowohl für die neuropsychologische Diagnostik als auch für die Therapie von besonderer Wichtigkeit.

In diesem Kapitel sollen die wichtigsten zerebralen Sehstörungen dargestellt werden, wie sie im klinischen Alltag anzutreffen sind (eine ausführliche Darstellung zerebraler Sehstörungen findet sich in Zihl u. von Cramon 1986 a). Außerdem sollen für zwei sehr häufig auftretende und den Patienten besonders beeinträchtigende Sehstörungen nach Hirnschädigung - die sog. hemianopische Lesestörung und die Beeinträchtigung der visuellen Exploration vor allem durch Gesichtsfeldausfälle - Behandlungsverfahren und erste Erfahrungen damit dargestellt werden. Störungen der Okulomotorik (einschließlich der Akkommodation und Konvergenz) werden hier nicht berücksichtigt; der Leser sei auf die umfassenden Monographien von Sachsenweger (1982) und Brandt u. Büchele (1983) verwiesen. Schließlich soll noch darauf hingewiesen werden, daß natürlich solche Sehstörungen abgeklärt bzw. ausgeschlossen werden müssen, die ihre Ursache in den vorderen Augenabschnitten haben. Eine augenärztliche bzw. orthoptische Untersuchung zumindest der wichtigsten ophthalmologischen Funktionen gehört deshalb auch bei Patienten mit zerebral bedingten Sehstörungen unbedingt zum diagnostischen Programm.

7.2 Zerebral bedingte Gesichtsfeldstörungen

Gesichtsfeldstörungen sind vermutlich die häufigsten Sehstörungen nach Hirnschädigung. Aufgrund der anatomischen Projektion der nasalen und temporalen Retinahälften zur primären Sehrinde (Area striata, area 17 nach Brodmann), die eine relativ genaue Repräsentation des Gesichtsfelds enthält, ist das Sehen bei Patienten mit postchiasmatischer Schädigung (d. h., die Läsion liegt hinter der Sehner-

105

venkreuzung) in jeweils einander entsprechenden (d.h. homonymen) Gesichtsfeldbereichen sowohl des rechten als auch des linken Auges betroffen. Eine linksseitige postchiasmatische Schädigung führt also zu einem Ausfall im Bereich beider rechter Gesichtsfeldhälften, eine rechtsseitige Läsion im Bereich beider linker Gesichtsfeldhälften.

In der Regel weist der betroffene Gesichtsfeldbereich keine Sehleistungen mehr auf (absoluter Gesichtsfeldausfall). Der Schweregrad der durch einen Gesichtsfeldausfall bedingten Behinderung hängt im wesentlichen vom verbliebenen Restgesichtsfeld auf der betroffenen Seite ab: sind nur wenige Sehwinkelgrade (°) ausgespart, so führt dies häufig zu einer deutlichen Beeinträchtigung des Lesens (sog. hemianopische Lesestörung; vgl. 7.6.2); die visuelle Exploration ist meist ebenfalls sehr beeinträchtigt (vgl. 7.4). In manchen Fällen ist jedoch die Lichtwahrnehmung zumindest teilweise erhalten, während Form- und Farbwahrnehmung im betroffenen Bereich fehlen (zerebrale Amblyopie). Schließlich bleibt noch zu erwähnen, daß in manchen Fällen nur die Farbwahrnehmung in einem Halbfeld ausgefallen ist, während Licht- und Formwahrnehmung unbeeinträchtigt sind.

Gesichtsfeldstörungen können quantitativ mit Hilfe perimetrischer Meßverfahren bestimmt werden. Üblicherweise werden in der perimetrischen Standarddiagnostik jedoch meist nur die Gesichtsfeldgrenzen für die Entdeckung von Lichtreizen unterschiedlicher Größe und Leuchtdichte bestimmt. Diese Vorgehensweise erlaubt zwar die Feststellung und Vermessung von Gesichtsfeldausfällen; zerebral amblyope Bereiche bzw. Farbhemianopsien können jedoch damit nicht erfaßt werden. Der Nachweis dieser beiden Gesichtsfeldstörungen erfordert den Einsatz spezieller perimetrischer Verfahren: der Farb- und Formperimetrie. Eine ausführliche Darstellung und Würdigung der verschiedenen perimetrischen Verfahren findet sich in Zihl u. von Cramon (1986 a).

Der Nachweis vollständiger zerebraler Blindheit (d.h. Verlust des Sehens im gesamten Gesichtsfeldbereich) erfolgt meist mit Hilfe des visuell evozierten Potentials (VEP). Dabei wird die durch Reizung mit einem Schwarzweißmuster (Schachbrett, Streifen) ausgelöste elektrophysiologische Antwort über dem okzipitalen Kortex (Oz nach dem 10–20-System) aufgezeichnet und für diagnostische Zwecke ausgewertet. Die Höhe und Güte der Amplitude der ersten positiven Welle (P1 oder P100), die etwa 100 ms nach Reizung auftritt, wird als Maß für die räumliche Auflösung und damit als Korrelat der Sehschärfe herangezogen, während die Latenz dieser Welle Hinweise auf die Leitungsgeschwindigkeit zwischen Netzhaut und visuellem Kortex gibt (Näheres zur Methode s. Diener 1982). Wenn man das VEP als Diagnostikum für zerebrale Blindheit heranzieht, so sollte man jedoch bedenken, daß zwar das Fehlen der charakteristischen elektrophysiologischen Antwort ein sicherer Indikator ist, daß aber in Fällen mit noch geringfügig erhaltenen (kortikalen) Funktionsresten das VEP auf Musterreize – zumindest hinsichtlich der Amplitude – nahezu normal sein kann (Celesia et al. 1982; Zihl u. von Cramon 1986a). Es wäre jedoch falsch anzunehmen, solche Patienten würden noch „sehen" können; sie besitzen nämlich weder einen meßbaren Visus noch verfügen sie über eine Lichtwahrnehmung. Der Nachweis eines nahezu normalen VEPs auch nach Musterreizung läßt also nicht immer einen sicheren Rückschluß auf tatsächlich noch vorhandene Sehleistungen zu.

7.2.1 Homonyme Gesichtsfeldausfälle

Abbildung 7.1 zeigt die wichtigsten unilateralen und bilateralen homonymen Gesichtsfeldausfälle. In Abhängigkeit von der Ätiologie finden sich (in Friedenszeiten) meist vollständige Ausfälle; Hemianopsien und Quadrantenanopsien (die häufig auch auf den anderen Quadranten des gleichen Halbfeldes übergreifen) überwiegen, während z.B. parazentrale Skotome eher selten sind.

Tabelle 7.1 zeigt eine Übersicht über die Häufigkeit von homonymen Gesichtsfeldeinbußen bei einer Gruppe von 385 Patienten. Die häufigste Ursache für den Gesichtsfeldverlust wa-

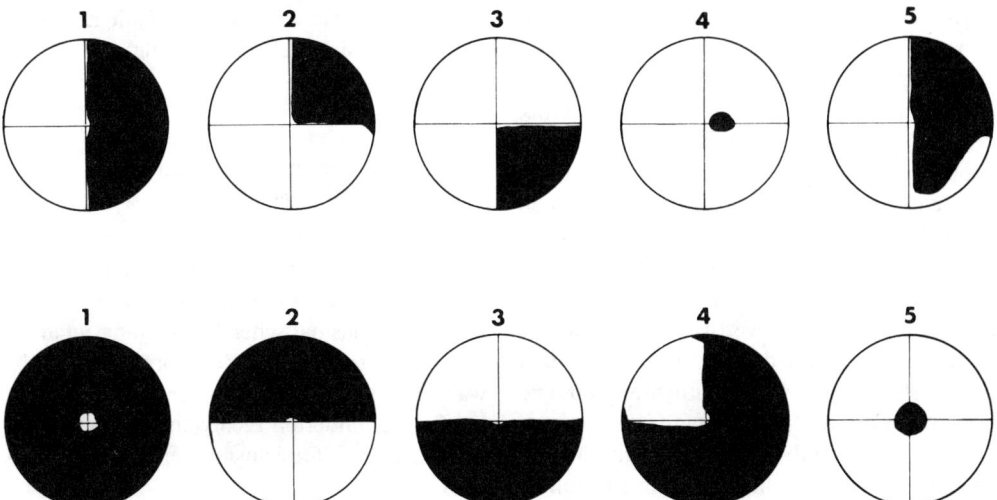

Abb. 7.1 a, b. Übersicht über die häufigsten homonymen Gesichtsfeldverluste. **a** einseitige Ausfälle (dargestellt für das rechte Halbfeld). *1* Hemianopsie, *2* Quadrantenanopsie oben, *3* Quadrantenanopsie unten, *4* parazentrales Skotom, *5* Hemianopsie mit Erhalt des temporalen Halbmondes im rechten unteren Quadranten. **b** Beidseitige Ausfälle. *1* röhren- förmiges Gesichtsfeld (auch „beidseitige" Hemianopsie), *2* Quadrantenanopsie oben (auch „obere" Hemianopsie), *3* Quadrantenanopsie unten (auch „untere" Hemianopsie), *4* rechtsseitige Hemianopsie und Verlust des linken unteren Quadranten, *5* Zentralskotom (Verlust des Sehens im zentralen Gesichtsfeldbereich)

Tabelle 7.1. Häufigkeit homonymer Gesichtsfeldausfälle, Restgesichtsfeld und Ätiologie in einer Gruppe von 385 Patienten

Art der Gesichtsfeldeinbußen	n	[%]		
Einseitige Ausfälle	363	94		
Beidseitige Ausfälle	22	6		
Hemianopsien	277	77		
Quadrantenanopsien oben	38	10		
Quadrantenanopsien unten	33	9		
parazentrale Skotome	15	4		
Restgesichtsfeld (in Sehwinkelgraden)	< 2	2–4	5–10	> 10
Hemianopsien [%]	27	47	17	9
Quadrantenanopsien [%]	13	37	34	16
Parazentrale Skotome [%]	33	47	20	00
Gesamt [%]	24	45	21	10
Ätiologie	[%]			
Infarkte	65			
Blutungen	13			
Schädel-Hirn-Traumen	11			
Okzipitale Tumoren (nach operativer Entfernung)	5			
Chronische zerebrale Hypoxien	3			
Sonstige Ursachen	3			

ren Infarkte in den Versorgungsgebieten der hinteren und mittleren Hirnarterien (einschließlich der Posterior-Media-Grenzzoneninfarkte); die häufigste Hirnschädigung war die einseitige „posteriore" Hirnschädigung. Wie auch in anderen Übersichten (Trobe et al. 1973; Vliegen u. Koch 1974) stellen Hemianopsien das Hauptsymptom dar; das Restgesichtsfeld beträgt beim Großteil der Patienten (knapp 70%) nicht mehr als 4°. Diese Patientengruppe weist in der Regel die bereits erwähnte „hemianopische" Lesestörung auf. Diese Störung des Lesens ist dadurch gekennzeichnet, daß das gleichzeitige Erfassen von Wortteilen, wie es beim ungestörten Lesen der Fall ist, nicht mehr möglich ist, da aufgrund des kleinen Restgesichtsfelds der zur Verfügung stehende Überblick zu gering ist. Die Reduzierung des Überblicks kann sich natürlich auch auf die Wahrnehmung von Bildern und Szenen auswirken und zumindest deren genaue Erfassung beeinträchtigen (vgl. 7.5.1). Die Einschränkung des Überblicks durch Gesichtsfeldeinbußen bedingt in der Regel auch eine Reduzierung der visuellen Exploration.

Berücksichtigt man diese beiden Hauptkategorien von Sehbehinderung, die durch homonyme Gesichtsfeldausfälle bedingt sind, so ist die Gruppe der betroffenen Patienten relativ groß. Nur 9% der Patienten mit homonymer Hemianopsie und etwa 15% der Patienten mit Quadrantenanopsie (Gesamtgruppe: 10%) weisen nämlich ein Restgesichtsfeld von mehr als 10° auf und dürften damit über einen vermutlich ausreichenden Überblick und eine unbeeinträchtigte Exploration verfügen. Die gesamte übrige Gruppe zeigt dagegen eine durch den Gesichtsfeldausfall meist deutlich ausgeprägte Behinderung, weil die spontan eingesetzten Augen- und Kopfbewegungen nicht ausreichen, um den fehlenden Gesichtsfeldausfall zu kompensieren (vgl. 7.4). Bei manchen Patienten ist der sog. temporale Halbmond (d.h. der monokuläre Anteil der temporalen Gesichtsfeldperipherie jenseits von etwa 50° im linken oder rechten Halbfeld; vgl. Abb.7.1) vollständig oder teilweise erhalten. Je nach Ausdehnung und Leistung dieses Bereichs kann er einen wertvollen Beitrag zur besseren visuellen Orientierung auf der betroffenen Seite leisten (Poppelreuter 1917; Zihl u. von Cramon 1986a).

Das Ausmaß des Restgesichtsfelds ist also von entscheidender Bedeutung für die Behinderung des Patienten vor allem beim Lesen. Es ist in der Literatur mehrfach behauptet worden, daß nach einseitiger postchiasmatischer Hirnschädigung auch das foveale Gesichtsfeld (d.h. der Bereich bis zu 1° Exzentrizität auf beiden Seiten) auf der betroffenen Seite verloren geht („foveal splitting"). Sowohl klinische (z.B. Huber 1962) als auch tierexperimentelle Befunde (z.B. Bunt et al. 1977) haben jedoch ergeben, daß zumindest das foveale Gesichtsfeld nach einseitiger Schädigung in jedem Falle erhalten bleibt. Auch unter den in Tabelle 7.1 zusammengefaßten Patienten fand sich keiner mit einem Verlust des fovealen Gesichtsfeldes. Allerdings bleibt anzumerken, daß zu einer genauen Bestimmung des Restgesichtsfelds ein Perimeter mit entsprechender räumlicher Auflösung sowie eine zuverlässige Meßmethode erforderlich sind (letzteres gilt vor allem hinsichtlich der Kontrolle von Fixa-

tion und Aufmerksamkeit des Patienten während der Gesichtsfeldbestimmung).

7.2.2 Störungen der Farb- und Formwahrnehmung in homonymen Gesichtsfeldbereichen

Neben dem vollständigen Verlust aller Sehleistungen in einem Gesichtsfeldbereich kann es nach postchiasmatischer Schädigung auch zu einer Beeinträchtigung der Form- und Farbwahrnehmung - bei erhaltener, wenn auch häufig verminderter Lichtwahrnehmung - in homonymen Gesichtsfeldbereichen kommen.

Poppelreuter (1917) hat solche Bezirke als „amblyop" bezeichnet; dieser Bezeichnung haben wir den Zusatz „zerebral" gegeben (vgl. Zihl u. von Cramon 1986a), um diese Art der Störung von der in der ophthalmologischen Literatur üblichen Verwendung abzuheben (vgl. z.B. bei Hollwich 1982, S.289). Abbildung 7.2 zeigt Beispiele für eine nahezu komplette und eine unvollständige homonyme Hemiamblyopie. Es bleibt anzumerken, daß gelegentlich auch nur ein Quadrant von dieser Amblyopie betroffen sein kann. Für die Untersuchung solcher Gesichtsfeldbereiche gilt, daß bewegte bzw. flickernde Reize bei gleichem Kontrast besser entdeckt werden können als ruhende Gegenstände.

Über die Häufigkeit des Auftretens homonymer Hemiamblyopien ist wenig bekannt, weil diese Form der Gesichtsfeldstörung bei der üblichen perimetrischen Untersuchung in der Regel unentdeckt bleibt. Eigene Untersuchungen in einem Zeitraum von 2 Jahren (1985-1986) ergaben 24% amblyopische Gesichtsfelddefekte in der Gesamtgruppe von 158 Fällen mit homonymen Gesichtsfeldstörungen; davon betrafen nur 4 (13%) beide Gesichtsfeldhälften, während der Rest der Störungen (27 Fälle) sich auf ein Halbfeld beschränkte. Das Restgesichtsfeld betrug in knapp der Hälfte der Fälle (48%) weniger als 4°. Unter den Ätiologien fanden sich zerebrovaskuläre Ursachen ebenso wie traumatische Hirnschädigungen. Auch die chronische zere-

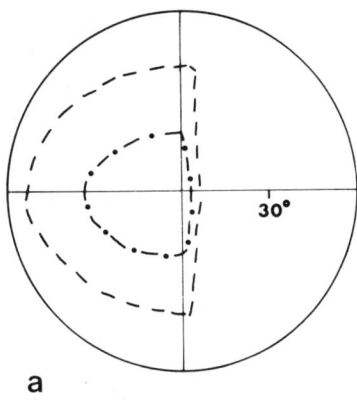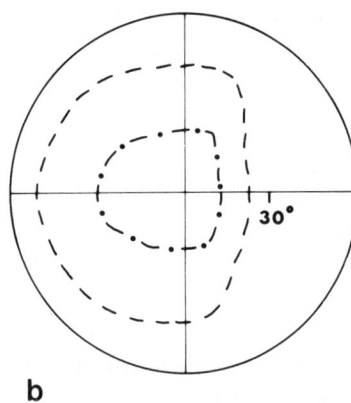

a   b

Abb. 7.2 a, b. Kompletter (**a**) bzw. inkompletter (**b**) homonymer Verlust der Farb- (− −) und Formwahrnehmung (−•−) im rechten Halbfeld

brale Hypoxie kann zu solchen Gesichtsfeldstörungen führen.

Wie bereits früher angedeutet, hängt die Behinderung bei Patienten mit dieser Gesichtsfeldstörung – ebenso wie der homonymen Hemianopsie – vom ausgesparten Restgesichtsfeld für Form und Farbe ab. Patienten mit einem Verlust der Formwahrnehmung jenseits von 2–3° weisen in der Regel die gleiche Behinderung beim Lesen auf wie solche mit einer homonymen Hemianopsie und einem geringen Restgesichtsfeld (vgl. 7.6.1). Außerdem kann sich die zerebrale Hemiamblyopie auch auf die visuelle Exploration auswirken: Patienten mit gut erhaltener Lichtempfindlichkeit können optische Reize, die auf dieser Seite auftauchen, noch sicher entdecken und lokalisieren, während eine hochgradig verminderte Lichtempfindlichkeit dazu führt, daß optische Reize unterhalb einer bestimmten Größe und mit zu geringem Kontrast zum Hintergrund nicht mehr entdeckt werden können. Großflächige Reize werden häufig nur noch als „Schatten" bemerkt, was die Patienten meist sehr irritiert. Eine komplette zerebrale Hemiamblyopie mit zusätzlich deutlich reduzierter Lichtwahrnehmung ist daher in ihrer Auswirkung auf die Sehbehinderung des betroffenen Patienten praktisch einer Hemianopsie mit entsprechend geringerem Restgesichtsfeld gleichzusetzen.

Eine seltenere Form der Gesichtsfeldstörung ist der Verlust der Farbwahrnehmung in einem Halbfeld oder einem Quadranten bei erhaltener Licht- und Formwahrnehmung. (Zur Störung der fovealen Farbwahrnehmung s. 7.3.3). Lenz (1905, 1909) fand einen Anteil von etwa 6% Patienten mit einer Hemiachromatopsie in einer Gruppe von 81 Patienten mit unilateraler postchiasmatischer Hirnschädigung. Ebenso wie die Hemiamblyopie kann auch der Verlust der Farbwahrnehmung im Gesichtsfeld nur mit Hilfe einer besonderen perimetrischen Untersuchungsmethode entdeckt und bestimmt werden (zur Farbperimetrie s. Zihl u. Mayer 1981; Zihl u. von Cramon 1986a).

Die Untersuchung der Form- und Farbwahrnehmung im Gesichtsfeld ist immer dann angezeigt, wenn die Lichtsinnesperimetrie keinen (oder keinen ausreichenden) Befund ergibt, der die vom Patienten berichtete bzw. im Alltag beobachtbare Sehbehinderung erklären könnte.

7.3 Beeinträchtigungen „elementarer" Sehleistungen

7.3.1 Hell- und Dunkeladaptation

Störungen der Hell- Dunkeladaptation nach Hirnschädigung sind wiederholt beschrieben worden (vgl. Best 1917; Pötzl 1928; Ullrich 1943; Teubner et al. 1960). Patienten mit dieser Störung berichten entweder über ein seit Eintreten ihrer Erkrankung vorhandenes gesteigertes Blendungsgefühl bzw. ein „Dunkelsehen", d.h. sie benötigen deutlich mehr Licht als früher, um z.B. Schrift ausreichend klar sehen zu können. Das gesteigerte Blendungsgefühl ist mit der Störung der Helladaptation, das „Dunkelsehen" mit der Beeinträchtigung der Dunkeladaptation assoziiert. Besonders betroffen sind Patienten, bei denen Hell- und Dunkeladaptation ausgefallen sind, da die für sie angenehme (weil keine Blendung verursachende) Beleuchtung beim Lesen oder bei visuellen Tätigkeiten, die einen hohen Kontrast erfordern, zu gering ist; die optische Vorlage erscheint zu „dunkel". Solche Patienten hatten prämorbid keine gesteigerte Blendungsempfindlichkeit bzw. Nachtblindheit. Das Tragen einer Sonnenbrille sowie die Verwendung eines Dimmers zur stufenlosen Regelung der Beleuchtung vor allem beim Lesen kann in solchen Fällen zu einer einigermaßen akzeptablen Anpassung an diese Störung führen, die – wie eine Nachkontrolle in einigen Fällen ergab – auch Jahre nach Auftreten des Hirninfarkts unverändert bestehen bleiben kann.

In einer Gruppe von 53 Patienten, die entweder über ein Blendungsgefühl klagten oder angaben, sie bräuchten zum Lesen mehr Licht als früher, fand sich bei 34 (64%) eine Störung der Hell- und/oder Dunkeladaptation. Der Großteil dieser Patienten (74%) wies eine Einbuße beider Adaptationsleistungen auf; bei 7 Patienten war nur die Helladaptation, in 2 Fällen nur die Dunkeladaptation ausgefallen.

Die berichteten Störungen der Hell- und Dunkeladaptation können sowohl nach unilateraler (links- wie rechtsseitiger) als auch nach bilateraler postchiasmatischer Hirnschädigung auftreten. Hinsichtlich der Ätiologie ergibt sich noch kein klares Bild, auch wenn Infarkte im Bereich der hinteren Hirnabschnitte mit 65% den höchsten Anteil stellen.

Interessant ist noch, daß Patienten mit einer Störung der Hell- und Dunkeladaptation im Vergleich zu unbeeinträchtigten Versuchspersonen tatsächlich auch einen anderen Beleuchtungsbereich beim Lesen wählen. Als „angenehmen" Bereich empfanden sie eine Beleuchtungsstärke zwischen 70 und 110 Lux, wobei 130 Lux bereits eindeutig „zu hell" und blendend eingeschätzt wurden, 110 Lux aber zum Lesen als gerade eben hell genug akzeptiert wurden. Als „zu dunkel" wurden 30 Lux bezeichnet. Im Vergleich dazu beurteilten 10 Versuchspersonen ohne Beeinträchtigung der Hell-Dunkel-Adaptation 130 Lux als „zu dunkel". Als „angenehme" Beleuchtung wurde von Normalpersonen ein Bereich zwischen 450 und 650 Lux angegeben (Durchschnitt: 500 Lux), während Werte über 800 Lux allgemein als „zu hell" beurteilt wurden. Die Auswirkungen einer gestörten Hell-Dunkel-Adaptation scheinen sich also relativ eindeutig auf die Wahl der Beleuchtungsstärke beim Lesen niederzuschlagen, wobei sich wohl der Verlust der Helladaptation subjektiv – vermutlich wegen der häufig damit verbundenen unangenehmen, zum Teil auch vegetativen Begleiterscheinungen (Kopfschmerzen, Benommensein usw.) – deutlicher bemerkbar macht und für den Patienten die größere Behinderung darstellt. Die „Objektivierung" der vom Patienten angegebenen Beschwerden erscheint vor allem auch deshalb wichtig, um in den Therapiesitzungen die richtigen Beleuchtungsverhältnisse wählen zu können bzw. die mit der Adaptationsstörung verbundenen unangenehmen Begleiterscheinungen in Grenzen zu halten, da sich diese Begleitsymptome auf die Belastbarkeit und Motivation des Patienten sehr negativ auswirken können. Dies gilt auch für die Situation zu Hause oder am Arbeitsplatz; eine entsprechende Beratung ist in all diesen Fällen erforderlich.

7.3.2 Sehschärfe

Eine pathologische Beeinträchtigung der Sehschärfe (hier ist vor allem die Nahsehschärfe gemeint, die eine viel wesentlichere Rolle für die meisten „visuellen Tätigkeiten" spielt als die Fernsehschärfe) als direkte Folge einseitiger postgenikulärer Schädigung ist bisher nicht beschrieben worden. Allerdings kann eine Schädigung im Bereich des Tractus opticus (d.h. des Abschnitts zwischen Sehnervenkreuzung und seitlichem Kniehöcker, Corpus geni-

110

culatum laterale) zu einer Visuseinbuße auf dem Auge ipsilateral zur Seite der Schädigung oder sogar auf beiden Augen führen (Savino et al. 1978; Frisèn 1980).

Gesichtsfeldstörungen

Die Sehschärfe hängt nicht vom Ausmaß der Gesichtsfeldaussparung im betroffenen Halbfeld ab, wie Lenz (1909) und Huber (1960) zeigen konnten. Allerdings muß hinzugefügt werden, daß Patienten mit einem sehr kleinen Restgesichtsfeld (z. B. bei Erhalt nur des fovealen Gesichtsfeldanteils) häufig Schwierigkeiten haben, das zu erkennende Prüfzeichen zu finden und sicher zu fixieren, da vor allem komplexere Prüfzeichen (Zahlen, Wörter) aufgrund des zu geringen Restgesichtsfelds nicht vollständig erfaßt werden können. Zusätzlich können aber auch andere Faktoren den Visus beeinträchtigen: z. B. eine reduzierte Kontrastwahrnehmung oder eine rasche optische Ermüdbarkeit, die zum „Verschwommensehen" führen kann (vgl. unten).

Eine bilaterale postchiasmatische Schädigung kann, muß aber nicht eine Verminderung der Sehschärfe bedingen; dies hängt vermutlich vom Schweregrad der Schädigung ab. Eine Herabsetzung ist vor allem dann zu erwarten, wenn die fovealen Sehnervenfasern beidseits der postchiasmatischen Schädigung betroffen sind (vgl. Frisèn 1980). Darüber hinaus gilt auch im Fall einer beidseitigen Gesichtsfeldstörung, daß nicht die Größe des verbliebenen Restgesichtsfelds, sondern sein „Leistungszustand" maßgeblich für die erhaltene Sehschärfe ist (vgl. Förster 1980; Pöppel et al. 1978).

Störung der Fixation

Ein Problem besonderer Art kann die Bestimmung der Sehschärfe bei Patienten darstellen, die eine chronische zerebrale Hypoxie erlitten haben. In manchen Fällen ist die Steuerung der Blickbewegungen (ohne Vorliegen einer primären okulomotorischen Störung) so schwer beeinträchtigt, daß solche Patienten z. B. ihren Blick nicht ausreichend genau auf den Reiz zu richten vermögen, den sie erkennen sollen. Der dadurch bedingte „Lokalisationsfehler" kann bis zu 5° und mehr betragen. Damit aber wird das Prüfzeichen in der Gesichtsfeldperipherie abgebildet und nicht im Gesichtsfeldzentrum, der Stelle der höchsten Sehschärfe. Entsprechend niedrig ist auch die bestimmbare Sehschärfe. Eine Verbesserung der okulomotorischen Lokalisation und damit auch der Fixation führt dann häufig auch zu einer Zunahme der Sehschärfe, weil das Prüfzeichen nun näher zum Gesichtsfeldzentrum bzw. tatsächlich foveal abgebildet werden kann. Das visuell evozierte Potential kann bei solchen Patienten - trotz der gestörten Ausrichtung der Fixation auf den Reiz - relativ gut ausgeprägt sein. Dies ist jedoch vermutlich darauf zurückzuführen, daß es sich beim VEP um einen vergleichsweise großen Flächenreiz handelt, der keine exakte und stabile Fixation erfordert (Zihl u. von Cramon 1986a).

Störung der Kontrastauflösung

Bodis-Wollner u. Diamond (1976) haben bei einer Gruppe von 35 Patienten mit meist unilateraler postchiasmatischer Hirnschädigung die räumliche Kontrastauflösung untersucht. Diese Sehleistung wird so bestimmt, daß die Versuchspersonen ein periodisches schwarzweißes Streifenmuster mit jeweils verschiedener räumlicher Streifendichte von einem homogenen Hintergrund unterscheiden müssen. Als Maß für die räumliche Auflösung dient der für eine richtige Diskrimination notwendige minimale Kontrast zwischen den weißen und schwarzen Streifen. Obwohl die Mehrzahl der Patienten normalen Nahvisus (bestimmt mit Snellen-Prüfzeichen) besaß, klagten viele von ihnen über Schwierigkeiten vor allem beim Lesen, weil die Buchstaben „unscharf erscheinen" oder gar „verschwimmen". Tatsächlich wiesen diese Patienten eine pathologische Reduzierung der räumlichen Kontrastauflösung auf, so daß die Vermutung naheliegt, daß diese Sehstörung eine der Ursachen für das Symptom des „Verschwommensehens" nach Hirnschädigung darstellen könnte. Es gibt jedoch bis jetzt noch keinen standardisierten klinischen Test zur Untersuchung der Kontrastauflösung bei Patienten mit Hirnschädigung. Ein Test, der empfohlen werden kann, ist der „Cambridge Low Contrast Gratings Test (vgl. Della Sala et al. 1985), der einfach und ökonomisch in der Durchführung ist und sich deshalb für die Untersuchung hirngeschädigter Patienten eignet. Allerdings gibt es auch für diesen Test noch keine Normwerte.

Zeitliche Instabilität des Sehens

Ein weiterer Faktor, der zum „Verschwommensehen" führen kann, ist die zeitliche Instabilität der visuellen Wahrnehmung. Dabei erscheinen die Konturen von Gegenständen oder Zeichen für kurze Zeit (Sekunden bis Minuten) scharf und klar, werden dann aber undeutlich und verschwimmen; in manchen Fällen „verschwinden" die Konturen auch völlig. Bei kurzzeitiger (z. B. tachistoskopischer) Darbietung zeigen solche Patienten deshalb eine deutlich bessere Erkennensleistung. Die beschriebene Sehstörung ist von Pötzl (1928) als „zerebrale Asthenopie" bezeichnet worden; Gloning et al. (1962) haben ihr den Namen „gesteigerte optische Ermüdbarkeit" gegeben. Sie kann sowohl nach ein- als auch nach beidseitiger Hirnschädigung auftreten; als Ätiologie kommen zerebrovaskuläre und traumatische Ursachen in Frage (Gloning et al. 1968; Franceschetti u. Klingler 1943). Über die Häufigkeit des Auftretens liegen keine verläßlichen Werte vor; Gloning et al. (1968) fanden in ihrer Gruppe von 241 Fällen 30% mit Störungen dieser Art. In einer eigenen Gruppe von 215 Patienten mit postgenikulärer Schädigung gaben etwa ein Viertel die beschriebene Störung an. Interessant ist dabei, daß nur 10% aller Patienten mit zerebrovaskulärer Schädigung, aber nahezu die Hälfte der Patienten mit gedecktem Schädel-Hirn-Trauma diese Störung aufwies (Zihl u. von Cramon 1986b). Allerdings handelt es sich dabei wohl nur um solche Patienten, bei denen diese Form der Fluktuation beim Lesen sehr rasch auftrat und sich deshalb auch subjektiv als relativ klar erlebbare Behinderung auswirkte; wie häufig diese Sehstörung bei längerdauernder Bela-

stung (z. B. 15–20 min Lesen) auftreten mag, bleibt offen. Um so wichtiger erscheint es jedoch, Sehleistungen nicht nur unter dem Aspekt kurzfristiger Verfügbarkeit, sondern auch unter längerfristiger Beanspruchung zu testen, um Informationen über die Belastbarkeit des Patienten zu gewinnen. Zur Objektivierung dieser Störung eignet sich die Ableitung des visuell evozierten Potentials bei Musterreizung, wobei – in Abweichung von der üblichen Vorgehensweise – die elektrophysiologische Antwort über einen längeren Zeitraum visueller Stimulation (z. B. 4 min) in regelmäßigen Abständen (z. B. alle 16 s) abgeleitet wird (s. Zihl u. von Cramon 1986a). Unter solchen Untersuchungsbedingungen tritt eine deutliche Instabilität der Amplituden der ersten positiven Welle auf, die als Korrelat der berichteten Schwankungen der Sehleistung beim Lesen interpretiert werden kann (vgl. auch Zihl u. von Cramon 1986b).

7.3.3 Farbsehen

Für eine auch im Alltag wirksame Beeinträchtigung des Farbsehens bzw. den Verlust der Farbwahrnehmung bedarf es – soweit bisher bekannt – einer bilateralen Hirnschädigung. Die resultierende „zerebrale Achromatopsie" reicht dabei von der Einbuße der Wahrnehmung von feineren Farbtönen (Verschlechterung der Farbtondifferenzierung) bei Erhalt der Wahrnehmung und Unterscheidung der Hauptfarben bis hin zum völligen Verlust der Fähigkeit, Farben wahrzunehmen; die Welt erscheint nur noch „wie in einem Schwarzweißfernseher". Natürlich wirkt sich eine derartige Beeinträchtigung bzw. gar der Verlust der Farbwahrnehmung auch auf die Objektwahrnehmung (wenn Farben kritische Merkmale darstellen) sowie auf die Benutzung von Farbbegriffen aus. Die zerebrale Achromatopsie ist häufig begleitet von Gesichtsfeldverlusten im Bereich der oberen Quadranten (vgl. Meadows 1974). Jedoch kann auch eine einseitige „posteriore" Hirnschädigung zu einer Beeinträchtigung des Farbensehens führen (vgl. Poppelreuter 1917; Zihl u. Mayer 1981).

Die resultierende Einbuße an Farbunterscheidung läßt sich jedoch nur mit Hilfe eines geeigneten Farbtests nachweisen, der die Fähigkeit zur Farbtonunterscheidung sensitiv genug prüft, ohne daß zusätzliche Hinweisreize (unterschiedliche Sättigung; farbige Formen) das Ergebnis beeinträchtigen können. Diese Voraussetzungen erfüllt der Farbtest von Farnsworth (1943), kurz FM-100 (Farnsworth-Munsell-100-hue-Test) genannt. Dieser Test besteht aus 85 Farbproben gleicher Helligkeit und Sättigung. Die Untersuchung sollte möglichst unter standardisierten Beleuchtungsbedingungen erfolgen (gute Tageslichtbedingungen oder Typ-C-Beleuchtung: etwa 6500° K bei einer Beleuchtungsstärke von 100–200 Lux; vgl. Verriest et al. 1982). Die Aufgabe der Versuchsperson besteht darin, die einzelnen Farbproben ihrem Ton entsprechend in eine Reihe zu bringen, wobei der gesamte Test in 4 Bereiche gegliedert ist. Vergleichsdaten wurden von Verriest et al. (1982) erhoben und von Han u. Thompson (1983) für den klinischen Gebrauch normiert. Beeinträchtigungen der Farbtonunterscheidung in diesem Test wurden u.a. von Lhermitte et al. (1969), Scotti u. Spinnler (1970) und Zihl u. Mayer (1981) berichtet. Während Lhermitte et al. und Zihl u. Mayer keine signifikanten Differenzen zwischen Patienten mit links- und rechtshemisphärischer Schädigung fanden, beschrieben Scotti u. Spinnler (1970) ein Überwiegen der Fehler bei Patienten mit rechtshemisphärischer Schädigung. Aufgrund dieser Ergebnisse schlossen die Autoren, daß die rechte Hemisphäre eine „Dominanz" für die Analyse von Farbinformation aufweist. Die meisten dieser Patienten wiesen jedoch auch einen linksseitigen Gesichtsfeldverlust auf.

Spätere Untersuchungen haben gezeigt, daß der Ausfall der linken Gesichtsfeldhälfte zu einer Fehlerzunahme im FM-100 führen kann, wenn das Restgesichtsfeld keinen ausreichenden simultanen Überblick zuläßt (vgl. Zihl u. von Cramon 1986a; Roth 1986). Bei der Durchführung des Tests ist darauf zu achten, daß Patienten mit linksseitigem Gesichtsfeldausfall die Farben nicht wie üblich von links nach rechts, sondern von rechts nach links an-

ordnen (Abb.7.3). Der reduzierte Überblick links würde sonst zu zusätzlichen Fehlern führen, die eine echte Einbuße in der Farbtondifferenzierung jedoch nur vortäuschen. Erst wenn auch bei der Testrichtung von rechts nach links ein gegenüber der vergleichbaren Altersgruppe signifikant schlechteres Ergebnis vorliegt, kann eine „echte" Störung der Farbtonunterscheidung diagnostiziert werden.

7.3.4 Raumsehen

In diesem Abschnitt sollen die wichtigsten bekannten Störungen der visuellen Raumwahrnehmung dargestellt werden; Störungen von Raumoperationen bzw. des Raumkonzepts sind in Kap. 12 beschrieben.

Visuelle Lokalisation und Tiefensehen

Störungen der *visuellen Lokalisation* sind für alle drei Hauptraumachsen (Waagrechte, Senkrechte, Tiefenachse) beschrieben worden. Reize auf der Horizontal- und Vertikalachse werden hinsichtlich ihrer Entfernung trotz korrekter Fixation meist systematisch unterschätzt (Poppelreuter 1917; Holmes 1918; Ratcliff u. Davies-Jones 1972). Gesichtsfeldausfälle scheinen dabei keinen wesentlichen Einfluß zu haben. Patienten mit unilateraler Hirnschädigung zeigen meist nur im Halbfeld kontralateral zur geschädigten Seite Einbußen in der visuellen Lokalisation; bei bilateraler Schädigung kann jedoch das gesamte Gesichtsfeld betroffen sein. Beeinträchtigungen der Tiefenlokalisation (in Blickrichtung geradeaus) im Sinne einer Unter- oder Überschätzung der Entfernung eines Reizes bzw. der Abstände zwischen zwei Reizen sind bei Patienten mit ein- und mit beidseitiger „posteriorer" Hirnschädigung beschrieben worden, wobei die Störung nach beidseitiger Hirnschädigung deutlicher ausgeprägt ist (Anton 1899; Pick 1901; Zihl u. von Cramon 1986a). Auch diese Störung des Raumsehens scheint nicht vom Restgesichtsfeld abhängig zu sein (Poppelreuter 1917; Holmes 1918; Birkmayer 1951). Eine Beeinträchtigung der visuellen Lokalisation wirkt sich vorwiegend auf die Einschät-

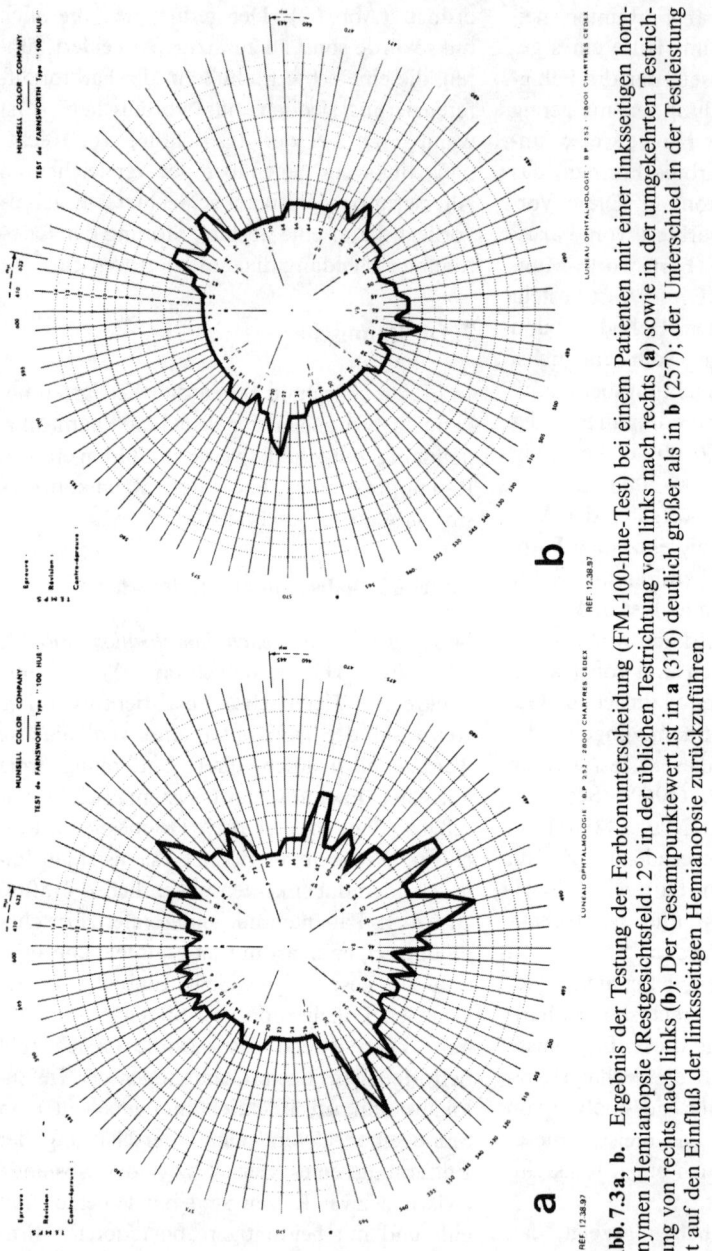

Abb. 7.3a, b. Ergebnis der Testung der Farbtonunterscheidung (FM-100-hue-Test) bei einem Patienten mit einer linksseitigen homonymen Hemianopsie (Restgesichtsfeld: 2°) in der üblichen Testrichtung von links nach rechts (**a**) sowie in der umgekehrten Testrichtung von rechts nach links (**b**). Der Gesamtpunktewert ist in **a** (316) deutlich größer als in **b** (257); der Unterschied in der Testleistung ist auf den Einfluß der linksseitigen Hemianopsie zurückzuführen

zung von Abständen aus. Davon sind vor allem motorische Aktivitäten betroffen, die von der Genauigkeit dieser Sehleistung abhängen, z. B. Greifbewegungen oder Treppensteigen (Poppelreuter 1917).

Für die Untersuchung der visuellen Lokalisa-

tion gibt es keine Standardverfahren. In der Regel werden zwei Reize in unterschiedlicher Entfernung angeboten, die von der Versuchsperson hinsichtlich ihres Abstands verglichen werden sollen (vgl. Poppelreuter 1917; Zihl u. von Cramon 1986a). Es ist dabei wichtig, daß keine Zusatzinformation aus der Umgebung der Versuchsperson diese Schätzungen erleichtert, da das Defizit sonst unentdeckt bleiben kann. Deshalb ist es ratsam, diese Untersuchung in einem möglichst leeren oder in einem verdunkelten Raum durchzuführen.

Eine geringgradige Beeinträchtigung des *Tiefensehens*, wie sie nach unilateraler Hirnschädigung beobachtet werden kann, scheint sich kaum auf die perspektivische und plastische Wahrnehmung von Objekten, Gesichtern oder Bildern auszuwirken. Ein völliger Verlust des Tiefensehens führt jedoch dazu, daß alles „flach" erscheint; die Perspektive in der Natur und auf Bildern ist verloren gegangen (Holmes u. Horrax 1919; Faust 1947; Michel et al. 1965). Dies kann zur Folge haben, daß Objekte wie Flächen erscheinen, ein Würfel als Sechseck usw. (Gloning 1965). Manchmal ist diese Störung des Tiefensehens auch mit einer Veränderung der wahrgenommenen Größe von Objekten verbunden; sie erscheinen dann – in Abhängigkeit von der Über- bzw. Unterschätzung der Entfernung – entweder zu klein (Mikropsie) oder zu groß (Makropsie; Holmes u. Horrax 1919; Gloning 1965).

Beeinträchtigungen des binokulären Tiefensehens können mit stereoskopischen Tests erfaßt werden, die auch eine Bestimmung der Stereosehschärfe ermöglichen. Der Titmus-Test enthält als Reizvorlage eine Fliege, die bei stereoskopischer Betrachtung (mit einer speziellen Brille) plastisch gesehen werden muß, sowie Ringe, die zu ihrer plastischen Wahrnehmung zunehmend mehr Stereosehschärfe erfordern. Der TNO-Test besteht aus einer Reihe sog. Random-dot-Stereogramme, die bei stereoskopischer Betrachtung Formen enthalten, deren Erkennung nur bei Vorhandensein einer entsprechenden Stereosehschärfe möglich ist. Man muß jedoch bei der Verwendung dieser Tests bedenken, daß eine Reihe anderer Faktoren die Stereopsis beeinträchtigen können: Störungen der Konvergenz und Akkommodation, eine verminderte Fusion bei scheinbar „ausreichender" Konvergenz, Aufmerksamkeitseinbußen, Intelligenzeinbußen, um nur einige zu nennen (vgl. Danta et al. 1978). Außerdem bleibt zu berücksichtigen, daß etwa 3%

der Normalbevölkerung keine oder eine zumindest reduzierte Stereopsis aufweist (Richards 1970).

Visuelle Hauptraumrichtungen

Zerebral bedingte Störungen der Wahrnehmung bzw. Einschätzung der visuellen Hauptraumrichtungen führen typischerweise zu einer Verschiebung der subjektiven „Senkrechten" und „Waagrechten" sowie der subjektiven „Geradeausrichtung" (Liepmann u. Kalmus 1900; Lenz 1909; Bender u. Jung 1948; Meerwaldt u. van Harskamp 1982; Benton et al. 1978; Zihl u. von Cramon 1986a). In der Regel werden dabei die Vertikale und die Geradeausrichtung zur Gegenseite der Hirnschädigung verlagert, die Horizontale wird häufig gleichsinnig zur Vertikalachse verschoben. Patienten mit rechtsseitiger Schädigung weisen häufig größere Abweichungen auf. Während nach einer okzipitoparietalen Schädigung meist nur die visuellen Raumachsen betroffen sind, zeigen Patienten mit „frontaler" Hirnschädigung eine Beeinträchtigung in der visuell-posturalen Abgleichung (Teuber u. Mishkin 1954; De Renzi et al. 1971). Es soll schließlich auch noch darauf hingewiesen werden, daß Patienten mit visuellem Neglect die subjektive Geradeausrichtung nicht zur Gegenseite der Hirnschädigung verlagern, sondern ipsilateral (vgl. Abb. 7.4).

Die Auswirkung der Verlagerung der Hauptraumachsen auf das Verhalten ist noch nicht hinreichend geklärt. Die Verlagerung der subjektiven Mitte führt jedoch möglicherweise zur gleichsinnigen Verschiebung der „subjektiven Raummitte" und damit z. B. auch der „Geradeausrichtung" beim Gehen. Dies kann zur Folge haben, daß Patienten unter anderem nicht mehr in der Lage sind, in der Mitte eines Gangs zu gehen, sondern entsprechend nach rechts oder links abweichen und häufig sogar an der Mauer entlangstreifen. Über die Häufigkeit und das Ausmaß dieser Verschiebung der „subjektiven" Mitte gibt es in der Literatur keine Angaben. In einer eigenen Gruppe von 67 Patienten mit zumeist zerebrovaskulärer „posteriorer" Hirnschädigung (88%) fanden

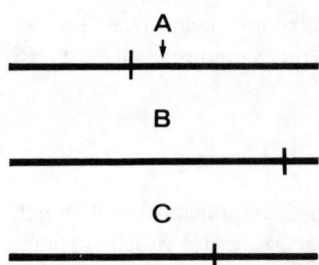

Abb.7.4. Ergebnis der Linienhalbierung bei einem Patienten mit einer linksseitigen homonymen Hemianopsie (*A;* Restgesichtsfeld 4°; vgl. Abb.5a) sowie bei einem Patienten mit linksseitigem visuellem Neglect und einer linksseitigen homonymen Hemianopsie (Restgesichtsfeld: 2°; vgl. Abb.5b), der 3 *(B)* bzw. 14 Monate nach Eintreten der Hirnschädigung *(C)* untersucht wurde. Man beachte die Verschiebung der subjektiven Mitte zur Seite der Hemianopsie in *A* bzw. in das gesunde Halbfeld in *B* und *C*. Trotz des relativ großen Zeitabstands zwischen Eintreten der Hirnschädigung und Testung kommt es zu keiner „Normalisierung" des Befundes in *C*. Der *Pfeil* zeigt die „objektive" Mitte an

sich 41 mit einer gegenüber Normalpersonen signifikanten Verschiebung ($> 1°$); dies entspricht 61% dieser Gruppe. Die Verschiebung betrug durchschnittlich 3 Sehwinkelgrad (Bereich: 1,5-11,5°) und zeigt keine signifikante Abhängigkeit vom Alter, von der Seite der Hirnschädigung und von der Zeit seit dem Eintreten der Hirnschädigung (kleinster p-Wert: $> 0,018$). Der Grad der Verschiebung dürfte auch nicht vom Ausmaß des Restgesichtsfelds abhängen. Eine Patientin mit einer rechtsseitigen homonymen Hemianopsie und einem Restgesichtsfeld von 13 Sehwinkelgrad auf der Horizontalachse verschob die subjektive Mitte z.B. um nahezu 5° (Zihl u. von Cramon 1986a).

Die Untersuchung der subjektiven Raumachsen kann z.B. mit Hilfe eines Leucht- oder Metallstabs erfolgen (vgl. Bender u. Jung 1948), wobei auch hier die Umgebungsinformation möglichst ausgeblendet bleiben soll. Weitere Tests sind von De Renzi et al. (1971; „rod orientation test"; siehe Übersicht bei De Renzi 1982) sowie von Benton et al. (1978; Linienorientierungsvergleich) entwickelt worden. Die Überprüfung der subjektiven Mitte kann in Anlehnung an die von Liepmann u.

Kalmus (1900) verwendete Methode durchgeführt werden. Der Patient soll dabei die Mitte einer waagrechten Linie schätzen und dann einzeichnen. Dabei darf er natürlich kein Hilfsmittel (z.B. „Abmessen" der Linie mit dem Finger oder mit dem Bleistift) benutzen. Außerdem sollte darauf geachtet werden, daß der Patient Anfang und Ende der Linie mehrmals aufsucht, um sicherzustellen, daß er tatsächlich die gesamte Strecke gesehen hat. Die waagrechte Linie sollte eine Mindestlänge von 20 cm haben, da bei Verwendung kürzerer Strecken der Halbierungsfehler signifikant kleiner wird und die Verschiebung der subjektiven Mitte daher unentdeckt bleiben kann (vgl. Zihl u. von Cramon 1986a).

Visuell-räumliche Orientierung

Zu den Störungen der visuell-räumlichen Orientierung werden sehr unterschiedliche Phänomene gerechnet, denen als gemeinsamer Faktor der Verlust der räumlichen Organisation einer Reizvorlage (Bild, Textseite, Szene usw.) zugrundeliegt. Möglicherweise spielt dabei die Beeinträchtigung des Wiederfindens bzw. Wiedererkennens von Raumpositionen bzw. -regionen die entscheidende Rolle, so daß der Patient nicht (mehr) weiß, ob er den betreffenden Teil der Reizvorlage schon exploriert hat oder nicht bzw. in welcher räumlichen Beziehung dieser Ort zur Gesamtvorlage steht (vgl. Hartmann 1902). Patienten mit dieser Störung führen ihre Fixation deshalb oft scheinbar planlos über die Reizvorlage oder im Raum. Sie verirren sich häufig und können sich z.B. die räumliche Lage von Objekten, die Position von Personen usw. nur schwer vorstellen. Hartmann (1902) hat diese Störung auf den Verlust des „optischen Kontinuums" der visuellen Wahrnehmung zurückgeführt; dadurch, daß optische Reize nicht mehr zu einem „räumlichen Ganzen" zusammengefaßt werden können, geht der äußere und somit auch der „innere" räumliche Zusammenhang zwischen Objekten oder sogar Objektteilen verloren, obwohl sich die Patienten an die Objekte selbst noch erinnern können. Best (1917) hat ihr den Namen „optische Zählstörung" gegeben, weil Patienten nicht in der Lage waren, eine Anzahl Münzen richtig zu zählen. Sie zählten manche Münzen doppelt, andere dagegen gar nicht, weil sie nicht wußten, ob sie diese schon gezählt hatten oder nicht. Es ist unklar, ob diese visuell-räumliche Orientierungsstörung eine eigenständige Störung darstellt, da viele - allerdings nicht alle - Patienten mit dieser Störung ein- oder beidseitige Gesichtsfeldeinbußen aufwiesen und/oder eine Beeinträchtigung des Raumsehens zeigten (Hartmann 1902; Best 1917; Poppelreuter 1917; Gloning 1965; Kase et al. 1977). Die visuell-räumliche Orientierungsstörung wirkt sich vermutlich besonders auf die visuelle Exploration aus, da eine räumlich organisierte Suchstrategie erschwert wird oder überhaupt nicht mehr möglich ist.

7.4 Störungen der visuellen Exploration

7.4.1 Beeinträchtigung bzw. Verlust der visuellen Exploration in einem Halbfeld

Zwei Hauptursachen können zu einer Beeinträchtigung oder zu einem Verlust der visuellen Exploration in einem oder in beiden Halbfeldern führen: Gesichtsfeldausfälle, die nicht oder nicht ausreichend durch entsprechenden Einsatz von Augen- und Kopfbewegungen kompensiert werden, und der visuelle Neglect. (Zur genaueren Beschreibung der im Rahmen eines visuellen Neglects auftretenden Störungen und Phänomene vgl. Werth et al. 1986 und Kap. 11). Beide Störfaktoren können zu einer vollständigen oder zumindest teilweisen Vernachlässigung von Reizen im betroffenen Halbfeld führen.

Für die Vernachlässigung, die durch Gesichtsfeldeinbußen bedingt ist, gilt, daß der entsprechende Bereich im betroffenen Halbfeld (z. B. Quadrant oder gesamtes Halbfeld) *spontan* nicht oder nicht ausreichend exploriert wird. In der Regel verwenden Patienten in diesem Bereich sehr kleine Augenbewegungen (in der Größenordnung von 8 bis etwa 15°; vgl. Zihl u. von Cramon 1986a). Nach Aufforderung bzw. mit Unterstützung von Hinweisreizen („cueing") suchen die Patienten jedoch in der Regel nahezu im gesamten betroffenen Bereich (vgl. Abb.7.5a). Aufgrund der Art der Suchbewegungen lassen sich bei diesen Patienten 2 Arten von „Explorationsstrategien" unterscheiden: eine relativ „sichere", aber sehr langsame Vorgehensweise, die zwar das Fin-

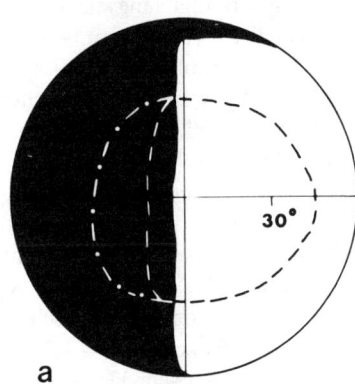 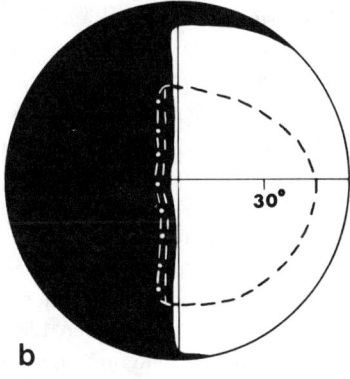

a   b

Abb. 7.5 a, b. Ausdehnung des Suchfelds bei einem Patienten mit einer linksseitigen homonymen Hemianopsie (**a**; Restgesichtsfeld: 4 Sehwinkelgrad) und bei einem Patienten mit einer homonymen Hemianopsie links (**b**; Restgesichtsfeld: 2°) sowie zusätzlich einem linksseitigen visuellen Neglect. Der *spontane* Suchbereich im betroffenen linken Halbfeld (− −) ist in beiden Fällen relativ klein (8° in **a**; 5° in **b**). Die verbale Aufforderung, das linke Halbfeld vollständig abzusuchen („cueing"; − ● −), führt in **a** zu einer deutlichen Ausweitung des Suchfeldes (32°); im Gegensatz dazu zeigt sich für den zweiten Patienten keine wesentliche Vergrößerung des Suchbereichs (**b**; 7°)

den der meisten Reize im betroffenen Halbfeld erlaubt, aber sehr viel Zeit in Anspruch nimmt, oder eine sehr schnelle Vorgehensweise, bei der die betroffene Seite mit einigen wenigen Augenbewegungen rasch abgesucht wird, was aber meist zur Folge hat, daß ein Teil der Reize übersehen wird (vgl. Meienberg et al. 1981; Chedru et al. 1973). Diese Störung ist nicht nur akut nach der Hirnschädigung zu beobachten, sondern kann als chronische Behinderung bestehen bleiben (Poppelreuter 1917; Pfeiffer 1919; Zihl u. von Cramon 1986a; vgl. auch Abschn. 7.6.2).

Im Gegensatz dazu vernachlässigen Patienten mit einem unilateralen visuellen Neglect das betroffene Halbfeld auch dann noch nahezu vollständig, wenn ihre Erwartung und ihre Aufmerksamkeit auf dieses Halbfeld gerichtet werden (vgl. Abb. 7.5 b). Da Patienten mit einer halbseitigen visuellen Vernachlässigung häufig auch eine homonyme Hemianopsie aufweisen, ist die Differentialdiagnose oft sehr schwierig. Man kann jedoch davon ausgehen, daß sich diese Kombination besonders gravierend auf die visuelle Exploration auswirkt (Hecaen u. Angelergues 1963; Gloning et al. 1968; Chain et al. 1979; Johnston u. Diller 1986).

Im akuten Stadium zeigt sich der einseitige Neglect meist sehr ausgeprägt, d.h. ein Patient in diesem Zustand weist nicht nur eine Vernachlässigung einer Raumhälfte, sondern auch andere „klassische" Neglectzeichen auf (Abweichung der Kopf- und Blickachse und Verschiebung der subjektiven Mitte zur nicht-vernachlässigten Seite hin; fehlende bzw. unzureichende Darstellung z. B. von Figuren aus dem Gedächtnis oder beim Kopieren u. ä.; vgl. Kap. 11). Im Spätstadium können jedoch diese in der Literatur als für den Neglect charakteristischen Symptome mehr oder weniger verschwinden; als „Restneglect" bleibt dann häufig eine Beeinträchtigung der selbständigen Exploration der betroffenen Raumhälfte bestehen. Solche Patienten zeigen z. B. im Durchstreichtest von Albert (1973) keine Auslassungen mehr; auch in Suchtests (z. B. von Poppelreuter 1917) können sie unauffällig sein, wenn sie wissen, wie groß die Testvorlage

ist, d.h. in welchem Bereich sie zu suchen haben. Wenn man jedoch eine Änderung der Untersuchung vornimmt, indem man z. B. den Bereich, in dem der Patient optische Reize finden soll, während der Untersuchung auf der betroffenen Seite vergrößert oder während des Suchens Reize auf der betroffenen Seite im intakten Halbfeld auftauchen läßt, so wird häufig zumindest noch ein Teil des betroffenen Halbfelds vernachlässigt. Bedenkt man, daß in vielen Alltagssituationen nicht bekannt ist, wo optische „Reize" zu entdecken sind bzw. daß praktisch immer Reize auf beiden Seiten vorhanden sind und jene in der intakten Raumhälfte deshalb mit der Exploration im betroffenen Halbfeld interferieren können, so wird klar, daß der visuelle „Restneglect" für solche Patienten - trotz teilweise guter oder gar normaler Testleistungen - noch eine gravierende Behinderung darstellen kann.

7.4.2 Vernachlässigung von optischen Reizen in beiden Halbfeldern

Die visuelle Exploration kann auch in beiden Halbfeldern gestört sein. Patienten mit einer bilateralen Beeinträchtigung des visuellen Suchens richten ihren Blick nur noch auf wenige, zumeist direkt vor ihnen befindliche Reize; das Suchen erfolgt langsam und häufig sehr unsystematisch (Hecaen u. de Ajuriaguerra 1954). Im Extremfall ist die Exploration der Umgebung auf wenige, ziellos scheinende Änderungen der Blickrichtung reduziert. Wenn ein Objekt schließlich fixiert wird, so kann es anschließend nicht mehr „losgelassen" werden; der Blick des Patienten scheint dann „wie gelähmt" auf dieses Objekt gerichtet zu bleiben („Tastblindheit des Auges" nach Anton 1899; „Seelenlähmung des Schauens" nach Balint 1909). Es scheint, als sei die Aufmerksamkeit auf einen sehr kleinen Bereich eingeengt (sogenannte pathologische Einengung des Aufmerksamkeitsfeldes; vgl. Poppelreuter 1917); außerhalb dieses Bereichs werden daher keine optischen Reize wahrgenommen. Die vom Patienten selbst beabsichtigte Exploration und das Suchen nach Aufforderung sind in der Regel zusätzlich gestört, so daß die Patienten auch willkürlich bzw. nach verbaler Aufforderung keine oder zumindest keine gezielten Blickwechsel durchführen können. Patienten mit dieser Explorationsstörung können daher größere Vorlagen kaum absuchen, um sich wenigstens einen groben Überblick zu verschaffen. Diese Einengung des Aufmerksamkeitsfeldes dürfte am ehesten mit den Auswirkungen eines kleinen röhrenförmigen Gesichtsfeldes vergleichbar sein.

Diese schwere Form bilateraler Explorationsstörungen scheint eher selten vorzukommen; Gloning et al. (1968) fanden unter 241 Patienten nur 7 Fälle (3%), von denen 5 zusätzlich uni- oder bilaterale Gesichtsfeldausfälle aufwiesen. Leichtere Störungen der visuellen Exploration in beiden Halbfeldern dürften dagegen häufiger vorkommen (Poppelreuter 1917; Best 1917; Guard et al. 1984). Allerdings ist eine sichere Trennung zwischen der durch den Gesichtsfeldausfall bedingten Störung des visuellen Suchens und „leichteren" Formen beidseitiger Explorationsstörungen wohl selten möglich, da bereits das Vorliegen einer einseitigen Gesichtsfeldeinbuße die Explorationsstrategie auch für das intakte Halbfeld beeinträchtigen kann (Chedru et al. 1973).

Ähnliche Störungen der visuellen Exploration in beiden Halbfeldern sind auch als Folge einer Beeinträchtigung der „Suchstrategie" sowie der visuell-räumlichen Orientierung beschrieben worden, wobei eine sichere Trennung zwischen diesen Komponenten bzw. eine Abgrenzung ihrer Auswirkungen auf die visuelle Exploration sehr schwierig sein dürfte, da ja die visuelle Exploration, wie wir sie im Alltag einsetzen, aus eben diesen Anteilen bzw. ihrer geordneten Wechselwirkung besteht. Deshalb ist es nicht überraschend, daß „leichtere" Einbußen des visuellen Suchens bei vielen Patienten mit Hirnschädigung beobachtet werden können, ohne daß sich in jedem Fall eine enge Beziehung zum Ort der Hirnschädigung herstellen läßt (Ehrenstein et al. 1982).

Bei manchen Patienten ist die intentionale Exploration deshalb erschwert, weil sie Schwierigkeiten mit der Initiierung der Suchbewegungen haben oder sakkadische Augenbewegungen zu nicht relevanten Reizen nicht unterdrücken können (Monaco et al. 1980; Guitton et al. 1985). In anderen Fällen ist die Abstimmung der Suchbewegungen mit der visuellen Reizvorlage beeinträchtigt (Luria et al. 1966). Das Suchverhalten solcher Patienten – vor allem von solchen mit bilateraler frontaler Schädigung – folgt dabei häufig einem relativ stereotypen Muster, d. h. die Patienten wählen häufig einen – für sie – auffälligen Reiz, um z. B. ein Objekt oder ein Bild zu erkennen; es folgt kein Suchen nach weiteren Merkmalen, gleichgültig, ob das aufgesuchte oder für die Identifizierung benützte Merkmal wesentlich oder ausreichend ist. Das Suchverhalten solcher Patienten ist daher – in Übereinstimmung mit ihrer „Explorationsstrategie" – auf ein oder zwei Suchbewegungen und eine meist auf einen Ort auf der Reizvorlage beschränkte Fixationsperiode beschränkt (Luria 1966; Karpov et al. 1968).

Schließlich kann auch eine Störung der *visuellen Orientierung* zu einer Beeinträchtigung der visuellen Exploration führen, weil die Patienten eine Reizvorlage nicht mehr „räumlich organisieren" können und sich deshalb auf der Vorlage „verirren" und „verlieren": der „innere" Überblick geht verloren (Hartmann 1902). Die Folge sind Auslassungen, Mehrfachbenutzung derselben Reize, Beeinträchtigung des Aufbaus einer planmäßigen, auf die räumlichen Verhältnisse der Reizvorlage abgestimmten Suchstrategie in Suchtests (siehe z. B. Ehrenstein et al. 1982), aber auch beim Lesen, weil Zeilen nicht eingehalten werden können und der Patient dann – häufig ohne es zu bemerken – zwischen Zeilen wechselt (Hartmann 1902; Poppelreuter 1917; Best 1917; Holmes 1918; Kase et al. 1977).

7.5 Beeinträchtigung der Objekt- und Gesichterwahrnehmung (Objektagnosie und Prosopagnosie)

Bei der Betrachtung von zerebral bedingten Störungen der Objekt- und Gesichterwahrnehmung scheint es vernünftig, die durch eine

Einbuße an „elementaren" Sehleistungen sowie eine beeinträchtigte visuelle Exploration bedingten Störungsformen von den „echten" Störungen der Objekt- und Gesichterwahrnehmung abzugrenzen.

Dies bedeutet, daß die Sehleistungen, die für die Objektwahrnehmung erforderlich sind, im Detail überprüft werden müssen, bevor die Diagnose „Objektagnosie" gestellt werden kann (vgl. Siemerling 1890; Poppelreuter 1917).

7.5.1 Beeinträchtigung der Objekt- und Gesichterwahrnehmung durch Einbußen „elementarer" Sehleistungen

Störungen des *Überblicks* und der *visuellen Exploration,* wie sie in Begleitung von Gesichtsfeldstörungen oder durch Vernachlässigung auftreten (vgl. 7.2.1 und 7.4) können zu einer Beeinträchtigung der Objekt- und Gesichterwahrnehmung führen, da die simultane und sukzessive Gesamtauffassung eines Objekts sowie das Finden von Merkmalen verhindert oder zumindest erschwert sind. Dies drückt sich häufig in deutlich verlängerten Testzeiten aus (vgl. Zihl u. Wohlfahrt-Englert 1986). Patienten mit bilateralen Gesichtsfeldeinbußen können häufig die Umrisse eines Objekts (d. h. seine Gestalt) nicht mehr sicher erfassen, weil das verbliebene zentrale Gesichtsfeld einen zu geringen Durchmesser aufweist (vgl. Förster 1890).

Einbußen *spezieller Sehleistungen* wirken sich in Abhängigkeit von der jeweiligen Einbuße unterschiedlich aus. Eine hochgradige Einbuße an Sehschärfe und/oder Kontrastauflösung, wie sie etwa bei Patienten mit bilateraler Hirnschädigung oder bei solchen mit zerebraler Amblyopie (einschließlich des früher beschriebenen „Verschwommensehens") vorkommen kann, wird vor allem die Erkennung von Graustufen, von Konturen und von Formdetails erschweren, was sich beispielsweise in einer ungenauen Differenzierung von Gesichtern zeigen wird. Patienten mit Störungen des Farbsehens werden vor allem bei solchen Aufgaben Schwierigkeiten haben, bei denen bestimmte Farben für die Erkennung des betreffenden Gegenstands wichtig sind. Die Beeinträchtigung oder der Verlust des perspektivischen Sehens bzw. der monokulären Tiefenwahrnehmung können zu einer Veränderung des Aussehens von Gegenständen und Gesichtern führen, so daß z. B. auch der Bekanntheitsgrad reduziert wird (vgl. Kramer 1907). Spezifische Störungen des Formensehens scheint es selten zu geben. Bei Herabsetzung der „Unterschiedsempfindlichkeit" für Formelemente (Länge, Dicke und Orientierung von Konturen), der Größenunterscheidung und der Differenzierung von ähnlichen Formen kann jedoch die Identifizierung von Objekt- und Gesichterdetails erschwert sein, so daß diese Merkmale für die Erkennung nicht mehr zuverlässig genug herangezogen werden können (Poeck et al. 1973; Bisiach et al. 1976; Warrington 1985).

7.5.2 Störungen der Objektwahrnehmung (Objektagnosie)

Lissauer (1890) definierte seinen Patienten als „seelenblind", weil dieser „nachweislich sinnliche Eindrücke" zur Verfügung hatte, Objektmerkmale voneinander unterscheiden konnte und keine allgemeine Intelligenzeinbuße aufwies. Lissauer unterschied zwei Formen visueller Agnosie für Objekte: die „apperzeptive" und die „assoziative" Agnosie. Patienten mit „apperzeptiver Agnosie" haben nach Lissauer die Fähigkeit eingebüßt, aus einzelnen Merkmalen ein Objekt zu „bilden". Deshalb kann ein solcher Patient vor allem solche Objekte nicht mehr sicher voneinander unterscheiden, die ähnliche oder gar gemeinsame Merkmale aufweisen, so daß Verwechslungen und Fehldeutungen leicht möglich sind. Als Folge treten deshalb auch Falschbenennungen gezeigter Objekte (einschließlich falscher verbaler Beschreibungen ihrer praktischen Bedeutung oder Handhabung) auf. Nach anderen Autoren (z. B. Teuber 1968; Warrington 1985) besteht das Wesen der Objektagnosie darin, daß Patienten das Gesehene nicht mehr „verstehen" können, weil die Objekte durch die Hirnschädigung ihrer Bedeutung „beraubt" wurden. Diese Definition der „Objektagnosie" beinhaltet im wesentlichen den zweiten „agnostischen" Störungstyp, den Lissauer als „assoziative Agnosie" bezeichnet und wie folgt beschrieben hat: Verlust jeglicher „Brücke" zwischen einem Objekt und den aus der Erfahrung gewonnenen Assoziationen zu diesem Objekt, einschließlich des Begriffes. Bei dieser Form der Agnosie bleibt das Objekt sozusagen von „seiner Geschichte isoliert". Da alle Verknüpfungen mit semantischem und praktischem Wissen um dieses Objekt verlorengegangen sind, kann es zwar wahrnehmungsmäßig richtig erkannt, nicht aber benützt und benannt werden. Es soll jedoch gleich an dieser Stelle darauf hingewiesen werden, daß Benennungsstörungen, Gedächtnisstörungen, oder auch Einbußen intellektueller Fähigkeiten ihrerseits eine „Objektagnosie" vortäuschen können (vgl. Orgass u. Kerschensteiner 1975; Beauvois 1982).

Betrachtet man die in der Literatur berichteten Fälle mit „Objektagnosie", so fällt auf, daß diese Patienten zum Teil erhebliche Einbußen an solchen Sehleistungen aufwiesen, die für sich genommen die Objektwahrnehmung bereits deutlich beeinträchtigen können (vgl. Zihl u. von Cramon 1986a). Dies wird vor allem deutlich, wenn man die Patienten danach untersucht, welche typischen „Strategien" sie bei der Erkennung von vorgelegten Objekten oder deren Abbildungen benutzten: meist verwendeten sie Details, seltener Größe oder Gestalt. Auffallend ist jedoch, daß die Patienten ihr Ergebnis nicht kritisch dahingehend überprüften, ob die gewählten Objektmerkmale (Details) für die spezifische Identifizierung tatsächlich auch ausreichten. Es scheint vielmehr, daß sie den „Erkennungsprozeß" abgeschlossen haben, nachdem sie ein (charakteristisches) Merkmal gefunden hatten, das eine Identifizierung erlaubte. Die Möglichkeit der Zuordnung eines wahrgenommenen Merkmals zu einem Objekt reichte also als „Lösung" vollständig aus; eine Überprüfung dieser Lösung unter Hinzuziehung anderer Objektmerkmale erfolgte nicht. Dies könnte so interpretiert werden, daß bei solchen Patienten die Auswahl und Benutzung mehrerer Objektmerkmale gestört ist. Die Folge ist eine Beeinträchtigung der Erkennungsleistung vor allem für Objekte, die gleiche oder ähnliche Merkmale aufweisen, so daß Mehrfachlösungen möglich sind. Im Sinne des Patienten ist deshalb jede Lösung richtig, wenn ein Merkmal vorhanden ist, das eine Zuordnung zu irgendeinem Objekt ermöglicht; ob es sich dabei auch tatsächlich um ein für dieses Objekt typisches Merkmal handelt oder ob das gewählte Merkmal für die spezifische Identifizierung wirklich ausreicht, scheint für den Patienten ohne Bedeutung. Diese reduzierte Berücksichtigung von Objektmerkmalen zeigt sich bereits beim Vergleich von Objekten bzw. Abbildungen von Objekten (Zihl u. Wohlfahrt-Englert 1986).

Diese Ergebnisse lassen sich als Hinweise auf eine „agnostische" Störung der Objektwahrnehmung deuten, da die Überprüfung des Wahrnehmungsergebnisses im Sinne eines „Abgleichs" zwischen einem Objekt und dem Ergebnis seiner Identifizierung zweifellos eine ganz wesentliche Komponente der Objektwahrnehmung darstellt. Objektwahrnehmung und Objekterkennung lassen sich deshalb streng genommen nicht trennen. Die für die Objekterkennung notwendige „Intelligenz" kann aber verständlicherweise nur innerhalb der visuellen Modalität mit den für die Objektwahrnehmung spezifischen Aufgaben untersucht werden. Das Vorliegen intakter nichtvisueller Intelligenzleistungen erlaubt deshalb keinen Ausschluß von Einbußen der „optischen Intelligenz" (vgl. Kleist 1934).

7.5.3 Störungen der Gesichtswahrnehmung (Prosopagnosie)

Die wesentlichen „prosopagnostischen" Störungen sind Beeinträchtigungen der Fähigkeit zur Unterscheidung von Gesichtern sowie zur Wiedererkennung vertrauter Gesichter. Bodamer (1947) hat diese Störung von der Objektagnosie abgetrennt und sie als eigenständiges Defizit eingestuft, weil seiner Meinung nach Gesichter eine besondere Kategorie von „Objekten" darstellen. Es ist jedoch eine bis heute umstrittene Frage, ob die Beeinträchtigung der Gesichtererkennung tatsächlich als eigenständiges neuropsychologisches Defizit angesehen werden kann, da ein Großteil der Patienten mit dieser Störung auch eine Beeinträchtigung bei Erkennungsaufgaben für Objekte aufweist (vgl. Zihl u. von Cramon 1986a). Zum anderen aber muß kritisch angeführt werden, daß in vielen Untersuchungen Art und Schwierigkeitsgrad der Aufgaben zur Untersuchung der Objekt- und der Gesichterwahrnehmung erheblich differierten, so daß ein direkter Vergleich der Ergebnisse nicht möglich ist (vgl. Damasio et al. 1982). Bei Verwendung ähnlicher Aufgabentypen und -schwierigkeiten lassen sich vergleichbare Defizite für beide Bereiche finden (Wohlfahrth-Englert 1986).

Möglicherweise hat die Hirnschädigung bei einem Teil der Patienten, die in der Literatur als „prosopagnostisch" bezeichnet wurden, zu einem Verlust der Vertrautheit eines bekannten Gesichts geführt und deshalb eine Störung der (Wieder-)Erkennung bewirkt (vgl. die Aussage eines Patienten von Gloning et al. 1966: „Ich sehe das Gesicht klar und deutlich und erinnere mich, es schon gesehen zu haben, aber etwas stimmt nicht mehr ... es ist nun fremd und anders"). Der Verlust der Vertrautheit kommt möglicherweise nach einer rechtsseitigen Hirnschädigung häufiger vor als nach einer linksseitigen. Natürlich können aber auch Benennungsstörungen und Gedächtniseinbußen eine „Prosopagnosie" vortäuschen; eine detaillierte Untersuchung dieser Leistungen ist deshalb in solchen Fällen immer wichtig.

Grüsser (1984) hat für eine umfassende Untersuchung der Personenwahrnehmung im Rahmen der Gesichtererkennung die Überprüfung folgender Teilleistungen vorgeschlagen:

1) Unterscheidung eines Gesichts von anderen Objektklassen einschließlich Tiergesichter,
2) Erkennung der individuellen Gesichtsmerkmale einer Person (Personenidentifikation),
3) Erkennung des mimischen Ausdrucks und seiner Bedeutung,
4) Erkennung einer Person aufgrund ihrer Körperform und ihrer typischen Bewegungen,
5) Erkennung von Gesten und ihrer Bedeutung im jeweiligen Kontext.

7.6 Zur Behandlung zerebral bedingter Sehstörungen

Durch Gesichtsfeldausfälle bedingte Störungen des Lesens und der visuellen Exploration sind vermutlich die häufigste Sehbehinderung bei Patienten mit Hirnschädigung. Deshalb sind Behandlungsansätze für diese beiden Formen zerebraler Sehstörung von besonderer klinischer Wichtigkeit. Im folgenden sollen daher Methoden zu ihrer Behandlung beschrieben und die Ergebnisse hinsichtlich ihrer praktischen Bedeutung diskutiert werden.

7.6.1 Zur Behandlung der „hemianopischen" Lesestörung

Wilbrand (1907) hat diese Form der Lesestörung beschrieben, die bei Patienten mit foveanahen Gesichtsfeldeinbußen (Hemianopsien, Quadrantenanopsien; parazentrale Skotome) auftritt. Er hat ihr deshalb die Bezeichnung „hemianopische Lesestörung" gegeben. Diese Lesestörung wirkt sich in Abhängigkeit von der Seite des Gesichtsfeldausfalls unterschiedlich aus.

- Patienten mit linksseitigem Gesichtsfeldausfall finden den Anfang der Zeile nicht oder nur erschwert, sie lassen Wörter oder Wortteile am Zeilenanfang aus oder „übersehen" Anfangssilben von Wörtern innerhalb der Zeile.
- Patienten mit rechtsseitigem Gesichtsfeldausfall finden hingegen den Anfang einer Zeile meist mühelos; das Weiterführen der Augen nach rechts ist jedoch erschwert bzw. unterbleibt, so daß Endsilben von Wörtern bzw. auch kürzere Wörter ausgelassen werden. Diese Beeinträchtigung des „visuellen" Anteils am Lesen läßt sich auch an den Lesebewegungen ablesen: sie sind entweder nicht mehr ausreichend koordiniert oder durch große sakkadische Augenbewegungen ersetzt (vgl. Poppelreuter 1917; Makkensen 1962; Zihl u. von Cramon 1986a).
- Sowohl Patienten mit rechts- als auch mit linksseitiger Hemianopsie versuchen, feh-

lende Textteile zu ergänzen, um dem Text doch noch einen Sinn zu geben.

Im folgenden sind typische Beispiele für die „hemianopische" Lesestörung bei einem Patienten mit einer linksseitigen (A) bzw. einer rechtsseitigen homonymen Hemianopsie (B wiedergegeben). Das Restgesichtsfeld betrug in beiden Fällen 2°.

Lesetest: Die Rathausglocke war unser ganzer Stolz, nicht zuletzt deshalb, weil sie uns einen schweren Batzen Geld gekostet hatte. Wir zeigten sie jedem Fremden, der nach Schilda kam, und der mußte sie dann gehörig bewundern. Es war aber auch eine Glocke, die konnte sich sehen und hören lassen.
Patient A: Haus ... Hausglocke war unser ganzer Stolz, nicht ...letzt ... zuletzt deshalb, ... einen ... uns einen schweren ... Geld ... Batzen Geld kostet hatte ... Jeder Fremde, der nach Schilda kam, ... mußte sie ... gehörig wundern ... bewundern. Es war aber eine ... sich ... sie konnte sich sehen und hören lassen.
Patient B: Die Rathaus ... das Rathaus ... haus ... Rathausglocke war uns ... Stolz ... wir waren stolz auf die Rathausglocke, nicht zu ... zu ... zuletzt deswegen, weil sie ein schweres ... schweren Batzen Geld ge ... gekauft ... gekostet hatte. Wir zeigten jede Fremde ... jede ... jedem Fremden, der nach Schilda kam, und mußte sie dann gehörig bewun ... bewundern. Es war aber eine Glocke, die konnte man ... sich sehen und hören lassen.

Poppelreuter (1917) hat wohl als erster eine systematische Behandlung dieser hemianopischen Lesestörung durchgeführt. Nach der Therapie verfügten seine Patienten über eine deutlich verbesserte Leseleistung, die sich zum einen in der Abnahme der Lesefehler, zum anderen in einer gesteigerten Lesegeschwindigkeit zeigte. In Anlehnung an Poppelreuters Ansatz haben wir eine systematische Behandlungsform dieser Lesestörung mit Hilfe einer neuartigen elektronischen „Lesehilfe" entwickelt (Zihl et al. 1984).

Behandlungsverfahren

Bei diesem Verfahren wird der zu lesende Text einzeilig auf einem Monitor dargestellt. Schriftgröße und Abstand zwischen den einzelnen Buchstaben sind in verschiedenen Stufen vorwählbar. Für die Behandlung wird der Text bewegt dargeboten (Bewegungsrichtung von rechts nach links). Es stehen mehrere Gleitgeschwindigkeiten zur Verfügung. Aufgabe des Patienten ist es, den Text etwa in der Mitte des Bildschirms zu erfassen und laut zu lesen. Patienten mit linksseitiger Gesichtsfeldeinbuße werden gebeten, bewußt den Anfang jedes Wortes aufzusuchen und das Wort erst dann (laut) zu lesen, wenn sie es vollständig „gesehen" haben. Patienten mit rechtsseitiger Gesichtsfeldeinbuße werden dagegen instruiert, ein Wort erst dann zu lesen, wenn sie das Wortende sicher erfaßt haben. Durch diese Instruktionen wird erreicht, daß die Patienten ihre Fixation und ihre Aufmerksamkeit auf den Bereich lenken, den sie im Normalfall vernachlässigen würden. Deshalb werden auch Kopfbewegungen nicht zugelassen. Außerdem ist es wichtig, darauf zu achten, daß Patienten keine Kopfschräghaltung einnehmen, da durch diese Form der „Kompensation" die Blickrichtung meist zur Gegenseite des Gesichtsfeldausfalls hin verschoben wird, was häufig mit einer zusätzlichen Beeinträchtigung des Lesens verbunden ist. Die Texte sind so gewählt, daß die Wort- bzw. Satzlänge von Sitzung zu Sitzung zunimmt. In den ersten Sitzungen wird jeweils eine niedrige Gleitgeschwindigkeit gewählt; erst bei fehlerfreiem Lesen erfolgt der Wechsel zur nächsten Geschwindigkeitsstufe. Tabelle 7.2 zeigt den Behandlungsplan in schematischer Form. Die Leseleistung wird unabhängig vom Behandlungsgerät vor und nach bzw. auch während der Behandlung mit Hilfe eines standardisierten Lesetests überprüft; aus dem Vergleich kann der Behandlungseffekt überprüft werden.

Tabelle 7.2. Plan für die Behandlung der hemianopischen Lesestörung

1. Bestimmung der Leseleistung (Fehler, Zeit) mit Hilfe eines standardisierten Lesetests *vor* der Behandlung
2. Behandlung am TV-Textgerät (ELEX)
3. Überprüfung der Leseleistung *nach* der Behandlung (Verwendung eines Paralleltests)
   Bei noch nicht ausreichender Leseleistung: Fortsetzung der Therapie und erneute Überprüfung des Lesens am Ende der Behandlung
4. Überprüfung der Leseleistung bei Verwendung von Büchern, Zeitungen, Zeitschriften

Behandlungsergebnisse

Abbildung 7.6 zeigt typische Fehlerverlaufskurven bei einem Patienten mit einer linksbzw. einer rechtsseitigen homonymen Hemianopsie. Aus der Abbildung wird ersichtlich, daß die Behandlung am Gerät praktisch zu einer vollständigen Abnahme der Lesefehler führt. Allerdings steigt die Anzahl der Fehler sofort wieder an, wenn durch Zunahme der Gleitgeschwindigkeit des Textes die Anforderung an den Patienten gesteigert wird. Außerdem zeigen sich vor allem in den ersten Sitzungen deutliche Leistungsschwankungen in Form von Fehlerzunahmen. Nach 23 (A) bzw. 28 Sitzungen (B) zeigten beide Patienten eine nahezu fehlerfreie Leistung beim Lesen des Gleittexts. Diese Leistung fand sich aber auch für das Lesen des Standardtextes.

Tabelle 7.3 zeigt die Ergebnisse der Behandlung für eine Gruppe von 50 Patienten mit einseitigen (54% links-, 46% rechtsseitigen) homonymen Gesichtsfeldausfällen. Die Ursache für den Gesichtsfeldausfall war beim Großteil der Patienten zerebrovaskulärer Natur (76%). Die übrigen Patienten hatten ein gedecktes Schädel-Hirn-Trauma erlitten (24%). Das mittlere Alter (Median) der Patienten betrug 48 Jahre (19–62 Jahre). Die Zeit zwischen dem (klinisch festgestellten) Auftreten des Gesichtsfeldausfalls und dem Beginn der Be-

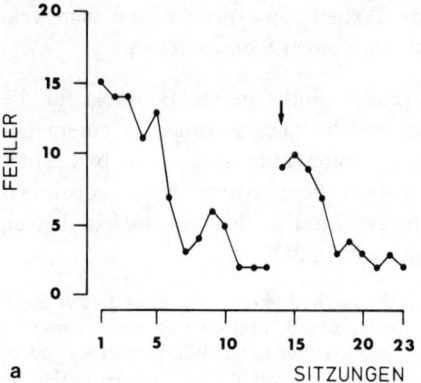

a

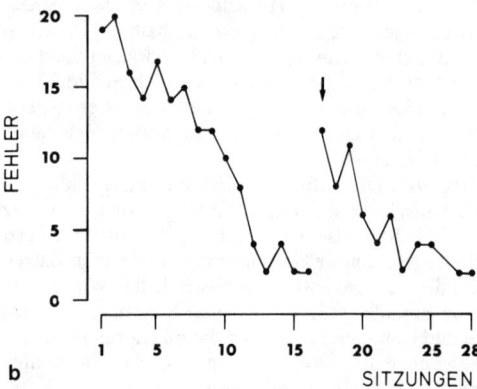

b

Abb. 7.6. Fehlerkurven zweier Patienten mit linksseitiger *(A)* und rechtsseitiger *(B)* homonymer Hemianopsie (Restgesichtsfeld in beiden Fällen 1,5°) während des Trainings am elektronischen Lesegerät. In der ersten Trainingsperiode zeigt sich eine rasche Fehlerabnahme in beiden Fällen; die Steigerung der Gleitgeschwindigkeit des Textes und damit der Lesegeschwindigkeit des Patienten *(Pfeil)* führt zu einer Fehlerzunahme, wobei jedoch die am Ende des ersten Behandlungsabschnitts bereits vorhandene Leseleistung (2 Fehler) nach wenigen Übungsdurchgängen wieder erreicht ist. Vor dem Lesetraining zeigten beide Patienten eine geringe Lesegeschwindigkeit beim Lesen des Standardtextes (Lesezeit: 6,3 min für *A*, 8,7 min für *B*; obere Grenze für „Normalleser": 2 min) sowie eine relativ hohe Fehlerzahl (*A*: 16, *B*: 24 Fehler; oberer „Normalwert": 2 Fehler). Der Behandlungseffekt zeigte sich sowohl in einer deutlichen Zunahme der Lesegeschwindigkeit (Lesezeit für einen Parallel-Lesetest für *A*: 2,3 min, für *B*: 3,2 min) als auch in der Abnahme der Lesefehler (*A*: 5, *B*: 3 Fehler)

Tabelle 7.3. Ergebnisse des Lesetrainings: Bestimmung der durchschnittlichen Leseleistung (Bereichsangaben in Klammern) vor und nach der Behandlung mit Hilfe eines standardisierten Lesetests bei 27 Patienten mit linksseitigen *(L)* und 23 Patienten mit rechtsseitigen Gesichtsfeldeinbußen *(R)*

	Vorher	Nachher
Lesezeit [min]		
L	6,0 (2,6–9,2)	2,4 (1,1–4,3)
R	6,8 (3,2–14,2)	3,2 (1,5–5,8)
Lesefehler		
L	14,5 (6–32)	3,9 (0–14)
R	18,6 (8–34)	5,2 (0–16)
Behandlungsumfang (Anzahl Trainingsdurchgänge)		
L	23 (9–44)	
R	29 (15–56)	

handlung betrug im Mittel (Median) 5,5 Monate (2 Monate bis 2 Jahre 9 Monate). Die meisten Patienten wiesen eine homonyme Hemianopsie auf (82%). Bei 6 Patienten fand sich eine Quadrantenanopsie, die jeweils über die Horizontalachse reichte, und 3 Patienten wiesen ein parazentrales Skotom auf. Hinsichtlich der Variablen Alter, Zeit seit Läsion und Ätiologie der Hirnschädigung bestand kein wesentlicher Unterschied zwischen den Gruppen mit links- und mit rechtsseitiger Hirnschädigung. Die neuropsychologische Untersuchung ergab für keinen der Patienten einen Hinweis auf eine aphasische Lesestörung oder eine Störung der Sprech- und Sprachleistungen und des Gedächtnisses. Es fand sich auch keine visuell-verbale Konvertierungsstörung als Zeichen eines hinteren Diskonnektionssyndroms. Die binokuläre Nahsehschärfe betrug in allen Fällen mindestens Nieden 3; Akkommodation, Konvergenz und Augenmotilität waren nicht beeinträchtigt. Das Restgesichtsfeld betrug in beiden Untergruppen im Durchschnitt $2°$ (1–4°).

Das Lesetraining führte sowohl zu einer signifikanten Abnahme der Lesefehler als auch zu einer deutlichen Zunahme der Lesegeschwindigkeit (größter p-Wert: <0,005). Da die Leseleistung vor und nach der Behandlung mit Hilfe eines „normalen" (d. h. sich nicht bewegenden) Texts bestimmt wurde, kann man davon ausgehen, daß der Großteil der Patienten die durch die systematische Behandlung erreichte Verbesserung ihres Lesens direkt auf die übliche Lesebedingung übertragen konnte. Die oberen Grenzwerte, vor allem für die Fehler (bis 16 Fehler), zeigen aber, daß einige der Patienten am Ende der Behandlung noch keine ausreichende Leseleistung im Standardlesetest zeigten, obwohl sie am Gerät eine bereits gute (d. h. nahezu fehlerfreie) Leseleistung erbrachten. In solchen Fällen ist eine zusätzliche Trainingsperiode erforderlich: Anhand von Zeitungsausschnitten oder Buchtexten sollte das Lesen bei diesen Patienten weiter geübt werden, bis sie auch normale Schriftvorlagen hinreichend richtig und flüssig lesen können.

Die Werte in Tabelle 7.3 deuten darauf hin, daß Patienten mit rechtsseitigen Gesichtsfeldausfällen durchschnittlich längere Lesezeiten und mehr Fehler vor und nach der Behandlung aufweisen, und daß zusätzlich im Durchschnitt mehr Trainingsdurchgänge erforderlich sind, um eine vergleichbare Verbesserung der Leseleistung zu erreichen. Allerdings erreichen die Unterschiede zwischen den beiden Gruppen keine statistische Signifikanz (kleinster p-Wert: <0,06). Es scheint jedoch, daß Patienten mit rechtsseitigen Gesichtsfeldausfällen mehr Schwierigkeiten haben, eine an den Gesichtsfeldverlust adaptierte Lesestrategie zu entwickeln. Häufig versuchen sie, aus den auf den ersten Blick erfaßten Wortteilen einen sinngemäßen Zusammenhang herzustellen. Dies führt dann zu entsprechenden Einbußen im kontinuierlichen Lesen, verbunden mit einem Anstieg der Lesezeit, und gleichzeitig zu einer Zunahme der Lesefehler.

Die Leseleistung vor und nach der Behandlung zeigte keinen signifikanten Zusammenhang mit dem Alter der Patienten, der Zeit seit dem Eintreten der Hirnschädigung, der Seite der Hirnschädigung und dem Ausmaß an Restgesichtsfeld (kleinster p-Wert: <0,054). Auch der Umfang der Behandlung war von diesen Faktoren nicht signifikant abhängig (kleinster p-Wert: <0,06). Zumindest zwischen dem Restgesichtsfeld und der Leseleistung bzw. der Anzahl der Trainingsdurchgänge wäre ein signifikanter Zusammenhang zu erwarten gewesen, da Patienten mit größerem Restgesichtsfeld natürlich weniger Fehler machen bzw. schneller lesen können als solche mit geringem Restgesichtsfeld. Da das durchschnittliche Restgesichtsfeld jedoch nur etwa $2°$ betrug und 43 der 50 Patienten (86%) weniger als $3°$ Restgesichtsfeld aufwiesen, kann davon ausgegangen werden, daß sich das Restgesichtsfeld im Bereich von 1–3° in dieser Patientengruppe gleich auf die Lesebehinderung ausgewirkt hat.

Der beschriebene Behandlungseffekt erwies sich auch nach Beendigung der Behandlung als stabil. Verlaufsuntersuchungen über einen größeren Zeitraum (8–12 Wochen) ergaben jedoch, daß Patienten ihre Leseleistung durch „Selbsttraining" noch deutlich verbessern können, indem sie regelmäßig in einer Zeitung oder einem Buch lesen. Diese Verbesserung betrifft sowohl die Lesegeschwindigkeit als auch die Richtigkeit des Lesens (vgl. Zihl et al. 1984). Aufgrund dieser Verlaufsdaten läßt sich folgern, daß der entscheidende Aspekt des Lesetrainings bei dieser Patientengruppe darin liegt, die Leseleistung so weit zu verbessern, daß die Patienten – wenn auch verlangsamt und noch nicht völlig fehlerfrei – wieder selbständig Texte lesen können. Das Erreichen eines „kritischen" Minimums an Leseleistung durch die Therapie scheint somit auszureichen; den Rest können die meisten Patienten dann durch regelmäßiges Lesen selbständig erreichen. Dieses „kritische Minimum" wird natürlich nicht von allen Patienten in gleicher Weise als „wesentliche" oder „ausreichende" Verbesserung eingestuft. Patienten, die vor ihrer Erkrankung sehr gute Leser waren und ihre durch die Behandlung erreichte Leseleistung mit ihrer früheren Lesefähigkeit verglichen, schätzten den relativ zur Ausgangslage objektiv deutlichen Leistungszuwachs als eher gering ein, weil ihre Leseleistung nach eigenen Angaben bei weitem noch nicht der früher verfügbaren Leseleistung entsprach. Andere Patienten, die früher wenig gelesen hatten und sich selbst als eher „schlechte" Leser einstuften, waren dagegen von ihrer nach der Behandlung vorhandenen Leseleistung sehr überrascht und gaben an, noch nie so „gut" gelesen zu haben. Hinsichtlich der Selbsteinschätzung beim Lesen ist daher die „prämorbide" Leseleistung entsprechend zu berücksichtigen.

7.6.2 Die Behandlung der Beeinträchtigung der Exploration bei Patienten mit Gesichtsfeldeinbußen

Wie in 7.4 bereits angeführt, muß bei den durch Hirnschädigung bedingten Explorationsstörungen zwischen Einschränkungen des Suchfelds und Störungen der Explorationsstrategie unterschieden werden. Im folgenden soll über erste Erfahrungen in der Behandlung von Einschränkungen des Suchfelds bei Patienten mit Gesichtsfeldeinbußen berichtet wer-

den. Der wesentliche Faktor für diese Einschränkung liegt – wie bereits dargestellt – vermutlich darin, daß solche Patienten im betroffenen Halbfeld zu kleine Suchbewegungen einsetzen und deshalb nur einen kleinen Bereich des ausgefallenen Gesichtsfeldbereichs „ersetzen" können. Diese Suchfeldreduzierung ist nicht nur kurz nach Auftreten des Gesichtsfeldverlusts anzutreffen; sie bleibt in der Regel nahezu unverändert chronisch bestehen und bedarf deshalb einer systematischen Behandlung (vgl. Poppelreuter 1917; Pfeifer 1919). Eine Behandlungsmöglichkeit dieser Explorationsstörung könnte in der Vergrößerung der sakkadischen Suchbewegungen liegen; eine Zunahme der Amplitude der Suchbewegungen sollte dann zu einer entsprechenden Ausweitung des Suchbereichs im betroffenen Halbfeld führen.

Behandlungsverfahren

Eine solche Behandlung ist ebenfalls mit Hilfe eines neuartigen Behandlungsgeräts möglich, das im wesentlichen aus einem Steuergerät und einem Bildschirm (Fernseher) besteht. Auf dem Bildschirm kann – in Abhängigkeit von der Seite des Ausfalls – ein Reizmuster vorgewählt werden, das aus einem Fixationspunkt und mindestens 4 Reizpositionen besteht (vgl. Abb. 7.7). An diesen Reizpositionen erscheinen in zufälliger Reihenfolge Lichtpunkte für eine vorwählbare Darbietungszeit. Die Zeitintervalle zwischen den einzelnen Darbietungen variieren ebenfalls, so daß von seiten des Patienten keine Vorhersage über den Ort des Auftauchens der Lichtreize möglich ist. Das Aufleuchten eines Lichtpunkts wird durch ein akustisches Signal angekündigt. Aufgabe des Patienten ist es, auf dieses Signal hin den jeweils aufleuchtenden Lichtreiz möglichst mit *einer* Suchbewegung zu finden. Kopfbewegungen sind dabei nicht erlaubt. Da der Abstand zwischen Fixationsort und jeweiliger Reizposition bei entsprechend gewähltem Abstand zwischen 10 und 40 Grad variiert, muß der Patient, um auch die entfernteren Lichtpunkte zu erreichen, den Motilitätsbereich seiner Augen voll ausnut-

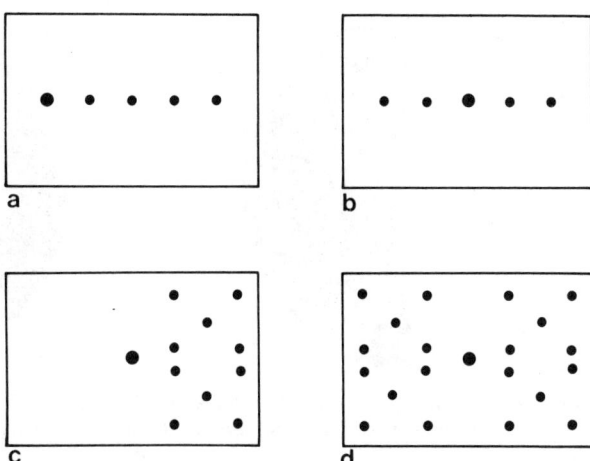

Abb. 7.7 a–d. Schematische Darstellung der Reizanordnung für das Training der visuellen Exploration bei Patienten mit homonymen Gesichtsfeldeinbußen und damit verbundenen Einschränkungen des Suchfelds. Die *Punkte* geben die Reizpositionen an, der *größere Punkt* die Lage des Fixationsorts, von wo aus der Patient die jeweiligen Reize mit sakkadischen Augenbewegungen suchen soll. **a, c** Einfaches und komplexeres Darbietungsmuster zur Behandlung eines Patienten mit rechtsseitiger Hemianopsie; **b** Simultane Darbietung von Reizen in beiden Halbfeldern. **d** Darbietungsmuster zur Behandlung bzw. Überprüfung der visuellen Exploration in beiden Halbfeldern (kann z. B. als Vor- und Nachtest verwendet werden

zen. Die Dauer einer Behandlungssitzung beträgt, je nach Anzahl und Länge der Pausen, 30–45 min.

Der Suchbereich im betroffenen Halbfeld vor und nach der Behandlung kann mit Hilfe der perimetrischen Messung des Suchfelds bestimmt werden. Bei dieser Messung soll der Patient beim Auftauchen des Testpunkts in der äußersten Peripherie des Gesichtsfelds (der Zeitpunkt wird durch ein akustisches Signal angezeigt) den Fixationsort verlassen und den Testpunkt so rasch wie möglich finden. Als Maß für die Größe des Suchfelds können die Perimeterpositionen dienen, an denen der Patient den Lichtpunkt jeweils entdeckt bzw. erkannt hat (zur genaueren Bestimmung des Such- bzw. Blickfeldes siehe Zihl u. von Cramon 1986a). Als weitere Tests eignen sich der Suchtest nach Poppelreuter (1917) oder der Trail-making Test (Ehrenstein et al. 1982). Bei Verwendung dieser oder ähnlicher Suchtests empfiehlt es sich, das Suchverhalten des Patienten aufzuzeichnen (z. B. auf Video), um für die Auswertung nicht nur die Suchzeit und die Anzahl ausgelassener Reize als Maße zur Verfügung zu haben, sondern auch den Suchbereich angeben zu können, in dem ein Patient Reize vernachlässigt bzw. länger braucht, um Reize zu finden.

Behandlungsergebnisse

Abbildung 7.8 zeigt den Effekt des beschriebenen Explorationstrainings bei einem Patienten mit links- und einem mit rechtsseitiger Hemianopsie. Die Zeit zwischen dem Auftreten der Hemianopsie und dem Zeitpunkt des Explorationstrainings betrug in beiden Fällen etwa 3 Monate. Das perimetrisch bestimmte Suchfeld im betroffenen Halbfeld hatte in beiden Fällen nicht mehr als 10 Grad Ausdehnung (Restgesichtsfeld: 3° in Abb. 7.8a, 1,5° in Abb. 7.8b). Nach jeweils 8 Sitzungen (entsprechend 400 Einzeldarbietungen im hemianopischen Feld) zeigten beide Patienten eine deutliche Vergrößerung des Suchfelds; es reichte bis 32° in Abb. 8a und bis 41° in Abb. 7.8b. Diese Ausweitung des Suchbereichs wirkte sich auch im Alltag aus: Die Patienten berichteten über deutlich weniger Probleme beim Ausweichen von Personen und Gegenständen; sie fühlten sich auf Straßen und Plätzen siche-

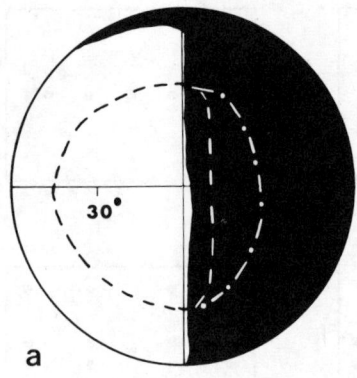 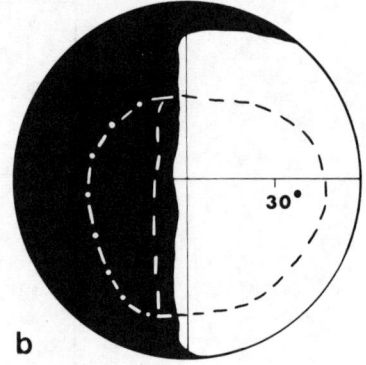

a b

Abb. 7.8 a, b. Ausdehnung des Suchfelds vor (− −) und nach dem Training der visuellen Exploration (− · −) bei einem Patienten mit rechtsseitiger (**a**) bzw. linksseitiger (**b**) homonymer Hemianopsie. Näheres s. Text

rer und fanden sich vor allem auch in ungewohnter Umgebung besser zurecht. Diese Angaben wurden durch die Angehörigen bestätigt. Die objektive Evaluation des Behandlungseffekts auf die angegebenen Verhaltensbereiche steht jedoch noch aus.

Tabelle 7.4 zeigt die Ergebnisse einer Gruppe von 30 Patienten mit homonymer Hemianopsie. Die Zeit seit dem klinischen Auftreten der Hirnschädigung und dem Beginn des Explorationstrainings betrug im Durchschnitt etwa 3 Monate (Bereich: 6 Wochen bis 5,5 Monate). Das Persistieren der Blickfeldeinschränkung über so lange Zeiträume bestätigt die Mitteilungen von Poppelreuter (1917) und Pfeifer (1919). Der Suchbereich im hemianopen Feld konnte durchschnittlich für beide Patienten-

gruppen um etwa 20 Grad erweitert werden. Der Trainingsumfang war vergleichsweise gering: er betrug im Durchschnitt 8 Sitzungen mit jeweils 100 Einzeldarbietungen (5–14 Sitzungen bzw. 500–1500 Einzeldarbietungen). Alter, Zeit seit Hirnschädigung, Seite des Gesichtsfeldausfalls und Restgesichtsfeld erwiesen sich weder hinsichtlich des Therapieeffekts noch in Hinsicht auf den Behandlungsumfang als signifikante Einflußgrößen; (kleinster p-Wert: < 0,08).

Mit den beiden dargestellten Methoden zur Behandlung der Lesestörung und der Beeinträchtigung der Exploration bei hemianopischen Patienten stehen somit zwei Therapieverfahren zur Verfügung, die sich aufgrund ihrer Effektivität sowie ihrer einfachen und ökonomischen Durchführung als klinische Behandlungsverfahren besonders eignen. Es bleibt zu hoffen, daß durch vermehrten Einsatz solcher Behandlungsmethoden mehr Erfahrungen über ihre Effektivität und Einsatzmöglichkeit gewonnen und ausgetauscht werden können; Erfahrungen, die vor allem den betroffenen Patienten zugute kommen werden.

Tabelle 7.4. Ergebnisse des Explorationstrainings bei 30 Patienten mit homonymer Hemianopsie

A Patienten mit linksseitigen Ausfällen (n = 13)
Restgesichtsfeld: 4,3 Grad (Bereich: 1,0–12 Grad)
Blickfeldausdehnung vor Behandlung: 11 Grad
(Bereich: 4–14 Grad)
Blickfeldausdehnung nach Behandlung: 31 Grad
(Bereich: 20–40 Grad)

B Patienten mit rechtsseitigen Ausfällen (n = 17)
Restgesichtsfeld: 4,1 Grad (Bereich: 1,5–9 Grad)
Blickfeldausdehnung vor Behandlung: 10 Grad
(Bereich: 3–15 Grad)
Blickfeldausdehnung nach Behandlung: 32 Grad
(Bereich: 24–42 Grad)

Danksagung

Für die Überlassung der orthoptischen Befunde sowie für die Durchführung des Explorationstrainings bei einigen der in 6.2 angeführten Patienten bedanke ich mich bei den Orthoptistinnen Frau V. Barth, Frau E. Haaf und Frau J. Steinmetz von der Neuropsychologischen Abteilung des Krankenhauses München-Bogenhausen. Herrn Dipl.-Psych. G. Kerkhoff möchte ich für die Mithilfe bei der Messung der Beleuchtungseinstellungen im Rahmen der Untersuchung der Hell- und Dunkeladaptation danken. Die Vorlagen für die Abbildungen sind von Frau G. Gajewski angefertigt worden; auch ihr sei herzlich gedankt. Die in 7.1 und 7.2 angeführten elektronischen Geräte zur Behandlung der hemianopischen Lesestörung sowie der visuellen Explorationsstörung sind von Prof. Dr. R. Meißen von der Fachhochschule Aachen (Fachbereich 10, Elektrotechnik, Jülich) in inhaltlicher Zusammenarbeit mit dem Autor entwikkelt worden. Die Entwicklung erfolgte überwiegend an der KFA Jülich auf der Basis eines Patents der KFA. Beide Trainingsgeräte sind inzwischen in einem Gerät („Elex") integriert, das auch käuflich erworben werden kann.

Literatur

Albert ML (1973) A simple test for visual neglect. Arch Neurol Psychiatr 23: 658-664

Anton DG (1899) Beiderseitige Erkrankung der Scheitelgegend des Großhirns. Wien Klin Wochenschr 12: 1193-1199

Balint R (1909) Seelenlähmung des „Schauens", optische Ataxie, räumliche Störung der Aufmerksamkeit. Monatsschr Psychiatr Neurol 25: 51-81

Beauvois MF (1982) Optic aphasia: a process of interaction between vision and language. Transact R Soc London B 298: 35-47

Bender M, Jung R (1948) Abweichungen der subjektiven optischen Vertikalen und Horizontalen bei Gesunden und Hirnverletzten. Arch Psychiatr Nervenkr 181: 193-212

Benton AL, Varney NR, Hamsher KdeS (1978) Visuospatial judgement. Arch Neurol 35: 364-367

Best F (1917) Hemianopsie und Seelenblindheit. Von Graefes Arch Ophthalmol 93: 49-150

Birkmayer W (1951) Hirnverletzungen. Springer, Wien

Bisiach E, Capitani E, Nichelli P, Spinnler H (1976) Recognition of overlapping patterns and focal hemisphere damage. Neuropsychologia 14: 375-379

Bodamer J (1947) Die Prosopagnosie. Arch Psychiatr Nervenkr 179: 6-54

Bodis-Wollner I, Diamond SP (1976) The measurement of spatial contrast sensitivity in cases of blurred vision associated with cerebral lesions. Brain 99: 695-710

Brandt Th, Büchele W (1983) Augenbewegungsstörungen. Fischer, Stuttgart

Bunt AH, Minckler DS, Johanson GW (1977) Demonstration of bilateral projection of the central retina of the monkey with horseradish peroxidase neuronography. J Comp Neurol 171: 619-630

Celesia GG, Polcyn RE, Holden JE et al. (1982) Visual evoked potentials and positron tomographic mapping of regional cerebral blood flow and cerebral metabolism: can the neuronal potential generators be visualized? Electroencephal Clin Neurophysiol 54: 243-256

Chain F, Leblanc M, Chedru F, Lhermitte F (1979) Negligence visuelle dans les lesions posterieures de l'hemisphere gauche. Rev Neurol 135: 105-126

Chedru F, Leblanc M, Lhermitte F (1973) Visual searching in normal and brain-damaged subjects (Contributions to the study of unilateral inattention). Cortex 9: 94-111

Damasio AR, Damasio H, von Hoesen GW (1982) Prosopagnosia: Anatomic basis and behavioral mechanisms. Neurology 32: 331-341

Danta G, Hilton RC, O'Boyle DJ (1978) Hemisphere function and binocular depth perception. Brain 101: 569-589

Della Sala S, Bertoni G, Somazzi L et al. (1985) Impaired contrast sensitivity in diabetic patients with and without retinopathy: a new technique for rapid assessment. Br J Ophthalmol 69: 136-142

De Renzi E (1982) Disorders of space exploration and cognition. Wiley & Sons, Chicester

De Renzi E, Faglioni P, Scotti G (1971) Judgement of spatial orientation in patients with focal brain damage. J Neurol Neurosurg Psychiatr 34: 489-495

Diener H-C (1982) Visuell evozierte kortikale Potentiale (VEP). In: Stöhr M et al. (Hrsg) Evozierte Potentiale. Springer, Berlin Heidelberg New York

Ehrenstein WH, Geister G, Cohen R (1982) Trail making test and visual search. Arch Psychiatr Nervenkr 231: 333-338

Farnsworth D (1943) The Farnsworth-Munsell 100-hue and dichotomous tests for colour vision. J Opt Soc Am 33: 568-578

Faust C (1947) Über Gestaltzerfall als Symptom des parietooccipitalen Übergangsgebietes bei doppelseitiger Verletzung nach Hirnschuß. Nervenarzt 18: 103-115

Förster R (1890) Über Rindenblindheit. Graefes Arch Ophthalmol 36: 94-108

Franceschetti A, Klingler M (1943) Die posttraumatische Encephalopathie. Schweiz Arch Neurol Psychiatrie 50: 267-344

Frisén L (1980) The neurology of visual acuity. Brain 103: 639-670

Gloning K (1965) Die cerebral bedingten Störungen des räumlichen Sehens und des Raumerlebens. Maudrich, Wien

Gloning I, Gloning K, Tschabitscher H (1962) Die occipitale Blindheit auf vaskulärer Basis. Graefes Arch Ophthalmol 165: 138-177

Gloning I, Gloning K, Hoff H, Tschabitscher H

(1966) Zur Prosopagnosie. Neuropsychologia 4: 113-132

Gloning I, Gloning K, Hoff H (1968) Neuropsychological symptoms and syndromes in lesions of the occipital lobe and the adjacent areas. Guthier-Villars, Paris

Grüsser O-J (1984) Face recognition within the reach of neurobiology and beyond it. Hum Neurobiol 3: 183-190

Guard O, Perenin MT, Vighetto A et al. (1984) Syndrome parietal bilateral proche d'un syndrome de Balint. Rev Neurol 140: 358-367

Guitton D, Buchtel HA, Douglas RM (1985) Frontal lobe lesions in man cause difficulties in suppressing reflexive glances and in generating goal-directed saccades. Exp Brain Res 58: 455-472

Han DP, Thompson HS (1983) Nomograms for the assessment of Farnsworth-Munsell 100-hue test scores. Am J Ophthalmol 95: 622-625

Hartmann F (1902) Die Orientierung. Vogel, Leipzig

Hecaen H, Angelergues R (1963) Le cecite psychique. Masson, Paris

Hecaen H, Ajuriaguerra J de (1954) Balint's syndrome (Psychic paralysis of fixation) and its minor forms. Brain 77: 373-400

Hollwich F (1982) Augenheilkunde. Thieme, Stuttgart

Holmes G (1918) Disturbances of visual orientation. Br J Ophthalmol 2: 449-468, 506-516

Holmes G, Horrax G (1919) Disturbances of spatial orientation and visual attention, with loss of stereoscopic vision. Arch Neurol Psychiatr 1: 385-407

Huber A (1962) Homonymous hemianopia after occipital lobectomy. Am J Ophthalmol 54: 623-629

Johnston CW, Diller L (1986) Exploratory eye movements and visual hemi-neglect. J Clin Exp Neuropsychol 8: 93-101

Karpov BA, Luria AR, Yarbuss AL (1968) Disturbances of the structure of active perception in lesions of the posterior and anterior regions of the brain. Neuropsychologia 6: 157-166

Kase CS, Troncoso JF, Court JE et al. (1977) Global spatial disorientation. J Neurol Sci 34: 267-278

Kleist K (1934) Gehirnpathologie. Barth, Leipzig

Kramer F (1907) Über eine partielle Störung der optischen Tiefenwahrnehmung. Monatsschr Psychol Neurol 22: 189-202

Lenz G (1905) Beiträge zur Hemianopsie. Klin Monatsbl Augenheilkd 43: 263-326

Lenz G (1909) Zur Pathologie der zerebralen Sehbahn unter besonderer Berücksichtigung ihrer Ergebnisse für die Anatomie und Physiologie. Engelmann, Leipzig

Lhermitte F, Chain F, Aron D et al. (1969) Les troubles de la vision des lesions posterieures du cerveau. Rev Neurol 121: 5-29

Liepmann H, Kalmus E (1900) Über eine Augenmaßstörung bei Hemianopikern. Berliner Klin Wochenschr 38: 838-842

Lissauer H (1890) Ein Fall von Seelenblindheit nebst einem Beitrag zur Theorie desselben. Arch Psychiatr Nervenkr 21: 222-270

Luria AR (1966) Higher cortical function in man. Basic Books, New York

Luria AR, Karpov BA, Yarbuss AL (1966) Disturbance of active visual perception with lesions of the frontal lobes. Cortex 2: 202-212

Mackensen G (1962) Die Untersuchung der Lesefähigkeit als klinische Funktionsprüfung. Fortschr Augenheilkd 12: 344-379

Meadows JC (1974) Disturbed perception of colours associated with localized cerebral lesions. Brain 97: 615-632

Meerwaldt JD, van Harskamp F (1982) Spatial disorientation in right-hemisphere infarction. J Neurol Neurosurg Psychiatr 45: 586-590

Meienberg O, Zangemeister WH, Rosenberg M et al (1981) Saccadic eye movement strategies in patients with homonymous hemianopia. Ann Neurol 9: 537-544

Michel F, Jeannerod M, Devic M (1965) Trouble de l'orientation visuelle dans les trois dimensions de l'espace. Cortex 1: 441-466

Monaco F, Pirisi A, Sechi GP, Cossu G (1980) Acquired ocularmotor apraxia and right-sided cortical angioma. Cortex 16: 159-167

Orgass B, Kerschensteiner M (1975) Die visuellen Agnosien. Akt Neurol 2: 189-197

Pfeifer RA (1919) Die Störungen des optischen Suchaktes bei Hirnverletzten. Dtsch Z Nervenheilkd 64: 140-152

Pick A (1901) Neue Mitteilungen über die Störung der Tiefenlokalisation. Neurol Zbl 20: 338-343

Poeck K, Kerschensteiner M, Hartje W, Orgass B (1973) Impairment in visual recognition of geometric figures in patients with circumscribed retrorolandic brain lesions. Neuropsychologia 11: 311-317

Poppelreuter W (1917) Die psychischen Schädigungen durch Kopfschuß im Kriege 1914/1916, Bd I. Die Störungen der niederen und höheren Sehleistungen durch Verletzungen des Okzipitalhirns. Leipzig, Voss

Pöppel E, Brinkmann R, von Cramon D, Singer W (1978) Association and dissociation of visual functions in a case of bilateral occipital lobe infarction. Arch Psychiatr Nervenkr 225: 1-21

Pötzl O (1928) Die Aphasielehre vom Standpunkte der klinischen Psychiatrie. Erster Band: Die optisch-agnostischen Störungen. Deuticke, Leipzig

Ratcliff G, Davies-Jones GAB (1972) Defective visual localization in focal brain wounds. Brain 95: 49-60

Richards W (1970) Stereopsis and stereoblindness. Exp Brain Res 10: 380-388

Roth W (1986) Untersuchungen zur Farbwahrnehmung bei Patienten mit umschriebener Hirnschädigung. Diplomarbeit an der Ludwig-Maximilians-Universität München

Sachsenweger R (1982) Neuroophthalmologie, 3. Aufl. Thieme, Stuttgart

Savino PJ, Paris M, Schatz NJ, Corbett JJ (1978) Optic tract syndrome. Arch Ophthalmol 96: 656–663

Scotti G, Spinnler H (1970) Color imperception in unilateral hemisphere-damaged patients. J Neurol Neurosurg Psychiatr 33: 22–28

Siemerling E (1890) Ein Fall von sogenannter Seelenblindheit nebst anderweitigen cerebralen Symptomen. Arch Psychiatr Nervenkr 49: 63–88

Teuber H-L (1968) Perception. In: L Weiskrantz (ed) Analysis of behavioral change. Harper & Row, New York, p 274

Teuber H-L, Mishkin M (1954) Judgement of visual and postural vertical after brain injury. J Psychol 38: 161–175

Teuber H-L, Battersby W, Bender MB (1960) Visual field defects after penetrating missile wounds of the brain. MIT Press, Cambridge

Trobe JD, Lorber ML, Schlezinger NS (1973) Isolated homonymous hemianopia. Arch Ophthalmol 89: 377–381

Ullrich N (1943) Adaptationsstörungen bei Sehhirnverletzten. Dtsch Z Nervenheilkd 155: 1–31

Verriest G, Van Laethem J, Uvijls A (1982) A new assessment of the normal ranges of the Farnsworth-Munsell 100-hue test scores. Am J Ophthalmol 93: 635–642

Vliegen J, Koch HR (1974) Die klinische Bedeutung der homonymen Hemianopsie. Nervenarzt 45: 449–457

Warrington EK (1985) Agnosia: The impairment of object recognition. In: JAM Frederiks (ed) Handbook of clinical neurology, vol 45, rev ser vol 1. Elsevier, Amsterdam, p 333

Werth R, von Cramon D, Zihl J (1986) Neglect: Phänomene halbseitiger Vernachlässigung nach Hirnschädigung. Fortschr Neurol Psychiatrie 54: 21–32

Wilbrand H (1907) Über die makulär-hemianopische Lesestörung und die von Monakow'sche Projektion der Makula auf die Sehsphäre. Klin Monatsbl Augenheilkd 45: 1–39

Wohlfarth-Englert A (1986) Störungen der Objekt- und Gesichterwahrnehmung bei Patienten mit „posteriorer" Hirnschädigung. Dissertation, Ludwig-Maximilians-Universität München

Zihl J, Mayer J (1981) Farbperimetrie: Methode und diagnostische Bedeutung. Nervenarzt 52: 574–580

Zihl J, von Cramon D (1986a) Zerebrale Sehstörungen. Kohlhammer, Stuttgart

Zihl J, von Cramon D (1986b) Amblyopie nach Hirnschädigung. Prakt Augenheilkd 7: 283–286

Zihl J, Krischer C, Meißen R (1984) Die hemianopische Lesestörung und ihre Behandlung. Nervenarzt 55: 317–323

Zihl J, Wohlfarth-Englert A (1986) The influence of visual field disorders on visual identification tasks. Eur Arch Psychiatry Neurol Sci 236: 61–64

8 Hören

M. SCHERG

8.1 Einteilung zerebraler Hörstörungen

Schwere zerebrale Hörstörungen zeigen eine auffällige klinische Symptomatik: Der Patient reagiert nicht auf akustische Reize, er versteht Sprache nicht und erkennt keine Geräusche mehr. Viele leichtere zerebrale Hörstörungen bleiben jedoch unerkannt, weil die Hörstörung symptomatisch nicht im Vordergrund steht, weil die Patienten sie nicht wahrnehmen oder weil sie ihr Defizit nicht als Hörstörung erleben. Gering- bis mittelgradige Hörstörungen werden auch bei peripherer Ursache häufig übersehen oder aus gesellschaftlichen Gründen verschwiegen. Selbst gezieltes Befragen ergibt in der Regel keinen sicheren Hinweis auf eine zerebrale Hörstörung. Angesprochen werden allenfalls Hörprobleme in der Cocktailpartysituation (d.h. wenn mehrere Personen gleichzeitig sprechen), bei Hintergrundgeräuschen (Radio, Fernseher) oder in halligen und lauten Räumen.

Die Diagnose einer zerebralen Hörstörung ist auch dadurch erschwert, daß die üblichen audiometrischen Verfahren zum Nachweis von zerebralen Hörstörungen nicht ausreichen, da sie auf die Messung der peripheren Hörfunktion zugeschnitten sind. Deshalb lassen sich zerebrale Hörstörungen erst durch spezifische psychoakustische und elektrophysiologische Untersuchungen genauer erfassen. Aber auch viele psychoakustische Testverfahren sind ungeeignet: sie wurden für experimentelle Untersuchungen von nicht hirngeschädigten Versuchspersonen entwickelt und sind daher für neuropsychologische Patienten in der Durchführung oder in der Instruktion meist zu schwierig. So steht für die Untersuchung zerebraler Hörstörungen bis heute nur ein sehr unzureichendes Instrumentarium zur Verfügung.

Erschwert wird eine einheitliche Beschreibung zerebraler Hörstörungen auch durch die Vielzahl von phänomenologischen Begriffen, wie „kortikale Taubheit", „reine Worttaubheit", „subkortikale sensorische Aphasie", „akustische Agnosie", „Geräuschtaubheit", „Amusie", „Hemianakusie" usw., die für die verschiedenen Bilder von zerebraler Hörstörung in der Literatur benutzt werden. Zudem sind auffällige Beispiele zerebraler Schwerhörigkeit in der neuropsychologischen Klinik nur selten anzutreffen.

Um das gesamte Spektrum zerebraler Hörstörungen zu erfassen, ist es sinnvoll, drei verschiedene Aspekte zu berücksichtigen. Wir wollen deshalb im folgenden versuchen, die zerebralen Hörstörungen nach anatomischen, psychoakustischen und neuropsychologischen Kriterien zu klassifizieren.

8.1.1 Einteilung nach anatomischen Kriterien

Die Entwicklung der bildgebenden und elektrophysiologischen Verfahren hat eine genauere Lokalisation der Hirnschädigung und ihrer Funktionsstörung möglich gemacht, so daß heute zumindest eine grobe Unterscheidung nach dem anatomischen Ort der Läsion möglich ist. Entsprechend den Strukturen der aufsteigenden Hörbahn liegt folgende Klassifikation nahe:

- Hörstörungen nach Hirnstammläsion,
- dienzephale Hörstörungen,
- telenzephale Hörstörungen.

132

Diese Klassifizierung erweist sich auch funktionell als brauchbar. Eine noch feinere anatomische Unterteilung ist bei genauer Kenntnis des Läsionsorts denkbar, jedoch bislang für die Art der Funktionsstörung nicht relevant. Wichtig ist auch eine Unterscheidung von bilateralen und unilateralen Läsionen, da sie in der Regel zu unterschiedlich schweren Krankheitsbildern führen. Auch erscheint uns der Oberbegriff der telenzephalen Hörstörung richtiger als eine Einteilung nach kortikal/subkortikal, weil eine Abgrenzung von Marklager- und Hirnrindenläsionen strukturell wie funktionell nicht zu treffen ist.

8.1.2 Einteilung nach psychoakustischen Kriterien

Da zerebrale Hörstörungen meist keine klare klinische Symptomatik aufweisen, lassen sie sich nur beschreiben auf dem Hintergrund von Leistungseinbußen, die der Patient in spezifischen psychoakustischen Tests im Vergleich zu Normalpersonen zeigt. Bei solchen psychoakustischen Untersuchungen werden charakteristische Parameter des Schallsignals variiert, wie z.B. die Intensität, die Zeitstruktur, die spektrale Zusammensetzung oder der räumliche Bezug von Schallquelle, Hörer und Umgebung. Bei einem solchen Vorgehen können Wahrnehmungsstörungen in spezifischen Hörkategorien nachgewiesen werden:

- Störungen der Lautheitswahrnehmung,
- Störungen der zeitlichen Hörwahrnehmung,
- Störungen der spektralen Hörwahrnehmung,
- Störungen der räumlichen Hörwahrnehmung.

Da nur sehr ungenügende Kenntnisse über die zentralnervöse Kodierung von Schallinformation vorliegen, muß diese Einteilung vorerst als Arbeitsgrundlage genügen. Zu bedenken ist hierbei, daß Störungen unter Umständen erst bei kombinierten Leistungsanforderungen in der Diskrimination von zwei oder mehreren Parametern, wie Richtung und Tonhöhe, auftreten können (Efron et al. 1983).

8.1.3 Einteilung nach neuropsychologischen Kriterien

Eine Unterscheidung des Funktionsdefizits nach neuropsychologischen Kriterien erscheint ebenfalls sinnvoll. So können Störungen in den oben beschriebenen psychoakustischen Kategorien unter dem Begriff „akustische Diskriminationsstörungen" zusammengefaßt werden. Auch die Diskrimination von Phonemen läßt sich auf diesem psychoakustischen Hintergrund beschreiben, da z.B. Formantübergänge charakteristische spektrale und zeitliche Eigenschaften aufweisen (Lauter u. Hirsch 1985). Erst darüber hinausgehende Störungen der Sprach- oder Geräuschwahrnehmung sind als eigentliche Erkennensstörungen, d.h. als Störung der akustischen „Objekterkennung" zu bezeichnen. Die in der Literatur beschriebenen Fälle von „akustischer Agnosie" hatten aber alle, sofern dies überhaupt geprüft wurde, auch akustische Diskriminationsstörungen. Ihr Leistungsdefizit darf also nicht als reine Störung der Erkennensleistung eingestuft werden. Der Begriff der „akustischen Agnosie" wird dabei meist in unpräziser Weise benutzt, um eine Störung der Hörwahrnehmung zu charakterisieren, die trotz weitgehend normaler Hörschwellen für reine Sinustöne auftritt. Zudem wird er auch noch unterschiedlich gebraucht: zum einen nur für Erkennensstörungen von nichtverbalem Material, zum anderen als Oberbegriff für alle, auch verbale, Erkennensstörungen (Ulrich 1977). Schließlich sind aus neuropsychologischer Sicht auch Leistungseinbußen im Bereich des akustischen Gedächtnisses, der akustischen Aufmerksamkeit sowie akustische Reizerscheinungen u.U. als Ausdruck einer zerebralen Hörstörung zu werten. Die neuropsychologische Einteilung zerebraler Hörstörungen sollte daher folgende Bereiche umfassen:

- Störungen der akustischen Diskriminationsleistung,
- Störungen der akustischen Erkennensleistung,
- Störungen der akustischen Behaltensleistung,

- Störungen der akustischen Aufmerksamkeit,
- akustische Reizerscheinungen.

8.2 Untersuchungsmethoden

Die Diagnose einer zentralen Hörstörung setzt eine genaue Prüfung des peripheren Hörvermögens, d. h. der Funktion des Mittelohrs, des Innenohrs und des Hörnervs voraus. Eine audiometrische Untersuchung muß deshalb am Anfang jeder Hörtestung stehen. Denn bei vielen neuropsychologischen Patienten sind periphere Hörstörungen zu erwarten, sei es aus Altersgründen, wegen des häufigen Vorkommens von Lärmschwerhörigkeit oder infolge von vaskulären Erkrankungen und nach Schädel-Hirn-Traumen.

8.2.1 Konventionelle tonaudiometrische Verfahren

Bei der audiologischen Hörprüfung stehen die Bestimmung der frequenzabhängigen Hörschwelle und die Überprüfung der Sprachperzeption im Vordergrund. Die üblichen tonaudiometrischen Verfahren sind die Reintonschwellenaudiometrie, bei der über Luft- und Knochenleitung die Wahrnehmungsschwellen für reine Sinustöne (in Oktavabständen von 125 bis 8000 Hz) gemessen werden, sowie überschwellige Hörtests (Lehnhardt 1978). Von diesen werden vorwiegend der SISI und der Lüscher-Test eingesetzt zur Bestimmung der Lautheitsdiskrimination in den Frequenzbereichen, in denen ein Hörverlust vorliegt. Abnorme Hörermüdung bzw. Höradaptation kann mit Hilfe des Schwellenschwundtests (Carhardt 1957) erfaßt werden.
All diese Verfahren dienen zur Prüfung der peripheren Hörfunktionen und geben für sich allein keine spezifischen Hinweise auf eine zerebrale Hörstörung. Nur falls sich ungewöhnliche Diskrepanzen zwischen verschiedenen Tests ergeben, wenn z. B. trotz normalen Tonaudiogramms das Sprachverständnis stark eingeschränkt ist, kann dies auf eine zerebrale Ursache hinweisen.

8.2.2 Sprachaudiometrische Verfahren

Monaurale Sprachtests

Auch die gebräuchliche Sprachaudiometrie, basierend auf dem Freiburger Test mit mehrsilbigen Zahlwörtern und einsilbigen Sachwörtern (Lehnhardt 1978), mißt im wesentlichen die Diskriminationsleistung des peripheren Gehörs. Bei einseitigen Temporallappenläsionen sind Sprachaudiogramm und Tonaudiogramm in der Regel unauffällig (Korsan-Bengtsen 1973; Baru u. Karasseva 1972).
Die Mehrzahl der Patienten mit klinisch unauffälliger zerebraler Hörstörung wird also durch die konventionelle Audiometrie nicht erfaßt. Dies liegt möglicherweise daran, daß jedes Ohr getrennt getestet wird und daß jeweils nur eine – redundante – Information dekodiert werden muß.

Tests mit sensibilisierter Sprache

Verschiedene Verfahren zur Verringerung der Redundanz in Sprachtests sind speziell für die Diagnostik zerebraler Hörschäden entwickelt worden (Überblick in Lehnhardt 1978; Greiner et al. 1980; Pinheiro u. Musiek 1985). Der Informationsgehalt der Sprache wird artifiziell reduziert; die Sprache wird sozusagen sensibilisiert. Dabei verwendet man entweder beschleunigte Sprache, beschneidet den Frequenzgehalt des Schallsignals oder stört das Schallsignal durch rhythmische Unterbrechungen (Bocca u. Calearo 1963; Korsan-Bengtsen 1973). Der binaurale Summationstest von Matzker (1957) bietet hohe und tiefe Frequenzen beiden Ohren getrennt an und erfordert die zentralnervöse Integration der Sprachinformation. Diese Tests verwenden teilweise schwieriges und phonetisch nicht standardisiertes Material. Sie haben sich in der audiologischen Routine nicht durchsetzen können.

Dichotische Sprachtests

Von besonderer Bedeutung für die zentrale Hördiagnostik sind dichotische Sprachtests, bei denen beide Ohren zeitlich überlappend verschiedene Sprachinformationen erhalten. Dabei werden entweder Zahlen (Kimura 1961), mehrsilbige Wörter (Feldmann 1965; Katz 1962) oder ganze Sätze (Jerger u. Jerger 1975) dargeboten. Diese Tests sind zum Großteil entwickelt worden, um die Hemisphärendominanz für Sprache zu bestimmen. Sie zeigen jedoch auch eine relative hohe Spezifität zum Nachweis zerebraler Hörstörungen (Jerger u. Jerger 1975). Bei einseitigen telenzephalen Läsionen hörrelevanter Areale kann der Patient häufig die am kontralateralen Ohr angebotene Information gar nicht mehr oder nur unvollständig wiedergeben. Zu einer kompletten Auslöschung der kontralateralen Information kommt es aber nur in wenigen Fällen, vorwiegend bei rechtsseitigen Läsionen. Im deutschen Sprachraum hat sich der Feldmann-Test als klinisches Verfahren durchgesetzt (Feldmann 1965), der jedoch wegen der langsam gesprochenen viersilbigen Wortpaare für Patienten mit Behaltens- oder Aufmerksamkeitsstörungen nur selten und für Aphasiker meist gar nicht durchführbar ist.

8.2.3 Psychoakustische Verfahren

Nonverbale dichotische Tests

Ähnlich wie Sprachtests zeigen auch psychoakustische Tests, die einfache tonale Reize verwenden, bei dichotischer Darbietung von zwei Schallereignissen deutliche Hemisphärenasymmetrien, wenn eine einseitige Läsion telenzephaler Höreareale vorliegt. Auch bei Normalpersonen finden sich Asymmetrien, allerdings nur leichte, die auf eine Ohren- bzw. Hemisphärendominanz hinweisen. Ob das Testergebnis auf dem rechten oder dem linken Ohr besser ist, hängt entscheidend vom verwendeten Stimulusmaterial ab. Bei hirngeschädigten Patienten ist eine zerebrale Hörstörung nur dann nachweisbar, wenn sich eine über die übliche Ohrendominanz hinausgehende Asymmetrie messen läßt. Dichotische Tests mit Tonreizen sind von Efron u. Crandall (1983) bei Patienten vor und nach Temporallappenresektion eingesetzt worden. Einen neuen dichotischen Test zur Messung der Diskrimination

von Pegelunterschieden und zeitlichen Reizmustern haben Scherg u. v. Cramon (1986a) eingeführt, um unilaterale telenzephale Hörstörungen mit nichtverbalem Material erfassen zu können. In diesem *psychoakustischen Diskriminationstest* müssen zufällig auftretende Unterschiede im Pegel oder in der Zeitstruktur von regelmäßig dargebotenen Reizen erkannt werden. Da der Test bei fast allen neuropsychologischen Patienten durchführbar ist, stellt er unseres Erachtens zur Zeit das beste Untersuchungsverfahren zur Feststellung einer telenzephalen Hörstörung dar. Eine Entwicklung weiterer psychoakustischer Diskriminationstests ist jedoch erforderlich, um Art und Umfang von telenzephalen Hörstörungen genauer definieren zu können.

Tests zum räumlichen Hören

Eine Erweiterung der dichotischen Testbedingungen stellt ein Geräuschtest von Efron et al. (1983) dar, bei dem 5 verschiedene Geräusche an symmetrisch angeordneten Raumpositionen über Kopfhörer 10 s lang dargeboten wurden. Patienten nach Temporallappenresektion zeigten deutlich erhöhte Fehlerscores für die Geräusche, die in der zur Läsion kontralateralen Raumhälfte dargeboten wurden.

Die meisten Tests zur räumlichen Hörwahrnehmung werden nur in der Horizontalebene durchgeführt. Sie dienen dazu, die Genauigkeit der akustischen Lokalisation eines isolierten Tons oder Geräuschs zu untersuchen. Die Ortung in der Horizontalebene erfolgt über die Auswertung der Intensitäts- und Laufzeitunterschiede an beiden Ohren, während die Ortung in der Medianebene (hoch – tief) durch spektrale Auswertung der Ohrmuschelreflexionen geschieht. Meist erlaubt die Dauer der Testreize auch Kopfbewegungen, die zu einer nur schwer zu kontrollierenden Verbesserung der Ortung führen. Die Lokalisation in der Tiefe wird besonders stark beeinflußt von den akustischen Raumbedingungen und der Intensität eines bekannten Schallsignals. Angesichts dieser Vielzahl von Parametern, die bei einer Untersuchung des räumlichen Hörens zu überprüfen wären, ist es verständlich, daß es noch keine standardisierten räumlichen Hörtests gibt.

Besonders kritisch für den Patienten mit zerebraler Hörstörung sind Situationen, in denen mehrere Schallsignale gleichzeitig zu erkennen, zu verfolgen oder zu identifizieren sind, wie in der Cocktailpartysituation. Die Verbesserung der Signaldetektion durch räumliches Hören bei vorliegendem Hintergrundsrauschen kann relativ einfach mit der „binaural masking level difference" untersucht werden. Dieser Test scheint aber, wie auch viele andere Richtungshörtests, nur die binaurale Integration auf der unteren Hirnstammebene zu erfassen (Lynn et al. 1981). Standardisierte Tests zur Untersuchung der Simultanwahrnehmung im rechten und linken akustischen Halbfeld sind ebenfalls nicht verfügbar, so daß ein akustischer Neglect nur bei auffälliger klinischer Symptomatik von Störungen des Richtungshörens unterschieden werden kann. Auch das von De Renzi et al. (1984) benutzte Verfahren der Doppelsimultanstimulation mit zwei Rauschimpulsen kann per se nicht unterscheiden, ob eine beobachtete Lateralisation eine periphere Ursache hat oder durch eine Störung des Richtungshörens oder einen akustischen Neglect bedingt ist.

Tests zur zeitlichen Hörwahrnehmung

Psychoakustische Untersuchungen zur zeitlichen Integration haben gezeigt, daß nicht nur Patienten mit bilateralen telenzephalen Läsionen (Jerger et al. 1969; Motomura et al. 1986) deutlich erhöhte Wahrnehmungsschwellen für sehr kurze Reize aufweisen, sondern daß auch bei Patienten mit einseitigen Temporallappenläsionen dieses Phänomen, allerdings nur auf dem kontralateralen Ohr, auftritt (Karasseva 1972). Diese Untersuchungen belegen, daß der Nachweis von Störungen der akustischen Diskrimination auch ohne das artifizielle dichotische Testparadigma gelingen kann.

Auch beim zeitlichen Hören ist eine Vielzahl von Parametern zu berücksichtigen: Dauer, Reihenfolge und Interstimulusintervalle der verschiedenen Reize. Relativ einfache Tests sind die Messung der Clickfusionsschwelle

(Lackner u. Teuber 1973) sowie der Ordnungsschwellen, d.h. der Schwelle, oberhalb der ein Proband die Reihenfolge von zwei aufeinanderfolgenden Schallreizen mit z.B. 75% Genauigkeit wiedergeben kann (Efron 1963; Jerger et al. 1969; Tallal u. Newcombe 1978). Beide Verfahren eignen sich jedoch wegen der großen interindividuellen Streuung nur bedingt zur Einzelfalldiagnostik. Einen Zwischenbereich zwischen zeitlicher Wahrnehmung und akustischer Behaltensleistung erfassen Tests, in denen Unterschiede zwischen zwei nacheinander dargebotenen Tonmelodien identifiziert werden müssen (Zatorre 1985).

Insgesamt bleibt festzustellen, daß die bisher verfügbaren psychoakustischen Meßverfahren die zerebrale Hörstörung nur punktuell erfassen, aber noch nicht in ihrer Gesamtheit systematisch untersuchen können.

8.2.4 Akustisch evozierte Potentiale

Die Messung der akustisch evozierten Potentiale (AEP) des Hirnstamms und des Hörkortex hat sich in den letzten 20 Jahren zu einem wichtigen Verfahren in der topischen Diagnostik zerebraler Hörstörungen entwickelt. Obwohl die Entstehung der einzelnen Potentialwellen an der Kopfhaut noch nicht restlos aufgeklärt ist, können die frühen Komponenten I–V den ersten drei Neuronen der aufsteigenden Hörbahn zugeordnet werden (Scherg u. v. Cramon 1985). Die frühen AEP, auch Hirnstammpotentiale genannt, erlauben eine objektive Kontrolle des peripheren Hörvermögens sowie die Abgrenzung von Störungen im Bereich des Hörnervs (Veränderungen des Potentialmusters nach der Welle I oder II) und des unteren Hirnstamms (Veränderungen nach der Welle III). Einseitige Läsionen des mittleren Kniehöckers bzw. der Hörstrahlung lassen sich mit Hilfe der mittleren Läsionen hörrelevanter telenzephaler Areale mit den mittleren und späten AEP-Komponenten nachweisen, wenn die in beiden Hörkortizes entstehende Summenaktivität mit einem geeigneten Verfahren räumlich getrennt wird (Scherg u. v. Cramon 1986a, b).

Veränderungen des AEP-Musters sind zwar ein Hinweis auf eine funktionelle Schädigung der zentralen Hörverarbeitung, gestatten aber nur in besonderen Fällen eine Aussage über Ausmaß und Art der funktionellen Beeinträchtigung. Die AEP können jedoch ein Verbindungsglied zwischen den bildgebenden Verfahren und den Leistungseinbußen des Patienten im psychoakustischen Test sein.

8.2.5 Stapediusreflexmessung

Die Messung des Steigbügelreflexes im Rahmen der Impedanzmessung des Mittelohrs bietet eine weitere Möglichkeit, die Funktion des Hörnervs und der Reflexbahnen im Hirnstamm zu überprüfen. Der Ausfall der Reflexe kann einen Hinweis auf die Seite der Schädigung bzw. auf eine periphere oder zentrale Ursache geben. Ein einseitiges Fehlen des Reflexes weist fast immer auf einen peripher bedingten Hörverlust hin. Allerdings hat die Stapediusreflexmessung angesichts der genaueren Aussagemöglichkeiten der frühen AEP an Bedeutung verloren.

8.3 Phänomenologie und Diagnostik der zerebralen Hörstörung

Zerebrale Taubheit im eigentlichen Sinne, d. h. keinerlei Wahrnehmung von akustischen Reizen, gibt es nur bei vollständiger bilateraler Unterbrechung der Hörbahn im Hirnstamm. Nur ganz wenige Fälle dieser sog. Mittelhirntaubheit sind bekannt (Sloane et al. 1943; Howe u. Miller 1975). Patienten mit telenzephaler Hirnschädigung, deren Sprachverständnis vollständig ausgefallen war, wurden oft als „kortikal taub" bezeichnet, wenn sie auch im Tonaudiogramm einen größeren Schwellenverlust hatten. Oft nimmt das Ausmaß des Hörverlusts für reine Sinustöne im Krankheitsverlauf aber deutlich ab (Jerger et al. 1969), so daß, wenn überhaupt, eine zerebrale Taubheit nur im Frühstadium nach der Hirnschädigung auftritt. Nach Graham et al. (1980) kann man höchstens 12 der in der Literatur

beschriebenen Patienten in diesem Sinn als „zerebral taub" bezeichnen. Richtiger wäre es, in Analogie zur Einstufung peripherer Hörverluste von einer hochgradigen zerebralen Schwerhörigkeit zu sprechen.

Das klinisch auffälligste Bild einer zerebralen Hörstörung ist die sog. Worttaubheit. Der Patient versteht Sprache nicht mehr; er kann einzelne Worte überhaupt nicht oder nur selten nachsprechen. Gleichzeitig scheint er auf Geräusche hin und wieder zu reagieren, kann sie meist aber nicht identifizieren. Erste Beschreibungen dieses schweren Krankheitsbildes gehen auf Kussmaul (1877) und Lichtheim (1885) zurück, der diese Störung als eine Form der sensorischen Aphasie beschrieb. Weitere, um die Jahrhundertwende publizierte Fälle (Literaturübersicht bei Ulrich 1977) haben zur Einführung des Begriffs der „reinen Worttaubheit" geführt, um diese schwere und seltene Form der zerebralen Hörstörung von aphasischen Störungen abzugrenzen.

Schwere zerebrale Hörstörungen können jeweils unterschiedlich ausgeprägt sein für verbales oder für nichtverbales Material, je nach Überwiegen der links- oder rechtshemisphärischen Läsion (Ulrich 1977; Spreen et al. 1965). Solche Störungen vermitteln das Bild einer akustischen Erkennensstörung. Es ist aber zu fragen, ob es sich in vielen Fällen nicht um eine Störung der akustischen Diskriminationsleistung gehandelt hat, da die akustische Diskrimination gar nicht oder nur unzureichend geprüft worden war. Soweit untersucht, wurden immer auch auffällige Störungen der Lautwahrnehmung oder der zeitlichen Hörwahrnehmung und der darauf basierenden Phonemdiskrimination gefunden (Jerger et al. 1969; Auerbach et al. 1982; Motomura et al. 1986; Duhamel u. Poncet 1986). Das klinische Phänomen schwerer Sprachperzeptionsstörungen bis hin zur scheinbaren Worttaubheit sollte deshalb nicht dazu verleiten, solche Störungen ohne Rücksicht auf Diskriminationsdefizite als „agnostisch" zu bezeichnen.

Wir wollen im folgenden anhand der anatomischen Einteilung verschiedene Erscheinungsbilder der zerebralen Hörstörung vorstellen und seltener auftretende Phänomene abschließend getrennt behandeln. Eine Zusammenfassung der wichtigsten diagnostischen Kriterien ist in Tabelle 8.1 gegeben.

8.3.1 Hörstörungen nach Hirnstammläsion

Bei Hirnstammschädigung können die aufsteigenden Hörbahnen zwischen dem Cochleariskern und der Vierhügelplatte betroffen sein, so daß es zu zerebralen Hörstörungen kommt. Da sich die akustische Afferenz bereits nach dem Cochleariskern in ipsi- und kontralateral aufsteigende Bahnen verzweigt, hängt der Grad der Hörminderung wesentlich von der Ausdehnung und der Lage der Läsion ab.

Gravierende Hörbeeinträchtigungen bis hin zur vollständigen Taubheit können bei beidseitigen Unterbrechungen auftreten, z. B. bei Läsion der beiden unteren Vierhügelkerne. Auch einseitige pontine Läsionen, welche die kreuzenden Bahnen im Bereich des Trapezkörpers unterbrechen, führen zu schweren Hörstörungen.

Solche Hörstörungen sind bekannt nach Hirnstammeinklemmung infolge von Schädel-Hirn-Traumen, bei Infarkten, Gefäßmißbildungen und Tumoren im Bereich des Hirnstamms sowie bei multipler Sklerose (Fourcin et al. 1985; Jerger u. Jerger 1974; Luxon 1980). Wir haben eine hochgradige Schwerhörigkeit

Tabelle 8.1. Verfahren zur Diagnose peripherer und zerebraler Hörstörungen. (Differentialdiagnostisch wichtige Verfahren sind *kursiv* gedruckt. Abkürzungen: AEP akustisch evozierte Potentiale, AEHP akustisch evozierte Hirnstammpotentiale, PDT psychoakustischer Diskriminationstest, BMLD „binaural masking level difference")

Hörstörung	Verfahren	Auffälligkeit
Peripher	*Tonaudiometrie*	Schwellenverlust
	Impedanzmessung	Schalleitungsstörung
	AEHP	Veränderungen ab Welle I
	SISI- oder Lüscher-Test	Recruitment
	Carhardt	Schwellenschwund
	Stapediusreflexe	Einseitig ausgefallen
	Tinnitusmaskierung	Möglich
Hirnstamm-bedingt	*AEHP*	Veränderungen ab Welle III
	Sprachaudiometrie	Verständlichkeit reduziert für Einsilber und sensibilisierte Sprache
	Tonaudiometrie	Evtl. Diskrepanz zur Sprachaudiometrie
	Geräuschdiskrimination	Evtl. eingeschränkt
	Tinnitusmaskierung	Erschwert
	Stapediusreflexe	Evtl. ausgefallen
	Richtungshören	Gestört
	BMLD	Erniedrigt
Dienzephal (unilateral)	*AEP*	Mittlere Quellenpotentiale einseitig reduziert
	AEHP	Normal
	PDT	Evtl. erhöhte Fehlerzahl
	Dich. Feldmann-Test	Evtl. Asymmetrien
Telenzephal (leicht)	*PDT*	Einseitig oder global erhöhte Fehlerzahl
	AEP	Mittlere und späte Quellenpotentiale einseitig verändert
	AEHP	Normal
	Dich. Feldmann-Test	Evtl. einseitige Extinktion
Telenzephal (schwer)	*Sprachaudiometrie*	Stark eingeschränkt
	Geräuschdiskrimination	Eingeschränkt
	Tonaudiometrie	Schwellen unsicher, im Verlauf besser werdend
	PDT	Detektion extrem gestört
	AEHP	Normal
	AEP	Ausfall oder komplexe Veränderungen

auch nach anoxischer Hirnstammschädigung beobachtet.

Es gibt 2 Leitsymptome, die auf eine hirnstammbedingte Schwerhörigkeit hinweisen können:

- Einschränkung der Sprachperzeption,
- Auftreten von Tinnitus, einem vom Patienten kontinuierlich wahrgenommenen Geräusch.

Bei einer hochgradigen Hirnstammschwerhörigkeit ist das deutlichste klinische Symptom in der Regel die eingeschränkte Sprachperzeption. Oft ist auch die Geräuschdiskrimination ausgefallen oder stark beeinträchtigt. In minder schweren Fällen, z. B. bei einseitigem Hörverlust, kann die Störung der Sprachwahrnehmung unerkannt bleiben. Gelegentlich geben Patienten auch an, Geräusche nicht mehr aus der richtigen Richtung wahrzunehmen.

Tinnitus ist ein relativ häufiges Symptom bei Hirnstammschwerhörigkeit, muß aber nicht notwendigerweise damit einhergehen. Hirnstammbedingter Tinnitus ist im Gegensatz zu peripheren Ohrgeräuschen mit Schmalbandrauschen nur schwer oder gar nicht maskierbar; auch die Frequenz ist meist nicht eindeutig festzulegen. Der Tinnitus kann extrem belastend für den Patienten sein. Umweltgeräusche werden dann, wenn überhaupt, nur als Modulation des Eigengeräuschs wahrgenommen. Der Tinnitus wird manchmal, wie das periphere Ohrgeräusch, im Ohr, manchmal aber auch diffus im Kopf lokalisiert.

Da Hörstörungen nach Hirnstammläsion ähnliche Symptome aufweisen wie die Innenohrschwerhörigkeit, ist eine Differentialdiagnose mit der konventionellen *Audiometrie* allein oft nicht zu stellen. Es gibt keinen typischen Frequenzverlauf der Reintonschwelle, und die überschwelligen Tests können auf ein Recruitment, d. h. einen überproportionalen Anstieg der Lautheitsempfindung oberhalb der Schwelle, hinweisen. Die Meinung, daß das Recruitment ein sicheres Zeichen einer Innenohrstörung ist, ist nach neueren Untersuchungen (Luxon 1980) in Frage gestellt.

Als Hinweis auf eine Hörbahnläsion im Bereich des Hirnstamms ist besonders zu werten, wenn

- das Sprachverständnis für Einsilber im Vergleich zu Zahlwörtern ungewöhnlich stark reduziert ist,
- eine auffällige Diskrepanz zu einem nur geringen Schwellenverlust im Tonaudiogramm besteht,
- das Sprachaudiogramm im Gegensatz zum Tonaudiogramm einen deutlichen Seitenunterschied zeigt.

Wird bei der Sprachaudiometrie dem Testohr gleichzeitig konkurrierende Schallinformation dargeboten, nimmt das Sprachverständnis oft ungewöhnlich ab (Jerger u. Jerger 1974). Dieses synthetische Sätze verwendende Testverfahren ist jedoch im deutschen Sprachraum nicht verfügbar.

Heute ist die Messung der *frühen AEP* das entscheidende Diagnostikum der hirnstammbedingten Hörstörung. Einerseits kann mit dem Nachweis eines normalen Potentialmusters und einer normalen oder nur geringgradig erhöhten AEP-Schwelle eine periphere Ursache der Sprachperzeptionsstörung weitgehend ausgeschlossen werden; andererseits belegen Veränderungen des Potentialmusters, vor allem im Bereich der Wellen IV–V, die Schädigung der afferenten Hörbahnen im Bereich des unteren Hirnstamms. Veränderungen der Wellen I–III treten vorwiegend bei peripheren Läsionen der Cochlea oder des Hörnervs, z. B. beim Akustikusneurinom, auf. Nach unserer Erfahrung kann auch ein auffälliger Seitenunterschied im AEP auf schwere beidseitige Hörminderungen hinweisen, wenn z. B. die Welle V bei linksseitiger, die Welle IV bei rechtsseitiger Stimulation ausgefallen ist (Abb. 8.1).

Wenn gleichzeitig eine periphere Schwerhörigkeit vorliegt, was bei Schädel-Hirn-Trauma nicht selten der Fall ist, kann die Abschätzung des peripheren Anteils an der Hörminderung schwierig sein und sehr präzise und zeitaufwendige Messungen der frühen AEP erfordern.

Schädigungen im Bereich des oberen Hirnstamms führen meist nicht zu einer Verände-

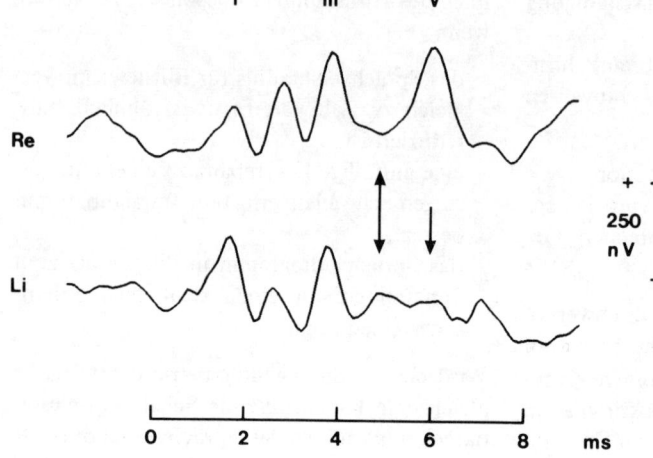

Abb. 8.1. Akustisch evozierte Potentiale einer Patientin mit zerebraler Hörstörung nach Hirnstammläsion. Der Verlust der Wellen IV beidseits *(Pfeile)* und der Welle V nach linksseitiger Reizung weist auf eine ausgeprägte Schädigung der Hörbahn im unteren Hirnstamm hin

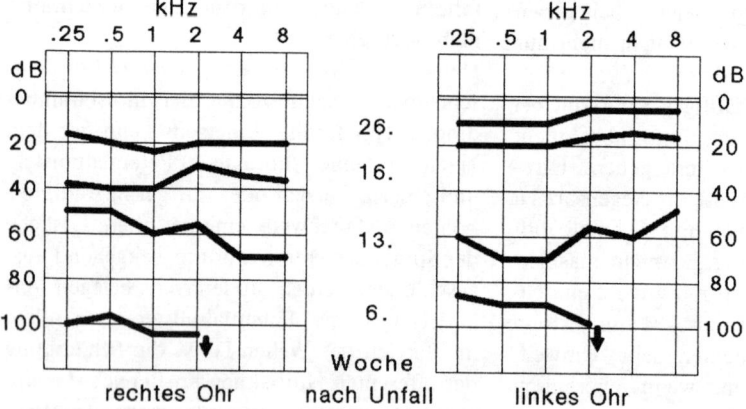

Abb. 8.2. Reintonschwellenaudiometrie bei einer Patientin mit zerebraler Hörstörung nach Hirnstammläsion. Im Verlauf bildete sich der hochgradige Schwellenverlust für Sinustöne (6. Woche nach Unfall) fast vollständig zurück (29. Woche); das Sprachaudiogramm blieb dagegen erheblich eingeschränkt (vgl. Tabelle 8.2)

rung des frühen Potentialmusters. Man kann aus einem normalen Potentialverlauf dann auf eine höher liegende mesenzephale oder dienzephale Ursache schließen. Da auch im Bereich der Vierhügelplatte und des mittleren Kniehöckers kreuzende Verbindungen zwischen den beidseits aufsteigenden Hörbahnen bestehen, ist bei mesenzephaler Läsion eine einseitige Reduktion der mittleren im Hörkortex entstehenden AEP-Komponenten nicht unbedingt zu erwarten und von uns auch erst in einem Fall beobachtet worden.

Fallbeispiel

Als Beispiel einer zerebralen Hörstörung nach Hirnstammläsion soll der Fall einer 27jährigen Patientin dargestellt werden, die bei einem Verkehrsunfall ein schweres gedecktes Schädel-Hirn-Trauma erlitt. Bei der ersten audiometrischen Untersuchung 6 Wochen später schien sie fast taub. Sie hatte keinerlei Sprachverständnis und beklagte sich über laute Geräusche (Tinnitus), die sie tief im Kopf wahrnahm. Im Verlauf von wenigen Monaten ging der hochgradige Hörverlust im Reintonschwellenaudiogramm vollständig zurück (Abb. 8.2). Eine objektive Audiometrie (13 Wochen nach dem Unfall) ergab normale periphere Schwellen. Die frühen AEP zeigten dabei auffällige Veränderungen im Bereich der Wellen IV–V und ergaben damit einen sicheren Hinweis auf eine Schädigung im unteren Hirnstamm (Abb. 8.1).

Der Tinnitus nahm nur anfangs ab und bereitete der Patientin auch noch nach einem Jahr - und dies zunehmend - Schwierigkeiten beim Hören. Der Tinnitus bestand für die Patientin aus 4 verschiedenen Geräuschen, die sie als hoch und pulsierend, als Summen und wie das Geräusch einer Nachtspeicherheizung beschrieb. Die Geräusche seien in beiden Ohren sowie tief, hoch und seitlich im Kopf zu hören. Eine grobe Testung des Richtungshörens mit kurzen Rauschimpulsen in der Horizontalebene (in der Mittenposition und jeweils 30° seitlich) ergab eine auffallend hohe Fehlerrate (62%) mit leichter Verlagerung nach rechts. Sprachperzeption und Geräuscherkennung verbesserten sich spontan innerhalb der ersten Monate nach dem Ereignis; die Sprachperzeption blieb jedoch besonders für Einsilber erheblich eingeschränkt (Tabelle 8.2). Bei Radiosendungen gab die Patientin zuletzt an, 70% zu verstehen. Anfangs litt sie besonders darunter, keine Musik mehr hören zu können, da sie diese nur noch als einen „Mischmasch" wahrnahm. Nach einem Jahr gab sie an, eine Singstimme mit Klavierbegleitung gut und auch ein Orchester wieder differenzierter hören zu können. Ein Gespräch zu führen war für sie nur in ruhiger Umgebung und bei Zuwendung zu einer Person möglich. Zwischendurch habe sie immer wieder das Gefühl, ihr Gehirn könne nichts mehr aufnehmen, wie bei einem „Blackout". Aufgrund der traumatischen Hirnstammläsion bestand bei der Patientin zudem eine mittelschwere ataktische Dysarthrophonie, die jedoch die Sprach- und Geräuschtests, außer im ersten Monat, nicht erschwerte.

Eine Hörgeräteversorgung war bei der Patientin aufgrund des normalen peripheren Hörvermögens nicht indiziert. Neben einem Training im Lippenabsehen wurden auch Geräuscherkennung und Phonemdiskrimination vom 6. bis zum 9. Monat nach dem Unfall gezielt geübt. Logopädisches Training schien über einen längeren Zeitraum erforderlich, um eine Dekompensation der dysarthrischen Sprechstörung wegen der eingeschränkten Hörkontrolle zu verhindern.

Bei zerebralen Hörstörungen nach Hirnstammläsionen handelt es sich immer um akustische Diskriminationsstörungen, auch wenn wie im beschriebenen Fall wegen der Diskrepanz zwischen normaler Reintonschwelle und gestörter Sprachperzeption eine Beeinträchtigung der akustischen Erkennensleistung vorzuliegen scheint. Die Unterbrechung afferenter Verbindungen im Hirnstamm führt vermutlich zu einer drastischen Reduktion der im Schallsignal redundant vorhandenen Information, so daß auf der intakten kortikalen Ebene keine eindeutige Signaldiskrimination mehr möglich ist. Dies ist besonders dann zu erwarten, wenn die Redundanz a priori schon gering ist, wie z. B. bei den Einsilbern des Sprachtests, denen ein syntaktischer Kontext fehlt.

8.3.2 Dienzephale Hörstörungen

In der Literatur sind nur ganz wenige Fälle von Hörstörungen nach thalamischen Läsionen berichtet. Motomura et al. (1986) haben einen Patienten mit bilateralen Läsionen des Corpus geniculatum mediale (CGM) beschrieben, der im Anfangsstadium eine Wort- und Geräuschtaubheit und dabei nur mäßig erhöhte Reintonschwellen hatte. Innerhalb von wenigen Wochen kam es zu einer wesentlichen Besserung der von den Autoren als „akustische Agnosie" eingestuften Symptomatik, wobei die Sprachperzeption aber eingeschränkt blieb. Vermutlich handelte es sich bei diesem Patienten aber nicht um eine „reine" Erkennensstörung, da auch die Lautheits- und Zeitmusterdiskrimination gestört war und sich auch nur unvollständig zurückbildete. Es kann also in diesem einzigen, durch bildgebende Verfahren gesicherten Fall von schwerer dienzephaler Hörstörung nicht von einer isolierten Störung der akustischen Objekterkennung gesprochen werden. Da es sich bei der frischen rechtsseitigen Läsion um eine bis zur inneren

Tabelle 8.2. Sprachaudiometrie bei einer Patientin mit hirnstammbedingter zerebraler Schwerhörigkeit nach Schädel-Hirn-Trauma

Material	Pegel	Seite	Untersuchungswoche nach Unfall	
			16. Woche	24. Woche
			Verständlichkeit [%]	
Zahlwörter	60 dB	Rechts	30	55
		Links	40	75
Einsilber	80 dB	Rechts	15	25
		Links	0	55

Kapsel ausgedehnte Blutung handelte, im Gegensatz zu der linksseitigen ischämischen CGM-Läsion nach Posteriorinfarkt, waren vermutlich nicht nur primäre Afferenzen des rechten Hörkortex, sondern auch efferente kortikothalamische Bahnen und Verbindungen zu den akustischen Assoziationsarealen unterbrochen. Die initiale Symptomatik war wohl deshalb dem Störungsbild einer „akustischen Agnosie" bei bilateraler telenzephaler Hörstörung so ähnlich.

Bei einseitiger dienzephaler Läsion kommt es nur zu leichten Hörstörungen. Wir haben bei einzelnen Patienten eine erhöhte Fehlerzahl in unserem psychoakustischen Diskriminationstest (Scherg u. von Cramon 1986a) festgestellt, jedoch abgesehen von den auf Befragen berichteten Hörproblemen in der Cocktailparty-situation keine weitere klinische Symptomatik gefunden. Bei unilateraler dienzephaler Hörstörung sind meist die mittleren AEP-Komponenten wegen der Deafferentierung des Hörkortex ausgefallen. Bei den späten Komponenten können Verzögerungen auftreten, die möglicherweise eine Störung der Zeitmusterdiskrimination widerspiegeln (Scherg u. von Cramon 1986a).

Roeser and Daly (1974) haben einen Patienten mit rechtsseitigem thalamischen Tumor beschrieben, der sich über störende Verzerrungen auf dem linken Ohr beim Hören von Musik, nicht aber von Sprache beklagte. In dichotischen Sprachtests zeigte er aber eine fast vollständige Extinktion auf dem linken Ohr. Dieser Fall ist neben 3 Fällen mit rechtsseitigen telenzephalen Läsionen (s. u.) eines der wenigen Beispiele für eine Dominanz der rechten Hemisphäre in der Wahrnehmung von Musik. Obwohl in der Literatur sogenannte „amusische Perzeptionsstörungen" vielfach erwähnt werden (Benton 1977), gibt es keine Fallbeschreibung einer isolierten akustischen Perzeptionsstörung für musikalisches Material, bei der nicht auch die Sprach- oder Geräuschwahrnehmung beeinträchtigt war.

Bei den in der frühen Literatur beschriebenen Fällen „thalamischer Hörstörungen" (Überblick bei von Stockert 1954) ist eine telenzephale Beteiligung nicht ausgeschlossen, so daß sie zur Klärung der Symptomatik bei dienzephaler Hörstörung nicht herangezogen werden können.

8.3.3 Telenzephale Hörstörungen

Schwere telenzephale Hörstörungen

Schwere telenzephale Hörstörungen können auftreten nach *bilateralen Temporallappenläsionen,* aber auch nach sehr ausgedehnten unilateralen temporalen Hirnschädigungen. Obwohl sie relativ selten vorkommen, sind die schweren telenzephalen Hörstörungen am ausführlichsten in der Literatur dargestellt (insgesamt sind bisher nur etwa 60-70 Fälle dieser Art beschrieben; Übersichten in Ulrich 1977; Lechevalier et al. 1984). Bei zerebrovaskulärer Ursache wurde die Hörstörung immer erst nach Eintreten des zweiten zerebrovaskulären Ereignisses klinisch manifest.

Das Leitsymptom der schweren telenzephalen Hörstörung ist die mit dem Ereignis plötzlich auftretende Taubheit bzw. der *weitgehende Verlust der Sprachperzeption, der Geräuscherkennung und der Musikwahrnehmung.* Die telenzephale Hörstörung kann allerdings durch eine schwere aphasische Störung zunächst so überlagert sein, daß sie unentdeckt bleibt. In fast allen bekannten Fällen war die Sprachperzeption mehr oder minder betroffen. Ausnahmen bilden nur die Fälle von Nielsen u. Sult (1939), Spreen et al. (1965) und Mazzucchi et al. (1982), die nach ausgedehnten Läsionen der rechten Hemisphäre eine isolierte Störung der Geräusch- und Musikwahrnehmung bei weitgehend intakter Sprachperzeption zeigten. Umgekehrt konnte die Patientin von Lechevalier et al. (1984) nach ausgedehntem linksseitigem und nur kleinem rechtsseitigem Infarkt noch Musik als solche erkennen, verschiedene Instrumente unterscheiden und hörte auch weiterhin leidenschaftlich Musik, obwohl die Sprach- und Geräuscherkennung praktisch ausgefallen war.

Charakteristisch für die schwere telenzephale Hörstörung sind außerdem eine Reihe von *Verhaltensauffälligkeiten,* die allerdings nicht einheitlich auftreten: Viele Patienten reagieren nicht auf laute Reize, fühlen sich davon überhaupt nicht gestört, während sie aber unter Umständen auf leise Geräusche sofort reagieren. Für manche Patienten ist es auch unerträglich, wenn man mit ihnen wegen der Schwerhörigkeit lauter spricht. Sie scheinen bei leisem Sprechen besser zu verstehen (Lhermitte et al. 1971 und eigene Beobachtung). Geräusche werden, wenn überhaupt mit einer Reaktion beantwortet, nicht in der adäquaten Richtung lokalisiert. Auffällig ist häufig auch die mangelnde Fähigkeit der Patienten, ihre Hörwahrnehmungen zu beschreiben. So werden akustische Reize, gleichgültig ob Sprache, Musik oder Geräusche, als Lärm oder Brummen oder als ein anderes gleichförmiges dumpfes Geräusch bezeichnet. Oft wird die Hörstörung auch negiert oder vom Patienten nur als unbedeutend betrachtet (Ulrich u. Simon 1977).

Hörtests sind wegen der schwierigen Instruierbarkeit und wegen der verlangsamten Reaktionen dieser Patienten nur schwer durchführbar. Auffällig sind bei der *Tonaudiometrie* besonders im Anfangsstadium die unsicheren und stark fluktuierenden Schwellenangaben. Oft erhöhen sich die Schwellen bei unmittelbarer Testwiederholung, vermutlich als Ausdruck einer Ermüdung des Hörsystems bzw. einer funktionellen Überlastung der verbliebenen kortikalen Hörareale. Diese Inkonstanz im Testverhalten ist ein wichtiger Hinweis auf eine telenzephale Ursache der schweren Hörstörung. Im Verlauf bessern sich die Reintonschwellen jedoch meist so weit, daß die Diskrepanz zum eingeschränkten Sprachverständnis symptomatisch in den Vordergrund rückt.

Im Anfangsstadium kann durch *objektive Audiometrie* mit Hilfe der frühen AEP eine periphere Ursache der Hörstörung ausgeschlossen werden. Die mittleren und späten AEP-Komponenten zeigen eine Amplitudenverminderung oder komplexe Veränderungen des Potentialmusters, sind aber nur in einem Teil der Fälle vollständig ausgefallen, meist in Zusammenhang mit dem klinischen Bild einer zerebralen Taubheit (Michel et al. 1980; Özdamar et al. 1982). Offenbar fallen die kortikalen AEP-Komponenten nur bei vollständiger beidseitiger Läsion der Heschl-Querwindungen aus.

Die *Lautheits- und Tonhöhenunterscheidung* ist bei schwerer telenzephaler Hörstörung in unterschiedlichem Maße betroffen. Manche Patienten konnten Pegelunterschiede von 10 dB und Tonhöhendifferenzen von 50% kaum differenzieren, andere zeigten normale Unterschiedsschwellen von 1 dB und 1%. Die Störung der Lautheits- und Tonhöhendiskrimination scheint somit nicht ausreichend für eine schwere telenzephale Hörstörung zu sein. Die Diskrimination von komplexeren spektralen Reizen, z. B. die Diskrimination von Klängen, ist bisher noch nicht sehr detailliert untersucht und mit anderen Diskriminationsleistungen verglichen worden (Mazzucchi et al. 1982).

Störungen der *zeitlichen Hörwahrnehmung* wurden dagegen bei allen Patienten gefunden, bei denen dies getestet wurde, sei es, daß sie die Anzahl oder Reihenfolge vorgegebener Reize nicht widergeben konnten, sei es, daß sie eine gestörte zeitliche Integration für kurze Reize zeigten (Jerger et al. 1969; Albert u. Bear 1974). Es ist wahrscheinlich, daß diese Störungen auf präphonematischer Ebene die hauptsächliche Ursache der schweren Störungen in der Sprachperzeption sind (Auerbach et al. 1982). Unklar ist, inwieweit eine kombinierte Beeinträchtigung der spektralen und zeitlichen Diskrimination von Schallsignalen nötig ist, um schwere Defizite in der Geräusch- und Musikwahrnehmung, aber auch in der Sprachperzeption zu bewirken.

Unter allen bisher beschriebenen Fällen gibt es keinen, bei dem eine reine Störung der *akustischen „Objekterkennung"* nachgewiesen werden konnte. Soweit überhaupt getestet, bestanden in allen Fällen sog. „akustischer Agnosie" immer auch Störungen der akustischen Diskriminationsleistung. Es ist deshalb fraglich, ob der neuropsychologische Ansatz, zwischen akustischen Diskriminationsstörungen und Erkennensstörungen zu unterscheiden, für das Hörsystem so brauchbar ist. Offenbar sind Störungen der akustischen „Objekterkennung" immer gekoppelt an Störungen in der Perzeption bestimmter Merkmale des Schallsignals.

Umgekehrt kann jedoch die Erkennensleistung besser sein, als aufgrund des Diskriminationsdefizits zu erwarten wäre. Dies war hinsichtlich der Musikwahrnehmung bei der Patientin von Lechevalier et al. (1984) zu sehen. Hinsichtlich der Sprachperzeption ist ein Patient von Duhamel u. Poncet (1986) aufschlußreich, der trotz erheblich gestörter Phonemdiskrimination akustisch dargebotene Inhaltswörter sehr gut identifizieren konnte. Diese erhaltene Fähigkeit der Worterkennung bei weitgehendem Verlust des akustischen Inputs in die linke Hemisphäre schrieben die Autoren der zwar eingeschränkten, aber nicht auf phonematischer Analyse basierenden Sprachkapazität der rechten Hemisphäre zu.

Leichte telenzephale Störungen der akustischen Diskriminationsleistung

Bei *unilateralen telenzephalen Läsionen hörrelevanter Areale* treten schwere Störungen der Sprachwahrnehmung nur dann auf, wenn außer den afferenten Bahnen zum Hörkortex der betroffenen Hemisphäre auch die von der intakten Hemisphäre zum Wernicke-Feld ziehenden Nervenbahnen unterbrochen sind (Schuster u. Taterka 1926). Ansonsten führen unilaterale Läsionen zu leichteren Hörminderungen, die nur selten diagnostisch erkannt werden. Daß diese trotzdem von klinischer Bedeutung sein können, läßt sich daran ermessen, daß manche aphasische Patienten im Nachsprechen von isoliertem Wortmaterial besonders schlechte Leistungen zeigen. Die für die Aphasie verantwortliche Läsion betrifft nämlich in vielen Fällen auch hörrelevante Strukturen der sprachdominanten Hemisphäre.

Das Hauptsymptom der leichten telenzephalen Hörstörung sind *Minderungen des Sprachverständnisses unter erschwerten Hörbedingungen,* z. B. in lauten Räumen wie im Café oder bei starken Hintergrundgeräuschen wie Fabrik- und Verkehrslärm. Diese Störungen treten auch bei vollkommen normalem Audiogramm auf und unterscheiden sich damit von

peripher bedingten Hörproblemen in der Cocktailpartysituation. Dabei gelingt es den Patienten mit telenzephaler Hörstörung in der Regel nicht mehr, einem Sprecher zu folgen. Einer unserer Patienten hat auch berichtet, daß es ihm seit dem hirnschädigenden Ereignis unmöglich ist, zu telephonieren, während das Radio oder der Fernseher läuft. Auch Normalhörende erleben in Grenzsituationen bei Umgebungslärm oder in der Cocktailpartysituation, daß sie ihrem Gesprächspartner nicht mehr folgen können. Diese Grenze scheint bei der unilateralen telenzephalen Hörstörung deutlich verschoben zu sein, ohne daß dies allerdings dem Patienten bewußt werden muß.

Die *dichotischen Sprachtests* sind der Cocktailpartysituation nur mit Einschränkungen vergleichbar. In ihnen spiegelt sich aber die Schwierigkeit dieser Patienten wider, gleichzeitig zwei Schallsignale zu verarbeiten (Feldmann 1965; Kimura 1961). Die Sprachinformation kann auf dem zur Läsion kontralateralen Ohr nur unvollständig oder gar nicht (unilaterale Extinktion) wiedergegeben werden (Michel u. Peronnet 1982). Meist kommt es auch zu einer – allerdings geringeren – Leistungseinbuße auf dem anderen Ohr. Bei linkshemisphärischen Läsionen wurde sogar eine ipsilaterale Extinktion gefunden, vermutlich infolge einer Unterbrechung von Balkenfasern, die beide Hörkortizes verbinden (Sparks et al. 1970). Die Tests mit sensibilisierter Sprache haben nach unilateraler telenzephaler Hörstörung ebenfalls eine reduzierte akustische Informationsverarbeitungskapazität dokumentieren können (Bocca u. Calearo 1963).

Die Möglichkeit zur *Diagnostik leichter telenzephaler Hörstörungen* sind sehr beschränkt, da ein umfangreiches, für diese Störungen spezifisches Instrumentarium von psychoakustischen Diskriminationstests noch nicht verfügbar ist. Milner (1962) hat den Seashore-Test für musikalische Begabung benutzt, um den Effekt von Temporallappenresektionen auf die akustische Diskrimination zu untersuchen. Sie fand eine Abnahme der Diskriminationsleistung für Pegelunterschiede, Klangfarbe, Zeitdauer und besonders ausgeprägt für tonales Gedächtnis, allerdings nur im Gruppenmittel und nur nach rechtshemisphärischen operativen Eingriffen. Da der Test nur im freien Schallfeld durchgeführt wurde, sind seitenspezifische Minderungen der akustischen Diskrimination nicht erfaßt worden. Auch scheint der Seashore-Test wegen seiner großen Streubreite in dieser Form zur Einzelfalldiagnostik von telenzephalen Hörstörungen nicht geeignet.

Andere *psychoakustische Untersuchungen* bei Patienten mit einseitigen Temporallappenläsionen haben eine Zunahme der zeitlichen Ordnungsschwellen (Efron 1963; Swisher u. Hirsh 1972), Störungen der zeitlichen Lautheitsintegration (Karasseva 1972) und eine Veränderung der Ohrdominanz für Tonhöhenwahrnehmung (Efron u. Crandall 1983) gezeigt. Besonders auffällig gestört war bei Patienten mit linkshemisphärischen Läsionen die Fähigkeit, kurze, in der Grundfrequenz verschiedene Tonsequenzen in der korrekten Reihenfolge wiederzugeben. Diese Untersuchungen von Tallal u. Newcombe (1978) belegen auch den engen Zusammenhang zwischen Störungen der akustischen Diskrimination und der Sprachperzeption.

In dem einfachen *psychoakustischen Diskriminationstest,* der von uns (Scherg u. v. Cramon 1986a) entwickelt wurde, war bei unilateraler Läsion hörrelevanter telenzephaler Strukturen in über 80% der Fälle die Detektion der Reizveränderung auf dem kontralateralen Ohr signifikant reduziert. Es ist aber noch ungeklärt, ob angesichts der periodischen und dichotischen Darbietung des Testmaterials eine Aufmerksamkeitsstörung oder eine Diskriminationsstörung für die erhöhte Fehlerrate auf dem zur Läsion kontralateralen Ohr verantwortlich ist. Trotzdem eignet sich dieser Test zumindest zur Feststellung einer telenzephalen Hörproblematik.

Auch die *akustisch evozierten Potentiale* können einen diagnostischen Hinweis auf das Vorliegen einer unilateralen telenzephalen Hörstörung geben. Die Ermittlung eines Hemisphärenunterschieds, insbesondere eines einseitigen Ausfalls von Komponenten, war

bisher jedoch stark von der Auswahl der Ableitungspositionen am Skalp und von individuellen Faktoren abhängig. Mit einer Nasenelektrode als Referenz fanden Peronnet et al. (1974) eine Reduktion der späten AEP über der betroffenen Hemisphäre. Sie bezeichneten dieses Defizit als Hemianakusie, wenn es in Verbindung mit einer Extinktion des kontralateralen Ohrs in dichotischen Sprachtests auftrat (Michel u. Peronnet 1982). Bei Umrechnung der an der Kopfhaut gemessenen Potentialwellen in die Quellenaktivität des Hörkortex können Veränderungen der AEP in einer Hemisphäre wesentlich genauer erfaßt und sogar verschiedenen Strukturen (primäre und sekundäre Hörareale) zugeordnet werden (Scherg u. v. Cramon 1986b). Der Zusammenhang zwischen Hörstörung und Veränderungen im AEP muß jedoch noch genauer untersucht werden, bevor die AEP mehr zur Klärung eines telenzephalen Funktionsdefizits beitragen können.

Das Ausmaß und die Art von Störungen der *räumlichen Hörwahrnehmung* nach unilateralen Läsionen des Hörkortex ist umstritten. Die Lokalisation in der Horizontalebene scheint im kontralateralen Halbfeld nicht auffällig schlechter zu sein als ipsilateral (Shankweiler 1961). Die räumliche Hörschärfe (kleinster hörbarer Winkelunterschied) soll dabei aber vermindert sein. Störungen in der Lateralisation von Sinustönen sind von Bisiach et al. (1984) nur für Patienten mit posterioren Läsionen der rechten Hemisphäre gefunden worden. Eine Beteiligung des Hörkortex an dieser Raumwahrnehmungsstörung ist dabei unwahrscheinlich. Es bleibt allerdings zu fragen, ob diese Tests nicht zu einfach waren, um Störungen der räumlichen Hörwahrnehmung aufzudecken, wie sie in einer komplexen akustischen Umgebung, z.B. Verkehrssituationen, auftreten könnten. Nach Efron u. Crandall (1983) gibt es einen Verstärkungsmechanismus in beiden Temporallappen, der zur Diskrimination von mehreren Schallquellen in der gegenseitigen Raumhälfte dient. Bei einer Simulation der Cocktailpartysituation führten einseitige Temporallappenläsionen zu einer Verschlechterung der Geräuschlokalisation in der kontralateralen Raumhälfte (Efron et al. 1983).

Andere neuropsychologische Defizite bei telenzephaler Hörstörung

Welche Rolle die akustische Aufmerksamkeit und das akustische Gedächtnis bei der telenzephalen Hörstörung spielen, ist umstritten. So wird die Ursache für das *Extinktionsphänomen,* das nicht nur bei dichotischer, sondern auch bei einfacher Doppelsimultanstimulation auftritt, von manchen Autoren in einer akustischen Diskriminationsstörung (De Renzi et al. 1984), von anderen in einer Aufmerksamkeitsstörung gesehen (Wale u. Geffen 1986). Eine einseitige Extinktion bei Doppelsimultanstimulation kann aber auch auf einen *akustischen Neglect* hinweisen (s. Kap. 12). Nur wenn die Vernachlässigungsphänomene einer Raumhälfte ausschließlich in der akustischen Modalität auftreten, sind sie als Ausdruck einer telenzephalen Hörstörung zu werten. Meist treten aber die Vernachlässigungsphänomene auch in der visuellen und taktilen Modalität als Bild einer übergeordneten Funktionsstörung auf (Heilman u. Valenstein 1972). Klinische Ansätze zur Untersuchung der *Aufmerksamkeit* auf psychoakustischer Basis, die eine Abgrenzung von Diskriminationsstörungen erlauben, sind nicht bekannt. Der von uns entwickelte psychoakustische Diskriminationstest scheint sich möglicherweise auch zur Messung von Aufmerksamkeitsstörungen zu eignen. Vorläufige Ergebnisse bei Patienten nach Schädel-Hirn-Trauma weisen auf eine globale Fehlerzunahme und verlängerte Reaktionszeiten hin, wobei für die Fälle, in denen dieser akustische Aufmerksamkeitstest durchführbar war, eine Korrelation mit dem PASAT (s. Kap. 11) bestand. Auch einige Patienten mit telenzephalen, vorwiegend rechtsseitigen Läsionen zeigten unabhängig vom beobachteten Seitenunterschied eine globale Fehlerzunahme, die auf eine Aufmerksamkeitsstörung hinweisen könnte. Ansätze, den Unterschied zwischen Störungen der akustischen Aufmerksamkeits- und Diskriminationsleistung experimentell zu erfassen, sind in Testparadigmen

der kognitiven Psychologie zu finden (Hansen u. Hillyard 1983). Solche Tests sind bei neuropsychologischen Patienten aber unseres Wissens noch nicht eingesetzt worden.

Eine Störung des *akustischen Gedächtnisses* wurde von Heilman et al. (1974) bei einseitigem akustischem Neglect gefunden, wobei die Gedächtnisleistung bei Darbietung auf der vernachlässigten Seite auffällig schlechter war. Auch bei der Durchführung des dichotischen Feldmann-Tests fällt manchmal auf, daß die Patienten scheinbar Probleme haben, sich das zweite zusammengesetzte Wort zu merken. Da die akustische Information sequentiell abläuft, sind sicherlich komplexe, sehr schnell ablaufende Speichervorgänge nötig, um z. B. die während eines Satzes anfallenden Informationen wieder zusammensetzen zu können. Jede telenzephale Hörstörung kann deshalb eine Reduktion der akustischen Informationsspeicherung nach sich ziehen. Ob sich diese Störung dann als Gedächtnisstörung, Aufmerksamkeitsstörung oder Diskriminationsstörung manifestiert, hängt wesentlich vom Testparadigma ab. Spezifische Untersuchungsverfahren zur Messung des akustischen Ultrakurzzeitgedächtnisses und damit zu einer Abgrenzung von akustischen Behaltensstörungen stehen noch nicht zur Verfügung.

Akustische Reizerscheinungen treten bei zerebrovaskulären Läsionen der telenzephalen Höreale nur selten auf. Selbst bei bilateralen Läsionen sind akustische Pseudohalluzinationen nur in ganz wenigen Fällen berichtet worden (Özdamar et al. 1982). Darunter versteht man die Wahrnehmung von Stimmen, Wortfetzen, Sprache, Geräuschen oder Musik, wenn extern kein entsprechendes akustisches Signal vorhanden ist. Externe Schallreize können aber Auslöser von akustischen Pseudohalluzinationen sein. Als akustische Illusionen werden dagegen Änderungen in der Qualität der Hörwahrnehmung bezeichnet, z. B. Verzerrungen, veränderte Lautheitsempfindungen, Echohören, gestörte Richtungsempfindung (Alloakusie) usw. (Bender u. Diamond 1965).

Am häufigsten scheinen akustische Pseudohalluzinationen bei epileptischen Erkrankungen mit Temporallappenbeteiligung aufzutreten. Auch Palinakusien, d. h. fortdauernde oder sich wiederholende akustische Reizerscheinungen nach Ende eines akustischen Reizes, sind von Jacobs et al. (1973) bei Patienten mit epileptischen Anfällen beobachtet worden. Bei hochgradiger peripherer Schwerhörigkeit kann es infolge von ausgeprägten Ohrgeräuschen ebenfalls zu akustischen Pseudohalluzinationen kommen (Hammeke et al. 1983), die aber eher als Folge einer sensorischen Deprivation denn als zerebrale Hörstörung zu werten sind.

Dagegen sind akustische Halluzinationen vor allem im Rahmen von psychiatrischen Erkrankungen beobachtet worden. Bazhin et al. (1975) haben bei 10 psychotischen Patienten mit akustischen Halluzinationen auch eine einseitige Störung der zeitlichen Integration kurzer Reize gefunden, die sie als Anzeichen einer Temporallappenläsion bzw. einer telenzephalen Hörstörung interpretieren.

8.4 Therapieansätze

Das wichtigste Therapieziel bei schweren zerebralen Hörstörungen ist eine *Verbesserung der Sprachperzeption,* um die Kommunikationsfähigkeit des Patienten soweit möglich wiederherzustellen. In der Frühphase kann aber schon ein Training mit einfachem Sprachmaterial zu schwierig sein, so daß zunächst mit dem Wiedererlernen der Geräuscherkennung begonnen werden muß.

Für die Therapie von zerebralen Hörstörungen gibt es, abgesehen von einer Arbeit von Fourcin et al. (1985), in der Literatur kaum Ansätze. Diese Autoren haben bei zwei Patienten mit schweren Sprachperzeptionsstörungen nach Hirnstammläsion gezielt die Phonemdiskrimination mit Minimalpaaren geübt. Eine Abgrenzung des Therapieeffekts von der spontanen Remission im Verlauf der mehrmonatigen Therapie war allerdings nicht sicher möglich. Solche Trainingsansätze sollten in Zukunft systematisch ausgebaut werden, wobei auch psychoakustische Testverfahren direkt

zur Übung der Diskriminationsfähigkeit herangezogen werden könnten. Die am stärksten betroffene Hörkategorie, z. B. Zeitstruktur oder Richtungshören, wäre dadurch gezielt zu trainieren.

Prinzipiell geht eine Therapie hirnstammbedingter Hörstörungen von anderen Voraussetzungen aus als eine Therapie telenzephaler Hörstörungen.

Bei Hirnstammläsionen ist die Informationsmenge, die den noch intakten kortikalen Analysator erreicht, so stark reduziert, daß unter Umständen ein Verständnis nur über den sprachlichen Kontext zustande kommen kann. Da diese Patienten ihre Hörwahrnehmungen meist noch klar in der Terminologie allgemein verständlicher Klangeindrücke beschreiben können, werden sie in Wechselwirkung mit dem Therapeuten auch leichter lernen, sich auf die veränderten Klangbilder, z. B. von Geräuschen, einzustellen.

Bei *telenzephaler Ursache* ist dagegen nur selten etwas über die verbliebenen Klangbilder zu erfahren; oft hat der Patient keinen Zugang mehr zu seiner Hörwahrnehmung. Hier ist viel mehr Sorgfalt auf eine gründliche Beobachtung des Reaktionsverhaltens des Patienten zu legen. Als hilfreich kann sich dabei ein *Training der Geräuschdiskrimination* nach vorgegebenen akustischen Merkmalen erweisen, wenn nur grobe Unterscheidungen getroffen werden müssen, z. B. laut/leise, hoch/tief, kurz/lang etc. Mit solch einer Vorgehensweise, die sie als akustische Analyse bezeichneten, haben Fechtelpeter et al. (1986) bei einem Patienten mit schwerer telenzephaler Hörstörung und Aphasie einen besseren Therapieeffekt gefunden als bei einem Training mit Imitation von Geräuschen oder Einteilung in vorgegebene semantische Kategorien.

Eine *Hörgeräteversorgung* ist bei zerebraler Hörstörung fast immer *kontraindiziert.* Nur wenn zusätzlich eine mittel- bis hochgradige periphere Schwerhörigkeit vorliegt, sollte ein Versuch unternommen werden, diese mit einem Hörgerät zu kompensieren. Man muß allerdings mit stärkeren Mißempfindungen und einer noch geringeren Akzeptanz als bei nur peripher Schwerhörigen rechnen. Eine Therapie mit Antikonvulsiva (z. B. mit Carbamaze-pin) soll bei sehr schwer tolerablem Tinnitus evtl. eine Symptomverbesserung bringen (Goodey 1981). In uns bekannten Fällen mit hirnstammbedingter Schwerhörigkeit schlug diese Theapie jedoch nicht an.

Angesichts der noch sehr unzureichenden Therapieansätze sind gezielte *Verhaltensmaß-nahmen,* die der Art der Hörbeeinträchtigung Rechnung tragen, um so wichtiger:

Wenn man den Patienten *lauter* anspricht, kann das höchstens in Ausnahmefällen bei Hirnstammschwerhörigkeit zu einer Besserung des Sprachverständnisses führen. Bei schwerer telenzephaler Hörstörung dagegen führt laute-res Sprechen meist zu einer Reizüberflutung, welche die verbliebene Analysekapazität des Patienten offenbar überlastet. Lhermitte et al. (1971) haben in 2 Fällen mit telenzephaler Hörstörung sogar durch gezielte Frequenzbe-schneidung, d. h. durch eine Reduktion der In-formation des Sprachsignals, eine Erhöhung der Verständlichkeit erreicht.

Dagegen sollte man im Gespräch mit diesen Patienten auf *langsames Sprechen,* deutliche, aber nicht übertriebene Artikulation und auf einfache Satzkonstruktionen achten. In man-chen Fällen kann eine starke Verlangsamung des Sprechtempos sowie das Einhalten von Pausen das Sprachverstehen erheblich erleich-tern. Man sollte die Patienten auch grundsätz-lich nur von vorn ansprechen, um ihnen ein zusätzliches Ablesen von den Lippen zu er-möglichen.

Bei allen zerebralen Hörstörungen, d. h. auch bei leichter telenzephaler Hörstörung ist es wichtig, daß laute *Umweltgeräusche* und Räu-me mit viel Nachhall möglichst gemieden wer-den. Auch sollte immer nur eine Person spre-chen. Man muß sich bewußt machen, daß der Patient den akustischen Faden verliert, sobald ein interferierendes akustisches Ereignis auf-tritt. Die starke Minderung des Sprachver-ständnisses in der Cocktailpartysituation, d. h. bei praktisch allen geselligen Anlässen, stellt für den zerebral schwerhörigen Patienten ein wesentliches psychosoziales Problem dar.

Ein Trainieren von *Ersatzstrategien* ist nur dann anzustreben, wenn eine sehr schwere Sprachperzeptionsstörung besteht und wenn sich innerhalb der ersten 3–4 Monate keine Besserung zeigt. Ein gezieltes Training des Lippenablesens durch einen Logopäden oder Gehörlosenlehrer sollte dann in jedem Fall versucht werden. Inwieweit vibrotaktile Hör-hilfen, wie sie in der Rehabilitation von Taub-stummen eingesetzt werden, bei der schweren telenzephalen Hörstörung die Kommunika-tion erleichtern können, muß noch genauer untersucht werden.

Danksagung

Viele Erkenntnisse und Beobachtungen, die dieser Arbeit zugrunde liegen, verdanke ich A. Geigenber-ger, B. Gmeiner und G. Stenglein, die das Training und die Untersuchungen der Patienten durchgeführt haben. Frau Dr. H. Morasch danke ich für wertvolle Ratschläge zum Manuskript und Frau J. Dinkel für die Hilfe bei der Literaturzusammenstellung.

Literatur

Albert ML, Bear D (1974) Time to understand. A case study of word deafness with reference to the role of time in auditory comprehension. Brain 97: 373–384

Auerbach SH, Allard T, Naeser M, Alexander MP, Albert ML (1982) Pure word deafness. Analysis of a case with bilateral lesions and a defect at the prephonemic level. Brain 105: 271–300

Baru AV, Karasseva TA (1972) The brain and hearing. Consultants Bureau, New York

Bazhin EF, Wasserman LI, Tonkonogii IM (1975) Auditory hallucinations and left temporal lobe pathology. Neuropsychologia 13: 481–487

Bender MB, Diamond SP (1965) An analysis of au-ditory perceptual defects with observations on the localization of dysfunction. Brain 88: 675–686

Benton AL (1977) The amusias. In: Critchley M, Henson RA (eds) Music and the brain. Heine-mann Medical, London, pp 378–397

Bisiach E, Cornacchia L, Sterzi R, Vallar G (1984) Disorders of perceived auditory lateralization af-ter lesions of the right hemisphere. Brain 107: 37–52

Bocca E, Calearo C (1963) Central hearing proces-ses. In: Jerger J (ed) Modern developments in au-diology. Academic Press, New York, pp 337–370

Carhart R (1957) Clinical determination of abnor-mal auditory adaptation. Arch Otolaryngol 65: 32

De Renzi E, Gentilini M, Pattacini F (1984) Audito-ry extinction following hemisphere damage. Neu-ropsychologia 22: 733–744

Duhamel JR, Poncet M (1986) Deep dysphasia in a case of phonemic deafness: Role of the right hemisphere in auditory language comprehension. Neuropsychologia 24: 769–779

Efron R (1963) Temporal perception aphasia and deja vu. Brain 86: 261–294

Efron R, Crandall PH (1983) Central auditory processing. II. Effects of anterior temporal lobectomy. Brain Lang 19: 237–253

Efron R, Crandall PH, Koss B, Divenyi PL, Yund EW (1983) Central auditory processing. III. The „cocktail party" effect and anterior temporal lobectomy. Brain Lang 19: 254–263

Fechtelpeter A, Göddenhenrich S, Huber W, Springer L (1986) Ansätze zur logopädischen Therapie von auditiver Agnosie bei Aphasie (Einzelfallstudie). Vortrag gehalten im Rahmen der Jahrestagung der Arbeitsgemeinschaft für Aphasieforschung und -behandlung in Freiburg

Feldmann H (1965) Dichotischer Diskriminationstest, eine neue Methode zur Diagnostik zentraler Hörstörungen. Arch Ohr- Nas- Kehlk-Heilkd 184: 294–329

Fourcin AJ, Stephens SDG, Hazan V, Irwin J, Ball V, Delmont J (1985) Audiological rehabilitation of patients with brainstem disorders. Br J Audiol 19: 29–42

Goodey RJ (1981) Drugs in the treatment of tinnitus. In: Ciba Foundation Symposium 85, Pitman books, London, pp 263–278

Graham J, Greenwood R, Lecky B (1980) Cortical deafness. J Neurol Sci 48: 35–49

Greiner GF, Conraux C, Feblot P (1980) Zentrale und psychogene Hörstörungen. In: Zöllner F (Hrsg) Hals-Nasen-Ohren-Heilkunde in Praxis und Klinik, Bd VI/Ohr II, Kap 50, Thieme, Stuttgart

Hammeke TA, McQuillen MP, Cohen BA (1983) Musical hallucinations associated with acquired deafness. J Neurol Neurosurg Psychiatry 46: 570–572

Hansen JC, Hillyard SA (1983) Selective attention to multidimensional auditory stimuli. J Exp Psychol: Hum Percept 9: 1–19

Heilman KM, Valenstein E (1972) Auditory neglect in man. Arch Neurol 26: 32–35

Heilman KM, Watson RT, Schulman HM (1974) A unilateral memory defect. J Neurol Neurosurg Psychiatr 37: 790–793

Howe JR, Miller CA (1975) Midbrain deafness following head injury. Neurology 25: 286–289

Jacobs L, Feldman M, Diamond SP, Bender MB (1973) Palinacousis: Persistent or recurring auditory sensations. Cortex 9: 275–287

Jerger J, Jerger S (1974) Auditory findings in brain stem disorders. Arch Otolaryngol 99: 342–350

Jerger J, Jerger S (1975) Clinical validity of central auditory tests. Scand Audiol 4: 147–163

Jerger J, Weikers NJ, Sharbrough III FW, Jerger S (1969) Bilateral lesions of the temporal lobe. Acta Oto-Laryngol (Stockh) [Suppl] 258

Karasseva TA (1972) The role of the temporal lobe in human auditory perception. Neuropsychologia 10: 227–231

Katz J (1962) The use of staggered spondaic words for assessing the integrety of the central auditory system. J Aud Res 2: 327–337

Kimura D (1961) Some effects of temporal-lobe damage on auditory perception. Can J Psychol 15: 156–165

Korsan-Bengtsen M (1973) Distorted speech audiometry. Acta Oto-Laryng (Stockh) [Suppl] 310

Kussmaul A (1877) Die Störungen der Sprache. Vogel, Leipzig

Lackner JR, Teuber HL (1973) Alterations in auditory fusion thresholds after cerebral injury in man. Neuropsychologia 11: 409–415

Lauter JL, Hirsh IJ (1985) Speech as temporal pattern: A psychoacoustical profile. Speech Communication 4: 41–54

Lechevalier B, Rossa Y, Eustache F, Schupp C, Boner L, Bazin C (1984) Un cas de surdite corticale epargnant en partie la musique. Rev Neurol 140: 190–201

Lehnhardt E (1978) Praktische Audiometrie. Thieme, Stuttgart

Lhermitte F, Chain F, Escourolle R, Ducarne B, Pillon B, Chedru F (1971) Etude des troubles perceptifs auditifs dans les lesions temporales bilaterales. Rev Neurol 124: 329–351

Lichtheim L (1885) On aphasia. Brain 7: 433–484

Luxon LM (1980) Hearing loss in brainstem disorders. J Neurol Neurosurg Psychiatr 43: 510–515

Lynn GE, Gilroy J, Taylor PC, Leiser RP (1981) Binaural masking-level differences in neurological disorders. Arch Otolaryng 107: 357–362

Matzker J (1957) Ein neuer Weg zur otologischen Diagnostik zerebraler Erkrankungen. Z Laryngol Rhinol Otol 36: 177–189

Mazzucchi A, Marchini C, Budai R, Parma M (1982) A case of receptive amusia with prominent timbre perception defect. J Neurol Neurosurg Psychiatr 45: 644–647

Michel F, Peronnet F (1982) L'hemianacousie un deficit auditif dans un hemisphere. Rev Neurol 138: 657–671

Michel F, Peronnet F, Schott B (1980) A case of cortical deafness: Clinical and electrophysiological data. Brain Lang 10: 367–377

Milner B (1962) Laterality effects in audition. In: Mountcastle VB (ed) Interhemispheric relations and cerebral dominance. John Hopkins Press, Baltimore, pp 177–195

Motomura N, Yamadori A, Mori E, Tamaru F (1986) Auditory Agnosia. Analysis of a case with bilateral subcortical lesions. Brain 109: 379–391

Nielsen JM, Sult CW (1939) Agnosias and the body schema. Bull Los Angeles Neurol Soc 4: 69–76

Özdamar Ö, Kraus N, Curry F (1982) Auditory brain stem and middle latency responses in a patient with cortical deafness. Electroenceph Clin Neurophysiol 53: 224-230

Peronnet F, Michel F, Echallier JF, Girod J (1974) Coronal topography of human auditory evoked responses. Electroenceph Clin Neurophysiol 37: 225-230

Pinheiro ML, Musiek FE (eds) (1985) Assessment of central auditory dysfunction: foundations and clinical correlates. Williams & Wilkins, Baltimore

Roeser RJ, Daly DD (1974) Auditory cortex disconnection associated with thalamic tumor. Neurology 24: 555-559

Scherg M, von Cramon D (1985) A new interpretation of the generators of BAEP waves I-V: Results of a spatio-temporal dipole model. Electroenceph Clin Neurophysiol 62: 290-299

Scherg M, von Cramon D (1986a) Psychoacoustic and electrophysiologic correlates of central hearing disorders in man. Eur Arch Psychiatr Neurol Sci 236: 56-60

Scherg M, von Cramon D (1986b) Evoked dipole source potentials of the human auditory cortex. Electroenceph Clin Neurophysiol 65: 344-360

Schuster P, Taterka H (1926) Beitrag zur Anatomie und Klinik der reinen Worttaubheit. Z Ges Neurol Psychiatr 105: 494-538

Shankweiler DP (1961) Performance of brain-damaged patients on two tests of sound localization. J Comp Phys Psychol 54: 375-381

Sloane P, Persky A, Saltzman M (1943) Midbrain deafness: Tumor of the midbrain producing sudden and complete deafness. Arch Neurol Psychiatr 49: 237-243

Sparks R, Goodglass H, Nickel B (1970) Ipsilateral versus contralateral extinction in dichotic listening resulting from hemisphere lesions. Cortex 6: 249-260

Spreen O, Benton AL, Fincham RW (1965) Auditory agnosia without aphasia. Arch Neurol 13: 84-92

Stockert FG von (1954) Zentrale Hörstörungen. Fortschr Neurol Psychiat 22: 457-472

Swisher L, Hirsh IJ (1972) Brain damage and the ordering of two temporally successive stimuli. Neuropsychologia 10: 137-152

Tallal P, Newcombe F (1978) Impairment of auditory perception and language comprehension in dysphasia. Brain Lang 5: 13-24

Ulrich G (1977) Das Syndrom der akustischen Agnosie. Arch Psychiatr Nervenkr 224: 221-233

Ulrich G, Simon J (1977) Das anosognostische Psychosyndrom. Schweiz Arch Neurolog Neurochir Psychiatr 120: 153-171

Wale J, Geffen G (1986) Hemispheric specialization and attention: Effects of complete and partial callosal section and hemispherectomy on dichotic monitoring. Neuropsychologia 24: 483-496

Zatorre RJ (1985) Discrimination and recognition of tonal melodies after unilateral cerebral excisions. Neuropsychologia 23: 31-41

9 Riechen

M. VOGEL

9.1 Einleitung

Riechstörungen (Dysosmien) sind bei verschiedenen Hirnerkrankungen bekannt (Douek 1974; Roseburg u. Fikentscher 1977; Potter u. Butters 1980; Feldman et al. 1986). Riechstörungen nach Schädel-Hirn-Trauma (SHT) werden in der Literatur seit Mitte des letzten Jahrhunderts dokumentiert (Sumner 1964). Dabei kommen Beeinträchtigungen des Geruchsvermögens nicht nur bei schweren SHT vor, auch leichtere Traumen ohne nachfolgende Bewußtseinsstörung oder posttraumatische Amnesie (PTA) können eine Riechstörung nach sich ziehen (Roseburg u. Fikentscher 1977; Sumner 1964). Nach einer Schätzung von Sumner (1964) ist bei 7% der Patienten mit SHT eine dauerhafte Riechstörung zu erwarten. Da Patienten mit schwerem, gedecktem SHT die zweitgrößte Gruppe in einer neuropsychologischen Rehabilitationsklinik darstellen (s. Anhang), ist entsprechend häufig mit einer Störung der olfaktorischen Wahrnehmung zu rechnen.

9.1.1 Formen der Riechstörung

Riechstörungen werden in qualitative und quantitative Veränderungen eingeteilt.
Die *qualitativen Veränderungen* der Geruchswahrnehmung werden auch als Parosmien bezeichnet. Zu den Symptomen gehört,

- wenn früher vertraute Gerüche als verändert („fremd") oder unangenehm (Kakosmie) wahrgenommen werden,
- wenn Gerüche „in der Nase haften bleiben" oder untereinander verwechselt werden,

- Geruchspseudohalluzinationen, die bei Tumoren des Schläfenlappens und bei Temporallappenepilepsie (z.B. bei sog. Uncusanfällen) beobachtet werden,
- Störungen der Wiedererkennung, der Diskrimination und der Identifikation von Duftstoffen trotz relativ intakter Entdekkungsschwelle.

Quantitative Riechstörungen werden nach Anosmie (keine Geruchswahrnehmung), Hyposmie (verminderte Geruchswahrnehmung) und Hyperosmie (gesteigerte Geruchswahrnehmung) unterteilt. Diese Formen können ein- oder beidseitig auftreten. Die aufgehobene oder verminderte Geruchswahrnehmung kann auf einzelne Stoffe beschränkt sein; man spricht in diesen Fällen von spezifischer oder partieller Anosmie bzw. Hyposmie.
Herberhold (1978) unterschied zusätzlich noch *respiratorische Riechstörungen*. Sie entstehen durch Duftzuleitungsbehinderungen aufgrund von Obstruktionen im Nasengang oder von Nasenbein- und Mittelgesichtsfrakturen.
Bei der Beurteilung einer Dysosmie sind olfaktorische Veränderungen zu berücksichtigen, die in der Normalbevölkerung auftreten. So besteht nach Sekuler und Blake (1985) bei 3% der Bevölkerung eine spezifische Anosmie für „süß", bei 12% für Moschus und bei 47% für Urin. Ob exzessiver Tabak- oder Alkoholgenuß und zunehmendes Alter als negative Einflußfaktoren für die Riechfunktion gelten können, wird kontrovers diskutiert (s. Feldman et al. 1986; Doty et al. 1984a; Roseburg u. Fikentscher 1977).

9.1.2 Bedeutung von Riechstörungen nach Schädel-Hirn-Trauma

Der Ausfall der Geruchswahrnehmung erscheint nicht so schwerwiegend wie eine Störung der auditiven oder visuellen Wahrnehmung. Der teilweise, aber auch der komplette Verlust der Geruchswahrnehmung wird nicht immer vom Patienten selbst bemerkt. Dies veranschaulicht der Fall eines Patienten mit kompletter Anosmie, dem zwar aufgefallen war, daß er schon längere Zeit nicht mehr das Parfüm seiner Frau roch, darin aber eine Veränderung ihrer kosmetischen Gewohnheiten vermutete. Erst durch das Ergebnis der olfaktorischen Untersuchung wurde ihm der tatsächliche Zusammenhang bewußt.

Anosmien oder Hyposmien werden oft zuerst als Verlust der Feindifferenzierung von Speisen, d. h. als Störung der Geschmacksempfindung empfunden.

Im Unterschied zum vorher berichteten Fall können verhältnismäßig gering erhöhte Schwellen, einseitige Hyposmien/Anosmien oder spezifische Dysosmien zu deutlicher subjektiver Beeinträchtigung führen. Manche Patienten berichten, daß sie fremde, aber auch eigene Körpergerüche als ungewöhnlich störend empfinden. Diese Intensivierung wäre eher als Parosmie zu deuten. Dieselben Patienten können aber gleichzeitig auch darüber klagen, daß ihnen die Differenzierungsfähigkeit für andere Gerüche fehlt. So werden z. B. Parfüms gerochen, aber es fehlt ihnen das „gewisse Etwas"; Wurst und Fleisch riechen gleich. Die berichteten Wahrnehmungen können scheinbar widersprüchlich sein. Eine Patientin, die überempfindlich für Körpergerüche wurde, beklagte, daß sie nicht mehr roch, wann das „Katzenklo" gereinigt werden sollte.

Die Bedeutung der Geruchswahrnehmung für das Gefühlsleben ist zwar bekannt, jedoch nicht genauer erforscht. Geruchseindrücke können sich auf die Stimmung sowie auf die geistige und körperliche Leistungsfähigkeit auswirken. Geruchsreize spielen in zwischenmenschlichen Beziehungen eine Rolle, und sie können sexuelle Assoziationen wecken. Es gibt eine ganze Industrie, die diese Zusammenhänge berücksichtigt und die Geruchsverfeinerung von Nahrungsmitteln, Reinigungsmitteln und Kosmetika betreibt. Nicht zuletzt dient die Geruchswahrnehmung als Warnsystem, z. B. um Brände, eine lecke Gasleitung, Verschmutzungen oder verdorbene Lebensmittel zu entdecken.

Als Hindernis zur beruflichen Wiedereingliederung gilt die Dysosmie besonders für „professionelle Riecher", wie Parfümöre, Köche oder Weinkoster. Für Berufsgruppen, die besonders auf ihr Geruchsvermögen angewiesen sind, wie Bäcker, Metzger, aber auch Apotheker, Ärzte, Chemiker und Drogisten, kann eine Dysosmie eine berufliche Beeinträchtigung bedeuten.

9.2 Untersuchungsmethoden

9.2.1 Subjektive Methoden

Qualitative Riechprüfung

Die orientierende neurologische Untersuchung des Riechvermögens beschränkt sich meist auf die Feststellung, ob eine Geruchswahrnehmung vorhanden ist oder nicht. Die Untersuchung besteht in der Darbietung von 3 oder 4 Duftstoffen und zusätzlich einem Trigeminusreizstoff. Eine Veränderung in der Intensität der Wahrnehmung wird dabei selten berücksichtigt. Der einzige standardisierte Geruchsidentifikationstest, der für qualitative und quantitative Aussagen zur olfaktorischen Wahrnehmung geeignet ist, wurde von Doty et al. (1984 a, b) vorgestellt.

Es handelt sich dabei um eine dirhine Überprüfung mit Geruchsstoffen, die in kristalliner Form auf einem Papierstreifen aufgetragen sind. Durch Kratzen wird der Geruchsstoff („scratch and sniff odorants") an die Luft abgegeben. Dem Probanden werden auf diese Weise 50 verschiedene Geruchsstoffe des täglichen Lebens angeboten („pizza", „bubble-gum", „root beer" etc.). Zu jedem Riechstoff stehen 4 Antworten zur Auswahl („multiple choice").

Das Entscheidende an diesem sog. Smell Identification Test ist, daß er mit den Ergebnissen der Detektionsschwellenbestimmung korrelieren soll. Die Autoren sehen in ihrem Test ein im Gegensatz zu der aufwendigeren Schwellenwertbestimmung ungleich einfacheres Verfahren zur Bestimmung von Dysosmien. Aufgrund der Auswahl der Geruchsstoffe ist dieses Verfahren jedoch nur auf Personen des angloamerikanischen Kulturkreises anwendbar.

Quantitative Riechprüfung

Die Darstellung quantitativer Untersuchungsmethoden soll auf ein klinisch praktikables Verfahren begrenzt bleiben, das von Roseburg und Fikentscher (1977) für klinische Zwecke empfohlen wurde. Sie gaben für die Zusammenstellung der Riechstoffe eine genaue Rezeptur an.

Das Riechbesteck besteht aus 2 reinen Riechstoffen (R), 3 Riechstoffen mit Geschmackskomponente (M) und einem Trigeminusreizstoff (T). Von jedem Stoff wird eine geometrische Verdünnungsreihe von 8 Stufen hergestellt. Man tränkt mit der Testsubstanz einen Filtrierstreifen und läßt den Probanden monorhin daran schnüffeln. Als Geruchsschwelle wird die Konzentration mit dem ersten deutlichen Geruchseindruck gewertet. Die Werte werden in Form eines Olfaktogramms registriert (s. Abb. 9.1). Wenn bereits die schwächste Verdünnung wahrgenommen wird, erfolgt ein Eintrag bei „0", d. h. es besteht kein Geruchsverlust (Normosmie). Geruchsempfindung bei mittlerer Konzentration weist auf eine Hyposmie. Bei Anosmie wird keine Konzentration gerochen (Eintrag bei 8).

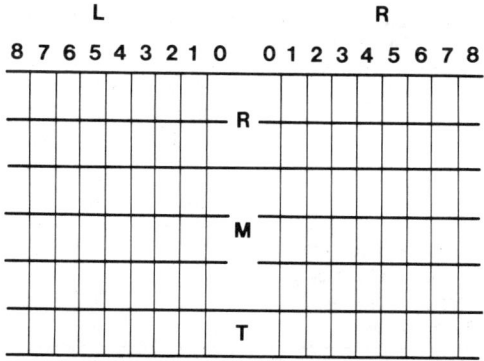

Abb. 9.1. Olfaktogramm (Erläuterung im Text)

9.2.2 Objektive Methoden

Eine objektive Methode stellt die Elektroolfaktographie dar, bei der eine direkte Ableitung von der Riechschleimhaut vorgenommen wird. Wir verweisen auf die entsprechenden Darstellungen bei Roseburg und Fikentscher (1977) und Douek (1974). Eine neuere objektive Methode ist die Ableitung rhinosensibler evozierter kortikaler Potentiale (Westhofen et al. 1985). Diese sog. Computerolfaktometrie ermöglicht die Beurteilung der Funktion der zentralnervösen Riechbahn und erlaubt eine genaue Bestimmung des Läsionsorts.

9.3 Mechanismen der traumatisch bedingten Riechstörungen

9.3.1 Schädigungsmechanismen

Eine traumatische Riechstörung kann mehrere Ursachen haben. Russell (1960) vermutet einen Abriß der Fasern des N. olfactorius (primäres olfaktorisches Neuron), der durch Massenbewegung bzw. Tangentialverschiebung des Gehirns und der dabei auftretenden Scherkräfte herbeigeführt wird. Frakturen der vorderen Schädelgrube können durch Zerstörung der Lamina cribrosa ebenfalls zu einer Schädigung des primären olfaktorischen Neurons führen. Eine andere Ursache kann die Kompression des sekundären olfaktorischen Neurons, des Bulbus oder Tractus olfactorius, durch ein frontobasales (subdurales) Hämatom sein. Tertiäre olfaktorische Neurone können durch präfrontale (Potter u. Butters 1980), orbitofrontale (Adams et al. 1980) oder temporale Kontusionen (Levin et al. 1985) betroffen sein.
Nach Roseburg u. Fikentscher (1977) ist das Auftreten einer Dysosmie unabhängig vom Schweregrad der Gewalteinwirkung. Dysosmien nach okzipitaler Gewalteinwirkung werden auf einen „Contre-coup-Effekt" zurückgeführt.
Hyposmie und Anosmie nach SHT können einseitig oder beidseitig auftreten. Unilaterale komplette Anosmien sind die Ausnahme. Die Anhebung der Wahrnehmungsschwelle kann

für alle dargebotenen Duftstoffe gleich sein. Douek (1974) beschrieb aber auch grobe Unterschiede für die Schwellen der einzelnen Stoffe. Im Extremfall kann eine spezifische Anosmie bestehen.

Als Ursachen für diese Riechstörungen kommen Schädigungen des primären olfaktorischen Neurons und der Bulbi olfactorii in Betracht. In neueren Arbeiten (s. dazu Sekuler u. Blake 1985) werden olfaktorische Neurone beschrieben, die nur Informationen ganz bestimmter Duftstoffe weiterleiten. Bei inkompletter Schädigung des N. olfactorius ist eine selektive Wahrnehmungsstörung deshalb sehr wohl denkbar.

Inwieweit Schädigungen „höherer" Verarbeitungsstufen des olfaktorischen Systems einen Einfluß auf die Wahrnehmungsschwelle ausüben, ist noch weitgehend ungeklärt. Rausch (1975) fand bei Patienten, bei denen unilateral das vordere Segment des Temporallappens entfernt war, eine Erhöhung der olfaktorischen Wahrnehmungsschwellen.

Eigene Befunde

Aufgrund der oben zitierten Befunde wollten wir herausfinden, ob Dysosmie als ein Prädiktor für eine begleitende „Frontalhirnschädigung" dienen kann. Wir wollten zudem den Befund von Sumner (1964) überprüfen, nach dem ein enger Zusammenhang zwischen Schweregrad der Hirnschädigung und bleibender Anosmie oder Hyposmie bestehen soll. Wir haben bei 96 Patienten mit schwerem, gedecktem SHT die Entdeckungsschwellen ermittelt. Die Patienten wurden ≥ 3 Monate nach dem SHT untersucht. Wir benutzten zur Schwellenbestimmung das olfaktometrische Verfahren nach Roseburg und Fikentscher (1977), wie es auf S. 153 dargestellt ist. Ergab sich der Befund einer Dysosmie, wurde der Patient zum Ausschluß einer peripheren Erkrankung des Riechepithels einer HNO-ärztlichen Untersuchung zugeführt.

Bei allen 96 Patienten lag eine kraniale Computertomographie vor, die hinsichtlich frontaler Läsionen beurteilt wurde. Um einen Vergleich mit der einschlägigen Literatur bezüg-

lich des Schweregrads des SHT zu ermöglichen, wurde die Dauer der posttraumatischen Amnesie für 44 Patienten ausgewertet.

Bei 40 der 96 Patienten (42%) war eine Veränderung der olfaktorischen Wahrnehmungsschwelle festzustellen. Von diesen 40 Patienten mit Dysosmie wiesen 42,5% beidseitige Anosmien und 20% Hyposmien auf. Die übrigen Riechstörungen entfielen auf spezifische An- bzw. Hyposmien oder einseitige Dysosmien (s. Tabelle 9.1).

Tabelle 9.2 zeigt, daß 42 von 96 Patienten (43,7%) im kranialen Computertomogramm Hinweise auf eine Frontalhirnschädigung (z. B. frontale Kontusionsherde, frontale Hygrome) aufwiesen. Aber nur knapp 50% dieser Patienten hatten auch eine Dysosmie. Die einzelnen Störungsformen konnten nach dem Kriterium der Frontalhirnschädigung nicht voneinander getrennt werden.

Tabelle 9.1. Verteilung der Dysosmien bei 96 Patienten mit SHT

Dysosmien	n	[%]
Anosmie beidseitig	17	17,7
Anosmie einseitig	3	3,1
Hyposmie beidseitig	8	8,3
Hyposmie einseitig	7	7,3
Spezif. Anosmie/ Hyposmie beidseitig	3	3,1
Spezif. Anosmie/ Hyposmie einseitig	2	2,0
Normosmie	56	58,5
Gesamt	96	100,0

Tabelle 9.2. Frontalhirnschädigung und Dysosmie bei 96 Patienten

Dysosmie	Hinweise auf Frontalhirnschädigung im CCT	
	ja (n)	nein (n)
Anosmie beidseitig	10	7
Hyposmie beidseitig	5	3
Übrige Dysosmien	4	11
Normosmie	23	33
Gesamt	42	54

9.3.2 Häufigkeit und Rückbildung

Wenngleich bei leichteren Traumen Dysosmien und auch Anosmien beobachtet werden, so wird trotzdem ein positiver Zusammenhang zwischen Schweregrad des SHT bzw. Dauer der PTA und der Auftretenswahrscheinlichkeit einer Riechstörung vermutet. Bei einer PTA > 24 h rechnet man in 20-30% der Fälle mit einer Dysosmie (Sumner 1964; Douek 1974).

Nach Herberhold (1978) bilden sich 30% der Riechstörungen innerhalb von 6 Monaten im wesentlichen zurück. Ob sich eine hirntraumatisch bedingte Riechstörung zurückbildet, hängt vom Ausmaß und Ort der Hirnschädigung ab. Falls nur die Fasern der Nn. olfactorii geschädigt sind, besteht die Möglichkeit einer vollständigen Rückbildung. Olfaktorische Rezeptorneurone sind einer ständigen Erneuerung unterworfen; sie haben eine Lebensdauer von ungefähr 5-8 Wochen (Sekuler u. Blake 1985). Möglicherweise stehen die Beobachtungen von Sumner (1964), daß sich über 50% der Dysosmien nach leichtem SHT (PTA < 24 h) innerhalb der ersten 10 Wochen nach dem Ereignis zurückbilden, mit dem Regenerationsrhythmus der olfaktorischen Neurone in Zusammenhang. Nach dieser Phase erfolgt die Rückbildung langsamer und meist selektiv, d.h. die Wahrnehmungsschwelle normalisiert sich nur für manche Gerüche, während andere nicht mehr wahrgenommen werden können. Allgemein wird ein Zusammenhang zwischen dem Schweregrad des SHT (bezogen auf die Dauer der PTA) und der Wahrscheinlichkeit einer Rückbildung gesehen. Bei einer PTA > 24 h sollen 90% der Anosmien dauerhaft bestehen bleiben; unabhängig vom Schweregrad des SHT kann eine Rückbildung in einem Zeitraum von wenigen Tagen und - in seltenen Fällen - bis zu 5 Jahren erfolgen (Douek 1974). Demgegenüber stellte Herberhold (1978) fest, daß eine länger als 6 Monate bestehende Anosmie als chronisch anzusehen ist.

Wie unsere eigenen Untersuchungen zum Zusammenhang von PTA und Riechstörungen zeigen, kann ein schweres, gedecktes SHT mit

Tabelle 9.3. Posttraumatische Amnesie und Dysosmie (n = 44)

Dauer der PTA in Wochen	<1	1-10	10-30	>30
Dysosmien	2	9	3	–
Normosmie	5	19	5	1

einer PTA ≥ 1 Woche durchaus mit einer Normosmie einhergehen (s. Tabelle 9.3). Der Schweregrad eines SHT - ermittelt nach der PTA - sagt demnach nichts über die Wahrscheinlichkeit einer Dysosmie aus. Umgekehrt betrachtet kommt eine posttraumatische Riechstörung nicht als Indikator für den Schweregrad in Betracht.

Die PTA als prognostischen Faktor für die Rückbildung einer Riechstörung heranzuziehen erscheint deshalb fragwürdig, denn von den 40 Patienten mit Riechstörung lag nur bei 14 eine PTA vor. Offenbar spielen noch andere Faktoren, z.B. Ort der Hirnschädigung, eine entscheidende Rolle.

9.4 Ausblick

Es ist bei etwa 40% der Patienten, die wegen ihrer traumatischen Hirnschädigung neuropsychologisch behandlungsbedürftig sind, mit einer schweren chronischen Riechstörung zu rechnen.

Aufgrund des geringen statistischen Zusammenhangs zwischen einer Riechstörung und einer Frontalhirnschädigung sind verschiedene Schädigungsmechanismen der Riechbahn anzunehmen. Zu berücksichtigen bleibt, daß die Schwellenbestimmung der Geruchswahrnehmung nicht in jedem Fall das geeignete Verfahren ist, um eine Dysosmie, die im Zusammenhang mit einer traumatischen Frontalhirnschädigung steht, aufzudecken (Levin et al., 1985; Cain et al. 1983). So berichteten Levin et al. über eine Störung der Wiedererkennung, während die Geruchsentdeckung unauffällig war.

Die Heranziehung der PTA als Prädiktor für eine dauerhafte olfaktorische Störung erscheint in Anbetracht der Tatsache, daß eine mehrwöchige PTA nicht mit einer Veränderung der Wahrnehmungsschwelle kombiniert sein muß, als nicht sinnvoll. Mit dem vorliegenden Ergebnis ist jedoch noch nicht schlüssig belegt, in welchem Verhältnis der Schweregrad des SHT und diese Form der Riechstörung zueinander stehen.

Für ein besseres Verständnis der traumatischen Riechstörungen ist es deshalb notwendig, auch „höhere" Leistungen der olfaktorischen Wahrnehmung zu prüfen. Dazu müßte die olfaktorische Schwellenbestimmung durch einen Test zur Geruchsidentifikation ergänzt werden. Cain et al. (1983) regten für die klinische Untersuchung ein solches kombiniertes Verfahren bereits an. Zusätzlich sollte versucht werden, die subjektive Bedeutung einer Störung der olfaktorischen Wahrnehmung besser zu verstehen. Dazu bedarf es einer systematischen und detaillierten Befragung der Patienten nach den Charakteristika der Symptome und nach den eigenen olfaktorischen Gewohnheiten.

Aufgrund neuerer Befunde ist es für den Neurologen von Bedeutung, auch andere neurologische Patientengruppen systematisch und quantitativ olfaktorisch zu testen. Bei primär degenerativen Hirnerkrankungen, z. B. Morbus Alzheimer, gehören Schädigungen des olfaktorischen Systems (Hyman et al. 1986) bzw. pathologische Veränderungen der Geruchswahrnehmung zu den ersten Symptomen (Peabody u. Tinklenberg 1985).

Methoden zur Therapie zentraler Riechstörungen sind noch nicht entwickelt worden. Für die Wirksamkeit von Zinkpräparaten oder Vitaminverabreichungen gibt es außer bei entsprechenden Mangelerscheinungen keinen Nachweis.

Danksagung

Viele der Beobachtungen und Befunde, die dieser Arbeit zugrunde liegen, verdanke ich D. Claros-Salinas, E. M. Fuchs, G. Greitemann, E. Heimdahl, I. Keil, I. Löwenstein, E. Reitschuster und A. Rogowski. Danken möchte ich auch I. Wiesner und besonders Dr. A. Danek für ihre vielseitigen Hilfen und Anregungen.

Literatur

Adams JH, Graham DI, Scott G, Parker LS, Doyle D (1980) Brain damage in fatal non-missile head injury. J Clin Pathol 33: 1132–1145

Cain WS, Gent J, Catalanotto FA, Goodspeed RB (1983) Clinical evaluation of olfaction. Am J Otolaryngol 4: 252–256

Doty RL, Shaman P, Dann M (1984a) Development of the University of Pennsylvania Smell Identification Test: A standardized microencapsulated test of olfactory function. Psychol Behav 32: 489–502

Doty RL, Shaman P, Kimmelman CP, Dann MS (1984b) University of Pennsylvania Smell Identification Test: A rapid quantitative olfactory function test for the clinic. Laryngoscope 94: 176–178

Douek E (1974) The assessment of smell and its abnormalities. Churchill Livingstone, Edinburgh

Engen T (1960) Effects of practice and instruction on olfactory threshold. Perc Mot Skills 10: 195–198

Feldman JI, Wright HN, Leopold DA (1986) The initial evaluation of dysosmia. Am J Otolaryngol 4: 431–444

Herberhold C (1978) Störungen des Riechsinns. Deutsches Ärztebl 48: 2901–2907

Hyman BT, van Hoesen GW, Damasio AR, Barnes CL (1984) Alzheimer's disease: cell specific pathology isolates the hippocampal formation. Science 225: 1168–1170

Levin S, High WM, Eisenberg HM (1985) Impairment of olfactory recognition after closed head injury. Brain 108: 579–591

Peabody CA, Tinklenberg JR (1985) Olfactory deficits and primary degenerative dementia. Am J Psychiat 142: 524–525

Potter H, Butters N (1980) An assessment of olfactory deficits in patients with damage to prefrontal cortex. Neuropsychologia 18: 621–628

Rausch R (1975) Specific alterations of olfactory function in humans with temoral lobe lesions. Nature 255: 557–558

Roseburg B, Fikentscher R (1977) Klinische Olfaktologie und Gustologie. Johann A. Barth, Leipzig

Russell WR (1960) Injury to cranial nerves and optic chiasm. In: Brock S (ed) Injuries of the brain and spinal cord and their coverings, 4th edn. Springer, Berlin Heidelberg New York, pp 118–126

Sekuler R, Blake R (1985) Perception. Alfred A. Knopf, New York

Sumner D (1964) Post-traumatic anosmia. Brain 87: 107–120

Westhofen M, Herberhold C, Thayssen G, Jend HH (1985) Zur Entstehung olfaktorischer und rhinosensibler evozierter kortikaler Potentiale bei Erkrankungen des Zentralnervensystems. Laryngol Rhinol Otol 64: 378–387

10 Aufmerksamkeit

W. SÄRING

10.1 Aspekte der Aufmerksamkeit

The subject of attention is a broad one.
(Posner & Boies 1971)

Der Stand der Aufmerksamkeitsforschung im Bereich der klinischen Neuropsychologie ist durch 2 Dinge gekennzeichnet:

- Auf der einen Seite findet sich in der Literatur ein Thesaurus an sehr differenzierten und theoretisch untermauerten Untersuchungsergebnissen und Denkmodellen als Ergebnis von experimentalpsychologischen Untersuchungen der verschiedensten Aufmerksamkeitsleistungen gesunder Probanden.
- Andererseits besteht im Bereich der Rehabilitation hirngeschädigter Patienten zwar bei vielen dort Tätigen eine große (wenn auch oft unsystematische) Erfahrung mit den bei dieser Patientengruppe häufig vorliegenden Aufmerksamkeitsstörungen; eine Rezeption und Überprüfung der Theorien und Untersuchungsmethoden der experimentellen Psychologie findet jedoch nur beschränkt statt (dies mag teilweise auch in der Tatsache begründet sein, daß eine Reihe komplizierter Experimente mit hirngeschädigten Patienten nicht durchführbar scheint).

Im folgenden sollen deshalb schlagwortartig einige wichtige Begriffe der Aufmerksamkeitspsychologie zumindest kurz angerissen werden. Da abgesehen von der Arbeit von Van Zomeren et al. (1984) unseres Wissens derzeit kaum Überblicksarbeiten zum Thema Aufmerksamkeitsstörungen hirngeschädigter Patienten vorliegen, werden relativ viele Literaturverweise angeführt. Ein neuerer Überblick über die experimentalpsychologischen Untersuchungen findet sich beispielsweise bei Parasuraman u. Davies (1984).

Als Gliederung dienen die 3 von Posner u. Boies (1971) dargestellten wesentlichen funktionellen Komponenten von Aufmerksamkeit: (begrenzte) Verarbeitungskapazität, Selektivität und „alertness" (vgl. auch Posner u. Rafal 1987).

Begrenzung der Verarbeitungskapazität

Die Begrenzung der Verarbeitungskapazität insbesondere bei bewußter Aufmerksamkeitszuwendung beinhaltet als wesentliche Komponenten:

- die Geschwindigkeit der Informationsverarbeitung,
- die Fähigkeit zu geteilter/paralleler Informationsverarbeitung,
- die Fähigkeit zu automatisierter und kontrollierter Verarbeitung.

Die *Informationsverarbeitungsgeschwindigkeit* (auch als „kognitive Leistungsgeschwindigkeit" bezeichnet; Oswald u. Roth 1978) scheint als Basisvariable vieler kognitiver Prozesse von Bedeutung zu sein; ihre Beziehung zu verschiedenen Intelligenzmaßen wurde mehrfach herausgestellt (vgl. Gaußmann et al. 1978; Jensen 1980; Posner u. McLeod 1982). Bei der Untersuchung der Informationsverarbeitungsgeschwindigkeit ergibt sich die Notwendigkeit, Verfahren auszuwählen, bei denen mögliche Effekte der zur Lösung der gestellten Aufgabe erforderlichen Verarbeitungsstrategien und der Verarbeitungskapazität (im Sinne der Aufmerksamkeitsspanne) insofern unberücksichtigt bleiben können, als mit großer Wahrscheinlichkeit davon ausgegangen werden kann, daß die Anforderungen der jeweiligen Aufgabe an Strategien und Kapazität ohne wesentliche Probleme erfüllt werden können. Die Untersuchungsverfahren werden deshalb so gewählt, daß die Probanden die gestellten Aufgaben, wenn sie nicht unter begrenzten Zeitbedingungen arbeiten müssen, ohne Schwierigkeiten lösen können, ihre Durchführung unter zeitkritischen Bedingungen jedoch ein Maß für die Geschwindigkeit der Informationsverarbeitung liefert. Ihre häufigste Operationalisierung ist die Untersuchung der Reaktionsgeschwindigkeit in einfachen oder komplexen Reiz-Reaktions-Versuchen.

Die Fähigkeit zu *paralleler/geteilter Informationsverarbeitung* bzw. ihre Einschränkungen durch die Komplexität des zu bearbeitenden Materials und die hierfür zur Verfügung stehende Zeit (d.h. die Geschwindigkeit der Informationsverarbeitung) sind für die Untersuchung von Aufmerksamkeitsleistungen ebenfalls von großer Bedeutung. Ein Standardparadigma hierfür ist die Untersuchung von Reaktionsleistungen auf einfache visuelle oder akustische Reize, während die Versuchsperson „gleichzeitig" eine zweite (verbale oder motorische) Aufgabe zu lösen hat (vgl. Posner u. Boies 1971). Uneinigkeit herrscht derzeit in der experimentalpsychologischen Literatur über die Frage, ob und in welchem Ausmaß es sich um eine parallele oder eine sequentielle Informationsverarbeitung handelt („divided attention" vs. „shared attention" vs. „dual task"; vgl. hierzu Schneider et al. 1984; Navon 1985; Miller 1985).

Die Fähigkeit zu *automatisierter und kontrollierter Informationsverarbeitung* ist für die gleichzeitige Verarbeitung mehrerer Informationen erforderlich (Shiffrin u. Schneider 1977; Schneider u. Shiffrin 1977). Die automatisierte, bis zum höchstmöglichen Niveau nicht bewußt erfolgende Informationsverarbeitung ist von wesentlich größerer Kapazität als die bewußte; die Fähigkeit zu kontrollierter (bewußter) Informationsverarbeitung ist hinsichtlich Verarbeitungskapazität und -geschwindigkeit deutlich eingeschränkt, erlaubt jedoch

dafür eine willkürliche Abgrenzung gegenüber anderen Reizen, ist variabel auf verschiedene Reizkonfigurationen einstellbar und kann das jeweilige Objekt sehr flexibel wechseln. Eine parallele Verarbeitung von Informationen kann deshalb um so leichter erfolgen, je mehr zumindest eine der Komponenten automatisiert abläuft.

Das Modell von Shiffrin und Schneider unterscheidet hierzu 2 wesentliche Typen von Aufmerksamkeitsstörung:

- Störungen der fokussierten Aufmerksamkeit treten auf, wenn es zu einem Konflikt zwischen automatisierter Reaktionstendenz und der gerade erforderlichen willkürlichen Reaktion kommt.
- Störungen der geteilten Aufmerksamkeit treten aufgrund der begrenzten Verarbeitungsgeschwindigkeit zweier parallel ablaufender kontrollierter Prozesse auf.

Selektivität der Informationsverarbeitung

Die Selektivität der Informationsverarbeitung als entscheidendes Merkmal von „Aufmerksamkeit" wird schon in dem (in fast allen Übersichtsartikeln zur Aufmerksamkeitspsychologie anzutreffenden) Zitat von James (1890) hervorgehoben: „Everyone knows what attention is ... Focalization, concentration are of its essence. It implies withdrawal from some things in order to deal better with others." - Oder als Kurzfassung in einer neueren Arbeit: „To attend is to select for processing" (Navon 1985).

Die Filtertheorie von Broadbent (1958) lieferte das erste theoretische Modell über die Lokalisation dieses „Flaschenhalses" im Prozeß der Informationsverarbeitung.

Mögliche Eigenschaften und Lokalisation dieses Filters waren Inhalt einer großen Zahl von Experimenten und Theorien der letzten 30 Jahre. Das oben angeführte Modell von automatischer vs. kontrollierter Verarbeitung von Shiffrin u. Schneider mit seinen Modifikationen ist derzeit das am meisten akzeptierte (vgl. als Überblick Schneider et al. 1984; Kahneman u. Treisman 1984; Davies et al. 1984; Schneider 1985).

„Alertness"

Als wesentliche Funktionen von „alertness" (im Deutschen mit „Aktivation" oder „Wachheit" wohl nur unzureichend übersetzbar) beschreiben Posner u. Boies (1971):

- die Fähigkeit, Aufmerksamkeit über längere Zeit in sog. „Vigilanzaufgaben" aufrecht zu erhalten (tonische Aufmerksamkeit);
- die Fähigkeit, sich auf entsprechende Warnreize hin möglichst gut auf die Verarbeitung eines neuen Reizes einzustellen (phasische Aufmerksamkeit).

Der von Head (1926) geprägte Begriff der *Vigilanz* wurde von Mackworth (1948) in den Sprachgebrauch der Aufmerksamkeitspsychologie übernommen, um damit die Fähigkeit eines Beobachters zu charakterisieren, kleine Reizveränderungen in Situationen zu entdecken und zu beantworten, die die Aufrechterhaltung von Aufmerksamkeit über lange, ununterbrochene Zeiträume erfordern („low event rate task", Posner 1978). Als wesentlicher Parameter der Leistung in solchen Situationen werden das „decrement", d.h. der Abfall der Leistung im zeitlichen Verlauf, in Abhängigkeit von der Stimuluseigenschaften und der Stimulusauftretenswahrscheinlichkeit und die tonische Aktivationslage („arousal") untersucht (vgl. Warm 1984; Parasuraman 1984, 1985).

Untersuchungen zur *phasischen Aufmerksamkeit* werden häufig auch mit Hilfe elektroenzephalographischer Aufzeichnungen durchgeführt. Das „Bereitschaftspotential" im EEG, das als Folge eines Warnreizes in einer Reaktionsaufgabe zu beobachten ist, wird als Zeichen der „Vorbereitung" auf die eigentliche (motorische) Reaktion interpretiert (als Überblick vgl. Milner 1986; Sheer u. Schrock 1986).

Unter dem umgangssprachlich viel gebrauchten Begriff der *Konzentrationsfähigkeit* wird im engeren Sinne von Westhoff und Kluck (1984) die Fähigkeit zu „schnellem und richtigem Arbeiten an hoch geübtem Material" verstanden („high event rate task" als Gegensatz zur obigen „low event rate task"). Es wird da-

von ausgegangen, daß in unserem Kulturkreis das Alphabet, Zahlen und die 4 Grundrechenarten hoch trainiert sind. Die meisten gebräuchlichen Konzentrationstests arbeiten mit Durchstreichaufgaben, Rechenaufgaben oder Sortieraufgaben.

Als unabhängige, testübergreifende Dimensionen werden von Westhoff und Kluck (1984) hierbei die Komplexität der Reizgrundlage, die Komplexität der geforderten Reaktion und der Grad der Geübtheit des Individuums im Bearbeiten von bestimmten (Konzentrations-) Aufgaben diskutiert.

Brickenkamp und Karl (1986) definieren Konzentration etwas allgemeiner als „eine leistungsbezogene, kontinuierliche Reizselektion, die Fähigkeit eines Individuums, sich bestimmten, (aufgaben-)relevanten internen oder externen Reizen selektiv, d.h. unter Abschirmung gegenüber irrelevanten Stimuli, ununterbrochen zuzuwenden und diese schnell und korrekt zu analysieren."

Daueraufmerksamkeit als die Fähigkeit, Aufmerksamkeit in diesem weiteren Sinne unter erhöhten Anforderungen über längere Zeit aufrechthalten zu können, ist für den Alltag, insbesondere in Hinblick auf berufliche bzw. schulische Anforderungen, von großer Bedeutung.

10.2 Aufmerksamkeitsstörungen hirngeschädigter Patienten

10.2.1 Reduktion der Informationsverarbeitungsgeschwindigkeit

Die Geschwindigkeit der Informationsverarbeitung wird bei hirngeschädigten Patienten am häufigsten mit der Bestimmung von (meist visuellen) Einfach- oder Mehrfachwahlreaktionszeiten untersucht.

Einigkeit herrscht seit langem darüber, daß bei hirngeschädigten Patienten eine Verlangsamung solcher Reaktionszeiten zu beobachten ist (vgl. als Überblick Sturm 1983; Van Zomeren et al. 1984; Benton 1986; Milner 1986;

Dikmen et al. 1986a). Aus den vorliegenden Berichten über diese Verminderung der Reaktionsgeschwindigkeit ergeben sich dabei 2 wesentliche Fragestellungen (Benton 1986):

- Sind Mehrfachwahlreaktionszeiten ein empfindlicherer Indikator für eine Hirnschädigung als einfache Reaktionszeiten?
- Bestehen systematische Abhängigkeiten zwischen Ort, Art und Ausmaß der Hirnschädigung und Zeit seit dem Ereignis auf der einen und der Verlängerung der Reaktionszeiten auf der anderen Seite?

Vor der Darstellung der hierzu vorliegenden Untersuchungen sind einige kritische methodische Probleme zu diskutieren, durch die die in der Literatur berichteten Ergebnisse oft nur bedingt interpretierbar bzw. vergleichbar sind (vgl. auch Benton 1986; Sturm u. Büssing 1986):

- Die Untersuchung der Reaktionszeiten erfolgte oft unter sehr unterschiedlichen Bedingungen: Teils mit, teils ohne Warnreiz; unterschiedliche motorische Anforderungen wurden gestellt, so daß die gemessene Reaktionszeit unterschiedliche Anteile an reiner Bewegungszeit mit umfaßt; bei der Untersuchung der Mehrfachwahlreaktionen wurden teils Aufgaben durchgeführt, die zwar verschiedene Reiz-, aber nur eine Reaktionsalternative beinhalteten, teils solche, die sowohl mehrere Reiz- als auch Reaktionsalternativen erforderten; der Einfluß motivierender Instruktionen wurde kaum systematisch berücksichtigt (vgl. Blackburn 1958; Shankweiler 1959; Sturm u. Büssing 1982); auch die Frage, ob Patienten bei bestimmten Mehrfachwahlreaktionsaufgaben im Vergleich zu einfachen Aufgaben mittelbar in Folge einer höheren allgemeinen Aktivierung relativ rascher reagieren, wurde kaum diskutiert.
- In den wenigsten Untersuchungen sind genaue Angaben zur Ätiologie der Hirnschädigung, der Zeit seit der Hirnschädigung sowie deren genauer Lokalisation und Schweregrad angegeben; es handelt sich oft um sehr heterogene Gruppen von Patienten, daneben wurden als Kontrollgruppen teils normalgesunde Personen, teils aber auch nichthirngeschädigte Patienten herangezogen.
- Aussagen über begleitende neuropsychologische oder neurologische Defizite, die die Leistungsfähigkeit der Patienten in den Untersuchungen als systematische Fehlervariable hätten beeinflußen können, sind kaum zu finden.

Während in einem Teil der Untersuchungen (Blackburn u. Benton 1955; Benton u. Blackburn 1957; Benton u. Joynt 1959; De Renzi u. Faglioni 1967; Bruhn u. Parsons 1971; Dee u. Van Allen 1971; Klensch 1973; vgl. auch Sturm u. Büssing 1986 und Stokx u. Gaillard 1986) sich kein signifikanter Unterschied im relativen Schwierigkeitsgrad zwischen Einfach- und Mehrfachwahlreaktionszeiten bei Hirngeschädigten zeigte, liegen auch mehrere Untersuchungen vor, die mit zunehmender Zahl der Reaktionsalternativen eine im Vergleich zu einer gesunden Kontrollstichprobe deutlichere Zunahme dieser Reaktionszeit zeigten (Miller 1970; Dee u. Van Allen 1973; Van Zomeren u. Deelman 1976, 1978; Van Zomeren 1981).

Auch in Untersuchungen an geriatrischen Patienten (Ferris et al. 1976) und an Patienten mit dementiellen Syndromen (Pirozzolo et al. 1981) zeigte sich eine deutlichere Reduktion der Reaktionsgeschwindigkeit bei Mehrfachwahlreaktionen im Vergleich zu Einfachreaktionsaufgaben.

Die Frage der Abhängigkeit einer Verlängerung der Reaktionszeit von Ort und Ausmaß der Hirnschädigung läßt sich ebenfalls nicht eindeutig beantworten.

In einem Teil der Untersuchungen fand sich eine deutlichere Verlangsamung der einfachen Reaktionszeiten nach rechtshemisphärischen Läsionen im Vergleich zu linkshemisphärischen (De Renzi u. Faglioni 1965; Howes u. Boller 1975; Nakamura u. Taniguchi 1977; Sturm u. Büssing 1986); in anderen Untersuchungen ließ sich ein solcher Einfluß nicht sichern (Dee u. Van Allen 1973; Elsass u. Hartelius 1985; vgl. auch Tartaglione et al. 1987 zur Frage der Wechselwirkung zwischen betroffener Hemisphäre und Ort der Läsion).

Über eine deutlichere Verlangsamung der einfachen Reaktionszeiten nach linkshirnigen Läsionen wurde nicht berichtet; Patienten mit linkshirnigen Läsionen scheinen jedoch teilweise in Mehrfachwahlreaktionsaufgaben eine relativ deutlichere Leistungseinbuße aufzuweisen als rechtshemisphärisch geschädigte (Dee u. Van Allen 1973; Sturm u. Büssing 1986).

Bezüglich des Einflusses der (computertomographisch bestimmten) Größe der Läsion zeigte sich in der Studie von Tartaglione et al. (1986) lediglich für rechtshemisphärische Läsionen eine positive Korrelation zwischen dem

Ausmaß der Gewebsschädigung und der Verlängerung der Reaktionszeiten.

Andere häufig verwendete Verfahren zur Bestimmung einer Reduktion der Informationsverarbeitungsgeschwindigkeit im kognitiven Bereich als Folge einer Hirnschädigung sind der in angloamerikanischen Untersuchungen meist angewendete „Trail Making Test" (z. B. Reitan 1958; Boll 1974) sowie im deutschen Sprachraum dessen Modifikation, der Zahlenverbindungstest (Oswald u. Roth 1978; vgl. unten).

Als Alternative zu den meist visuellen Reizvorgaben in den oben angeführten Arbeiten wurden von Gronwall u. Wrightson (1974, 1981; vgl. auch Gronwall u. Sampson 1974; Gronwall 1977; Levin 1985; Prigatano et al. 1986a) Untersuchungen zur Frage der kognitiven Verlangsamung hirngeschädigter Patienten auch mit Hilfe einer seriellen akustischen, verbal zu lösenden Additionsaufgabe (PASAT, vgl. S. 170) durchgeführt.

Diese Aufgabenstellung verdeutlicht eine wichtige Modifikationsmöglichkeit der Untersuchung von Reaktionsaufgaben. Messungen der Reaktionszeit erfolgen häufig reaktionsgesteuert, d.h. der Patient veranlaßt erst durch seine Reaktion die Präsentation eines neuen Reizes. Demgegenüber erfolgt beispielsweise im PASAT die Darbietung der Stimuli reizgesteuert, d.h. die gesprochenen Zahlen werden von einem Tonband mit gleichmäßigen Interstimulusintervallen unabhängig von der Reaktion des Patienten abgespielt (derartige reizgesteuerte Aufgaben sind selbstverständlich auch visuell möglich).

Die klinische Erfahrung zeigt nun, daß, noch viel ausgeprägter als für Gesunde, eine reizgesteuerte Stimulusvorgabe in verschiedenen Situationen für hirngeschädigte Patienten schwerer zu bewältigen ist als eine reaktionsgesteuerte. Dies bedeutet, daß in Situationen, in denen von einem Patienten der Umgang mit solchen reizgesteuerten Aufgaben gefordert wird (z. B. bei längeren Vorgaben sprachlichen Materials oder an vielen industriellen Arbeitsplätzen), mit erhöhten Schwierigkeiten zu rechnen ist.

Ein weiteres Verfahren, das in einigen Studien zur Untersuchung der „Bradyphrenie" von Parkinson-Patienten verwendet wurde (Wilson et al. 1980; Rafal et al. 1984) ist das „Sternberg-Paradigma" (Sternberg 1975). Die Aufgabe des Patienten besteht hier darin, möglichst schnell zu entscheiden, ob in einem Satz vorgegebener Ziffern solche aus einem vorher gelernten Set enthalten sind oder nicht. Bewertet werden Reaktionsgeschwindigkeit und -genauigkeit.

Weitere Untersuchungen zu Störungen der „geteilten" Aufmerksamkeit verwenden z.B. eine motorische Trackingaufgabe und eine verbale Gedächtnisaufgabe (Melamed et al. 1985a, b).

Stuss et al. (1985), die residuale neuropsychologische Defizite von Patienten mehrere Jahre nach einem Schädel-Hirn-Trauma untersuchten, fanden, daß diese Patientengruppe insbesondere in Testverfahren zur geteilten Aufmerksamkeit schlechtere Leistungen zeigte als eine vergleichbare Kontrollgruppe ohne Schädel-Hirn-Trauma in der Anamnese.

10.2.2 Einschränkung der Daueraufmerksamkeitsleistung

Die deutliche Reduktion der Daueraufmerksamkeitsleistung von Patienten in den ersten Wochen nach einer Hirnschädigung ist eine allgemeine klinische Erfahrung.

Studien zur Daueraufmerksamkeit von Patienten mehrere Monate oder Jahre nach einer Hirnschädigung ergaben jedoch andere Ergebnisse; als Untersuchungsparadigmen wurden dabei sowohl Vigilanzaufgaben, als auch fortlaufende Reaktionsaufgaben verwendet (vgl. De Renzi u. Faglioni 1965; Bruhn u. Parsons 1971; Howes u. Boller 1975; Ewing et al. 1980; Van Zomeren 1981; Salmaso u. Denes 1982; Klee u. Garfinkel 1983; Brouwer u. Wolffelaar 1985; Wilkins et al. 1987). Es zeigte sich, daß zwar die jeweilige Leistung hirngeschädigter Patienten im Vergleich zu Gesunden reduziert war und teils auch eine größere Variabilität der gemessenen Leistungen beobachtet wurde, es jedoch meist bei einer Untersuchungsdauer von 45 min bis zu 1 h zu keinem wesentlichen Abfall des Leistungsniveaus kam.

Einschränkend ist zu diesen Untersuchungen festzustellen, daß es sich meist um Untersuchungssituationen mit leichten bis mittleren Anforderungen über ca. 1 h handelt (teils im Sinne von „Vigilanzaufgaben"). Ob sich entsprechende Ergebnisse auch bei Aufgaben mit hohem Anforderungsgrad zeigen oder über Zeiträume von 2-3 h (was beispielsweise für die Frage der Leistungsfähigkeit bezüglich einer angestrebten beruflichen Wiedereingliederung von Relevanz wäre), bleibt offen. Die klinische Erfahrung spricht dafür, daß im oberen Leistungsbereich oft noch über lange Zeit nach einer Hirnschädigung Einschränkungen bestehen bleiben.

10.2.3 Ablenkbarkeit – Interferenzanfälligkeit

Die Frage der erhöhten externen oder internen Ablenkbarkeit bzw. Interferenzanfälligkeit hirngeschädigter Patienten bzw. der Fähigkeit zur Fokussierung von Aufmerksamkeit läßt sich aufgrund fehlender systematischer Untersuchungen nur beschränkt beantworten.

Wie oben bereits angeführt, ist ein Standardparadigma zur Untersuchung der Interferenzanfälligkeit der Farbe-Wort-Test nach Stroop (1935). Dieser Test (die Normierung für den deutschen Sprachraum stammt von Bäumler 1985) besteht aus 3 Aufgabenteilen, dem Lesen von Farbwörtern, dem Benennen von Farbstrichen und dem Benennen der Druckfarbe von (damit inkongruenten) Farbwörtern. Die bei dem letzten Aufgabentyp zu beobachtende deutliche Reduktion der Benennensleistung wird als Folge der „Interferenz" der automatisierten Reaktionstendenz beim Lesen des Farbworts mit dem geforderten Benennen seiner damit nicht übereinstimmenden Druckfarbe interpretiert.

Mit diesem Test wurden eine Reihe von Untersuchungen an hirngeschädigten Patienten durchgeführt, die in Abhängigkeit von verwendeten Meßparametern bzw. Normwerten und (oft nicht näher analysierten) zusätzlichen neuropsychologischen Defiziten wechselnd eine

erhöhte - in der Untersuchung von Cohen et al. (1983) bei aphasischen Patienten auch verminderte - „Interferenzanfälligkeit" hirngeschädigter Patienten oder nur die Zeichen einer generellen Reduktion der Informationsverarbeitung, die sich in allen 3 Untertests äußerte, feststellten (vgl. als neuere Untersuchungen Perret 1974; Cohen et al. 1983; Koss et al. 1984; Stuss et al. 1985).

Die Frage der erhöhten „inneren" Ablenkbarkeit hirngeschädigter Patienten wird insbesondere in Hinblick auf Patienten mit „frontalen" Läsionen diskutiert (vgl. Fuster 1980; Stuss u. Benson 1986 sowie Kap. 14). Prigatano et al. (1986b) beschreiben unter dem Überbegriff der „nichtaphasischen Sprachstörungen" hirngeschädigter Patienten „talkativeness" und vor allem „tangentiality" als zwei charakteristische Verhaltensweisen, die auf eine erhöhte interne Ablenkbarkeit der Patienten schließen lassen. Eine standardisierte Untersuchung einer erhöhten inneren Ablenkbarkeit ist jedoch wegen der schwierigen Operationalisierbarkeit kaum möglich.

Die Frage der erhöhten „externen" Ablenkbarkeit ist ein Phänomen, das in der Rehabilitation insbesondere der Frühphasen nach einer Hirnschädigung häufig auffällt. Schon geringe Störreize reichen oft aus, um im Sinne einer „Orientierungsreaktion" die Aufmerksamkeit eines Patienten beispielsweise von dem gerade bearbeiteten Therapiematerial weg zu lenken. Auch Patienten, die wieder an ihren Ausbildungs- oder Arbeitsplatz zurückgekehrt sind, berichten häufig darüber, daß ihnen auftretende externe Störreize (beispielsweise eine lärmende Schulklasse oder die Tätigkeit in einem Büro mit mehreren Mitarbeitern) wesentlich mehr als vor der Hirnschädigung zu schaffen machen. Standardisierte Untersuchungs- oder Beschreibungsverfahren sind unseres Wissens hierfür jedoch ebenfalls nicht vorhanden.

10.2.4 Klinische Bedeutung von Aufmerksamkeitsstörungen

Copinghypothese

Die Frage der Häufigkeit von Aufmerksamkeitsstörungen als Folge nicht nur schwerer Schädel-Hirn-Traumen, sondern ebenso des „minor/mild head injury" gewinnt in den letzten Jahren zunehmend an Beachtung. Daß es als Folge eines schweren Schädel-Hirn-Traumas zu einer deutlichen Beeinträchtigung der Informationsverarbeitungsgeschwindigkeit kommen kann, zeigte sich in Untersuchungen zur Verlängerung der Einfach- und Mehrfachwahlreaktionszeiten. Derartige Einschränkungen waren sogar noch mehrere Jahre nach dem Ereignis bei der Überprüfung komplexerer Anforderungen festzustellen (Van Zomeren u. Deelman 1978; Van Zomeren 1981; Stuss et al. 1985).

In einer Reihe von Untersuchungen der letzten Jahre wurden insbesondere auch Patienten untersucht, die ein (scheinbar) nur „leichtes" Schädel-Hirn-Trauma erlitten hatten. Als diagnostisches Kriterium für die Einordnung als „mild" bzw. „moderate" wird meist eine Dauer der posttraumatischen Amnesie von weniger als 24 h angesehen (zur Problematik dieses Begriffs vgl. Alves u. Jane 1985; Binder 1986).

Anlaß für diese Untersuchungen war häufig die Tatsache, daß Patienten nach einem solchen Schädel-Hirn-Trauma über eine Reihe charakteristischer subjektiver Beschwerden berichteten: Kopfschmerzen, Schwindel, Irritierbarkeit, Angst, Verschwommensehen, Schlafstörungen, rasche Ermüdbarkeit, Konzentrations- und Gedächtnisprobleme. Diese Beschwerden stimmen im wesentlichen mit denen überein, die Van Zomeren u. Van den Burg (1985) als bleibende subjektive Beschwerden einer größeren Gruppe von Patienten 2 Jahre nach einem schweren gedeckten Schädel-Hirn-Trauma beschrieben haben (vgl. auch Radanov u. Ludin 1986).

Die Untersuchungen der Aufmerksamkeitsleistungen dieser Patienten mit einem leichten Schädel-Hirn-Trauma zeigten deutliche Leistungseinbußen in verschiedenen Bereichen (vgl. Gronwall u. Wrightson 1974, 1981; Barth et al. 1983; MacFlynn et al. 1984). Ähnlich charakteristische subjektive Beschwerden finden sich auch bei einer Reihe von Patienten nach HWS-Schleudertraumen; die Untersuchung ihrer Aufmerksamkeitsleistungen ergibt dann häufig ebenfalls deutliche Leistungsminderungen.

Wesentliche kritische Punkte in der Diskussion der subjektiven und objektiven Beschwerden dieser Patienten sind neben der Frage des Nachweises neurologischer und neuropsychologischer Defizite die Abschätzung des Einflusses (evtl. bereits prämorbid bestehender) psychopathologischer Reaktionsbildungen sowie offener Entschädigungsansprüche (vgl. Guthkelch 1980; Binder 1986; Dikmen et al. 1986b).

Ein plausibles Erklärungsmodell für die vegetativen und emotionalen Beschwerden von Patienten nach Schädel-Hirn-Traumen (oder auch anderen Arten einer Hirnschädigung) liefert die Copinghypothese von Van Zomeren et al. (1984). Sie geht von der seit Goldstein (1952) mehrfach diskutierten Überlegung aus, daß die geschilderten subjektiven Beschwerden im Rahmen eines posttraumatischen Syndroms nicht einfach als „neurotisches Verhalten" zu bewerten sind (vgl. Lishman 1978; Alves u. Jane 1985; Binder 1986; Atteberry-Bennett et al. 1986).

Die Copinghypothese läßt sich wie folgt darstellen: Bei Patienten nach einem Schädel-Hirn-Trauma liegt häufig eine Kombination von Verminderung der Gedächtnisleistungen und der Aufmerksamkeitsleistungen vor. Betroffen können sowohl die Geschwindigkeit der Informationsverarbeitung als auch die Daueraufmerksamkeitsleistung unter erhöhten Anforderungen sein; hinzu kommt oft noch die erhöhte Ablenkbarkeit durch externe Reize.

Besonders wenn es sich um Patienten handelt, bei denen ansonsten keine wesentlichen neurologischen Auffälligkeiten bestehen, die die Umwelt zu einer besonderen Rücksichtnahme veranlassen würden, ist damit zu rechnen, daß nach einer kurzen Schonfrist der scheinbar gesunde Patient im häuslichen und insbesondere im schulischen oder beruflichen Bereich mit den gleichen Anforderungen an seine Gedächtnis- und Aufmerksamkeitsleistungen wie vor dem Unfall konfrontiert wird. Aufgrund der noch bestehenden Defizite verlangen diese Anforderungen von dem Betroffenen jetzt jedoch eine dauernde sehr hohe Anstrengung. Durch ungünstige Arbeitsbedingungen (reizgesteuerte Arbeitssituation, viel externe Ablenkung) kann dies noch verstärkt werden.

Für den Patienten entsteht daraus eine chronische Überforderungssituation, die zu den oben angeführten, aus der Psychopathologie bzw. Psychosomatik bekannten Beschwerden bzw. Reaktionsbildungen auf chronischen Streß führt. Diese sekundären Symptome werden dann ihrerseits leicht als „vegetative Labilität" oder „neurotisches Verhalten" bewertet.

Dieser Mechanismus ist sicher nur eine – wenn auch wohl bedeutende – Variable, die zur Entstehung der posttraumatischen Beschwerden beiträgt; er ist jedoch vor allem in Hinblick auf die schulische oder berufliche Rehabilitation der Patienten von Wichtigkeit. Dies gilt selbstverständlich auch für Patienten, deren Aufmerksamkeitsstörungen nicht als Folge eines Schädel-Hirn-Traumas, sondern einer anderen Art von Hirnschädigung entstanden sind.

Aufmerksamkeitsstörungen als Zeichen globaler Hirnschädigung

Störungen der Aufmerksamkeitsleistungen im Rahmen globaler Hirnfunktionsstörungen betreffen vor allem 2 Bereiche:

- Zustände akuter Hirnschädigung,
- dementielle Prozesse.

Aufmerksamkeitsstörungen infolge *akuter globaler Hirnfunktionsstörungen* können verschiedenste ätiologische Ursachen haben. Neben zerebrovaskulären Erkrankungen und den „Frühphasen" nach einem Schädel-Hirn-Trauma sind insbesondere diffuse Schädigungen, wie akute metabolische Funktionsstörungen oder Intoxikationen, zu berücksichtigen. Eine detaillierte Diskussion dieser Zustandsbilder,

die im Englischen meist als „confusional states" (vgl. Geschwind 1982; Mesulam 1985) und im Deutschen als „akutes Durchgangssyndrom" oder „akutes hirnorganisches Psychosyndrom" etc. bezeichnet werden, ist hier nicht möglich. Charakteristisch sind eine Verminderung der Aufmerksamkeitsspanne und eine deutlich erhöhte externe und (soweit beurteilbar) auch interne Ablenkbarkeit; hinzu kommen können noch ausgeprägte phasische und/oder tonische Aktivations-/Vigilanzstörungen („drifting attention" – „wandering attention", Benson u. Geschwind 1975). Begleitend treten meist auch Gedächtnisstörungen und damit verbunden Orientierungsstörungen sowie vor allem auch Störungen der Affektivität auf.

Auch die Aufmerksamkeitsstörungen infolge verschiedener *dementieller Prozesse* können hier nur kurz angerissen werden. Als charakteristisches Defizit wird eine Reduktion der Geschwindigkeit der Informationsverarbeitung diskutiert (vgl. Pirozzolo et al. 1981; Vrtunski et al. 1983; Cummings u. Benson 1984; Rafal et al. 1984; Huber et al. 1986).

Jorm (1986) zeigte in einer Überblicksarbeit zu den bei Patienten mit dementiellen Prozessen nachzuweisenden Aufmerksamkeitsstörungen (bezugnehmend auf das Modell von Shiffrin u. Schneider) eine deutliche Leistungseinbuße der kontrollierten gegenüber der automatisierten Informationsverarbeitung.

10.3 Diagnostisches Vorgehen

10.3.1 Fremd- und Selbstbeobachtung von Aufmerksamkeitsstörungen

Das Eindrucksurteil „Verlangsamung"

„Verlangsamung" ist ein Begriff, der sowohl in der neurologischen und psychiatrischen Literatur als auch im klinischen Alltag zur Beschreibung hirngeschädigter Patienten häufig gebraucht wird. Problematisch ist jedoch, daß dieser Begriff, wenn überhaupt, nur unscharf definiert wird (vgl. Matthes 1985; Säring et al. 1987).

Im klinischen Sprachgebrauch wird „Verlangsamung" aufgrund ganz verschiedener Verhaltensbeobachtungen wie z. B. allgemeiner Aktivationsmaße (reduzierter Wachheit oder erhöhter Ermüdbarkeit) festgestellt, oder sie wird als eine Verminderung des „psychomotorischen Tempos" beschrieben, was sowohl motorische Verlangsamung als auch Verlangsamung und Schwerfälligkeit in Verhalten und mimischem Ausdruck, aber auch Sprache und Sprechtempo bedeuten kann. In der psychiatrischen Nomenklatur des AMDP-Systems (1981) wird „Verlangsamung" entsprechend dem subjektiven Urteil des Untersuchers ebenfalls nur unscharf definiert („das Schleppende, Mühsame des Gedankenganges, die meist kontinuierliche Verzögerung des Denkablaufes ... Viskosität und Torpidität des Sprechens und Reagierens des Kranken"). Aufgrund dieser fehlenden oder zumindest sehr uneinheitlichen operationalen Definition des Begriffs „Verlangsamung" scheint sein Gebrauch in dieser allgemeinen Form nicht sehr hilfreich, da weder von einer genügenden Validität, noch einer hinreichenden (Interrater-)Reliabilität auszugehen ist.

Probleme der Fremdbeobachtung

Zur Klärung der Frage, inwieweit eine Beobachtung von Aufmerksamkeitsstörungen durch Angehörige und Therapeuten für die diagnostische Beurteilung hirngeschädigter Patienten ausreicht, untersuchte Matthes (1985) an einer Gruppe hirngeschädigter Patienten die Übereinstimmung von Fremdbeurteilung, Selbstbeurteilung und Meßwerten zur Frage einer Aufmerksamkeitsstörung, insbesondere einer Reduktion der Informationsverarbeitungsgeschwindigkeit.

Die Angehörigen der Patienten wurden mit Hilfe eines strukturierten Interviews befragt, das neben offenen Fragen (z. B. „Kann sich Ihr ... richtig konzentrieren?") auch eine Reihe von Fragen nach erhöhtem Zeitbedarf in konkreten Situationen enthielt (sowohl bei „motorischen" Aktivitäten, z. B. Waschen oder Essen, als auch „kognitiven" Leistungen, z. B. der Latenz einer Antwort auf eine Frage). Parallel dazu wurden jeweils verschiedene Fachtherapeuten des Patienten befragt, ob ihnen eine erhöhte Responselatenz bei bestimmten kognitiven Anforderungen an den Patienten aufgefallen sei (formuliert ebenfalls jeweils als Fragen nach konkreten Situationen).

Die Befragung der Angehörigen ergab, daß von diesen in erster Linie eine motorische Verlangsamung registriert wurde, da diese Beeinträchtigungen im Verhalten deutlicher auffielen. Eine Reduktion der Informationsverarbeitungsgeschwindigkeit im Sinne einer kognitiven Verlangsamung in konkreten Situationen bemerkte nur ca. ein Drittel der Angehörigen, wogegen die genaue apparative Untersuchung bei ca. 80% der Patienten eine Leistungseinbuße ergeben hatte. Am ehesten fiel im Verhalten eine „kognitive Verlangsamung" noch bei jenen Patienten auf, die in der Untersuchung eine schwere Reduktion der Informationsverarbeitungsgeschwindigkeit aufwiesen. Eine allgemeine Ermüdbarkeit und allgemein erhöhter Zeitbedarf (bezogen jedoch vorwiegend auf motorische Leistungen) wurden hingegen von ca. 80% der Angehörigen berichtet (vgl. auch McKinlay et al. 1981).

Die Therapeuten der verschiedenen Fachrichtungen erkannten ein Defizit in der Geschwindigkeit der Informationsverarbeitung ebenfalls nur bei ca. einem Drittel der Patienten (ebenfalls häufiger bei schwer beeinträchtigten Patienten). Auch hier stand die motorische Verlangsamung als Kriterium im Vordergrund.

Probleme der Selbstbeurteilung

Die Untersuchung der Selbstwahrnehmung in der Arbeit von Matthes (1985) erfolgte mit Hilfe eines Fragebogens, der sich auf konkrete Alltagssituationen bezog und der dem Fragebogen entsprach, den die Angehörigen vorgelegt bekommen hatten. Auch hier zeigte sich, daß nur ein Teil der Patienten eine Reduktion der Informationsverarbeitungsgeschwindigkeit selbst wahrnahm. Der erhöhte Zeitbedarf in Alltagssituationen wurde insbesondere von Patienten, bei denen sich in der Testuntersuchung leichtere Leistungseinbußen ergeben hatten, häufig durch eine motorische Behinderung erklärt.

Eine Verlangsamung im kognitiven Sinne kann nach unserer Erfahrung am ehesten von 2 Patientengruppen erkannt werden:

- Patienten, die nach ihrer Erkrankung bereits wieder in Ausbildung/Beruf zurückgekehrt waren und dort mit den im Vergleich zu Klinik oder häuslicher Umgebung erhöhten Anforderungen an ihre Aufmerksamkeitsleistungen konfrontiert werden; dazu gehören auch die Patienten mit „leichten" Schädel-Hirn-Traumen oder HWS-Schleudertraumen.
- Patienten mit beginnenden dementiellen Prozessen, die noch im Arbeitsprozeß stehen und dort ebenfalls mit ihrer (relativen) Leistungsminderung konfrontiert werden.

Andererseits klagte aber auch ein Teil der Patienten, deren Leistungen in der apparativen Untersuchung im „Normbereich" lagen, über entsprechende Beschwerden, insbesondere „Konzentrationsstörungen" und „rasche Ermüdbarkeit".

Zu diskutieren ist hier eine relative Leistungseinbuße: bezogen auf eine „Normgruppe" liegt die Leistung der Patienten in den untersuchten Bereichen im Normalbereich; bezogen auf das prämorbide Leistungsniveau ergibt sich jedoch eine (mehr oder weniger ausgeprägte) Minderung der Leistungsfähigkeit, die von den Patienten selbst deutlich wahrgenommen wird.

Die erforderliche Abgrenzung einer oft gleichzeitig bestehenden depressiven Stimmungslage, die unter Umständen ihrerseits wieder Reaktion auf das Erleben der verbliebenen Aufmerksamkeitsstörungen sein kann, ist oft nur sehr schwer möglich (vgl. Watts u. Sharrock 1985; Caine 1986 und Fischer et al. 1986 zum Einfluß einer depressiven Stimmungslage auf subjektive Konzentrationsprobleme und neuropsychologische Meßwerte). Der Nutzen eines entsprechend differenzierten Fragebogens zur Erfassung von subjektiv berichteten Aufmerksamkeitsstörungen mag darin liegen, daß er bei entsprechend charakteristischen uniformen Beschwerden eine Abgrenzung zu einer

eindeutig depressiven Reaktionsbildung erleichtert und auf die Notwendigkeit einer gezielten Untersuchung hinweist.

Als Konsequenz dieser Untersuchungen zur Selbst- und Fremdbeobachtung von Aufmerksamkeitsstörungen hirngeschädigter Patienten ergibt sich, daß insbesondere in Hinblick auf eine schulische oder berufliche Wiedereingliederung eine bloße Befragung von Patienten, Angehörigen oder Therapeuten zur Feststellung etwaiger Leistungseinbußen nicht ausreicht, sondern daß in jedem Fall auch eine genaue Untersuchung der Aufmerksamkeitsleistungen erforderlich ist, da die Wahrscheinlichkeit falsch-negativer Urteile („dem Patienten fehlt nichts") und die daraus sich ergebende Gefahr einer Überforderung groß sind.

10.3.2 Untersuchung der Informationsverarbeitungsgeschwindigkeit

Grundprinzip aller Untersuchungsverfahren zur Bestimmung der Informationsverarbeitungsgeschwindigkeit ist es (wie eingangs erwähnt), Aufgaben zu wählen, die der Patient ohne Schwierigkeiten lösen kann, wenn er ohne zeitliche Begrenzung arbeitet.

Bei der Diagnostik hirngeschädigter Patienten ist diese Möglichkeit insofern oft nur beschränkt gegeben, als bei den meisten Patienten neuropsychologische Defizite in mehreren Bereichen vorliegen. Durch diese Mehrfachbehinderung der Patienten ergeben sich in Abhängigkeit von der Art der zusätzlich bestehenden Defizite systematische Einflußfaktoren auf die Leistungsfähigkeit des Patienten in einem bestimmten Untersuchungsverfahren. Eine Bewertung der Leistung eines Patienten in einem bestimmten Test ist deshalb nur zulässig, wenn mögliche Begleitdefizite (und ihre Auswirkung auf das Testergebnis) genau bekannt bzw. ausgeschlossen sind.

Ein weiterer kritischer Punkt ist die Tatsache, daß die hier durchgeführten Untersuchungen mit u. U. komplizierteren technischen Geräten vor allem ältere Patienten nicht selten zunächst stark verunsichern und ihre Leistung einschränken, so daß zumindest in der Erstuntersuchung ihre wahre Leistungsfähigkeit unterschätzt wird.

Die richtige Information des Patienten über die anstehenden Untersuchungen ist deshalb von großer Bedeutung; falls sich aus den ersten Untersuchungsergebnissen nicht bereits eine klare Therapieindikation ergibt, ist eine Wiederholung bestimmter Untersuchungen erforderlich, um das Leistungsniveau des Patienten richtig zu bestimmen.

Zu berücksichtigen ist auch die Frage des Übungseinflusses. Insbesondere für die Interpretation von Aufmerksamkeitstests ist die Kenntnis dieses Übungseinflusses bei wiederholter Vorgabe von Bedeutung (vgl. Müller 1980). Der Übungseffekt läßt sich dabei zwar selbst als diagnostisches Kriterium verwenden, kann andererseits aber auch als systematischer Fehler in das Testresultat eingehen. Während nun für die meisten der im folgenden beschriebenen Untersuchungen Angaben zur Test-Retest-Reliabilität und dem Wiederholungseffekt in bezug auf Normalpersonen vorliegen, sind diese Angaben für Hirngeschädigte nur beschränkt verwertbar.

Als Faustregel zeigt die (unsystematische) klinische Erfahrung, daß die Leistungszunahme eines Patienten bei Testwiederholung im Bereich der Aufmerksamkeitsleistungen um so größer ist, je besser das Leistungsniveau des Patienten ist. Die Gefahr, einen „guten" Patienten bei einmaliger Testung bezüglich seiner „wahren" Leistungsfähigkeit zu unterschätzen, ist damit größer als bei einem Patienten mit einer ausgeprägten Leistungseinbuße; hier ergeben sich auch bei mehrfacher Testwiederholung häufig konstante (schlechte) Leistungen.

Eine Grundregel der Diagnostik von Aufmerksamkeitsleistungen ist es deshalb, sich nicht durch ein „exaktes Meßergebnis mit automatischem Normwertvergleich bezogen auf eine Kontrollstichprobe mehrerer Hundert Probanden" zu einem scheinbar genauen Urteil verleiten zu lassen. Die Beobachtung des Patienten während der Untersuchung und die Kenntnis der begleitenden neuropsychologischen Defizite dieses Patienten und ihrer Auswirkungen auf das jeweilige Untersuchungs-

verfahren sind für die Interpretation eines Testergebnisses unabdingbar.

Einfache Reaktionszeiten

Die Bestimmng einfacher Reaktionszeiten ist in der experimentellen Psychologie schon seit den Arbeiten von Wundt vor über 100 Jahren beschrieben. Ein Überblick über derzeit hierfür zur Verfügung stehende Geräte findet sich bei Wahler (1986).

Einige dieser Geräte erlauben durch die Verwendung von entsprechenden Sensortasten die Auftrennung der gesamten Reaktionszeit in eine Entscheidungszeit und eine Bewegungszeit.

Der Finger des Patienten liegt auf einer Starttaste und soll möglichst schnell bei Erscheinen des Signals (Lichtreiz oder akustisches Signal) auf eine Zieltaste drücken. Die Zeit zwischen dem Erscheinen des Signals und dem Heben des Fingers von der Starttaste wird dann als die Entscheidungszeit, das Intervall zwischen dem Heben des Fingers von der Starttaste und dem Berühren der Zieltaste als Bewegungszeit gewertet.

Diese Trennung ermöglicht es, bei stärkeren motorischen Behinderungen der Patienten über die Bestimmung der Entscheidungszeit, die durch das motorische Defizit meist geringer beeinflußt wird, zu einer Abschätzung der Reaktionsgeschwindigkeit des Patienten zu kommen.

Mit einzelnen dieser Geräte ist auch die Durchführung einfacher Wahlreaktionen möglich. Am Leeds-Psychomotor-Tester (Fa. ZAK) ist es möglich, die Wahlreaktionszeit auf eines von mehreren Lichtern zu erfassen; am Wiener Reaktionsgerät (Fa. Dr. Schuhfried) ist die Bestimmung der Wahlreaktionszeit auf eine einfache Kombination von einem Lichtsignal und einem Ton möglich (letzteres Gerät ermöglicht auch die Bestimmung der einfachen akustischen Reaktionszeiten).

Die Durchführung der Untersuchung erfolgt derart, daß der Patient in jedem Fall eine Reihe von Probedurchgängen absolviert, bevor mit der eigentlichen Meßreihe begonnen wird. Ist eine Ausgabe der Einzelwerte möglich, so sollten auftretende „Ausreißer" (z. B. Werte jenseits des 2σ-Bereichs), die bei Patienten öfter zu erwarten sind als bei Gesunden, nicht in die Mittelwertberechnung einbezogen werden, oder es sollte der Median als Maß für die zentrale Tendenz verwendet werden.

Einschränkungen der Bewertbarkeit der Untersuchungsergebnisse ergeben sich an diesen Geräten durch:

- Störungen der visuellen (bzw. akustischen) Wahrnehmung; im Falle eines Gesichtsfelddefekts oder einer halbseitigen Vernachlässigung muß die Reizdarbietung immer im erhaltenen Halbfeld erfolgen;
- bilaterale Störungen der Motorik, insbesondere schwere gliedkinetische Ataxien oder Paresen der oberen Extremitäten sowie (in Einzelfällen) eine ausgeprägte ideomotorische Apraxie;
- Störungen der visuellen Raumwahrnehmung bzw. der visuellen Exploration (z.B. im Rahmen eines Balint-Syndroms);
- sehr ausgeprägte Sprach- und Gestenverständnisstörungen, durch die auch eine imitatorisch unterstützte Aufgabenstellung nicht möglich ist.

Mehrfachwahlreaktionszeiten

Die Untersuchung der Mehrfachwahlreaktionszeiten an Determinationsgeräten erfordert von den Patienten eine differentielle Reaktion auf verschiedene Licht- oder Tonsignale. Einen Überblick über zur Zeit verfügbare Geräte geben Kisser et al. (1986). Die beiden wichtigsten derzeit benutzten Gerätetypen sind das Determinationsgerät (Fa. ZAK) und das Wiener Determinationsgerät (Fa. Dr. Schuhfried).

An diesen Geräten werden 5 verschiedene Farbsignale dargeboten, zu denen entsprechende Farbtasten gehören, auf die der Patient jeweils nach dem Erscheinen eines Signalreizes drücken muß. Zusätzlich können als akustische Signale ein hoher und ein tiefer Ton gegeben werden, die der Patient ebenfalls durch Tastendruck beantworten muß, sowie 2 weitere Lichtsignale, auf die er mit einem Tritt auf eines von 2 Fußpedalen reagieren soll.
Die Durchführung der Untersuchung kann prinzipiell reaktions- oder reizgesteuert erfolgen; registriert werden richtige, verspätet richtige und falsche Reaktionen, jeweils bezogen auf einen vorgegebenen Zeitraum. Aufgrund des höheren Schwierigkeitsgrades der reizgesteuerten Variante sollte die Eingangsdiagnostik zunächst reaktionsgesteuert erfolgen, wobei nur die 5 Farben einbezogen sind. In unserer Untersuchungsanordnung werden 15 Durchgänge zu je 1 min durchgeführt; die ersten beiden Durchgänge bleiben unberücksichtigt; es wird der Median der Leistung in den Durchgängen 3-15 berechnet.

Die Diagnostik unter höheren Anforderungen wird dann, falls der Patient diese Anforderungen bewältigen kann, an einer reizgesteuerten Variante des Wiener Determinationsgeräts, unter Einbeziehung von Tonsignalen und Fußpedalen, in einer computergesteuerten Testversion (RST 3; vgl. Bukasa u. Wenninger 1986a) am ART 90 (Fa. Dr. Schuhfried), einem mikroprozessorgesteuerten integrierten Testplatz, durchgeführt.
Für die Durchführung und Bewertung dieser Untersuchungen ergeben sich die gleichen Einschränkungen wie für die Bestimmung von Einfachwahlreaktionen, jedoch mit den Ergänzungen, daß hier Störungen der Farbwahrnehmung oder des Gesichtsfelds bzw. der visuellen Exploration besonders zu berücksichtigen sind. Eine Einschränkung der Verwendbarkeit der Fußpedale kann sich durch eine Beinparese ergeben. Außerdem kann es erforderlich sein, die Raumhelligkeit entsprechend den Angaben des Patienten zu modifizieren, da die verwendeten Farbreize an beiden Geräten von den Patienten nicht immer leicht zu diskriminieren sind.

Geteilte Aufmerksamkeit

Zur Untersuchung „geteilter" Aufmerksamkeitsleistungen sind Untersuchungsanordnungen erforderlich, die vom jeweiligen Patienten die („gleichzeitige") Beobachtung zweier Stimuli verlangen. Eines der hierfür häufig verwendeten Verfahren ist der „Kombinierte Test" am Aufmerksamkeitsprüfgerät APG2 (Fa. ZAK) nach Müller (1980).

Das Gerät besteht zum einen aus 3 senkrecht vor dem Patienten im „Viertelkreis" aufgestellten Signaltafeln, auf denen Lämpchen beobachtet werden sollen, die in wechselnden Konstellationen aufleuchten. Als kritisches Signal, das mit einem Druck auf eine Reaktionstaste beantwortet werden soll, gilt das Auftauchen eines aus 4 Lämpchen gebildeten Quadrats. Parallel dazu soll der Patient auf einem zweiten Signalgeber im Vordergrund die Abfolge von 4 verschiedenen dort aufleuchtenden Farben verfolgen. Eine bestimmte Farbfolge gilt ebenfalls als kritisches Signal, das mit Druck auf eine zweite Reaktionstaste beantwortet werden muß.

Die Untersuchung an diesem Gerät erfolgt (nachdem zunächst Übungsdurchgänge getrennt mit den Quadraten und der Farbfolge durchgeführt werden) reizgesteuert mit Interstimulus-Intervallen von 1,3 oder 1,5 s je nach verwendeter Kontrollstichprobe bzw. Alter des Patienten.

Eine Einschränkung der Durchführbarkeit dieser Untersuchung ergibt sich zunächst durch Sprachverständnisstörungen, da die Instruktion relativ kompliziert ist. Die Bewertung der Ergebnisse ist wieder durch die obengenannten Defizite eingeschränkt; Störungen der Motorik spielen aufgrund der geringeren Anforderungen keine solche Rolle, Störungen des Gesichtsfelds oder der visuellen Exploration jedoch eine erhebliche, da hieran durch die Ausdehnung der Signaltafeln auch größere Anforderungen gestellt werden.

Ein zweites, aufgrund verkehrspsychologischer Überlegungen entwickeltes Verfahren zur Untersuchung geteilter Aufmerksamkeit ist der PVT am ART 90 (vgl. Bukasa u. Wenninger 1986 b).

Es handelt sich hierbei um das oben angeführte mikroprozessorgesteuerte Testgerät, in das unter anderem ein sog. peripheres Display integriert ist, welches aus senkrecht und waagrecht angeordneten Leuchtdiodenreihen besteht, über die Lichtreize von der Peripherie in das Zentrum des Gesichtsfeldes laufen können (die Gesamtausdehnung der zu beachtenden Lichtreize beträgt ca. 55 Sehwinkelgrad in jeder Gesichtsfeldhälfte). Jedesmal wenn der Patient bemerkt, daß sich auf den waagrechten Leuchtdiodenreihen die Lichter zur Mitte hin bewegen, hat er möglichst rasch ein Fußpedal zu betätigen. Als parallele Aufgabe, die eine Konzentration des Patienten auf das zentrale Gesichtsfeld erreichen soll, muß der Patient mit Hilfe eines Drehknopfs eine Trackingaufgabe auf einem Bildschirm in der Mitte des Gesichtsfelds bewältigen.

Beide Geräte können nicht nur zur Untersuchung geteilter Aufmerksamkeitsleistungen eingesetzt werden, sondern - unter dem Gesichtspunkt der bilateralen Reizdarbietung - auch zur Untersuchung bzw. Behandlung von halbseitigen Vernachlässigungsphänomenen (vgl. Kap. 11).

Zahlenverbindungstest

Der ursprünglich aus der militärpsychologischen Eignungsdiagnostik stammende Trail Making Test wurde (insbesondere auch als Teil der im angloamerikanischen Sprachraum weitverwendeten Halstead-Reitan-Battery) schon seit ca. 40 Jahren zur Diagnostik hirngeschädigter Patienten eingesetzt (als Überblick vgl. Lezak 1983). Die deutsche Weiterentwicklung dieses Testverfahrens, der Zahlenverbindungstest, stammt von Oswald u. Roth (1978).

Dieser Test setzt sich aus 4 Zahlenmatrizen zusammen. Jede Matrize beinhaltet die Zahlen 1-90, die soweit möglich zufällig angeordnet sind. Diese müssen in aufsteigender Folge möglichst rasch durch Bleistiftstriche verbunden werden. Vor der Durchführung des eigentlichen Tests erhalten die Patienten ein Übungsblatt mit 2 mal 20 zu verbindenden Zahlen.

Dieser Zahlenverbindungstest hat eine Reihe von Vorteilen: Er ist schnell und ökonomisch durchführbar (benötigt werden neben den Testvorlagen lediglich eine Stoppuhr und ein Stift); bezüglich der Gütekriterien ist er als objektiv und hoch reliabel einzuschätzen. Er kann nach Gaußmann et al. (1978) als relativ valides Maß eines allgemeinen Geschwindigkeitsfaktors von Intelligenzleistungen angesehen werden.

Die klinische Erfahrung zeigt außerdem, daß er - auch aufgrund seiner differenzierten Normwerte - als ein sehr sensibles Maß für eine Reduktion der Informationsverarbeitungsgeschwindigkeit auch unter erhöhten Anforderungen, d.h. im oberen Leistungsbereich, benutzt werden kann.

Bezüglich seiner Verwendbarkeit bzw. Interpretierbarkeit ist jedoch anzumerken, daß er, da er eine komplexe Aufmerksamkeitsleistung verlangt, auch sehr anfällig gegen eine Reihe von assoziiert vorliegenden neuropsychologischen Defiziten ist. Eine Einschränkung ergibt sich zunächst durch ein motorisches Defizit der dominanten Hand; die Normwerte beziehen sich auf eine Durchführung mit dieser Hand. Ferner ergibt sich eine eingeschränkte Beurteilbarkeit durch eine Gesichtsfeldeinschränkung (zumindest mit einem Restgesichtsfeld unter 5 Sehwinkelgrad) oder eine Störung der visuellen Exploration; in diesem Fall kann der ZVT allerdings zur Beobachtung der verwendeten Blickstrategien bzw. zur Kontrolle ihrer Verbesserung im Laufe einer Therapie verwendet werden. Auch beim Vorliegen bestimmter ausgeprägterer (häufig mit einer Sprachstörung verbundenen) Störungen im Umgang mit Zahlen (vgl. Kap. 18) ist er nicht bewertbar.

Unter Berücksichtigung dieser Einschränkungen eignet sich der Zahlenverbindungstest unserer Erfahrung nach auch gut zur Verlaufs- bzw. Therapiekontrolle.

PASAT

Der von Gronwall u. Wrightson (1974) beschriebene PASAT („Paced Auditory Serial Addition Task") ist eines der wenigen verfügbaren Verfahren zur Untersuchung der Geschwindigkeit der Informationsverarbeitung für akustisches Material. Während für den visuellen Bereich Untersuchungsverfahren verschieden abgestufter Schwierigkeitsgrade existieren, sind für den akustischen Bereich (vom PASAT abgesehen) nur Verfahren mit relativ leichten Anforderungen gebräuchlich.

Dies mag darauf zurückzuführen sein, daß im visuellen Bereich die Vorgabe verschiedener, leicht diskriminierbarer Reize und insbesondere auch leicht diskriminierbarer Reaktionsorte ohne Schwierigkeiten möglich ist, während dies für den akustischen Bereich bisher nur schwer durchführbar ist. Es ist nicht möglich, entsprechend den 5 verschiedenfarbigen Reaktionstasten an einem Determinationsgerät 5 verschieden „tönende" Reaktionstasten anzubringen (eine Zuordnung ist wohl nur mit Hilfe visueller Symbole oder der Tastenanordnung möglich); auch die rasche, insbesondere reaktionsgesteuerte Darbietung komplexerer akustischer Stimuli ist derzeit technisch nur schwer realisierbar.

Der PASAT stellt nun eine Aufgabe im oberen Leistungsbereich dar:

Der Patient erhält von einem Tonband kontinuierlich einstellige Zahlen (1–9) vorgesprochen. Seine Aufgabe ist es, jeweils die aufeinander folgenden Paare dieser Zahlen zu addieren und das Ergebnis laut zu nennen (ein Beispiel: der Patient hört die Zahlen: „2 – 5 – 8 – 3 – 7 – ..." und nennt die Ergebnisse: „7 – 13 – 11 – 10 – ..."). Durchgeführt wird dieser Test in der von uns verwendeten Modifikation in 5 Durchgängen mit je 60 vorgesprochenen Zahlen. Das Intervall zwischen 2 Zahlen wird von einem Durchgang zum anderen kürzer (in der von uns vorläufig normierten Version sind diese Intervalle 2,4 s – 2,0 s – 1,6 s – 1,2 s – 0,8 s).

Durch die Tatsache, daß das zweite Glied einer jeden Additionsaufgabe gleichzeitig als erstes Glied der nächsten Aufgabe im Gedächtnis behalten werden muß und außerdem die Ergebnisse laut genannt werden müssen, ergibt sich, neben der Anforderung an die Geschwindigkeit der Informationsverarbeitung, zusätzlich ein sehr deutlicher Interferenzeffekt. Außerdem ist aus der psychophysiologischen Forschung bekannt, daß das bei dieser Aufgabe geforderte laute Rechnen eine in hohem Maße „Streß" produzierende Anforderung ist. Der PASAT mißt so auch die „Streßtoleranz" des jeweiligen Patienten.

Eine Einschränkung der Durchführbarkeit des PASAT ergibt sich durch verschiedene Defizite: eine Sprach- oder Sprechstörung, eine Hörstörung, eine Störung der Zahlenverarbeitung oder eine Störung der kurzfristigen verbalen Behaltensleistung. Zu berücksichtigen ist ggf. auch das prämorbide Leistungsniveau im Kopfrechnen. Die Erfahrung zeigt außerdem, daß insbesondere ältere Patienten sich in diesem Test rasch überfordert fühlen.

Der PASAT eignet sich damit vor allem zur Aufdeckung von Einbußen im oberen Leistungsbereich bei jüngeren Patienten, beispielsweise zur Klärung der Frage, ob eine schulische oder berufliche Wiedereingliederung unter den alten Anforderungen möglich scheint. Entsprechend dieser Indikationsstellung beziehen sich auch die von uns erstellten vorläufigen Normen auf eine Gruppe von Probanden zwischen 20 und 45 Jahren mit eher gehobenem Schulabschluß. Bei dieser Kontrollstichprobe zeigte sich im übrigen ebenso wie bei Patienten eine enge Korrelation der erreichten Leistungen im PASAT und dem gleichzeitig durchgeführten ZVT.

10.3.3 Untersuchung von Daueraufmerksamkeit und Konzentrationsfähigkeit

Die Diagnostik der Daueraufmerksamkeitsleistungen läßt sich in 3 Bereiche unterteilen:

- Vigilanzaufgaben,
- Konzentrationsaufgaben,
- Beurteilung der Daueraufmerksamkeit über längere Zeiträume.

Möglichkeiten der Untersuchung der *Vigilanz* im Sinne von Mackworth bieten das Vigilanzgerät nach Quatember und Maly (Fa. Dr. Schuhfried) sowie eine mikroprozessorgesteuerte Adaptation dieses Verfahrens am ART 90 (VIGO, vgl. Bukasa u. Wenninger 1986c).

In beiden Varianten ist es die Aufgabe des Patienten, einen Kreis von 32 Leuchtdioden oder Bildschirmpunkten zu beobachten, über den sich im Uhrzeigersinn schrittweise ein Signalreiz bewegt. Der Patient soll dann jedesmal, wenn der Signalreiz einen Doppelsprung macht, eine Reaktionstaste drücken (die Zahl der Doppelsprünge, die „zufällig" erfolgen, kann variiert werden). Als Meßwerte werden sowohl die richtigen als auch die falschen Reaktionen ausgegeben; die computergesteuerte Variante liefert auch den zeitlichen Verlauf der Leistung als Diagramm.

Eine Indikation für dieses Untersuchungsverfahren ergibt sich in der Untersuchung von tonischen oder phasischen Aktivationsstörungen im engeren Sinne (beispielsweise von Patienten in den Frühphasen nach einer Hirnschädigung oder nach bestimmten, die mesenzephalen Neurotransmittersysteme beeinträchtigenden Hirnstammläsionen).

Die Untersuchung *konzentrativer Leistungen* über kürzere Zeiträume kann mit Hilfe der klassischen „Papier-und-Bleistift-Tests" erfolgen. Eine kritische Betrachtung der gebräuchlichen Verfahren findet sich bei Westhoff u. Kluck (1984); der Test d2 scheint noch am ehesten den Kriterien von Reliabilität und Validität zu genügen.
Eine Entsprechung bietet als apparatives Verfahren das „Cognitrone" (Fa. Dr. Schuhfried; vgl. Bukasa u. Wenninger 1986d), das ebenfalls als mikroprozessorgesteuerte Variante erhältlich ist.

Mit Hilfe von Leuchtdioden werden 4 geometrische Muster dargeboten; der Patient soll dann durch Tastendruck angeben, ob ein Muster, das sich reaktionsgesteuert fortwährend ändert, einem der 4 Grundmuster gleich ist oder nicht. Gemessen werden sowohl die Leistungsgeschwindigkeit als auch die Leistungsgüte; ein Protokoll zeigt auch den zeitlichen Verlauf der erzielten Leistungen an.

Als apparative Verfahren kommen außerdem die obengenannten Determinationsgeräte in Betracht, soweit ihre Meßeinrichtungen die Feststellung des zeitlichen Verlaufs der Leistung erlauben (vgl. auch Brickenkamp u. Karl 1986 zur Frage des Unterschieds zwischen den klassischen und den apparativen Verfahren).
Ein wesentliches Handicap der verfügbaren apparativen Verfahren ist es, daß kaum Normdaten für die Erfassung von *Daueraufmerksamkeitsleistungen* über längere Zeit existieren. Auch Untersuchungen dazu, ob die Leistung in einem Konzentrationstest über 20 oder 30 min ein reliabler Prädiktor für die Daueraufmerksamkeitsleistung eines Patienten über 2 oder 3 h an seinem Arbeitsplatz ist, liegen unseres Wissens nicht vor.

10.4 Therapieansätze

Störungen der Aufmerksamkeitsleistungen sind die wohl häufigsten neuropsychologischen Defizite nach einer Hirnschädigung (vgl. Anhang). Entsprechend ist ein systematisches Training von Aufmerksamkeitsleistungen als Teil verschiedener neuropsychologischer Rehabilitationsprogramme beschrieben worden (vgl. Hofer u. Scherzer 1977; Ben-Yishay et al. 1979, 1980; Rattok et al. 1981, 1982; Piasetsky et al. 1983; Sturm et al. 1983; Ben-Yishay u. Diller 1983; Prigatano et al. 1984; Prigatano u. Fordyce 1986; Scherzer 1986; Ben-Yishay et al. 1987; Sohlberg u. Mateer 1987).

Die therapeutischen Möglichkeiten bei Patienten mit Störungen der Geschwindigkeit oder Selektivität der Informationsverarbeitung oder der Daueraufmerksamkeit lassen sich in verschiedene Bereiche gliedern:

- das Training der Aufmerksamkeitsleistungen, insbesondere der Fähigkeit zu einer reproduzierbaren Interaktion über einen längeren Zeitraum in den Frühphasen der Rehabilitation (auf das im folgenden allerdings nicht näher eingegangen wird),
- das „unspezifische" Training von Aufmerksamkeitsleistungen im Rahmen anderer Therapieverfahren oder einer Belastungserprobung bzw. eines therapeutischen Arbeitsversuchs,
- das gezielte Training insbesondere der Informationsverarbeitungsgeschwindigkeit.

10.4.1 Möglichkeiten des gezielten Trainings von Aufmerksamkeitsleistungen

Klärung der Therapieindikation

Hat die Untersuchung der Aufmerksamkeitsleistungen, insbesondere der Informationsverarbeitungsgeschwindigkeit auch für komplexere Leistungen ein entsprechendes Defizit ergeben, ist zu klären, ob und zu welchem Zeitpunkt im Verlauf der Rehabilitation bei diesem Patienten ein gezieltes Aufmerksamkeitstraining erfolgen soll.

Die Entscheidung dieser Frage wird von den zu erwartenden späteren Leistungsanforderungen an den Patienten und der jeweils vorhandenen Therapiekapazität abhängen. Es lassen sich 2 wesentliche Stufen der zu erwartenden Anforderungen unterscheiden:

- Patienten, bei denen eine berufliche oder schulische Wiedereingliederung nicht angestrebt wird,
- Patienten, bei denen eine berufliche oder schulische Reintegration als Therapieziel zu sehen ist.

Ist (was zu Beginn der Behandlung eines Patienten allerdings oft noch nicht entscheidbar ist) sicher davon auszugehen, daß eine schulische oder berufliche Wiedereingliederung mit den damit verbundenen erhöhten Anforderungen nicht in Frage kommt und kann aufgrund der Verhaltensbeobachtung des Patienten in verschiedenen anderen Untersuchungs- bzw.

Therapiesituationen angenommen werden, daß keine hochgradigen Aufmerksamkeitsstörungen vorliegen, die für ein Leben zu Hause von größerer Relevanz wären, so ist es - bei ja meist entsprechend begrenzter Therapiekapazität - vertretbar, kein gezieltes Aufmerksamkeitstraining durchzuführen. Ein Training dieser Leistungen erfolgt dann „unspezifisch" im Rahmen der übrigen durchgeführten Therapien (beispielsweise der Sprachtherapie oder des Gedächtnistrainings, die ja ebenfalls kontinuierliche Aufmerksamkeitsleistungen erfordern).

Diagnostik- und Therapieprogramm

Ein gezieltes Training der Geschwindigkeit der Informationsverarbeitung für visuelles Material läßt sich mit Hilfe der verschiedenen, oben angeführten Geräte durchführen, die auch zur Diagnostik der einzelnen Leistungen verwendet werden. Da Vorgehensweise und Anforderungsniveau der einzelnen Trainingsschritte an den aktuellen Leistungsstand der Patienten angepaßt werden können, lassen sich so, in Abhängigkeit von der jeweils zu betreuenden Patientengruppe und den verfügbaren Geräten, gezielt mehrstufige Trainingsprogramme zusammenstellen.

Das im folgenden beschriebene Programm zur Diagnostik und Therapie von Aufmerksamkeitsstörungen, wie es derzeit in unserer Abteilung durchgeführt wird und das als ein *mögliches* Modell des praktischen Vorgehens dargestellt werden soll, basiert auf folgenden Vorüberlegungen:

- Zielgruppe unserer Abteilung sind vor allem Patienten, bei denen eine schulische oder berufliche Wiedereingliederung zumindest zur Diskussion steht; entsprechend ist das Niveau des Trainings auf den oberen Leistungsbereich abgestellt.
- Unter Ökonomiegesichtspunkten sollen nur Untersuchungen durchgeführt werden, aus denen sich auch Konsequenzen für die Evaluation anderer erhobener Befunde oder eine gezielte weitere Rehabilitation ergeben.
- Die Diagnostik soll so aufgebaut sein, daß

sie unmittelbar eine Zuweisung des Patienten zu einer der jeweiligen Therapiestufen ermöglicht.

- Die Gefahr falsch-negativer diagnostischer Urteile soll minimiert werden, um keinen Patienten fälschlich als „unauffällig" einzustufen und somit die Gefahr einer Überforderung an Schule/Arbeitsplatz zu verringern.
- Ein falsch-positives diagnostisches Urteil (im Sinne einer Unterschätzung der Leistungsfähigkeit) kann insofern leichter in Kauf genommen werden, als es in jedem Fall eine therapeutische Intervention zur Folge hat, die dann bei guter Leistungsfähigkeit entsprechend den unten angeführten Kriterien rasch beendet werden kann.

Schwerpunkt dieses Trainingsprogramms ist die Geschwindigkeit der Informationsverarbeitung für visuelles Material. Das Training der Informationsverarbeitungsgeschwindigkeit für akustisches Material, das für viele Patienten aufgrund seiner hohen Alltagsrelevanz ebenfalls erforderlich ist, erfolgt in Textgruppen verschiedenen Schwierigkeitsgrades, in denen von den Patienten fortlaufend eine Verarbeitung akustisch dargebotenen sprachlichen Materials gefordert wird (vgl. auch Kap. 13).

Trainingsstufen

Das Training umfaßt 3 Stufen:

- ein Training der Mehrfachwahlreaktionen am Determinationsgerät,
- ein Training der geteilten Aufmerksamkeit am Kombinierten Test des Aufmerksamkeitsprüfgeräts,
- ein Training von Mehrfachwahlreaktionen und geteilter Aufmerksamkeit unter erhöhten Anforderungen am ART 90.

Diese Hierarchie der Trainingsstufen basiert auf der klinischen Erfahrung, daß das reaktionsgesteuerte Training der Mehrfachwahlreaktionen die geringsten Anforderungen an den Patienten stellt und Patienten, die diese Trainingsstufe bewältigen, dann auch das Training der geteilten Aufmerksamkeit rascher bis zu dem unten angeführten Kriterium absolvieren als im Falle eines umgekehrten Vorgehens. Das reizgesteuerte Training am ART 90 stellt dann aufgrund der Schwierigkeit der zu absolvierenden Programme die oberste Anforderungsstufe dar.

Das Training am Determinationsgerät (DTG) erfolgt nur mit den Lichtreizen und reaktionsgesteuert; die Dauer einer Therapieeinheit beträgt jeweils ca. 45 min; in Abhängigkeit von der Belastbarkeit des Patienten werden zwischen die einzelnen Durchgänge (mit einer Dauer von 1–5 min) Pausen eingeschaltet.

Das Training am Kombinierten Test (KT) erfolgt reizgesteuert mit einem Interstimulusintervall von 1,3 bzw. 1,5 s über eine Dauer von 45 min pro Therapieeinheit mit entsprechenden Pausen.

Das Training der Mehrfachwahlreaktionen und der geteilten Aufmerksamkeit am ART 90 erfolgt mit den verschiedenen an diesem Gerät zur Verfügung stehenden Programmen. Es handelt sich hierbei in der Regel um reizgesteuerte Abläufe unter Einbeziehung von akustischen Signalen und Fußpedalen bei den Mehrfachwahlreaktionen. Dieses Training (pro Therapieeinheit ebenfalls 45 min) kann häufig weitgehend als Selbsttherapie durchgeführt werden, da viele Patienten rasch lernen, im Dialog mit dem Rechner den nächsten Durchlauf selbst zu starten.

Die verschiedenen Stufen der Diagnostik und der Therapie sind nach dem in Abb. 10.1 skizzierten Schema angeordnet.

Eingangsdiagnostik:

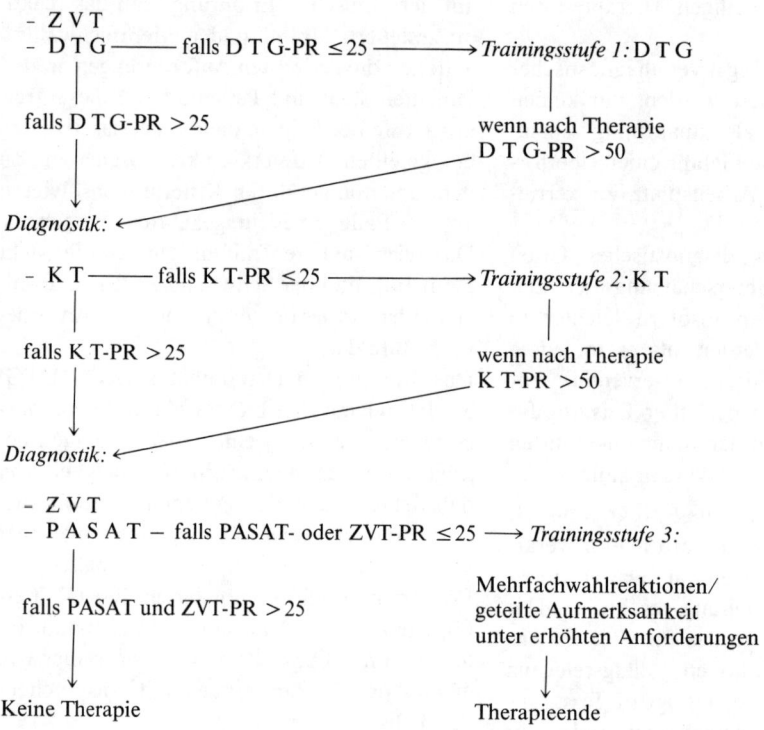

Abb. 10.1. Diagnostik und Therapie von Aufmerksamkeitsleistungen (*DTG* Determinationsgerät; *KT* kombinierter Test am Aufmerksamkeitsprüfgerät; *ZVT* Zahlenverbindungstest; *PASAT* siehe Text; *PR* Prozentrangwert der erzielten Leistung)

Als Eingangsdiagnostik werden zunächst der ZVT und die Mehrfachwahlreaktionen am DTG geprüft. Liegt die Leistung am DTG unter einem Prozentrangwert (PR) von 25, wird der Patient der ersten Trainingsstufe zugeteilt. Erreicht er hier nach mehreren Trainingssitzungen einen PR von 50, erfolgt als nächste Diagnostikstufe die Untersuchung der Leistung am KT. Bei Patienten, deren Leistung am DTG in der Eingangsuntersuchung über einem PR von 25 lag, wird dieser KT unmittelbar als nächste Diagnostikstufe angeschlossen. Für das weitere Vorgehen gilt das gleiche wie für die erste Trainingsstufe: Patienten, die am Kombinierten Test einen PR unter 25 erzielten, erhalten hier eine Therapie. Erst ab einer erzielten Leistung mit einem PR über 50 folgt als nächste Diagnostikstufe (ebenso wie direkt für die Patienten, die einen PR über 25 er-

reichten) der PASAT und (falls eine Therapie durchgeführt wurde) nochmals der ZVT. Liegt die Leistung dann in PASAT oder ZVT unter einem PR von 25, erfolgt das Training der Informationsverarbeitungsgeschwindigkeit unter den oben angeführten erhöhten Anforderungen.

Patienten, die hinsichtlich ihrer Geschwindigkeit der Informationsverarbeitung als unauffällig beurteilt werden und keine Therapie erhalten, müssen damit sowohl am DTG, als auch im Kombinierten Test, ZVT und PASAT einen PR über 25 erzielt haben. Auch bei diesen Patienten kann sich jedoch im Einzelfall eine Therapieindikation für das Training unter erhöhten Anforderungen ergeben, wenn entweder die zu erwartenden beruflichen Anforderungen sehr hoch sind und eine relative Leistungseinbuße des Patienten in bezug auf das

174

zu vermutende prämorbide Niveau wahrscheinlich ist oder wenn sich im Verlauf der Diagnostik eine relevante Beeinträchtigung der Daueraufmerksamkeitsleistung herausstellt.

Abbruchkriterien

Anzufügen sind noch die Abbruchkriterien für den Fall, daß sich auf den einzelnen Trainingsstufen keine ausreichende Leistungsverbesserung ergibt. Nach unserer Erfahrung haben sich folgende Kriterien bewährt:

- an DTG und KT zusammen werden in der Regel nicht mehr als 20 Therapieeinheiten durchgeführt.
- Am ART 90 werden in der Regel maximal 15 Therapieeinheiten durchgeführt.

Diese Abbruchkriterien sind im Einzelfall zu modifizieren; eine deutliche Leistungsverbesserung ist jedoch nach einer Fortführung der Therapie über einen noch längeren Zeitraum bei unserer Patientengruppe nur sehr selten zu erwarten. Bei Patienten allerdings, deren Aufmerksamkeitsleistungen zu Beginn des Trainings noch hochgradig beeinträchtigt sind, aber bei denen aufgrund des klinischen Verlaufs doch mit einer weiteren Besserung zu rechnen ist (also vor allem Patienten am Ende der oben beschriebenen Phase der Frührehabilitation), ist es u. U. erforderlich, das Training auf einer einfacheren Stufe zu beginnen und es auch über längere Zeit fortzusetzen.

Berufliche/schulische Wiedereingliederung

Ein weiterer wichtiger Punkt ist bei Patienten, für die eine schulische oder berufliche Wiedereingliederung angestrebt wird, daß häufig neben dem Training der Geschwindigkeit der Informationsverarbeitung auch eine schrittweise Verbesserung der Daueraufmerksamkeit erforderlich ist. Da, wie oben erwähnt, standardisierte Verfahren zur Untersuchung von Daueraufmerksamkeitsleistungen unter erhöhten Anforderungen über einen längeren Zeitraum nicht vorliegen, kommt der Beurteilung der Leistungsfähigkeit eines Patienten während einer Belastungserprobung oder eines therapeutischen Arbeits- bzw. Schulversuchs (zu den Details vgl. Kap. 6) große Bedeutung zu, wenn es um die Wiederaufnahme einer Ausbildung oder einer Berufstätigkeit geht.

Außerdem bieten eine Belastungserprobung oder ein therapeutischer Arbeits- bzw. Schulversuch die Möglichkeit, in Absprache mit der jeweiligen Institution die Dauer der täglich geforderten Belastung in Abhängigkeit von der tatsächlichen Belastbarkeit im Verlauf mehrerer Wochen oder Monate schrittweise zu steigern.

Hierbei sollte auch versucht werden, während der ersten Zeit der Wiedereingliederung die Anforderungen an die Aufmerksamkeitsleistungen des Patienten von seiten seines Ausbildungs- oder Arbeitsplatzes zu modifizieren. Dies bedeutet (was sicher oft nur sehr beschränkt möglich ist) zu versuchen, daß der Patient:

- möglichst reaktionsgesteuert arbeiten kann (d. h. seine Arbeitsgeschwindigkeit selbst bestimmen kann),
- die Möglichkeit erhält, bei Bedarf kürzere Pausen einzulegen,
- die Ablenkung durch externe Reize (z. B. Gespräche/Telefonate von Kollegen) möglichst vermindert wird.

Wechselwirkung mit anderen Hirnleistungen

Derzeit nicht hinreichend zu beantworten ist in der Diskussion einer rationalen Therapieindikation die Frage nach der möglichen Spezifität eines gezielten Aufmerksamkeitstrainings bzw. seiner Generalisierung auf andere Hirnleistungen.

Während sich sowohl in mehreren der oben angeführten Arbeiten (z. B. Sturm et al. 1983) als auch nach unserer eigenen Erfahrung immer wieder zeigen ließ, daß ein Training beispielsweise der Mehrfachwahlreaktionen zu einer Verbesserung dieser Leistungen führt, diese Leistungsverbesserung in der Regel nach Ende der Therapie stabil bleibt und auch auf verschiedene andere Aufmerksamkeits- und Konzentrationsleistungen generalisiert, ist die

Frage offen, ob sich damit auch eine Verbesserung anderer kognitiver Leistungen erzielen läßt; auch die Frage der Konsistenz zwischen einer Verbesserung der Aufmerksamkeitsleistungen für visuelles und derjenigen für akustisches Material ist bisher nicht exakt zu beantworten.

Von großer Relevanz ist unter rehabilitativen Gesichtspunkten außerdem die Frage, inwieweit die bei einem Patienten ermittelten Leistungen als prognostischer Indikator für die Abschätzung des Rehabilitationserfolgs dienen können. Auch wenn es – im Sinne ganz unsystematischer Erfahrungen – so scheint, als ob gute Ergebnisse in der Untersuchung der Aufmerksamkeitsleistungen auch eine eher positive allgemeine prognostische Einschätzung zuließen, liegen hierzu jedoch bisher keine systematischen Untersuchungen vor.

10.4.2 Einsatz computerunterstützter Verfahren

Da in den letzten Jahren in verschiedenen Bereichen der neuropsychologischen Rehabilitation der Einsatz von Mikrocomputern immer häufiger wird, sollen abschließend allgemeine Überlegungen zum Einsatz derartiger Programme im Bereich der Diagnostik und Therapie von Aufmerksamkeitsstörungen skizziert werden. Auf die Darstellung spezifischer Verfahren wird verzichtet, da bei der derzeitigen Geschwindigkeit der Entwicklung damit zu rechnen ist, daß eine solche Darstellung beim Erscheinen dieses Buches zumindest teilweise schon wieder überholt wäre.

Computerunterstützte Diagnostik- und insbesondere Therapieprogramme, die unter Supervision durch einen Therapeuten durchgeführt werden, weisen gegenüber den herkömmlichen Therapieverfahren eine Reihe von sowohl inhaltlichen als auch ökonomischen Vorteilen auf:

- Computerunterstützte Diagnostik und Therapie erlaubt ohne größeren Aufwand und sehr exakt eine kurzzeitige, reizgesteuerte Präsentation des verwendeten Materials und die Registrierung der Leistungen des

Patienten, was im Bereich der Diagnostik und Therapie von Aufmerksamkeitsleistungen von entscheidender Bedeutung ist. Auch die Präsentation komplexen akustischen (damit wohl auch sprachlichen) Materials dürfte aufgrund der raschen technischen Weiterentwicklung der Prozessorgeschwindigkeit und der unmittelbar verfügbaren Speicherkapazität in den nächsten Jahren möglich sein.

- Mit Hilfe der Mikroprozessoren ist eine kontinuierliche Aufzeichnung und anschließende Darstellung des zeitlichen Verlaufs der Leistung des Patienten möglich; für die Beurteilung der Daueraufmerksamkeit ist dies von großer Bedeutung.

- Die Wirtschaftlichkeit und Effizienz der in der Regel sehr personalintensiven Therapieverfahren läßt sich durch derartige Programme wesentlich verbessern. Unter Anleitung durch den jeweiligen Therapeuten ist den Patienten in vielen Fällen ein eigenständiges Arbeiten (Selbsttherapie) möglich. Dies führt über eine entsprechende Erhöhung der Therapiekapazität zu einer deutlichen Intensivierung des therapeutischen Angebots. Es ist beispielsweise möglich, daß ein Patient mit einer spezifischen Aufmerksamkeitsstörung mehrmals täglich selbst am Computer eine Trainingseinheit durchführt; die kontinuierliche Registrierung seiner Leistung ermöglicht trotzdem eine genaue Supervision durch den Therapeuten.

- Der Einsatz computerunterstützter Diagnostik und Therapie ermöglicht durch die damit zur Verfügung stehende Systematisierung und Objektivierung auch leichter eine Überprüfung der Effizienz und damit die Weiterentwicklung eines Therapieansatzes; dabei sind auch die methodischen Probleme, die sich aus der Interaktion Patient-Therapeut ergeben, besser zu kontrollieren.

- Da ein großer Teil unserer Patienten vor der Hirnschädigung im Erwerbsleben oder in der Vorbereitung hierauf stand und zugleich der Einsatz der EDV im beruflichen Alltag (insbesondere im Falle einer bleibenden motorischen Behinderung) für die Wiedereingliederung eine bedeutende Rolle spielt, ergibt sich außerdem noch die Möglichkeit, bei einer Reihe von Patienten zu einer noch genaueren Voraussage über die Chancen einer schulischen oder beruflichen Reintegration zu kommen.

Es hat sich in den letzten Jahren gezeigt, daß die Akzeptanz solcher computerunterstützter Therapieprogramme durch die Patienten meist sehr gut ist. Selbstverständlich ist, daß dabei die persönliche Betreuung des Patienten durch den Therapeuten und die Beobachtung seines Verhaltens im Umgang mit den Therapiegeräten integraler Teil der Therapie sein müssen.

Danksagung

Frau Dipl. Psych. G. Matthes danke ich für ihr außerordentliches Engagement in der klinischen Betreuung aufmerksamkeitsgestörter Patienten; die daraus entstandenen Erfahrungen haben zu diesem Kapitel wesentlich beigetragen.

Literatur

Alves W, Jane J (1985) Mild brain injury: damage and outcome. In: Becker D, Povlishock J (eds) Central nervous system trauma status report. National Institute of Neurological and Communicative Disorders and Stroke. National Institutes of Health, USA

Atteberry-Bennett J, Barth J, Loyd B, Lawrence E (1986) The relationship between behavioral and cognitive deficits, demographics and depression in patients with minor head injuries. Int J Clin Neuropsychol 8: 114-118

Bäumler G (1985) Farbe-Wort-Interferenztest (FWIT) nach J R Stroop. Hogrefe, Göttingen

Barth J, Macciocchi S, Biordani B, Rimel R, Jane J, Boll T (1983) Neuropsychological sequelae of minor head injury. Neurosurgery 13: 529-533

Benson D, Geschwind N (1975) Psychiatric conditions associated with focal lesions of the central nervous system. In: Arieti S, Reiser M (eds) American handbook of psychiatry, vol 4: Organic disorders and psychosomatic medicine. Basic Books, New York

Benton A (1986) Reaction time in brain disease: some reflections. Cortex 22: 129-140

Benton A, Blackburn H (1957) Practice effects in reaction time tasks in brain-injured patients. J Abn Soc Psychol 54: 109-113

Benton A, Joynt R (1959) Reaction time in unilateral cerebral disease. Confinia Neurologica 19: 247-256

Ben-Yishay Y, Diller L (1983) Cognitive deficits. In: Rosenthal M, Griffith E, Bond M, Miller J (eds) Rehabilitation of the head-injured adult. Davis, Philadelphia

Ben-Yishay Y, Rattok J. Diller L (1979) A clinical strategy for the systematic amelioration of attentional disturbances in severe head trauma patients. In: Ben-Yishay Y (ed) Working approaches to remediation of cognitive deficits in brain damaged persons. New York University Medical Center, New York (Rehabilitation Monograph No 60, pp 1-27)

Ben-Yishay Y, Rattok J. Ross B, Lakin P, Cohen J, Diller L (1980) A remedial „module" for the systematic amelioration of basic attentional disturbances in head trauma patients. In: Ben-Yishay Y (ed) Working approaches to remediation of cognitive deficits in brain damaged persons. New York University Medical Center, New York (Rehabilitation Monograph No 61, pp 71-127)

Ben-Yishay Y, Piasetzky E, Rattock J (1987) A systematic method for ameliorating disorders in basic attention. In: Meier M, Benton A, Diller L Neuropsychological rehabilitation. Churchill Livingstone, Edinburgh

Binder L (1986) Persisting symptoms after mild head injury: a review of the postconcussive syndrome. J Clin Exp Neuropsychol 8: 323-346

Blackburn H (1958) Effect of motivating instructions on reaction time in cerebral disease. J Abn Soc Psychol 56: 359-366

Blackburn H, Benton A (1955) Simple and choice reaction time in cerebral disease. Confinia Neurologica 15: 327-338

Boll T (1974) Psychological differentiation of patients with schizophrenia versus lateralized cerebrovascular, neoplastic, or traumatic brain damage. J Abn Psychol 83: 456-458

Brickenkamp R, Karl R (1986) Geräte zur Messung von Aufmerksamkeit, Konzentration und Vigilanz. In: Brickenkamp R (Hrsg) Handbuch apparativer Verfahren in der Psychologie. Hogrefe, Göttingen

Broadbent D (1958) Perception and communication. Pergamon, London

Brouwer W, Wolffelaar P van (1985) Sustained attention and sustained effort after closed head injury: detection and 0.10 Hz heart rate variability in a low event rate vigilance task. Cortex 21: 111-119

Bruhn P, Parsons P (1971) Continuous reaction time in brain damage. Cortex 7: 278-291

Bukasa B, Wenninger U (1986a) RST 3 - Test zur Erfassung der reaktiven Belastbarkeit (Manual). Kuratorium für Verkehrssicherheit, Wien

Bukasa B, Wenninger U (1986b) PVT - Test zur Erfassung peripherer Wahrnehmungsleistungen bei gleichzeitiger Trackingaufgabe (Manual). Kuratorium für Verkehrssicherheit, Wien

Bukasa B, Wenninger U (1986c) VIGO – Optischer Vigilanztest (Manual). Kuratorium für Verkehrssicherheit, Wien

Bukasa B, Wenninger U (1986d) Q1 (Manual). Kuratorium für Verkehrssicherheit, Wien

Caine E (1986) The neuropsychology of depression: the pseudodementia syndrome. In: Grant I, Adams K (eds) Neuropsychological assessment of neuropsychiatric disorders. Oxford University Press, New York, pp 221-243

Cohen R, Meier E, Schulze U (1983) Spontanes Lesen aphasischer Patienten entgegen der Instruktion? (Stroop-Test). Nervenarzt 54: 299-303

Cummings J, Benson F (1984) Subcortical dementia: review of an emerging concept. Arch Neurol 41: 874-879

Davies D, Jones D, Taylor A (1984) Selective- and sustained-attention tasks: individual and group differences. In: Parasuraman R, Davies D (eds) (1984) Varieties of attention. Academic Press, New York, p 395-447

Dee H, Van Aalen M (1971) Simple and choice reaction time and motor strength in unilateral cerebral disease. Acta Psychiat Scand 47: 315-323

Dee H, Van Allen M (1973) Speed of decision-making processing in patients with unilateral cerebral disease. Arch Neurol 28: 163-166

De Renzi E, Faglioni P (1965) The comparative efficiency of intelligence and vigilance tests in detecting hemispheric cerebral damage. Cortex 1: 410-433

De Renzi E, Faglioni P (1967) The relationship between visuospatial impairment and constructional apraxia. Cortex 3: 327-342

Dikmen S, McLean A, Temkin N (1986a) Neuropsychologic outcome at one-month postinjury. Arch Phys Med Rehabil 67: 507-513

Dikmen S, McLean A, Temkin N (1986b) Neuropsychological and psychosocial consequences of minor head injury. J Neurol Neurosurg Psychiatr 49: 1227-1232

Elsass P, Hartelius H (1985) Reaction time and brain disease: relations to location, etiology and progression of cerebral dysfunction. Acta Neurol Scand 71: 11-19

Ewing R, McCarthy D, Gronwall D, Wrightson P (1980) Persisting effects of minor head injury observable during hypoxic stress. J Clin Neuropsychol 2: 147-155

Ferris S, Crook T, Sathananthan G, Gershon S (1976) Reaction time as a diagnostic measure in senility. J Am Geriatrics Soc 24: 529-533

Fisher D, Sweet J, Pfaelzer-Smith E (1986) Influence of depression on repeated neuropsychological testing. Int J Clin Neuropsychology 8: 14-18

Fuster J (1980) The prefrontal cortex. Raven, New York

Gaußmann A, Hochhausen R, Schmidt-Rogge I (1978) Der Mehrfachwahl-Wortschatz-Test (MWT) und der Zahlen-Verbindungs-Test (ZVT) als Maße der allgemeinen Intelligenz. Diagnostica 24: 50-77

Geschwind N (1982) Disorders of attention: a frontier in neuropsychology. Philos Trans R Soc Lond [Bid] 298: 173-185

Goldstein K (1952) The effects of brain damage on personality. Psychiatry 15: 245-260

Gronwall D (1977) Paced auditory serial addition task: a measure of recovery from concussion. Percept Mot Skills 44: 367-373

Gronwall D, Wrightson P (1974) Delayed recovery of intellectual functions after minor head injury. Lancet 2: 995-997

Gronwall D, Wrightson P (1981) Memory and information processing capacity after closed head injury. J Neurol Neurosurg Psychiatr 44: 889-895

Guthkelch A (1980) Posttraumatic amnesia, postconcussional symptoms and accident neurosis. Eur Neurol 19: 91-102

Head H (1926) Aphasia. Cambridge University Press, Cambridge

Hofer E, Scherzer E (1977) Reaktionstraining in der Rehabilitation Hirnverletzter. Z Krankengymnastik 29: 664-666

Howes D, Boller F (1975) Simple reaction time: evidence for focal impairment from lesions of the right hemisphere. Brain 98: 317-322

Huber S, Shuttleworth E, Paulson G, Bellchambers M, Clapp L (1986) Cortical vs subcortical dementia – neuropsychological differences. Arch Neurol 43: 392-394

James W (1890) The principles of psychology (vol I). Holt, New York

Jensen A (1980) Chronometric analysis of intelligence. J Social Biol Struct 3: 103-122

Jorm A (1986) Controlled and automatic information processing in senile dementia: a review. Psychol Med 16: 77-88

Kahneman D, Treisman A (1984) Changing views of attention and Automaticity. In: Parasuraman R, Davies D (eds) Varieties of attention. Academic Press, New York, pp 29-61

Kisser R, Krafack A, Vaughan C (1986) Determinationsgeräte. In: Brickenkamp R (Hrsg) Handbuch apparativer Verfahren in der Psychologie. Hogrefe, Göttingen

Klee S, Garfinkel B (1983) The computerized continuous performance task: a new measure of inattention. J Abn Child Psychol 11: 487-496

Klensch H (1973) Die diagnostische Valenz der Reaktionszeitmessung bei verschiedenen zerebralen Erkrankungen. Fortschr Neurol Psychiatr 41: 575-581

Koss E, Ober B, Delis D, Friedland R (1984) The

stroop colorword test: indicator of dementia severity. Int J Neurosci 24: 53-61

Levin H (1985) Outcome after head injury: neurobehavioral recovery. In: Becker D, Povlishock J (eds) Central nervous system trauma status report - 1985. National Institute of Neurological and communicative disorders and stroke. National Institutes of Health, USA, pp 281-299

Lezak M (1983) Neuropsychological assessment. Oxford University Press, Oxford

Lishman W (1978) Organic psychiatry. Blackwell, Oxford

MacFlynn G, Montgomery E, Fenton G, Rutherford W (1984) Measurement of reaction time following minor head injury. J Neurol Neurosurg Psychiatr 47: 1326-1331

Mackworth N (1948) The breakdown of vigilance during prolonged visual search. Q J Exp Psychol 1: 6-21

Matthes G (1985) Zur Phänomenologie der kognitiven Verlangsamung hirngeschädigter Patienten. Psycholog. Diplomarbeit, Universität München

McKinlay W, Brooks D, Bond M, Martinage D, Marshall M (1981) The short term outcome of severe blunt head injury as reported by relatives of the injured persons. J Neurol Neurosurg Psychiatr 44: 527-533

Melamed S, Rahmani L, Greenstein Y, Groswasser Z, Najenson T (1985a) Divided attention in brain injured patients. Scand J Rehab Med Suppl 12: 16-20

Melamed S, Stern M, Rahmani L, Groswasser Z, Najenson T (1985b) Attention capacity limitation, psychiatric parameters and their impact on work involvement following brain injury. Scand H Rehab Med [Suppl] 12: 21-26

Mesulam M (1985) Attention, confusional states, and neglect. In: Mesulam M (ed) Principles of behavioral neurology. Davies, Philadelphia, pp 125-168

Miller E (1970) Simple and choice reaction time following severe head injury. Cortex 6: 121-127

Miller J (1985) Discrete and continuous models of divided attention. In: Posner M, Marin O (eds) Attention and performance XI. Erlbaum, Hillsdale, pp 513-528

Milner D (1986) Chronometric analysis in neuropsychology. Neuropsychologia 24: 115-128

Müller A (1980) Handanweisung zum Aufmerksamkeits-Prüf-Gerät A-P-G. Untersuchungsstelle für Verkehrstauglichkeit/Universitätskliniken, Homburg (Saar)

Nakamura R, Taniguchi R (1977) Reaction time in patients with cerebral hemiparesis. Neuropsychologia 15: 845-848

Navon D (1985) Attention division or attention sharing? In: Posner M, Marin O (eds) Attention and performace XI. Erlbaum, Hillsdale, pp 133-146

Oswald W, Roth E (1978) Der Zahlen-Verbindungs-Test (ZVT) Hogrefe, Göttingen

Parasuraman R (1984) Sustained attention in detection and discrimination. In: Parasuraman R, Davies D (eds) Varieties of attention. Academic Press, New York, pp 243-271

Parasuraman R (1985) Sustained attention: a multifactorial approach. In: Posner M, Marin O (eds) Attention and performace XI. Erlbaum, Hillsdale, pp 493-511

Parasuraman R, Davies D (eds) (1984) Varieties of attention. Academic Press, New York

Perret E (1974) The left frontal lobe of man and the suppression of habitual responses in verbal categorial behaviour. Neuropsychologia 12: 323-330

Piasetsky E, Rattok J. Ben-Yishay Y, Lakin P, Ross B, Diller L (1983) Computerized ORM: A manual for clinical and research uses. In: Ben-Yishay Y (ed) Working approaches to remediation of cognitive deficits in brain damaged persons. New York University Medical Center, New York (Rehabilitation Monograph No 66, pp 1-40)

Pirozzolo F, Christensen K, Ogle K, Hansch E, Thompson W (1981) Simple and choice reaction time in dementia: Clinical implications. Neurobiol Aging 2: 113-117

Posner M (1978) Chronometric explorations of the mind. Erlbaum, Hillsdale

Posner M, Boies S (1971) Components of attention. Psychol Rev 78: 391-408

Posner M, McLeod P (1982) Information processing models - in search of elementary operations. Ann Rev Psychol 33: 477-514

Posner M, Rafal R (1987) Cognitive theories of attention and the rehabilitation of attentional deficits. In: Meier M, Benton A, Diller L (eds) Neuropsychological rehabilitation. Churchill Livingstone, Edinburgh, pp 182-201

Prigatano G, Fordyce D (1986) The neuropsychological rehabilitation program at Presbyterian Hospital, Oklahoma City. In: Prigatano G (Ed) Neuropsychological rehabilitation after brain injury. J Hopkins University Press, Baltimore, pp 96-118

Prigatano G, Fordyce D, Zeiner H, Roneche J, Pepping M, Wood B (1984) Neuropsychological rehabilitation after closed head injury in young adults. J Neurol Neurosurg Psychiatr 47: 505-513

Prigatano G, Pepping M, Klonoff P (1986a) Cognitive, personality, and psychosocial factors in the neuropsychological assessment of brain-injured patients. In: Uzzell B, Gross Y (eds) Clinical neuropsychology of intervention. Nijhoff, Boston, pp 135-166

Prigatano G, Roueche J, Fordyce D (1986b) Nonaphasic language disturbances after brain injury. In: Prigatano G (ed) Neuropsychological Rehabilitation after brain injury. J Hopkins University Press, Baltimore, pp 18-28

Radanov B, Ludin J (1986) Folgen von Schädel-Hirn-Traumen in einem neurologischen Krankenkollektiv - Versuch einer Interpretation der posttraumatischen Kopfschmerzen. Fortschr. Neurol Psychiatr. 54: 375-381

Rafal R, Posner M, Walker J, Friedrich F (1984) Cognition and the basal ganglia. Brain 107: 1083-1094

Rattok J. Thomas J, Ben-Yishay Y, Ross B, Lakin P, Silver S, Hoofien D, Fawzy E, Hamza M, Diller L (1981) A remedial module for systematic training of traumatic head injured patients in the area of visual information processing. In: Ben-Yishay Y (ed) Working approaches to remediation of cognitive deficits in brain damaged persons. New York University Medical Center, New York (Rehabilitation Monograph No 62, pp 43-67)

Rattok J, Ben-Yishay Y, Ross B, Lakin P, Silber S, Thomas L, Diller L (1982) A Diagnostic-remedial system for basic attentional disorders in head trauma patients undergoing rehabilitation: a preliminary report. In: Ben-Yishay Y (ed) Working approaches to remediation of cognitive deficits in brain damaged persons. New York University Medical Center, New York (Rehabilitation Monograph No 64, pp 177-187)

Reitan R (1958) Validity of the trail making test as an indication of organic brain damage. Percept Mot Skills 8: 271-276

Säring W, Matthes G, Cramon D von (1987) Zur Phänomenologie der Verlangsamung. In: Kohlmeyer K (Hrsg) Aktuelle Probleme der Neurotraumatologie und klinischen Neuropsychologie. Wissenschaftl. Verlagsgesellschaft, Münster, S 440-443

Salmaso D, Denes G (1982) Role of the frontal lobes on an attentional task: a signal detection analysis. Percept Mot Skills 55: 127-130

Scherzer P (1986) Rehabilitation following severe head trauma: results of a three-year programm. Arch Phys Med Rehabil 67: 366-374

Schneider W (1985) Toward a model of attention and the development of automatic processing. In: Posner M, Marin O (eds) Attention and performace XI. Erlbaum, Hillsdale, pp 475-492

Schneider W, Shiffrin R (1977) Controlled and automatic human information processing. I. Detection, search, and attention. Psychol Rev 84: 1-66

Schneider W, Dumais S, Shiffrin R (1984) Automatic and control processing and attention. In: Parasuraman R, Davies D (eds) Varieties of attention. Academic Press, New York, pp 1-27

Shankweiler D (1959) Effects of success and failure instructions on reaction time in patients with brain damage. J. Comp Physiol Psychol 52: 546-549

Sheer D, Schrock B (1986) Attention. In: Hannay H (ed) Experimental techniques in human neuropsychology. Oxford University Press, Oxford, pp 95-137

Shiffrin R, Schneider W (1977) Controlled and automatic human information processing: II. Perceptual learning, automatic attending, and a general theory. Psychol Rev 84: 127-190

Sohlberg M, Mateer C (1987) Effectiveness of an attention training program. J Clin Exp Neuropsychol 9: 117-130

Sternberg S (1975) Memory scanning: new findings and current controversies. Q J Exp Psychol 27: 1-32

Stokx L, Gaillard A (1986) Task and driving performances of patients with a severe concussion of the brain. J Clin Exp Neuropsychol 8: 421-436

Stroop J (1935) Studies of interference in serial verbal reactions. J Exp Psychol 18: 643-661

Sturm W (1983) Die neuropsychologische Relevanz einfacher und komplexer Reaktions- und Konzentrations-Untersuchungen bei Hirnkranken unter Berücksichtigung ätiologischer und lokalisatorischer Gesichtspunkte. Dissertation Universität Trier

Sturm W, Büssing A (1982) Zum Einfluß motivierender Testinstruktionen auf die Reaktionsleistung hirngeschädigter Patienten. Nervenarzt 53: 395-400

Sturm W, Büssing A (1986) Einfluß der Aufgabenkomplexität auf hirnorganische Reaktionsbeinträchtigungen - Hirnschädigungs- oder Patienteneffekt? Eur Arch Psychiatr Neurol Sci 235: 214-220

Sturm W, Dahmen W, Hartje W, Willmes K (1983) Ergebnisse eines Trainingsprogramms zur Verbesserung der visuellen Auffassungsschnelligkeit und Konzentrationsfähigkeit bei Hirngeschädigten. Arch Psychiatr Nervenkr 233: 9-22

Stuss D, Benson F (1986) The frontal lobes. Raven Press, New York

Stuss D, Ely P, Hugenholtz H, Richard M, LaRochelle S, Poirier C, Bell I (1985) Subtle neuropsychological deficits in patients with good recovery after closed head injury. Neurosurgery 17: 41-47

Tartaglione A, Bino G, Manzino M, Spadavecchia L, Favale E (1986) Simple reaction-time changes in patients with unilateral brain damage. Neuropsychologia 24: 649-658

Tartaglione A, Oneto A, Manzino M, Favale E (1987) Further evidence for focal effect of right hemisphere damage on simple reaction time. Cortex 23: 285-292

Van Zomeren A (1981) Reaction time and attention after closed head injury. Dissertation Universität Groningen, Holland

Van Zomeren A, Deelman B (1976) Differential effects of simple and choice reaction after closed head injury. Clin Neurol Neurosurg 79: 81-90

Van Zomeren A, Deelman B (1978) Long-term recovery of visual reaction time after closed head injury. J Neurol Neurosurg Psychiat 41: 452–457

Van Zomeren A, Brouwer W, Deelman B (1984) Attentional deficits: the riddles of selectivity, speed, and alertness. In: Brooks N (ed) Closed head injury: Psychological, social, and family consequences. Oxford University Press, Oxford, pp 74–107

Van Zomeren A, Van den Burg W (1985) Residual complaints of patients two years after severe head injury. J Neurol Neurosurg Psychiat 48: 21–28

Vrtunski P, Patterson M, Mach J. Hill G (1983) Microbehavioral analysis of the choice reaction time response in senile dementia. Brain 106: 929–947

Wahler R (1986) Reaktionszeitmeßgeräte - Einfach- und Mehrfachwahl. In: Brickenkamp R (Hrsg) Handbuch apparativer Verfahren in der Psychologie. Hogrefe, Göttingen, S 212–224

Warm J (ed) (1984) Sustained attention in human performance. J Wiley & Sons, Chichester

Watts F, Sharrock R (1985) Description and measurement of concentration problems in depressed patients. Psychol Medicine 15: 317–326

Westhoff K, Kluck M (1984) Ansätze einer Theorie konzentrativer Leistungen. Diagnostica 30: 167–183

Wilkins A, Shallice T, McCarthy R (1987) Frontal lobes and sustained attention. Neuropsychologia 25: 359–365

Wilson R, Kaszniak A, Klawans H, Garron D (1980) High speed memory scanning in parkinsonism. Cortex 16: 67–72

11 Neglect

W. Säring

11.1 Der Begriff des Neglects

Die Beobachtung, daß Patienten nach einer Hirnschädigung eine Raum- oder Körperhälfte vernachlässigen, indem sie auf Objekte oder Ereignisse in dieser Raumhälfte nicht reagieren, daß sie keine Augen-, Kopf- oder Rumpfbewegungen in diese Raumhälfte ausführen, daß sie die an sich bewegungsfähigen Extremitäten einer Körperhälfte nicht benutzen, ja sich teilweise sogar ganz so verhalten, als ob eine Raum- oder Körperhälfte sozusagen zu existieren aufgehört habe, wird in einer Vielzahl von Untersuchungen berichtet (als Überblick: Heilman et al. 1985 b, c, 1986; Mesulam 1985; Werth et al. 1986; Jeannerod 1987).

Dieses Verhalten wird seit den Arbeiten von Brain (1941) und Critchley (1953) häufig mit der Syndromdiagnose „Neglect" gekennzeichnet. Problematisch an diesem Sprachgebrauch ist, daß unter der Bezeichnung „Neglect" sehr verschiedene Phänomene oder Kombinationen von Phänomenen verstanden werden, die außerdem zu ganz unterschiedlichen Zeitpunkten nach der Hirnschädigung und mit teils sehr verschiedenen Verfahren untersucht werden. Während Einigkeit darüber herrscht, daß bei einem Patienten vorliegende Störungen der Repräsentation des externen Raums oder des eigenen Körpers als sichere Zeichen eines Neglects zu werten sind, werden beobachtete Vernachlässigungsphänomene im Bereich der visuellen, akustischen oder sensomotorischen Exploration in unterschiedlichem Maße als hinreichende Zeichen eines Neglects gesehen.

Heilman et al. (1985c) definieren:

A patient with the neglect syndrome fails to report, respond, or orient to novel or meaningful stimuli presented to the side opposite a brain lesion. An organism is not considered to have neglect if this failure can be attributed to either sensory or motor defects.

Diese Definition wird zwar (ohne daß damit eine Operationalisierung verbunden wäre) allgemein akzeptiert; eine genaue Abgrenzung des Einflusses von „Basisdefiziten" im Bereich der Wahrnehmung oder der Sensomotorik auf die beobachteten Verhaltensauffälligkeiten eines Patienten wird jedoch in den wenigsten Untersuchungen vorgenommen; deren Ergebnisse sind deshalb oft nur beschränkt miteinander vergleichbar. Eine zusätzliche Schwierigkeit ergibt sich dadurch, daß insbesondere in den ersten Wochen nach einer Hirnschädigung eine genaue Untersuchung des Vorliegens bzw. eine Abgrenzung des Anteils einer solchen „Basisstörung" auch einem erfahrenen Untersucher oft nicht möglich ist.

11.2 Phänomenologie und Diagnostik des Neglects

11.2.1 Methodische Probleme der Verhaltens- und Verlaufsbeobachtung

Bei der Beschreibung der verschiedenen Neglectphänomene lassen sich 3 Gruppen von Symptomen unterscheiden:

1. Vernachlässigungsphänomene im Bereich
   - der visuellen Exploration,
   - der akustischen Exploration,
   - der sensomotorischen Exploration;
2. Störungen der Repräsentation
   - des externen Raums,
   - des eigenen Körpers'
3. Anosognosie.

Systematische Untersuchungen zur inneren Konsistenz und Hierarchie dieser Symptome etwa im Sinne unterschiedlicher Schweregrade eines Neglectsyndroms liegen nicht vor. Entsprechend der klinischen Erfahrung ist ein schweres Neglectsyndrom jedoch eher dadurch gekennzeichnet, daß sowohl eine Störung der Repräsentation des externen Raums und des eigenen Körpers als auch eine Anosognosie und außerdem Vernachlässigungsphänomene in verschiedenen Modalitäten vorliegen. Bisiach et al. (1986a) weisen darauf hin, daß die verschiedenen Symptomgruppen durchaus dissoziiert auftreten können, also beispielsweise eine ausgeprägte Vernachlässigung der paretischen linken Extremitäten nicht notwendigerweise auch von einer Anosognosie für diese Funktionsstörung begleitet sein muß. Desgleichen ist bekannt, daß Vernachlässigungsphänomene in den verschiedenen Modalitäten ebenfalls in ganz unterschiedlichem Ausmaß vorliegen können.

Im Rahmen der Rückbildung eines ausgeprägten Neglects ist häufig zu beobachten, daß sich die Anosognosie und die Störung der externen und internen Repräsentation rascher zurückbilden als die bestehenden Vernachlässigungsphänomene.

Auch Studien mit Verlaufsbeobachtungen, insbesondere zur Frage, wie lange Neglectsymptome bestehen bleiben können, wurden bisher nur wenige durchgeführt (vgl. Willanger et al. 1981; Colombo et al. 1982; Hier et al. 1983a, b; Levine et al. 1986 sowie auch Johnston u. Shapiro 1986). Diese stimmen darin überein, daß Neglectsymptome, insbesondere Vernachlässigungszeichen, noch Jahre nach einer entsprechend ausgeprägten Hirnschädigung zu beobachten sind, es sich also beim Neglect nicht nur um ein Phänomen der Akutphase handelt. Andererseits geht aus diesen Untersuchungen hervor, daß ein Neglect in den Akutphasen nach einer Hirnschädigung wesentlich häufiger ist als mehrere Monate nach einem solchen Ereignis.

Im Verlauf der Rückbildung eines Neglectsyndroms sind 2 wesentliche Punkte zu beachten:

- Einzelne Vernachlässigungsphänomene sind zwar in Situationen, in denen der Patient sich auf die vernachlässigte Seite konzentriert, nicht mehr zu beobachten, treten jedoch unverändert wieder auf, wenn gleichzeitig Reize aus dem kontralateralen Halbfeld registriert werden (d. h. in bilateralen Reizsituationen).
- Einzelne Symptome sind in einer Untersuchungs- oder Therapiesituation nicht mehr zu beobachten, jedoch noch deutlich im Spontanverhalten des Patienten.

„The hallmark of brain damage is high variability in level of performance" (Gordon et al. 1986). Berücksichtigt man dies zusätzlich zu den verschiedenen oben genannten Punkten, ergeben sich für die Diagnostik und die Verlaufsbeobachtung des Neglects folgende Konsequenzen:

- Die Diagnostik des Neglects basiert auf einer mehrfachen genauen Beobachtung des Verhaltens des Patienten sowohl in Untersuchungssituationen als auch im Spontanverhalten (insbesondere auch in bilateralen Reizsituationen). Zur Diagnostik gehört deshalb auch das Zusammentragen der Einzelbeobachtungen, die in dem jeweiligen Behandlungsteam (bzw. auch durch die Angehörigen des Patienten) gemacht werden. Scheinbar sich widersprechende Beobachtungen entpuppen sich bei genauerer Analyse häufig als Beobachtungen in Situationen, in denen die einzelnen Neglectphänomene mit unterschiedlicher Wahrscheinlichkeit auftreten.
- Ein pauschales diagnostisches Urteil („dieser Patient hat einen/keinen Neglect") als Ergebnis dieser Beobachtungen ist wenig hilfreich; sinnvoller ist eine genauere Beschreibung der einzelnen Symptomgruppen und ihrer Auftretensbedingungen, z. B.: „Bei diesem Patienten findet sich noch (als Zeichen der Rückbildung eines ausgeprägten Neglectsyndroms) eine Vernachlässigung im Bereich der visuellen Exploration in bilateralen Reizsituationen, eine motorische Vernachlässigung der linken oberen Extremität sowie nur noch angedeutet eine

Störung der Repräsentation des externen Raums beim Anfertigen von Zeichnungen". Eine solche präzisere Angabe der bestehenden Defizite ermöglicht erst eine Klärung der Therapieindikation und einen Vergleich des Schweregrads des Neglects zwischen einzelnen Patienten.

In der Akutphase kann eine orientierende Neglecterfassung durch eine genaue Verhaltensbeobachtung, eine Exploration des Patienten und die Durchführung einfacher Papier-und-Bleistift-Tests, wie sie unten dargestellt sind, bereits mit hoher Zuverlässigkeit erfolgen. Die Durchführung von technisch aufwendigen Spezialuntersuchungen, insbesondere im Bereich der visuellen Exploration und der akustischen Leistungen, kann dann zusätzlich je nach den vorhandenen Möglichkeiten und Kenntnissen erfolgen; für die Diagnostik der Rückbildungsformen ist sie allerdings oft unabdingbar.
Die folgende Übersicht über die Phänomenologie des Neglects ist gleichzeitig als Richtlinie für die Diagnostik von Neglectphänomenen zu sehen.

11.2.2 Vernachlässigungsphänomene

Visuelle Exploration

Vernachlässigungsphänomene im Bereich der visuellen Exploration als Folge einer Hirnschädigung sind ein schon seit über 100 Jahren beschriebenes, häufiges Phänomen [vgl. Chédru et al. (1973), Johnston u. Diller (1986) sowie Zihl u. von Cramon (1986) insbesondere auch zur Frage der Beziehung zu hemianopen Störungen]. Diese Vernachlässigungsphänomene lassen sich schon im Verhalten des Patienten leicht beobachten. Wichtige Beispiele hierfür sind:

- verminderte Augen-/Kopfbewegungen zu einer Seite,
- Bevorzugung der Körperorientierung zu einer Seite,
- Nichtbeachten von relevanten Gegenständen/Personen auf einer Seite,

- Anstoßen an Hindernisse an einer Seite/Benutzen einer Flurseite.

Eine Verminderung von Augen- oder Kopfbewegungen zu einer Seite läßt sich am leichtesten in einer Situation feststellen, in der der Untersucher dem Patienten gegenübersitzt und beobachtet (beispielsweise im Rahmen des Erstgesprächs), wohin der Patient spontan blickt. Es ist darauf zu achten, ob die Augen und der Kopf des Patienten sich über die Mittellinie in die jeweilige Raumhälfte bewegen bzw. ob solche Augenbewegungen zu einer Seite hin wesentlich seltener und ggf. flüchtiger, d. h. mit sehr kurzen Fixationszeiten erfolgen.
Sowohl im Spontanverhalten, als auch in einer Untersuchungs- oder Behandlungssituation kann man leicht feststellen, ob auch eine Bevorzugung der Körperdrehung hin zu einer Raumhälfte auftritt.
Ein eindrucksvolles Phänomen ist die Tatsache, daß der Patient Personen auf einer Seite nicht beachtet. Dies kann bereits auffallen, wenn der Untersucher bei der Erstuntersuchung sozusagen von der „falschen" Seite an den Patienten herantritt und dieser ihn dann überhaupt nicht beachtet. Leicht zu beobachten sind auch Situationen, in denen der Patient Gegenstände in einer Raumhälfte „übersieht": beim Essen wird beispielsweise nur eine Hälfte des Tellers oder des Tabletts leergegessen; der Patient „findet" das Nachtkästchen nicht, das auf seiner vernachlässigten Seite steht.
Weiter zu beobachten ist, daß die Patienten beim Gehen oder Rollstuhlfahren häufig an Hindernisse auf einer Seite des Raums oder Flurs anstoßen (beispielsweise den Türrahmen) oder daß sie nur eine Flurseite benutzen.
Eine zweite Art von Vernachlässigungsphänomen im Bereich der visuellen Exploration zeigt sich in einer Reihe von einfachen Papier-und-Bleistift-Tests. Es handelt sich zum einen um verschiedene Durchstreichaufgaben: Auf einem Blatt werden beispielsweise dem Patienten mehrere Zeilen von kleinen Kreisen oder kurzen Strichen vorgegeben, die er alle markieren soll. Der Patient wird dann nur die

Kreise oder Striche auf einer Hälfte des Blatts durchstreichen oder (u. U. im Verlauf der Rückbildung) sich von einer Hälfte schrittweise in die andere vorarbeiten (vgl. Abb. 11.1). Eine andere derartige Aufgabe wäre, den Patienten zu bitten, aus mehreren Zeilen von Buchstaben oder anderen Symbolen alle A's anzukreuzen (vgl. Caplan 1985). Gianutsos u. Matheson (1987) geben einen Überblick über verschiedene Untersuchungsverfahren, die mit Hilfe eines Mikrocomputers realisiert wurden.

Eine entsprechende Symptomatik findet sich auch, wenn der Patient gebeten wird, einen kurzen Text zu lesen (vgl. Caplan 1987). Es fällt dann auf, daß er beim Lesen (im Falle einer rechtshirnigen Störung) immer in der Mitte beginnt (zur Frage der hemianopen Lesestörung vgl. Kap. 7). Auch wenn der Patient gebeten wird, einen kurzen Absatz oder eine schriftliche Berechnung abzuschreiben, kann es vorkommen, daß eine Hälfte der Vorlage nicht berücksichtigt wird (bzgl. des Einflusses der Größe der jeweiligen Stimuli vgl. Gainotti et al. 1986).

Extinktionsphänomene im visuellen Bereich wurden schon von Poppelreuter (1917) ausführlich beschrieben. Das Phänomen der Extinktion bei doppelt simultaner Stimulation (DSS) läßt sich nicht nur in der visuellen, sondern auch in anderen Modalitäten nachweisen (vgl. unten). In einer solchen DSS-Untersuchung wird geprüft, ob der Patient zwar eine isolierte Reizvorgabe in den beiden Halbfeldern richtig wahrnimmt, bei bilateraler simultaner Stimulation jedoch (entweder sofort oder nach nur wenigen Reizapplikationen) nur noch eine Stimulation im nicht vernachlässigten Halbfeld bemerkt.

Mit Hilfe verschiedener technischer Untersuchungsverfahren (vgl. Kap. 10) läßt sich auch, wenn im Alltagsverhalten keine deutlichen Beeinträchtigungen der visuellen Exploration für ein Halbfeld mehr auffallen, zeigen, daß insbesondere bei gleichzeitiger Reizvorgabe in beiden Halbfeldern eine solche Vernachlässigung unter zeitkritischen Bedingungen noch vorliegt. Derartige Untersuchungen sind beispielsweise für die Begutachtung der Frage von Bedeutung, ob ein Patient wieder am Straßenverkehr als Führer eines Kraftfahrzeugs teilnehmen kann.

Dies wird unterstützt durch eine Reihe neuerer Arbeiten (vgl. Posner u. Cohen 1984; Posner et al. 1984; Bisiach et al. 1985a; Friedrich et al. 1985; Heilman et al. 1985a; Baynes et al. 1986; Posner u. Rafal 1987; Ladavas 1987), in denen Einfach- oder Mehrfachwahlreaktionszeiten nach parietalen Läsionen bei Reizdarbietung jeweils im zur Läsion kontra- und homolateralen Halbfeld untersucht wurden. Es zeigte sich hierbei, daß diese Reaktionszeiten im kontralateralen Halbfeld deutlich langsamer sind. Wird zusätzlich durch einen Hinweisreiz die Erwartung des Patienten auf ein Erscheinen des zu beantwortenden Reizes im homolateralen Feld gerichtet, verschlechtert sich diese Reaktionsleistung für Reize im vernachlässigten kontralateralen Halbfeld nochmals.

Differentialdiagnostisch ist als wesentliches „Basisdefizit", das solche unilateralen Verhaltensauffälligkeiten im Bereich der visuellen Exploration bewirken kann, eine zerebrale Sehstörung in Form einer Hemianopsie oder Hemiamblyopie zu berücksichtigen. Ein solcher Gesichtsfeldausfall kann insbesondere bei Patienten mit ausgedehnten Infarkten im

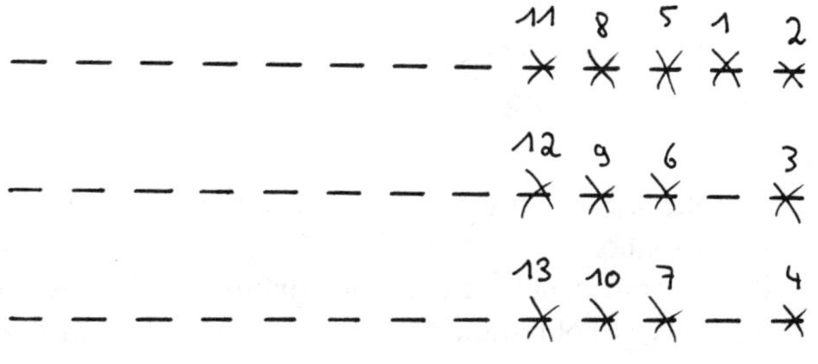

Abb. 11.1 Durchstreichtest. Der Patient kreuzt nur einen Teil der Striche im rechten Halbfeld an; die *Ziffern* geben die Reihenfolge des Ankreuzens an

Versorgungsgebiet der mittleren oder hinteren Hirnarterie kombiniert mit einem Neglect auftreten. Eine Abgrenzung zur Hemianopsie ohne Neglect ergibt sich im Verlauf dadurch, daß diese Patienten rasch lernen, den Ausfall oder die Einschränkung einer Gesichtsfeldhälfte durch vermehrte Zuwendebewegungen der Augen in diese Raumhälfte zu kompensieren (vgl. Kapitel 7).

Akustische Exploration

Vernachlässigungsphänomene im Bereich der akustischen Wahrnehmung betreffen Reize, die beim Gesunden eine Reaktion auslösen, die meist in einer Augen-, Kopf- und/oder Rumpfbewegung hin zu einer Tonquelle besteht. Bei den Patienten ist zu beobachten, daß sie beispielsweise auf Ansprache von der vernachlässigten Seite her nicht reagieren oder akustische Hinweisreize nicht beachten oder aber die Reaktion von der Tonquelle weg in die andere Raumhälfte richten (akustische Allästhesie). Am auffallendsten ist dies, wenn der Patient angesprochen wird und die Antwort vom Gesprächspartner weg „ins Leere" oder an eine andere Person in der nicht vernachlässigten Raumhälfte richtet. Extinktionsphänomene bei doppelt simultaner akustischer Stimulation wurden von De Renzi et al. (1984) bei mehr als der Hälfte aller untersuchten hirngeschädigten Patienten nachgewiesen (vgl. auch Bisiach et al. 1984).
Differentialdiagnostisch sind als „Basisdefizite" neben den peripheren insbesondere die zentralen Hörstörungen und damit verbunden Störungen des Richtungshörens abzugrenzen (vgl. Kap. 8).

Sensomotorische Exploration

Wesentliche Vernachlässigungsphänomene im Bereich der sensomotorischen Exploration sind:

- das Nichtbeachten sensibler Reize auf einer Körperhälfte,
- das Nichtbeachten einer Raumhälfte bei manueller Exploration.

Das Nichtbeachten sensibler Reize einer Körperhälfte äußert sich darin, daß beispielsweise das Anstoßen an Hindernisse, eine Berührung oder auch Schmerzreize durch den Untersucher an dieser Körperhälfte nicht zu einer entsprechenden Reaktion des Patienten führen.
Auch das Phänomen der Extinktion bei doppelt simultaner Stimulation (DSS) läßt sich sehr einfach demonstrieren. Sicherzustellen ist zunächst, daß der Patient eine Berührung an beiden Körperhälften (z. B. den Handrücken, den Wangen) überhaupt wahrnimmt; die Gefahr eines falsch-positiven Urteils ergibt sich deshalb vor allem bei ausgeprägteren Sensibilitätsstörungen.
Es werden dann abwechselnd die rechte, die linke oder beide Seiten gleichzeitig berührt. Der Patient wird aufgefordert mitzuteilen, ob er (bei geschlossenen Augen) rechts, links oder beidseits eine solche Berührung wahrnimmt. Ein positiver Befund ergibt sich für den Fall, daß zwar die beiden Einzelreize richtig lokalisiert werden können, bei DSS der Patient die Berührung jedoch nur auf der nicht beeinträchtigten Seite angibt. Möglich ist auch, daß zwar bei der ersten von mehreren aufeinanderfolgenden Berührungen eine beidseitige Stimulation berichtet wird, dies sich aber nach wenigen Reizen zu einer einseitigen Wahrnehmung verändert.
Die Untersuchung der verminderten Beachtung einer Raumhälfte bei manueller Exploration mit geschlossenen Augen kann folgendermaßen durchgeführt werden:

Vor dem Patienten werden im Halbkreis auf einem Tisch Klötzchen verteilt, die er anschließend mit geschlossenen Augen einsammeln soll. Zu beobachten ist dabei, in welcher Reihenfolge der Patient diese Klötzchen einsammelt und ob er die auf einer Tischhälfte liegenden vernachlässigt. Eine Erschwerung der Aufgabe ist dadurch möglich, daß der Patient die Klötzchen bereits bei geschlossenen Augen vorgelegt bekommt und über die Aufgabe nur verbal informiert wird.

Differentialdiagnostisch sind als „Basisdefizite" bei der Untersuchung von Vernachlässigungsphänomenen im Bereich der sensomotorischen Exploration vor allem entsprechende sensible Defizite zu berücksichtigen.

11.2.3 Störungen der Repräsentation des externen und internen Raums

Die Tatsache, daß als Folge einer Hirnschädigung das räumliche „Abbild der Welt" – der Umwelt wie des eigenen Körpers – eines Patienten verändert sein kann, ist zusammen mit der Anosognosie das zentrale Symptom eines Neglects.

Räumliche Repräsentation der Umwelt

Eine beeinträchtigte Wahrnehmung des externen Raums läßt sich bereits an einer einfachen Aufgabe wie dem Halbieren einer graphisch vorgegebenen Linie zeigen (vgl. Bisiach et al. 1983). Im Gegensatz zu Patienten mit einer halbseitigen Gesichtsfeldeinschränkung findet bei Patienten mit einem Neglect die hierbei zu beobachtende Verschiebung der subjektiven Mitte immer in Richtung des nicht vernachlässigten Halbraums statt (vgl. Zihl & von Cramon 1986).

Eine weitere, leicht zu untersuchende und sehr eindrucksvolle Folge dieser Störung der räumlichen Repräsentation von Objekten zeigt sich, wenn der Patient gebeten wird, einfache Zeichnungen von Objekten oder Personen anzufertigen: eine Hälfte des Gegenstands (beispielsweise eines Männchens, eines Hauses) wird genau gezeichnet, die andere jedoch fehlt, ist unvollständig oder wird nur mit wenigen Strichen angedeutet (vgl. Abb. 11.2). In der Akutphase kann eine solche halbseitige Vernachlässigung sogar beim Kopieren einer Vorlage auftreten; befinden sich auf der Vorlage mehrere Gegenstände nebeneinander und wird der Patient aufgefordert (ggf. mit entsprechenden Hinweisreizen), diese Gegenstände alle abzuzeichnen, ist es möglich, daß der Patient nebeneinander von jedem Gegenstand einen Teil vernachlässigt (vgl. Abb. 11.3).

Im Verlauf der Rückbildung ist festzustellen, daß dann zwar auf einer Zeichnung beide Hälften eines Objekts dargestellt werden können, die eine Hälfte im Vergleich zur anderen jedoch detailärmer ausgeführt wird.

Abb. 11.2. Freies Zeichnen. Die linke Hälfte des auf Aufforderung gezeichneten Männchens und des Hauses werden nur unvollständig ausgeführt

Eine solche Beeinträchtigung einer Objekthälfte kann auch beim Arbeiten mit dreidimensionalen Gegenständen, wie Werkstücken aus Holz oder Ton auftreten.

Differentialdiagnostisch ist hier das (häufig zusätzliche) Vorliegen einer Störung der räumlich-konstruktiven Leistungen mit zu berücksichtigen (vgl. Villa et al. 1986).

Die Störung der Raumrepräsentation findet sich auch bei kognitiven Aufgaben, bei denen keine unmittelbaren konstruktiven Leistungen erforderlich sind. Dies zeigt sich einmal, wenn die Patienten gebeten werden, aus dem Gedächtnis bestimmte, ihnen wohlvertraute Örtlichkeiten zu schildern (vgl. Bisiach et al. 1981; Meador et al. 1987). Die Patienten werden dabei aufgefordert, einen Raum oder einen Platz zu beschreiben, den sie vor ihrer Erkrankung gut gekannt haben, beispielsweise ihr Wohnzimmer oder einen großen Platz ihrer Heimatstadt. Die Patienten können dann zwar eine

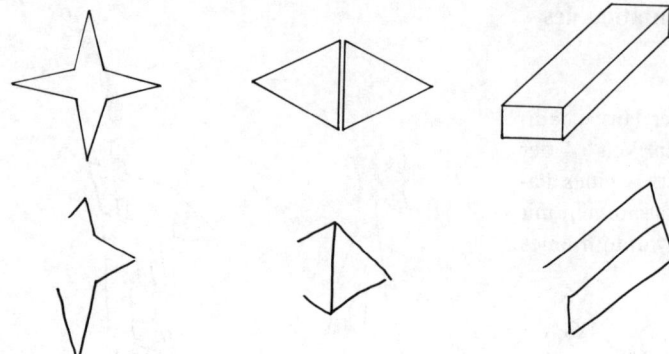

Abb. 11.3. Kopieren von einer Vorlage. Bei der Aufgabe, die 3 geometrischen Figuren der oberen Reihe abzuzeichnen, beginnt der Patient rechts und läßt dabei jeweils die linke Ecke der zu abzuzeichnenden Figur weg

Hälfte der jeweiligen Örtlichkeit genau und richtig beschreiben, von der anderen Seite aber gar keine oder nur wenige Objekte bzw. Gebäude nennen. Um sicherzustellen, daß es sich hierbei nicht um eine Störung des Altgedächtnisses, d.h. der Erinnerung an die tatsächliche örtliche Gegebenheit handelt, wird der Patient nach der ersten Beschreibung gebeten, sich „in Gedanken umzudrehen" und dann erneut den Raum zu beschreiben. Jetzt kann die (vorher vernachlässigte) Raumhälfte im Detail geschildert werden, während die vorher ausführlich beschriebene andere Seite diesmal nur angedeutet berücksichtigt wird.

Entsprechende Ergebnisse finden sich auch, wenn die Patienten aufgefordert werden, andere kognitive Aufgaben zu lösen, die eine räumliche Repräsentation von semantischem Wissen erfordern, z.B. Abstandsschätzungen auf einer Landkarte (vgl. Morrow et al. 1985) oder bestimmte schriftsprachliche Leistungen (vgl. Baxter u. Warrington 1983).

Repräsentation des eigenen Körpers

Ein Phänomen, das sowohl die externe als auch die auf den Körper bezogene Raumrepräsentation betreffen kann, ist die *Allästhesie*. Allästhesie bedeutet, daß eine Stimulation im vernachlässigten Halbfeld (extern oder als Berührung des Körpers des Patienten) von diesem als im unbeeinträchtigten Halbfeld erlebt beschrieben wird. Diese räumliche Transposi-

tion von Reizen kann sowohl im taktilen als auch im akustischen und visuellen Bereich auftreten (vgl. Joanette u. Brouchon 1984 sowie auch Kawamura et al. 1987).

Allästhesie im motorischen Bereich bedeutet, daß der Patient – der im übrigen rechts und links sehr wohl unterscheiden kann – auf die Aufforderung, den (gelähmten bzw. vernachlässigten) Arm zu heben, den (gesunden) anderen Arm hebt.

Darüber hinaus kann sich eine Beeinträchtigung der Repräsentation des eigenen Körpers auf 2 wesentliche Bereiche erstrecken:

- eine Verminderung der motorischen Aktivitäten einer Körperhälfte,
- die Vernachlässigung einer Körperhälfte bei Körperpflege und Anziehen.

Eine Verminderung der motorischen Aktivität einer Körperhälfte („motorischer Neglect", vgl. Laplane u. Degos 1983; Laplane et al. 1986; Meador et al. 1986) läßt sich durch eine genaue Verhaltensbeobachtung feststellen. Als wesentliches Symptom fällt eine verminderte spontane Benutzung der oberen Extremität auf: Während auf (intensive) Aufforderung durch den Untersucher der Patient eine Reihe von motorischen Aktivitäten durchführen kann, wird dieselbe Extremität spontan kaum eingesetzt: bei bilateralen (insbesondere asymmetrischen) Aktivitäten der Hände wird die eine Hand kaum mitbenutzt oder sie verschwindet nach kurzer Zeit „unter dem

Tisch"; die Extremität wird kaum für die Gestik mitherangezogen; beim Gehen schwingt dieser Arm kaum mit. Erschwerend kommt hinzu, daß häufig eine Hemiparese unterschiedlichen Schweregrads vorliegt; diese erscheint dadurch ausgeprägter, als sie tatsächlich ist.

Eine ebenfalls sehr häufige Beobachtung ist, daß der Patient immer wieder „vergißt", seine paretische Extremität richtig zu lagern.

Die Vernachlässigung einer Körperhälfte bei der Körperpflege oder beim Anziehen ist z. B. beim Selbsthilfetraining kaum zu übersehen. In der Dusche oder beim Waschen wird die erkrankte Körperseite nicht eingeseift, abgeduscht oder abgetrocknet. Beim Rasieren wird nur eine Seite des Gesichts rasiert. Beim Anziehen kann man beobachten, daß zwar versucht wird, die Kleidung auf der gesunden Seite richtig anzuziehen, die erkrankte Seite jedoch unbedeckt bleibt oder nur sehr flüchtig bekleidet wird.

11.2.4 Anosognosie

Ein neben der Störung der räumlichen Repräsentation wesentliches Neglectphänomen ist die Anosognosie (vgl. Säring et al. 1988 auch zu den methodischen Problemen; zum Begriff der Anosodiaphorie s. Kap. 5).

Zentrales Symptom dieser Anosognosie für die Folgen einer Hirnschädigung, das in fast allen Untersuchungen auch als Entscheidungskriterium für das Vorliegen einer solchen Störung herangezogen wird, ist das sprachliche Verhalten der Patienten in bezug auf ihre Krankheitssymptome. Der Titel einer Arbeit von Assal (1983) beschreibt dies paradigmatisch: „Non, je ne suis pas paralysée, c'est la main de mon mari" (die Antwort einer hemiplegischen Patientin auf die Frage nach der Funktion ihres linken Armes).

Ein anderes Beispiel stellt die Äußerung eines unserer Patienten dar: „Der Arm da ist aus Holz, den hat mir der Notarzt im Krankenwagen angeschraubt". In diesen ausgeprägten Fällen scheint der Patient die geschädigte Extremität nicht als zu sich selbst gehörend zu erkennen – dies wird auch als Somatoparaphrenie bezeichnet.

Im weiteren Verlauf (oder auch als – weniger ausgeprägtes – Initialsymptom) kann der Patient zwar die gelähmte Extremität als Teil des eigenen Körpers wahrnehmen, das Vorliegen von Krankheitszeichen wird jedoch bestritten und andere Erklärungen werden angeboten: „Ich kann nicht aufstehen, weil ich so müde bin"; „jemand hält den Arm fest"; „der Arm ist nur ein wenig steif – ich glaube, das ist die Kälte" (vgl. Joseph 1986).

In selteneren Fällen kann auch ein als Misoplegie beschriebenes Phänomen auftreten: der Patient äußert Wut-/Haßgefühle gegenüber der gelähmten Extremität.

Auffallend ist, daß dieses sprachliche Verhalten kaum spontan, sondern in der Regel nur auf entsprechende Fragen von seiten der Umwelt des Patienten auftritt. Versucht der Untersucher dann, den Patienten über den Augenschein zu überzeugen, so führt dies bei den Patienten meist zu einem Gefühl von Unruhe/Unsicherheit/Ärger, ohne daß sich dadurch ihre Bewertung ändert.

Im Verlauf der Rückbildung zeigen sich verschiedene typische Phänomene. Die Einsicht in das Defizit kann dann zwar nach entsprechender externer Informationsvorgabe vorübergehend möglich sein, bleibt jedoch auf einen kurzen Moment beschränkt. Ein weiteres häufig anzutreffendes Symptom ist die Tatsache, daß noch lange Zeit ein Gefühl von fehlender Vertrautheit bzw. von Fremdheit (manchmal verstärkt durch Metamorphognosien oder andere sensible Reizerscheinungen) in Bezug auf die gelähmte Extremität bestehen bleibt. Zeitweise kann der Patient von der paretischen Extremität auch in der dritten Person sprechen oder sie mit Spitznamen belegen (vgl. Weinstein u. Kahn (1955) und Frederiks (1985) als Überblick).

11.3 Strukturelle und funktionelle Hypothesen

Neglectphänomene können auf eine Schädigung ganz verschiedener Gehirnareale zurückgehen. Diese Gewebsschädigungen unterschiedlicher Ätiologie (zerebrovaskuläre Erkrankungen, Schädel-Hirn-Traumen, Hirntumoren) betreffen nicht nur bestimmte Rindenareale, sondern ebenso subkortikale Strukturen (sowohl die Faserverbindungen des Marklagers als auch Kerngruppen wie z. B. die Stammganglienplatte und den Thalamuskomplex).

Eine detailliertere Darstellung findet sich z. B. bei Mesulam (1981, 1985), Heilman et al (1985 b, c); Bisiach et al. 1985 b, 1986; Gravelau et al. (1986), Werth et al. (1986) sowie Vallar u. Perani (1986, 1987). Neuere relevante anatomische und tierexperimentelle Untersuchungen finden sich beispielsweise bei Hyvärinen (1982), Rizzolati et al. (1983, 1985), Eidelberg u. Galaburda (1984), Deuel u. Regan (1985) und Luh et al. (1986).

Die in der Literatur zu findenden Angaben zur Häufigkeit von Neglectphänomenen bei verschiedenen Hirnläsionen schwanken in Abhängigkeit von Untersuchungsverfahren und -zeitpunkt. Sie liegen jedoch zumindest für die Akutphasen bei über 50% für rechtshirnig und etwas darunter für linkshirnig Geschädigte (vgl. Willanger et al. 1981; Hier et al. 1983 a; Ogden 1985 a, b; Bisiach et al. 1986 a). Insgesamt zeigt sich, auch unter Berücksichtigung des Stichprobenartefakts durch die häufigen aphasischen Störungen linkshemisphärisch geschädigter Patienten, daß derartige Symptome nach rechtshirnigen Läsionen im Vergleich zu linkshirnigen

- häufiger auftreten,
- eher schwerer ausgeprägt sind,
- eher länger anhalten.

Wie in der Überschrift dieses Absatzes formuliert, lassen sich die den Neglectphänomenen zugrundeliegenden Mechanismen nur als Hypothesen formulieren. Nach den derzeit vorliegenden Ergebnissen scheint der untere Parietallappen (mit Schwerpunkt um den Sulcus intraparietalis; in Tierexperimenten teils auch der Sulcus temporalis superior) als multimodales sensorisches Integrationsfeld für die Erstellung eines räumlichen Abbildes des eigenen Körpers sowie der Umwelt eine entscheidende Rolle zu spielen.

Bei Schädigungen dieses multimodalen Assoziationskortex (und seiner Verbindungen!) sind entsprechend Neglectphänomene beschrieben worden, die eher im Sinne eines (ebenfalls multimodalen) „sensorischen Neglects" zu interpretieren sind. Dies stimmt mit der funktionellen Hypothese überein, daß das Kernsyndrom des Neglects eine Störung der räumlichen Repräsentation des eigenen Körpers sowie der Umwelt (u. U. auch des semantisch verfügbaren Raums) darstellt. Neglect ist damit nicht nur im Sinne einer „inattention" für die in einem Halbraum dargebotenen Reize zu sehen; durch eine (bewußte oder unbewußte) Aufmerksamkeitszuwendung zu dem vernachlässigten oder dem unbeeinträchtigten Halbraum lassen sich jedoch die aufgetretenen Neglectphänomene jeweils vermindern oder verstärken (vgl. insbesondere die oben angeführten Arbeiten der Gruppen von Bisiach und Posner).

Auch bei Läsionen des mit dem parietalen Assoziationskortex eng verknüpften (dorsolateralen) Frontallappens sind Vernachlässigungsphänomene beschrieben worden, und zwar vor allem im Sinne eines „motorischen" Neglects. Aufgrund tierexperimenteller Untersuchungen zu vermuten, beim Menschen jedoch bisher nicht sicher belegt ist die Annahme, daß auch frontomediale Läsionen im Gebiet des Sulcus cinguli zu einem „limbischen" Neglect führen können im Sinne einer Vernachlässigung „biologisch" relevanter Reize im kontralateralen Halbfeld.

Die Bedeutung subkortikaler Strukturen als „Knotenpunkte" der Interaktion kortikaler Areale (wie insbesondere bestimmter thalamischer Relaisstationen und auch von Teilen der Stammganglienplatte) für die Entstehung von Neglectphänomenen wurde inzwischen ebenfalls durch eine Reihe von klinischen Beobachtungen bestätigt.

Ein Erklärungsmodell für die Frage der beobachteten Rechts-links-Unterschiede bietet die Hypothese von Mesulam (1981, 1985; vgl. auch Weintraub u. Mesulam 1987): danach ist zu diskutieren, ob in der rechten Großhirnhemisphäre beide Körper- und Raumhälften repräsentiert sind (wobei u. U. die kontralateralen Projektionen überwiegen), in der linken Hemisphäre jedoch nur die kontralaterale rechte Raumhälfte. Ein Ausfall der rechten Hemisphäre könnte damit durch die linke in bezug auf die Aufrechterhaltung der Repräsentation der linken Raumhälfte kaum (oder nur schwer) kompensiert werden, während bei einer Schädigung der linken Hemisphäre die rechte die Repräsentation des rechten Halbraums wesentlich leichter gewährleisten könnte. Die Beobachtungen, daß Neglectphänomene als Folge rechtshirniger Läsionen häufiger, ausgeprägter und längeranhaltend sind, ließen sich so interpretieren. Diese größere Bedeutung der rechten Hemisphäre für die räumliche Repräsentation wäre damit als Analogie zur linkshemisphärischen Dominanz für sprachliche Leistungen zu sehen.

11.4 Therapeutische Ansätze

Darstellungen zur Therapie der verschiedenen Neglectphänomene finden sich in der Literatur nur spärlich (vgl. Diller u. Weinberg 1977; Weinberg et al. 1977, 1982; Gordon et al. 1985, 1986; Säring et al. 1986).
Implizit mit dargestellt werden auch einzelne Aspekte der Neglecttherapie im Rahmen des Behandlungskonzeptes nach Bobath und darauf aufbauender Anleitungen (vgl. Eggers 1982).
Das Grundprinzip jeder Neglecttherapie läßt sich unter 2 Stichwörtern zusammenfassen:

- multimodale Stimulation der betroffenen Raum- und Körperhälfte,
- Anregung zur aktiven Exploration der betroffenen Raum- und Körperhälfte.

Im Verlauf der Therapie lassen sich 3 Stufen unterscheiden:

- allgemeine/pflegerische Aktivitäten,
- Selbsthilfetraining und Handfunktionstraining,
- gezieltes Neglecttraining.

Voraussetzung einer jeden systematischen Neglecttherapie ist eine Kooperation des gesamten Behandlungsteams und auch die Einbeziehung der Angehörigen, die über die Grundregeln des Umgangs mit diesen Patienten informiert werden müssen.

11.4.1 Allgemeine und pflegerische Aktivitäten

Die allgemeinen und pflegerischen Aktivitäten beginnen bereits mit der Stellung des Betts des Patienten im Krankenzimmer. Dieses ist so zu stellen, daß die „gesunde" Seite des Patienten zur Wand gewendet steht, die meisten Aktivitäten also von der vernachlässigten Raum- bzw. Körperhälfte her an ihn herangetragen werden. Von der „vernachlässigten" Seite her sollen sämtliche pflegerischen Maßnahmen mit dem Patienten durchgeführt werden, auf dieser Seite wird das Essen serviert (eine Ausnahme ist die Bettklingel, die aus Sicherheitsgründen für den Patienten jederzeit erreichbar sein muß: sie sollte in der Mitte über dem Bett angebracht werden).
Ein weiterer Vorteil dieser Bettstellung ist, daß auch alle Aktivitäten mit und von Mitpatienten in dem jeweiligen Krankenzimmer als zusätzliche Reize für den Betroffenen dienen, seine Aufmerksamkeit der vernachlässigten Raumhälfte zuzuwenden. Von dieser Seite her treten auch sämtliche Besucher an das Bett des Patienten heran.
Ein Patient mit einem Neglect ist deshalb bei entsprechendem Arrangement in einem Zwei- oder Dreibettzimmer besser untergebracht als in einem Einzelzimmer.
In Hinblick auf das in der Akutphase häufige Phänomen der Anosognosie ist es nützlich, wenn der Patient grundsätzlich über alle Aktivitäten, die von der vernachlässigten Seite her mit ihm geschehen, auch verbal informiert wird.
Da meist eine Parese der vernachlässigten Ex-

tremität vorliegt, ist es unbedingt erforderlich, diese richtig zu lagern, und zwar nicht nur während der Therapiestunden, sondern soweit möglich auch den Rest des Tages über. Eine solche Lagerung dient nicht nur der Prävention möglicher Sekundärkomplikationen, sondern der (vernachlässigte) paretische Arm soll so auch wieder ins „Blickfeld" des Patienten gebracht werden. Entsprechend sollte auch eine taktile und thermische Stimulation der paretischen Extremität häufig erfolgen.

Eine Grundregel ist deshalb, daß die paretische Extremität nicht neben oder halb hinter dem Patienten herunterhängen darf, sondern daß sie immer vor dem Patienten zu lagern ist (ein kleiner Signalgeber, der jeweils beim Herunterhängen des Arms einen akustischen Hinweisreiz gibt, kann hierbei hilfreich sein; vgl. Gruskin et al. 1983). Der Patient sollte möglichst früh lernen, daß er diese Lagerung unter Ausnützung der Restfunktion der Schulter mit der gesunden Hand sehr gut selbst durchführen kann; der gelähmte Arm sollte nicht von einem Dritten „kommentarlos" neben ihn gelegt werden.

Bereits in der Frühphase ist es außerdem notwendig, den Patienten immer wieder darauf hinzuweisen, daß er die vernachlässigte Raumhälfte auch visuell explorieren soll. Eine Möglichkeit bieten hierzu beispielsweise das Essen oder auch bestimmte Gegenstände (z. B. Obst, Getränke, Geldbörse), die der Patient auf seinem Nachtkästchen suchen soll.

11.4.2 Selbsthilfetraining und Handfunktionstraining

Das Selbsthilfetraining ist die zweite Stufe der Behandlung eines Patienten mit einem Neglectsyndrom. Von entscheidender Bedeutung ist hier ebenfalls, die vernachlässigte Extremität in alle Aktivitäten miteinzubeziehen. Die Tendenz des Patieten, die Gliedmaßen einer Körperhälfte zu vernachlässigen, darf auf keinen Fall dadurch gefördert werden, daß, um eine falsch verstandene Selbstständigkeit zu unterstützen, er nur daraufhin trainiert wird, seine funktionsfähige Hand zu gebrauchen. Es

ist zwar häufig erforderlich, daß der Patient bestimmte Einhandtechniken lernt, um seine Selbsthilfeleistungen zu verbessern; dies soll jedoch nicht dazu führen, daß die gelähmte und vernachlässigte Hand unberücksichtigt bleibt.

Bereits die Grundpflege des Patienten, d. h. Waschen und Anziehen beginnen von der betroffenen Seite her. Die nötigen Waschutensilien bzw. die Kleidung sollte der Patient immer von der vernachlässigten Seite gereicht bekommen, oder - besser noch - sie dort suchen müssen.

Hierbei ist zunächst häufig eine kontinuierliche verbale Anregung (evtl. verbunden mit entsprechenden taktilen Reizen) und ggf. eine manuelle Führung durch den Therapeuten erforderlich, um die Aufmerksamkeit des Patienten auf die vernachlässigte Körperhälfte zu lenken. Von Vorteil ist es, wenn der Patient soweit möglich das Waschen nicht nur im Gesicht, sondern auch am Arm und dem übrigen Körper selbst übernimmt. Die gelähmte Extremität wird so wieder leichter als ein Teil des eigenen Körpers erlebt, als wenn dieser Körperteil wie ein Objekt gewaschen wird. Auch die Tatsache, daß der Patient vor dem Waschbecken meist auch vor einem Spiegel sitzt, kann ausgenutzt werden, um ihm zu zeigen, daß er beispielsweise nur eine Gesichtshälfte rasiert hat; das Betasten der unrasierten Gesichtshälfte hilft hierbei.

Beim Ankleiden darf der gelähmte bzw. vernachlässigte Arm nicht vom jeweiligen Helfer einfach in den Ärmel gesteckt werden. Der Patient soll ihn vielmehr mit Hilfe der gesunden Hand selbst in das geöffnete Ärmelloch führen. Wichtig ist in dieser Phase, in der die Patienten oft anfangen zu sitzen, auch auf eine symmetrische Kopf- und Körperhaltung und Fußstellung zu achten.

Beim Essen ist es erforderlich, zunächst den Patienten durch eine entsprechende Aufforderung dazu zu bringen, daß er wirklich alle Speisen und anderen Gegenstände beachtet, die sich auf dem Tisch oder Tablett vor ihm befinden. In der Anfangsphase erweist sich dabei die Begrenzung des abzusuchenden Raums durch ein Tablett als Vorteil.

Probleme in der Behandlung eines Neglectpatienten können sich in der Frühphase dadurch ergeben, daß im Rahmen der Hirnschädigung noch weitere neuropsychologische Defizite vorliegen. Zu erwähnen sind insbesondere bei linkshirnigen Läsionen eine Aphasie oder eine ideomotorische bzw. ideatorische Apraxie. Bei rechts- (aber auch bei links-) hirnigen Läsionen findet sich häufig eine Störung der Raumwahrnehmung bzw. der räumlich-konstruktiven Leistungen, die beispielsweise zu entsprechenden Problemen beim Ankleiden führen können.

Anzumerken sind auch Grundsätze, die generell für die Behandlung hirngeschädigter Patienten in der Frühphase gelten:

- Die Dauerbelastbarkeit ist zunächst deutlich eingeschränkt; die Aufmerksamkeit des Patienten kann oft nicht länger als 15–20 min beansprucht werden.
- Es ist zunächst erforderlich, die Menge und Auswahl des verwendeten Materials zu begrenzen, um so dem Patienten auch bei stark eingeschränkter Aufmerksamkeitsleistung ein Bewältigen der Aufgaben zu ermöglichen.
- Die Patienten sind oft durch äußere Reize erhöht ablenkbar; insbesondere wenn diese erhöhte externe Ablenkbarkeit dazu führt, daß sich die Aufmerksamkeit des Patienten auf die nicht vernachlässigte Raumhälfte konzentriert, muß eine Abschirmung von diesen externen Reizen erfolgen.
- Es liegt oft eine deutliche Beeinträchtigung selbstgenerierten Verhaltens vor; eine kontinuierliche Fremdanregung ist dann erforderlich.

Auch für das über das Selbsthilfetraining hinausgehende Handfunktionstraining gilt, daß das Behandlungskonzept nach Bobath wichtige Richtlinien der Neglectbehandlung beinhaltet. Es handelt sich hierbei im wesentlichen darum, so weit wie möglich ein bilaterales Arbeiten des Patienten zu fördern und eine gezielte taktile Stimulation der betroffenen Extremität durchzuführen (vgl. Eggers 1982).

Die sensomotorische Exploration des betroffenen Halbraums läßt sich gezielt dadurch verbessern, daß die Patienten aufgefordert werden, unter Ausschluß visueller Kontrolle (d. h. mit geschlossenen Augen) mit der Hand (bzw. mit beiden Händen) in dem betroffenen Halbraum auf einem Tisch angeordnete Gegenstände einzusammeln. Eine Erleichterung der Aufgabe ist dadurch möglich, daß zunächst eine visuelle Kontrolle gestattet ist und diese erst in späteren Therapiestunden ausgeschaltet wird.

Als weitere Schritte können dann einfache taktile Unterscheidungsaufgaben in diesem Halbraum durchgeführt werden, beispielsweise die Aufgabe, Objekte nach Gewicht, Größe oder Temperatur zu differenzieren.

Beim Handfunktionstraining mit verschiedenen Werkmaterialien wie Holz oder Ton ist darauf zu achten, daß soweit möglich die vernachlässigte Hand in die Arbeit mit einbezogen wird. Dies gilt insbesondere für asymmetrische bilaterale Tätigkeiten, bei denen die Tendenz sehr groß ist, daß die gesunde Hand allein die Durchführung der Aufgabe übernimmt und die andere rasch „unter dem Tisch verschwindet".

11.4.3 Gezieltes Funktionstraining

Während der Schwerpunkt der oben beschriebenen Therapieansätze eher im Bereich der Sensomotorik liegt, gibt es verschiedene Ansätze eines gezielten Funktionstrainings mit Schwerpunkt im Bereich der visuellen Exploration.

Ein solches systematisches Funktionstraining unter dem Blickwinkel vornehmlich der Verbesserung der visuellen Exploration und der Erfassung räumlicher Beziehungen im vernachlässigten Halbraum ist in der Monographie von Gordon et al. (1986) für rechtshirnig geschädigte Patienten beschrieben [vgl. auch Gordon et al. (1985) zur Evaluation dieses Programms]. Dieses Programm umfaßt 3 aufeinander aufbauende „Module".

Das erste Modul, das *Training basaler Explorationsleistungen*, beginnt mit dem Training der visuellen Exploration an einem hierfür konstruierten Signalgeber, der die Darbietung einfacher optischer Reize (Signallämpchen) bis zu einer horizontalen Exzentrizität von ca. 40 Sehwinkelgrad in jede Raumhälfte gestattet. Aufgabe des Patienten sind die entsprechenden Suchbewegungen der Augen nach der Seite in uni- und bilateralen Reizsituationen.

Nächste Trainingsschritte sind einfache und kombinierte Durchstreichaufgaben sowie das Training des Lesens und Abschreibens verschieden langer Textabsätze, ohne daß dabei ein Teil der Vorlage vernachlässigt wird. Es folgt dann mit der gleichen Zielsetzung die Durchführung schriftlicher Rechenaufgaben.

Das zweite Modul beinhaltet zunächst das *Training der räumlichen Repräsentation* des eigenen Körpers. Aufgabe des Patienten ist es dabei, Berührungen seines eigenen Körpers durch den Untersucher auf die analoge Körperstelle einer Puppe zu übertragen.

In einem zweiten Trainingsschritt soll der Patient lernen, die jeweilige Länge von Stäben, die in beiden Halbräumen vor ihm präsentiert werden, richtig anzugeben.

Das abschließende dritte Modul umfaßt das *Training der korrekten räumlichen Anordnung* komplexerer Reizvorlagen wie z. B. der Position verschiedener, gekennzeichneter Wörter in einem Text. Dieses Training soll erreichen, daß der Patient die Anordnung bestimmter Elemente in einem gegebenen Rahmen räumlich korrekt wiedergeben kann.

Gordon et al. geben auch genaue Hinweise für den schrittweisen Aufbau dieser Leistungen und die Bewältigung dabei auftretender Schwierigkeiten; als Mindestdauer dieser Therapie werden 20 Therapieeinheiten angegeben. Als wesentliche Prinzipien bei der Durchführung dieser Trainingsschritte werden hervorgehoben:

Establishing the patient's *understanding* of his/her problem, providing external *anchoring* in task performance, providing *feedback* on performance and encouraging habitual *scanning* of the environment in a left-to-right direction [bei rechtshirnig Geschädigten, d. Verf.]. The trainer's role is initially very active, providing cueing and error-correcting feedback. As a patient's competence at a given task improves, the therapist systematically decreases external cueing.

Andere Möglichkeiten zum Training der aktiven Exploration des vernachlässigten Halbraums, insbesondere auch unter bilateralen und zeitkritischen Reizbedingungen, bieten verschiedene Geräte zum Training visueller Aufmerksamkeitsleistungen (vgl. Kap. 10); das Training der visuellen Exploration ist vor allem auch in Kap. 7 beschrieben.

Danksagung

Zu danken habe ich den Ergotherapeutinnen Frau C. Haller, Frau I. Henkes und Frau B. Roczek, deren Erfahrung wertvolle Anregungen zur Entstehung dieses Kapitels beigetragen hat.

Literatur

Assal G (1983) Non, je ne suis pas paralysée, c'est la main de mon mari. Arch Suisses Neurol Neurochir Psychiatr 133: 151-157

Baxter D, Warrington E (1983) Neglect dysgraphia. J Neurol Neurosurg Psychiatr 46: 1073-1078

Baynes K, Holtzman J, Volpe B (1986) Components of visual attention. Brain 109: 99-114

Bisiach E, Capitani E, Luzzati C, Perani D (1981) Brain and conscious representation of outside reality. Neuropsychologia 19: 543-551

Bisiach E, Bulgarelli C, Sterzi R, Vallar G (1983) Line bisection and cognitive plasticity of unilateral neglect of space. Brain Cognition 2: 32-38

Bisiach E, Cornacchia L, Sterzi R, Vallar G (1984) Disorders of perceived auditory lateralization after lesions of the right hemisphere. Brain 107: 37-52

Bisiach E, Berti A, Vallar G (1985a) Analogical and logical disorders underlying unilateral neglect of space. In: Posner M, Marin O (eds) Attention and performance XI. Erlbaum Publishers, Hillsdale

Bisiach E, Capitani E, Porta E (1985b) Two basic properties of space representation in the brain: evidence from unilateral neglect. J Neurol Neurosurg Psychiatr 48: 141-144

Bisiach E, Vallar G, Perani D, Papagno C, Berti A (1986a) Unawareness of disease following lesions of the right hemisphere: anosognosia for hemiplegia and anosognosia for hemianopia. Neuropsychologia 24: 471-482

Bisiach E, Perani D, Vallar G, Berti A (1986b) Unilateral neglect: personal and extra-personal. Neuropsychologia 24: 759-767

Brain W (1941) Visual disorientation with special reference to lesions of the right cerebral hemisphere. Brain 64: 244-272

Caplan B (1985) Stimulus effects in unilateral neglect. Cortex 21: 69-80

Caplan B (1987) Assessment of unilateral neglect: a new reading test. J Clin Exp Neuropsychology 9: 359-364

Chédru F, Leblanc M, Lhermitte F (1973) Visual searching in normal and brain damaged subjects: contributions to the study of unilateral inattention. Cortex 9: 94-111

Colombo A, De Renzi E, Gentilini M (1982) The time course of visual hemi-inattention. Arch Psychiatr Nervenkr 231: 539-546

Critchley M (1953) The parietal lobes. Hafner, New York (reprint 1966)

De Renzi E, Gentilini M, Pattacini F (1984) Auditory extinction following hemisphere damage. Neuropsychologia 22: 733-744

Deuel R, Regan D (1985) Parietal hemineglect and motor deficits in the monkey. Neuropsychologia 23: 305-314

Diller L, Weinberg J (1977) Hemi-inattention in rehabilitation: the evolution of a rational remediation program. In: Weinstein A, Friedland R (eds) Hemi-inattention and hemisphere specialization. Raven, New York (Advances in Neurology, Vol 18, pp 63-82)

Eggers O (1982) Ergotherapie bei Hemiplegie. Springer, Berlin Heidelberg New York

Eidelberg D, Galaburda A (1984) Inferior parietal lobule - Divergent architectonic asymmetries in the human brain. Arch Neurol 41: 843-852

Frederiks J (1985) Disorders of the body schema. In: Frederiks J (ed) Handbook of Clinical Neurology, vol 1 (45): Clinical Neuropsychology. Elsevier, Amsterdam, pp 373-393

Friedrich F, Walker J, Posner M (1985) Effects of parietal lesions on visual matching: implications for reading errors. Cognitive Neuropsychol 2: 253-264

Gainotti G, D'Erme P, Monteleone D, Silveri M (1986) Mechanisms of unilateral spatial neglect in relation to laterality of cerebral lesions. Brain 109: 599-612

Gianutsos R, Matheson P (1987) The rehabilitation of visual perceptual disorders attributable to brain injury. In: Meier M, Benton A, Diller L (eds) Neuropsychological rehabilitation. Churchill Livingstone, Edinburgh, pp 202-241

Gordon W, Ruckdeschel-Hibbard M, Egelko S, Diller L, Scotzin Shaver M, Liebermann A, Ragnarson K (1985) Perceptual remediation in patients with right brain damage: a comprehensive program. Arch Phys Med Rehabil 66: 353-359

Gordon W, Ruckdeschel-Hibbard M, Egelko S, Weinberg J, Diller L, Scotzin Shaver M, Piasetsky E (1986) Techniques for the treatment of visual neglect and spatial inattention in right brain damaged individuals. Research & Training Center on Head Trauma & Stroke - New York University Medical Center, New York

Graveleau P, Viader F, Masson M, Cambier J (1986) Négligence thalamique. Rev Neurol (Paris) 142: 425-430

Gruskin A, Abitante S, Gorski A (1983) Auditory feedback device in a patient with left-sided neglect. Arch Phys Med Rehabil 64: 606-607

Heilman K, Bowers D, Coslett H, Whelan H, Watson R (1985a) Directional hypokinesia: prolonged reaction times for leftward movements in patients with right hemisphere lesions and neglect. Neurology 35: 855-859

Heilman K, Valenstein E, Watson R (1985b) The neglect syndrome. In: Frederiks J (ed) Handbook of clinical neurology, vol 1 (45). Clinical neuropsychology. Elsevier, Amsterdam, pp 153-183

Heilman K, Watson R, Valenstein E (1985c) Neglect and related disorders. In: Heilman K, Valenstein E (eds) Clinical neuropsychology. Oxford University Press, New York, pp 243-293

Heilman K, Valenstein E, Watson R (1986) Neglect. In: Asbury A, McKhann G, McDonald W (eds) Diseases of the nervous system - clinical neurobiology, vol II. Heinemann, London

Hier D, Mondlock J, Caplan L (1983a) Behavioral abnormalities after right hemisphere stroke. Neurology 33: 337-344

Hier D, Mondlock J, Caplan L (1983b) Recovery of behavioral abnormalities after right hemisphere stroke. Neurology 33: 345-350

Hyvärinen J (1982) The parietal cortex of monkey and man. Springer, Berlin Heidelberg New York

Jeannerod M (ed) (1987) Neurophysiological and neuropsychological aspects of spatial neglect. North-Holland, Amsterdam

Joanette Y, Brouchon M (1984) Visual allestesia in manual poiting: some evidence for a sensorimotor cerebral organization. Brain Cognition 3: 152-165

Johnston C, Diller L (1986) Exploratory eye movements and visual hemi-neglect. J Clin Exp Neuropsychol 8: 93-101

Johnston C, Shapiro E (1986) Hemi-inattention resulting from left hemisphere brain damage during infancy. Cortex 22: 279-287

Joseph R (1986) Confabulation and delusional denial: frontal lobe and lateralized influences. J Clin Psychol 42: 507-520

Kawamura M, Hirayama K, Shinohara Y, Watanabe Y, Sugishita M (1987) Alloaesthesia. Brain 110: 225-236

Ladavas E (1987) Is the hemispatial deficit produced by right parietal lobe damage associated with retinal or gravitational coordinates? Brain 110: 167-180

Laplane D, Degos J (1983) Motor neglect. J Neurol Neurosurg Psychiatr 46: 152-158

Laplane D, Baulac M, Carydakis C (1986) Négligence motrice d'origine thalamique. Rev Neurol (Paris) 142: 375-379

Levine D, Warach J, Benowitz L, Calvanio R (1986) Left spatial neglect: effects of lesion size and premorbid brain atrophy on severity and recovery following right cerebral infarction. Neurology 36: 362-366

Luh K, Butter C, Buchtel H (1986) Impairments in orienting to visual stimuli in monkeys following unilateral lesions of the superior sulcal polysensory cortex. Neuropsychologia 24: 461-470

Meador K, Warson R, Bowers D, Heilman K (1986) Hypometria with hemispatial and limb motor neglect. Brain 109: 293-305

Meador K, Loring D, Bowers D, Heilman K (1987) Remote memory and neglect syndrome. Neurology 37: 522-526

Mesulam M (1981) A cortical network for directed attention and unilateral neglect. Ann Neurol 10: 309-325

Mesulam M (1985) Attention, confusional states, and neglect. In: Mesulam M (ed) Principles of behavioral neurology. Davies, Philadelphia, pp 125-168

Morrow L, Ratcliff G, Johnston C (1985) Externalising spatial knowledge in patients with right hemisphere lesions. Cognitive Neuropsychology 2: 265-273

Ogden J (1985a) Anterior-posterior interhemispheric differences in the loci of lesions producing visual hemineglect. Brain Cognition 4: 59-75

Ogden J (1985b) Contralesional neglect of constructed visual images in right and left braindamaged patients. Neuropsychologia 23: 273-277

Poppelreuter W (1917) Die psychischen Schädigungen durch Kopfschuß im Kriege 1914-1916, Bd I. Die Störungen der niederen und höheren Sehleistungen durch Verletzungen des Okzipitalhirns. Voss, Leipzig

Posner M, Cohen Y (1984) Components of visual orienting. In: Bouma H, Bouwhuis D (eds) Attention and performance X. Erlbaum, Hillsdale, pp 531-556

Posner M, Rafal R (1987) Cognitive therories of attention and the rehabilitation of attentional deficits. In: Meier M, Benton A, Diller L (eds) Neuropsychological rehabilitation. Churchill Livingstone, Edinburgh, pp 182-201

Posner M, Walker J, Friedrich F, Rafal R (1984) Effects of parietal injury on covert orienting of attention. J Neurosci 4: 1863-1874

Rizzolati G, Matelli M, Pavesi G (1983) Deficits in attention and movement following the removal of postarcuate (area 6) and prearcuate (area 8) cortex in macaque monkeys. Brain 106: 655-673

Rizzolatti G, Gentilucci M, Matelli M (1985) Selective spatial attention: one center, one circuit, or many circuits? In: Posner M, Marin O (eds) Attention and performace XI. Erlbaum, Hillsdale, pp 251-265

Säring W, Cramon D von, Haller C, Henkes I, Prosiegel M, Roczek B (1986) Diagnostik und Therapie halbseitiger Neglectphänomene. Beschäftigungstherapie Rehabilitation 25: 203-207

Säring W, Prosiegel M, Cramon D von (1988) Zum Problem der Anosognosie und Anosodiaphorie hirngeschädigter Patienten. Nervenarzt (im Druck)

Vallar G, Perani D (1986) The anatomy of unilateral neglect after right-hemisphere stroke lesions. A Clinical/CT-scan correlation study in man. Neuropsychologia 24: 609-622

Vallar G, Perani D (1987) The anatomy of spatial neglect in humans. In: Jeannerod M (ed) Neurophysiological and neuropsychological aspects of spatial neglect. North-Holland, Amsterdam

Villa G, Gainotti G, De Bonis C (1986) Constructive disabilities in focal brain-damaged patients. Influence of hemispheric side, locus of lesion and coexistent mental deterioration. Neuropsycholgia 24: 497-510

Weinberg J, Diller L, Gordon W, Gerstman L, Lieberman A, Lakin P, Hodges G, Ezrachi O (1977) Visual scanning effect on reading related tasks in acquired right brain damage. Arch Phys Med Rehabil 60: 491-496

Weinberg J, Piasetzky E, Diller L, Gordon W (1982) Treating perceptual organization deficits in nonneglecting RBD stroke patients. J Clin Neuropsychology 4: 59-75

Weinstein E, Kahn R (1955) Denial of illness. Thomas, Springfield/Illinois

Weintraub S, Mesulam M (1987) Right cerebral dominance in spatial attention - further evidence based on ipsilateral neglect. Arch Neurol 44: 621-625

Werth R, Cramon D von, Zihl J (1986) Neglect: Phänomene halbseitiger Vernachlässigung nach Hirnschädigung. Fortschr Neurol Psychiatr 54: 21-32

Willanger R, Danielsen U, Ankerhus J (1981) Denial and neglect of hemiparesis in right-sided apoplectic lesions. Acta Neurol Scand 64: 310-326

Zihl J, Cramon D von (1986) Zerebrale Sehstörungen. Kohlhammer, Stuttgart

12 Visuelle Raumwahrnehmung und Raumoperationen

G. KERKHOFF

12.1 Einführung

Der Begriff *visuelle Raumwahrnehmung* umfaßt visuell-räumliche Basisleistungen, die nach unserem Verständnis als grundlegende Leistungen in der Wahrnehmung visuell-räumlicher Sachverhalte angesehen werden können.

Im Unterschied hierzu geht es bei *visuellen Raumoperationen* nicht mehr um ein rein perzeptives Erfassen bzw. Vergleichen von Winkeln, Positionen oder Längen, sondern um kognitive Operationen, die einen von der Reizseite losgelösten Zwischenschritt erfordern. Ein einfaches Beispiel soll den Unterschied verdeutlichen: Soll ein Patient beurteilen, ob 2 nebeneinander gezeigte vertikale Linien die gleiche Länge haben, so handelt es sich um eine Leistung der visuellen Raumwahrnehmung, soll er hingegen entscheiden, ob die zweite Linie genau doppelt so lang ist wie die erste, so handelt es sich schon um eine visuelle Raumoperation, die über einen Vergleich der optischen Eigenschaften nicht zu lösen ist.

Basisleistungen der visuellen Raumwahrnehmung und visueller Raumoperationen

1. Visuelle Raumwahrnehmungsleistungen
   - Abstandsschätzung (horizontal, vertikal)
   - Entfernungsschätzung
   - Relative Positionsschätzung
   - Winkelschätzung
   - Visuelle Hauptraumachsen (subjektive Vertikale und Horizontale)
   - Subjektive Geradeausrichtung (subjektive Mitte)

2. Visuelle Raumoperationen
   - Innere Rotation („mental rotation")
   - Transformationsleistungen (Maßstab-, Winkel-, Größentransformationen, Aufgaben mit verändertem räumlichem Bezugssystem)

Als *visuo-konstruktive Störungen* werden in Anlehnung an die Definition von Benton (1985) die Unfähigkeit oder verminderte Fähigkeit hirngeschädigter Patienten bezeichnet, einzelne Elemente einer Figur unter visueller Kontrolle zur richtigen Gesamtfigur zusammenzufügen. Dabei kann es sich um so verschiedene Leistungen wie etwa das Zusammenfügen von Würfeln zu einer zweidimensionalen oder dreidimensionalen Figur oder das Abzeichnen bzw. spontane Zeichnen einfacher Figuren (z. B. Dreieck, Haus, Strichmännchen) oder auch um das Nachlegen bzw. spontane Konstruieren geometrischer Figuren mit Hilfe von Streichhölzern handeln.

12.2 Störungen visueller Raumwahrnehmungsleistungen und visueller Raumoperationen bei „konstruktiver Apraxie"

Der Einfluß von Defiziten im Bereich der visuellen Raumwahrnehmung und visueller Raumoperationen bei Patienten mit „konstruktiver Apraxie" wurde schon zu Anfang dieses Jahrhunderts diskutiert. Kleist (1917), auf den das theoretische Konzept der konstruktiven Apraxie zurückgeht, sah die Grundlage dieser Störung „... in der Schädigung eines besonderen, den optisch-kinästhetischen

Verknüpfungen dienenden Hirnapparates . . ." und unterschied sie „. . . von Störungen des Handelns, die sekundär als Folge optischer Auffassungsstörungen auftreten" (Kleist 1917). Demnach sollten visuo-konstruktive Störungen unabhängig von Störungen visuell-räumlicher Basisleistungen sein, wie etwa Defiziten in der Winkel-, Längen-, Positions- und Abstandsschätzung. Interessanterweise wiesen jedoch alle 6 Patienten in Kleists Stichprobe „. . . sämtlich auch optische Störungen . . ." auf (Kleist 1917, S. 484), die jedoch nicht näher beschrieben wurden.

Kleist's Schüler Strauss berichtete 1924 ausführlich über 13 Patienten mit sog. konstruktiver Apraxie. Die meisten der von ihm beschriebenen Patienten wiesen eine typische Abweichung der Zeilenrichtung beim Schreiben nach rechts oben auf, die auf eine Verschiebung der visuellen Horizontalen zurückgehen könnte. Strauss (1924) brachte diese Störung mit den beobachteten konstruktiven Störungen nicht näher in Verbindung, räumte jedoch ein, daß Störungen der visuellen Raumwahrnehmung visuo-konstruktive Leistungen negativ beeinflussen könnten, wenn sie auch als eigentliche Ursache visuo-konstruktiver Störungen nicht von ihm in Betracht gezogen wurden.

McFie et al. (1950) untersuchten Patienten mit rechtshemisphärischer Hirnschädigung und stellten bei diesen Patienten deutliche visuo-konstruktive Störungen fest. Interessanterweise fanden sie bei den gleichen Patienten auch eine Verzerrung der visuellen Hauptraumachsen (Vertikale, Horizontale). Ähnliche Ergebnisse wurden später von Tzavaras u. Hecaen (1971) mitgeteilt. Diese Autoren fanden ebenfalls einen deutlichen Zusammenhang zwischen der Verschiebung der visuellen Vertikalen und dem Auftreten visuo-konstruktiver Störungen bei Patienten mit posteriorer Schädigung der rechten Hirnhälfte und diskutierten einen möglichen ursächlichen Zusammenhang zwischen den beiden Störungen.

Warrington u. Rabin (1970) untersuchten links- und rechtshemisphärisch Hirnverletzte mit einer Reihe visuoperzeptiver und visuo-konstruktiver Testverfahren und fanden eben-

falls bei Patienten mit rechtshemisphärischer Schädigung einen hohen Zusammenhang zwischen den visuo-konstruktiven Störungen im Mosaiktest und den Beeinträchtigungen in drei Tests zur visuellen Raumwahrnehmung (Winkel-, Positions- und Abstandsschätzung). Während in den bisher referierten Untersuchungen im wesentlichen der Einfluß gestörter Raumwahrnehmungsstörungen auf visuo-konstruktive Leistungen diskutiert wurde, ging die im folgenden kurz beschriebene Untersuchung von Butters u. Barton (1970) der Frage nach, inwieweit Störungen der räumlichen Vorstellung, also raumoperationale Leistungen im oben definierten Sinne, eine Rolle bei visuo-konstruktiven Defiziten spielen.

Butters u. Barton (1970) untersuchten links- und rechtshemisphärisch geschädigte Patienten mit 3 Aufgaben, die vom Patienten eine „innere" Rotation („mental rotation") der vorliegenden Testreize erforderten, ohne die die Aufgaben nicht gelöst werden konnten. Im Gegensatz zu Patienten mit Läsionen in anderen Hirnregionen wiesen Patienten mit links- bzw. rechtsparietaler Schädigung gleichermaßen deutliche Defizite bei allen 3 Aufgaben auf. 11 der 14 linkshemisphärisch geschädigten Patienten mit schweren Störungen der visuellen Raumoperationen in den 3 Aufgaben sowie alle 4 rechtshemisphärisch geschädigte Patienten zeigten ausgeprägte visuo-konstruktive Störungen, während von den 17 linkshemisphärisch geschädigten Patienten mit geringen Störungen der Raumoperationen kein Patient visuo-konstruktive Störungen aufwies. Diese Ergebnisse lassen vermuten, daß Defizite spezifischer visueller Raumoperationen, wie etwa die innere Rotation von externen Reizen, einen Einfluß auf visuo-konstruktive Leistungen haben können oder diese möglicherweise eine der Basisleistungen visuo-konstruktiver Leistungen darstellt.

Aus dieser kurzen Literaturzusammenstellung wird deutlich, daß Störungen der visuellen Raumwahrnehmung und/oder visueller Raumoperationen und visuo-konstruktive Defizite häufig miteinander verknüpft sind, wenn nicht sogar maßgeblich an der Entstehung visuo-konstruktiver Störungen mitbeteiligt sind.

Leider wurden und werden auch heute noch in vielen Untersuchungen zur konstruktiven Apraxie mögliche Störungen im Bereich der Raumwahrnehmung und der Raumoperationen überhaupt nicht oder nicht ausreichend untersucht. Darüber hinaus werden häufig Testverfahren zur Untersuchung der visuell-räumlichen Wahrnehmung verwendet, die von der Art der Aufgabe her gar keinen Schluß darüber zulassen, welche Raumoperationen bei einem Patienten im einzelnen gestört sind. Die üblichen Testverfahren in diesem Bereich (s. 12.4) überprüfen häufig mehrere Basisleistungen gleichzeitig, wie etwa Positions-, Winkel- und Größenschätzung im Benton-Test (Benton 1981). Bei einem unterdurchschnittlichen Ergebnis ist es dann prinzipiell unmöglich zu entscheiden, aufgrund welcher Einzeldefizite der Patient beispielsweise bei visuo-konstruktiven Aufgaben wie dem Mosaiktest versagt.

Eine Untersuchung, die dieses Problem auf elegante Weise gelöst hat, ist die von Mack u. Levine (1981). Sie untersuchten 19 linkshemisphärisch und 19 rechtshemisphärisch Geschädigte mit dem von den Autoren konstruierten Form Assembly Test. Dieser Test erfordert nur minimale motorische Geschicklichkeit, stellt dafür aber erhebliche Anforderungen in der Unterscheidung von Linienlängen und Winkeln. Aufgabe des Patienten ist es, Teile einer schwarzer Figur zu einem Quadrat zusammenzusetzen. Die Elemente der Figur unterscheiden sich lediglich in der Kantenlänge und in den Winkeln. Gleichzeitig untersuchten die Autoren mit Hilfe zweier anderer Tests, inwieweit ihre Patienten in der Lage waren, Linien unterschiedlicher Länge sowie Winkel verschiedener Größe perzeptiv voneinander zu unterscheiden.

Die Autoren fanden, daß ihre Patienten mit rechtshemisphärischer Schädigung im Form Assembly Test deutlich schlechter abschnitten als die Patienten mit linkshemisphärischer Schädigung und die Kontrollgruppe. Darüber hinaus aber korrelierten die Leistungen in diesem Test bei den rechtshemisphärisch Geschädigten sehr hoch mit den Leistungen in den beiden Tests zur Unterscheidung von Linien-

länge und Winkel. Daraus kann man schließen, daß zumindest bei Patienten mit rechtshemisphärischer Schädigung Störungen elementarer visueller Raumwahrnehmungsleistungen und visuo-konstruktive Störungen eng miteinander verknüpft sind.

12.3 Rückbildung visuo-konstruktiver und visuell-räumlicher Störungen

Über den Verlauf oder die Spontanerholung visuo-onstruktiver und visuell-räumlicher Defizite bei Hirnverletzten ist nur wenig bekannt. Die meines Wissens nach einzige systematische Untersuchung zur Rückbildung visuo-konstruktiver Defizite nach einer erworbenen Hirnschädigung ist die Arbeit von Hier et al. (1983). Diese Autoren untersuchten 41 Patienten mit zerebrovaskulären Erkrankungen der rechten Hemisphäre regelmäßig in Abständen von 2–4 Wochen nach der Aufnahme des Patienten in der Klinik bis zu seiner Entlassung. Neben einer Reihe anderer Tests wurden den Patienten auch der Mosaiktest und der Rey-Zeichentest vorgelegt. Die Autoren fanden, daß ca. 70% ihrer Patienten 15 Wochen nach dem Eintreten des Infarkts keine visuo-konstruktiven Störungen im Mosaiktest mehr aufwiesen und ebenfalls 70% nach ca. 20 Wochen kein Defizit mehr im Rey-Zeichen-Test aufwiesen. Diesen Ergebnissen zufolge könnte man davon ausgehen, daß sich die Mehrzahl der Patienten spontan, d. h. ohne eine spezifische Behandlung von ihren visuo-konstruktiven Defiziten erholt hat. Hierbei ist jedoch zu berücksichtigen, daß Hier et al. (1983) als Kriterium für die Diagnose einer Beeinträchtigung im Mosaiktest die erfolgreiche Bewältigung der ersten 3 Mosaiktestitems definierten. Mit diesem Kriterium werden jedoch alle Patienten, die in den ersten 3 Items des Mosaiktests kein Defizit aufweisen - möglicherweise aber in den folgenden 4 Items - fälschlicherweise als unbeeinträchtigt in visuo-konstruktiven Aufgaben eingeschätzt. Viele Patienten - gerade mit rechtshemisphärischer Schädigung - zeigen jedoch auch mehrere Monate nach dem Eintreten der Hirnschädigung noch deutliche visuo-konstruktive Defizite, vorausgesetzt man wählt entsprechend komplexe Untersuchungsverfahren.

Darüber hinaus ist nicht auszuschließen, daß Testwiederholungseffekte die Resultate im Mosaiktest in der Stichprobe von Hier et al. (1983) beeinflußt haben. Die Autoren geben als mittleren Untersuchungszeitraum zwischen den einzelnen Testzeitpunkten 13,5 Wochen an. Demnach wäre also jeder Patient in diesem Zeitraum im Durchschnitt mindestens 4- bis 8mal mit den gleichen 3 Mosaiktestitems untersucht worden.

Über die Rückbildung visuell-räumlicher Basisleistungen berichtete Meerwaldt (1983). Er untersuchte Patienten mit vaskulärer Schädigung der rechten Hemisphäre in regelmäßigen Zeitabschnitten nach dem Ereignis mit dem Line-Orientation-Test nach Benton et al. (1978) und dem Rod-Orientation-Test nach DeRenzi et al. (1971). Der Rod-Orientation-Test mißt die Einstellung der visuellen (und taktilen) Vertikalen im dreidimensionalen Raum mittels eines veränderbaren Stabes, während der Line-Orientation-Test die Winkelorientierung auf zweidimensionalen Vorlagen testet (vgl. 12.4.1). Die Autoren fanden, daß sich die überwiegende Anzahl der untersuchten Patienten im Line-Orientation-Test innerhalb der ersten 3 Monate nach der Hirnschädigung von ihrem ursprünglichen Defizit in diesem Test „erholten". Demgegenüber wies ein nicht unbedeutender Anteil der im Rod-Orientation-Test auffälligen Patienten auch nach mehreren Monaten noch unterdurchschnittliche Leistungen auf. Der Autor interpretierte seine Ergebnisse dahingehend, daß es offensichtlich doch eine deutliche Tendenz zur spontanen Rückbildung visuell-räumlicher Defizite bei Patienten mit vaskulärer Schädigung der rechten Hemisphäre gebe. Auch in dem von Meerwaldt (1983) gewählten Untersuchungsdesign ist der Einfluß von Testwiederholungseffekten nicht auszuschließen.

Schließlich ist sowohl in der Untersuchung von Hier et al. (1983) als auch in der Studie von Meerwaldt (1983) der Einfluß allgemeiner Faktoren, wie etwa eine Reduktion der allgemeinen Informationsverarbeitungsgeschwindigkeit (Birch et al. 1967) gerade in den Akutphase nach einer erworbenen Hirnschädigung, nicht kontrolliert worden. Es ist nicht auszuschließen, daß Verbesserungen durch solche Allgemeinfaktoren mitbedingt sind.

Es ist wiederholt festgestellt worden, daß besonders rechtshemisphärisch geschädigte, hemiplegische Patienten mit Defiziten der „visuellen Wahrnehmung" einen im Vergleich zu linkshemisphärischgeschädigten, ebenfalls hemiplegischen Patienten ungünstigeren Rehabilitationsverlauf haben (Ben-Yishay et al. 1970; Denes et al. 1982) und daß solche Patienten eine geringere Selbständigkeit in alltäglichen Verrichtungen wie Ankleiden, Körperpflege, Essen und Fortbewegung („activities of daily living", nachfolgend ADL abgekürzt) erzielen (Lorenze u. Cancro 1962; Warren 1981). Visuell-räumliche Defizite scheinen bei rechtshemisphärisch geschädigten Patienten auch einen Einfluß darauf zu haben, ob der Patient wieder einer beruflichen Tätigkeit nachgehen oder auf fremde Hilfe angewiesen sein wird (Weisbroth et al. 1971).

Nachfolgend soll exemplarisch anhand einiger Untersuchungen die Rolle visuo-konstruktiver und visuell-räumlicher Defizite im Zusammenhang mit ADL-Defiziten analysiert werden.

Lorenze u. Cancro (1962) untersuchten 16 linkshemisphärisch geschädigte und 25 rechtshemisphärisch geschädigte Patienten mit Hemiplegie, um den Zusammenhang zwischen ADL-Defiziten und visuokonstruktiven Defiziten zu evaluieren. Als Maß zur Untersuchung visuo-konstruktiver Störungen verwendeten sie den Mosaiktest und den Untertest Figurenlegen aus dem Wechsler-Intelligenztest (vergleichbar dem Hawie). Die Autoren fanden 9 Patienten – allesamt mit linksseitiger Hemiplegie –, die sich nicht selbständig ankleiden konnten, davon erzielten 3 Patienten deutlich unterdurchschnittliche Werte im Bereich der selbständigen Körperpflege. Ein Patient war nicht in der Lage, selbständig zu essen. 8 der 9 Patienten mit Störungen im selbständigen Ankleiden zeigten zum Zeitpunkt der Entlassung keine Verbesserung in diesem

ADL-Bereich; alle 3 Patienten mit Defiziten im Bereich der selbständigen Körperpflege waren auch zum Entlassungszeitpunkt noch im gleichen Ausmaß auf fremde Hilfe angewiesen. Bezüglich der Frage nach dem Zusammenhang zwischen ADL-Defiziten und visuokonstruktiven Störungen fanden die Autoren eine signifikanten statistischen Zusammenhang (0,82 punktbiseriale Korrelation) zwischen einem Durchschnittswert in den beiden Tests Mosaiktest und Figurenlegen und den ADL-Maßen. Darüber hinaus fanden die Autoren, daß die 3 Patienten, die unfähig zur selbständigen Körperpflege waren, mit Abstand die niedrigsten Werte in den beiden visuo-konstruktiven Tests aufwiesen; der Zusammenhang zwischen Testwerten und ADL-Maßen war hier sogar noch höher ausgeprägt (0,98 punktbiseriale Korrelation). Lorenze u. Cancro schlossen aus diesen Ergebnissen, daß das Ausmaß des Defizits im Mosaiktest und im Untertest Figurenlegen als Prädikator für das Ausmaß an Selbständigkeit, das der hirnverletzte Patient in ADL-Aktivitäten voraussichtlich erreichen wird, verwendet werden kann. Mit anderen Worten: der Schweregrad der visuo-konstruktiven Störung hat offensichtlich einen deutlichen Einfluß darauf, ob ein Patient mit einer Hirnschädigung wieder in der Lage sein wird, sich in Dingen des alltäglichen Lebens selbständig zu versorgen, oder ob er dauerhaft auf fremde Hilfe angewiesen sein wird.

In einer ähnlichen Untersuchung von Williams (1967) wurde dieses Ergebnis im wesentlichen bestätigt. Williams untersuchte 136 hirnverletzte, hemiplegische Patienten mit einem Zeichentest und untersuchte darüber hinaus, inwieweit ihre Patienten zum selbständigen Ankleiden der nichtgelähmten oberen Extremität in der Lage waren. Sie fand, daß die Patienten mit den deutlichsten visuokonstruktiven Störungen im Zeichentest auch das geringste Maß an Selbständigkeit im selbständigen Ankleiden erzielten. Williams vermerkte außerdem, daß trotz intensiven Ankleidetrainings nur 3 von 36 rechtshemisphärisch geschädigten Patienten mit Störungen im selbständigen Ankleiden bei der Entlassung eine Verbesserung des Defizits aufwiesen. Bei den übrigen 33 Patienten war dieses Defizit zum Zeitpunkt der Entlassung unverändert.

Dieses Ergebnis läßt die Frage aufkommen, ob möglicherweise Störungen der visuellen Raumwahrnehmung und visueller Raumoperationen eine der Grundstörungen bei Patienten mit Ankleidestörungen sind. Man könnte vermuten, daß sich an den ADL-Defiziten so lange trotz intensiver therapeutischer Bemühungen nichts ändert, wie man nicht die eigentliche Störung (Raumwahrnehmungsdefizite, gestörte Raumoperationen), sondern nur das sekundäre Defizit (Ankleidestörungen) behandelt.

Dies heißt nicht, daß Störungen der visuellen Raumwahrnehmung als generelle Ursache von Defiziten im ADL-Bereich bezeichnet werden können, die oben referierten Ergebnisse legen jedoch einen deutlichen inhaltlichen Zusammenhang nahe.

Ähnliche Ergebnisse sind von Kaplan u. Hier (1982) berichtet worden. Sie untersuchten 34 Patienten mit vaskulärer Schädigung der rechten Hemisphäre und fanden einen signifikanten Zusammenhang zwischen dem Leistungsniveau der Patienten im Rey-Zeichen-Test, im Mosaiktest und im Gottschaldt-Test (Erkennung eingebetteter Figuren) und dem Rehabilitationsverlauf des Patienten, der mittels verschiedener ADL-Maße erfaßt wurde.

Die Autoren hoben besonders hervor, daß neben dem Faktor Hemiplegie visuo-konstruktive und visuell-räumliche Störungen der wichtigste Prädiktor des weiteren Rehabilitationsverlaufs bei den von ihnen untersuchten rechtshemisphärisch geschädigten Patienten waren und daß die Behandlung solcher Defizite für den Patienten genauso wichtig sei wie die Behandlung einer vorliegenden Hemiparese/-plegie.

Sivak et al. (1981) gingen der Frage nach, wie fahrtüchtig hirngeschädigte Patienten im Straßenverkehr sind und welchen Einfluß Störungen der visuellen und visuell-räumlichen Wahrnehmung auf die Fahrtüchtigkeit haben. Die Untersuchung ergab, daß die Leistungen in einigen Tests aus dem Handlungsteil des Hawie (Bilderergänzen, Bilderordnen) sowie die Leistungen im stereoskopischen Tiefensehen und im Rod-and-Frame-Test signifikant mit den Leistungen der Fahrprüfung auf einem Übungsparcours und im normalen Straßenverkehr korrelierten. Diese Ergebnisse unterstreichen einmal mehr, daß die Untersuchung visuell-räumlicher Wahrnehmungsdefizite bei hirngeschädigten Patienten nicht nur „akademisch" ist, sondern auch einen wichtigen Beitrag zur prognostischen Einschätzung des weiteren Rehabilitationsverlauf und damit im weiteren Sinne der „sozialen Kompetenz" hirngeschädigter Patienten im Alltag leisten können. Für einen Einfluß visueller Raumwahrnehmungsstörungen im Alltagsleben sprechen auch die Ergebnisse einer Untersuchung von Bruell et al. (1957). Diese Autoren fanden, daß diejenigen Patienten mit Hemiplegie bzw. Hemiparese die meisten Probleme beim Laufen hatten, die auch in der Wahrnehmung und Einstellung der visuellen Vertikalen im abgedunkelten Raum die größten Abweichungen aufwiesen. In der Tat könnte man vermuten, daß Patienten mit einer Verschiebung der visuellen Vertikalen um 5–10° eine erhöhte Falltendenz zur Seite der verschobenen Vertikalen hin aufweisen müßten. Diese Vermutung wurde auch von Birch et al. (1960) geäußert, die ebenfalls bei hemiplegischen Patienten die Einstellung der visuellen Vertikalen und Horizontalen untersucht hatten und insbesondere bei Patienten mit linksseitiger Hemiplegie (rechtshemisphärische Hirnschädigung) große Abweichungen in der Einstellung der Vertikalen und Horizontalen fanden. Bei diesen Patienten schien das gesamte visuelle Koordinatensystem gegen den Uhrzeigersinn verdreht zu sein.

Bei der Bewertung der referierten Literatur darf natürlich nicht vergessen werden, daß Störungen der visuellen Raumwahrnehmung nicht die einzige Ursache von Defiziten im ADL-Bereich sind. Andere Defizite, wie z. B. Störungen der visuellen Exploration oder ein visueller Neglect müssen in ihren Auswirkungen auf das Alltagsverhalten hirngeschädigter Patienten genauso berücksichtigt werden wie die hier diskutierten Defizite der visuellen Raumwahrnehmung und raumoperationaler Leistungen.

12.4 Untersuchungsverfahren

12.4.1 Standardisierte Untersuchungsverfahren

Ein weit verbreitetes Verfahren zur Untersuchung visuell-räumlicher und visuo-konstruktiver Leistungen ist der *Benton-Test* (Benton 1981). Die perzeptive Version des Tests verlangt vom Patienten den Vergleich einfacher geometrischer Figuren mit 4 ähnlichen Figuren in einer Multiple-choice-Vorlage. Aufgabe des Patienten ist es jeweils, aus den 4 Vorlagen die jeweils entsprechende Figur auszuwählen. Diese Version des Benton-Tests läßt sich auch mit einem Zeitintervall zwischen der Darbietung der Targetfigur und der Multiple-choice-Vorlage durchführen, so daß auch das kurzfristige Behalten visuell-räumlicher Reize geprüft werden kann.

Die visuo-konstruktive Version des Benton-Tests verlangt vom Patienten das Abzeichnen einfacher geometrischer Figuren. Die Auswertung der Reproduktionen des Patienten erfolgt mit Hilfe detaillierter Auswertungskriterien, die im Testhandbuch angegeben sind. Die Fehler, die hirngeschädigte Patienten in dieser Version des Tests üblicherweise zeigen, sind Auslassungen oder Vertauschungen einzelner Figuren sowie die verzerrte Wiedergabe der abzuzeichnenden Figuren. In Einzelfällen kann es vorkommen, daß die Reproduktionen des Patienten kaum noch Ähnlichkeit mit der Testvorlage erkennen lassen. Das häufige Auslassen einzelner Figuren auf einer Seite – insbesondere der linken Seite – kann auf einen visuellen Neglect hindeuten.

Neuere Normierungsdaten zum Benton-Test sind kürzlich von Benton et al. (1983) mitgeteilt worden.

Ein im deutschen Sprachraum wenig verbreiteter Test zur Überprüfung zeichnerischer visuokonstruktiver Leistungen ist der *Rey-Zeichen-Test* (Osterrieth 1944; Lezak 1981). Dem Patienten wird hierbei eine komplexe geometrische Figur vorgelegt, die er möglichst originalgetreu abzeichnen soll. Die Reproduktion des Patienten wird nach genau vorgegebenen

Kriterien bewertet (vgl. Lezak 1981). Die häufigsten Fehler, die Patienten mit visuokonstruktiven Störungen bei dieser Aufgabe gewöhnlich machen, sind Verzerrungen in der Wiedergabe der Winkelverhältnisse, Auslassungen oder Fehlplazierungen einzelner Linien sowie veränderte Größenverhältnisse.

Neben dem Benton-Test wird in der klinischneuropsychologischen Diagnostik visuokonstruktiver Störungen der *Mosaiktest* aus dem Hamburg-Wechsler-Intelligenztest für Erwachsene (Hawie; Hardesty u. Lauber 1956) bzw. für Kinder (Hawik; Hardesty u. Priester 1966) verwendet. Aufgabe des Patienten ist es bei diesem Untertest, nach einer Bildvorlage mit einer vorgegebenen Anzahl von Würfeln eine zweidimensionale Figur zu konstruieren. Die Würfel haben jeweils unterschiedliche farbige Flächen (rot, weiß, rot-weiß), sind hinsichtlich ihrer sonstigen Merkmale jedoch völlig gleich. Der Mosaiktest ist sowohl in der Kinder- als auch in der Erwachsenenversion des Tests für den deutschen Sprachraum normiert. Auswertungshinweise finden sich in den entsprechenden Testhandbüchern. Patienten mit Schwierigkeiten im Mosaiktest können verschiedene Fehlerarten zeigen, beispielsweise Spiegelbildfehler in der Anordnung einzelner Würfel, auch kann die gesamte Reproduktion des Patienten im Vergleich zur Vorlage deutlich rotiert sein. In besonders schweren Fällen von „konstruktiver Apraxie" kann es auch zu einem Aufbrechen der quadratischen Grundform bei der Reproduktion der einzelnen Muster kommen. In Extremfällen kann das soweit gehen, daß sich zwischen der Vorlage und der Reproduktion des Patienten keinerlei Übereinstimmung mehr finden läßt. Die fehlende Reproduktion der linken bzw. rechten Hälfte der Testvorlage kann auch hier auf einen visuellen Neglect hindeuten.

Die oben aufgeführten Testverfahren zur Überprüfung visuo-konstruktiver Leistungen testen allesamt lediglich zweidimensionale konstruktive Leistungen; je nach Fragestellung kann es jedoch auch sinnvoll sein, bei einem Patienten die dreidimensionalen konstruktiven Leistungen zu überprüfen. Hier bietet sich der *dreidimensionale Praxietest* nach Benton u. Fogel (1962) an. Vor dem Patienten liegt ein Kasten mit verschiedenen Holzelementen, aus denen der Patient nacheinander 3 verschieden komplexe, dreidimensionale Figuren konstruieren soll. Als Vorlagen können entweder Fotografien der zu konstruierenden Figuren verwendet werden oder aber reale dreidimensionale Holzmodelle. Die Bewertung der Leistungen des Patienten erfolgt nach den im Testhandbuch angegebenen Kriterien (Benton u. Fogel 1962). Patienten mit visuokonstruktiven Störungen fallen in diesem Test dadurch auf, daß sie die einzelnen Bauteile zur Rekonstruktion der Vorlage an falsche Positionen setzen, sie in fehlerhafte räumliche Relation zueinander bringen und unter Umständen Probleme mit der Konstruktion bzw. Rekonstruktion der Dreidimensionalität der einzelnen Figuren haben. Auslassungen von Elementen der Figur auf einer Seite können auch hier auf einen visuellen Neglect hindeuten.

12.4.2 Nichtstandardisierte Untersuchungsverfahren

Neben den unter 12.4.1 aufgeführten Verfahren, die sich eher für die psychometrische Diagnostik beim einzelnen Patienten eignen, gibt es eine Reihe von Verfahren, die zwar nicht standardisiert und nicht normiert sind, die aber zur orientierenden klinischen Diagnostik durchaus sinnvoll sein und im Einzelfall wertvolle Informationen liefern können.

Ein solches Verfahren ist der *Stick-Test* (vgl. Lezak 1981). Der Untersucher konstruiert vor dem Patienten mit Hilfe einiger Streichhölzer einfache geometrische Figuren, die der Patient dann mit anderen Streichhölzern möglichst exakt kopieren muß. Ebenso kann der Untersucher den Patienten selbst bestimmte Figuren ohne entsprechende Vorlage konstruieren lassen. Bei der Beurteilung der Leistungen sollte der Untersucher darauf achten, ob die Streichhölzer in der richtigen Position im Vergleich zur Gesamtfigur und im richtigen Winkel zueinander liegen. Das Fehlen von Streichhölzern auf einer Seite kann auf eine schlecht kompensierte Hemianopsie oder einen visuellen Neglect hinweisen.

Eine andere einfache Möglichkeit, sozusagen „alltägliche" visuo-konstruktive Leistungen zu überprüfen, ist das Falten von Figuren aus Papier oder das Ausschneiden solcher Figuren aus Pappe oder Papier (vgl. Poppelreuter 1917, S. 234ff.). Patienten mit konstruktiven Störungen fallen bei diesen Aufgaben dadurch auf, daß sie völlig andere Figuren falten oder die Umrisse der Figur beim Ausschneiden nicht beachten, so daß die ausgeschnittene Figur nur noch geringe Ähnlichkeit mit der vorgegebenen hat. Verzerrungen von Winkeln und Längen innerhalb der zu faltenden bzw. auszuschneidenden Figur kommen ebenfalls vor.

Daneben gibt es noch eine Reihe einfacher Zeichenaufgaben, wie etwa das Zeichnen eines Gesichts von vorn oder im Profil, das Zeichnen einer menschlichen Gestalt oder eines Fahrrads u.a.m. In der Beurteilung der Reproduktionen des Patienten wird gewöhnlich auf Winkelverzerrungen, Größenveränderungen oder die fehlerhafte Anordnung einzelner Elemente innerhalb der Gesamtfigur geachtet.

12.4.3 Kritik der gegenwärtig verfügbaren Verfahren zur Untersuchung visuo-konstruktiver und visuell-räumlicher Wahrnehmungsleistungen

Die Kritik an den oben dargestellten Verfahren ist eher grundsätzlicher als testpsychologischer Natur. So sehr diese Verfahren sich in der klinischen Diagnostik bewährt und zum Teil auch zur Voraussage des Rehabilitationsverlaufs bei Hirngeschädigten als hilfreich erwiesen haben, so wenig führen sie zu einem genaueren Verständnis der Faktoren, die für das Zustandekommen visuo-konstruktiver Defizite maßgeblich sind.

Dies soll am Beispiel des Mosaiktests demonstriert werden:

Nehmen wir an, ein Patient mit Schädigung der rechten Hirnhälfte hat ausgesprochene Probleme im Mosaiktest, so daß es zu einer deutlich unterdurch-

schnittlichen Leistung kommt. Dieses Ergebnis zeigt lediglich das Bestehen visuokonstruktiver Störungen an, es läßt jedoch keinerlei Schluß darüber zu, *warum* der Patient die Aufgabe nicht bewältigt. Hierfür kommen vielfältige Ursachen in Betracht. Möglicherweise hat der Patient zusätzlich eine schlecht kompensierte Hemianopsie, die dazu führt, daß er die linke Raumhälfte weniger als notwendig exploriert, so daß er entsprechend mehr Konstruktionsfehler in der linken Hälfte der von ihm zu konstruierenden Mosaikmuster macht. Ähnlich könnte sich ein visueller Neglect der linken Raumhälfte auswirken. Schließlich ist nicht klar, ob der Patient aufgrund motorischer Probleme Schwierigkeiten hat, die Würfel an den für sie vorgesehenen Platz innerhalb des Mosaikmusters zu bringen. Dies ist um so mehr von Gewicht, wenn es sich um graphomotorische, also im weitesten Sinne zeichnerische Leistungen von Seiten des Patienten handelt.

Wenn man von diesen Problemen bei der Interpretation der Testresultate einmal absieht, so bleibt noch eine Reihe anderer Schwierigkeiten in der Beurteilung der Störung des Patienten. So läßt das Ergebnis im Mosaiktest keinen Schluß darüber zu, *welche* visuo-perzeptiven oder visuell-räumlichen Einzeldefizite für das Zustandekommen der unterdurchschnittlichen Leistung verantwortlich zu machen sind. Der Patient kann möglicherweise Probleme in der Unterscheidung von Winkeln unterschiedlicher Größe haben. So ist aus den Untersuchungen von Benton et al. (1975, 1978, 1983) und Kim et al. (1984) bekannt, daß es gerade Patienten mit posteriorer Schädigung der rechten Hemisphäre sind, die Probleme in der Unterscheidung von Winkelorientierungen haben. Dies ist aber auch eine der Patientengruppen, die in der Regel ausgeprägte visuokonstruktive Störungen aufweist (Taylor u. Warrington 1973; Villa et al. 1986). Es wäre somit durchaus möglich, daß unser Patient visuokonstruktive Probleme *und* Probleme in der Unterscheidung von Winkeln hat, die die eigentliche Ursache für seine visuokonstruktiven Störungen sein könnten.

Probleme in der Winkelwahrnehmung müssen jedoch nicht das einzige Problem eines solchen Patienten sein. Es ist nicht auszuschließen, daß unser Patient Linien unterschiedlicher Länge (z.B. 30 vs. 40 mm) nicht mehr sicher voneinander unterscheiden kann und deshalb die Muster in den Vorlagen zum Mosaiktest falsch wahrnimmt. Defizite in der Unterscheidung von Linienlängen sind bei Patienten mit visuo-konstruktiven Störungen beispielsweise von Mack u. Levine (1981) beschrieben worden. Schließlich wäre es denkbar, daß unser Patient Schwierigkeiten in der maßstabgerechten Nachbildung des ihm jeweils vorliegenden Mosaikdesigns hat (Vorlage und zu reproduzierende Figuren im Mosaiktest sind im Größenmaßstab 1:4 dargeboten).

204

Untersucht man die gegenwärtig verfügbaren Testverfahren zur Diagnostik visuell-räumlicher Wahrnehmungsleistungen auf die Frage hin, inwieweit sie visuelle Raumwahrnehmungsleistungen einzeln und ohne die gleichzeitige Vermischung perzeptiver mit motorischen Leistungen testen, so muß man leider zum Schluß kommen, daß es gegenwärtig keine erprobten Verfahren gibt, die dem Diagnostiker Informationen darüber geben, welche Einzelleistungen der visuellen Raumwahrnehmung und welche visuellen Raumoperationen bei einem hirngeschädigten Patienten gestört bzw. nicht gestört sind. Dies hat Konsequenzen für die Behandlung vor allem visuo-konstruktiver Störungen. Da die Basisleistungsdefizite bei solchen Störungen nicht aufgedeckt werden können, können auch keine spezifischen Behandlungsverfahren für solche Hirnleistungsdefizite entwickelt werden. Neuropsychologische Verfahren zur Behandlung visuellräumlicher und visuo-konstruktiver Störungen müssen daher notgedrungen oberflächlich bleiben, solange die Ursache(n) dieser Störungen nicht genau bekannt sind. Dies dürfte vermutlich auch eine der Ursachen für den relativen Mangel an klinisch erprobten, spezifischen und nach wissenschaftlichen Kriterien als effektiv zu bezeichnenden Therapieverfahren in diesem Bereich sein (vgl. 12.5).

12.4.4 Untersuchungsprogramm zur Erfassung visueller Raumwahrnehmungsstörungen und Störungen visueller Raumoperationen

Aus der Diskussion der z.Z. verfügbaren visuell-räumlichen und visuo-konstruktiven Testverfahren ergibt sich, daß eine Verbesserung der Therapie auch eine verbesserte, standardisierte, detaillierte und störungsspezifische Diagnostik voraussetzt. Solange die Einzeldefizite eines Patienten nicht bekannt sind bzw. nicht erfaßt werden, kann auch keine auf diese speziellen Störungen zugeschnittene Behandlung beginnen.
Im folgenden wird ein Programm zur Untersuchung basaler visueller Raumwahrnehmungsleistungen vorgestellt. Zunächst sollen jedoch die Anforderungen an ein solches Verfahren kurz diskutiert werden.

Anforderungen an das Untersuchungsprogramm

Zunächst sollten *sinnvolle basale Einzelleistungen* der visuellen *Raumwahrnehmung* untersucht werden. Die Untersuchung dieser Einzelleistungen ist deshalb erforderlich, weil bereits auf diesem Niveau häufig schon Defizite auftreten, die unentdeckt bleiben, wenn man zu komplexe Untersuchungsaufgaben wählt. Als basale Einzelleistungen der visuellen Raumwahrnehmung bieten sich die Abstands-, Längen-, Positions-, Winkel- und Größenschätzung an.
Diese Einzelleistungen sollten möglichst *unabhängig voneinander* untersuchbar sein, um eine gegenseitige Beeinflussung der Resultate in verschiedenen Tests zu vermeiden. Die jeweilige Aufgabe sollte nur über *eine* Strategie lösbar sein, um das vorhandene Defizit zuverlässig entdecken und einordnen zu können. Dies soll an einem Beispiel erläutert werden. Untersucht man bei einem Patienten in wiederholten Abständen die Einstellung der visuellen Vertikalen, dann sollte die richtige Einstellung der Vertikalen beispielsweise nicht über eine Art Schätzung der Abstände zwischen oberem Ende der dargebotenen Linie und dem Rand der Reizvorlage möglich sein, wie es z.B. beim Rod-and-Frame-Test möglich ist (vgl. Bruell et al. 1957). Ist dies nicht gewährleistet, so könnten manche Patienten über diese alternative Strategie möglicherweise die Aufgabe richtig lösen, obwohl sie tatsächlich eine signifikante Abweichung in der Einstellung der visuellen Vertikalen aufweisen.
Eine Mehrfachtestung mit der gleichen Aufgabe sollte nicht schon *per se* eine signifikante Leistungsverbesserung in dem betreffenden Test zur Folge haben. Dies ist besonders wichtig, wenn das Untersuchungsverfahren zur Therapieverlaufskontrolle verwendet wird. Hat eine Mehrfachtestung deutliche Verbesserungen zur Folge, so können diese Effekte nicht von denen einer therapeutisch bedingten Verbesserung getrennt werden.
Schließlich sollte ein solches Untersuchungs-

verfahren *reliable* Ergebnisse liefern, über eine ausreichende Durchführungs- und Auswertungsobjektivität verfügen und in einer innerhalb einer Rehabilitationsklinik vertretbaren Untersuchungszeit durchführbar sein.

Das Untersuchungsprogramm

Eine bereits erprobte Basisversion eines solchen Untersuchungsprogramms[1] liegt nun vor (vgl. Kerkhoff 1988) und soll hier kurz in den wesentlichen Grundzügen besprochen werden.
Die Untersuchung findet in einem abgedunkelten Raum statt, um Umgebungseinflüsse möglichst gering zu halten. Die Testreize werden mit Hilfe eines Kleincomputers auf einem Bildschirm dargestellt. Die Untersuchung dauert etwa 45-60 min. Die Auswrtung der Ergebnisse wird automatisch vom Computer übernommen, so daß keine zusätzliche Zeit für die Auswertung der Untersuchungsergebnisse benötigt wird. Durchführungs- und Auswertungsobjektivität sind aufgrund der geringen Komplexität der Testaufgaben sowie der untersucherunabhängigen Auswertung durch den Rechner gegeben. Die Wiederholungsstabilität der gemessenen Ergebnisse ist sowohl bei Normalpersonen als auch bei Hirnverletzten hoch (vgl. Kerkhoff 1988). Mit diesem Untersuchungsprogramm werden die wichtigsten basalen Raumwahrnehmungsleistungen untersucht.

Subjektive visuelle Vertikale und Horizontale

Auf der Mitte des Bildschirms wird in 1 m Abstand vom Patienten eine schräge Linie dargestellt. Aufgabe des Patienten ist es nun, diese Linie genau vertikal einzustellen. Anschließend soll er eine ebenfalls schräge Linie genau horizontal einstellen. Bei diesen Einstellungen ist dem Patienten der Versuchsleiter behilflich, der entsprechende Tastenkommandos gibt, um die Linie auf dem Bildschirm in die richtige Orientierung zu bringen. Als Abweichung wird die

[1] Das beschriebene Programm zur Untersuchung der visuellen Raumwahrnehmung und visueller Raumoperationen wurde zusammen mit Dr. J. Zihl am Max-Planck-Institut für Psychiatrie in München entwickelt.

Winkeldifferenz zwischen der objektiven und subjektiven Horizontalen bzw. Vertikalen vom Computer berechnet.

Balkenteilung

Auf dem Bildschirm erscheint ein waagerechter Balken. Aufgabe des Patienten ist es, die Mitte des Balkens genau einzustellen, d. h. den Balken zu „halbieren". Diese Aufgabe wird analog in der Vertikalen durchgeführt. Registriert wird die Abweichung von der objektiven Mitte in Millimetern.

Distanzschätzung

Aufgabe des Patienten ist es bei dieser Aufgabe, 2 Abstände auf dem Bildschirm gleich groß einzustellen. Diese Aufgabe wird zunächst in der Horizontalen und anschließend in der Vertikalen analog durchgeführt. Registriert wird die Abweichung vom objektiv gleich großen Abstand in Millimetern.

Winkelreproduktion

Auf der linken Seite des Bildschirms wird ein Winkel dargeboten, den der Patient auf der rechten Seite genau gleich groß einstellen soll. Es werden folgende Winkel getestet: 30°, 45°, 60°, 120°, 135° und 150°. Registriert wird die Abweichung von der objektiv richtigen Winkelgröße in Winkelgrad.

Positionsschätzung

Auf der linken Seite des Bildschirms wird ein Quadrat gezeigt, in dem sich ein Punkt befindet. Auf der rechten Hälfte des Bildschirms wird ebenfalls ein Quadrat gezeigt, in dessen Mitte sich ebenfalls ein Punkt befindet. Aufgabe des Patienten ist es nun, den Punkt im rechten Quadrat in die exakt gleiche Position innerhalb des Quadrats zu bringen wie den Punkt im linken Quadrat. Anschließend wird die Aufgabe analog mit 2 bzw. 3 verschiedenen Punkten, die in unterschiedlicher Farbe dargestellt sind, durchgeführt. Registriert wird die horizontale und vertikale Abweichung von der jeweils objektiv richtigen Position in Millimetern.

12.5 Behandlungsverfahren bei visuokonstruktiven und visuell-räumlichen Wahrnehmungsstörungen

Um Überlappungen mit anderen Kapiteln des vorliegenden Buches zu vermeiden, werden in

diesem Abschnitt keinerlei Behandlungsverfahren besprochen, die sich die Verbesserung der visuellen Exploration zum Ziel gesetzt haben. Solche Verfahren werden in Kap. 7 bzw. Kap. 11 besprochen. Hier soll es darum gehen, welche Verfahren es zur Behandlung primärer visueller Raumwahrnehmungsstörungen bereits gibt, wie gut sie erprobt sind und welche Schwachstellen sie aufweisen.

Block-design-Training

Ein Verfahren zur Behandlung visuokonstruktiver und visuell-räumlicher Störungen bei Hirnverletzten ist das von Diller et al. (1974) entwickelte Block-design-Training. Damit ist gemeint, daß Patienten mit visuo-konstruktiven Störungen im Mosaiktest auch mit diesem Verfahren therapiert werden. Um dem Patienten die Aufgabe zu erleichtern, werden ihm Hilfen gegeben, wie etwa eine deutliche Segmentierung der Mosaikmuster, um dem Patienten zu zeigen, welcher Teil des Designs zu welchem Würfel gehört. Im Verlauf der Behandlung werden dem Patienten immer mehr der anfangs gewährten Hilfen wieder entzogen, und er muß die Mosaikmuster schließlich allein und ohne Hilfsmittel zusammenfügen, nachdem er die Strategie ausreichend beherrscht. Dieses Trainingsverfahren ist in nachfolgenden Untersuchungen wiederholt verwendet worden (Young et al. 1983; Leer 1984). Immer wurde über Verbesserungen bei den trainierten Patienten im Vergleich zu Patienten berichtet, die kein solches Training oder „nur" eine Standardbehandlung bekamen. Diller et al. (1974) berichteten darüber hinaus, daß sich die trainierten Patienten im Vergleich zu den nichttrainierten in einigen wichtigen ADL-Maßen verbesserten, z. B. bei der Selbständigkeit beim Ankleiden und Essen. Leer (1984) berichtete ebenfalls über deutliche Verbesserungen der mit dem Block-design-Training behandelten Patienten in allen wichtigen ADL-Maßen mit Ausnahme des Bereichs Essen. In beiden Studien wurden darüber hinaus Verbesserungen in einigen psychometrischen Testverfahren (z. B.: Handlungsteil des HAWIE) bei den trainierten Patienten beschrieben, die sich bei den nichttrainierten Patienten jeweils nicht fanden.

Diese Ergebnisse zeigen, daß

- das Block-design-Training zur Behandlung visuokonstruktiver und visuell-räumlicher Defizite hilfreich sein kann,
- es im Vergleich zu einer „normalen" ergotherapeutischen Behandlung effektiver, weil vermutlich spezifischer ist,
- es eine partielle Generalisierung der Trainingseffekte auf ähnliche Testbereiche gibt,
- das Training nicht zuletzt zu einer Verbesserung der Selbständigkeit des trainierten Patienten in wichtigen Bereichen des alltäglichen Lebens führen kann.

Training der räumlichen Organisation

Ein anderes Trainingsverfahren zur Behandlung visuell-räumlicher Defizite bei Hirnverletzten ist das von Weinberg et al. (1979) beschriebene Training der „räumlichen Organisation" (vgl. auch Gordon et al. 1985). Bei diesem Verfahren geht es im wesentlichen darum, daß der Patient lernt, Abstände visuell zu schätzen. Diese Abstandsschätzung wird mit dem Patienten an einem Schreibtisch durchgeführt und erfolgt entweder direkt vor dem Patienten, in der linken oder in der rechten Raumhälfte vom Patienten aus gesehen. Über die Effektivität dieses Verfahrens kann leider nichts ausgesagt werden, da es in der Regel mit einem anderen, crossmodalen Behandlungsverfahren (der Patient mußte auf einer Vorlage zeigen, welche Position auf seinem Rücken berührt worden war) kombiniert verwendet wurde (vgl. Weinberg et al. 1979; Gordon et al. 1985), so daß die möglichen Effekte des Trainings zur Abstandsschätzung nicht von den Effekten des zusätzlich verwendeten Verfahrens getrennt werden können.

Lokalisationstraining

Ein weiteres Verfahren zur Behandlung visuell-räumlicher Wahrnehmungsstörungen bei rechtshemisphärisch geschädigten Patienten *ohne* klinisch nachweisbaren visuellen Neglect wurde von Weinberg et al. (1982) beschrieben. Die Grundidee dieses Trainings beruht auf der Beobachtung, daß solche Patienten auch Probleme haben, komplexe visuelle Reizvorlagen räumlich zu gliedern. Um dem Patienten bei diesem Problem zu helfen, unterteilten Weinberg et al. die Reizvorlagen in Quadranten bzw. obere/untere oder linke/rechte Hälften, innerhalb derer der Patient bestimmte Worte oder einzelne Punkte lokalisieren mußte. Die mit diesem „Lokalisationstraining" behandelte Patientengruppe zeigte im Vergleich zu einer vergleichbaren Gruppe ergotherapeutisch behandelter Patienten lediglich in einem visuellräumlichen Test eine signifikante Verbesserung; in allen anderen Testbereichen zeigten beide behandelten Gruppen vergleichbare Verbesserungen.

Da in den soeben referierten Studien durchgehend positive Effekte der vorgeschlagenen Behandlungsmethoden in Testbereichen und ADL-Maßen beschrieben worden sind, soll hier auch kurz eine Studie referiert werden, die keinerlei signifikante Trainingseffekte sowohl in den verwendeten Tests als auch in den vor und nach der Behandlung gemessenen ADL-Skalen fand. Lincoln et al. (1985) untersuchten 14 rechtshemisphärisch und 13 linkshemisphärisch geschädigte Patienten mit vaskulärer Ätiologie sowie 6 traumatisch hirnverletzte Patienten mit einer ausführlichen Batterie visuo-perzeptiver Tests sowie mit ADL-Skalen. Die Patienten wurden zufällig einer ergotherapeutischen oder aber einer spezifisch visuell-räumlichen Behandlung zugeführt. Der Inhalt der spezifischen Behandlung bestand aus Übungen zur Unterscheidung von Längen, Größen, Farben sowie dem Sortieren komplexer visueller Reize.

Die Behandlung dauerte in beiden Gruppen 4 Wochen. Nach Ende der Behandlung wurden beide Gruppen mit den gleichen Testverfahren wie zu Beginn der Behandlung untersucht. Es ließen sich in keinem Bereich signifikante Unterschiede zwischen den beiden behandelten Gruppen finden. Die Ergebnisse dieser Untersuchung sind schwer zu interpretieren, da man nicht weiß, ob möglicherweise die ergotherapeutische Behandlung so effektiv

war oder die „spezifische" visuell-räumliche Behandlungsmethode doch eher „unspezifisch" und daher ungeeignet oder einfach nicht ausreichend war.

Anregungen zur ergotherapeutischen Behandlung visueller Wahrnehmungsstörungen und visuokonstruktiver Störungen finden sich bei Caprez (1984) sowie bei Wais u. Köster-Wais (1984). Beide Monographien enthalten eine große Zahl an Übungsvorschlägen und Spielen, die jeweils auf die Bedürfnisse des einzelnen Patienten adaptiert werden können. In beiden Monographien sind jedoch leider keine Untersuchungen über die Effektivität der vorgeschlagenen Übungen enthalten.

Betrachtet man die bisherigen Therapiestudien zusammenfassend, so muß man leider feststellen, daß es einen ausgesprochenen Mangel an überprüften Behandlungsmethoden bei Störungen der visuellen Raumwahrnehmung und visueller Raumoperationen gibt. Insbesondere sind keinerlei Verfahren vorhanden, die spezifisch die Einzeldefizite der visuell-räumlichen Wahrnehmung behandeln. Eine Ursache hierfür ist meines Erachtens das Fehlen von Untersuchungsmethoden, mit deren Hilfe solche Einzeldefizite zuverlässig qualitativ und quantitativ erfaßbar sind. Solange die Diagnostik visuell-räumlicher Wahrnehmungsstörungen bei Hirnverletzten sich auf den Mosaiktest und den Benton-Test beschränkt, ist die Chance gering, basale Störungen der visuellen Raumwahrnehmung überhaupt zu erfassen und somit einen ersten Schritt in Richtung Behandlung solcher Störungen tun zu können.

Steht erst einmal ein erprobtes Untersuchungsverfahren für solche Störungen zur Verfügung, dann lassen sich bei eventuellen therapeutischen Bemühungen auch regelmäßige Therapiekontrollen durchführen.

12.6 Ein exemplarisches Fallbeispiel

Das in 12.4.4 vorgestellte Untersuchungsprogramm wurde inzwischen an einer größeren Gruppe (= 70) von hirngeschädigten Patienten erprobt (vgl. Kerkhoff 1988); im folgenden sollen die Ergebnisse einer Patientin dargestellt sowie anhand dieser Ergebnisse mögliche Therapieschritte diskutiert werden.

Fallbeschreibung

Die 44 Jahre alte Patientin hatte eine Subarachnoidalblutung in der Folge einer Aneurysma-permagna-Operation im Bereich der A.carotis interna rechts mit nachfolgendem vasospastischem Hirninfarkt rechts erlitten. 4 Monate nach dieser Operation wurde sie in unsere Abteilung aufgenommen und untersucht.

Orthoptische Untersuchung

Der Visus betrug für die Nähe (auskorrigiert) beidseits Nieden 1 (das entspricht 100% Sehschärfe), für die Ferne ohne Korrektur beidseits 80%. Die Fixation mit dem linken Auge war normal, mit dem rechten Auge etwas unruhig. Die Konvergenz war altersentsprechend; die Patientin verfügte über normales beidäugiges Sehen. Die Stereosehschärfe betrug im Titmus-Stereotest 40 Winkelsekunden und lag somit im vergleichbaren Normbereich. Zum Untersuchungszeitpunkt lag bei der Patientin keinerlei Motilitätsstörung der Augen vor.

Klinische Untersuchung

Die Patientin hatte infolge ihrer rechtshemisphärischen Schädigung eine linksseitige Hemiparese mit Sensibilitätsstörung im Bereich des linken Arms erlitten. Ein zum Zeitpunkt der Untersuchung durchgeführtes kraniales Computertomogramm zeigte im wesentlichen eine Schädigung der rechten Hemisphäre im Bereich des Parietal- und Temporallappens sowie des dazugehörigen Marklagers.

Neuropsychologische Untersuchungsergebnisse im Bereich der visuellen Wahrnehmung

Die Perimetrie am Tübinger Perimeter zeigte eine inkomplette homonyme Hemianopsie links, das Restgesichtsfeld auf der linken Horizontalachse betrug 20°. Zum Zeitpunkt der Untersuchung des Raumsehens fand sich zudem ein in Rückbildung befindlicher visueller Neglect links; die Patientin explorierte im linken Halbfeld bis 20° Exzentrizität, im rechten Halbfeld war die visuelle Exploration unbeeinträchtigt. Es kann davon ausgegangen werden, daß die in den Abb.1-5 zusammengefaßten Ergebnisse der Raumwahrnehmung aufgrund der innerhalb von 20° im linken Halbfeld ausreichenden Exploration kaum oder gar nicht durch den visuellen Neglect beeinflußt sind. Zudem erfordert die Untersuchung aufgrund des Beobachterabstands und der Größe der Testreize lediglich ein Explorationsfeld von etwa 11 Sehwinkelgrad in beiden Halbfeldern.

Untersuchungsergebnisse zur visuellen Raumwahrnehmung

1. Subjektive visuelle Vertikale und Horizontale (Abb.12.1): Vertikale: Signifikante Verlagerung nach links (gegen den Uhrzeigersinn) um 3° (Normalbereich: ±1° bei Hirngesunden).
Horizontale: Signifikante Verlagerung entgegen dem Uhrzeigersinn um 3° (Normbereich ±1°).
2. Balkenteilung horizontal und vertikal (Abb.12.2): Horizontal: Signifikante Verlagerung der subjektiven Mitte nach links um 17 mm bei einer Linienlänge von 240 mm (Normalbereich: ±5 mm Abweichung von der objektiven Mitte). Die Balkenteilung in der Vertikalen ist nicht signifikant gestört.
3. Distanzschätzung in der Horizontalen und Vertikalen (Abb.12.2): Signifikante Unterschätzung von Abständen um 18 mm in der Horizontalen (Normalbereich: ±5 mm) bzw. in der Vertikalen um 10 mm (Normalbereich: ±3 mm Abweichung von der objektiven Position).
4. Längenschätzung horizontal und vertikal (Abb.12.3): Signifikante Unterschätzung der Linien-

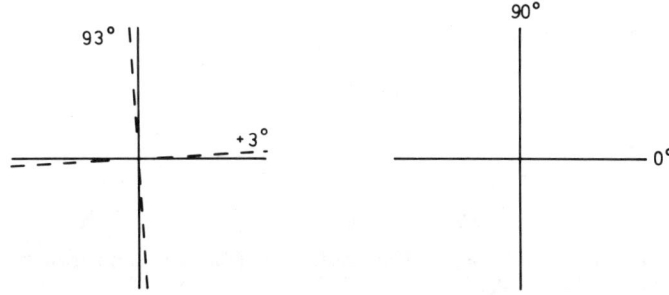

Abb.12.1. Subjektive visuelle Vertikale und Horizontale (*links* Patientin; *rechts* gleichaltrige Normalperson)

209

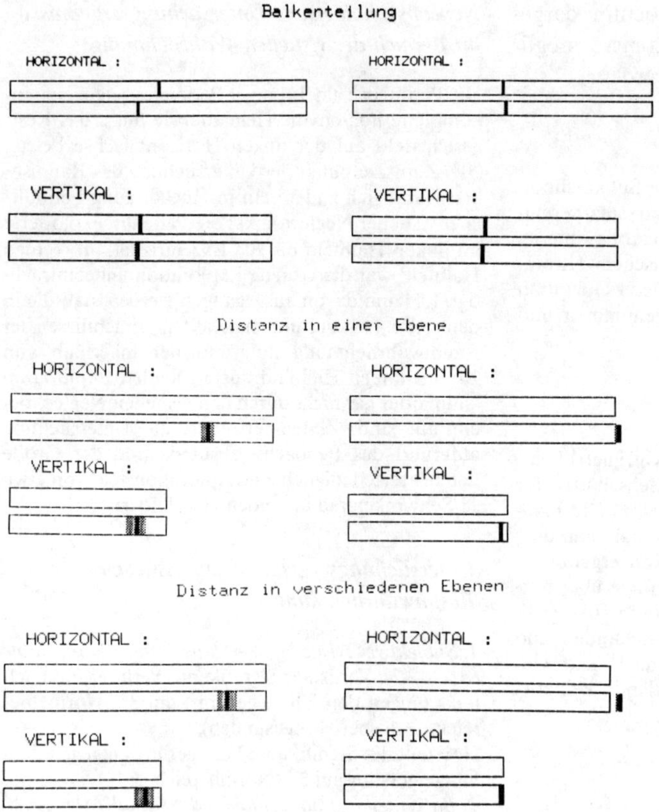

Balkenteilung

HORIZONTAL :

HORIZONTAL :

VERTIKAL :

VERTIKAL :

Distanz in einer Ebene

HORIZONTAL :

HORIZONTAL :

VERTIKAL :

VERTIKAL :

Distanz in verschiedenen Ebenen

HORIZONTAL :

HORIZONTAL :

VERTIKAL :

VERTIKAL :

Abb. 12.2. Ergebnisse der Balkenteilung und der Distanzschätzung (*links* Patientin; *rechts* gleichaltrige Normalperson. *Oberer Balken:* Vorgabe; *unterer Balken:* Reproduktion des Patienten bzw. der Normalperson. *Senkrechter Strich:* Median; *schraffierter Bereich:* Streubereich)

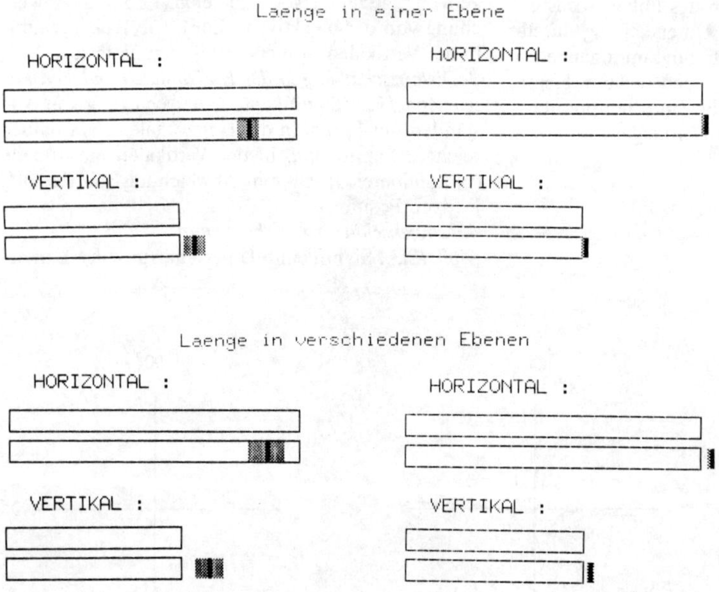

Laenge in einer Ebene

HORIZONTAL :

HORIZONTAL :

VERTIKAL :

VERTIKAL :

Laenge in verschiedenen Ebenen

HORIZONTAL :

HORIZONTAL :

VERTIKAL :

VERTIKAL :

Abb. 12.3. Ergebnisse der Längenschätzung (*links* Patientin; *rechts* gleichaltrige Normalperson). Sonstige Angaben wie in Abb. 2

210

länge um 13 mm in der Horizontalen (Normalbereich: ± 5 mm) bzw. signifikante Überschätzung der Linienlänge in der Vertikalen um 10 mm (Normalbereich: ± 3 mm Abweichung von der objektiven Länge).

5. *Schätzung relativer Abstände in der Tiefe:* Signifikante Unterschätzung von Abständen um 25 mm (Normalbereich: ± 5 mm).

6. *Winkelschätzung nach Benton et al.* (1978): Die Patientin erzielt einen Prozentrangwert von 03, was einer deutlich pathologischen Leistung entspricht.

7. *Winkelreproduktion (Tabelle 12.1):* Die mittleren Abweichungen in den 6 Items liegen bei der Patientin zwischen 0° und 10° (Normalbereich: 0–1° Abweichung). Darüber hinaus sind die Streubereiche bei der Patientin erheblich größer als bei Normalpersonen.

8. *Positionsschätzung (Abb. 12.4):* Signifikante Abweichungen von durchschnittlich 10 mm in der Horizontalen und Vertikalen (Normalbereich: ± 2 mm in der Horizontalen und Vertikalen).

9. *Mosaiktest aus dem HAWIK:* Lediglich 1 Item (Nr. 2) wird richtig gelöst, alle anderen Items (insgesamt 6) werden nicht richtig gelöst. Dies entspricht einer deutlich unterdurchschnittlichen Leistung. Die Patientin zeigt somit schwere visuokonstruktive Defizite.

10. *3-D-Praxie-Test nach Benton u. Fogel (1962), fotografische Vorlagen:* Lediglich Figur 1 ist teilweise richtig gelöst, die Reproduktionen der Patientin zu Figur 2 und 3 lassen keinerlei Ähnlichkeit mit den jeweiligen Vorlagen erkennen. Die Patientin zeigt deutliche visuokonstruktive Defizite auch in diesem Test.

Faßt man die Untersuchungsergebnisse dieser Patientin zusammen, so steht außer Zweifel, daß sie deutliche Probleme in der visuellen Raumwahrnehmung und in visuo-konstruktiven Aufgaben hat. Hätte man in diesem Falle lediglich den Mosaiktest und den Benton-Test zur Untersuchung der visuell-räumlichen und visuo-konstruktiven Störungen herangezogen, so würden die daraus bezogenen Informationen dem Diagnostiker lediglich das Vorliegen deutlich unterdurchschnittlicher Ergebnisse bestätigen. Er würde aus diesen Untersuchungsergebnissen jedoch keinerlei Schluß dahingehend ziehen können, welche Einzelleistungen der visuellen Raumwahrnehmung bei der Patientin gestört und welche möglicherweise intakt sind. Solche Informationen sind jedoch essentiell für den Therapeuten, damit dieser eben genau die betroffenen Defizite spezifisch behandeln kann.

Für diese Patientin hieße das beispielsweise, daß man mit ihr die Unterscheidung ähnlicher Winkel übt, da sie in diesem Bereich offensichtlich deutliche Probleme hat. Darüber hinaus zeigt sie deutliche Defizite in der visuellen Lokalisation von Positionen, die sich beispielsweise auch negativ beim schriftlichen Rechnen auswirkten, da die Patientin hierbei Zehner und Einer falsch untereinander positionierte (vgl. Kap. 18). Aus diesem Grunde wäre auch in diesem Bereich eine spezifische Behandlung angezeigt. Schließlich sollte die Patientin auch allmählich wieder lernen, Abstände in der Horizontalen und in der Tiefe richtig zu schätzen.

Zu regelmäßigen Zeitpunkten der Behandlung sollten mit den oben aufgeführten Verfahren Therapiekontrollen durchgeführt werden, um eventuelle Leistungsverbesserungen oder auch

Tabelle 12.1. Ergebnisse der Winkelreproduktion bei einer hirngeschädigten Patientin und einer Normalperson

Patientin, 44 Jahre	Normalperson, 42 Jahre, weiblich
Vorgabe 30°	
Median: 38°	Median: 30°
Minimum: 26°	Minimum: 29°
Maximum: 41°	Maximum: 30°
Vorgabe 45°	
Median: 43°	Median: 45°
Minimum: 39°	Minimum: 45°
Maximum: 52°	Maximum: 45°
Vorgabe 60°	
Median: 60°	Median: 61°
Minimum: 53°	Minimum: 61°
Maximum: 68°	Maximum: 61°
Vorgabe 120°	
Median: 130°	Median: 119°
Minimum: 130°	Minimum: 119°
Maximum: 130°	Maximum: 119°
Vorgabe 135°	
Median: 140°	Median: 134°
Minimum: 140°	Minimum: 133°
Maximum: 142°	Maximum 137°
Vorgabe 150°	
Median: 141°	Median: 150°
Minimum: 141°	Minimum: 150°
Maximum: 150°	Maximum: 150°

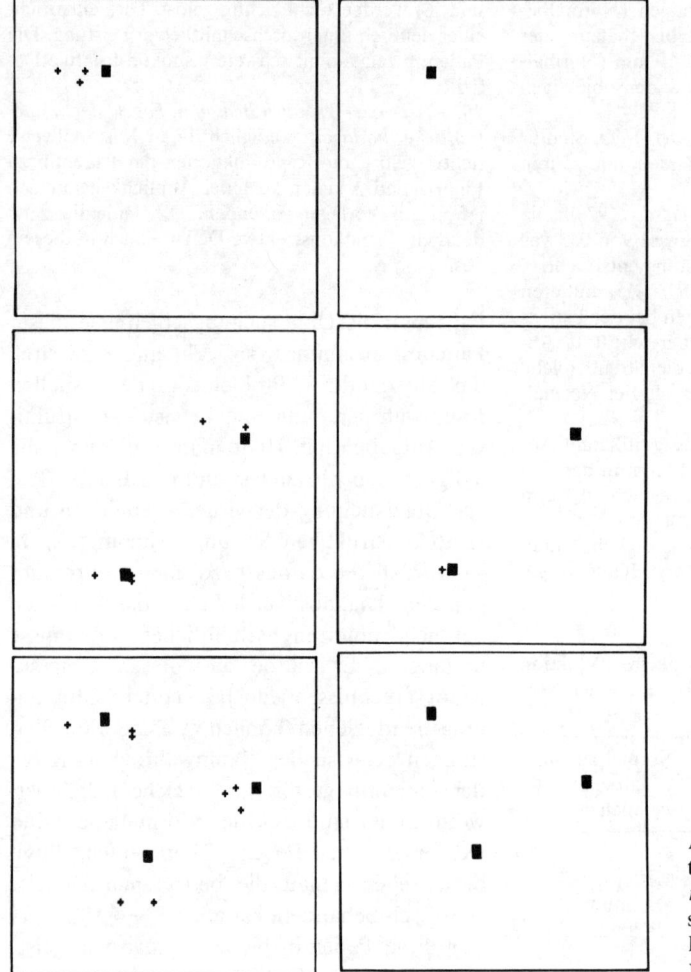

Abb. 12.4. Ergebnisse der Positionsschätzung (*links* Patientin; *rechts* gleichaltrige Normalperson; *Quadrat:* Vorgabe; *Kreuz:* Einstellung des Patienten bzw. der Normalperson)

eine Stagnation im Verlauf der Behandlung rechtzeitig zu erkennen.

Die Ergebnisse dieser Patientin sind aber auch noch im Hinblick auf einen anderen Aspekt interessant: Sie zeigen, wie wichtig es ist, bei Patienten mit visuokonstruktiven und visuell-räumlichen Störungen die basalen visuellen Raumwahrnehmungsleistungen zu untersuchen, da sich häufig schon hier zum Teil erhebliche Defizite finden. Angesichts solcher basaler Defizite sind Leistungseinbußen sogenannter „höherer" Leistungen (z. B. visuo-konstruktive Störungen) nicht verwunderlich. Die Ergebnisse der vorgestellten Patientin sind darüber hinaus keineswegs einzigartig, viel-mehr fand sich bei genauer Untersuchung einer größeren Stichprobe eine ganze Reihe von Patienten mit ähnlich schweren Beeinträchtigungen im Bereich der visuellen Raumwahrnehmung (vgl. Kerkhoff 1988).

Literatur

Benton AL (1981) Der Benton Test. Huber, Bern
Benton AL (1985) Visuoperceptive, Visuospatial, and Visuoconstructuve Disorders. In: Heilman KM & Valenstein E (eds) Clinical neuropsychology, 2nd edn. Oxford University Press, New York

Benton AL, Fogel ML (1962) Three-dimensional constructional praxis. Arch Neurol 7: 347–354

Benton AL, Hannay J, Varney N (1975) Visual perception of line direction in patients with unilateral brain disease. Neurology 25: 907–910

Benton AL, Varney N, De Hamsher K (1978) Visuospatial judgment: a clinical test. Arch Neurol 35: 364–367

Benton AL, De Hamsher K, Varney N, Spreen O (1983) Contributions to neuropsychological assessment. A clinical manual. Oxford University Press, New York

Ben-Yishay Y, Gerstman L, Diller L, Haas A (1970) Prediction of rehabilitation outcomes from psychometric parameters in left hemiplegics. J Consult Clin Psychol 34: 436–441

Birch HG, Proctor F, Bortner M, Lowenthal M (1960) Perception of vertical and horizontal by hemiplegic patients. Arch Phys Med Rehabil 41: 19–27

Birch HG, Belmont I, Karp E (1967) Delayed information processing and extinction following cerebral damage. Brain 99: 113–130

Bruell JH, Peszczynski M, Volk D (1957) Disturbance of Perception of Verticality in Patients with Hemiplegia: Second Report. Arch Phys Med Rehabil 38: 776–780

Butters N, Barton M (1970) Effect of parietal lobe damage on the performance of reversible operations in space. Neuropsychologia 8: 205–214

Caprez G (1984) Neuropsychologische Therapie nach Hirnschädigungen. Springer, Berlin Heidelberg New York

Denes G, Semenza C, Stoppa E, Lis A (1982) Unilateral spatial neglect and recovery from hemiplegia. A follow-up study. Brain 105: 543–552

DeRenzi E, Faglioni P, Scotti G (1971) Judgment of spatial orientation in patients with focal brain damage. J Neurol Neurosurg Psychiatr 34: 489–495

Diller L, Ben-Yishay Y, Gerstman LJ, Goodkin R, Gordon W (1974) Studies in cognition and rehabilitation in hemiplegia. New York Institute of Rehabilitation Medicine, New York (Rehabilitation Monograph 50)

Gordon WA, Hibbard MR, Egelko S, Diller L, Shaver MS, Lieberman A, Ragnarsson K (1985) Perceptual remediation in patients with reight brain damage: a comprehensive program. Arch Phys Med Rehabil 66: 353–359

Hardesty A, Lauber H (1956) Hamburg-Wechsler-Intelligenz-Test für Erwachsene (HAWIE). Huber, Bern

Hardesty FP, Priester HJ (1966) Hamburg-Wechsler-Intelligenz-Test für Kinder (HAWIK). Huber, Bern

Hier DB, Mondlock J, Caplan LR (1983) Recovery of behavioral abnormalities after right hemisphere stroke. Neurology 33: 345–350

Kaplan J, Hier DB (1982) Visuospatial Deficits after Right Hemisphere Stroke. Am J Occup Ther 36: 314–321

Kerkhoff G (1988) Störungen der visuellen Raumwahrnehmung bei Hirngeschädigten. Dissertation, Universität Bielefeld, Fakultät Psychologie und Sportwissenschaft

Kim Y, Morrow L, Passafime D, Boller F (1984) Visuoperceptual and visuomotor abilities and locus of lesion. Neuropsychologia 23: 177–186

Kleist K (1917/1922) Kriegsverletzungen des Gehirns und ihre Bedeutung für die Hirnlokalisation und Hirnpathologie. In: Bonhoeffer K (Hrsg) Geistes- u. Nervenkrankheiten. Barth, Leipzig (Handbuch der Ärztlichen Erfahrungen im Weltkriege 1914/1918, Bd 4)

Leer WB (1984) Block design training with stroke patients: a study on the effects of cognitive retraining on improving certain activities of daily living skills. Dissertation Abstr Int 45: 1290–1291

Lezak MD (1981) Neuropsychological assessment, 2nd edn, Oxford University Press, New York

Lincoln NB, Whiting SE, Cockburn J, Bhavnani G (1985) An evaluation of perceptual retraining. Int Rehabil Med 7: 99–101

Lorenze EJ, Cancro R (1962) Dysfunction of visual perception with hemiplegia: its relation to activities of daily living. Arch Phys Med Rehabil 43: 514–517

Mack JL, Levine RN (1981) The basis of visual constructional disability in patients with unilateral cerebral lesions. Cortex 17: 515–532

Mc Fie J, Piercy M, Zangwill O (1950) Visual-spatial agnosia associated with lesions of the right cerebral hemisphere. Brain 73: 167–190

Meerwaldt JD (1983) Spatial disorientation in righthemisphere infarction: a study of the speed of recovery. J Neurol Neurosurg Psychiatr 46: 426–429

Osterrieth PA (1944) Le test de copie d une figure complexe. Arch Psychol 30: 206–356

Poppelreuter W (1917) Die psychischen Schädigungen durch Kopfschuß im Kriege 1914–1918, Bd I. Die Störungen der niederen und höheren Sehleistungen durch Verletzungen des Okzipitalhirns. Voss, Leipzig

Sivak M, Olson PL, Kewman DG, Won H, Henson DL (1981) Driving and perceptual/cognitive skills: behavioural consequences of brain damage. Arch Phys Med Rehabil 62: 476–483

Strauss H (1924) Über konstruktive Apraxie. Monatsschr Psychiatr Neurol 56: 65–124

Taylor A, Warrington EK (1973) Visual discrimination in patients with localized cerebral lesions. Cortex 9: 82–94

Tzvaras A, Hecaen H (1971) Etudes des coordonnees visuelles subjectives au cours des lesions corticales unilaterales. Rev Neurologique 125: 458–461

Villa G, Gainotti G, De Bonis C (1986) Constructive disabilities in focal brain damaged patients. Influence of hemispheric side, locus of lesion and coexistent mental deterioration. Neuropsychologia 24: 497–510

Wais M, Köster-Wais H (1984) Zur Therapie der Raumanalysestörung bei rechtshemisphärisch Hirngeschädigten. Haag u. Herchen, Frankfurt

Warren M (1981) Relationship of constructional apraxia and body scheme disorders to dressing performance in adult CVA. Am J Occupat Ther 35: 431–437

Warrington EK, Rabin P (1970) Perceptual matching in patients with cerebral lesions. Neuropsychologia 8: 475–487

Weinberg J, Diller L, Gordon WA, Gerstman LJ, Lieberman A, Lakin P, Hodges G, Ezrachi O (1979) Training sensory awareness and spatial organization in people with right brain damage. Arch Phys Med Rehabil 60: 491–496

Weinberg J, Piasetzsky E, Diller L, Gordon W (1982) Treating perceptual organization deficits in nonneglecting RBD stroke patients. J Clin Neuropsychol 4: 59–75

Weisbroth S, Esibill N, Zuger R (1971) Factors in the vocational success of hemiplegic patients. Arch Phys Med Rehabil 52: 441–447

Williams N (1967) Correlation between copying ability and dressing activities in hemiplegia. Am J Phys Med 46: 1332–1340

Young GC, Collins D, Hren M (1983) Effect of pairing scanning training with block design training in the remediation of perceptual problems in left hemiplegics. J Clin Neuropsychol 5: 201–212

Zihl J, von Cramon D (1986) Zerebrale Sehstörungen. Kohlhammer, Stuttgart

13 Lernen und Gedächtnis

U. SCHURI

13.1 Einleitung

Lern- und Gedächtnisstörungen gehören zu den häufigsten Folgen einer Hirnschädigung. Etwa 60% der Patienten unserer Abteilung (zur Stichprobe vgl. Anhang) weisen klinisch relevante Einbußen in diesem Bereich auf. Mit der Beurteilung und Therapie solcher Störungen wird ein immer größer werdender Kreis von Personen verschiedener Berufsgruppen (v. a. klinische Psychologen, Mediziner und Ergotherapeuten) konfrontiert. Man sollte annehmen, daß ihnen entsprechend der Bedeutung der Störung normierte Untersuchungsverfahren für eine differenzierte Diagnostik sowie ein etabliertes Repertoire therapeutischer Methoden zur Verfügung stehen. Dies trifft jedoch nicht zu.

Das Angebot der standardisierten Tests im deutschsprachigen Raum ist gering. Bei den verfügbaren Test stellt sich zudem die Frage nach ihrem Wert für die Beurteilung mnestischer Störungen sowie für die Planung rehabilitativer Maßnahmen.

Auf der Suche nach Anleitungen zum therapeutischen Vorgehen findet sich in der Literatur kein allgemein akzeptiertes therapeutisches Rahmenkonzept. Man findet statt dessen vor allem Beschreibungen und Bewertungen einer Reihe von Einzeltechniken. Dabei handelt es sich häufig um Untersuchungen unter Laborbedingungen, bei denen der Bezug zu Alltagsproblemen unklar bleibt. Ferner beschäftigen sich viele der Therapiestudien mit dem sog. amnestischen Syndrom. Dabei handelt es sich um Patienten mit schwersten, weitgehend isolierten Störungen von Gedächtnisfunktionen (zur Definition vgl. Hirst 1982; Parkin 1984).

Sie machen jedoch in der klinischen Arbeit mit neuropsychologischen Patienten insgesamt nur einen relativ kleinen Anteil aus. Die Lern- und Gedächtnisstörungen der meisten Patienten sind weniger ausgeprägt und treten selten isoliert auf, sondern meist zusammen mit anderen Hirnleistungsstörungen, wie z. B. einer reduzierten Geschwindigkeit der Informationsverarbeitung. Für eine systematische Therapie bei Vorliegen solcher Störungsmuster finden sich bislang wenig Anleitungen.

Die Grundlage für dieses Kapitel bilden vor allem die praktischen Erfahrungen aus der Arbeit in der Neuropsychologischen Abteilung des Krankenhauses München-Bogenhausen. Da in dieser Abteilung keine Kinder und Jugendliche bis zum Alter von 15 Jahren behandelt werden, sollen die speziellen Probleme dieser Gruppe hier nicht erörtert werden.

Zur klinischen Literatur der Lern- und Gedächtnisstörungen wird auf einschlägige Artikel der letzten Jahre verwiesen. Für den Bereich der Diagnostik ist die Lektüre der Beiträge von Erickson u. Scott (1977), Lezak (1983), Brooks u. Lincoln (1984), Mayes (1986), Squire (1986) sowie Loring u. Papanicolaou (1987) zu empfehlen. Für die weitere Beschäftigung mit Fragen zur Therapie findet der Leser interessante Informationen in den Artikeln von O'Connor u. Cermak (1987), Godfrey u. Knight (1987), Salmon u. Butters (1987), Schacter u. Glisky (1986) sowie in den Monographien von Wilson u. Moffat (1984a) und Wilson (1987). Zur Vertiefung theoretischer Hintergründe empfehlen wir als deutschsprachigen „Einstieg" die beiden Bände des Lehrbuchs der angewandten Gedächtnispsychologie von Wippich (1984, 1985) sowie das Ein-

215

führungswerk von Baddeley (1986a). Darüber hinaus kann das Studium der Monographie von Cermak (1982) sowie der Arbeiten von Hirst (1982) und Weiskrantz (1985) empfohlen werden.

13.2 Diagnostik von Lern- und Gedächtnisstörungen

13.2.1 Ziele und allgemeine Probleme der Diagnostik

Ziel der Diagnostik ist es zunächst, den *aktuellen Leistungsstand* eines Patienten zu erfassen und zu klären, ob die Gedächtnisanforderungen im privaten und beruflichen Alltag mit den verfügbaren Mitteln bewältigt werden (können). Dazu müssen einerseits sowohl die gestörten als auch die erhalten gebliebenen Lern- und Gedächtniskapazitäten erfaßt werden. Darüber hinaus muß die Diagnostik eine Analyse der spezifischen Alltagsanforderungen an die Gedächtnisleistungen des jeweiligen Patienten einschließen.

Weiteres Ziel der Diagnostik ist es, eine Grundlage für die *Planung von Rehabilitationsmaßnahmen und für prognostische Aussagen* zu liefern. Die Ergebnisse sollen eine Entscheidung darüber ermöglichen, ob eine Therapie nötig und möglich bzw. sinnvoll ist. Sie sollten ferner helfen, Therapieziele und das Vorgehen bei der Therapie festzulegen. Für solche Entscheidungen erscheint es wichtig, die vorhandenen Lern- und Gedächtnisstörungen so gut wie möglich zu „verstehen". Eine besondere Bedeutung kommt dabei den *assoziierten Defiziten* zu (vgl. Brooks u. Lincoln 1984; Mayes 1986).

Im Rahmen der Rehabilitation stellt die Diagnostik einen Prozeß dar, der sich nach einer Eingangsuntersuchung während der Therapie fortsetzt. Ein Ziel dieser *therapiebegleitenden Diagnostik* ist es, das anfängliche Bild der Leistungen und Alltagsanforderungen sowie das Verständnis der Ursachen diagnostischer Störungen zu verbessern. Daneben dient sie dazu, Veränderungen des Leistungsverhaltens zu kontrollieren. Besonderes Interesse gilt dabei natürlich dem Effekt der spezifischen Therapie. Die Untersuchung von Veränderungen ist jedoch auch bei der Beurteilung von nicht therapierten Patienten mit progredienten bzw. reversiblen Krankheitsverläufen von Bedeutung.

Ausgehend von diesen Zielen kommt Untersuchungsverfahren, die eine valide Aussage über Lern- und Gedächtnisleistungen im Alltag liefern, eine besondere Bedeutung zu. Die hier angesprochene *„ökologische Validität"* wird vor allem in der neueren Literatur hervorgehoben. Sie wird als eine der Hauptforderungen betrachtet, die an klinische Gedächtnistests zu stellen ist (vgl. z. B. Mayes 1986).

Es stellt sich die Frage, ob Informationen über das Verhalten im Alltag nicht am ehesten durch direkte Befragung der Patienten und ihrer Angehörigen zu erlangen sind. In den letzten Jahren sind eine Reihe von Fragebögen zur Selbstbeurteilung von Lern- und Gedächtnisleistungen im Alltag erprobt worden. Eine Diskussion gängiger Verfahren findet sich bei Herrmann (1982, 1984). Die Reliabilität dieser Fragebögen ist im allgemeinen hoch. Ihre Validität wird dagegen als niedrig beurteilt. Morris (1984) diskutiert eine Reihe von Einflußgrößen, die hierzu beitragen. Insgesamt sind Selbst- und Fremdbeurteilungen bei einer Eingangsdiagnostik wohl vor allem als Quelle erster, primär qualitativer Informationen über die im Alltag beeinträchtigten Bereiche zu betrachten.

Weiter zu diskutieren ist, wie der Wert objektiver Leistungstests bei der Vorhersage von Alltagsverhalten einzuschätzen ist (vgl. hierzu Sunderland et al. 1983). Ein sicherer Weg, zu validen Aussagen zu gelangen, besteht sicherlich darin, im Test ein Stück Alltag in seinen wesentlichen Anteilen zu realisieren. Die Ergebnisse solcher Untersuchungen sollten einen hohen Voraussagewert für den untersuchten Realitätsbereich haben. Solche Verfahren, die Alltagsanforderungen prüfen, werden von den Patienten auch wesentlich besser akzeptiert als für sie unanschauliche Tests.

Ein weiterer Gesichtspunkt, der bei methodischen Diskussionen über klinische Gedächtnistests eine Rolle spielt, ist die Forderung nach *parallelen Testformen und umfangreichen normativen Daten* (Mayes 1986). Dabei ist es besonders hilfreich, wenn Normen für eine Batterie von Tests mit gleicher Normierungsstichprobe vorliegen. In diesem Fall lassen sich die Leistungen in verschiedenen Teilbereichen am besten vergleichen.

Eine grobe Klassifikation von Testwerten nach verschiedenen Leistungs- und Störungsgraden gelingt im allgemeinen relativ leicht. Schwieriger ist die Beurteilung von Patienten mit nur leichten Beeinträchtigungen und vor allem von solchen mit sog. „relativen Leistungseinbußen". Letztere weisen bei formaler Testung keine Defizite auf, beklagen aber teilweise Gedächtnisprobleme im Alltag. Auch differenzierte Normen von Tests, die im oberen Leistungsbereich messen, bieten in solchen Fällen oft wenig Hilfe bei der Vorhersage des Alltagsverhaltens. Hier kommt der Analyse der an das Gedächtnis gestellten Anforderungen eine besondere Bedeutung zu, da über das Zurechtkommen im Alltag das Verhältnis von absolutem Leistungsniveau und Anforderungsniveau entscheidet.

Aufwendige Normierungen können immer nur bei einer begrenzten Anzahl von Untersuchungsverfahren durchgeführt werden. Darüber hinaus existieren aber eine Fülle von Tests bzw. experimentellen Techniken ohne deutsche Normen. Ihr Einsatz sollte im Einzelfall ebenfalls erwogen werden, vor allem wenn es darum geht, beobachtbare Gedächtnisprobleme besser zu verstehen. Zu bereits etablierten Verfahren vgl. u. a. Puff (1982), Lezak (1983) oder Levin (1986).

Welches sind nun die *Aspekte des Gedächtnisses, die im Rahmen klinischer Untersuchungen geprüft werden sollten?*

Hierzu sind in zahlreichen Arbeiten sich größtenteils überschneidende Forderungen formuliert worden. Eine differenzierte Diagnostik sollte danach – grob zusammengefaßt – sowohl Prozesse der Informationsaufnahme (Einprägen, Lernen), des Behaltens (kurz- und längerfristig) als auch des Abrufs von Informationen (freier Abruf bzw. Reproduktion, Abruf mit Hilfen, Wiedererkennen) berück-

sichtigen. Sie sollte als Material sowohl verbale als auch figurale Informationen benutzen. Bei der Untersuchung sollten Gedächtnisleistungen primär in der Form getestet werden, in welcher sie im Alltag vorwiegend auftreten.

Angesichts der vielen Testmöglichkeiten gewinnt der Gesichtspunkt der *Ökonomie* in der klinischen Gedächtnisdiagnostik an Bedeutung. In diesem Zusammenhang wird häufig vorgeschlagen, bei der Testentwicklung nicht nur an eine elaborierte Testbatterie zu denken, die es ermöglicht, eine differenzierte Analyse von Lern- und Gedächtnisprozessen vorzunehmen, sondern auch an ein Screeninginstrument für eine breite Anwendung.

Welche Bedeutung kommt bei der Beurteilung von Lern- und Gedächtnisstörungen traditionellen *Intelligenzmessungen* zu? Eine weithin gestellte Forderung besteht darin, Gedächtnisleistungen im Vergleich zum allgemeinen Intelligenzniveau zu beurteilen (vgl. Brooks u. Lincoln 1984; Mayes 1986). Dieses Vorgehen hat in Form der Wechsler-Memory-Scale (Wechsler 1945) eine alte Tradition. Wechsler berechnet analog zum Intelligenzquotienten einen „Gedächtnisquotienten". Ein Vergleich beider Maße soll anzeigen, inwieweit Gedächtnisdefizite im Rahmen einer allgemeinen Beeinträchtigung kognitiver Funktionen zu betrachten sind. Hier wie auch bei Vergleichen von Gedächtnistests mit Schätzungen des prämorbiden Intelligenzniveaus soll die Intelligenzmessung einen Erwartungswert für die Gedächtnisleistungen liefern. Unseren Erfahrungen zufolge sind diese Vergleiche in der Praxis jedoch nur wenig hilfreich. Dies gilt besonders dann, wenn die Beurteilung von Intelligenzquotienten durch die Effekte spezifischer Hirnleistungsstörungen, wie aphasischer Symptome, Beeinträchtigungen der visuellen Wahrnehmung, räumlich-konstruktiver Leistungen oder des semantischen Gedächtnisses (vgl. S. 223), erschwert ist.

13.2.2 Relevante Diagnostikbereiche

Orientierung

Die Untersuchung schwer beeinträchtigter Gedächtnisfunktionen umfaßt auch die Beurteilung komplexer Orientierungsleistungen. Zur Diskussion von Störungen der Orientierung kann auf eine Arbeit von v. Cramon und Säring (1982) verwiesen werden. An dieser Stelle soll eine kurze Bemerkung zur Untersuchung genügen: Sie umfaßt die Prüfung der Verfügbarkeit basaler Informationen (personale, situative, örtlich-geographisch und zeitlich-kalendarische Orientierung) im Rahmen eines klinischen Interviews. Hierbei verwenden wir ein Verfahren von v. Cramon und Säring (1982). Darüber hinaus prüfen wir das Zurechtfinden des Patienten in der Klinik (im eigenen Zimmer, auf der Station, außerhalb der Station sowie in der näheren Klinikumgebung).

Selbsteinschätzung

Die Prüfung der Selbsteinschätzung des Patienten ist ein ganz wesentlicher Bestandteil der Diagnostik. Die subjektiven Angaben des Patienten können zunächst einmal wichtige Informationen über Gedächtnisleistungen im Alltag liefern. Darüber hinaus erfahren wir etwas über die Meinung der Betroffenen zum Funktionieren ihres Gedächtnisses, zum sog. „Metagedächtnis". Vergleicht man die Leistungen der Patienten in alltagsnahen objektiven Tests – wie Reproduktion gehörter Textinformationen oder Lernen und Behalten von Namen – mit ihren subjektiven Angaben zu solchen Leistungen im Alltag und, sofern vorhanden, mit Fremdbeurteilungen enger Bezugspersonen, so werden bei einem Teil von ihnen deutliche *Überschätzungen* der eigenen Leistungen erkennbar. Solche Selbstbeurteilungen sind häufig auch durch Konfrontation mit Fehlleistungen nicht nachhaltig revidierbar. Sie sind im allgemeinen Ausdruck einer generellen Tendenz, vorhandene Defizite abzustreiten bzw. ihre offensichtliche Bedeutung deutlich herabzuspielen (vgl. dazu Kap. 5 und 14).

Wir beobachten solche Beeinträchtigungen der Selbsteinschätzung in Kombination mit Gedächtnisstörungen besonders häufig bei „frontaler" Hirnschädigung, vor allem nach Schädel-Hirn-Trauma (SHT). Sie sind ferner eine typische Symptomkombination bei bipolaren vaskulären Thalamusläsionen (von Cramon et al. 1985, 1986). Auch bei Patienten mit homologen bilateralen Posteriorinfarkten läßt sich ein ähnliches Bild beobachten. Dagegen sind Patienten mit unilateralen Posteriorinfarkten nach unseren Erfahrungen in der Lage, sehr genaue Beschreibungen ihrer Defizite zu geben (von Cramon et al. 1987). Hier beobachten wir nur hin und wieder *Unterschätzungen* der eigenen Leistungen im Rahmen einer depressiven Verstimmung.

Die Kombination von Gedächtnisstörung und Überschätzung der eigenen Leistung ist prognostisch ungünstig, weil diese Patienten die in der Therapie vermittelten Strategien nicht übernehmen bzw. im Alltag nicht anwenden. Dies unterstreicht die Wichtigkeit der Diagnostik von Störungen der Selbsteinschätzung.

Zur Untersuchung der Selbsteinschätzung wählen wir folgendes Vorgehen:

Der Patient wird zunächst gebeten anzugeben, ob er Veränderungen seiner Gedächtnisleistungen bemerkt hat und in welchen Situationen des privaten und – sofern bereits Erfahrungen vorliegen – des beruflichen Alltags sich Schwierigkeiten ergeben haben. Nach dem spontanen Bericht des Patienten wird anhand eines Fragebogens seine Beurteilung der Gedächtnisleistungen in verschiedenen Alltagssituationen vorgenommen. Wichtig erscheint dabei, daß die Fragen auf die Erfahrungen nach Beginn der Erkrankung zugeschnitten sind und sich nicht auf Leistungen in Alltagssituationen beziehen, die der Patient seit der Erkrankung nicht erlebt hat. Wir benutzen daher für die Patienten unserer Station eine Liste von 18 Fragen, die sich auf Erfahrungen in der Klinik beziehen. Bei der Befragung der Tagesklinikpatienten orientieren wir uns an einem modifizierten Fragebogen von Bennett-Levy und Powell (1980). Dabei wird vor der Beurteilung einer Leistung immer zuerst erfragt, ob der Patient in dem jeweils angesprochenen Bereich über Erfahrungen verfügt. Es folgt die Einschätzung der aktuellen Leistungen und anschließend eine Schätzung des prämorbiden Niveaus. An die Selbstbeurteilung der Art und des Ausmaßes von Störungen schließt sich die Bewertung der Defizite an. Der Patient wird gefragt, ob die berichteten Probleme für ihn eine Belastung darstellen (keine, eine leichte, eine deutliche), und welche der gestörten Teilleistungen (z. B. Namen lernen) ihn am stärksten belasten. Ferner versucht sich der Untersucher einen Eindruck zu verschaffen, welchen Stellenwert Lern- und Gedächtnisprobleme unter den subjektiven Beschwerden des Patienten haben. Das Ausmaß der Befragung wird den Möglichkeiten des Patienten, Bewertungen vornehmen zu können, angepaßt (teilweise können Gedächtnisdefizite nicht klar von anderen Störungen abgegrenzt werden, wie Sprach- und Konzentrationsstörungen).

Gedächtnisspanne und kurzfristiges Behalten für komplexe Informationen

Gedächtnisspanne

Als Gedächtnisspanne bezeichnet man die Menge von Informationen, die eine Person im Kurzzeitgedächtnis halten kann. Sie gilt als Maß für die Kapazität des Kurzzeitgedächtnisses (Hirst 1982). Ihr Umfang liegt nach der klassischen Arbeit von Miller (1956) im Bereich von 7 ± 2 Items. Zur Testung der Gedächtnisspanne wird im allgemeinen eine Folge von Einzelinformationen im Sekundentakt dargeboten. Anschließend sollen die Items in gleicher Reihenfolge reproduziert werden (s. 13.2.4).
Die neuere Literatur zeigt, daß es sich beim Kurzzeitgedächtnis keineswegs um ein einheitliches System handelt, wie es etwa noch in dem bekannten Modell von Atkinson und Shiffrin (1968) konzipiert war. Neuere Konstrukte wie das eines „Arbeitsgedächtnisses" versuchen, dem Rechnung zu tragen (s. Baddeley 1986 b).
Aufgrund vorhandener modalitätsspezifischer Effekte sollten Gedächtnisspannen sowohl für

verbale als auch für visuelle Reize untersucht werden. Für verbale Informationen wird normalerweise die Zahlenspanne geprüft, die uns als Bestandteil von Intelligenztests – wie dem HAWIE (Wechsler 1982) – bekannt ist. Es werden aber auch Spannen für andere verbale Informationen, z. B. Buchstaben oder Wörter, untersucht. Neben der beschriebenen Methode des unmittelbaren seriellen Erinnerns, werden auch die Leistungen bei der Reproduktion von Wortlisten zur Beurteilung der verbalen Gedächtnisspanne herangezogen. Zur Testung der Gedächtnisspanne für visuelle Reize wird heute meist die Blockspanne nach Corsi (Milner 1971) ermittelt (zur Testbeschreibung vgl. 13.2.4).
Selbst die Ergebnisse solcher relativ einfach erscheinender Tests sind keineswegs leicht zu interpretieren. Ergibt sich z. B. eine Reduktion der Zahlenspanne, so bedeutet dies nicht unbedingt eine generelle Reduktion der Kapazität des Kurzzeitgedächtnisses für verbale Informationen! Es ist unter anderem zu prüfen, inwieweit material- bzw. strategiespezifische Effekte vorliegen. So kann eine reduzierte Zahlenspanne (bei normaler Wortspanne) durch eine spezifische Störung der Zahlenverarbeitung (vgl. Kap. 18) bedingt sein. Ferner finden wir in der Praxis reduzierte Zahlenspannen bei Vorliegen einer Sprechapraxie (vgl. Kap. 19), selbst wenn es sich nur noch um Reste dieser Störung handelt. In diesen Fällen kann vermutet werden, daß die bei dieser Aufgabe geläufige Strategie des schnellen internen Wiederholens von Informationen beeinträchtigt ist.
Reduktionen der Wortspanne (bei normaler Zahlenspanne) treten andererseits häufig kombiniert mit minimalen Wortfindungsstörungen auf. Patienten berichten auch, daß es länger als früher dauere, bis ihnen ein Begriff „klar" sei. Hier scheint der schnelle Zugriff auf Inhalte des semantischen Gedächtnisses (vgl. S. 223) eine Ursache der Spannenreduktion zu sein. Zahlen- und Wortspanne können also in Abhängigkeit von den assoziierten Hirnleistungsstörungen voneinander abweichen. Die Auswirkungen solcher material- bzw. strategiespezifischen Effekte können bei komplexeren

Leistungen (wie Reproduktion von Texten) beobachtet werden. Sie sind somit keineswegs trivial. Sie müssen aber deutlich von globalen Beeinträchtigungen abgegrenzt werden.

Bei einer Reduktion der Blockspanne sind u. a. visuelle Vernachlässigungsphänomene (vgl. Kap. 11), Störungen des visuellen Explorationsverhaltens (insbesondere bei Gesichtsfeldausfällen; vgl. Kap. 7) sowie der visuell-räumlichen Wahrnehmung bzw. räumlich-konstruktiver Leistungen (vgl. Kap. 12) zu bedenken. So könnten sich z. B. ein halbseitiger Neglect oder eine ungenügend kompensierte Hemianopsie darin bemerkbar machen, daß Blöcke im beeinträchtigten Halbfeld übersehen werden. Bei Störungen der visuell-räumlichen Wahrnehmung könnte eine reduzierte Blockspanne auf eine verzerrte Wahrnehmung der Position einzelner Blöcke zurückzuführen sein.

Deutet der Vergleich verschiedener Spannenmaße eine globale Reduktion der Kapazität des Kurzzeitgedächtnisses für verbale bzw. visuelle Informationen an, so sind damit deutliche Grenzen für die Möglichkeiten der Informationsverarbeitung gesetzt. Glücklicherweise betrifft dies nur eine kleine Gruppe von Patienten. Es handelt sich hierbei nicht um Patienten mit klassischem „amnestischem Syndrom". Globale Störungen finden sich nach diffus-disseminierten Hirnschädigungen wie globaler zerebraler Hypoxie sowie bei primär-degenerativen Hirnerkrankungen. Diesen Patienten fällt es bei Konfrontation mit größeren Informationsmengen schwer, den „Überblick" zu behalten. Die Aufnahme komplexer Bild- und Textinformationen bereitet Schwierigkeiten und auch das Erstellen von Plänen unter Berücksichtigung vieler Einzelaspekte ist beeinträchtigt. Die reduzierte Kapazität der Informationsverarbeitung scheint sich auch im Verhalten niederzuschlagen. Viele der Patienten erscheinen in den beschriebenen Anforderungssituationen angespannt bzw. gereizt.

Kurzfristiges Behalten komplexer Informationen

Neben Gedächtnisspannen sollten sich auch die kurzfristigen Behaltensleistungen für komplexe, die Gedächtnisspanne in ihrem Umfang übersteigende Informationen untersucht werden. „Kurzfristiges Behalten" soll hier bedeuten, daß eine Prüfung der Behaltensleistung unmittelbar oder kurz nach der Reizdarbietung erfolgt. Nach den traditionellen Mehrspeichermodellen verbleiben Informationen nur bis etwa 30 s im Kurzzeitgedächtnis, sofern sie nicht durch inneres Wiederholen aufrechterhalten werden. Die jetzt angesprochenen Leistungen haben demzufolge auch einen deutlichen Langzeitgedächtnisanteil bzw. betreffen insgesamt das Langzeitgedächtnis. Sie haben sowohl einen Lern- als auch einen Behaltensanteil.

Im verbalen Bereich geht es v. a. um das Behalten von Textinformationen. Ausgehend von den Alltagsanforderungen erscheint die Prüfung der freien Reproduktion nur einmal gehörter Texte besonders wichtig. Patienten, die hier Schwierigkeiten haben, sind im Alltag vielfältigen Einschränkungen unterworfen. Sie können Gesprächen nicht folgen und beklagen schlechte Behaltensleistungen für gesprochene Rundfunk- und Fernsehinformationen.

Bei der Beurteilung einer gestörten Textreproduktionsleistung (zu Problemen der formalen Testung vgl. auch Loring u. Papanicolaou, 1987) sind neben den oben im Zusammenhang mit isolierten verbalen Informationen angesprochenen Variablen auch mögliche, oft nur leichte Beeinträchtigungen des Textverständnisses zu beachten. Dabei kann es sich um restaphasische Symptome (vgl. Kap. 16) handeln; aber auch Patienten mit Läsionen des Frontalhirns, die teilweise nicht in der Lage sind, relevante Informationen eines Textes zu extrahieren, sind beeinträchtigt (vgl. auch Kap. 14). Ferner treten Störungen der Reproduktion vor allem längerer Texte häufig in Kombination mit einer reduzierten Geschwindigkeit der Informationsverarbeitung (vgl. Kap. 10) auf. Viele solcher Patienten berichten, daß es ihnen nicht gelinge, „am Ball" zu bleiben.

Kurzfristige Behaltensleistungen für visuelle Informationen werden durch die freie Reproduktion bzw. das Wiedererkennen komplexer geometrischer Muster untersucht. Für die Beurteilung der Leistungen gelten die schon oben zur Blockspanne gemachten Angaben. Patienten mit Frontalhirnschädigung zeigen bei solchen Aufgaben teilweise eine Tendenz, die dargebotenen Reize zu kurz zu betrachten (vgl. Kap. 14).

Tests, die die Erinnerungsleistung für geometrische Muster prüfen, haben sicher keine hohe ökologische Validität. Andererseits können sie nach unseren Erfahrungen bei der schwierigen Frühdiagnostik primär-degenerativer Hirnerkrankungen eine Hilfe sein. Im Alltag hat das Behalten von komplexen räumlichen Gegebenheiten und von Gesichtern eine besondere Bedeutung. Bei den - allerdings häufig geringen - Alltagsanforderungen in diesem Bereich lassen sich bei amnestischen Patienten Schwierigkeiten beim Wiederfinden neuer Wege sowie beim Zurechtfinden in einer neuen häuslichen Umgebung beobachten. Dabei sind der Effekt von Störungen des visuellen Explorationsverhaltens bei Gesichtsfeldeinschränkungen bzw. beim halbseitigen visuellen Neglect sowie der Einfluß von visuell-räumlichen Wahrnehmungsstörungen zu beachten. Störungen des kurzfristigen Behaltens für Gesichter beobachtet man selten und auch dann nur unter hohen Testanforderungen. In vielen dieser Fälle liegen Störungen der Gesichter- und Objekterkennung bzw. elementarer visueller Sehleistungen vor (vgl. Kap. 7).

Lernen

Bei der Untersuchung der Lernfähigkeit geht es darum, einen Eindruck zu gewinnen, ob und, wenn ja, wie schnell ein Patient in der Lage ist, im privaten und beruflichen Alltag bzw. im Rahmen rehabilitativer Maßnahmen neue (evtl. auch umfangreiche) Informationen zu erwerben. Als Basis für Aussagen zum Lernen reichen die Erinnerungsleistungen nach einmaliger Darbietung von Informationen nicht aus. Zum klinischen Standard gehören darüber hinaus Lerntests, bei denen Informationen wiederholt dargeboten werden und der Lernzuwachs nach jedem Durchgang geprüft werden kann. Erickson u. Scott (1977) sehen in den allgemein gebräuchlichen Paarassoziationstests die beste Möglichkeit zur Testung von Lernprozessen. Bei diesem Verfahren werden assoziative Verknüpfungen zwischen jeweils zwei Einzelinformationen gelernt, d. h. die Informationen müssen zueinander in Beziehung gesetzt werden (Alltagsbeispiele: Vokabellernen, Personen-Namen-Lernen). Andere Verfahren prüfen z. B. die Lernleistungen für größere Mengen isolierter Einzelinformationen (Wörter, Bilder).

Bei Beeinträchtigungen der Lernfähigkeit klagen die Patienten in der Regel über Schwierigkeiten beim Lernen neuer Namen. Daher bietet es sich an, das Lernen von Gesichter-Namen-Paarassoziationen in die Gesamtuntersuchung mit einzubeziehen.

Aufgrund der Alltagsrelevanz sollte ebenfalls eine Beurteilung der Leistungen beim Lernen neuer Wege vorgenommen werden. Die prädiktive Valenz einfach durchzuführender Tests, wie Lernen einer Wegskizze, eines Labyrinths oder auch das im Rivermead-Behavioural-Memory-Test (Wilson et al. 1985; vgl. Abschnitt 13.2.3) untersuchte Lernen eines Weges im Untersuchungsraum ist dabei allerdings fraglich. Dies gilt um so mehr, wenn Störungen der visuellen Exploration vorliegen, die die Gesamtübersicht des Patienten einschränken. Um auch in diesen Fällen zu brauchbaren Vorhersagen auf das Verhalten im Alltag zu gelangen, erscheint es sinnvoll, im jeweiligen Klinikbereich mehrere wenig benutzte „Teststrecken" festzulegen und Richtwerte für die Bewältigung solcher Wege zu erarbeiten.

Längerfristiges Behalten

Neben der Untersuchung kurzfristiger Behaltensleistungen sollte auch das längerfristige Behalten neuer Informationen Bestandteil klinischer Gedächtnisprüfungen sein. Mit dieser Forderung verbinden sich 2 Ziele: Zum einen sollen leichtere Behaltensprobleme, die bei Prüfung kurz nach der Reizdarbietung nicht klar erkennbar sind, besser erfaßt werden. Zum anderen geht es um die wichtige Frage, ob Patienten mit Störungen der Lernfähigkeit das, was sie (evtl. unter großen Mühen) gelernt haben, dann auch behalten.

Die Beurteilung des Vergessens wird mit Hilfe formaler Tests sowie durch Befragen des Patienten zu Ereignissen vorangegangener Tage und Wochen vorgenommen. Die Interpretation des Interviews wird dadurch erschwert, daß unklar ist, wie gut die erfragten Informationen ursprünglich erlernt wurden. In formalen Tests kann der Prozeß der Informationsaufnahme dagegen kontrolliert werden. Beurteilungsschwierigkeiten können sich jedoch auch hier ergeben, wenn Patienten mit deutlich gestörter Lernfähigkeit nicht in der Lage sind, ein gestecktes Lernkriterium in einem vertretbaren Zeitraum zu erreichen.

In unserer Abteilung liegen Erfahrungen mit der Testung längerfristiger Behaltensleistungen (nach 48 h) von Textinformationen, Gesichtern und Gesichter-Namen-Paarassoziationen vor (vgl. 13.2.4). Sie besagen, daß die Zahl der Patienten nach Schlaganfall oder schwerem SHT, die nach normalen kurzfristigen Behaltensleistungen schnell vergessen, gering ist (knapp 10%). In all diesen Fällen war die Vergessenrate zudem nur leicht erhöht.

Eine Patientengruppe, bei der unseren ersten Erfahrungen zufolge deutliche Diskrepanzen zwischen kurz- und längerfristigem Behalten auftreten können, sind Patienten mit Schlafapnoesyndrom (Guilleminault 1984). Bei ihnen scheint es vor allem zu einem Informationsverlust während der Nacht zu kommen. Es stellt sich die Frage, ob auch andere Patientengruppen mit Störungen der Schlafstruktur ähnliche Auffälligkeiten zeigen.

Altgedächtnis

Bei vielen Patienten mit klinisch auffälligen Gedächtnisstörungen läßt sich neben einer anterograden Amnesie, d. h. der beeinträchtigten Fähigkeit, neue Informationen zu erlernen und zu behalten, auch eine retrograde Amnesie diagnostizieren. Unter einer „retrograden Amnesie" versteht man den Erinnerungsverlust für Informationen, die vor Eintritt der Schädigung aufgenommen wurden. Im allgemeinen sind die Gedächtnisinhalte um so stär-

ker beeinträchtigt, je kürzer ihr zeitlicher Abstand zum Eintritt der Schädigung ist. Das heißt, es sind vor allem die Gedächtniseindrücke aus der Zeit unmittelbar vor dem kritischen Ereignis betroffen, während ältere Informationen besser erinnert werden können. Dabei lassen sich Unterschiede hinsichtlich dieses „Zeitgradienten" zwischen verschiedenen ätiologischen Gruppen feststellen (vgl. Squire u. Cohen 1982). Der von der Störung betroffene Zeitbereich kann sich im Verlauf auch verändern. Man unterscheidet daher in der Literatur zwischen einer nur „temporären" und der letztlich zurückbleibenden „permanenten" retrograden Amnesie. Letztere betrifft beim SHT oft nur die Ereignisse während der Sekunden und Minuten vor dem Trauma.

Die Veränderungen der retrograden Amnesie vollziehen sich im wesentlichen während der Phase der „posttraumatischen Amnesie". Hierunter versteht man den Zeitbereich nach einem Trauma, für den kein kontinuierliches Gedächtnis besteht (vgl. Schacter u. Crovitz 1977). Die exakte Bestimmung der retrograden Amnesie nach einem SHT kann im Rahmen gutachterlicher Stellungnahmen erforderlich sein. Die Dauer der posttraumatischen Amnesie wird als prognostischer Indikator diskutiert (Teasdale u. Brooks 1985).

Im Rahmen der Rehabilitation sind retrograde Amnesien vor allem dann von Bedeutung, wenn das Gedächtnis für Monate und Jahre zurückliegende Ereignisse betroffen ist. Im englischen Sprachraum sind eine Reihe von Verfahren zur standardisierten Erfassung solcher Störungen des „Altgedächtnisses" entwickelt worden (vgl. hierzu Butters u. Albert 1982; Squire u. Cohen 1982). Geprüft werden dabei die Erinnerungsleistungen für Informationen aus verschiedenen zurückliegenden Zeitabschnitten (z. B. Dekaden). Die Fragen beziehen sich auf bekannte Fernsehsendungen, bedeutende Ereignisse, die Jahresberichten der Presse entnommen sind oder auf die Namen von Personen (deren Bilder vorgelegt werden), die im jeweiligen Zeitabschnitt besondere Berühmtheit erlangt haben. Der zuletzt angesprochene sog. „famous faces test" erfreut sich besonderer Beliebtheit. Er liegt in verschiedenen englischen Versionen vor.

Kritisch ist zu diesem Untersuchungsverfahren anzumerken, daß wir über die Bedingungen, unter denen die abgefragten Informationen erlernt wurden, wenig wissen (Wurden sie überhaupt erlernt? Wurden die Informationen aus verschiedenen Dekaden nur in dem jeweils kritischen Zeitbereich aufgenommen und wurden sie gleichermaßen intensiv gelernt?).

Da jedoch ein Bedarf an solchen Verfahren besteht, wenn für eine schnelle Beurteilung schwerer Altgedächtnisstörungen keine detaillierten Angaben über die Lebensumstände des Patienten vorliegen, haben wir die Brauchbarkeit eines von uns entwickelten deutschen Famous-faces-Tests (vgl. 13.2.4) in der klinischen Einzelfalldiagnostik erprobt. Er liefert Hinweise auf das Ausmaß und den Zeitgradienten der Störung. Ein weiteres Anwendungsfeld ist die Objektivierung von Abrufproblemen für Namen, wie wir sie in besonders ausgeprägter Form bei Patienten mit linksseitigen proximalen Posteriorinfarkten beobachten (vgl. von Cramon et al. 1987).

Semantisches und episodisches Gedächtnis

Bei der Beurteilung des Altgedächtnisses sollte eine auf Tulving (1972) zurückgehende Unterscheidung zwischen dem episodischen und dem semantischen Gedächtnis Berücksichtigung finden. Beim episodischen Gedächtnis handelt es sich um autobiographische Informationen, d.h. persönliche Erlebnisse und ihre räumlich-zeitlichen Zusammenhänge. Warrington (1986) spricht in diesem Zusammenhang von einem „memory for events". Das semantische Gedächtnis bezeichnet unser Wissen, das losgelöst von biographischen Bezügen repräsentiert ist. In der Literatur findet man hierfür auch Ausdrücke wie „memory for facts" (Warrington, 1986). Unabhängig von der Frage, ob es sich hier um zwei funktional unterscheidbare Gedächtnissysteme handelt, wie dies z.B. Warrington (1986) annimmt, scheinen die Begriffe „semantisch" und „episodisch" Endpunkte eines Kontinuums zu sein. Wissen wird in einem situativen Kontext

erworben, der später jedoch nicht mehr bewußt erinnert wird. Die Bedeutung episodischer Gedächtnisanteile für die Aktualisierung von Wissen ist Gegenstand gegenwärtiger Forschung.

Störungen des semantischen Gedächtnisses. Im Rahmen der neuropsychologischen Rehabilitation ist es vor allem wichtig, Beeinträchtigungen des gedächtnismäßig repräsentierten Wissens – also des semantischen Gedächtnisses – zu erfassen. Die Bedeutung eines deutlichen Wissensverlusts ist offensichtlich. Dabei ist auch zu berücksichtigen, daß das semantische Gedächtnis sowohl für den Erwerb neuen Wissens von Bedeutung ist als auch eine Grundlage für das Problemlösen darstellt (vgl. Kap. 14). Selbst leichtere Störungen schulischen oder berufsspezifischen Wissens können die Rehabilitation deutlich erschweren. Gerade diese leichten Beeinträchtigungen, wie sie etwa nach einem SHT vorkommen können, werden in der Klinik oftmals übersehen und erst bei der Rückkehr an den Arbeitsplatz bemerkt. Sie führen dort zu Behinderungen der Arbeitsabläufe durch die Notwendigkeit von Nachfragen bzw. Suchen nach Informationen.

Im Rahmen der Diagnostik kann eine schlechte Leistung im Subtest „Allgemeines Wissen" des Hamburg-Wechsler-Intelligenztests für Erwachsene (HAWIE, Wechsler 1982) einen ersten Hinweis auf eine Störung des semantischen Gedächtnisses liefern. Mit Hilfe der Fragen des Differentiellen Wissenstests (DWT, Fürntratt 1969) kann der Kenntnisstand in 11 verschiedenen Wissensgebieten (darunter Politik, Geldwesen, Biologie, Sport) weiter geprüft werden. Darüber hinaus sollte aber vor allem anhand individueller Informationen der Frage eines Wissensverlusts nachgegangen werden. Bei Schülern und Studenten kann das Schul- bzw. Studienwissen anhand von Ausbildungsunterlagen geprüft werden. Bei Berufstätigen müssen die berufsspezifischen Kenntnisse untersucht werden. Dabei sollte, wenn nötig, die Hilfe von Berufskollegen des Patienten in Anspruch genommen werden. Hieraus wird auch deutlich, daß die genaue Beurteilung von Störungen des semantischen Gedächtnisses zeitlich aufwendig ist. Im Rahmen einer Eingangsdiagnostik kann daher im allgemeinen nur eine orientierende Untersuchung vorgenommen werden. Wenn sich dabei Hinweise auf eine Störung ergeben, sollte das Ausmaß der Beeinträchtigung in jedem Fall genauer abgeklärt werden. Da die Patienten mit Altgedächtnisstörungen fast immer auch eine anterograde Amnesie haben, und sich deshalb meist eine Therapie anschließt, kann die Diagnostik dann therapiebegleitend fortgeführt werden.

Störungen des biographischen Gedächtnisses. Das biographische Gedächtnis der Patienten wird im Rahmen eines klinischen Interviews untersucht. Aus zeitökonomischen Gründen ist dabei wichtig, das Gespräch sinnvoll zu strukturieren. In unserer Abteilung hat sich folgendes Vorgehen bewährt: Da in der Regel davon ausgegangen werden kann, daß der Zeitbereich unmittelbar vor Eintritt der Schädigung am deutlichsten betroffen ist, werden zunächst die der Krankheit oder dem Unfall direkt vorangehenden Ereignisse erfragt. Sofern sie klar erinnert werden, wird die Untersuchung nach kurzer stichpunktartiger Prüfung vorangehender Lebensphasen beendet. Liegt dagegen ein Gedächtnisproblem vor, so versuchen wir zunächst den gestörten Zeitbereich grob abzuschätzen. Anschließend wird der Schweregrad der Störung für verschiedene Zeitabschnitte abgeklärt. Dabei wird geprüft, ob die wesentlichen biographischen Ereignisse erinnert werden, wie genau sie erinnert werden, ob ihre zeitliche Abfolge stimmt und ob die genaue zeitlich-kalendarische Einordnung gelingt. Die Themen, anhand derer sich Störungen des biographischen Gedächtnisses prüfen lassen, ergeben sich aus den individuellen Lebensläufen. Die Übergänge vom episodischen zum semantischen Gedächtnis sind dabei fließend (vgl. hierzu Bahrick u. Karis 1982).

Bei Verdacht auf Störungen des biographischen Gedächtnisses müssen Vergleichsinformationen von engen Bezugspersonen eingeholt werden. Die Anwesenheit eines Angehöri-

gen kann die Untersuchung erheblich vereinfachen.

Bei Patienten ohne genau erkennbaren Krankheitsbeginn, z. B. beim Verdacht auf eine degenerative Hirnerkrankung, gehen wir bei der Untersuchung von der aktuellen Situation aus und versuchen, den Lebensweg zurückzuverfolgen. Bei der Beurteilung gestörter Erinnerungsleistungen ist besonders in diesen Fällen die Frage zu stellen, inwieweit sie Folge einer evtl. schon über einen längeren Zeitraum bestehenden Beeinträchtigung der Informationsaufnahme sind.

Prospektives Gedächtnis

Die Gedächtnisdiagnostik sollte nicht auf die Untersuchung von Erinnerungen an Vergangenes („retrospektives Gedächtnis") beschränkt sein, sondern auch das auf die Zukunft bezogene Gedächtnis miteinbeziehen. Solche sog. „prospektiven Gedächtnisleistungen", wie das Erinnern wichtiger Termine und Vereinbarungen, haben im Alltagsleben eine große Bedeutung, und viele der Klagen unserer Patienten beziehen sich hierauf. Die Gedächtnispsychologie hat sich diesem Problemkreis bislang jedoch leider relativ wenig gewidmet (vgl. Baddeley u. Wilkins 1984; Harris 1984b).

Auch die standardisierte klinische Testung prospektiver Gedächtnisleistungen steckt noch in ihren Anfängen. Informationen zu diesem Leistungsbereich erhält man vor allem durch Befragung des Patienten und seiner Bezugsperson. Bei diesem Interview kann z. T. auf Items verschiedener Fragebögen (vgl. Herrmann 1982, 1984) zurückgegriffen werden. Erfaßt werden sollten dabei auch die situativen Bedingungen, unter denen Probleme auftreten. Darüber hinaus kann eine direkte Testung prospektiver Gedächtnisleistungen vorgenommen werden. Der Rivermead-Behavioural-Memory-Test (Wilson et al. 1985) enthält einige Aufgaben hierzu, die jedoch keinen hohen Schwierigkeitsgrad haben (vgl. 13.2.3).

Bei leichteren Störungen untersuchen wir auch das Erinnern von Abmachungen, die sich auf verschiedene Zeitpunkte folgender Untersuchungstermine beziehen (bestimmte Informationen zu Beginn des nächsten Untersuchungstermins abliefern; bei der Prüfung bestimmter Leistungen an etwas erinnern; am Ende des nächsten Untersuchungstermins an eine Terminabsprache erinnern u. a.).

Alltagsanforderungen

Um die im Alltag auftretenden Gedächtnisprobleme eines Patienten zu verstehen bzw. mögliche Konsequenzen geplanter Veränderungen der Lebenssituation abschätzen zu können, ist eine Erfassung vorhandener oder zu erwartender Alltagsanforderungen erforderlich. Zusammen mit dem Patienten und evtl. anderen über die Lebenssituation orientierten Personen wird dazu eine genaue Analyse beruflicher bzw. häuslicher Abläufe vorgenommen. Dabei gilt es folgende Fragen zu klären:

- Wo werden Anforderungen an das Altgedächtnis gestellt, wo müssen neue Informationen aufgenommen werden, und wo sind prospektive Gedächtnisleistungen gefordert?
- Welcher Art sind die zu bewältigenden Informationen und wie umfangreich sind sie?
- Wie sehen die situativen Bedingungen aus, unter denen die Lern- und Gedächtnisleistungen zu erbringen sind? Zu achten ist dabei auf:
  - zeitkritische Bedingungen,
  - Situationen, die eine Teilung der Aufmerksamkeit erfordern,
  - störende externe Reize (Ablenkung, Interferenz),
  - Möglichkeiten für situative Veränderungen und den Einsatz externer Gedächtnishilfen.

13.2.3 Gebräuchliche Lern- und Gedächtnistests

Von den im deutschsprachigen Raum für die Diagnostik zur Verfügung stehenden objektiven Leistungstests sollen zunächst zwei Gedächtnistestbatterien und anschließend Verfahren, die Einzelaspekte messen, vorgestellt werden.

Der international wohl am weitesten verbreitete klinische Gedächtnistest ist die von Wechsler 1945 erstmals vorgestellte *Wechsler-Memory-Scale* (vgl. Lezak 1983). Sie liegt auch in einer deutschsprachigen Version vor (Böcher 1963).

Die Testserie besteht aus 7 Untertests, von denen die beiden ersten Fragen zur Orientierung enthalten. Der dritte Untertest („mental control") besteht aus 3 Aufgaben: Rückwärtszählen, Aufsagen des Alphabets sowie kontinuierliches Addieren von Zahlen. Subtest 4 („logical memory") prüft die freie Reproduktion von Textinformationen (2 Geschichten mit je 23 Informationseinheiten). In Subtest 5 wird das aus dem HAWIE bekannte Nachsprechen von Zahlenreihen (vorwärts und rückwärts) untersucht. Untertest 6 testet die Reproduktion geometrischer Muster. Im Subtest 7 schließlich wird das Lernen von Wort-Paarassoziationen überprüft.
Für den Test liegen Daten von 200 Personen im Alter von 18–85 Jahren vor (Böcher 1963).
Die Kritik an diesem Verfahren richtet sich zunächst einmal gegen die Berechnung eines Gesamtscores. Die Problematik dieses Summenscores wird z.B. deutlich, wenn man sich vergegenwärtigt, daß beim amnestischen Syndrom das Nachsprechen von Zahlensequenzen grundsätzlich keine Probleme bereitet. Die Tests sollten also in jedem Fall einzeln interpretiert werden. Interessant erscheinen dabei der verbale Lerntest sowie Subtest 4 (Reproduktion von Textinformationen). Subtest 5 kann Hinweise auf die Gedächtnisspanne liefern. Die Zusammenfassung der Leistungen für das Zahlennachsprechen vorwärts und rückwärts ist für die Beurteilung allerdings störend, da das Nachsprechen rückwärts eine recht komplexe Leistung mit noch anderen Komponenten darstellt. Leider fehlt bei dieser Batterie die Prüfung längerfristiger Behaltensleistungen. Auch eine deutsche Parallelform wäre wünschenswert. Für eine eingehende Kritik der englischsprachigen Form vgl. z.B. Erickson u. Scott (1977) oder Lezak (1983). Erfahrungen mit dieser Version, die der deutschen weitgehend entspricht, deuten an, daß sie v.a. Gedächtnisstörungen bei bilateralen, diffusen und linkshemisphärischen Läsionen mißt.

Der *Lern- und Gedächtnistest (LGT-3)* von Bäumler (1974) ist ein aus 6 Subtests bestehender Papier-und-Bleistift-Test. Er prüft die Fähigkeit, neue verbale und figurale Informationen rasch aufzunehmen und über einen Zeitraum von ca. 10–15 min zu behalten.

Gelernt und erinnert werden sollen eine Wegskizze, türkische Vokabeln, gezeichnete Gegenstände, Telephonnummern, eine Baubeschreibung sowie Zuordnungen von figuralen Mustern. Der Test gliedert sich in eine Lernphase, während der die Informationen aller 6 Untertests aufgenommen (erlernt) werden, und eine sich anschließende Testphase, während der die Informationen frei reproduziert bzw. wiedererkannt werden sollen. Die Gesamttestung folgt dabei einem festen Zeitplan. Es werden T-Werte für die 6 Subtests, die Gesamtgedächtnisleistung sowie das „Figural"- und das „Verbalgedächtnis" berechnet.

Beim LGT-3 handelt es sich um eine gut ausgearbeitete Testbatterie. Der Test liegt in 2 Parallelformen vor mit Normen für die Population der Gymnasiasten ab 16 Jahren, Abiturienten, Studenten und Jungakademiker bis 35 Jahren. Hervorzuheben ist auch der hohe Alltagsbezug des Verfahrens. Es gibt jedoch Gründe, die seine Anwendbarkeit im Rahmen der klinischen Diagnostik einschränken. Der wichtigste ist der hohe Schwierigkeitsgrad. Ferner werden die Informationen ausschließlich visuell dargeboten. Sie erfordern eine intakte visuelle Wahrnehmung und eine schnelle Leseleistung. Das Nachzeichnen eines Weges (Subtest 1) stellt weiterhin Anforderungen an die Handmotorik. Auch das Einhalten einer engen Zeitstruktur bei der Testung von Patienten ist häufig schwierig. Schließlich erlaubt der Test in seiner standardisierten Form keine Differenzierung zwischen Problemen beim Erfassen/Lernen und dem Behalten von Informationen. Trotz der genannten Einschränkungen kann der LGT-3 eine wertvolle Hilfe bei der Beurteilung im oberen Leistungsbereich sein.

Neben den beiden beschriebenen Testbatterien stehen im deutschsprachigen Raum eine Reihe von Verfahren zur Verfügung, die jeweils einen oder wenige unterschiedliche Aspekte des Gedächtnisses prüfen. Auf sie soll hier nur kurz eingegangen werden.

Der Subtest „Zahlennachsprechen" des HAWIE (Wechsler 1982) entspricht im wesentlichen Untertest 5 der oben dargestellten Wechsler-Memory-Scale.

Der Wilde-Intelligenztest (Jäger u. Althoff 1983) enthält zwei Gedächtnistests. Einer prüft das Behalten von Zahlenfolgen, die unmittelbar nach mündlicher Darbietung niederzuschreiben sind. Der zweite Subtest ist aufgrund seiner Alltagsnähe interessant. Es werden biographische Angaben zu zwei Personen jeweils 3 min lang gelernt. Das Gedächtnismaterial besteht sowohl aus verbalen Informationen (Namen, Adressen, Telephonnummern etc.) als auch aus Porträtaufnahmen wichtiger Bezugspersonen. Nach Zwischenschaltung anderer Tests sollen in einer dreiteiligen Prüfphase nach ca. 1 h Einzelheiten der Lebensläufe und Photos wiedererkannt bzw. frei reproduziert werden.

Die Ergebnisse dieses Subtests werden bei der Auswertung leider in einem Testwert zusammengefaßt.

Der Test erfordert wie der LGT-3 eine schnelle Leseleistung, und auch bei ihm ist eine getrennte Beurteilung der Lern- und Behaltensleistung nicht möglich.

Beim Subtest „Merkaufgaben" des Intelligenz-Struktur-Tests (I-S-T) von Amthauer (1955) wird die Lern- und Behaltensleistung für Wörter untersucht. Innerhalb von 3 min sollen 20 Wörter, die nach Kategorien geordnet sind (Blumen, Werkzeuge, Vögel, Kunstwerke, Tiere) gelernt werden. In einer neuen Version des Tests (I-S-T 70, Amthauer 1973) sind es Wörter der Kategorien Sportarten, Nahrungsmittel, Städte, Berufe und Bauwerke. Die Testphase schließt sich unmittelbar an die Lernphase an. Dabei wird der Anfangsbuchstabe jedes Reizes vorgegeben, und das entsprechende Wort soll der Kategorie zugeordnet werden, in der es gelernt wurde. Bäumler (1974) weist darauf hin, daß das Resultat aufgrund der Aufgabenstellung, die den Probanden oft irreführe, am ehesten als „inzidentielle", d.h. beiläufige Behaltensleistung bezeichnet werden kann.

Neben diesen Aufgaben aus Intelligenztests gibt es einige Verfahren (vorwiegend Einzeltests), die vor allem Lern- und Behaltensleistungen für visuelle Informationen prüfen. Die Verfahren entstanden teilweise im Rahmen der alten Tradition, das Vorliegen von Hirnschäden mit Hilfe psychologischer Tests nachzuweisen (Benton 1981; Weidlich u. Lamberti 1980).

Das wohl bekannteste der angesprochenen Testverfahren ist der Benton-Test (Benton 1981), mit dem das kurzfristige Behalten für einfache und komplexe geometrische Muster untersucht wird. Er kann als Zeichenform (Reproduktion) mit 10 Reizvorlagen oder als Wahlform (Wiedererkennen aus 4 Reizmustern einer Multiple-choice Vorlage) durchgeführt werden. In die Leistung bei der Zeichenform geht dabei auch die visuomotorische Koordination ein. Für beide Testformen stehen Parallelserien zur Verfügung. Ferner existieren verschiedene Testinstruktionen. Die Standardinstruktion sieht eine Darbietung jeder Reizvorlage für 10 s vor und eine sich jeweils unmittelbar anschließende Prüfung der Erinnerungsleistung.

Der „Recurring-figures-Test" von Kimura (1963) untersucht das Lernen figuraler Informationen. Er liegt auch in einer deutschen Bearbeitung von Hartje und Rixecker (1978) vor. Bei diesem Test werden dem Probanden zunächst 20 teilweise schwer verbalisierbare Testfiguren der Reihe nach dargeboten. Anschließend werden 8 dieser Items zusammen mit jeweils 12 neuen Figuren in 7 Blöcken wiederholt dargeboten. Geprüft wird das Wiedererkennen der bekannten Vorlagen.

Das „Diagnosticum für Cerebralschädigung" (DCS;

Weidlich 1972; Lamberti 1978; Weidlich u. Lamberti 1980) ist ein weiterer Test, der das Lernen visueller Informationen prüft. Dazu werden dem Probanden 9 einfache (jeweils aus 5 Strichen bestehende) Reizmuster nacheinander vorgelegt. Anschließend soll die gesamte Reizserie in der richtigen Reihenfolge mit Hilfe von Stäbchen nachgelegt, d. h. also frei reproduziert werden. Bei Auftreten von Fehlern wird die Darbietung maximal 6mal wiederholt.

Der *TME („Tempoleistung und Merkfähigkeit Erwachsener")* von Roether (1984) enthält je einen Test zur Prüfung der Lern- und Behaltensleistung visueller und auditiver Informationen.

Das visuelle Testmaterial besteht aus 30 Kärtchen mit farbigen Abbildungen einfacher Gegenstände. Sie werden sukzessiv in Abständen von 2 s vorgelegt. Unmittelbar nach Reizdarbietung sollen die noch erinnerbaren Gegenstände (ohne Beachtung der Reihenfolge) benannt werden. Das gleiche Vorgehen wird anschließend noch ein zweites Mal wiederholt.

Das akustisch dargebotene Testmaterial besteht aus 20 zweisilbigen konkreten Begriffen, die vorgelesen werden. Das Vorgehen bei der Testung entspricht dem oben beschriebenen Ablauf. Die Reproduktionsmenge im ersten und zweiten Durchgang wird jeweils gesondert ausgewertet. Ferner wird ein Wert für die Gesamtleistung ermittelt.

Abschließend soll noch auf einen neuen englischen Test eingegangen werden, der gegenwärtig viel Beachtung findet, der *„Rivermead Behavioural Memory Test" (RBMT)* von Wilson et al. (1985). Die im englischen Sprachraum ansonsten gebräuchlichen Tests sind an mehreren Stellen beschrieben und diskutiert worden (vgl. v.a. Erickson u. Scott 1977; Lezak 1983; Levin 1986), so daß hier auf eine erneute Darstellung verzichtet wird.

Der RBMT wurde entwickelt, um Gedächtnisstörungen im täglichen Leben aufzudecken und Veränderungen im Rahmen einer Therapie zu erfassen. Es wurde angestrebt, Testbedingungen analog zu solchen Alltagssituationen zu realisieren, die amnestischen Patienten Schwierigkeiten bereiten. Bei Vorliegen von Gedächtnisproblemen werden in der Untersuchung eine Reihe standardisierter Hilfen gewährt. Die im Test untersuchten Leistungen sind:

1. Behalten eines neuen Namens: Dazu wird dem Patienten anhand eines Photos eine Person mit Vor- und Zunamen vorgestellt. Gegen Ende der Untersuchung sollen bei Vorlage des Bildes Vor- und Nachname der Person erinnert werden.
2. Erinnern eines versteckten Objektes: Ein Gegenstand aus dem Besitz des Patienten (Stundenplan, Taschentuch etc.) wird versteckt. Der Patient soll ihn bei Untersuchungsende zurückfordern und sich an das Versteck erinnern.

3. Erinnern einer Vereinbarung: Der Patient bekommt den Auftrag, beim Ertönen eines akustischen Signals (20 min später) eine bestimmte Frage zu stellen.
4. Wiedererkennen von Bildern: Strichzeichnungen von 10 bekannten Objekten werden für je 5 s nacheinander dargeboten. Nach einer zwischengeschalteten Aufgabe (vgl. 5.) sollen sie aus 20 Vorlagen wiedererkannt werden.
5. Reproduktion von Textinformationen: Eine kurze, aus 21 Informationseinheiten bestehende Geschichte, soll nach einmaliger akustischer Darbietung frei reproduziert werden. Im späteren Untersuchungsverlauf wird die Wiedergabe nochmals getestet.
6. Gesichter wiedererkennen: Dem Patienten werden nacheinander 5 Gesichter auf Photokarten für je 5 s gezeigt. Die Gesichter sollen nach einem gefüllten Intervall aus 10 Vorlagen wiedererkannt werden.
7. Erinnern eines kurzen Weges: Im Untersuchungsraum soll eine aus 5 Abschnitten bestehende Wegstrecke nachgegangen werden. Später in der Untersuchung wird die Erinnerung neu geprüft.
8. Erinnern an das Überbringen einer Nachricht: Dazu wird registriert, ob ein Briefumschlag, der bei Aufgabe 7 einen Teil des Weges mitgeführt wird, beachtet und am richtigen Platz abgelegt wird. Eine Nachtestung erfolgt im späteren Untersuchungsverlauf.
9. Zehn Fragen zur Orientierung.

Es wird für jede Leistung ein Screening-Wert (0/1) und ein Profil-Wert (differenziertere Beurteilung) vergeben. Anschließend werden diese Werte jeweils aufsummiert.

Der Test liegt in 4 parallelen Versionen vor. Für die Screening-Summenwerte gibt es vorläufige grobe Normwerte, die an einer Gruppe von 90 Personen mit Hirnschädigung und 80 gesunden Personen erhoben wurden.

Hervorzuheben ist die Alltagsnähe der meisten Subtests mit Berücksichtigung einer Reihe prospektiver Gedächtnisleistungen (Aufgaben 2, 3, 8). Der Test dürfte aufgrund seines geringen Schwierigkeitsgrades im untersten Leistungsbereich differenzieren. Hier kann er zu Verlaufsuntersuchungen herangezogen werden. Zur Beurteilung leichterer Störungen wird er dagegen sicher wenig beitragen.

13.2.4 Eigene Tests und Ablauf der Diagnostik

Testverfahren

Aufgrund des Fehlens befriedigender klinischer Gedächtnistests - v. a. ökologisch valider Verfahren und hier besonders auch solcher,

Tabelle 13.1. Übersicht der verwendeten Tests

	Gedächtnismaterial		
	Verbal	Verbal/visuell	Visuell
Unmittelbares/ kurzfristiges Behalten	Zahlenspanne Wortliste Geschichte		Blockspanne Gesichter
Lernfähigkeit	Wort-Paar-assoziationslernen	Gesichter-Namen-Paarassoziationslernen	Objekt-Paarassoziationslernen
Längerfristiges Behalten	Geschichte	Gesichter-Namen-Paarassoziationslernen	Gesichter
Altgedächtnis		Famous-faces-Test	

die eine Differenzierung zwischen Problemen beim Erfassen/Lernen und dem längerfristigen Behalten zulassen – entwickelten wir eine eigene Testbatterie. Sie besteht aus Tests zur Untersuchung des kurz- und längerfristigen Behaltens neuer Informationen, der Lernfähigkeit sowie des Altgedächtnisses. Weitere allgemeine Merkmale der Batterie sind:

- Die Verfahren prüfen vor allem Leistungen mit engem Alltagsbezug (Behalten von gehörten Textinformationen, Lernen und Behalten von Gesichter-Namen-Paarassoziationen, Wiedererkennen von Gesichtern) bzw. Voraussetzungen für das Behalten komplexer Informationen (Gedächtnisspannen).
- Das Testmaterial besteht sowohl aus verbalen als auch aus visuellen Informationen.
- Die Einzeltests stellen keine hohen Anforderungen an motorische Fähigkeiten (kein Nachzeichnen etc.) und sind somit auch bei Patienten mit motorischen Behinderungen durchführbar.
- Sofern visuelle Reize verwendet werden, sind keine engen Zeitbegrenzungen festgelegt, um auch Patienten mit visuellen Wahrnehmungsstörungen die Reizaufnahme zu ermöglichen. Eine Ausnahme bildet die Blockspanne, ein Test, bei dem die zeitliche Struktur der Informationsdarbietung wichtig ist.
- Die Testergebnisse sind im Rahmen traditioneller Modelle der Informationsverarbeitung interpretierbar und liefern Hinweise

zum Einprägungs-/Lernvorgang, zum Behalten und zum Abruf von Informationen.

Zwölf der Tests, die sich bewährt haben, sind in Tabelle 13.1 zusammengefaßt. Sie sollen hier nun kurz beschrieben werden.

Zahlenspanne: Nach einmaliger Darbietung einer Sequenz von Ziffern (im Sekundentakt) sollen die Items in gleicher Reihenfolge reproduziert (nachgesprochen) werden. Die Länge der Sequenz wird bei richtiger Wiedergabe fortlaufend um eine Ziffer verlängert. Der Test ist beendet, wenn eine Folge bestimmter Länge 3mal (jeweils mit neuen Items) nicht korrekt reproduziert werden kann. Als Zahlenspanne gilt die Ziffernzahl der längsten noch richtig reproduzierten Sequenz.

Blockspanne: Das Testmaterial besteht aus einer schwarzen Holzplatte, auf der 9 Holzwürfel in verteilter Anordnung befestigt sind (eine detaillierte Beschreibung der Testanordnung befindet sich bei Lezak 1983). Der Untersucher tippt eine Anzahl von Blöcken in festgelegter Reihenfolge im Sekundentakt an. Die Sequenz soll unmittelbar anschließend korrekt reproduziert werden. Das weitere Vorgehen sowie das Abbruchkriterium entsprechen dem bei der Bestimmung der Zahlenspanne. Als Blockspanne gilt entsprechend der Blockanzahl der letzten noch korrekt reproduzierten Folge.

Wortliste: Zehn Nomina mit hoher Konkretheit und Bildhaftigkeit (Rating-Werte über 6.0 nach Baschek et al. 1977) sollen nach einmaliger akustischer Darbietung in beliebiger Folge frei reproduziert werden. Als Testergebnis gilt die Anzahl richtig erinnerter Wörter.

Textinformationen: Ein Handlungstext mit 56 Informationseinheiten (und damit deutlich länger als die in der Wechsler-Memory-Scale und dem Rivermead Memory Test benutzten Texte) soll nach einmaliger akustischer Darbietung „so genau wie möglich" wiedergegeben werden (freie Reproduktion). Als quantitatives Testergebnis gilt die Anzahl richtig reproduzierter Informationseinheiten. Zur Überprüfung des längerfristigen Behaltens wird die Reproduktionsleistung nach 48 h erneut geprüft.

Gesichter: Das Testmaterial besteht aus 10 Porträtaufnahmen unbekannter Personen. Unmittelbar nach einmaliger Darbietung wird das Wiedererkennen geprüft (1 aus 4, bei Verwendung ähnlicher Vergleichsreize). Ermittelt wird die Anzahl richtig erinnerter Gesichter. Anschließend wird der Patient auf die bevorstehende Prüfung des längerfristigen Behaltens hingewiesen und es werden alle 10 Photos nochmals gezeigt. Nach 48 h wird jedes der 10 Gesichter zusammen mit 3 ähnlichen Vergleichsreizen dargeboten. Ermittelt wird die Anzahl richtig wiedererkannter Gesichter.

Wort-Paarassoziationslernen: Als Material dienen 16 Nomina hoher Bildhaftigkeit und Konkretheit (Rating-Werte über 6.0 nach Baschek et al. 1977). Sie bilden 8 „distante" Wortpaare (d.h. mit sehr geringer Wahrscheinlichkeit, spontan miteinander assoziiert zu werden). Das Lernen erfolgt nach der Lern-Prüf-Methode (vgl. Bredenkamp u. Wippich 1977). Sämtliche Paare werden in der Lernphase im Abstand von 3 s vorgelesen. Im anschließenden Prüfdurchgang werden die Stimuluswörter in veränderter Folge dargeboten, und der Patient hat die Aufgabe, das jeweils zugehörige Wort zu nennen. Die Untersuchung ist beendet, wenn in einem Durchgang alle Responsewörter korrekt reproduziert werden bzw. nach 4 Durchgängen. Als quantitatives Ergebnis gilt die Anzahl richtiger Antworten pro Durchgang.

Gesichter-Namen-Paarassoziationslernen: Das Lernen erfolgt wiederum nach der Lern-Prüf-Methode. In der Lernphase werden nacheinander 8 Porträtaufnahmen unbekannter Personen (4 Frauen und 4 Männer jeweils unterschiedlichen Alters), unter denen jeweils der Name der Person steht, ohne Zeitbegrenzung dargeboten. Der Untersucher liest die Namen zusätzlich vor. Zur Prüfung werden die Photos ohne Namen vorgelegt. Die Untersuchung ist beendet, wenn in einem Durchgang alle Personen richtig benannt werden können bzw. nach 4 Durchgängen. Quantitatives Ergebnis ist die Zahl der pro Durchgang richtig benannten Personen. Zur Prüfung des längerfristigen Behaltens wird nach 48 h erneut die Anzahl der Namen ermittelt, die richtig genannt und zugeordnet werden können.

Objekt-Paarassoziationslernen: Das Testmaterial besteht aus Farbphotos von 16 Objekten. Untersucht wird nach der Lern-Prüf-Methode. Die 8 Bildpaare werden dabei ohne Zeitbegrenzung dargeboten. In der Prüfphase muß das Response-Item aus den jeweils restlichen 15 Photos herausgesucht werden. Ansonsten entspricht das Vorgehen dem bei den beiden anderen Paarassoziationstests.

Famous-faces-Test: Das Material dieses Tests besteht aus 100 Photos berühmter Personen, die ihre größte Popularität in einer von 5 Dekaden (1936–1986) erlangten. Dabei entfallen jeweils 20 Bilder auf eine Dekade. Es handelt sich um aus den Medien bekannte, typische Photos von Politikern, Schauspielern, Sportlern und anderen Persönlichkeiten des öffentlichen Lebens aus dem jeweiligen Zeitbereich. Die Personen sollen bei Vorlage des Bilds benannt werden. Gelingt dies nicht, so werden nacheinander verschiedene Abrufhilfen gewährt (Beruf, Nationalität, Anfangsbuchstabe des Nachnamens, Vorname). Ermittelt wird die Anzahl der spontan und der mit Abrufhilfen richtig benannten Personen pro Dekade.

Die beschriebenen Tests liegen mit Ausnahme des Famous-faces-Tests jeweils in zwei parallelen Formen vor. Für eine der Parallelformen wurden Grobnormen ermittelt, die auf den Daten von 120 stationär behandelten orthopädischen Patienten und 20 Bewohnern eines Altenheims im Alter von 16 bis 88 Jahren basieren.

Ablauf der Diagnostik

Der Ablauf der Diagnostik, wie er sich bei neu aufgenommenen Patienten in unserer Abteilung ergibt, ist in Abb. 13.1 schematisch dargestellt.

Es ist nicht nötig und sinnvoll, bei jedem Patienten alle beschriebenen Untersuchungsteile durchzuführen. Dies wäre unökonomisch und hätte negative Auswirkungen auf die Motivation der Patienten ohne Gedächtnisstörungen, die eine Beschäftigung mit der für sie im Vordergrund stehenden Störung erwarten. Anstelle eines starren Untersuchungsablaufs wird daher ein dem Leistungsbild des Patienten angepaßtes sequentielles Vorgehen gewählt. Dabei schwankt der Zeitbedarf für die Basisdiagnostik in der Regel zwischen 40 min (verteilt auf 2 Untersuchungstermine im Abstand von 48 h) bei unauffälligen Patienten und 3 Untersuchungsstunden von je 50 min bei beeinträchtigten Patienten. Bei Vorliegen von Störungen wird die Analyse des Defizits im Rahmen der Therapie fortgesetzt.

Vor Untersuchungsbeginn versucht der Untersucher anhand bereits vorhandener Informationen (Ätiologie, CT-Befund, Verhalten) erste

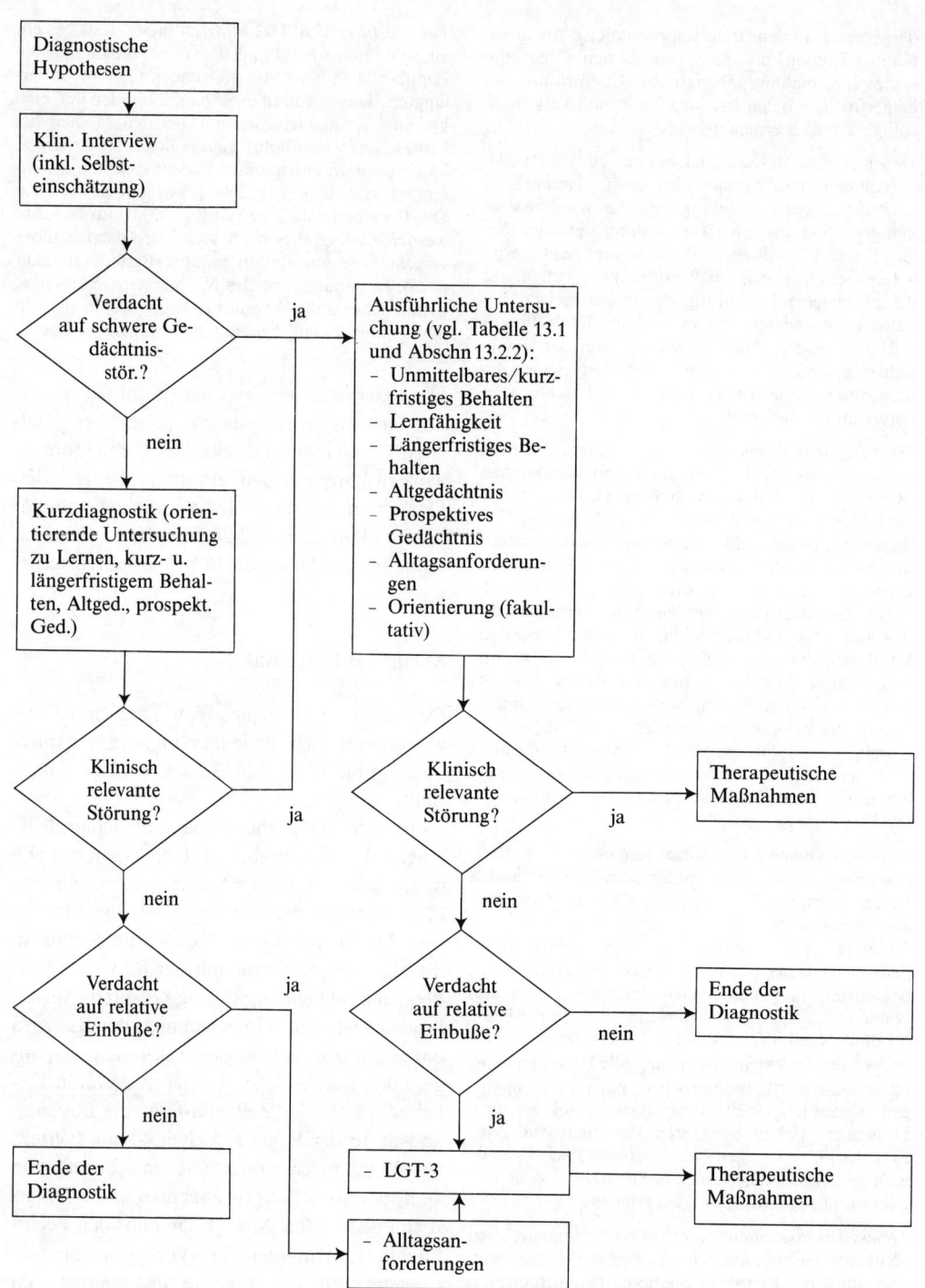

Abb. 13.1. Schema für den Ablauf der Diagnostik

diagnostische Hypothesen zu formulieren. So kann bei Patienten mit linksseitigen proximalen Posteriorinfarkten beispielsweise mit Beeinträchtigungen verbaler Lern- und Gedächtnisleistungen gerechnet werden, und es stellt sich die Frage nach Abrufproblemen für Eigennamen (von Cramon et al. 1988). Die ätiologische Information „schweres gedecktes SHT" läßt hingegen – sieht man von der zu erwartenden retrograden und posttraumatischen Amnesie ab – keine sicheren Vorhersagen zu. Hier kommt Zusatzinformationen (medizinischer Zustand direkt nach dem Trauma, Lokalisation von Kontusionsherden, bereits bekannte assoziierte Hirnleistungsstörungen) besondere Bedeutung zu.

Bei Verdacht auf Störungen des Altgedächtnisses versucht der Untersucher, die für eine Testung benötigten persönlichen Informationen von engen Bezugspersonen einzuholen.

Die Untersuchung beginnt immer mit einem klinischen Interview. Der Patient wird dabei mit dem Untersuchungsgegenstand vertraut gemacht und zu seinen Lern- und Gedächtnisleistungen im Alltag befragt. Ergeben sich dabei keine wesentlichen Hinweise auf Beeinträchtigungen und legen auch die Vorinformationen keine Gedächtnisstörungen nahe, so werden stichpunktartig das biographische und das semantische Gedächtnis geprüft. Bei Patienten nach SHT wird die Dauer der retrograden Amnesie bestimmt.

Sofern der Patient hinsichtlich seiner Fähigkeit, neue Informationen aufzunehmen, im Interview unauffällig erscheint, wird mittels objektiver Tests das kurzfristige Behalten von Textinformationen geprüft sowie das Lernen von Gesichter-Namen- und Wort-Paarassoziationen. Zeigen sich hierbei keine Beeinträchtigungen, so ist der erste Untersuchungsabschnitt beendet. In diesem Fall folgt nach 48 h die Testung des längerfristigen Behaltens von Textinformationen und Gesichter-Namen-Paarassoziationen sowie die orientierende Prüfung prospektiver Erinnerungsleistungen. Sofern dabei normale Werte erzielt werden, ist die Basisuntersuchung der Lern- und Gedächtnisleistungen abgeschlossen.

Bei Gymnasiasten (ab 16 Jahren) und Jung-

akademikern kann sich zur Frage einer relativen Leistungseinbuße die Durchführung des LGT-3 (Bäumler 1974) anschließen. Bei Verdacht auf relative Einbuße erfolgt darüber hinaus eine genaue Analyse der Alltagsanforderungen.

Besteht aufgrund der Vorinformationen oder des Interviews ein Verdacht auf Gedächtnisstörungen, so wird ein umfangreicheres Untersuchungsprogramm durchgeführt. Es umfaßt alle beschriebenen Tests zum kurz- und längerfristigen Behalten sowie zur Lernfähigkeit. Die Untersuchung des Altgedächtnisses wird nach Bedarf ausgedehnt. Der Famous-faces-Test wird nur dann durchgeführt, wenn sich Hinweise auf deutliche, sich über mindestens 5 Jahre erstreckende Störungen ergeben bzw. wenn es darum geht, ein spezifisches Abrufproblem für Namen zu objektivieren. Zum Untersuchungsprogramm zählen auch die Prüfung des prospektiven Erinnerns sowie von Alltagsanforderungen und -leistungen. Sofern sich Hinweise auf Beeinträchtigungen beim Lernen neuer Wege ergeben, wird dies auf einer „Teststrecke" im Haus geprüft.

Bei Verdacht auf diffus-disseminierte Hirnschädigungen wird ferner das Behalten komplexer figuraler Muster mit Varianten des Benton-Tests (Benton 1981) bzw. des Verfahrens von Barbizet und Cany (vgl. Lezak 1983) untersucht.

Entsteht bei schweren Gedächtnisstörungen im Interview der Verdacht auf Beeinträchtigungen basaler Orientierungsleistungen, so wird die Orientierung formal getestet. Diese Untersuchung wird wöchentlich wiederholt, solange Störungen vorliegen.

Die Diagnostik in den übrigen Bereichen wird nach Abschluß der Therapie bzw. vor der Entlassung des Patienten unter Verwendung von Paralleltests wiederholt.

13.3 Therapie bei Lern- und Gedächtnisstörungen

13.3.1 Indikation, Ziele und Organisation

Nach Beendigung der Eingangsdiagnostik ist zu klären, ob ein Patient „therapiebedürftig" ist und wenn ja, ob er auch „therapiefähig" ist. Ferner ist der Zeitpunkt des Therapiebeginns in Abstimmung mit Therapien in anderen Bereichen festzulegen, und es sollte ein vorläufiges Therapieziel expliziert werden. Schließlich muß die Therapie selbst organisiert werden.

Therapiebedürftig ist ein Patient nach unserer Ansicht zunächst einmal, wenn er selbst über Gedächtnisprobleme klagt. Diese subjektiven Klagen finden zumeist ihr Korrelat in den durchgeführten objektiven Tests. Dies ist jedoch nicht immer der Fall, so z.B. bei leichten relativen Leistungseinbußen bzw. bei Gedächtnisproblemen als Folge erhöhter interner Ablenkung im Rahmen depressiver Verstimmungen.

Eine Therapie ist ferner indiziert, wenn aufgrund objektiver Tests bzw. Fremdbeurteilungen Schwierigkeiten im privaten oder beruflichen Alltag zu erwarten sind bzw. wenn bereits Probleme aufgetreten sind. Bestehen Unsicherheiten hinsichtlich der Wertigkeit unterdurchschnittlicher Leistungen in Einzeltests, so werden bei uns systematische Verhaltensbeobachtungen in solchen Klinik- bzw. (soweit bei Patienten einer Tagesklinik möglich) Alltagssituationen durchgeführt, in denen am ehesten Probleme erwartet werden.

Nicht jeder Patient, der gemäß der genannten Kriterien therapiebedürftig erscheint, wird auch behandelt. *Voraussetzung für eine Therapie* ist zunächst einmal die Bereitschaft des Patienten (und in bestimmten Fällen seiner Angehörigen) zur Teilnahme. In diesem Zusammenhang ist es interessant, daß Patienten mit unrealistischer Überschätzung ihrer Leistungen meist bereit sind, ein Therapieangebot zu akzeptieren, obwohl ihre Motivation gering ist.

Die Teilnahme an der Therapie erfordert die Fähigkeit zur sprachlichen Kommunikation (v.a. beim Vermitteln von Strategien und beim Prüfen der Leistungen). Aus diesem Grund sind deutliche aphasische Symptome, besonders Störungen des Sprachverständnisses, ein Ausschlußkriterium für eine Therapie.

Darüber hinaus muß sichergestellt sein, daß die in einigen Trainingsprogrammen an die visuelle Wahrnehmung bzw. Leseleistung gestellten Anforderungen erfüllt werden.

Was kann von einer Gedächtnistherapie generell erwartet werden und somit realistisches *Ziel einer Intervention* sein?

Allgemeines Ziel ist eine Verbesserung der Bewältigung von Gedächtnisanforderungen im Alltag. Das Erreichen dieses Ziels ist prinzipiell auf verschiedene Weise denkbar. So kann z.B. durch ein Training eine allgemeine Verbesserung von Gedächtnisfunktionen angestrebt werden, wobei man versucht, sich dem prämorbiden Leistungsniveau so weit wie möglich zu nähern. Ferner ist eine Verbesserung einzelner alltagsrelevanter Leistungen durch den Einsatz spezifischer Strategien denkbar, ohne daß es dabei notwendigerweise zu einer generellen Verbesserung von Gedächtnisprozessen kommt. Schließlich kann auch durch den Einsatz sog. externer Gedächtnishilfen (wie Terminkalender oder Einkaufsliste) oder durch eine Veränderung der Umwelt eine Reduktion von Gedächtnisproblemen im Alltag erreicht werden.

Die Patienten selbst und ihre Angehörigen denken zunächst an eine Wiederherstellung der früheren Gedächtniskapazität. Eine in diese Richtung verlaufende allgemeine Normalisierung von Gedächtnisfunktionen finden wir in der Anfangsphase nach einer Hirnschädigung, z.B. nach einem SHT. Ziel der Therapie in dieser Phase kann es sein, den Prozeß der spontanen Rückbildung durch ein Training zu unterstützen und zu beschleunigen.

Im Verlauf verlangsamt sich der Prozeß einer allgemeinen Normalisierung und es wird - je nach Grunderkrankung - ein Muster von weitgehend stabilen Reststörungen erkennbar. In dieser Phase geht es darum, das noch vorhandene Restdefizit zu kompensieren bzw. einen möglichst reibungslosen Umgang mit der Störung zu erreichen. Durch Einsatz spezifischer Strategien wird versucht, die Gedächtnisleistungen in relevanten Alltagssituationen zu steigern, ohne daß es notwendigerweise zu einer allgemeinen Verbesserung von Gedächtnisleistungen kommt. Der Patient soll auch lernen, seine Defizite realistisch wahrzunehmen und seine Leistungsansprüche sowie sein Alltagsverhalten den veränderten Voraussetzungen anzupassen.

Bei den schwersten Störungen, wie dem amnestischen Syndrom oder Zuständen nach schweren diffusen Hirnschädigungen erfolgt die Therapie im wesentlichen in Zusammenarbeit mit den Angehörigen. Durch ihren gezielten Einsatz sowie die Nutzung technischer Hilfsmittel und Veränderungen der Umwelt kann hier versucht werden, ein Leben im gewohnten häuslichen Umfeld zu ermöglichen.

Bei der Planung der Therapie stellt sich die Frage, ob sie in Form einer Einzelbetreuung oder in Gruppen durchgeführt werden soll. Für *Therapiegruppen* sprechen nicht nur ökonomische Gesichtspunkte (vgl. auch Schlösser 1983; Wilson u. Moffat 1984c). Die gedächtnisgestörten Patienten können durch Interaktion mit Personen, die ähnliche Schwierigkeiten haben, profitieren (vgl. auch Kap.6). Teilweise fällt es ihnen durch solche Kontakte leichter, ihre Defizite zu akzeptieren. Ferner können die Patienten am Modell anderer Gruppenmitglieder lernen. Dieser Gesichtspunkt scheint besonders wichtig, wenn es darum geht, die gelernten Strategien auch konsequent einzusetzen.

Im Rahmen einer Gruppentherapie ist es dagegen nicht immer möglich, das Programm auf die besonderen Anforderungen jedes einzelnen Patienten zuzuschneiden. Vor allem schwerste Störungen von Lern- und Gedächtnisleistungen mit Beeinträchtigungen der Orientierung erfordern eine Einzelbetreuung. Ferner sind für die therapiebegleitende Diagnostik sowie die Therapie von Störungen des Altgedächtnisses sowie spezifischer Alltagsleistungen Einzeltermine vorzusehen, wobei enge Bezugspersonen teilweise mit einbezogen werden. In unserer Abteilung besteht die Therapie daher in der Regel in einer Kombination von Gruppentraining und Einzelbetreuung. In den Gruppen werden allgemeine Techniken vermittelt und geübt, die begleitende Einzeltherapie konzentriert sich auf die individuellen Probleme des Patienten.

13.3.2 Methoden zur Förderung von Gedächtnisleistungen

Wir wissen, daß es Normalpersonen möglich ist, ihre Gedächtnisleistungen in bestimmten Bereichen durch Anwendung verschiedener Strategien zu verbessern. Es liegt daher nahe, mit Hilfe solcher oder abgewandelter (auf die speziellen Bedürfnisse zugeschnittener) Techniken die erhaltenen Kapazitäten gedächtnisgestörter Patienten optimal zu nutzen.

Die sich anbietenden Verfahren bzw. ihre Anwendung bei Patienten sind an mehreren Stellen dargestellt worden (vgl. Zielke 1975, 1980; Bellezza 1981; Powell 1981; Metzig u. Schuster 1982; Harris 1984a, b; Miller 1984; Moffat 1984; Wilson u. Moffat 1984b; O'Connor u. Cermak 1987). Es sollen daher im folgenden nur einige erläuternde und bewertende Anmerkungen gemacht werden.

In Anlehnung an Harris (1984b) lassen sich folgende grobe Kategorien vorhandener Methoden zur Gedächtnistherapie unterscheiden: wiederholtes Üben, „interne Strategien", „externe Hilfen" sowie die medikamentöse Behandlung. Auf pharmakologische Therapieversuche wird in diesem Kapitel nicht eingegangen (vgl. hierzu Cooper 1984).

Wiederholtes Üben

Das wiederholte Üben von Gedächtnisleistungen mit Hilfe von Spielen und einfachen Testaufgaben gehört zu den im klinischen Alltag üblichen Therapiemethoden (Harris u. Sunderland 1981). Die Möglichkeit, auf diese Weise eine allgemeine Verbesserung des Gedächtnisses zu bewirken, wird jedoch heute sehr skeptisch beurteilt (vgl. Powell 1981; Harris 1984a; Schacter u. Glisky 1986). Die Vorstellung, das Gedächtnis sei „wie ein Muskel" trainierbar, wie z.B. der Ausdruck „Gehirn-

Jogging" (Fischer u. Lehrl 1983) suggeriert, scheint zu optimistisch. Am ehesten lassen sich solche Übungseffekte nach unseren Erfahrungen in sehr frühen Stadien nach einer Hirnschädigung beobachten, wo sie jedoch schwer von spontanen Veränderungen abgrenzbar sind. Dabei könnte man spekulieren, ob ein möglicher Effekt einer solchen Therapie vor allem durch ein gleichzeitiges (unspezifisches) Training von Aufmerksamkeitsleistungen (vgl. Kap. 10) bedingt ist.

Liegt einmal ein spezifisches Restdefizit vor, so ist nach dem gegenwärtigen Stand der Forschung und auch unseren eigenen Erfahrungen keine substantielle allgemeine Verbesserung von Gedächtnisfunktionen durch bloßes Üben (wiederholtes Ausführen einer Aufgabe) zu erwarten.

„Interne" Gedächtnishilfen

Harris (1984a) unterscheidet auf seiten der sog. internen Gedächtnishilfen zwischen solchen, die zum natürlichen Repertoire Erwachsener gehören und somit nicht im eigentlichen Sinne als „Hilfen" zu bezeichnen sind, sowie künstlichen mnemotechnischen Verfahren. Bevor der Einsatz solcher künstlicher Strategien erwogen wird, sollte immer eine Stärkung natürlicher Verarbeitungsstrategien, wie das Anknüpfen an vorhandenes Wissen, versucht werden.

Die klinische Gedächtnisforschung hat sich vor allem mit den sog. mnemotechnischen Verfahren beschäftigt. Die überwiegende Zahl von Therapieansätzen basiert dabei auf der Anwendung bildhafter Vorstellungen. Solche Techniken werden beim Lernen von Gesichter-Namen-Assoziationen oder von größeren Mengen isolierter Einzelinformationen benutzt (vgl. S. 238–240). Bei den komplizierteren dieser mnemotechnischen Verfahren, wie der sog. Locitechnik oder der Kennworttechnik (vgl. z. B. Metzig u. Schuster 1982) muß zunächst ein Ordnungsschema erlernt werden, das dann später beim Lernen genutzt werden kann. Diese Techniken sind aufwendig und haben sich bei uns nur in wenigen Einzelfällen bewährt.

Neben den bildhaften Gedächtnistechniken sind auch eine Reihe verbaler Strategien bei gedächtnisgestörten Patienten erprobt worden. Hierzu zählen die semantische Organisation isolierter verbaler Informationen, die verbale Verknüpfung von Einzelinformationen, Techniken zum Erarbeiten von Textinformationen sowie der Gebrauch von Anfangsbuchstaben als Abrufhilfe (vgl. S. 238–241).

In älteren Theorien sind Amnesien als Folge von Störungen der Informationsaufnahme (Enkodierung), der Speicherung (Konsolidierung) oder des Abrufs von Informationen („retrieval") betrachtet worden. In den vergangenen Jahren sind jedoch die Interaktionen zwischen diesen Prozessen der Informationsverarbeitung deutlich geworden (vgl. Salmon u. Butters 1987). Diese Zusammenhänge sind beim Training zu berücksichtigen: In der Lernsituation sollte der Patient die für den Abruf benötigten Hilfen (wie Kontextinformationen und Anfangsbuchstaben von Namen) bewußt mitlernen.

Es stellt sich die Frage, welche der internen Strategien für den jeweiligen Patienten am besten geeignet sind (vgl. hierzu auch Wilson 1984). Bei unserer Arbeit hat sich ein pragmatisches Vorgehen bewährt, bei dem der Patient zunächst alle in Frage kommenden Strategien kennenlernt. Zusammen mit dem Therapeuten werden dann die am erfolgversprechendsten ausgewählt und systematisch geübt.

Von entscheidender Bedeutung beim Training solcher Gedächtnishilfen ist die Frage, ob sie im Alltag auch eingesetzt werden. Um dies zu erreichen, sollte zunächst einmal der Alltagsbezug für den Patienten klar sein. Zur Förderung des Transfers sollten die Techniken darüber hinaus im Training in möglichst vielen unterschiedlichen Situationen innerhalb und soweit möglich auch außerhalb der Klinik praktiziert werden.

Abschließend sei auf Einschränkungen der Anwendbarkeit interner Gedächtnishilfen hingewiesen. Diese Techniken bieten durch die tiefe und elaborierte Verarbeitung einerseits gute Voraussetzungen für das erfolgreiche Erinnern. Sie erfordern jedoch andererseits ein besonderes Maß an Verarbeitungskapazität bzw. Anstrengung. Unter besonders zeitkritischen Bedingungen erweisen sie sich daher teilweise als nicht praktikabel. Dies gilt besonders für Patienten mit reduzierter Geschwindigkeit der Informationsverarbeitung. Zu berücksichtigen ist in diesem Zusammenhang auch eine Hypothese, der zufolge Verarbeitungsprozesse, die beim Gesunden weitgehend automatisch ablaufen (wie das Enkodieren von Kontextinformationen), bei amnestischen Patienten Anstrengung erfordern (Hirst 1982). In der Praxis können Kapazitätsprobleme zumindest teilweise durch hohes Überlernen („Einschleifen") der Methoden gemindert werden.

Externe Gedächtnishilfen

Fast alle Menschen versuchen ihre Gedächtnisleistungen im Alltag durch Einsatz externer Gedächtnishilfen wie Terminkalender oder Einkaufslisten zu stützen. Patienten mit Gedächtnisstörungen sind auf solche Hilfen in besonderem Maße angewiesen. Für jeden Problembereich des Alltags sollte daher eine optimale Kombination von internen und externen Hilfen gesucht werden. Dabei nimmt die relative Bedeutung der externen Hilfen mit ansteigendem Schweregrad der Störung zu.
Eine Diskussion solcher Methoden findet sich in der Arbeit von Harris (1984a).

13.3.3 Therapeutisches Vorgehen

Unsere therapeutische Arbeit gliedert sich sowohl inhaltlich als auch vom zeitlichen Ablauf her in 3 Abschnitte:

1. Sofern globale Störungen der Orientierung vorliegen, wird in einer ersten Phase ein Orientierungstraining durchgeführt. Hierbei geht es vor allem darum, dem Patienten Klarheit zu seiner Person und zur Situation, in der er sich befindet, zu verschaffen. Dies ist eine Voraussetzung für die weitere therapeutische Arbeit. Die Therapie in dieser Phase besteht in einer intensiven Einzelbetreuung.
2. In der zweiten Phase werden Strategien zur Verbesserung von Gedächtnisleistungen vermittelt. Der Schwerpunkt liegt hier in einer intensiven Gruppentherapie (4–8 h pro Woche) bei der der Gebrauch interner Gedächtnishilfen zur Förderung der Aufnahme und des Abrufs relevanter Alltagsinformationen (gelesene und gehörte Texte und Einzelinformationen, z. B. Namen) trainiert wird. Darüber hinaus wird auch der Einsatz externer Hilfen zur Förderung von Erinnerungsleistungen geübt.
In einer die Gruppenarbeit begleitenden Einzeltherapie erfolgt die individuelle Anpassung der in der Gruppe vermittelten Strategien, das Training prospektiver Gedächtnisleistungen sowie die therapiebegleitende Diagnostik. Der Zeitaufwand hierfür beträgt in der Regel 1 h pro Woche. Sofern relevante Störungen des Altgedächtnisses vorliegen, sind für deren Therapie weitere Einzeltermine vorzusehen.
Die Dauer dieses zweiten Therapieabschnittes beträgt je nach Ausmaß der Störung ca. 2–12 Wochen.
3. Sobald Klarheit über den neuen Lebensrahmen des Patienten besteht und erste Erfahrungen mit den privaten und beruflichen Alltagsanforderungen vorliegen, beginnt die wichtige 3. Therapiephase. Sie besteht in der fachtherapeutischen Begleitung des Patienten bei der privaten und beruflichen Reintegration. Schwerpunkte der Arbeit sind einmal die exakte Analyse der individuellen Arbeits- und Lebensabläufe und der dabei auftretenden Gedächtnisprobleme unter Verwendung von Checklisten (tägliche Beurteilung, welche der in einer Liste aufgeführten Probleme auftraten) und Gedächtnistagebüchern (Notieren aller auftretenden Schwierigkeiten). Darüber hinaus wird die optimale Anpassung verfügbarer interner und externer Hilfen angestrebt. Die Dauer dieser Phase beträgt im allgemeinen mehrere Monate. Die Therapie erfordert eine Einzelbetreuung von 1–4 h pro Monat. Die Patienten erhalten darüber hinaus die Möglichkeit zum Erfahrungsaustausch mit anderen Patienten (zu dieser Gruppenarbeit vgl. Kap. 6).

In den folgenden Abschnitten soll unser praktisches Vorgehen bei der Therapie verschiedener Gedächtnisaspekte beschrieben werden.

Orientierung

Liegen globale Orientierungsstörungen vor, wie dies z. B. häufig in der Anfangsphase nach schwerem SHT der Fall ist, so führen wir vor Beginn einer spezifischen Gedächtnistherapie ein allgemeines Orientierungtraining durch. Dem Patienten werden zunächst die ihm nicht verfügbaren *Basisinformationen* zu seiner Person, zur Situation sowie zum örtlich-geographischen und zeitlich-kalendarischen Standort verbal vermittelt. Dies geschieht zu Beginn anhand des zur Diagnostik herangezogenen Fragebogens (v. Cramon u. Säring 1982) und wird im Verlauf erweitert durch Informationen über den allgemeinen Tagesablauf auf der Station, anstehende Untersuchungen und Therapien sowie Namen und Funktionen des Personals. Die Weitergabe der Informationen erfolgt in Gesprächsform (kein Abfragen oder Vorlesen). Die noch fehlenden Informationen werden dem Patienten in regelmäßigen Abständen erneut wieder angeboten. Dabei versuchen wir das Zeitintervall – soweit aus ökonomischen Gründen möglich – so zu wählen, daß der Patient bei Vorgabe von Abrufhilfen Reste der Informationen noch erinnern kann.

Der Patient wird ferner systematisch mit seiner *Umgebung* vertraut gemacht. Auf unserer Station umfaßt das:

- eigenes Zimmer (Bett, Nachtkästchen mit Inhalt, Kleiderschrank mit Inhalt, Waschbecken und Waschutensilien, Toilette, Dusche, Mitpatient),
- Station (Gang, Stützpunkt, Arztzimmer, Aufenthaltsraum mit Fernseher und Eßplatz des Patienten, andere Patientenzimmer),
- Klinikbereich außerhalb der Station (Fahrstühle, Erd- und Untergeschoß mit Läden, öffentlichem Telephon, Briefkasten, Diagnostik- und Therapiebereichen, Ausgang etc.)
- nähere Klinikumgebung.

Das Training erfolgt „schalenförmig" in der angegebenen Reihenfolge, wobei ein neuer Bereich erarbeitet wird, wenn die Orientierung im vorhergehenden weitgehend gelingt. Im Training wird der Patient stimuliert, seine Umwelt aktiv zu explorieren, markante Wegpunkte („Landmarken") zu identifizieren und diese bei der Orientierung zu nutzen.

Ein wichtiges Therapieziel stellt der eigenständige *Gebrauch externer Hilfen* dar. Im Patientenzimmer befinden sich daher:

- ein Umsteck-Kalender, der jeden Morgen aktualisiert wird,
- eine Wanduhr,
- eine Pinnwand mit Angaben zum Aufenthaltsort, einem Wochenplan (mit den wesentlichen Terminen) sowie einem Speiseplan;
- am Bett (in bzw. auf dem Nachtkästchen) befinden sich relevante biographische Informationen v. a. in Form von Photos und Angaben zur Krankengeschichte.

Die Patienten bekommen ferner einen übersichtlichen Taschenkalender ausgehändigt, in welchem die Termine vom Übersichtsplan mit Hilfe des Personals übertragen werden. Dies geschieht zunächst tageweise (jeweils am Morgen) und später für die gesamte Woche.

Am Orientierungtraining ist das gesamte Stationspersonal beteiligt. Es erscheint uns jedoch wichtig, daß der orientierungsgestörte Patient darüber hinaus eine *feste Bezugsperson* hat, von der er vorwiegend betreut wird. Mit ihr sollte er mindestens 2mal täglich längeren Kontakt haben.

Wichtiger Bestandteil dieser Kontakte sind ein Rückblick auf vorangegangene Ereignisse und die Vorausschau auf bevorstehende Aktivitäten zur Steigerung der Kontinuität des Erlebens. Dabei wird der Taschenkalender als Hilfe herangezogen. Der angesprochene Zeitbereich wird im Verlauf länger und die besprochenen Inhalte werden detaillierter.

Das Orientierungtraining geht kontinuierlich in ein spezifisches Gedächtnistraining über.

Weitere Anregungen zum Orientierungtraining finden sich bei Moffat (1984) sowie Wilson u. Moffat (1984c). Sie diskutieren Trainingsansätze bei geriatrischen Patienten.

Selbsteinschätzung

Patienten mit unrealistischer Selbstüberschätzung ihrer Lern- und Gedächtnisleistungen und solche mit unsicherer Selbsteinschätzung erhalten eine systematische Rückmeldung über ihre Leistungen in der Therapie sowie im Klinikalltag. Unter diesen Bedingungen lassen sich zumindest bei einem Teil der Patienten mit leichteren Störungen Verbesserungen beobachten.

Unterschätzungen der eigenen Lern- und Gedächtnisleistungen finden sich wie oben bereits erwähnt v. a. im Rahmen depressiver Verstimmungen. Unsere Therapie besteht in diesem Fall in der Aufklärung des Patienten über den Effekt interner Ablenkung auf verschiedene Lern- und Gedächtnisleistungen im Alltag. Anschließend wird der Patient aufgefordert, über einen Zeitraum von 14 Tagen alle sich in seinem Alltag ergebenden Gedächtnisprobleme zu notieren. Schließlich nimmt er an einem der schwierigeren Trainingskurse (vgl. S. 238–241) teil. Das typische Ergebnis einer solchen Therapie ist, daß der Patient, der den kritischen Gedächtnisleistungen im Alltag jetzt mehr Beachtung schenkt, sich bereits im Verlauf der ersten Woche beim Therapeuten meldet und über einen deutlichen Rückgang der Gedächtnisprobleme berichtet.

Kapazität des Kurzzeitgedächtnisses

Liegt eine verminderte Kapazität des Kurzzeitgedächtnisses im Rahmen einer globalen Reduktion kognitiver Funktionen in der *Akutphase* nach Krankheitsbeginn vor, so kann in der Regel mit einer Verbesserung gerechnet werden. In diesem Fall versuchen wir, für den Patienten Reizbedingungen zu realisieren, bei denen er gezwungen ist, mehrere Informationen im Überblick zu behalten. Der Patient soll sich dabei im Grenzbereich seiner Leistungsmöglichkeiten bewegen. Dies kann mit Hilfe einer Reihe von Spielen erreicht werden, wie verschiedenen Varianten des „Memory", „Senso", Nachbauen von Schachpositionen, Kartenspielen (bei denen es wichtig ist, sich zu merken, welche Karten ausgespielt wurden), schnelles Verstecken oder Vorzeigen von Gegenständen, Aufbau und Wiederholung von Wortreihen etc. Auf die Strategien des Patienten wird in dieser Phase nicht eingegangen. Die Therapie kann nach Anleitung weitgehend vom Patienten selbst bzw. zusammen mit anderen Patienten durchgeführt werden.

Liegt eine reduzierte Kapazität des Kurzzeitgedächtnisses im Rahmen eines *stabilen Defektzustandes* (z. B. nach hypoxischer Hirnschädigung) oder einer primär-degenerativen Hirnerkrankung vor, so besteht unser Vorgehen zunächst in einer Aufklärung und Beratung des Patienten und seiner Bezugsperson(en). Dabei wird auf die für den Patienten kritischen Alltagssituationen eingegangen (solche mit hoher Informationsdichte, solche, die eine Teilung der Aufmerksamkeit erfordern, sowie Situationen mit vielen Störreizen). Bei einer sich anschließenden Analyse des privaten bzw. beruflichen Alltags werden kritische Situationen identifiziert und Möglichkeiten diskutiert, ihnen zu entgehen oder sie zu ändern. Ergeben sich dabei eine oder wenige unausweichliche Anforderungssituationen, in denen Schwierigkeiten auftreten, so kann sich eine spezifische Therapie anschließen. Dabei kommen vor allem Methoden zur Organisation bzw. Reduktion von Informationen in Betracht. Bereitet z. B. das Erfassen von Gesprächsinhalten in einer Gruppensituation Probleme (Weitergabe von Informationen beim Schichtwechsel etc.), so kann die gezielte Informationsaufnahme unter Verwendung einer gut strukturierten Vorlage (z. B. Checkliste) hilfreich sein.

Lernen von Einzelinformationen

In diesem und dem folgenden Abschnitt werden die Schwerpunkte unserer therapeutischen Arbeit dargestellt. Es handelt sich um Kursprogramme, in denen wir versucht haben, die Arbeit in 2 Problembereichen zu systematisieren. In den Kursen werden Strategien vermittelt, mit deren Hilfe relevante Alltagsleistungen verbessert werden sollen. Das erste Trainingsprogramm ist ausgerichtet auf Störungen des Lernens von Einzelinformationen, das zweite auf Störungen der Behaltensleistungen. Jedes der beiden Programme besteht aus 2 Kursen mit unterschiedlichem Schwierigkeitsgrad. Für jedes Programm gibt es eine Parallelform. Die Dauer jedes Kurses beträgt 8 Stunden, die innerhalb von 2 Wochen durchgeführt werden. An einem Kursprogramm nehmen 3–5 Patienten teil.

Gesichter-Namen-Assoziationen

Im Zentrum des Lernprogramms stehen assoziative Lernprozesse. Hierzu werden verschiedene Materialien herangezogen und unterschiedliche Lerntechniken vermittelt. Einen Trainingsbereich bildet dabei das *Lernen von Gesichter-Namen-Assoziationen,* das einen Teil jeder Kursstunde ausmacht. Die von den Patienten dafür zu erlernenden Strategien sind in Tabelle 13.2 zusammengefaßt. Der Aufbau dieses Bereichs soll hier beispielhaft für die Struktur unserer Kursprogramme genauer dargestellt werden:

Tabelle 13.2. „Interne" Strategien beim Lernen von Gesichter-Namen-Assoziationen

Beschäftigung mit dem Gesicht
- Affektive Bewertung und Beurteilung nach Persönlichkeitsmerkmalen
- Typenmäßige Einordnung und Vergleich mit bekannten Gesichtern
- Beschreibung und Suche nach charakteristischen Merkmalen

Beschäftigung mit dem Namen
- Affektive Bewertung
- Suche nach bekannten Personen mit gleichen oder ähnlichen Namen
- Suche nach Bedeutung im Namen
- Mitlernen von Anfangsbuchstaben sowie Form- und Klangmerkmalen zur Abrufhilfe und systematische Gedächtnissuche

Verknüpfung von Gesichtern und Namen
- Affektive Bewertung der Gesichter-Namen-Kombinationen (paßt der Name zur Person?)
- Verbale Verknüpfung relevanter Merkmale von Gesichtern und Namen
- Verknüpfung relevanter Merkmale mit Hilfe bildhafter Vorstellungen

Zunächst werden die Bedeutung der trainierten Leistungen im täglichen Leben und die beim Lernen erforderlichen Teilleistungen angesprochen (Diskrimination und Behalten von Gesichtern, Behalten der Namen, Lernen und Behalten der speziellen Verknüpfung). Alle Erklärungen sind kurz gehalten. Sie dienen lediglich dazu, den Patienten den Rahmen des Trainings zu verdeutlichen.

Anschließend berichten die Kursteilnehmer über ihre Alltagserfahrungen.

Zum Üben der Strategien wird in jeder Sitzung eine festgelegte Zahl von Paarassoziationen gelernt. Das Training beginnt mit einfachen Bedingungen. Auf der Bildseite sind dies Abbildungen von Personen in einem bestimmten Kontext (z. B. Bedienung am Bankschalter), Aufnahmen von Personen (Gesamt- und Porträtaufnahmen), die auffällige Merkmale aufweisen, typmäßig gut einzuordnen sind oder Ähnlichkeiten mit berühmten Persönlichkeiten haben. Die Personen unterscheiden sich deutlich voneinander. Bei den leichten Namen handelt es sich um bekannte Nachnamen, Vornamen als Nachnamen („Bernd", „Friedrich" etc.) sowie Namen mit besonderer Bedeutung bzw. solchen, die eine bestimmte visuelle Vorstellung nahelegen (z. B. „Schwinghammer"). Ferner werden Namen benutzt, die zu einer Person „passen" oder „gar nicht passen". Das Lernen erfolgt ohne Zeitbegrenzung.

Im Verlauf der Kurse werden die Namen schwieriger (Namen ohne besondere Bedeutung), die Gesichter lassen sich weniger leicht charakterisieren („Normalgesichter") und unterscheiden sich weniger deutlich voneinander. Beim Lernen und Abruf werden verschiedene Bilder der gleichen Person gezeigt (andere Perspektive, andere Kleidung, anderer Kontext). Es gibt Zeitbegrenzungen, und schließlich wird unter Bedingungen geteilter Aufmerksamkeit gearbeitet.

Während des gesamten Kurses wird die Notwendigkeit einer aktiven Auseinandersetzung mit den Reizen besonders deutlich hervorgehoben. Die Patienten sollen mit den Informationen „spielen". Hierdurch soll die Aufmerksamkeit auf die relevanten Reize gerichtet werden und eine „tiefe" Verarbeitung erfolgen. Dies wird durch ein gezieltes Training unterstützt, das den eigentlichen Lernübungen jeweils vorangestellt ist. Dabei werden die wesentlichen Merkmale von Gesichtern extrahiert, Personen werden nach Persönlichkeitsmerkmalen beurteilt und typisiert. Ferner werden Paare bzw. Gruppen von zueinander passenden und nicht zueinander passenden Personen gebildet. Schließlich werden visuelle Vostellungsbilder zu Einzelpersonen entwickelt, in denen das typische Merkmal der Person besonders hervorgehoben wird. Namen werden auf Ähnlichkeit mit denen von persönlichen oder allgemein bekannten Personen geprüft. Beim Einprägen werden die Patienten (v. a. solche mit Abrufproblemen) dazu angehalten, dem ersten Buchstaben oder der ersten Silbe besondere Aufmerksamkeit zu schenken. Es wird nach Bedeutung in den Namen gesucht. Wenn eine solche nicht erkennbar ist, wird ihnen durch Abwandlung Bedeutung verliehen. Ferner werden die Namen beurteilt („Möchten sie so heißen?"), als zueinander passend oder nicht passend klassifiziert, und es werden bildhafte Vorstellungen zu Namen (ihrer Bedeutung) entwickelt.

Die assoziative Verknüpfung zwischen Gesichtern und Namen andererseits wird durch verbale Verbindungen und bildhafte Verknüpfung der relevanten Merkmale trainiert.

Den Patienten wird die Interaktion zwischen Lernen und Erinnern verdeutlicht. Sie lernen, den internen Suchvorgang systematisch durch Nutzung der beim Einprägen berücksichtigten Strategien zu strukturieren. Ein besonderer Akzent liegt beim Namenlernen auf dem eigenständigen Gebrauch des Anfangsbuchstaben als Abrufhilfe (internes Durchgehen des Alphabets).

Im Rollenspiel werden akzeptable Strategien erprobt, die Aufnahme von Namen in sozialen Situationen zu fördern (Nachfragen, Gespräch über Namen, Ansprechen mit Namen etc.). Der Gebrauch externer Hilfen wird trainiert (Aufschreiben zum nächstmöglichen Zeitpunkt und Einprägen durch systematisches Wiederholen). Die im Training benutzten Materialien sind

bei der Einführung von Strategien so ausgewählt, daß sie die spontane Anwendung einer bestimmten Strategie begünstigen. Eine Dame in Tenniskleidung mit dem Namen „Becker" legt z. B. die Anknüpfung an bereits bekannte Informationen („Boris Becker") nahe. Der Einsatz der Strategie wird vom Therapeuten verstärkt und anschließend weiter ausgebaut.

Das Training in den Therapiestunden wird durch Aufgaben zum selbständigen Üben in der therapiefreien Zeit unterstützt. Ferner werden mit den Patienten individuelle Ziele definiert, die dem Leistungsniveau des Patienten angepaßt sind („Namen, die ich mir schon immer merken wollte", Namen der Teilnehmer in einer bevorstehenden sozialen Situation einprägen etc.). Die Ergebnisse sowie sich ergebende Fragen werden in der Gruppe und evtl. darüber hinaus in der Einzeltherapie besprochen.

Assoziatives Lernen mit anderen bildhaften und verbalen Informationen

Das allgemeine Vorgehen erfolgt dabei analog dem oben beschriebenen. Dieser Kursteil soll daher nur grob skizziert werden. Der allgemeine Ablauf umfaßt:

1. allgemeines Therapieziel mit Alltagsbezug klären,
2. Vermitteln von Strategien, die eine tiefe elaborative Enkodierung von Einzelinformationen und der assoziativen Verknüpfung ermöglichen und die den Abrufprozeß fördern,
3. Training mit sehr unterschiedlichen Materialien und in unterschiedlichen Situationen,
4. Anleitung zu Übungen in Alltagssituation, dazu Definition individueller Ziele,
5. Einbeziehung externer Hilfen und andere Strategien zur Förderung der Lern- und Behaltensleistungen im Alltag.

Die benutzten Bildmaterialien sind Bilder von Alltagsgegenständen oder reale Objekte (Geschirr, Werkzeuge etc.), bei den verbalen Informationen geht es um Objektbezeichnungen,

Adressen, Berufe, Telephonnummern, biographische Daten etc.

Der Kursaufbau sieht zunächst die Arbeit mit leicht zu verknüpfenden Bildinformationen vor (ein Koffer neben einer Telephonzelle, ein Autoreifen und ein Nagel, ein Auto und ein Bierkrug etc.). Im Kursverlauf werden sie sukzessiv durch verbale Informationen ersetzt und die Patienten werden dazu angehalten, sich „ihre eigenen Bilder zu machen". Am Ende des Kurses besteht das Übungsmaterial aus rein verbalen Informationen wie kurzen Ortsbeschreibungen („Der Zucker steht rechts außen im obersten Regal" etc.) oder aus gleichfalls verbalen Mitteilungen mit 2–3 zu verknüpfenden Einzelinformationen (Name, Alter, Adresse; Name, Beruf, Telephonnummer; Name, Urlaubszeit, Urlaubsziel; Treffpunkt, Zeit, eine mitzubringende Sache etc.).

Lernen und Behalten von größeren Mengen isolierter Informationen

Dabei sollen vor allem die im Lernmaterial vorhandenen Ordnungsmöglichkeiten (z. B. semantische Kategorien) erkannt und beim Einprägen sowie beim Abruf genutzt werden. Darüber hinaus wird die Anwendung anderer Organisationstechniken trainiert wie

- Merken von Anfangsbuchstaben,
- Einbinden in eine Geschichte,
- Einbinden in bildhafte Vorstellungen.

Die Informationsreduktion durch Kategorisieren und die Anwendung der anderen Organisationstechniken wird zunächst mit Bildmaterial und mit auf Karten geschriebenen verbalen Informationen geübt. Das Material kann dabei von den Patienten aktiv manipuliert werden. Im weiteren Kursverlauf sind die Informationen zwar in ungeordneter Form noch visuell präsent, aber die Ordnung muß „im Kopf" hergestellt werden. Auf der höchsten Schwierigkeitsstufe werden ungeordnete verbale Informationen nur noch akustisch dargeboten. Geübt wird auf dieser Stufe mit Einkaufs- und Erledigungslisten, Listen von Lagerbeständen etc.

Mancher Leser wird sich fragen, ob in insgesamt 16 Stunden genug Zeit gegeben ist, um das beschriebene Kursprogramm (inklusive Üben der Strategien) zu realisieren. Unsere Erfahrung zeigt, daß dies gut möglich ist, wobei 2 Gesichtspunkte wichtig erscheinen: Zum einen ist jeder Kurstag in seinem inhaltlichen und zeitlichen Ablauf genau strukturiert; zum anderen liegt gerade ein Vorteil solcher themenbezogenen Kurse darin, daß viele der Übungen „Variationen zum gleichen Thema" darstellen.

Textverarbeitung

Eine besonders große Bedeutung haben im beruflichen und privaten Alltag die Gedächtnisleistungen für gehörte und gelesene Textinformationen. Das Training dieser Leistungen ist daher ein weiterer Schwerpunkt unserer therapeutischen Arbeit. Dabei werden den Patienten vor allem folgende Strategien vermittelt:

- Überblick verschaffen,
- Vorwissen aktivieren und Fragen stellen,
- „aktives" Lesen bzw. Hören (dabei suchen nach Antworten auf die gestellten Fragen und nach Zusatzinformationen),
- zusammenfassen und bewerten.

Erster Textkurs

Im leichteren der beiden Textkurse wird vor allem das Erarbeiten geschriebener Texte trainiert. Unser Vorgehen ähnelt dabei dem von Glasgow et al. (1977). Weitere Bestandteile dieses Kurses sind Übungen zur Konzentration auf gesprochene Texte sowie das Zusammenfassen kurzer gehörter Textinformationen.

Als Material für die Übungen mit *geschriebenen Texten* dienen Zeitungs- und Zeitschriftenartikel. Die Bearbeitung erfolgt in mehreren Schritten. Zunächst sollen die Patienten anhand von Überschriften, hervorgehobenen Textteilen (wie Zusammenfassungen) und eventuell vorhandenen Bildinformationen einen Überblick gewinnen. Als nächstes wird das eigene Vorwissen aktiviert, und es werden Fragen zum Text gestellt: Was wissen wir bereits über den Inhalt? Welche Informationen könnten uns darüber hinaus erwarten? Was möchten wir gerne wissen? Die die Patienten interessierenden Fragen zum Thema werden auf einer Tafel notiert. Anschließend wird der Text mit der Intention gelesen, die gestellten Fragen zu beantworten bzw. auf wichtige zusätzliche Informationen aufmerksam zu werden. Dabei werden die wichtigen Textteile in der ersten Kurswoche unterstrichen, in der zweiten Woche wird, wenn möglich, auf das Unterstreichen verzichtet.

Nach dem Durchlesen (zunächst abschnittsweise, später des gesamten Textes) wird der Inhalt anhand der zuvor formulierten Fragen zusammengefaßt und bewertet. Es wird dabei geklärt, ob der Artikel Antworten auf die Fragen enthält bzw. welche neuen Gesichtspunkte auftauchen.

Zur Erprobung des erlernten Vorgehens werden die Patienten angehalten, täglich selbständig einen sie interessierenden Zeitungs- oder Zeitschriftenartikel zu lesen. Die Texte und schriftlichen Aufzeichnungen werden zur Therapie mitgebracht und auftretende Probleme diskutiert.

Zum Training der Konzentration auf *gehörte Textinformationen* verfolgen die Patienten einen auf Band gesprochenen Text von 5-10 min Dauer, bei dem sich in variablen Zeitabständen (nach jeweils 2-5 Sätzen) das Thema ändert. Die Aufgabe besteht darin, den Text zu verfolgen und jeden Themawechsel so schnell wie möglich durch Handzeichen zu signalisieren. In unregelmäßigen Abständen wird das Band gestoppt, und das Thema des zuletzt gehörten Abschnitts erfragt. Im Kursverlauf wird die Dauer der Übung von 5 auf 10 min gesteigert. Die Themenwechsel werden durch semantische Ähnlichkeit aufeinander folgender Abschnitte schwerer erkennbar.

Zur Förderung reduktiver Verarbeitungsprozesse werden kurze, vom Band gespielte Texte (v.a. Informationsblöcke aus Nachrichtensendungen) zusammengefaßt und mit Überschriften versehen. Ferner wird eine charakteristische visuelle Vorstellung zu jedem Textabschnitt entwickelt.

Zweiter Textkurs

Hier wird die Verarbeitung gehörter Textinformationen trainiert. Zum Training werden v.a. konkrete Sachtexte mit einer Dauer von 3-7 min benutzt. Die Texte unterscheiden sich hinsichtlich der Anzahl relevanter Einzelinformationen und bezüglich der Verteilung semantisch zusammenhängender Sätze im Text.

Bei einer Gruppe von Aufgaben werden vor der Darbietung kurze Informationen zum Text gegeben. Angestrebt wird ein aktives, durch Fragen und Erwartungen strukturiertes Zuhören. Das Vorgehen ist weitgehend analog dem beim Erarbeiten schriftlicher Texte.

In einem weiteren Kursteil werden Texte ohne Vorinformationen dargeboten. Hier sollen zunächst passende Überschriften gefunden werden. Anschließend werden die Informationen zusammengefaßt, und es wird geklärt, auf welche Fragen der Text Antworten liefert. Danach werden relevante Detailinformationen gesammelt, und es werden Fragen zu unklar gebliebenen Textteilen gestellt. Nach einer zweiten Darbietung werden diese Fragen beantwortet.

In anderen Trainingssituationen werden von den Gruppenmitgliedern vorbereitete Informationen zu bestimmten Themen mündlich dargestellt. Die jeweils zuhörenden Patienten üben, den Informationsfluß durch das eigene Gesprächsverhalten (nachfragen etc.) aktiv zu steuern.

Die Aufgaben zum selbständigen Üben bestehen im Verfolgen von Nachrichtensendungen im Fernsehen und Hörfunk sowie vor allem im gezielten Abhören von automatischen Telephonansagen der Bundespost (Küchenrezepte, Sportnachrichten, Verbraucher- und Einkaufstips, Veranstaltungshinweise etc.). Diese Angaben eignen sich gut zum Training. Sie sind jederzeit verfügbar und können wiederholt gehört werden. Ferner bietet das breite Angebot die Möglichkeit, bei der Auswahl der Aufgaben die individuellen Interessen der Patienten zu berücksichtigen.

Für eine weitere Beschäftigung mit Fragen zur Textverarbeitung vgl. auch Ballstaedt et al.

241

(1981), Metzig u. Schuster (1982), van Dijk u. Kintsch (1983), Britton u. Black (1985) sowie Rickheit u. Strohner (1985).

Längerfristiges Behalten

Wir finden bei unseren Patienten Beeinträchtigungen des längerfristigen Behaltens im allgemeinen zusammen mit einer gestörten Informationsaufnahme. In der Therapie wird daher eine Verbesserung des Lernprozesses durch eine tiefere Verarbeitung neuer Informationen und deren Anknüpfung an vorhandene Wissenstrukturen angestrebt (vgl. S. 238–241). Ferner wird der selbständige Gebrauch von Abrufhilfen (vgl. S. 238–240) geübt.

Darüber hinaus werden die wichtigsten der neu erworbenen Informationen „gesichert". Persönliche Informationen können in einem Taschenkalender oder Tagebuch festgehalten werden. Bei berufsspezifischem Wissen wird die Art der Dokumentation (z. B. durch ein Karteikartensystem) den individuellen Anforderungen angepaßt.

Um ein schnelles Vergessen zu verhindern, werden diese Informationen systematisch wiederholt.

Altgedächtnis

Die Therapie von Störungen des biographischen Gedächtnisses erfolgt in enger Zusammenarbeit mit den Angehörigen. Mit ihnen und dem Patienten wird zunächst eine Liste wichtiger biographischer Informationen erstellt, die aufgefrischt bzw. neu erlernt werden sollen.

Als nächstes werden Kontexte zu den fehlenden Informationen aktiviert, und es wird versucht, die gestörten Erinnerungen zu rekonstruieren. Zum Vergegenwärtigen der Kontexte werden Photos und Urlaubsfilme betrachtet, alte Briefe gelesen, ehemals bekannte Orte (wie Schule oder Arbeitsplatz) aufgesucht etc.

Die Therapie wird nach Anleitung von den Angehörigen durchgeführt. Sie können am ehesten die Richtigkeit vieler Angaben des Patienten beurteilen und sind im Besitz detaillierter Informationen, die beim Rekonstruieren für Querverbindungen herangezogen werden können.

Bei Störungen des semantischen Gedächtnisses (v. a. des schulischen oder berufsspezifischen Wissens) wird mit dem Patienten und evtl. anderen kompetenten Personen ein Plan für die systematische Erarbeitung des fehlenden Wissens erstellt.

Alltagsrelevante Beeinträchtigungen des Altgedächtnisses werden in der Regel von einer anterograden Gedächtnisstörung begleitet. Beim Auffrischen des Wissens bleiben daher in manchen Fällen Unsicherheiten, z. B. über früher vertraute Arbeitsabläufe. Es erscheint daher sinnvoll, immer auch den Einsatz externer Hilfen zu erwägen. Sie sollten das am Arbeitsplatz benötigte Wissen jederzeit schnell zugänglich machen.

Prospektives Gedächtnis

Zur Stützung prospektiver Gedächtnisleistungen trainieren wir vor allem den Einsatz externer Hilfen. Dabei liegt der Schwerpunkt der Arbeit in den beiden ersten Therapiephasen (vgl. S. 235) auf dem systematischen Gebrauch eines Taschenkalenders. Ferner wird der Einsatz von Einkaufs- und Erledigungslisten geübt. Darüber hinaus müssen v. a. in der Reintegrationsphase individuelle Lösungen für auftretende prospektive Gedächtnisstörungen gesucht werden, welche die spezifischen Alltagsanforderungen und die assoziierten Hirnleistungsstörungen (wie gut kann der Patient z. B. schreiben) berücksichtigen.

Für den Erfolg der Therapie erscheinen folgende Gesichtspunkte wesentlich:

1. Die benutzten Vorlagen sollten übersichtlich und gut strukturiert sein um einen schnellen und sicheren Gebrauch zu ermöglichen. So steht in dem von uns verwendeten Taschenkalender z. B. für jeden Tag eine Seite mit Stundeneinteilung und Raum für zusätzliche Bemerkungen zur Verfügung. Für Einkaufs- und Erledigungslisten werden individuelle Vorlagen entwickelt.

2. Bei den meisten Patienten besteht das Problem nicht nur im „Vergessen sich zu erinnern" (prospektives Gedächtnis). Sie vergessen vielmehr auch, was sie erinnern wollten (retrospektives Gedächtnis). Die angefertigten Notizen müssen daher detailliert genug sein, um später noch verstanden werden zu können. Viele Patienten haben Schwierigkeiten, hier das richtige Maß zu treffen.

3. Es muß sichergestellt werden, daß die Erinnerungshilfe zum richtigen Zeitpunkt zur Verfügung steht. Wir trainieren daher den Gebrauch eines Taschenkalenders in Kombination mit einer Armbanduhr, die ein stündliches Signal abgibt und darüber hinaus das Einstellen von Alarmzeiten zuläßt. Die Patienten lernen, beim Ertönen des Signals anhand des Taschenkalenders zu prüfen, welche Termine oder andere Aktivitäten bevorstehen. Die Effektivität dieser Hilfe ist am größten, wenn unmittelbar nach dem Prüfen mit der Vorbereitung oder Ausführung der kritischen Handlung begonnen werden kann (z. B. Anruf tätigen oder sich anziehen, um anschließend zur Bank zu gehen). Wenn vor der erforderlichen Handlung (z. B. Anruf beim Arzt um 12:40 Uhr) noch andere Aktivitäten (Zeitung lesen, kochen etc.) ausgeführt werden, besteht die Gefahr des Vergessens. Daher wird in diesen Fällen eine exakte Alarmzeit eingestellt.

Für das Erinnern besonders wichtiger Termine werden die Patienten darüber hinaus mit dem Fernsprechauftragsdienst als externem Hilfsmittel vertraut gemacht.

Die Patienten lernen ferner, vor jedem größeren Ortswechsel (z. B. in die Stadt gehen) systematisch zu prüfen, ob sie am alten Ort alles erledigt haben und ob sie alle am neuen Ort benötigten Informationen (wie Einkaufsliste, Auftragsbescheinigung der Reinigung etc.) bei sich tragen.

Nur für Situationen, in denen der Einsatz externer Hilfen schwer oder nicht möglich ist, wird - ausschließlich bei Patienten mit leichten Gedächtnisstörungen - der Einsatz interner Gedächtnishilfen zur Verbesserung

prospektiver Gedächtnisleistungen trainiert. Dabei werden ein auslösender Reiz (z. B. das Bild einer Person) und eine zu erinnernde Handlung (z. B. Geld zurückgeben) mit Hilfe eines Bildes (die Person, der Geld zurückgegeben werden soll, ist z. B. in einen riesigen Geldschein eingerollt) assoziiert.

4. Der Einsatz von Gedächtnishilfen muß intensiv geübt werden. Dazu müssen im Klinikalltag immer wieder Anforderungen an das prospektive Erinnern des Patienten gestellt werden.

Schweres amnestisches Syndrom

Bei der Behandlung von Patienten mit schwerem amnestischem Syndrom geht es im wesentlichen darum, die Umwelt so zu organisieren, daß der Patient über möglichst große Zeitabschnitte ohne die Hilfe anderer Personen auskommt.

Dabei ist es wichtig, möglichst konstante Bedingungen zu schaffen. Alles sollte seinen „festen Platz" haben, und es sollte eine gleichbleibende Tagesstruktur geben.

Uhren und ein großer Wandkalender sollten die zeitlich-kalendarische Orientierung ermöglichen. Wichtige Informationen (Antworten auf ständig wiederkehrende Fragen, wichtige Telephonnummern, Informationen zum aktuellen Tagesablauf etc.), ein Taschenkalender und evtl. Vordrucke zum Notieren neuer Informationen sollten übersichtlich an einem zentralen Ort angeordnet sein.

Sofern Altgedächtnisstörungen vorliegen oder der Patient nicht an einem ihm vertrauten Ort lebt, können folgende zusätzliche Maßnahmen die Selbständigkeit der Patienten fördern:

- Aushängen von Schranktüren und Beschriften von Schränken,
- Anbringen kurzer Bedienungshinweise an Geräten,
- Zusammenstellen von Gegenständen, die für bestimmte häusliche Arbeitsabläufe (Frühstück herrichten etc.) benötigt werden.

Unsere Versuche, die Gedächtnisleistungen von Patienten mit schwerem amnestischen Syndrom durch den Gebrauch interner Gedächtnishilfen zu fördern, blieben ohne substantielle Effekte. Auch Versuche, ihre Autonomie durch Benutzung komplexer externer Hilfen zu steigern, verliefen insgesamt enttäuschend. Der auf S. 243 beschriebene Gebrauch eines Taschenkalenders in Kombination mit einer Armbanduhr war ursprünglich vor allem für diesen Patientenkreis gedacht. Von 7 Patienten (3 mit bipolaren Thalamusläsionen, 3 mit Zustand nach schwerem SHT mit bi- bzw. linkstemporalen Kontusionsherden, 1 mit Zustand nach Herpes-simplex Enzephalitis) erlernte keiner den Gebrauch dieser Hilfe mit dem für einen deutlichen praktischen Nutzen erforderlichen Grad an Sicherheit. Trotzdem erscheint es uns lohnend, den Einsatz dieser Technik im Einzelfall weiter zu erproben. Auch wenn das Ziel („alleine durch den Tag kommen") nicht erreicht wird, so werden durch den Gebrauch doch Orientierungsleistungen gefördert.

Durch systematische Nutzung residualer Lernleistungen ist auch bei schwer amnestischen Patienten der Erwerb neuen Wissens möglich (vgl. Schacter u. Glisky 1986). In welchem Verhältnis der dabei erforderliche Aufwand zum praktischen Nutzen steht, muß im jeweiligen Einzelfall geprüft werden.

13.3.4 Bewertung des Therapieerfolgs

Den größten Zeitaufwand im Rahmen der Therapie erfordert das Vermitteln von Strategien zur Verbesserung der Aufnahme sowie des Abrufs neuer Informationen. Die nach Abschluß dieser Therapiephase routinemäßig durchgeführten Kontrolluntersuchungen der Reproduktionsleistungen für Textinformationen sowie der Lernleistungen ergaben bei etwa 70% der Patienten substantielle Verbesserungen in den trainierten Bereichen. Eine genaue Analyse und Diskussion der Effekte (v.a. ihre Spezifität und Angrenzung von spontanen Veränderungen) kann an dieser Stelle nicht vorgenommen werden. Es sollen hier nur einige in den Daten erkennbare Trends aufgezeigt werden:

- Die Effekte sind am deutlichsten, wenn die Behandlung innerhalb des ersten Jahres nach Beginn der Erkrankung erfolgt, aber auch später ist ein signifikanter Leistungszuwachs möglich.
- Vergleicht man die erzielten Verbesserungen der Lernleistungen in den verschiedenen von uns benutzten Tests (vgl. 13.2.4), so zeigt sich der relativ geringste Zuwachs beim Lernen von Gesichter-Namen-Assoziationen.
- Beim Vergleich verschiedener ätiologischer Gruppen ergeben sich insgesamt die besten Ergebnisse bei den Patienten nach SHT und die relativ geringsten Verbesserungen bei Patienten mit zerebrovasculären Erkrankungen.
- Weiterhin deuten unsere Daten an, daß der relative Leistungszuwachs mit dem Ausmaß an Schädigung gedächtnisrelevanter Strukturen abnimmt.
- Auch Patienten, die bei den Kontrolltests keine substantiellen Leistungsverbesserungen zeigen, geben in der Regel an, von der Therapie profitiert zu haben. Sie fühlen sich insgesamt sicherer, glauben ihre Leistungen genauer einschätzen zu können und die für sie kritischen Alltagssituationen besser zu erkennen, was besonders für den selbständigen Einsatz externer Hilfen wichtig ist.

Entscheidend für den Erfolg der Rehabilitationsmaßnahme ist – wie bereits erwähnt – die Frage, ob die in der Klinik erlernten Strategien später im Alltag auch eingesetzt werden.

Ein wichtiger Faktor scheint dabei das Ausmaß der Frontalhirnschädigung und der damit einhergehenden Störungen des Problemlösens und der Selbsteinschätzung zu sein. Mit dem Schweregrad dieser Schädigung nimmt nicht nur der nach dem Training diagnostizierbare Leistungszuwachs ab, sondern v.a. die Anwendung des Erlernten in neuen Situationen (vgl. auch Kap. 14).

Ein weiterer wichtiger Gesichtspunkt sind die Anforderungen, denen der Patient im Alltag ausgesetzt ist. Sind sie sehr gering (z.B. bei übergroßer Fürsorge des Partners), so besteht „kein Anlaß", die entsprechenden Strategien einzusetzen. Sind sie dagegen in einigen Situationen zu hoch, so tendieren viele Patienten dazu, die erlernten internen Hilfen *generell* nicht mehr anzuwenden. Der fachtherapeutischen Betreuung des Patienten in dieser Phase kommt somit eine besondere Bedeutung zu.

Danksagung

Ich danke allen Mitgliedern des Arbeitskreises Gedächtnis unserer Abteilung, deren klinische Erfahrungen und Anregungen in dieses Kapitel eingegangen sind.
Die von uns verwendeten Gedächtnistests wurden im wesentlichen von Frau Dipl. Psych. R. Benz zusammengestellt.

Literatur

Amthauer R (1955) Intelligenz-Struktur-Test, I-S-T. Hogrefe, Göttingen

Amthauer R (1973) Intelligenz-Struktur-Test, I-S-T 70. Hogrefe, Göttingen

Atkinson RC, Shiffrin RM (1968) Human memory: a proposed system and its control processes. In: Spence KW, Spence JT (eds) The psychology of learning and motivation, vol II. Academic, New York

Baddeley A (1986a) So denkt der Mensch. Droemer Knaur, München

Baddeley A (1986b) Working memory. Oxford University Press, Oxford New York

Baddeley AD, Wilkins A (1984) Taking memory out of the laboratory. In: Harris JE, Morris PE (eds) Everyday memory actions and absent-mindedness. Academic Press, London, pp 1-17

Bäumler G (1974) Lern- und Gedächtnistest LGT-3. Hogrefe, Göttingen

Bahrick HP, Karis D (1982) Long-term ecological memory. In: Puff CR (ed) Handbook of research methods in human memory and cognition. Academic Press, New York, pp 427-465

Ballstaedt S-P, Mandl H, Schnotz W, Tergan S-O (1981) Texte verstehen, Texte gestalten. Urban & Schwarzenberg, München

Baschek I-L, Bredenkamp J, Oehrle B, Wippich W (1977) Bestimmung der Bildhaftigkeit (I), Konkretheit (C) und der Bedeutungshaltigkeit (m') von 800 Substantiven. Exp Angew Psychol 24: 353-396

Bellezza FS (1981) Mnemonic devices: classification, characteristics, and criteria. Rev Educational Res 51: 247-275

Bennett-Levy J, Powell GE (1980) The subjective Memory questionnaire (SMQ). An Investigation into the self-reporting of „real-life" memory skills. Br J Soc Clin Psychol 19: 177-188

Benton AL (1981) Der Benton-Test (Handbuch) Huber, Bern

Böcher W (1963) Erfahrungen mit dem Wechslerschen Gedächtnistest (Wechsler Memory Scale) bei einer deutschen Versuchsgruppe von 200 normalen Vpn. Diagnostica 9: 56-68

Bredenkamp J, Wippich W (1977) Lern- und Gedächtnispsychologie, Bd II. Kohlhammer, Stuttgart

Britton BK, Black JB (eds) (1985) Understanding expository text. A theoretical and practical handbook for analysing explanatory text. Erlbaum, Hillsdale

Brooks N, Lincoln NB (1984) Assessment for rehabilitation. In: Wilson B, Moffat N (eds) Clinical management of memory problems. Croom Helm, London, pp 28-45

Butters N, Albert MS (1982) Processes underlying failure to recall remote events. In: Cermak LS (ed) Human memory and amnesia. Erlbaum, Hillsdale, pp 257-274

Cermak LS (ed) (1982) Human memory and amnesia. Erlbaum, Hillsdale

Cooper SJ (1984) Drug treatments, neurochemical change and human memory impairment. In: Wilson B, Moffat N (eds) Clinical management of memory problems. Croom Helm, London, pp 132-147

von Cramon D, Säring W (1982) Störungen der Orientierung beim hirnorganischen Psychosyndrom. In: Bente D, Coper H, Kanowski S (Hrsg) Hirnorganische Psychosyndrome im Alter. Springer, Berlin Heidelberg New York, S 38-50

von Cramon D, Hebel N, Schuri U (1985) A contribution to the anatomical basis of thalamic amnesia. Brain 108: 993-1008

von Cramon D, Hebel N, Schuri U (1986) Is vascular thalamic amnesia a disconnection syndrome? In: Poeck K, Freund HJ, Gänshirt H (eds) Neurology. Proceedings of the XIIIth world congress of neurology. Springer, Berlin Heidelberg New York Tokyo, pp 195-203

von Cramon D, Hebel N, Schuri U (1988) Verbal memory in unilateral posterior cerebral infarction: report of 30 cases. Brain, in press

van Dijk TA, Kintsch W (1983) Strategies of discourse comprehension. Academic Press, New York

Erickson RC, Scott ML (1977) Clinical memory testing: a review. Psychol Bull 84: 1130-1149

Fischer B, Lehrl S (Hrsg) (1983) Gehirn-Jogging: Biologische und informationspsychologische Grundlagen des zerebralen Jogging. Narr, Tübingen

Fürntratt E (1969) Differentieller-Wissens-Test, (Handanweisung). Hogrefe, Göttingen

Glasgow RE, Zeiss RA, Berrera M, Lewinsohn PM (1977) Case studies on remediating memory deficits in brain damaged individuals. J Clin Psychol 33: 1049-1054

Godfrey HPD, Knight RG (1987) Interventions for amnesics: A review. British Journal of Clinical Psychology 26: 83-91

Guilleminault C (1984) Diagnosis, pathogenesis and treatment of sleep apnea syndromes. In: Frick P, Harnack G-A, Kochsiek K, Martini GA, Prader A (Hrsg) Ergebnisse der inneren Medizin und Kinderheilkunde. Springer, Berlin Heidelberg New York, S 1-57

Harris J (1984a) Methods of improving memory. In: Wilson B, Moffat N (eds) Clinical management of memory problems. Helm, London, pp 46-62

Harris JE (1984b) Remembering to do things: a forgotten topic. In: Harris JE, Morris PE (eds) Everyday memory actions and absent-mindedness. Academic Press, London, pp 71-92

Harris JE, Sunderland A (1981) A brief survey of the management of memory disorders in rehabilitation units in Britain. Int Rehabil Med 3: 206-209

Hartje W, Rixecker (1978) Der Recurring-Figures-Test von Kimura. Normierung an einer deutschen Stichprobe. Nervenarzt 49: 354-356

Herrmann DJ (1982) Know they memory: The use of questionnaires to assess and study memory. Psychol Bull 92: 434-452

Herrmann DJ (1984) Questionnaires about memory. In: Harris JE, Morris PE (eds) Everyday memory actions and absent-mindedness. Academic Press, London, pp 133-151

Hirst W (1982) The amnesic syndrome: Descriptions and explanations. Psychol Bull 91: 435-460

Jäger O, Althoff K (1983) Der Wilde-Intelligenztest (WIT). Hogrefe, Göttingen

Kimura D (1963) Right temporal lobe damage. Arch Neurol 3: 264-271

Lamberti G (1978) Modifikation und Verbesserung des Diagnostikums für Zerebralschädigung (DCS) für den klinischen Gebrauch. Arch Psychiatr Nervenkr 225: 143-157

Levin HS (1986) Learning and memory. In: Hannay HJ (ed) Experimental techniques in human neuropsychology. Oxford University Press, New York, pp 309-362

Lezak MD (1983) Neuropsychological assessment, 2nd edn. Oxford University Press, New York

Loring DW, Papanicolaou AC (1987) Memory assessment in neuropsychology: theoretical considerations and practical utility. J Clin Exp Neuropsychol 9: 340-358

Mayes AR (1986) Learning and memory disorders and their assessment. Neuropsychologia 24: 25-39

Metzig W, Schuster M (1982) Lernen zu Lernen. Springer, Berlin Heidelberg New York

Miller E (1984) Recovery and management of neuropsychological impairments. John Wiley & Sons, Chichester

Miller GA (1956) The magic number seven plus and minus two: Some limits on our capacity for processing information. Psychol Rev 63: 81-97

Milner B (1971) Interhemispheric differences in the localization of psychological processes in man. Br Med Bull 27: 272-277

Moffat N (1984) Strategies of memory therapy. In: Wilson B, Moffat N (eds) Clinical management of memory problems. Croom Helm, London, pp 63-88

Morris PE (1984) The validity of subjective reports on memory. In: Harris JE, Morris PE (eds) Everyday memory actions and absent-mindedness. Academic Press, London, pp 153-172

O'Connor M, Cermak LS (1987) Rehabilitation of organic memory disorders. In: Meier MJ, Benton AL, Diller L (eds) Neuropsychological rehabilitation. Churchill Livingstone, Edinburgh, pp 261-279

Parkin AJ (1984) Amnesic syndrome: a lesion specific disorder. Cortex 20: 479-508

Powell GE (1981) Brain function therapy. Gower, Aldershot

Puff CR (ed) (1982) Handbook of research methods in human memory and cognition. Academic Press, New York

Rickheit G, Strohner H (1985) Psycholinguistik der Textverarbeitung. Studium Linguistik 17/18: 1-78

Roether D (1984) Tempoleistung und Merkfähigkeit Erwachsener. Psychodiagnostisches Zentrum, Berlin

Salmon DP, Butters N (1987) Recent developments in learning and memory: implications for the rehabilitation of the amnesic patient. In: Meier MJ, Benton AL, Diller L (eds) Neuropsychological rehabilitation. Churchill Livingstone, Edinburgh, pp 280-293

Schacter DL, Crovitz HF (1977) Memory function after closed head injury: A review of the quantitative research. Cortex 13: 150-176

Schacter DL, Glisky EL (1986) Memory remediation: Restoration, alleviation, and the acquisition of domain-specific knowledge. In: Uzzell B, Gross Y (eds) Clinical neuropsychology of intervention. Nijhoff, Boston, pp 257-282

Schlösser E (1983) Gedächtnistraining im Rahmen der Rehabilitation von Hirngeschädigten. In: Fischer B, Lehrl S (Hrsg) Gehirn-Jogging: Biologische und informationspsychologische Grundlagen des zerebralen Jogging. Narr, Tübingen, S 174-184

Squire LR (1986) The neuropsychology of memory dysfunction and its assessment. In: Grant I, Adams KM (eds) Neuropsychological assessment of neuropsychiatric disorders. Oxford University Press, New York, pp 268-299

Squire LR, Cohen NJ (1982) Remote memory, retrograde amnesia, and the neuropsychology of memory. In: Cermak LS (ed) Human memory and amnesia. Erlbaum, Hillsdale, pp 275–303

Sunderland A, Harris JE, Baddeley AD (1983) Do laboratory tests predict everyday memory? A neuropsychological study. J Verb Learn Verb Behav 22: 341–357

Teasdale G, Brooks DN (1985) Traumatic amnesia. In: Frederiks JAM (ed) Clinical neuropsychology. Elsevier Science, Amsterdam (Handbook of clinical neurology, vol 1,45 pp 185–191)

Tulving E (1972) Episodic and semantic memory. In: Tulving E, Donaldson W (eds) Organisation of memory. Academic Press, New York, pp 381–403

Warrington EK (1986) Memory for facts and memory for events. Br J Clin Psychol 25: 1–12

Wechsler D (1945) A standardised memory scale for clinical use. J Psychol 19: 87–95

Wechsler D (1982) Handanweisung zum Hamburg-Wechsler-Intelligenztest für Erwachsene (HAWIE). Huber, Bern

Weidlich S (1972) DCS. Diagnostikum für Zerebralschädigung. Huber, Bern

Weidlich S, Lamberti G (1980) DCS. Diagnostikum für Zerebralschädigung (Handbuch). Huber, Bern

Weiskrantz L (1985) On issues and theories of the human amnesic syndrome. In: Weinberger NM, McGaught JL, Lynch G (eds) Memory systems of the brain. Guilford, New York, pp 380–415

Wilson B (1984) Memory therapy in practice. In: Wilson B, Moffat N (eds) Clinical management of memory problems. Croom Helm, London Sydney, pp 89–111

Wilson B (1987) Rehabilitation of memory. Guilford, New York

Wilson B, Moffat N (eds) (1984a) Clinical management of memory problems. Croom Helm, London

Wilson B, Moffat N (1984b) Rehabilitation of memory for everyday life. In: Harris JE, Morris PE (eds) Everyday memory actions and absentmindedness. Academic Press, London, pp 207–233

Wilson B, Moffat N (1984c) Running a memory group. In: Wilson B, Moffat N (eds) Clinical management of memory problems. Croom Helm, London, pp 171–198

Wilson B, Cockburn J, Baddeley A (1985) The rivermead behavioral memory test. Thames Valley Test Company, England

Wippich W (1984) Lehrbuch der angewandten Gedächtnispsychologie, Bd 1. Kohlhammer, Stuttgart

Wippich W (1985) Lehrbuch der angewandten Gedächtnispsychologie, Bd 2. Kohlhammer, Stuttgart

Zielke W (1975) Moderne Gedächtnisschulung. Ulrich, Deggendorf

Zielke W (1980) Handbuch Lern-, Denk-, Arbeitstechniken. moderne verlags gmbh (mvg), München

14 Planen und Handeln

D. von Cramon

14.1 Einleitung

Dieses Kapitel befaßt sich mit den klinischen Erscheinungsweisen von Störungen der allgemeinen Leitungs- und Steuerungsfunktion(en) des Gehirns bei „frontaler" Hirnschädigung. Diese basale Hirnfunktion wird in der angelsächsischen Literatur als „executive function" bezeichnet (s. Stuss u. Benson 1986, die eine ausgezeichnete detaillierte Darstellung der klinischen Phänomene bei Stirnhirnschädigung geben). Eine solche Leitungs- und Steuerungsfunktion wird vor allem für das Planen, Ausführen und Kontrollieren von Handlungen benötigt. Es liegt auf der Hand, daß die Beeinträchtigung von Planen und Handeln ein zentrales Thema und eine besondere Herausforderung für die neuropsychologische Rehabilitation darstellen.

Unter „frontaler" Hirnschädigung verstehen wir keinesfalls nur *fokale* Gewebsläsionen des Stirnhirns, sondern jede Art von Hirnschädigung, die eine substantielle (uni- oder bilaterale) Mitbeteiligung des Stirnhirns verursacht. Obwohl Störungen im Planen und Handeln für umschriebene frontale Gewebsläsionen besonders spezifisch zu sein scheinen, werden sie auch bei diffuser (disseminierter) Hirnschädigung, z. B. im Rahmen einer zerebralen Hypoxie oder eines schweren SHT, beobachtet. Man kann allerdings vermuten, daß dabei die „frontale" Komponente der diffusen Hirnschädigung für die Störung im Planen und Handeln entscheidend ist. Das heißt nicht, daß die oben erwähnte Steuerungs- und Leitungsfunktion, wie das für eine strikt topologische Betrachtungsweise des ZNS gültig war, in das Stirnhirn „lokalisiert" werden soll; festzu-

stehen scheint jedoch, daß eine Beeinträchtigung der Steuerungs- und Leitungsfunktion(en) des Gehirns bei Beteiligung oder Mitbeteiligung des Stirnhirns *konsistent* vorkommt.

Wegen der derzeit nicht überschaubaren Komplexität des Sachverhalts wird von einem Versuch Abstand genommen, die verschiedenen Aspekte der „executive function" bestimmten Regionen des Stirnhirns zuzuordnen. Mit vereinfachenden Annahmen über die funktionelle Organisation der lateralen, dorsalen, medialen und orbitalen Regionen des Stirnhirns kommt man dem Verständnis der „Stirnhirnsyndrome" beim Menschen nicht näher. Bei den Hirnerkrankungen, die das menschliche Stirnhirn betreffen, kann kaum je eine isolierte Läsion – oder gar eine isolierte kortikale Läsion – einer dieser frontalen Regionen angenommen werden; in den allermeisten Fällen muß mit einer begleitenden Schädigung der Faserprojektionen zwischen den verschiedenen frontalen Regionen und darüber hinaus einer Schädigung der Verbindungen mit nichtfrontalen Hirnstrukturen gerechnet werden.

Generell läßt sich ein einfacher Zusammenhang formulieren: Die Störungen von Planen und Handeln werden um so schwerwiegender sein, je ausgedehnter die frontale Gewebsschädigung ist (Luria 1966, 1973, 1980). Auch dürften die Störungsmerkmale um so deutlicher hervortreten, je mehr das zentrale frontale Marklager, der zentrale frontale „Knotenpunkt", in Mitleidenschaft gezogen ist.

14.2 Phänomenologie der klinisch beobachtbaren Störungen des Planens und Handelns

Es gibt eine große Zahl klinischer Beobachtungen über Patienten mit Stirnhirnschädigung, die darauf abheben, daß diese Patienten nicht oder nur unzureichend in der Lage sind, zweckmäßige Handlungen auszuführen oder, in der Vorbereitung darauf, geeignete Pläne zu machen (s. Stuss u. Benson 1986; Fuster 1980).

Zunächst stellt sich die Frage: *Handelt* ein Patient mit „frontaler" Hirnschädigung überhaupt und wenn ja, was sind die Merkmale seiner Handlungen?

Abulie/Hypobulie

Bei schwerster (bilateraler) Schädigung des Stirnhirns scheinen die Patienten kaum noch *spontan* zu handeln. Luria (1966) hat dies als die „akinetisch-abulische" Form der Stirnhirnschädigung beschrieben. Mit Akinese bezeichnet er dabei die Bewegungslosigkeit der Kranken, ihre *Unfähigkeit zu intentionalen Bewegungen,* obschon die Voraussetzungen für Bewegungen zur Verfügung stünden, d. h. keine Lähmungen oder andere zentrale Bewegungsstörungen vorliegen. Der Begriff Abulie hebt vor allem auf die *Unfähigkeit zu Entschlüssen* ab. Die ältere Literatur hat wohl zu Recht Abulie als *Lähmung des Willens (Wollens?)* bezeichnet. Bei der Mehrzahl der Patienten liegt allerdings keine vollständige „Lähmung des Willens" (Abulie), sondern eine Verminderung der Willenstätigkeit (Hypobulie) vor.

Selbst wenn hypobulische Patienten noch in der Lage sind, Entschlüsse zu fassen, d. h. in der Terminologie des handlungspsychologischen Phasenabfolgesystems (s. Heckhausen et al. 1986), daß sie den *Rubikon der Intentionsbildung* überschritten haben, scheinen sie dennoch mit *durchführungsbezogenen* Gedanken (Gollwitzer 1986) besondere Schwierigkeiten zu haben. Eslinger und Damasio (1985) berichten dazu ein Beispiel: Ihr Patient EVR hatte die Absicht, zum Abendessen auszugehen;

es galt nun, aus einer Reihe möglicher Handlungsoptionen die „richtige" für diesen Abend auszuwählen; er begann deshalb ausführlich, den Sitzplan und die Atmosphäre verschiedener Restaurants, die Details der Speisekarten, den jeweiligen Service zu diskutieren, und fuhr dann sogar zu mehreren Restaurants hin, um nachzusehen, wie voll sie wären; letztendlich konnte er sich dann doch für keines *entschließen;* diesem Patienten schien es nicht zu gelingen, alternative, konkurrierende Intentionen „in Schach" zu halten und *eine* Handlungsalternative auszuwählen (s. auch Gollwitzer 1986; Milner 1982). Im oben bereits erwähnten handlungspsychologischen Phasenabfolgemodell scheint bei diesem Patienten nicht eigentlich die prädezisionale Motivationsphase beeinträchtigt zu sein, sondern vielmehr die *präaktionale Volitionsphase.*

An die Stelle *vorsätzlicher* Handlungen (s. auch Kleist 1934) treten vielfach *automatische Verhaltensweisen;* der Kranke neigt dazu, auf *Routinehandlungen* zurückzugreifen, auch wenn die Umgebungsbedingungen ein anderes Verhalten erfordern würden. Dieser Rückgriff auf ein Verhalten in „ausgetretenen Pfaden" umgeht die Schwierigkeit, das Verhalten jeweils an wechselnde Umgebungsbedingungen anzupassen; dabei kann der Patient durchaus *bemerken,* daß seine immer wiederkehrenden Verhaltensschablonen unzweckmäßig sind und nicht zum Ziel führen.

Die ständig wiederkehrenden (zum Teil überlernten) Aktionsschemata werden durch verschiedene Aspekte der Umgebungsbedingungen *getriggert.* In aller Regel wirken gegenständliche, sinnlich faßbare Umgebungsreize als „stärkste" Verhaltensauslöser.

In der Handlungstheorie von Volpert (1974a, b, 1979; zitiert nach Munzert 1983) ließe sich dieses Verhalten als *inflexibles* Handeln beschreiben, das eben durch die Tendenz gekennzeichnet ist, „alte", oftmals inadäquate Aktionsschemata zu aktivieren. In der Testsituation äußert sich inflexibles Handeln zu allererst in *perseveratorischem Verhalten.* Nach der von Robinson et al. (1984) vorgeschlagenen Taxonomie handelt es sich dabei um den Stuck-in-set-Typ der Perseverationen, d. h.

Antwortmuster, die zu einer vorausgehenden Aufgabe gehören, werden auch in nachfolgenden Aufgaben beibehalten.

Dieses inflexible Handeln gibt den Kranken den Anschein „sturer" Persönlichkeiten; andererseits kann persevatorisches Handeln auch den Eindruck der Hartnäckigkeit und Ausdauer in der Verfolgung von Zielen vortäuschen.

„Contention scheduling"

Shallice (1982) schreibt die durch situative Bedingungen getriggerte Aktivierung überlernter, (inflexibler) Aktionsschemata einem Mechanismus zu, den er „contention scheduling" nennt; dieser Mechanismus dient zur raschen Regulierung konkurrierender Handlungsroutinen; er bestimmt die Prioritäten unter den um einen bestimmten Triggerreiz *wettstreitenden* Aktionsschemata.

Man hat den Eindruck, daß dieses „contention scheduling" bei den Patienten zwar prinzipiell erhalten ist, aber nur eine begrenzte Zahl von Aktionsschemata vor allem durch vertraute, sinnlich faßbare Triggerreize ausgelöst wird. Diese Aktionsschemata scheinen bei den Patienten nicht mehr gehemmt werden zu können, so daß sie mit der aktuell geforderten Handlung interferieren (Duncan 1986). Dieser Sachverhalt wird durch ein Beispiel von Luria (1966) eindrucksvoll beleuchtet:

Ein Patient mit „frontaler" Hirnschädigung befindet sich in einem Raum mit einer Reihe von Büchern; der Untersucher fordert ihn auf, eine bestimmte Geschichte nachzuerzählen; der Patient beginnt mit der Nacherzählung, als aber sein Blick zufällig auf die im Raum befindlichen Bücher fällt, flicht er immer wieder Bemerkungen über Bücher ein.

Allerdings sind die auslösenden Trigger für den Gesprächspartner nicht immer so offensichtlich erkennbar. Durch diese gedanklichen Intrusionen ergibt sich zumindest zum Teil jener *umständlich-weitschweifige* sprachliche Ausdruck, wie er für diese Patienten so charakteristisch sein kann.

Möglicherweise gehört auch das von Lhermitte (1983) erstmals beschriebene „utilization behavior" (wörtlich: Benutzungsverhalten) in die Kategorie nichtgehemmter Routinehandlungen. Patienten mit „frontaler" Hirnschädigung neigen dazu, Objekte, die ihnen beispielsweise visuell angeboten werden, wie unter einem Zwang zu ergreifen und (entsprechend ihrer Funktion) zu benutzen.

Unorganisiertes Handeln

Ein weiteres hervorstechendes Merkmal des ineffizienten Handelns von Patienten mit „frontaler" Hirnschädigung würde in der Konzeption Volperts als unorganisiertes Handeln bezeichnet werden. Der unorganisiert Handelnde drängt zum Tun, ohne Überblick über dieses Tun zu haben; er betreibt weder Vorbereitung noch Vorbeugung, verrennt sich in Sackgassen, übersieht Warnzeichen und Hilfen; gleichzeitig wendet er einzelnen, zum Teil irrelevanten Teiltätigkeiten seine ganze Aufmerksamkeit zu (zitiert nach Munzert 1983).

Alle diese Merkmale treffen zu, wenn die Kranken durch ihre Umgebung (z. B. durch den Therapeuten) zum Handeln aufgefordert werden. Dabei fällt ihre Neigung zu *impulsiven, vorschnellen* Handlungen ins Auge. Die Kranken beginnen beispielsweise zu antworten, ehe der Untersucher noch seine Frage richtig gestellt hat. In der Gruppenarbeit gelingt es nur schwer, mit ihnen zu vereinbaren, mit einer (verbalen oder manuellen) Reaktion zu warten, bis etwa ein Mitpatient seine Antwort überlegt hat.

Elemente einer „Handlungsgrammatik"

Ausgehend von dieser ersten groben Beschreibung des Handelns von Patienten mit Stirnhirnschädigung soll nun versucht werden, einige Aspekte von Handlungen und ihre Beeinträchtigung genauer zu analysieren. Wollte man sozusagen die Elemente einer Handlungsgrammatik angeben, so dürften die folgenden nicht fehlen:

- Zielgerichtetheit einer Handlung,
- Handlungsentwurf (das Planen),
- Veränderbarkeit von Plänen,

- Rückkopplung zwischen Planen und Handeln,
- Wissen des Handelnden.

Zielgerichtetheit

Unter einem Ziel versteht man den vor oder während einer Handlung vorgestellten Zustand am Ende der Handlung. Dieser Zustand erscheint dem Handelnden *wünschbar* und wird von ihm *angestrebt*. Betrachtet man Kranke mit „frontaler" Hirnschädigung, so muß man annehmen, daß die Zielgerichtetheit ihres Handelns aus mehreren Gründen behindert sein kann. Nach klinischer Beobachtung ist es zumindest fraglich, ob den Kranken Ziele wünschbar erscheinen und von ihnen angestrebt werden. Ein häufiges Merkmal der Stirnhirnschädigung besteht in dem von den Kranken mitunter sogar verbalisierten (erlebten?) *Mangel an Interesse,* in ihrer Gleichgültigkeit (Indifferenz) gegenüber möglichen Zielen. Bei diesen Patienten scheinen vor allem die *anreiz- und erwartungsbezogenen Gedanken* versiegt zu sein (s. Gollwitzer 1986).
Stuss und Benson (1986) führen dafür ein einprägsames Beispiel an:

Ein 30jähriger Patient hatte sich in suizidaler Absicht in den Kopf geschossen und dadurch eine rechtshirnige, frontotemporale Hirnverletzung erlitten. Er beharrte darauf, daß er den Lernstoff eines Ausbildungsabschnitts, den er nicht mit Erfolg abgeschlossen hatte, sehr wohl verstanden habe und auch behalten könne (was wohl auch zutraf), daß er aber keinerlei Interesse dafür und auch für andere Dinge aufzubringen vermöge. Bei einer Intelligenztestung erreichte er mit einem Wert von 123 einen überdurchschnittlichen IQ.

Interesselosigkeit, Teilnahmslosigkeit, Gleichgültigkeit sind Begriffe, die in der psychiatrischen Literatur unter dem Begriff *Apathie* subsummiert werden. Bei Patienten mit Stirnhirnschädigung ist die Apathie – oder anders ausgedrückt – der Verlust der motivationalen Bewußtseinslage offenbar die wesentlichste Ursache ihrer *Unfähigkeit zu kontinuierlicher („geistiger") Anstrengung* („mental effort"). Sind Handlungsziele allerdings einfach, unmittelbar und vertraut, so daß sie mehr oder minder automatisch und ohne „geistige" An-

strengung erreicht werden können, sind keine Schwierigkeiten zu erwarten. Das mag der Grund dafür sein, warum die meisten Kranken mit einem gut strukturierten, gewohnten Lebensablauf im Alltag kaum auffällig sind. Oftmals gewinnt man den Eindruck, daß Ziele nur noch grob und „schemenhaft" vorgestellt werden, daß aber die Wege zu einem Ziel, d. h. die Sequenz einzelner zum Ziel hinführender Akte, völlig außer Acht bleiben. Als Beispiel dafür mag die Äußerung eines Patienten stehen, der auf die Frage, was er sich für die Zeit nach seiner Entlassung aus der Klinik vorgenommen habe, antwortete: „Es wäre ganz schön, wenn ich wieder arbeiten könnte". Auf die Frage, wie er sich den Weg bis zu seiner beruflichen Rehabilitation vorstelle, erwiderte er lediglich: „Irgendwie halt".

Planen

Unter einem Plan verstehen wir die kognitive Repräsentation des Ablaufs einer künftigen Handlung. Ein Plan ist ein Handlungsentwurf; er ist eine Vorstellung von Art, Ordnung und Ausführung der einzelnen Handlungsschritte. Über einen Plan verfügen, bedeutet eine ausreichende Vorstellung des Handlungsablaufs zu besitzen. Ein Plan ist – wie auch das Ziel einer Handlung – abhängig von Vergangenheit und Gegenwart und auf die Zukunft bezogen (v. Cranach et al. 1980).
Es gibt keinen Grund anzunehmen, daß Stirnhirnkranke generell nicht planen. Bei der Mehrzahl der Patienten wird man allerdings konstatieren müssen, daß sie nur wenige Pläne verfolgen. Manche Patienten scheinen über der Lösung einer Aufgabe (eines Problems) zu „brüten", wobei zu vermuten ist, daß bei diesen Patienten der „Gedankenstrom" nur sehr träge fließt. Fordert man sie auf, ihre Gedanken laut auszusprechen (Thinking-aloud-Technik), formulieren sie meist nur sehr vage das Handlungsziel, können aber keine durchführungsbezogenen Gedanken angeben.
Es gibt aber auch Kranke, die scheinbar reichlich planen, bei genauem Hinsehen aber überwiegend irrelevante Planfragmente produzieren, die mit dem vorgestellten Ziel nur wenig

251

zu tun haben. Diese Patienten vermögen uns zu täuschen, weil sie in der oben erwähnten flüchtig-schemenhaften Weise über Pläne *reden* können, ohne daß diese in Handlungen umgesetzt würden.

Außengeleitetes Planen

Für die Mehrzahl der Kranken muß man wohl annehmen, daß sie sich nicht nach ihren *eigenen* Plänen richten. Der Selbständigkeit des Planens stehen der Mangel an „Einfällen" und die „Apathie" entgegen. Bei leichter Beeinträchtigung der „frontalen" Exekutivfunktionen scheinen die Kranken Pläne vorwiegend von anderen Menschen zu übernehmen, also *außengeleitet* zu sein. Bei den schwerer gestörten Patienten ist selbst das nicht mehr möglich, weil die in der Umwelt angebotenen Informationen nicht mehr oder nicht ausreichend beachtet werden.

Verlust der zeitlichen Dimension

Nach eigener Erfahrung sind in die Zukunft weisende, längerfristige Pläne bei stirnhirnkranken Patienten die Ausnahme. In aller Regel ist ihr Planen *auf die Gegenwart fixiert,* ohne zeitliche Perspektive. Ihre Pläne haben den Anschein der *zeitlichen Unmittelbarkeit,* in dem Sinne, daß sie beherrscht werden von gegenwärtigen Bedürfnissen und Umgebungsreizen (Ackerly 1964). Ihr Planen wird vor allem von sichtbaren und unmittelbar faßbaren Subjekten und Objekten beeinflußt. Sie sind unfähig geworden, sich vom Augenblick und vom Augenschein zu lösen.

In der Vergangenheit erworbene Erfahrungen und Kenntnisse mögen in einer gegebenen Situation sehr wohl erinnert werden, also im Gedächtnis repräsentiert sein, dennoch muß offen bleiben, ob solche Vorerfahrungen auch tatsächlich das aktuelle Planen zu beeinflußen vermögen.

Es mag sein, daß durch den Verlust der zeitlichen Dimension des Planens die so häufig zu beobachtende Sorglosigkeit dieser Kranken erklärt werden kann. Sie werden sorgen-los,

weil die (negativen) Erfahrungen von gestern keine Wirkung auf heute haben und die Konsequenzen von dem, was heute geschieht, für die Zukunft nicht vorgestellt werden (s. unten).

Genauigkeit des Planens

Ein weiterer Aspekt des Planens betrifft die Genauigkeit mit der geplant wird. Munzert (1983) weist in diesem Zusammenhang auf erhebliche interindividuelle Unterschiede schon bei hirngesunden Probanden hin. So gibt es Menschen, die sehr genau und detailliert planen, während dies andere nur sehr grob tun. Munzert (1983) zitiert die treffende Äußerung eines Probanden seiner Untersuchung zu diesem Thema:

„Manche planen ganz korrekt Minute für Minute, auch Punkte, die nicht so nötig sind; die bleiben manchmal an Kleinigkeiten hängen, die mir gar nicht so wichtig erscheinen ... Andere haben auch Ziele, planen aber nicht genau oder leben einfach in den Tag hinein."

Man kann vermuten, daß die Patienten, einmal abgesehen vom Verlust der zeitlichen Dimension, generell nur sehr grob planen. Sie neigen dazu, *Zwischenschritte zu vernachlässigen,* die auf dem Weg zu einer Lösung vorgestellt werden müssen.

Ein wesentlicher Grund für die ungenaue Planung der Kranken mag auch darin bestehen, daß ihrem Planen zu wenige und zudem nicht immer lösungsrelevante Informationen zugrundeliegen. Sie haben nicht nur – als Ausdruck der gedanklichen „Bewegungsarmut" – nur wenige spontane „Einfälle" zur Lösung eines Problems, sondern sie nehmen auch nur wenige lösungsrelevante Informationen aus ihrer Umgebung auf; das wiederum mag vor allem seinen Grund in einer *unzureichenden Exploration der Umwelt* haben oder aber auf eine Beeinträchtigung in der Extraktion von Merkmalsklassen, auf eine *gestörte Kategorisierungsleistung* zurückzuführen sein. Schwer fällt es den Kranken auch, mehrere Informationen zugleich (was nicht im strengen Sinn gleichzeitig bedeuten soll) zu benutzen.

In diesem Zusammenhang sei noch angefügt, daß Patienten mit „frontaler" Hirnschädigung *kaum je Fragen stellen;* sie „vergessen" einfach zu fragen, obschon sie wissen, an wen sie sich mit einer Frage zu wenden hätten. Im Gegensatz zu den meisten anderen hirngeschädigten Patienten nehmen sie Beratung durch Therapeuten, aber auch durch Bezugspersonen, nur selten in Anspruch.

Veränderbarkeit von Plänen

Es liegt auf der Hand, daß bei so ungenauem Planen *Alternativpläne* überhaupt nicht entwickelt werden. Geht bei der Verwirklichung eines Plans etwas schief, löst beim Hirngesunden der mißlungene Plan „automatisch" die Suche nach Alternativplänen aus. Ein Patient mit „frontaler" Hirnschädigung ersetzt dagegen häufig, wie oben beschrieben, Alternativen durch Routinehandlungen.

Manche Patienten versuchen allerdings ansatzweise die Entwicklung von Alternativen; die Abweichung vom Originalplan beschränkt sich dabei jedoch zumeist auf für die Erreichung des Ziel nebensächliche Details. Die Zurückweisung irrelevanter Alternativen scheint den Kranken besondere Schwierigkeiten zu bereiten (s. Cicerone et al. 1983).

In der Testsituation fällt auf, daß die Kranken dazu neigen, eine Aufgabe, die sie nicht auf Anhieb lösen können, für unlösbar anzusehen und sehr rasch *aufgeben.* Äußerungen wie „das geht doch gar nicht" oder „da gibt es keine Lösung" sind keine Ausnahme. Dabei wird nicht erwogen, daß der Untersucher doch wohl keine unlösbare Aufgabe stellen würde.

Da kaum je mehrere Teilpläne zugleich entwickelt werden, stellt sich für die Patienten meist nicht das Problem, diese Teilpläne untereinander in Einklang zu bringen. Bei leichterer Beeinträchtigung zeigt sich jedoch die *mangelhafte Koordination* von Teilplänen sehr deutlich.

Eine Abstimmung der eigenen Pläne (Planfragmente) mit denen anderer Menschen erfolgt ebenfalls nicht; dies kann den Anschein von Rücksichtslosigkeit hervorrufen.

Realisierungsorientierung und Einsichtsfähigkeit

Es ist unschwer vorzustellen, daß sich die Ziele und Pläne der Kranken nicht ausreichend auf die tatsächlich vorfindbaren Gegebenheiten beziehen, daß sie, mit anderen Worten, keine *Realisierungsorientierung* besitzen (Gollwitzer 1986). Als ein sehr einfaches Beispiel dafür mag stehen, daß eine 24jährige Patientin mit bifrontaler traumatischer Substanzschädigung einen Pullover gestrickt hatte, ohne jemals bei sich oder einem anderen Menschen Maß genommen zu haben. Eine Reihe der oben angegebenen Störungen von Aspekten des Planens lassen vermuten, daß Kranke mit „frontaler" Hirnschädigung moralische, ethische und gesetzliche Gesichtspunkte beim Planen häufig vernachlässigen. Nicht immer vermögen sie Recht von Unrecht zu unterscheiden. Dennoch sind grobe Regelverstöße selten. In schweren Fällen muß allerdings von einer strafrechtlich relevanten *Verminderung der Einsichtsfähigkeit* ausgegangen werden.

„Supervisory attentional system" (S. A. S.)

Am Ende des Abschnitts über die Störungen des Planens und zu Beginn der Darstellung einiger Überlegungen zur Beeinträchtigung der Rückkopplung zwischen Planen und Handeln soll nochmals auf die Arbeit von Shallice (1982) Bezug genommen werden. In seinem Informationsverarbeitungsmodell der „frontalen" Exekutivfunktionen diskutiert er 2 Komponenten, die für die Aktivierung von Aktionsschemata in der Vorbereitung einer Handlung bedeutsam sind. Von der Komponente *„contention scheduling"* war bereits oben die Rede; die zweite Komponente bezeichnete Shallice (1982) als *„supervisory attentional system" (S. A. S.).* Darunter versteht er eine Art von Überwachungs- und Kontrollsystem, das die Aktivität des durch Trigger gesteuerten „Routinesystems" („contention scheduling system") zu modifizieren vermag. Die Auswahl von Aktionsschemata unter Benutzung des S. A. S. geschieht *langsam und flexibel,* im Gegensatz zu dem rasch arbeitenden, aber inflexiblen „Routinesystem".

Die klinische Beobachtung legt die Vermutung nahe, daß das S. A. S. bei Patienten mit „frontaler" Hirnschädigung beeinträchtigt ist. Man kann dies indirekt an der großen Zahl von Handlungs*fehlern* (Norman 1981) ablesen. Reason (1979) gibt ein anschauliches Beispiel für einen häufigen Handlungsfehler, wie er auch beim Hirngesunden vorkommt, wenn er „gedankenverloren" oder „abgelenkt" ist.

Ein Proband überquerte die Veranda hinter seinem Haus, um sein Auto aus der Garage zu holen; er hielt auf dem Weg dorthin inne und zog sich Gummistiefel und einen Arbeitskittel an, als ob er im Garten arbeiten wollte.

Hieran läßt sich zeigen, daß ohne die kontinuierliche Überwachung unserer Handlungen durch das S. A. S. die Umsetzung eines Plans in eine bestimmte zielgerichtete Handlung durch Triggerreize mit hohem Aufforderungscharakter in der aktuellen Umgebungsbedingung unterbrochen werden, die dann anstelle der beabsichtigten Handlung eine Routinehandlung auszulösen vermögen. Es ist wichtig zu erwähnen, daß zumindest nach Angaben der Patienten die interferierenden Handlungen *nicht zuvor* intendiert waren.

Solche Handlungsfehler scheinen bei den Patienten tatsächlich häufig vorzukommen.

Ein 49jähriger Patient mit bifrontalen Kontusionsherden nach schwerem gedecktem SHT mähte gerade den Rasen vor seinem Haus; als er dabei in die Nähe eines Rosenbeets kam, ließ er den Rasenmäher mit laufendem Motor stehen und begann, Rosen abzuschneiden; mit dem Rosenstrauß ging er zum Haus, vielleicht um die Blumen in eine Vase zu stellen; bevor er das Haus betrat, sah er, einige Meter entfernt, seinen Sohn mit einem Nachbarn sprechen; er legte die Rosen achtlos beiseite und ging zu seinem Sohn hinüber. Keine der begonnenen Handlungen nahm er von sich aus wieder auf. Man sollte noch hinzufügen, daß die beschriebenen Teilhandlungen völlig automatisch abliefen.

Rückkopplung von Planen und Handeln

Effizientes Handeln ist ohne ständige Rückkopplung von Planen und Handeln nicht möglich. Dabei kommt schon bei der Planung (also vor allem in der prädezisionalen Motivationsphase) der *Antizipation von unerwünschten Folgen* eine besondere Bedeutung zu; bei schwerer Stirnhirnschädigung scheint ein Patient im allgemeinen nicht mehr zu überlegen, ob sein Vorgehen zur Erreichung eines Ziels unerwünschte Folgen mit sich bringen könnte (Cicerone et al. 1983).

In der *postaktionalen Bewertungsphase* geht es sowohl um die Bewertung erledigter Handlungen, als auch um die Umstellung auf die Planung und Ausführung neuer Handlungen (s. Beckmann 1986).

Kranke mit „frontaler" Hirnschädigung kommen kaum je zu einer Analyse der Ursachen, warum ein Plan schiefgegangen ist. Von daher nimmt es nicht wunder, daß Strategieüberlegungen und Selbstinstruktionen ausbleiben, die zu einem *Lernen aus Fehlern* führen könnten; auch Lernen über Versuch und Irrtum ist oftmals nicht erfolgreich. Zweifellos steht dabei die Perseveration von Fehlern ganz im Vordergrund; man beobachtet aber auch Patienten, die wechselnde, nicht vorhersagbare Fehler machen.

In enger Beziehung zu der verminderten Fähigkeit, aus Fehlern zu lernen, steht ein weiteres „Symptom": die Vernachlässigung von *Plausibilitätskontrollen*. Fordert man beispielsweise einen Patienten auf, aus einer Tabelle die Postgebühren für einen Standardbrief in die USA herauszufinden, so kann es sein, daß er die richtige Spalte/Zeile verfehlt (wie das jedem passieren kann) und die Postgebühr mit 50 DM angibt. Er überlegt nicht, ob ein Brief in die USA tatsächlich so teuer sein kann oder ob er vielleicht eine Gewichtsangabe anstelle der Postgebühr genannt haben könnte.

Was nun das Umschalten auf die Planung und Durchführung neuer Handlungen angeht, so haben Kranke mit „frontaler" Hirnschädigung hiermit die allergrößten Schwierigkeiten: Ihre *Umstellungsfähigkeit* ist in der Regel erheblich beeinträchtigt. Sie scheinen von der Beschäftigung mit der oder den zuvor erledigten Handlungen nur schwer loskommen zu können, so als ob die jeweils vorausgehende Handlung *nicht abgeschlossen* werden könnte. Andererseits läßt sich - wie oben beschrieben - auch beobachten, daß beliebige, sinnlich faßbare

Hinweisreize ein jähes Umschalten auf die Beschäftigung mit einer neuen Aktivität bewirken können, ohne daß der retrospektiven Bewertung der abgelaufenen Handlung irgendeine Aufmerksamkeit geschenkt wird.

Wissen des Handelnden

Wissen ist zusammen mit der Wahrnehmung unmittelbarer Gegebenheiten die Grundlage der Realitätsanpassung des Handelns. Als handlungsrelevantes Wissen werden jene Kenntnisse des Handelnden bezeichnet, die im Zusammenhang mit der Handlung *bewußt* werden und sich auf den Handelnden selbst, seine Partner, die Situation und die Handlung einschließlich ihrer Vorgeschichte und Bedeutung beziehen (von Cranach et al. 1980). Unterstellt man einmal, daß das semantische Gedächtnis eines Patienten durch die Hirnschädigung nicht beeinträchtigt wurde, was bei fokaler Stirnhirnschädigung der Fall sein kann, so bleibt es dennoch fraglich, ob der Stirnhirnkranke auf längere Sicht über ausreichendes Wissen zum Handeln verfügen wird. Das Problem dürfte in der abnehmenden Aktualität handlungsrelevanten Wissens bestehen. Da die Patienten als Folge ihrer Interesselosigkeit und der Unfähigkeit zu einer kontinuierlichen „geistigen" Anstrengung nur wenig neues Wissen erwerben werden, ist mit zunehmendem zeitlichem Abstand von der Hirnschädigung mit einer allmählichen Verringerung ihres handlungsrelevanten Wissens zu rechnen. Der dadurch in Gang gesetzte Teufelskreis ist offensichtlich: Die Abnahme verfügbaren, handlungsrelevanten Wissens vermindert ihrerseits wiederum die allenfalls noch verbliebenen Möglichkeiten zu spontanem, zielgerichtetem Handeln.

14.3 Diagnostische Verfahren

Zur Diagnostik von „frontalen" Hirnleistungsstörungen werden in der klinischen Literatur folgende Leistungen überprüft:

- *Konzeptbildung/Kategorisierung:* Booklet Category Test (DeFilippis u. McCampell 1979); Weigl-Test (Weigl 1941; de Renzi et al. 1966); Intelligenz-Struktur-Test (IST 70), Subtests Wortauswahl und Gemeinsamkeiten (Amthauer 1973); Leistungs-Prüf-System L-P-S, Subtests Denkfähigkeit, Worteinfall (Horn 1983);
- *Wechsel von Kategorien* (Umstellungsfähigkeit): Wisconsin Cardsorting Test (Berg 1948; Grant u. Berg 1948; Milner 1963, 1964; Robinson et al. 1980);
- *Ordnen vorgegebener, sequenzierter Handlungsabläufe:* Bilderordnen im HAWIE (Wechsler 1958, 1981);
- *schlußfolgendes Denken:* IST 70, Subtest Analogien (Amthauer 1973);
- *prozeßorientiertes Problemlösen:* Turm von Hanoi (Klix u. Rautenstrauch-Goede 1967), Turm von London (Shallice 1982), Porteus-Labyrinthe (Porteus 1950, 1965).

Die oben genannten Tests sind keineswegs spezifisch für umschriebene frontale Hirnschädigungen; sie erlauben jedoch eine ausreichend zuverlässige Unterscheidung „frontaler" Gewebsläsionen - seien sie durch eine auf das Stirnhirn beschränkte oder durch eine diffus-disseminierte zerebrale Hirnschädigung mit frontaler Beteiligung entstanden - und nichtfrontaler Gewebsläsionen. Für diese Tests ist kennzeichnend, daß weniger das *Ergebnis,* sondern mehr der *Lösungsprozeß* diagnostischen Aufschluß gibt.

Für die Untersuchung der Kranken mit „frontaler" Hirnschädigung ist von Bedeutung, daß der Untersucher häufig gezwungen ist, Instruktionen zu wiederholen und verbale Aufforderungen zu geben, damit die Patienten mit der gestellten Testaufgabe fortfahren (s. Hecaen u. Albert 1978). Dabei muß man allerdings bedenken, daß die Wiederholung von Testinstruktionen während der Testdurchführung zusätzliche Informationen liefert und damit die Testaufgabe verändert. Wenn erforderlich, sollte der Untersucher deshalb lediglich *standardisierte Hilfen* geben, die keine zusätzlichen Informationen bieten (Duncan 1986).

Zur klinischen Beurteilung von Störungen des

Planens und Handelns bei Patienten mit „frontaler" Hirnschädigung ist es zusätzlich notwendig, eine *systematische Verhaltensanalyse* ihres Planens und Handelns anzuschließen, um Auswirkungen der Störung in Alltagssituationen besser abschätzen zu können.

Booklet Category Test (BCT)

Der BCT ist eine Weiterentwicklung des Halstead Category Test (Halstead 1974). Für die Diagnostik von Problemlösestörungen wird die gekürzte Form des BCT (Calsyn et al. 1980) verwendet, die nur die ersten 4 Untertests enthält, da diese weitgehend frei von Gedächtnisleistungen ausgeführt werden können.

Diese Kategorisierungsaufgaben erfordern:

- die genaue Exploration des Stimulusmaterials,
- die Extraktion der relevanten Merkmale,
- die Entwicklung eines Konzepts (Kategorienbildung),
- das Lernen aus Rückmeldungen,
- die Entwicklung von Alternativkonzepten.

Der Patient hat die Aufgabe, auf einer Antwortkarte mit den arabischen Zahlen 1, 2, 3 und 4 auf diejenige Zahl der Karte zu deuten, die mit dem jeweils präsentierten Stimulus in Zusammenhang steht.

- Subtest 1: Römische Zahlen sollen den entsprechenden arabischen Zahlen zugeordnet werden.
- Subtest 2: Figuren und Buchstaben sollen nach der Anzahl sortiert werden.
- Subtest 3: Die Position *einer* geometrischen Figur soll angegeben werden, die sich in Form, Farbe oder Größe von den übrigen 3 Figuren unterschiedet.
- Subtest 4: Die Zuordnung der 4 arabischen Zahlen der Antwortkarte zu bestimmten Details geometrischer Figuren soll aus Rückmeldungen des Untersuchers („falsch" oder „richtig") gelernt werden.

Vor jedem Untertest wird der Hinweis gegeben, daß die Sortierungskriterien gleichbleiben, sich jedoch auch ändern können. Der Patient kann nur eine Antwort zu jeder Stimuluskarte geben, d.h. Fehler werden nicht korrigiert, er bekommt jedoch nach jeder Vorlage die Rückmeldung „richtig" oder „falsch". Falsche Antworten werden als Fehler bewertet, die zur Bildung eines Rohwerts herangezogen werden (s. Calsyn et al. 1980). Es liegen vorläufige Normen für 62 Normalpersonen vor (Engel, unveröffentliche Daten).

Wisconsin Cardsorting Test (WCST)

Beim WCST wird zusätzlich zu den beim BCT angeführten 5 Aspekten die *Umstellungsfähigkeit* von einer Kategorie auf eine andere überprüft. Im Unterschied zum BCT wird dem Patienten bei dieser Aufgabe weder gesagt, daß es verschiedene Kategorien gibt, noch daß diese sich ändern können.

Der WCST wird in der verkürzten Form nach Milner (1963, 1964) verwendet. Die Untersuchung von Robinson et al. (1980) hat gezeigt, daß der WCST ein klinisch brauchbarer Test zur Unterscheidung frontaler von nichtfrontalen Läsionen darstellt.

4 Karten mit 1 roten Dreieck, 2 grünen Sternen, 3 gelben Kreuzen und 4 blauen Punkten werden von links nach rechts dem Patienten vorgelegt. Er hat die Aufgabe, 64 Stimuluskarten den 4 Vorlagen zuzuordnen, wobei er die Rückmeldung erhält, ob seine Zuordnung richtig oder falsch war.
Der Untersucher läßt anfangs nach der *Farbe* kategorisieren. Sobald der Patient 10 Karten nacheinander diesem Merkmal zugeordnet hat, wechselt der Untersucher die Kategorie; jetzt soll eine Zuordnung zur *Form* vorgenommen werden. Nach wiederum 10 richtigen Zuordnungen des Patienten wird auf die Kategorie *Anzahl* gewechselt. Die Sortierung nach Farbe, Form und Anzahl wird zweimal durchgeführt.
Ist ein Patient nach der Präsentation der 64 Stimuluskarten nicht in der Lage, die 3 geforderten Kategorien zu extrahieren, werden diese mit schrittweisen Hilfestellungen durch den Untersucher erarbeitet.
Zunächst legt der Untersucher mehrere Stimuluskarten vor, die nach einem Merkmal, z.B. der Farbe sortiert sind. Der Patient wird aufgefordert, das gemeinsame Merkmal zu benennen. Gelingt es ihm auch auf diese Weise nicht, die Kategorien aufzufinden, werden ihm diese vom Untersucher gezeigt. Danach wird ein neuer Testdurchgang versucht. Damit kann sichergestellt werden, daß nicht die Kategorisierungsleistung, sondern primär die Umstellungsfähigkeit geprüft wird.
Für die Kurzform des WCST liegen keine ausreichenden Normen vor (s. Milner 1963, 1964). Ausgewertet werden die Anzahl der Gesamtfehler sowie die Anzahl verschiedener Fehlertypen: Fehler bis zum Auffinden der jeweils neuen Kategorie, Perseverationsfehler, außerordentliche Fehler („unique errors"). Zusätzlich wird die Anzahl der zufällig richtigen Sortierungen bis zum Auffinden der jeweils neuen Kategorie notiert.

Porteus-Labyrinthe

Mit Hilfe der Porteus-Labyrinthe wird die Fähigkeit zu *vorausschauender Planung* überprüft. Für eine korrekte Lösung der Aufgabe ist es notwendig, Teilpläne zu entwickeln, d. h. von Entscheidungspunkt zu Entscheidungspunkt den richtigen „Pfad" von den in Sackgassen mündenden „Irrwegen" abzutrennen. Von den Porteus-Labyrinthen werden die Formen für Erwachsene verwendet („extension series" und „supplement"; Porteus, 1965).

Der Patient wird angewiesen, den direkten Weg vom Startpunkt S zum Ausgang zu finden. Er soll das Labyrinth in einem Zug durchfahren, d. h. der Bleistift soll nicht abgesetzt werden. Er wird darauf hingewiesen, daß der Weg nur „mit den Augen" vorausgeplant werden darf.

Als Fehler, die zum Abbruch des Testversuchs und zu Vorlage eines neuen Testblatts führen, gelten das Befahren einer Sackgasse und das Überschreiten von Grenzlinien. Notiert werden ferner Richtungsänderungen (Änderung der Richtung vor Erreichen einer Sackgasse).

Zur Beurteilung der Fähigkeit, aus Fehlern zu lernen, werden 5 Testversuche pro Labyrinth durchgeführt. Auf Zeitnahme wird dabei verzichtet, um die Tendenz zu impulsivem, vorschnellem Handeln nicht zu unterstützen. Ausgewertet werden die richtigen bzw. falschen Entscheidungen an den „Wegkreuzungen" (Entscheidungspunkten) des Labyrinths.

Turm von Hanoi

Auch mit dem „Turm von Hanoi" wird die Fähigkeit zu *vorausschauender Planung* überprüft.

Auf einer Unterlage sind 3 runde Felder (A, B, C) markiert, auf einem dieser Felder befindet sich ein „Turm" aus runden Holzscheiben, deren Durchmesser von unten nach oben an Größe abnehmen. Die Anzahl der Holzscheiben kann 3, 4 oder mehr betragen, wodurch der Schwierigkeitsgrad der Aufgabe variiert werden kann.

Zur Diagnostik von Störungen des Planens und Handelns werden die Drei- und Vierscheibenversionen verwendet. Die Dreischeibenversion umfaßt 27 mögliche Scheibenplazierungen, die optimale Lösung gelingt mit 7 Zügen; die Vierscheibenversion umfaßt 81 mögliche Scheibenplazierungen, die optimale Lösung ist mit 15 Zügen möglich. Zur Beurteilung der Fähigkeit, aus Fehlern zu lernen, werden mindestens 5 Testdurchgänge durchgeführt.

Der Patient soll den gesamten „Turm" von Feld A nach Feld C transportieren; Feld B steht für Zwischenschritte zur Verfügung. Hierbei sind strikte Regeln einzuhalten: 1) Es darf jeweils nur 1 Scheibe bewegt werden. 2) Eine größere Scheibe darf niemals auf einer kleineren Scheibe liegen. 3) 2 Scheiben dürfen nicht nebeneinander auf ein Feld gelegt werden. Bei Regelverstößen wird jeweils ein neuer Testdurchgang begonnen. Das Ziel soll mit möglichst wenigen Zügen (Scheibenbewegungen) erreicht werden.

Zunächst muß die unterste, größte Scheibe freigelegt werden (Teilziel 1); ferner muß das Zielfeld (Feld C) unbesetzt bleiben (Teilziel 2); daraus folgt, daß der Rest des Turms auf Feld B transportiert werden muß. Werden diese Teilziele erkannt, so entfallen bereits mehr als 70% der theoretisch möglichen Züge (Hussy 1984).

Ausgewertet werden die Anzahl der zur Lösung insgesamt benötigten Züge, ob der erste (für die Lösung entscheidende) Zug richtig plaziert wird, die Regelverstöße.

Planungstest

In diesem in unserer Arbeitsgruppe (von Frau Feidel) entwickelten Test werden *Planungsaspekte anhand von alltagsorientierten Aufgaben* überprüft. Dabei sollen mehrere Informationen „gleichzeitig" beachtet und Teilpläne aufeinander abgestimmt werden.

Das Testmaterial besteht aus einer Liste mit 11 alltäglichen Aufträgen (Ämter, Geschäftstermine), die im Zeitraum von 5 h (zwischen 14 und 19 Uhr) erledigt werden sollen. Dazu erhält der Patient die folgenden Informationen:

- die Öffnungszeiten von Geschäften und Dienststellen bzw. die Zeitpunkte der Termine,
- die vorgesehene Dauer für den jeweiligen Auftrag,
- die Wegzeiten zwischen den einzelnen Erledigungsorten,
- die verfügbare Bargeldmenge und die für einzelne Aufträge benötigten Geldbeträge,
- das Gewicht von Lasten, die nur für eine begrenzte Zeit getragen werden dürfen.

Dem Patienten liegt als Hilfsmittel zur Planung eine Tabelle mit den Wegzeiten vor.

Die Aufgabe des Patienten besteht darin, unter Beachtung aller Kriterien einen Lösungsplan zu entwickeln, wobei alle Aufgaben erledigt werden sollen. Für einzelne Aufträge sind mehrere Lösungen möglich.

Ausgewertet wird derzeit nur die Anzahl der richtig erledigten Aufträge.

Es liegen Rohwerte für 42 Normalpersonen vor: sie erreichen Werte zwischen 8 und 11 Punkten mit einem Median von 10 Punkten. Bei einer vorläufigen

Auswertung von 53 Patienten mit Schädel-Hirn-Trauma ergaben sich Werte von 0 bis 10 Punkten mit einem Median von 5 Punkten. Patienten mit im Alltag relevanter Störung des Planens und Handelns lagen ausnahmslos unterhalb des Medianwerts.

Mittel-Ziel-Problemlösungsaufgaben

Bei Patienten mit geringer Produktion lösungsrelevanter Ideen können Mittel-Ziel-Problemlösungsaufgaben diagnostisch verwendet werden, wie sie von Spivack et al. (1976) vorgeschlagen und von Kemmler und Borgart (1982) ins Deutsche übersetzt wurden. Die Aufgaben erfordern die Ergänzung von Zwischenschritten, mittels derer ein festgelegter Endzustand von einer gleichfalls vorgegebenen Ausgangssituation erreicht werden kann.

Die Testaufgaben bestehen aus 8 kurzgefaßten Texten, in denen beispielsweise ein Problem angesprochen ist, daß eine Person mit einem oder mehreren Interaktionspartnern hat.
Die vom Patienten produzierten Zwischenschritte werden inhaltsanalytisch ausgewertet:

1) Als *relevante* Lösungen (Mittel) werden diejenigen Zwischenschritte bezeichnet, die Anfang und Ende der Aufgabe in logischer und schlüssiger Weise miteinander verbinden.
2) *Irrelevante* Mittel sind Lösungen, die für das Erreichen eines Ziels nicht effektiv sind oder grundlegende Zwischenschritte nicht beinhalten.
3) Als *nicht vorhandene Mittel* werden Lösungen bewertet, in denen Zwischenschritte nicht ausreichend verständlich beschrieben werden oder die Aufgabe lediglich umformuliert wurde.
4) *Keine Antwort:* diese Kategorie beinhaltet Antworten, die nichts mit der Aufgabe zu tun haben oder nicht bearbeitet wurden.

Nach Kemmler und Borgart (1982) läßt sich daraus ein *Relevanzquotient* berechnen, der die Anzahl relevanter Lösungsschritte in Verhältnis zu den ineffektiven Lösungen setzt.

Für die Eichstichprobe (172 Probanden) von Platt und Spivack (1975) wurden folgende Summenwerte für 10 Aufgaben angegeben:

- mittlere Anzahl der relevanten Mittel: Krankenhausangestellte 1,36; Studenten: 2.49;
- mittlerer Relevanzquotient: 0,81 bzw. 0,95.

Die Untersuchung an 32 akut-psychiatrischen Patienten ergab eine mittlere Anzahl relevanter Mittel von 0,63 und einen Relevanzquotienten von 0,68.
In der Arbeit von Kemmler und Borgart (1982) werden für 8 der oben genannten 10 Aufgaben von Platt

und Spivack (1975) folgende Werte mitgeteilt: chirurgische Patienten (n = 28): 1,53 bzw. 0,78; Alkoholkranke (n = 35); 0,60 bzw. 0.43.

Typische Fehler von Patienten mit „frontaler" Hirnschädigung

In den beschriebenen Diagnostikverfahren lassen sich die folgenden Verhaltensauffälligkeiten beobachten:

- impulsives, vorschnelles Handeln (alle Tests);
- eingeschränkte Produktion von (Teil-)Lösungen (alle Tests);
- kein zielgerichtetes Handeln (alle Tests);
- unzureichende Extraktion der relevanten Informationen (alle Tests);
- Extraktion der relevanten Merkmale/Teilpläne ohne nachfolgende Handlungskonsequenzen (alle Tests);
- „Haften" an (irrelevanten) Details (alle Tests);
- mangelhafte Umstellungsfähigkeit bzw. Perseveration vorausgegangener Handlungsschritte (alle Tests);
- „Rationalisierungen" beim Auftreten von Schwierigkeiten mit der Testdurchführung (alle Tests);
- mangelhaftes Lernen aus Fehlern (alle Tests, ausgenommen die Mittel-Ziel-Problemlösungsaufgaben);
- mangelhafte Entwicklung von Alternativplänen (Mittel-Ziel-Problemlösungsaufgaben; Porteus-Labyrinthe; „Turm von Hanoi"; Planungstest);
- Regelverstöße (Porteus-Labyrinthe, „Turm von Hanoi");
- mangelhafte Koordination von Teilplänen (Mittel-Ziel-Problemlösungsaufgaben; Planungstest);
- zunehmende Ungenauigkeit der Planung im Testverlauf (Planungstest);
- Einsatz von planungsirrelevanten Routinehandlungen (Mittel-Ziel-Problemlösungsaufgaben; Planungstest).

14.4 Ansätze zur Therapie

Dieser Abschnitt über Behandlungsverfahren will Denkanstöße für die Erarbeitung systematischer Therapieansätze in diesem äußerst komplizierten Bereich der neuropsychologischen Rehabilitation vermitteln. Die Gliederung orientiert sich an den von Gross und Schutz (1986) vorgeschlagenen 5 Interventionsmodellen für die neuropsychologische Rehabilitation.

14.4.1 Verhaltenskontrolle durch die Umwelt

Patienten mit schwerer „frontaler" Hirnschädigung sind, wie in 14.2 ausführlich dargestellt, nicht mehr in der Lage selbständig zu planen und zu handeln. In einem solchen Fall ist ein Ersatz der beeinträchtigten Steuerungs- und Leitungsfunktion(en) des Patienten durch Rückgriff auf *fremde Ressourcen* (s. Kap. 1), d. h. im wesentlichen auf die Bezugspersonen, erforderlich. Bei diesen schwer gestörten Patienten ist eine Verhaltensmodifikation, die zudem nur mit hohem Aufwand an Personal und Kosten durchgeführt werden könnte, nicht erfolgversprechend.

In diesen Fällen müssen Handlungen ständig von „außen" angestoßen und der Patient zum „Mittun" angeregt werden (ein Patient zog seinen Arbeitsanzug nur dann an, wenn die Arbeitskollegen dasselbe taten; allein war er dazu nicht in der Lage).

14.4.2 S-R-Konditionierung

Erscheint beim Patienten eine Verhaltensänderung in begrenztem Umfang möglich, können *Konditionierungstechniken* versucht werden. In konkreten Alltagssituationen werden Verhaltensweisen mit dem Patienten eingeübt und mittels positiver Verstärkung gefestigt. Das Ziel dieser Konditionierungen ist es, stabile Handlungsroutinen aufzubauen, die unabhängig von einer Aufforderung durch die Umwelt eingesetzt werden. Voraussetzung für den Erfolg dieses Therapieansatzes ist die konsequente Befolgung von Verstärkerplänen durch die Bezugspersonen.

Um zielgerichtete Handlungen zu ermöglichen, ist es erforderlich, daß die Bezugspersonen des Patienten Pläne mit allen Teilschritten (Teilplänen) in anschaulicher Form *vorstrukturieren*. Zur Durchführung einfacher Einkäufe wird man dem Patienten beispielsweise detaillierte Anweisungen aufschreiben. In der Regel kann man beobachten, daß solche vorstrukturierten Pläne selbst von Patienten mit schwerer Stirnhirnschädigung ausgeführt werden können. Allerdings dürfen die Handlungsanweisungen nicht zuviele Teilschritte enthalten, damit die begrenzte Fähigkeit der Patienten zu kontinuierlicher „geistiger" Anstrengung nicht überfordert wird.

Duncan (1986) ist der Ansicht, daß Patienten mit „frontaler" Hirnschädigung in der Lage sind, mittels solcher vorstrukturierter Anweisungen auch komplexere Handlungen auszuführen, die dann in vertrauten Situationen „automatisch" ausgelöst werden.

Patienten, die unorganisiert handeln (s. 14.2) und Handlungen vorzeitig abbrechen, werden verstärkt, wenn sie mündlich aufgetragene, genau vorstrukturierte Handlungen zu Ende führen. Dabei muß die Anzahl der zu bewältigenden Einzelschritte auf dem Weg zum angestrebten Handlungsziel den Fähigkeiten des Patienten angepaßt werden. Störreize, durch die sich der Patient ablenken lassen könnte, sollten möglichst reduziert werden. Während der Ausführung der Handlung sollte der Patient in einem ruhigen Raum arbeiten können und dabei nicht angesprochen werden.

14.4.3 Training von Planungskomponenten

Dieser Therapieansatz hat die Erarbeitung von Voraussetzungen für einen geordneten Planungsprozeß zum Ziel. Zu Beginn des Trainings muß eine genaue Verhaltensanalyse durchgeführt werden, die Aussagen darüber zuläßt, welche Komponenten des Planungsprozesses im einzelnen gestört sind und in welchen Alltagssituationen deshalb ineffizientes Handeln auftritt.

Bei Patienten, deren Hauptschwierigkeit eine mangelnde Exploration der Umweltbedingungen ist, die möglicherweise impulsives, vorschnelles Handeln zur Folge hat, wird man zunächst die *genaue Exploration einer Vorlage* und die *Extraktion der relevanten Informationen* zu verbessern suchen. Dafür eignen sich beispielsweise Bildkarten, die sich in mehreren Merkmalen unterscheiden, aber auch Aufgaben nach Art des Gemeinsamkeitenfindens (Subtest im HAWIE). Zum Training der Extraktion relevanter Informationen lassen sich Aufgaben verwenden, bei denen ein (unterschiedlich komplexer) Sachverhalt als *Telegramm* formuliert werden soll; die Aufgabe des Patienten besteht darin, diejenigen Informationen eines Sachverhalts auszuwählen, die der Empfänger des Telegramms benötigt, um Hilfestellungen bei der Lösung des vorgegebenen Problems liefern zu können (Ben-Yishay et al. 1980).

Wie in 14.2 angemerkt, sind Patienten mit Stirnhirnschädigung nur unzureichend in der Lage, für die Lösung einer Aufgabe *mehrere Informationen* zu beachten. Das Training dieser Hirnleistung beginnt man sinnvollerweise mit sehr einfachen Übungsaufgaben, um den Patienten zu vermitteln, daß die Beachtung nur einer Information nicht zum gewünschten Ziel führt. Dazu eignen sich Aufgaben sehr gut, in denen Itemlisten miteinander verglichen werden sollen. Der Patient erhält z. B. die Aufgabe, die auf einem Bestellschein angeführten Positionen (Items) mit den unvollständigen oder fehlerhaften Positionen eines Lieferscheins zu vergleichen. Er wird instruiert, die Items auf dem Lieferschein Punkt für Punkt durchzugehen und auf dem Bestellschein zu markieren; dann soll er auf dem Bestellschein die nicht gelieferten und auf dem Lieferschein gelieferte, aber nicht bestellte Positionen feststellen. Für das Training dieser Leistung eignet sich auch die Arbeit mit verschiedenartigen Informationstabellen (z. B. Fahrplänen, Gebührentabellen) wegen ihrer Alltagsrelevanz sehr gut. Der Patient erhält beispielsweise die Aufgabe, die Gebühr für einen 60 g schweren Brief in die USA herauszufinden; er muß zunächst den Abschnitt für Briefe ins überseeische Ausland aufsuchen, dann die Gewichtsangabe vergleichen und schließlich die zutreffende Postgebühr aufschreiben.

Bei Patienten, die an irrelevanten Einzelschritten eines Planes festhalten und dabei den Überblick verlieren, ohne auf den „roten Faden" des Gesamtplans zu achten, wird man die zeitlich wie auch inhaltlich *logische Reihenfolge* (sequentiell-hierarchische Anordnung) von zum Ziel führenden Teilplänen üben. Diese Fertigkeit kann man z. B. mit Aufgaben angehen, die wie der Subtest „Bilderordnen" des HAWIE aufgebaut sind. Man kann dafür aber auch Texte verwenden, deren „roter Faden" durch häufige zeitliche „Vor- und Rückblenden" nicht unmittelbar erkennbar ist. Im Fall des Bilderordnens hat der Patient die Einzelelemente anschaulich vor Augen und kann über Versuch und Irrtum (durch probeweises Kombinieren der Bilder) zur Lösung gelangen; bei den Texten muß er die zeitliche Sequenzierung überwiegend „im Kopf" herstellen, ohne die Anordnung des Stimulusmaterials verändern zu können. Nach eigener Erfahrung ist der letztere Aufgabentyp für die Patienten schwieriger zu bewältigen.

Zur Vorbereitung der *Entscheidungsfindung,* die in der .prädezisionalen Motivationsphase (s. 14.2) stattfindet, ist eine möglichst große Anzahl von *Handlungsalternativen* (Handlungsoptionen) von Nutzen (vgl. Nezu u. D'Zurilla 1981). Dieser Therapieaspekt wird in der Form eines „Brainstorming" durchgeführt (Goldfried u. Goldfried 1975). Zu einem beliebigen Thema (z. B. Wohnungssuche, Freizeitgestaltung) sollen möglichst viele „Ideen" produziert werden, ohne daß diese zunächst bezüglich ihrer Realisierbarkeit bewertet werden sollen. Für diesen Aufgabentyp ist das Gruppentraining besonders geeignet, da aus den Beiträgen aller Gruppenmitglieder eine größere Sammlung von Handlungsalternativen entsteht und dadurch jeder Patient die Rückmeldung erhält, daß mehr als die von ihm selbst beigetragenen Handlungsoptionen vorhanden sind.

14.4.4 Training von Rückkopplungsprozessen

Das Training von Rückkopplungsprozessen ist notwendig, weil nur durch den ständigen Abgleich angestrebter Ziele mit den (zielgerichteten) Planungs- und Handlungsabläufen sowie den entstandenen Konsequenzen zukünftige Handlungen modifiziert werden können.

Wie oben beschrieben neigen Patienten mit Stirnhirnschädigung dazu, sich ihre Handlungsziele nur „angedeutet" und „skizzenhaft" vorzustellen. Dadurch ist der Aufforderungscharakter dieser so vage vorgestellten Ziele gering. Die Therapieaufgabe besteht darin, die *sachlichen Ziele in allen Aspekten präsent zu machen* und darauf zu achten, daß sie aller Voraussicht nach erreichbar sind.

Als ein Beispiel dafür kann die Gestaltung des (nächsten) Wochenendes dienen. Der Patient würde auf Befragen vermutlich nur vage angeben, daß er zu Hause bei der Familie sein wird; um ihm das kommende Wochenende besser zu vergegenwärtigen, wird mit ihm ein Katalog realistisch durchführbarer Einzelaktivitäten aufgestellt. Nach diesem Wochenende wird er gemeinsam mit dem Therapeuten besprechen, inwieweit die angestrebten Ziele in Handlungen umgesetzt wurden und falls das nicht gelungen ist, was die Ursachen dafür waren. Es wird analysiert, ob die Ziele unter den gegebenen Umgebungsbedingungen eventuell unrealistisch eingeschätzt wurden (z. B. hätte ein Besuchstermin einige Tage zuvor vereinbart werden müssen).

Die Entscheidungsfindung kann auch durch die Erarbeitung der *Antizipation* von Handlungskonsequenzen verbessert werden. Jede der zuvor durch das Brainstorming gesammelten Handlungsoptionen muß jetzt bezüglich ihrer Realisierbarkeit geprüft werden. Dabei soll der Patient sowohl kurz- als auch längerfristige, persönliche und soziale Konsequenzen berücksichtigen lernen. Um eine *selbständige* Auseinandersetzung mit den verfügbaren Handlungsoptionen zu unterstützen, werden die Patienten dazu angehalten, zunächst eine „Kosten-Nutzen-Analyse" für jede Alternative zu erarbeiten. In einem zweiten Schritt, der in der Patientengruppe erfolgt, werden die Handlungsalternativen im sog. *Gegenredeprinzip* (Gollwitzer 1986) gemeinsam begründet und verteidigt; auf diese Weise erhält jeder Patient eine anschauliche Rückmeldung über die möglichen Konsequenzen verschiedener Handlungsoptionen. In einem dritten Schritt soll wiederum jeder für sich einen *Entschluß* über die für ihn beste Alternative fassen. Erst nach Abschluß des Trainings zur Verbesserung der Entscheidungs- und Entschlußfindung kann mit der Erarbeitung zielgerichteter, aufeinander abgestimmter *Teilpläne* (Training durchführungsbezogener Gedanken) begonnen werden. Die Patienten werden gebeten, die relevanten Zwischenschritte, die zur Erreichung eines Ziels erforderlich sind, so detailliert wie möglich aufzuschreiben bzw. zu benennen; damit kann der Tendenz vieler Kranker zu „flüchtig-schemenhafter" Zielplanung entgegengewirkt werden. Die Analyse der Zielplanung mit der Darstellung der ermittelten Zwischenschritte wird wiederum in der Gruppe besprochen, so daß der einzelne Patient Rückmeldung darüber erhält, was er eventuell nicht beachtet hat und bei welchen Planungsschritten deswegen Hindernisse auftreten können.

14.4.5 Training von Bewältigungsstrategien im Alltag

Externe Störreize führen bei den Patienten nur zu oft zu einer Unterbrechung von Planungs- und Handlungsabläufen; die besondere Schwierigkeit liegt darin, daß der Patient den durch die externe Ablenkung „abgeschnittenen Faden" nicht wieder aufnehmen kann. Zur Vermeidung solcher Unterbrechungen soll der Patient lernen, bei Ablenkung durch andere Menschen, eine „ritualisierte" Antwort zu verwenden, z. B. „es tut mir leid, ich kann jetzt nicht mit Dir (Ihnen) sprechen", und sich dann erneut klarzumachen, was gerade seine Aufgabe war.

Da Patienten mit Stirnhirnschädigung selbst nur wenige lösungsrelevante Ideen produzieren und gleichfalls zuwenig Informationen aus der Umgebung extrahieren können, ist es für sie notwendig, sich von anderen Menschen Informationen einzuholen. Sie müssen lernen, *Fragen zu stellen und Beratung in Anspruch zu nehmen.*

In der Therapie werden ihnen dazu Kurzfassungen von Nachrichten geschildert, aus denen die genauen Sachverhalte nicht eindeutig entnommen werden können; sie werden aufgefordert, im Dialog mit dem Therapeuten, die für den Sinnzusammenhang fehlenden Detailinformationen zu erfragen (s. Ben-Yishay et al. 1980).

In konkreten Alltagssituationen wird ferner trainiert, daß die Patienten zu einem vorgegebenen Thema (z. B. Urlaubsreise in die Karibik) mit den entsprechenden Auskunftsstellen (z. B. Reisebüro) telefonieren und sich über verschiedene Angebote beraten lassen; im Anschluß daran sollen die möglichen Alternativen angegeben und daraus das beste Angebot ausgewählt werden.

Die in diesem Abschnitt skizzierten Therapieaufgaben sollen nur paradigmatisch verstanden werden. Sie können und müssen sowohl inhaltlich wie auch im Schweregrad an den residualen Fähigkeiten der Patienten ausgerichtet werden.

Zur Verbesserung einer systematischen Behandlung stirnhirngeschädigter Patienten wird es vor allem notwendig sein, die angedeuteten Therapieverfahren zu standardisieren, um dann eine Auswahl der tatsächlich effizienten Aufgabentypen vornehmen zu können.

Für die Behandlung scheint uns vor allem bedeutsam, das *erreichbare* Therapieziel, unter Berücksichtigung der verbliebenen individuellen Fähigkeiten der Patienten, *frühzeitig* zu formulieren, so daß „a priori" zwecklose Behandlungsschritte vermieden werden.

Danksagung

Mein besonderer Dank gilt Frau Dipl.-Psych. G. Matthes, ohne die die Abschnitte über Diagnostik und Therapieansätze bei Patienten mit „Planungsstörungen" nicht zustande gekommen wären.

Literatur

Ackerly SS (1964) A case of paranatal bilateral frontal lobe defect observed for thirty years. In: Warren JM, Akert K (eds) The frontal granular cortex and behaviour. McGraw-Hill, New York, pp 192–218

Amthauer R (1973) I-S-T 70 Intelligenz-Struktur-Test. Handanweisung. Hogrefe, Göttingen

Beckmann J (1986) Zurück- und vorausblickende Aufmerksamkeit beim Handlungswechsel. In: Heckhausen H, Beckmann J, Gollwitzer PM, Halisch F, Lütkenhaus P, Schütt M (Hrsg) Wiederaufbereitung des Wollens. Symposion 35. Kongreß der Deutschen Gesellschaft für Psychologie, Heidelberg 30. Sept. 1986. Max-Planck-Institut für Psychologische Forschung, München, S 54–71

Ben-Yishay Y, Lakin P, Ross B, Rattok J, Cohen J, Diller L (eds) A modular approach to training (verbal) abstract reasoning in traumatic head injured patients: revised procedures. Working approaches to remediation of cognitive deficits in brain damaged persons. Suppl. to 8th annual workshop for rehabilitation professionals 1980. New York University Medical Center, New York (Rehabilitation Monograph 61, pp 127–174)

Berg EA (1948) A simple objective technique for measuring flexibility in thinking. J Gen Psychol 39: 15–22

Calsyn DA, O'Leary MR, Chaney EF (1980) Shortening the category test. J Consult Clin Psychol: 788–789

Cicerone KD, Lazar RM, Shapiro WR (1983) Effects of frontal lobe lesions on hypothesis sampling during concept formation. Neuropsychologia 21: 513–524

Cranach MV, Kalbermatten U, Indermühle K, Gugler B (1980) Zielgerichtetes Handeln. Huber, Bern

De Fillipis NA, McCampbell E (1979) The booklet category test. Manual. Psychological Assessment Resources. Odessa

De Renzi E, Faglioni P, Savioardo M, Vignolo LA (1966) The influence of aphasia and of hemisphereside of the cerebral lesion on abstract thinking. Cortex 2: 399–420

Duncan J (1986) Disorganisation of behaviour after frontal lobe damage. Cognitive Neuropsychol 3: 271–290

Eslinger PJ, Damasio AR (1985) Severe disturbance of higher cognition after bilateral frontal ablation: patient EVR. Neurology 35: 1731–1741

Fuster JM (1980) The prefrontal cortex. Anatomy, physiology and neuropsychology of the frontal lobe. Raven, New York

Goldfried MR, Goldfried AP (1975) Cognitive change methods. In: Kanfer FH, Goldstein AP (eds) Helping people change. Pergamon, New York, pp 89–116

Gollwitzer PM (1986) Motivationale vs. volitionale Bewußtseinslage und die Förderung von Entschlüssen. In: Heckhausen H, Beckmann J, Gollwitzer PM, Halisch F, Lütkenhaus P, Schütt M (Hrsg) Wiederaufbereitung des Wollens. Symposion 35. Kongreß der Deutschen Gesellschaft für Psychologie. Heidelberg 30. Sept. 1986. Max-Planck-Institut für Psychologische Forschung, München S 10-23

Grant DA, Berg EA (1948) A behavioral analysis of degree of reinforcement and ease of shifting to new responses in a Weigl-type card-sorting problem. J Exp Psychol 38: 404-411

Gross Y, Schutz LE (1986) Intervention models in neuropsychology. In: Uzzel BP, Gross Y (eds) Clinical neuropsychology of intervention. Nijhoff, Boston, pp 179-204

Halstead WC (1947) Brain and intelligence: a quantitative study of the frontal lobes. University of Chicago Press, Chicago

Hecaen H, Albert ML (1978) Human neuropsychology. Wiley, New York

Heckhausen H, Beckmann J, Gollwitzer PM, Halisch F, Lütkenhaus P, Schütt M (1986) Wiederaufbereitung des Wollens. Symposion 35. Kongreß der Deutschen Gesellschaft für Psychologie in Heidelberg am 30. Sept. 1986. Max-Planck-Institut für Psychologische Forschung, München, S 1-9

Horn W (1983) Leistungsprüfsystem L-P-S. Handanweisung. Hogrefe, Göttingen

Hussy W (1984) Denkpsychologie, Bd 1. Kohlhammer, Stuttgart pp 216-224

Kemmler L, Borgart J (1982) Interpersonelles Problemlösen. Zu einer deutschen Fassung des Mittel-Ziel-Problemlösungsverfahrens (means-ends problem-solving procedure) von Spivack, Platt und Shure. Diagnostica 28 (4): 307-325

Kleist K (1934) Gehirnpathologie. Barth, Leipzig

Klix F, Rautenstrauch-Goede K (1967) Struktur- und Komponentenanalyse von Problemlösungsprozessen. Z Psychol 174: 167-193

Lhermitte F (1983) „Utilization behavior" and its relation to lesions of the frontal lobe. Brain 106: 237-255

Luria AR (1966) Higher cortical functions in man. Tavistock, London

Luria AR (1973) The working brain. An introduction to neuropsychology. Basic Books, New York

Luria AR (1980) Higher cortical function in man. Basic Books, New York

Luria AR, Tsvetkova LD (1964) The programming of constructive ability in local brain injuries. Neuropsychologia 3: 95-108

Milner B (1963) Effects of different brain lesions on card sorting. Arch Neurol 9: 90-100

Milner B (1964) Some effects of frontal lobectomy in man. In: Warren JM, Akert K (eds) The frontal granular cortex and behavior. McGraw-Hill, New York, pp 313-334

Milner B (1982) Some cognitive effects of frontal-lobe lesions in man. Phil Trans R Soc Lond B 298: 211-226

Munzert R (1983) Das Planen von Handlungen. Differentialpsychologische Aspekte allgemeiner Handlungstheorien. Peter Lang. Frankfurt a. Main Bern New York

Nezu A, D'Zurilla TJ (1981) Effects of problem definition and formulation on the generation of alternatives in the social problem-solving process. Cognitive Ther Res 5 (3): 265-271

Norman DA (1981) Categorization of action slips. Psychol Rev 88: 1-15.

Platt JJ, Spivack G (1975) Manual for the means-ends problem-solving procedure (MEPS). A measure of interpersonal cognitive problem-solving skill. Department of Mental Health Sciences, Hahnemann Community Mental Health/Mental Retardation Center. Hahnemann Medical College and Hospital. Philadelphia

Porteus SD (1950) The porteus maze test and intelligence. Pacific Books, Palo Alto, Calif.

Porteus SD (1965) Porteus maze test. Fifty years' application. Pacific Books, Palo Alto, Calif.

Reason JT (1979) Action not as planned. In: Underwood G, Stevens R (eds) Aspects of consciousness. Academic Press, New York, pp 67-89

Robinson AL, Heaton RK, Lehman RAW, Stilson DW (1980) The Utility of the Wisconsin Card Sorting Test in detecting and localizing frontal lobe lesions. J Consult Clin Psychol 48: 605-614

Shallice T (1982) Specific impairments of planning. Phil Trans R Soc Lond [B] 298: 199-209

Spivack G, Platt JJ, Shure MB (1976) The problem-solving approach to adjustment. Jossey-Bass, San Francisco

Stuss DT, Benson MD (1986) The frontal lobes. Raven, New York

Wechsler D (1958) The measurement and appraisal of adult intelligence (8th edn). Williams & Wilkins, Baltimore

Wechsler D (1981) Wechsler adult intelligence scale. Revised manual. The Psychological Corporation, New York

Weigl E (1941) On the psychology of so-called processes of abstraction. J Abnorm Soc Psychol 36: 3-33

15 Bewegungsfolgen

M. Prosiegel und W. Säring

15.1 Einleitung

Der Schwerpunkt dieses Kapitels liegt auf der Darstellung apraktischer Phänomene unter dem Gesichtspunkt ihrer Bedeutung für die neuropsychologische Rehabilitation. Deshalb werden die derzeit diskutierten funktionellen und strukturellen Apraxiekonzepte nur kurz (15.2) abgehandelt. Wer sich eingehender mit dem Thema „Apraxie" beschäftigen möchte, sei auf die ausgezeichneten Monographien von Roy (1985) und Miller (1986) sowie auf das Buch *Control of Human Voluntary Movement* von Rothwell (1987) verwiesen.

15.2 Begriffsbestimmung, funktionelle und strukturelle Hypothesen

Der von Steinthal (1871) zur Beschreibung bestimmter motorischer Störungen eingeführte Begriff der Apraxie wurde seit den ersten ausführlichen Arbeiten von Liepmann (1900, 1908) zur Darstellung sehr verschiedener Symptomkonstellationen gebraucht (historische Abrisse finden sich beispielsweise bei Lange 1936; De Ajuriaguerra u. Tissot 1969; Faglioni u. Basso 1985). Die sich dabei ergebende Unsicherheit, welche Phänomene eigentlich (schon oder noch) als apraktisch zu klassifizieren seien, wurde von Déjérine (1914) durch die Aussage charakterisiert, es sei leichter zu erklären, was eine Apraxie *nicht* ist, als diesen Begriff positiv zu formulieren.

Definition des Begriffs Apraxie

Die Definition des Apraxiebegriffs von Heilman und Rothi (1985) wird heute allgemein akzeptiert: „It is a disorder of skilled movement not caused by weakness, akinesia, deafferentation, abnormal tone or posture, movement disorders (such as tremors or chorea), intellectual deterioration, poor comprehension, or uncooperativeness."
Eine Präzisierung des Apraxiebegriffs, der auch wir uns im folgenden anschließen, erfolgte durch die operationale Definition von Poeck (1982, 1985), wonach das Auftreten von *Parapraxien* (vgl. 15.3) als konstituierendes Merkmal einer Apraxie zu fordern ist.

Funktionelle Hypothesen

Als der Apraxie zugrundeliegendes Basisdefizit ist eine Störung in der Auswahl und der zeitlichen Sequenzierung von aufeinanderfolgenden Einzelbewegungen (im Falle der ideomotorischen Apraxie) bzw. Einzelhandlungen (im Falle der ideatorischen Apraxie) anzunehmen (vgl. auch Kap. 19 zum Thema „Sprechapraxie").
Im Gegensatz zur ideomotorischen Apraxie, die gemeinhin als Störung der Organisation motorischer Programme aufgefaßt wird, vermutet Poeck (1982) für die ideatorische Apraxie, daß sie „auf einer höheren Ebene eine Störung in der konzeptuellen Organisation von Handlungen ist". Diese Auffassung beruht auf Untersuchungen von Lehmkuhl und Poeck (1981), durch die gezeigt wurde, daß bei Patienten mit ideatorischer Apraxie Schwierigkeiten bzw. fehlerhafte Lösungen auch bei Aufgaben auftraten, bei denen sie eine Hand-

lungsfolge mit Hilfe von Fotografien (die die einzelnen Handlungsschritte abbildeten) in korrekter Reihenfolge herstellen sollten. Der ideatorischen Apraxie scheint also eher eine „Denkstörung" als eine „Bewegungsstörung" zugrundezuliegen, worauf schon Kerschensteiner et al. (1975) hingewiesen hatten.

Da Patienten mit ideatorischer Apraxie im Alltag meist durch den falschen Gebrauch von Objekten auffallen, wurde von Morlaas (1928) der Begriff „Agnosie des Gebrauchs" geprägt (zur Problematik des Begriffes „Agnosie" vgl. Orgass 1982 sowie Kap. 7 dieses Buchs). Auch in neueren Arbeiten (vgl. De Renzi 1985) wird diskutiert, inwieweit den Patienten mit ideatorischer Apraxie das (erlernte) Wissen über die Funktion von Gegenständen (insbesondere „Werkzeugen" im weiteren Sinne) zur Verfügung steht.

Im Gegensatz beispielsweise zu einer Parese zeigt sich bei apraktischen Störungen eine große intraindividuelle Variabilität in Abhängigkeit vom jeweiligen situativen Bewegungskontext. Zumindest für ideomotorische Apraxien ist dabei typisch, daß sie nicht (oder nur selten) im natürlichen Kontext auftreten, wogegen die apraktischen Symptome in der Untersuchungssituation meist deutlich(er) hervortreten. In der Testsituation wird vom Patienten verlangt, daß er eine Bewegungs- bzw. Handlungsfolge – aus dem natürlichen Zusammenhang herausgelöst – auf eine verbale oder imitatorische Aufforderung hin ausführt. In dieser (artifiziellen) Situation wird also stimulusabhängig im wesentlichen nur ein „Kanal" benutzt: entweder verbal-motorische oder visuell-motorische Assoziationen. „Im Alltagsleben wirkt dagegen eine Vielzahl von Afferenzen auf den motorischen Assoziationscortex ein" (Kerschensteiner et al. 1975).

Häufigkeit der Apraxien und Kombination mit anderen Hirnleistungsstörungen

Was die Häufigkeit von Apraxien betrifft, so wurde die schon von Liepmann (1908) berichtete Beobachtung, daß eine ideomotorische Apraxie nach einer linkshirnigen Läsion bei rechtshändigen Patienten wesentlich häufiger

aufträte (25-50%) als nach einer rechtshirnigen (5-10% in Abhängigkeit von den verwendeten Kriterien), inzwischen von mehreren Untersuchern bestätigt (vgl. De Renzi et al. 1980; De Renzi 1986). Das Auftreten aphasischer Symptome scheint dabei mit dem Auftreten apraktischer Symptome positiv zu korrelieren, ohne daß daraus auf einen kausalen Zusammenhang zwischen den beiden neuropsychologischen Syndromen geschlossen werden dürfte (vgl. Poeck 1982; Kertesz et al. 1984; Kertesz 1985). Eine Unterform der ideomotorischen Apraxie, die buccofaciale Apraxie, tritt nach Kerschensteiner und Poeck (1974) bei ca. 80% der Patienten mit Aphasien auf (vgl. auch Tognola u. Vignolo 1980). Die Auftretenshäufigkeit einer ideatorischen Störung ist deutlich geringer (unter 5%, vgl. Poeck 1982); nur in einem Einzelfall haben Poeck und Lehmkuhl (1980b) eine (ideatorische) Apraxie auch nach einer rechtshirnigen Läsion bei einer linkshändigen Patientin beschrieben. Die ideatorische Apraxie kommt in der Regel zusammen mit einer Wernicke- oder Globalaphasie vor (Poeck 1982).

Lokalisation der Hirnläsionen bei Apraxien

Die folgende Aufzählung von Hirnstrukturen, deren Läsion für das Zustandekommen einer apraktischen Störung vorwiegend von Bedeutung zu sein scheint, ist nur ein kurzer Abriß; zu den Details darf jeweils auf die zitierte Literatur verwiesen werden:

- Der dominante (linke) Parietallappen als „oberste Instanz" für die Programmierung von Bewegungs- bzw. Handlungsfolgen (vgl. Poeck u. Lehmkuhl 1980a; Poeck 1983; De Renzi et al. 1983; Kertesz u. Ferro 1984; Rothi u. Heilman 1985; Heilman et al. 1986; Rothwell 1987). Eine Läsion dieser kortikalen Areale bzw. ihrer jeweiligen Efferenzen zum prämotorischen Kortex führt (sofern die Beurteilbarkeit der rechten Körperhälfte nicht durch eine Parese eingeschränkt ist) zu einer bilateralen ideomotorischen oder ideatorischen Apraxie; nach Poeck und Lehmkuhl (1980a) weist das computertomographisch ermittelte Überlappungsareal der Läsionen von 4 Patienten mit ideatorischer Apraxie auf eine herdförmige Funktionsstörung im ventrikelnahen Marklager der Temporoparietalregion der sprachdominanten Hemisphäre hin.

- Der prämotorische Kortex der dominanten Großhirnhemisphäre (vgl. Faglioni u. Basso 1985; Geschwind u. Damasio 1985). Eine (ideomotorische) Apraxie ist hier oft nur für die zur Läsion homolaterale Körperhälfte nachweisbar, da kontralateral häufig eine Parese vorliegt. Watson et al. (1986) berichteten kürzlich auch über einen Patienten, bei dem es infolge einer Läsion des supplementärmotorischen Kortex zu einer (ideomotorischen) Apraxie gekommen war.
- Das Corpus callosum. Nach einer Läsion des Balkens ist eine ideomotorische Apraxie der (linken) Körperhälfte (sog. sympathische Apraxie) als Folge der Diskonnektion prämotorischer Rindenareale der dominanten von denen der nichtdominanten Großhirnhemisphäre zu erwarten (Geschwind 1975; Watson u. Heilman 1983; Watson et al. 1985; Graff-Radford et al. 1987). In Einzelfällen ist auch eine unilaterale ideomotorische Apraxie als Folge einer Läsion des prämotorischen Kortex der nichtdominanten Hemisphäre zu diskutieren.

15.3 Klinische Phänomenologie und Diagnostik

Aufgrund der im letzten Abschnitt erwähnten operationalen Definition werden hier unter Apraxien im engeren Sinne nur die ideomotorische und die ideatorische Apraxie subsumiert, bei denen jeweils Parapraxien beobachtet werden.

15.3.1 Ideomotorische Apraxie

Die ideomotorische Apraxie ist charakterisiert durch eine Störung in der sequentiellen Anordnung von Einzelbewegungen zu Bewegungsfolgen. Unter den parapraktischen Fehlern lassen sich nach Poeck (1982, 1986) unterscheiden:

- Substitutionen (Ersatz einer verlangten Bewegung durch eine andere),
- Überschußbewegungen (zusätzliche, nicht geforderte Bewegungen),
- Auslassungen (Ausbleiben oder fragmentarische Ausführung der verlangten Bewegung),
- „conduite d'approche" (zunehmende Annäherung an die verlangte Bewegung),
- Perseverationen (Auftauchen von bereits vorher ausgeführten Bewegungen),
- „amorphe Bewegungen" (nicht näher einordenbare parapraktische Fehler).

Die häufigste Parapraxie ist nach Kerschensteiner und Poeck (1974) und Lehmkuhl et al. (1983) die Perseveration.

Von der ideomotorischen Apraxie wird behauptet (vgl. 15.2), daß die gestörten Bewegungsfolgen nur in der Testsituation auftreten, jedoch keine Bedeutung im Rahmen des natürlichen Bewegungskontexts haben sollen. Allerdings haben wir selbst immer wieder beobachtet, daß schwere Formen der ideomotorischen Apraxie sich durchaus auch auf Alltagsverrichtungen negativ auswirken können (vgl. 15.5).

Wie bereits erwähnt, wird die ideomotorische Apraxie in der Testsituation sowohl durch verbale Aufforderung als auch imitatorisch abgetestet. Gelegentlich ist dabei ein modalitätsspezifisches Auftreten der Apraxie zu beobachten (Auftreten der Apraxie nur bei verbaler oder nur bei imitatorischer Aufforderung). Es sind sowohl transitive (Bezug zu einem realen oder vorgestellten Objekt) als auch intransitive Bewegungen (gestische Ausdrucksbewegungen) sowie sinnvolle und bedeutungslose Bewegungsfolgen betroffen. Die ideomotorische Apraxie kann als bilaterale oder unilaterale (dann in aller Regel linksseitige, d.h. sympathische) Gliedmaßenapraxie oder als buccofaciale Apraxie (Gesichtsapraxie) in Erscheinung treten. Ob unter den Gliedmaßenapraxien ideomotorische Apraxien der oberen Extremität(en) häufiger sind als solche der unteren Extremität(en) ist umstritten. Die (evtl. nur scheinbare) Diskrepanz könnte darauf beruhen, daß (z. B. durch Infarkte im Versorgungsgebiet der mittleren Hirnarterie verursachte) Läsionen des motorischen Assoziationskortex der Hand- und Armregion weitaus häufiger vorkommen als solche des motorischen Assoziationskortex der Fuß- und Beinregion (da Infarkte im Versorgungsgebiet der vorderen Hirnarterie insgesamt seltener sind). Eine andere Erklärung wäre, daß die ideomotorische Apraxie an den oberen und unteren Extremitäten gleich häufig ist, an den Beinen jedoch seltener abgeprüft wird (Poeck 1982).

Untersuchung

Die Untersuchung der ideomotorischen Apraxie erfolgt bei uns für die rechte und linke (obere) Extremität - sowohl nach verbaler Aufforderung als auch imitatorisch - jeweils getrennt.

Abgeprüft werden gestische Ausdrucksbewegungen (mit dem Finger drohen, mit dem Finger heranwinken, mit der Hand heranwinken, Kußhand zuwerfen, Vogel zeigen, jemandem zuwinken, militärisch grüßen), der Gebrauch von vorgestellten Objekten (hämmern, sägen, Zigarette rauchen, kämmen, Zähne putzen) und „bedeutungslose" Bewegungen (Handrükken an die Stirn legen, Handfläche auf die Schulter legen, mit Daumen und Zeigefinger einen Kreis formen, die ausgestreckte Hand schräg durch die Luft führen).

Bei der Untersuchung der buccofacialen Apraxie werden überprüft: Mund spitzen, Nase rümpfen, Zähne zeigen, Lippen spitzen und breitziehen, Backen aufblasen, Mund weit öffnen, Brauen heben, lächeln, Mund schnell hintereinander öffnen und schließen, Augen zukneifen, Zunge herausstrecken, Oberlippe lecken, Unterlippe lecken, Zungenspitze bei geschlossenen Lippen in die rechte und linke Wange stecken, Schmatzen, Zungenspitze bei geöffnetem Mund zwischen den Mundwinkeln schnell hin- und herbewegen, Räuspern, Zischen.

Der Schweregrad sowohl der ideomotorischen Gliedmaßenapraxie als auch der buccofacia-

len Apraxie wird nach Art und Häufigkeit der aufgetretenen Parapraxien geschätzt.

15.3.2 Ideatorische Apraxie

Im Gegensatz zur ideomotorischen Apraxie ist die ideatorische Apraxie (bei entsprechendem Schweregrad) „alltagsrelevant", da sie durch die Unfähigkeit des Patienten charakterisiert ist, Bewegungen sequentiell zu (komplexen) Handlungsfolgen aufzubauen; Fehler treten also bei mehrgliedrigen Handlungen auf. Typische Fehler sind sequentielle Vertauschungen, perseveratorische Wiederholungen oder Auslassungen von Teilhandlungen sowie „ratlose" Abbrüche.

Nach Poeck (1982) wird die Diagnose der ideatorischen Apraxie dann gestellt, „wenn ein Patient unfähig ist, eine Situation so zu organisieren, daß er logisch aufeinanderfolgende Handlungen mit mehreren Objekten ausführen kann, um ein bestimmtes Ziel zu erreichen."

Untersuchung

Die ideatorische Apraxie prüfen wir (mit realen Objekten) anhand folgender Aufgaben ab: Bleistiftspitzen, einfache Zeichnung mit Lineal anfertigen, Bleistiftstrich ausradieren, Kerze anzünden, Brief falten und kuvertieren, Papierstreifen abschneiden, Taschenlampenbatterie wechseln, Flüssigkeit mit Trichter in Flasche füllen, Blatt Papier lochen und in Ordner einheften, Tasse Nescafé zubereiten.

Einige wenige Beispiele sollen im folgenden verdeutlichen, wie sich eine ideatorische Apraxie im Alltag manifestieren kann: beim Essen wird das Brot mit der Gabel bestrichen; das Messer wird verkehrt in die Hand genommen und mit dem Griff auf das Fleisch gelegt; eine Wurstscheibe wird aufs Brot gelegt und dann Butter oben drauf gestrichen; mit dem Teelöffel wird versucht, ein Brötchen aufzuschneiden; die Zahnbürste wird mit dem Griff in den Mund gesteckt und hin- und herbewegt; die Bürste wird mit den Borsten nach oben über die Haare geschoben; es wird versucht, die Hose (wie ein Kleid) über den Kopf anzuziehen; bei der Zubereitung von Filterkaffee wird der gemahlene Kaffee in die Kanne oder Wasser in die Zuckerdose geschüttet.

15.4 Differentialdiagnose apraktischer Störungen

„Ankleideapraxie"

Im Rahmen einer ideatorischen Apraxie können unter anderem auch Schwierigkeiten beim Anziehen auftreten. Die Begriffszuweisung „Ankleideapraxie" („dressing apraxia") erscheint jedoch wenig sinnvoll, da man dann „konsequenterweise" auch von „Kaffeezubereitungsapraxien", „Zigarettenanzündeapraxien" etc. sprechen müßte. Im übrigen verleitet der Begriff „Ankleideapraxie" (fälschlicherweise) dazu, stets eine Apraxie als zugrundeliegende Ursache dieser gestörten Alltagsaktivität zu vermuten. Schwierigkeiten beim Anziehen können jedoch auch bei einer Reihe anderer neuropsychologischer Störungen auftreten. Vor allem sind dabei *räumlich-visuelle Wahrnehmungsstörungen* und/oder *räumlichkonstruktive Störungen* anzuführen (vgl. Kap. 12). Der Begriff „Ankleideapraxie" sollte deshalb nicht mehr verwendet werden.

Frontale Ataxie, frontale Gangapraxie

Es ist unumstritten, daß bei verschiedenen Erkrankungen des zentralen Nervensystems (z. B. beim Hydrocephalus aresorptivus) eine eigenartige Gangstörung auftreten kann, deren Phänomenologie von verschiedenen Autoren (vgl. Knutson u. Lying-Tunell 1985 sowie Sudarsky u. Simon 1987) beschrieben wurde. Allerdings bereitet bis in die jüngste Zeit hinein die semiologische Einordnung dieser Störung große Schwierigkeiten. Zahlreiche, nicht sehr trennscharfe Begriffe zeugen von dieser Unsicherheit: Gangapraxie („apraxie for walking", „gait apraxia"), frontale Gangapraxie („frontal apraxia of gait"), frontale Ataxie („frontal ataxia").

Zunächst soll hier (in Anlehnung an Meyer und Barron, 1960) der Begriff *„frontale Ataxie"* abgegrenzt werden. Es handelt sich dabei um eine von einer lokomotorischen Ataxie bei Kleinhirnschädigung nicht sicher unterscheidbare Form der Ataxie, die auf einer (in der Regel beidseitigen) Unterbrechung frontopontozerebellärer Fasern beruht.

Im Gegensatz zu dieser „zerebellären Gangstörung" läßt sich die „frontale Gangapraxie" folgendermaßen charakterisieren:

- die Patienten gehen breitbeiniger als üblich;
- der Oberkörper ist leicht nach vorne gebeugt;
- die Schritte sind klein und zögerlich, die Füße scheinen am Boden zu „kleben" („glued to the floor");
- für die Patienten ist es (nahezu) unmöglich, über Hindernisse zu steigen, Treppensteigen gelingt gleichfalls nicht;
- Umdrehen bereitet größte Schwierigkeiten;
- es besteht ständige Falltendenz.

Typischerweise treten über die „Gangstörung" hinaus weitere Schwierigkeiten auf, so z. B. beim Versuch, sich aus dem Liegen im Bett aufzurichten oder vom Sitzen (aus dem Stuhl) aufzustehen („glued to the chair"). Da Patienten mit diesem Störungsbild meist (diffuse) Läsionen des Stirnhirns und seines Marklagers aufweisen, sind zerebrale Desintegrationszeichen in Form von Handgreifreflexen, Gegenhalten etc. nicht selten zusätzlich anzutreffen. In diesem Rahmen kann auch der von Denny-Brown (1958) geprägte Begriff der Magnetapraxie („magnetic dyspraxia") verstanden werden. Patienten mit dieser Störung haben einen ausgeprägten Handgreifreflex und folgen sowohl mit der Hand als auch mit den Augen (im Sinne einer „Magnetreaktion") allen bewegten Objekten. Auf ein derartiges „magnethaftes" Klebenbleiben der Beine am Boden führte Denny-Brown (1958) auch einige Formen der Gangapraxie zurück. Nach seiner Meinung kann auch eine „gegenteilige" Störung auftreten, die er als „repellent apraxia" bezeichnete. Patienten mit dieser Störung - die angeblich bei parietalen Läsionen auftreten soll – leiden unter einer ausgeprägten Tendenz, ihre Gliedmaßen von berührten Gegenständen „zurückzuziehen". Auch im Rahmen einer derartigen Störung soll eine Gangapraxie auftreten können.

Es ist die Frage, ob es sich bei diesen Phänomenen tatsächlich um apraktische Störungen handelt. Dafür wäre untypisch, daß die Störung vorzugsweise bei einem so hoch überlernten Vorgang wie dem „Gehen" auftritt. Vom klinischen Erscheinungsbild her ist man hingegen in gewisser Weise an die Bewegungsstörungen von Patienten mit Parkinson-Syndromen erinnert. Möglicherweise wird die sog. Gangapraxie durch eine Störung im funktionellen Zusammenspiel zwischen Basalganglien und Frontalhirn bedingt. In diesem Zusammenhang verweist Miller (1986) auf Marsden's (1984) Hypothese, wonach bei Läsionen der Basalganglien typischerweise die automatischen Abläufe überlernter motorischer Pläne („... the automatic execution of learnt motor plans") gestört sind.

Gliedkinetische Apraxie

Liepmann (1900, 1908) unterschied neben der ideomotorischen und ideatorischen Apraxie noch eine dritte Apraxieform, die er als gliedkinetische Apraxie bezeichnete. Sie wurde von ihm wie folgt charakterisiert (Zitat aus Kerschensteiner et al. 1975): „Schon die einfachen und sehr geübten Bewegungen ... sind hierbei immer grob und verstümmelt. Die Bewegungen sind daher bestenfalls die eines Ungeübten, roh, unbeholfen, eckig ...". Seit Liepmann wurde von zahlreichen Autoren (Übersicht bei Stuss u. Benson 1986, und Miller 1986) dieselbe Art der Störung beschrieben und mit unterschiedlichen Begriffen belegt: „limb-kinetic", „kinetic", „melokinetic", „glossokinetic", „innervatory", „motor" oder „cortical motor pattern apraxia". Die Störung soll bei komplexen sequentiellen Bewegungen auftreten, die ein bestimmtes Maß an Geschicklichkeit, Geschwindigkeit und feinabgestimmter Genauigkeit voraussetzen (Stuss u. Benson 1986).

Als ein typisches Beispiel der gliedkinetischen Apraxie wird das gestörte Fingerspiel des Pianisten oder der Sekretärin angeführt (Stuss u. Benson 1986).

Bis in die jüngste Zeit wird kontrovers diskutiert, ob es sich hierbei um eine Apraxie oder eine anders geartete Störung handelt. Kerschensteiner et al. (1975) stellen dazu fest:

Es handelt sich nicht um eine Apraxie, sondern um den Typ der zentralen Bewegungsstörung, der bei Läsionen des primären motorischen Kortex (Area 4) und der Pyramidenbahnen auftritt und der in der klinischen Praxis als spastische Bewegungsstörung bezeichnet wird.

Stuss und Benson (1986) resümieren:

Brodmann areas 6 and 4 are almost always involved, and many automatic movements may be clumsy as the result of pyramidal lesions, suggesting that the limb-kinetic deficit is a primary motor dysfunction rather than an apraxia.

Demgegenüber vertreten beispielsweise Freund und Hummelsheim (1985) die Auffassung, aufgrund ihrer Befunde sei der Begriff „gliedkinetische Apraxie" durchaus gerechtfertigt. Sie fanden bei 11 Patienten mit Läsionen des prämotorischen Kortex (jeweils kontralateral zur Läsion) mäßig ausgeprägte proximal-betonte (also insbesondere die Schulter-/Hüftmuskulatur betreffende) Paresen der Extremitäten, eine gestörte Präaktivation der proximalen Extremitätenmuskeln bei raschen Arm-/Beinbewegungen und schließlich eine beeinträchtigte Koordination bei Aufgaben, die ein Zusammenspiel beider Arme oder beider Beine zur Voraussetzung hatten (z. B. gegenläufige „Windmühlenbewegungen" beider Arme oder „Radfahren rückwärts" mit beiden Beinen). Vor allem letzteres Symptom berechtigt nach Meinung der Autoren von einer gliedkinetischen Apraxie zu sprechen:

... the distorted windmill movement should be considered as apraxia because the motor dysfunction is so much more pronounced than could be attributed to the paresis. The limitation of the deficit to such a special performance is also not unusual for an apraxia, as apraxias are often characterized by function-specific deficits. In conclusion, the proximal paresis and the bibrachial limb-kinetic apraxia seen in patients with premotor lesions have one common feature: the disturbance of the temporal sequencing of muscle activation (Freund u. Hummelsheim 1985).

„Motor Impersistence"

Lewandowsky (1907) berichtete erstmalig über einen Patienten, der nicht in der Lage war, seine Augen zu schließen und sie geschlossen zu halten. Er nannte diese Störung „Apraxie des Lidschlusses", während Zutt (1950) für dieselbe Störung die Bezeichnung „Zwangsblicken" wählte (zur Problematik des Begriffs der „Lidapraxie" vgl. Säring u. von Cramon 1982).

Fisher (1956) prägte den Begriff „motor impersistence" für eine Reihe von Störungen, deren gemeinsames Charakteristikum in der Unfähigkeit besteht, einen motorischen Akt über eine bestimmte Zeit aufrechtzuerhalten. Patienten mit *„motor impersistence"* können über einen längeren Zeitraum die Augen nicht geschlossen, die Zunge nicht herausgestreckt halten, mit den Augen nicht exzentrisch fixieren, nicht „Ah" sagen etc. Ein „Motor-impersistence-Test" wurde von Joynt et al. (1962) entwickelt. Obgleich bis in die jüngste Zeit hinein keine befriedigende Erklärung für die Entstehung dieser Störung existiert, so sind sich die meisten Autoren doch darüber einig, daß „motor impersistence" in aller Regel auf eine diffuse Hirnschädigung hinweist und als Indikator für eine (eher) schlechte Rehabilitationsprognose gelten muß (Übersicht bei Benton et al. 1983). Die differentialdiagnostische Unterscheidung von der ideomotorischen (insbesondere der buccofacialen) Apraxie kann mitunter schwierig sein; Übergangsformen zwischen „motor impersistence" und Apraxie scheinen vorzukommen (vgl. Miller 1986).

Sonstige Störungen

Schließlich sollen im Zusammenhang mit differentialdiagnostischen Abgrenzungen auch noch die Mund- und Handgreifreflexe (vgl. auch 15.4) und die sog. „optische Ataxie" (meist im Rahmen eines Balint-Syndroms) kurz erwähnt werden. Im ersteren Fall ist eine exakte Untersuchung der zerebralen Desintegrationszeichen immer in der Lage, derartige „motorische Schablonen" von apraktischen Störungen abzugrenzen. Die Charakteristika, die die „optische Ataxie" eindeutig von Apraxien abheben, sind in Kap. 7 aufgeführt. Auf die sog. *„konstruktive Apraxie"*, der eine visuell-räumliche und räumlich-konstruktive Störung zugrundeliegt, wird in Kap. 12 ausführlich eingegangen.

15.5 Therapeutische Ansätze

Therapeutische Konzepte zur Behandlung apraktischer Störungen liegen in der einschlägigen Literatur derzeit allenfalls ansatzweise vor. Dies mag vor allem darin begründet sein, daß sich in vielen Fällen insbesondere eine isoliert aufgetretene ideomotorische Apraxie in den ersten Wochen nach einer Hirnschädigung spontan zurückbildet.

Die klinische Erfahrung zeigt jedoch, daß bei einzelnen Patienten eine ideomotorische und vor allem eine ideatorische Apraxie durchaus praktische Bedeutung für die Rehabilitation haben kann. Nach unseren Erfahrungen handelt es sich hierbei - in Übereinstimmung mit Poeck (1982; vgl. oben) - vor allem um Patienten, bei denen zusätzlich eine Global- oder eine Wernicke-Aphasie vorliegt und bei denen beide Apraxieformen kombiniert auftreten.

Die ideomotorische Apraxie scheint dann - wenn sie sehr ausgeprägt ist - per se schon die Durchführung einfacher Übungsaufgaben zu beeinträchtigen. Beispiele hierfür sind, daß diese Patienten schon Schwierigkeiten mit einfachen Zeigeaufgaben in verschiedenen Therapiesituationen (z.B. beim Zeigen von Bildern in der Sprachtherapie oder bei der Untersuchung der Aufmerksamkeitsleistungen mit Hilfe von Mehrfachwahlreaktionen am Determinationsgerät) haben oder daß sie - beim Versuch eines Gestentrainings im Rahmen des nonverbalen Kommunikationstrainings - auch sehr einfache Gesten nicht sicher einzusetzen lernen (auf die Diskussion der Frage, inwieweit es sich dabei um eine „supramodale" Störung eines - sprachlichen und gestischen - semantischen Repertoires handelt, das im Rahmen der aphasischen Störung zu sehen ist, kann hier nur verwiesen werden).

Auch das Erlernen einfacher „neuer" Bewegungsmuster im Rahmen des Selbsthilfetrainings, bei der Körperpflege, beim Ankleiden und beim Essen ist für die Patienten nicht einfach.

Die Behinderung durch die ideatorische Apraxie zeigt sich vor allem auch, wenn im weiteren Verlauf der Rehabilitation, im Rahmen des Haushaltstrainings beispielsweise, die Patienten einfache Handlungsabläufe üben. Dies wird noch erschwert durch die bei einer assoziierten zentralen Parese in der Regel erforderliche Umstellung auf Einhandtechniken oder durch den Umstand, daß die linke Hand jetzt bei bilateralen Tätigkeiten die führende Hand sein muß.

Die folgende Beschreibung von Therapieansätzen zur Behandlung einer ideomotorischen und/oder ideatorischen Apraxie stützt sich sowohl auf unsere eigenen praktischen Erfahrungen als auch auf die Konzepte von Miller (1986). Nicht näher eingegangen wird dabei auf die Therapie der buccofacialen Apraxie (vgl. dazu Kap. 19).

Grundprinzip jeder Apraxietherapie ist es, die jeweiligen Bewegungs- oder Handlungsfolgen in ihre Einzelsequenzen zu zerlegen, um diese isoliert solange zu üben, bis eine (automatisierte) Durchführung möglich ist, und dann aus diesen Einzelsequenzen wieder die gewünschten Bewegungs- oder Handlungsfolgen schrittweise aufzubauen. Wichtig ist es hierbei, die Therapie zunächst auf wenige Tätigkeiten zu beschränken, die für die Selbsthilfeleistungen des Patienten im Alltag von wirklicher Relevanz sind.

Erst in einem späteren Stadium sollte dann eine Ausweitung der Therapie auf andere Bereiche erfolgen. Um dabei die verfügbaren Freiheitsgrade der „motorischen Programme" schrittweise zu steigern, können in Anlehnung an Miller (1986) mehrere Variablen systematisch variiert werden:

- *Bewegungsrichtung:* Bewegungen werden zunächst nur in einer Bewegungsrichtung und in einer Raumebene geübt; allmählich werden dann verschiedene Bewegungsrichtungen mit Richtungsänderungen und Bewegungen in verschiedenen räumlichen

Ebenen trainiert; dabei kann dann schrittweise auch der Aktionsradius, in dem Gegenstände manipuliert werden sollen, vergrößert werden.

- *Proximale versus distale Bewegungen:* Proximale Bewegungen der Arme sollen zunächst geübt werden, da sie in der Regel undifferenzierter und damit leichter durchzuführen sind als sehr differenzierte feinmotorische Bewegungen der Hände

- *Unilaterale versus bilaterale Tätigkeiten:* Einhändige Tätigkeiten fallen vielen apraktischen Patienten zunächst leichter als beidhändige; zum Training bilateraler Bewegungen sollten (soweit dies im Rahmen der meist vorliegenden rechtsseitigen Parese möglich ist) zunächst Aufgaben herangezogen werden, die ein „spiegelsymmetrisches Arbeiten" beider Extremitäten erlauben; asymmetrisch-bilaterale Tätigkeiten der Hände stellen die höchsten Anforderungen an die Bewegungskompetenz; hier bleiben oftmals auch nach langzeitiger therapeutischer Bemühung funktional relevante residuale Symptome bestehen.

- *Anzahl und Vertrautheit der zu benutzenden Gegenstände:* Wenn zur Durchführung einer Aufgabe mehrere Gegenstände erforderlich sind, muß deren Handhabung schrittweise nacheinander geübt werden. Die Therapie sollte in jedem Fall mit der Benutzung von einfachen Objekten beginnen, deren Gebrauch dem Patienten vertraut ist, bevor dieser, beispielsweise im Rahmen der Hilfsmittelversorgung, den Umgang mit „neuen" Objekten erlernt.

- *Bedeutungshaltige versus bedeutungslose Gesten:* Bedeutungshaltige Bewegungen sind für die Patienten zunächst wesentlich einfacher und sollten deshalb zuerst geübt werden.

Generell gilt, daß das Training einer apraktischen Bewegungs- oder Handlungssequenz auch dadurch erleichtert werden kann, daß sie zunächst in den Kontext einer anderen, dem Patienten möglichen Handlung eingebaut und diese „Rahmenhandlung" dann vom Therapeuten schrittweise abgebaut wird. Zur Anbahnung kann auch der „Mitnahmeeffekt" einer vom Therapeuten synchron ausgeführten gleichen Handlung ausgenutzt werden. Verbale Vorgaben der Bewegungs- und Handlungsfolgen helfen angesichts der häufig assoziierten Sprachstörung nur in Einzelfällen.

Prognose

Was die Prognose apraktischer Symptome betrifft, so scheint es nach unserer unsystematischen Beobachtung so, als ob sich im Falle einer kombinierten ideomotorischen und ideatorischen Apraxie die ideatorische eher besser zurückbildet als die ideomotorische (wobei jedoch die Möglichkeit eines Artefakts durch einen unterschiedlichen Schwierigkeitsgrad der verwendeten Prüfaufgaben nicht auszuschließen ist). Mehr oder weniger ausgeprägte Restsymptome einer Apraxie können nach unserer Erfahrung in Einzelfällen auch noch mehrere Jahre nach einer Hirnschädigung zu beobachten sein. Als ein solches Restsymptom fällt insbesondere eine Art von „Ratlosigkeit" oder ein mehrfaches Ansetzen (Vor- und Zurückbewegungen der Hände) zu Beginn einer Bewegungs- oder Handlungssequenz ins Auge. Sobald die (manuelle) Aktivität dann jedoch in Gang gekommen ist, läuft sie fehlerfrei ab.

In Alltag und Beruf können sich durch eine apraktische Störung auch längere Zeit nach der Hirnschädigung wieder Schwierigkeiten ergeben, wenn durch Änderungen des konkreten Lebensumfelds, z.B. durch einen Wohnungs- oder Arbeitsplatzwechsel, Veränderungen in der Art oder gewohnten Anordnung der benutzten Gebrauchsgegenstände eintreten.

Am Schluß dieses Abschnitts darf nicht unerwähnt bleiben, daß der Aufklärung und Beratung der Angehörigen oder Bezugspersonen des Patienten im Rahmen einer Apraxiebehandlung große Bedeutung zukommt.

Danksagung

Wir danken Frau Dr. U.Arnold und Frau B.Roczek für ihre Unterstützung bei der Vorbereitung dieses Beitrages.

Literatur

Benton A, Hamsher K, Varney N, Spreen O (1983) Contributions to neuropsychological assessment. Oxford University Press, New York

De Ajuriaguerra J, Tissot R (1969) The apraxias. In: Vinken P, Bruyn G (eds) Handbook of clinical neurology, vol 4. Elsevier, Amsterdam

Déjérine J (1914) Sémiologie des affections du système nerveux. Masson, Paris

Denny-Brown (1958) The nature of apraxia. J Nerv Ment Dis 126: 9–33

De Renzi E (1985) Methods of limb apraxia examination and their bearing on the interpretation of the disorder. In: Roy E (ed) Neuropsychological studies of apraxia and related disorders. North-Holland, Amsterdam (Advances in psychology, vol 23, pp 45–64)

De Renzi E (1986) The apraxias. In: Asbury A, McKhann G, McDonald W (eds) Diseases of the nervous system – Clinical neurobiology, vol II. Heinemann, London

De Renzi E, Motti F, Nichelli P (1980) Imitating gestures: a quantitative approach to ideomotor apraxia. Arch Neurol 37: 6–18

De Renzi E, Faglioni P, Lodesani M, Vecchi A (1983) Impairment of left brain-damaged patients on imitation of single movements and motor sequences. Frontal- and parietal-injured patients compared. Cortex 19: 333–343

Faglioni P, Basso A (1985) Historical perspectives on neuroanatomical correlates of limb apraxia. In: Roy E (ed) Neuropsychological studies of apraxia and related disorders. North-Holland, Amsterdam (Advances in psychology, vol 23, pp 3–44)

Fisher M (1956) Left hemiplegia and motor impersistence. J Nerv Ment Dis 123: 201–218

Freund H, Hummelsheim H (1985) Lesions of premotor cortex in man. Brain 108: 697–733

Geschwind N (1975) The apraxias: neural mechanisms of disorders of learned movement. Am Scientist 63: 188–195

Geschwind N, Damasio A (1985) Apraxia. In: Frederiks J (ed) Handbook of clinical neurology, vol 1 (45). Elsevier, Amsterdam

Graff-Radford N, Welsh K, Godersky J (1987) Callosal apraxia. Neurology 37: 100–105

Heilman K, Rothi L (1985) Apraxia. In: Heilman K, Valenstein E (eds) Clinical neuropsychology. Oxford University Press, New York

Heilman K, Rothi L, Mack L, Feinberg T, Watson R (1986) Apraxia after a superior parietal lesion. Cortex 22: 141–150

Joynt R, Benton A, Fogel M (1962) Behavioral and pathological correlates of motor impersistence. Neurology 12: 876–881

Kerschensteiner M, Poeck K (1974) Bewegungsanalyse bei buccofacialer Apraxie. Nervenarzt 45: 9–15

Kerschensteiner M, Poeck K, Lehmkuhl G (1975) Die Apraxien. Akt Neurol 2: 171–178

Kertesz A (1985) Apraxia and aphasia. Anatomical and clinical relationship. In: Roy E (ed) Neuropsychological studies of apraxia and related disorders. North-Holland, Amsterdam (Advances in psychology, vol 23, pp 163–178)

Kertesz A, Ferro J (1984) Lesion size and location in ideomotor apraxia. Brain 107: 921–933

Kertesz A, Ferro J, Shewan C (1984) Apraxia and aphasia. The functional basis for their dissociation. Neurology 30: 40–47

Knutsson E, Lying-Tunell U (1985) Gait-apraxia in normal-pressure hydrocephalus. Patterns of movement and muscle activation. Neurology 35: 155–160

Lange J (1936) Agnosien und Apraxien. In: Bumke O, Förster O (Hrsg) Handbuch der Neurologie, Bd 6. Springer, Berlin

Lehmkuhl G, Poeck K (1981) A disturbance of the conceptual organization of actions in patients with ideational apraxia. Cortex 17: 153–158

Lehmkuhl G, Poeck K, Willmes K (1983) Ideomotor apraxia and aphasia: an examination of types and manifestation of apractic symptoms. Neuropsychologia 21: 199–212

Lewandowsky M (1907) Über Apraxie des Lidschlusses. Berliner Klin Wochenschr 44: 921–923

Liepmann H (1900) Das Krankheitsbild der Apraxie (motorischen Asymbolie). Monatsschr Psychiatr Neurol 8: 15–44, 102–132, 182–197

Liepmann H (1908) Drei Aufsätze aus dem Apraxiegebiet. Karger, Berlin

Marsden C (1984) Which motor disorder in Parkinson's disease indicates the true motor function of the basal ganglia? CIBA Foundation Symp 107: 225–237

Meyer J, Barron D (1960) Apraxia of gait: a clinicophysiological study. Brain 83: 261–283

Miller N (1986) Dyspraxia and its management. Croom Helm, London

Morlaas J (1928) Contribution à l'etude de l'apraxie. Legrand, Paris

Orgass B (1982) Agnosie. In: Poeck K (Hrsg) Klinische Neuropsychologie. Thieme, Stuttgart, S 122–135

Poeck K (1982) Apraxie. In: Poeck K (Hrsg) Klinische Neuropsychologie, Thieme, Stuttgart, S 107–122

Poeck K (1983) Ideational apraxia. J Neurol 230: 1–5

Poeck K (1985) Clues to the nature of disruption to limb praxis. In: Roy E (ed) Neuropsychological studies of apraxia and related disorders. North-Holland, Amsterdam (Advances in psychology vol 23, pp 99–110)

Poeck K (1986) The clinical examination for motor apraxia. Neuropsychologia 24: 129–134

Poeck K, Lehmkuhl G (1980a) Das Syndrom der ideatorischen Apraxie und seine Lokalisation. Nervenarzt 51: 217–225

Poeck K, Lehmkuhl G (1980b) Ideatory apraxia in a left handed patient with right-sided brain lesion. Cortex 16: 275–284

Rothi L, Heilman K (1985) Ideomotor apraxia: gestural discrimination, comprehension and memory. In: Roy E (ed) Neuropsychological studies of apraxia and related disorders. North-Holland, Amsterdam (Advances in psychology, vol 23, pp 65–74)

Rothwell J (1987) Control of human voluntary movement. Croom Helm, London

Roy E (ed) (1985) Neurospychological studies of apraxia and related disorders. North-Holland, Amsterdam (Advances in psychology, vol 23)

Säring W, Cramon D von (1982) Störungen willkürlicher Lidbewegungen. Fortschr Neurol Psychiatr 50: 127–132

Steinthal P (1871) Abriß der Sprachwissenschaft. Dümmler, Berlin

Stuss D, Benson D (1986) The frontal lobes. Raven, New York

Sudarsky L, Simon S (1987) Gait disorder in late-life hydrocephalus. Arch Neurol 44: 263–267

Tognola G, Vignolo L (1980) Brain lesions associated with oral apraxia in stroke patients. A clinico-neuroradiological investigation with the CT scan. Neuropsychologia 18: 257–272

Watson R, Heilman K (1983) Callosal apraxia. Brain 106: 391–403

Watson R, Heilman K, Bowers D (1985) Magnetic resonance imaging (MRI, NMR) scan in a case of callosal apraxia and pseudoneglect. Brain 108: 535–536

Watson R, Fleet W, Rothi L, Heilman K (1986) Apraxia and the supplementary motor area. Arch Neurol 43: 787–792

Zutt J (1950) Über die Unfähigkeit, die Augen geschlossen zu halten. Apraxie des Lidschlusses oder Zwangsblicken? Nervenarzt 21: 339–345

273

16 Sprache

G. GREITEMANN

16.1 Einleitung

Dieses Kapitel will eine zusammenfassende Beschreibung von Diagnostik- und Therapieverfahren bei Aphasie geben. Die aphasischen Symptome und Syndrome werden nicht detailliert beschrieben. Derartige Darstellungen sind vielfach publiziert und leicht zugänglich (vgl. Huber et al. 1982, Albert et al. 1981, Peuser 1978, Friederici 1984, Leischner 1979).

Aphasien sind Störungen der Sprache, die sich auf allen linguistischen Beschreibungsebenen und in verschiedenen sprachlichen Modalitäten zeigen.

- Eine Aphasie ist kein kompletter Ausfall der Sprache. Sie tritt in verschiedenen Schweregraden auf: von der schweren globalen Aphasie mit nur noch residualen Fähigkeiten, selbst isolierte, einfache Wörter zu verstehen, bis hin zu sog. „Restaphasien", deren Symptome dem Laien nicht auffallen, die sich für die Betroffenen aber als Unsicherheit in Gesprächen mit hohen Anforderungen an Sprachverständnis und Präzision des eigenen Ausdrucks bemerkbar machen.
- Aphasien betreffen die lautsprachlichen *und* die schriftsprachlichen Leistungen. Da Störungen der Schriftsprache aber auch isoliert auftreten können, werden sie in Kap. 17 gesondert beschrieben.
- Eine Aphasie ist keine primäre Störung der Kommunikationsfähigkeit. Aphasiker kennen und befolgen die formalen Regeln der Kommunikation (z.B. die Regeln des Sprecherwechsels). Die Kommunikationsfähigkeit ist aber durch die Aphasie einge-

schränkt, weil das wichtigste und differenzierteste Mittel der menschlichen Kommunikation, die Sprache, nicht mehr vollständig bzw. sicher verfügbar ist. Auch andere neuropsychologische Störungen, die häufig zusammen mit Aphasien auftreten (z.B. Störungen der Wahrnehmung, der Aufmerksamkeit, des Gedächtnisses), beeinflussen die Kommunikationsfähigkeit. Eine leichte aphasische Störung kann in Kombination mit einer anderen neuropsychologischen Störung zu einer schweren Beeinträchtigung der Kommunikationsfähigkeit führen.

Das Erkennen dieser Beeinträchtigungen führt bei vielen Aphasikern dazu, daß sie ihre sozialen Kontakte auf das engste Umfeld beschränken und aus Angst, nicht zu verstehen oder nicht verstanden zu werden, andere Kontakte meiden. Wie diese sprachlichen und sozialen Einschränkungen vom Aphasiker selbst empfunden werden, wird in autobiographischen Berichten eindrucksvoll beschrieben (z.B.: Tropp Erblad 1985).

Betroffen von der Aphasie sind aber nicht nur die Aphasiker selbst, sondern alle, die mit ihnen in der Familie, am Arbeitsplatz oder in der Freizeit umgehen. Die Betreuung eines aphasischen Patienten schließt deshalb die Betreuung seiner Bezugspersonen ein.

16.2 Prognose

Ob und in welchem Ausmaß sich eine Aphasie zurückbildet, hängt von verschiedenen Einflußgrößen ab. Cramon nennt als „Hauptfaktoren":

- die Ätiologie der Hirnläsion,
- die Lokalisation und Ausdehnung der Hirnläsion,
- den Schweregrad des initialen Sprachdefizits,
- die Zeitspanne seit dem aphasiebedingenden Ereignis,
- den Aphasietyp und die vorherrschenden Aphasiesymptome (v. Cramon 1983, S. 86).

Zu beeinflussen ist lediglich der Faktor „Zeitspanne seit dem aphasiebedingenden Ereignis": Je früher die Therapie beginnt, um so größer sind ihre Erfolgschancen. Diese prognostischen Faktoren bestimmen, in welchem Umfang die Aphasie durch eine Therapie verändert werden kann. Ein Einflußfaktor ist natürlich auch die Intensität und Qualität der Therapie. *Vergleiche* der Wirksamkeit *verschiedener Therapieverfahren* gibt es kaum. Es liegen lediglich Untersuchungen vor, in denen die Wirksamkeit von Einzeltherapie gegenüber Gruppentherapie (Wertz et al. 1981) und der Therapie von ausgebildeten Therapeuten gegenüber Laientherapie verglichen wird (Shewan und Kertesz 1984).

16.3 Diagnostik

16.3.1 Ziele

Die Diagnostik von Sprachstörungen bei hirngeschädigten Patienten verläuft in mehreren Schritten.

Auslese

Es wird festgestellt, ob überhaupt eine aphasische Sprachstörung vorliegt. Als Auslesetest hat sich der Token Test (Orgass 1982) bewährt. Zusätzlich sollte aber in jedem Fall die Spontansprache auf aphasische Symptome hin überprüft werden. Auch vom Patienten subjektiv empfundene Veränderungen der Sprache müssen berücksichtigt werden, da sie Hinweise auf relative Leistungseinbußen liefern können, die mit objektiven Tests nicht mehr

erfaßbar sind, aber gleichwohl funktional wirksam werden können.

Klassifizierung

Wenn vom Vorliegen einer aphasischen Sprachstörung ausgegangen werden kann, wird die Störung auf der Grundlage der festgestellten sprachlichen Symptome in Phonematik, Semantik und Syntax anhand von *klinischen Leitsymptomen* einem Syndrom zugeordnet. Als Leitsymptome eignen sich nur solche Symptome, die ausschließlich bei einem bestimmten Syndrom auftreten oder die bei einem Syndrom stärker ausgeprägt sind als andere Symptome. Diese Leitsymptome sind:

- das extrem reduzierte Inventar sprachlicher Formen und das Auftreten von Automatismen für die globale Aphasie,
- der Paragrammatismus für die Wernicke-Aphasie,
- der Agrammatismus für die Broca-Aphasie,
- Wortfindungsstörungen bei nur geringer Symptomatik in Phonematik, Syntax und im Sprachverständnis für die amnestische Aphasie.

Neben der klinischen Diagnostik, die auf der Basis von Leitsymptomen klassifiziert, kann auch eine psychometrische Syndromzuordnung erfolgen. Dabei werden die Ergebnisse eines Aphasietests mit den Testleistungen einer Stichprobe aphasischer Patienten verglichen. Die Diskriminanzanalyse gibt an, wie hoch die Wahrscheinlichkeit der Zugehörigkeit zu einem der Aphasiesyndrome ist (vgl. Huber 1973; Greitemann u. Willmes 1985).
Die Leistungen im Sprachverständnis eignen sich *nicht* zur Syndromdifferenzierung, da sich innerhalb der einzelnen Aphasiesyndrome große Unterschiede zeigen. So liegen z. B. die Sprachverständnisleistungen im Aachener Aphasie Test (AAT) bei einer großen Stichprobe von Wernicke-Aphasikern im Schweregrad zwischen „schwer" und „mittelschwer bis leicht" (Huber et al. 1983). Eine Analyse der AAT-Untertest-Profile einer eigenen Stichprobe (N = 29) zeigte außerdem, daß das Sprachverständnis bei diesen Wernicke-Aphasikern

sich meist nicht überzufällig von den Leistungen in den anderen Untertests unterschied oder sogar besser war als andere sprachliche Leistungen. Die Charakterisierung der Wernicke-Aphasie als Syndrom mit besonders stark gestörtem Sprachverständnis („sensorische Aphasie") läßt sich also bei Anwendung psychometrischer Testverfahren nicht mehr halten.

Aphasien mit herausragend guten oder schlechten Leistungen im Nachsprechen werden als transkortikale bzw. als Leistungsaphasien klassifiziert (vgl. Huber et al. 1983).

Aphasien, bei denen sich keines der genannten Leitsymptome feststellen läßt, werden als „nicht klassifizierbar" bezeichnet. Da die Aphasiesyndrome für vaskulär bedingte Aphasien beschrieben sind, ist bei anderen Ätiologien häufig eine Syndromzuweisung nicht möglich.

Die über Leitsymptome bestimmten Aphasiesyndrome umfassen sehr heterogene Störungen, die sich im Schweregrad der Beeinträchtigung und in ihrer Ausprägung in den einzelnen sprachlichen Modalitäten stark voneinander unterscheiden. Deshalb kann die Syndromdiagnose nur der knappen Verständigung in der Klinik dienen. Für die Abschätzung der Einflüsse der Aphasie auf die sprachliche Kommunikationsfähigkeit des Patienten und für die Planung der Therapie hat sie wenig Relevanz (s. 16.4).

Abgrenzung aphasischer und nichtaphasischer Störungen der Sprache

Es gibt neben der Aphasie verschiedene andere Sprachstörungen, die nach Hirnschädigungen auftreten können.

Wortfindungsstörungen

Wortfindungsstörungen treten bei unterschiedlichster Ätiologie und Lokalisation der Hirnschädigung auf.

Als Symptom einer amnestischen Aphasie sind sie dann zu interpretieren, wenn bei einem Auslesetest (z. B. Token Test) eine Aphasie diagnostiziert wurde oder wenn die Wortfindungsstörungen begleitet sind von leichten Störungen des Sprachverständnisses, der Phonematik oder der Syntax. Sind diese Bereiche unbeeinträchtigt, handelt es sich um nichtaphasische Wortfindungsstörungen.

Veränderungen in Dialogverhalten und Sprachstil

Verhaltensänderungen infolge einer frontalen Hirnschädigung können sich auch im Sprachverhalten manifestieren, ohne daß sprachsystematische Abweichungen von der Standardsprache auftreten, wie sie für die Aphasie charakteristisch sind. Solche Verhaltensänderungen betreffen das Dialogverhalten des Patienten und können sich folgendermaßen äußern:

- Die Patienten wechseln das Thema des Gesprächs, ohne dies dem Gesprächspartner explizit anzuzeigen, kommen aber – oft nach mehreren „Exkursen" – meist zum Ausgangsthema zurück.
- Sie benutzen Pronomina, deren Referenz nicht explizit genannt wurde und die der Gesprächspartner nicht erschließen kann.
- Auch der gesteigerte Rededrang kann bei diesen Patienten beobachtet werden (vgl. Milton u. Wertz 1985; Fuster 1980; Prigatano et al. 1986).

Neben diesen Veränderungen im Dialogverhalten zeigen sich häufig stilistische Veränderungen: Die Sätze sind komplexer angelegt, und es werden mehr Fremdwörter benutzt als vor der Erkrankung. Die Sprache dieser Patienten wird von Angehörigen oft als „geschraubt" oder „maniert" beschrieben. Da diese Stilformen meist mögliche Varianten innerhalb der Standardsprache sind, können Veränderungen in der Regel nur anamnestisch ermittelt werden. Eine Rückkehr in den Beruf können solche Veränderungen erschweren, da sie von Bezugspersonen oft als Ausdruck einer globalen intellektuellen Leistungseinbuße interpretiert werden.

Störungen der Sprachinitiierung

Ebenfalls bei Läsionen des Frontalhirns (frontodorsale Gewebsläsionen) kann eine Störung der Sprachinitiierung (Adynamie) auftreten (vgl. Stuss u. Benson 1986). Falls keine Aphasie vorliegt, kann diese Störung mit Wortflüssigkeitstests diagnostiziert werden. Dabei bekommt der Patient die Aufgabe, in einem festgelegten Zeitraum soviel Wörter wie möglich aufzuschreiben, die entweder mit demselben Anfangsbuchstaben beginnen oder zu einer vorgegebenen semantischen Kategorie gehören (vgl. Milner 1964; Pendleton et al. 1982). Eine Reduzierung der Wortflüssigkeit kann ein Hinweis auf eine frontale Hirnschädigung sein.

Vergleich der Leistungen in verschiedenen sprachlichen Modalitäten

Die sprachlichen Modalitäten sind unterschiedliche Formen des Einsatzes von Sprache, z. B. Nachsprechen, Benennen, Schreiben nach Diktat. In Aphasietests werden neben der Spontansprache verschiedene sprachliche Modalitäten überprüft, weil sie unterschiedliche Anforderungen an die Sprachverarbeitung stellen und bestimmte Symptome unterschiedlich deutlich beobachtet werden können.

Daß aphasische Sprachstörungen multimodal sind, heißt nicht, daß der Schweregrad der Störung in allen sprachlichen Modalitäten gleich ist. Ein Verfahren, das es ermöglicht, die Schweregrade in verschiedenen Modalitäten zu vergleichen, ist die *psychometrische Einzelfalldiagnostik* (Huber 1973). Dieses Verfahren setzt bestimmte Gütekriterien des verwendeten Tests voraus.

Mit der psychometrischen Einzelfalldiagnostik wird überprüft, ob es *überhaupt* überzufällige Unterschiede zwischen den Modalitäten gibt und *welche* modalitätsspezifischen Leistungen sich voneinander unterscheiden. Außerdem kann überprüft werden, ob die gefundenen Leistungsunterschiede diagnostisch valent sind, d. h. in einer Bezugspopulation selten vorkommen. Für den AAT sind diese Analysen mit geringem Aufwand möglich (Greite-

mann u. Willmes 1985). Sie liefern wichtige Hinweise für die Therapieplanung (vgl. 16.4).

Diagnosestellung

Die Diagnose nach Abschluß der Untersuchung sollte enthalten: eine Beschreibung der Symptome in der Spontansprache, die Schweregrade der Störung in den einzelnen Modalitäten und überzufällige Unterschiede zwischen modalitätsspezifischen Leistungen sowie die Syndromzuordnung. Eine solche Diagnose erfaßt noch nicht, in welchem Ausmaß die Kommunikationsfähigkeit durch die Aphasie beeinträchtigt ist.

Neben den Ergebnissen des Aphasietests ist die möglichst detaillierte Anamneseerhebung wichtiger Bestandteil der Diagnostik, weil sie wichtige prognostische Hinweise liefert. Dabei sollte nach dem prämorbiden Sprachverhalten, dem Schweregrad und den Symptomen in der ersten Zeit nach dem Ereignis sowie nach dem Ausmaß der Rückbildung der Aphasie gefragt werden.

16.3.2 Verfahren der Diagnostik

Diagnostik der sprachsystematischen Fähigkeiten

Als klinische Untersuchungsverfahren eignen sich nur solche, die nach testpsychologischen Kriterien konzipiert wurden und für die bestimmte Güteeigenschaften (Reliabilität, Objektivität und Validität) überprüft wurden. Nur solche Tests ermöglichen Aussagen über überzufällige Leistungsunterschiede in einzelnen Bereichen und ermöglichen eine genaue Kontrolle des Verlaufs und der Effekte therapeutischer Interventionen.

Für den deutschen Sprachraum liegt mit dem Aachener Aphasie Test (AAT, Huber et al. 1983) ein standardisierter und normierter Aphasietest vor. In der DDR wird das Aphasieprüfverfahren (APV, Frühauf 1983) eingesetzt, das ebenfalls standardisiert und normiert ist. Nichtstandardisierte Aufgabensammlungen und deutsche Übertragungen amerikanischer Tests (Schuell 1965; Goodglass u. Kaplan 1972; Kertesz 1982) werden nur noch selten eingesetzt.

Einen Überblick über diagnostische Verfahren geben Lang (1981) und Lyon (1986).

Diagnostik der kommunikativen Fähigkeiten von Aphasikern

Aphasien beeinträchtigen die Kommunikationsfähigkeit, weil das wichtigste Medium der Kommunikation, die Sprache, nicht mehr vollständig und sicher verfügbar ist. Diese Beschränkung läßt sich durch den Einsatz nichtsprachlicher Kommunikationsmittel wie Gestik, Grafik etc. zu einem kleinen Teil kompensieren, so daß trotz der beeinträchtigten Sprache vertraute Kommunikationssituationen bewältigt werden können. Beim Einsatz von kompensatorischen Mitteln und beim Einsatz der noch verfügbaren sprachlichen Mittel zeigen sich deutliche Unterschiede, die in dem Einfluß begleitender neuropsychologischer Störungen, in der Persönlichkeitsstruktur der Patienten und der jeweiligen Lebenssituation begründet sind: Die „gleiche" aphasische Sprachstörung kann sich demnach auf die Kommunikationsfähigkeit verschiedener Patienten sehr unterschiedlich auswirken. Ein „Perfektionist", der sich schämt, daß er seine Muttersprache nicht mehr fehlerfrei beherrscht, wird sich trotz einer nur leichten Aphasie auf die Kommunikation mit vertrauten Personen beschränken und andere Kontakte meiden. Ein anderer Patient, der geringere Anforderungen an die sprachliche Korrektheit seiner Äußerungen stellt, wird dagegen seine sozialen Kontakte nicht einschränken.

Zur Erfassung der kommunikativen Fähigkeiten gibt es verschiedene Untersuchungsverfahren. In den USA und in Großbritannien werden vor allem folgende Verfahren eingesetzt: FCP (Taylor-Sarno 1969), CADL (Holland 1980). Eine Übersicht gibt Simmons (1986). Diese Verfahren sind z.T. standardisiert und normiert und erlauben auch die Messung von Veränderungen der kommunikativen Leistungen. Da sie jedoch teilweise spezifische kulturelle Besonderheiten berücksichtigen, ist die

Benutzung übersetzter Testversionen nur bedingt möglich.

Wir haben die *Beobachtung* der Kommunikation in realen Alltagssituationen (Einkaufen, Erledigungen bei der Bank oder der Post etc.) darauf konzentriert, welche Modalitäten der Patient einsetzt (Sprache, Schrift, Gestik, Pantomime, Zeichnen) und ob seine Selbstkorrekturstrategien effektiv sind. Eine solche Beobachtung erfordert keine besonderen technischen Verfahren der Dokumentation und liefert relevante Hinweise für die Therapie. So werden z.B. in der Therapie die gestischen Ausdrucksmöglichkeiten gezielt trainiert, wenn sich zeigt, daß der Patient diese gar nicht oder nur unökonomisch einsetzt (vgl. 16.4.5).

Erst die Kombination der Diagnostik sprachsystematischer Defizite und der Erfassung der kommunikativen Fähigkeiten ermöglicht es, die Auswirkungen der Aphasie auf die Alltagsbedürfnisse des Aphasikers abzuschätzen und die der Therapie auf diese Bedürfnisse auszurichten.

16.4 Therapie

Es ist in den letzten Jahren mehrfach versucht worden, die Vielzahl der eingesetzten Therapiemethoden zusammenfassend zu beschreiben (Lesser 1985; Lang u. v. Stockert 1986; v. Stockert 1984; Basso 1987). Solche Zusammenfassungen sind aber meist unbefriedigend, weil die jeweiligen Therapieverfahren sich stark voneinander unterscheiden.

Nach groben Kriterien lassen sich 3 methodische Ansätze unterscheiden, denen eine Vielzahl unterschiedlicher Verfahren zuzuordnen sind:

1) Stimulierende Methoden, die die Steigerung der rezeptiven Fähigkeiten erreichen wollen. Als Folge dieser Leistungssteigerung wird auch eine Verbesserung der expressiven Leistungen erwartet. Das bekannteste Verfahren dieser Art ist die Stimulationstherapie nach Schuell (vgl. Duffy 1983).

2) Systematisches Training von rezeptiven und expressiven Leistungen mit Hilfe verschiedener Fazilitierungen: Bei der Auswahl des sprachlichen Materials und der fazilitierenden Hilfen werden Ergebnisse der neurolinguistischen Forschung zugrundegelegt. Grundprinzip dieser Therapiemethode ist, dem Aphasiker eine sprachliche Leistung, die er selbständig nicht erbringen kann (z.B. das Benennen eines Bildes) durch Hilfen des Therapeuten zu ermöglichen. Diese Hilfen werden schrittweise reduziert, d.h. durch weniger wirksame Hilfen ersetzt. Jeder Abbau von Hilfen führt zu einer selbständigeren Leistung des Patienten, bis dieser die geforderte Leistung ohne Hilfestellung des Therapeuten erbringen kann.

3) Einübung sprachersetzender Kommunikationsmittel: Ziel dieser Therapiemethoden ist es, den Einsatz nichtsprachlicher Kommunikationsmittel zu fördern. Lesser spricht dabei von „prothetischen Strategien" (Lesser 1985).

16.4.1 Ziel der Therapie

Die Behandlung der Sprachstörungen hat das Ziel, die Kommunikation des Aphasikers mit der Umwelt zu verbessern. Dazu gibt es zwei Möglichkeiten:

- Reduzierung der sprachsystematischen Defizite,
- Optimierung des Einsatzes der noch vorhandenen sprachlichen Mittel und nichtsprachlicher Kommunikationsmittel.

16.4.2 Phasen der Therapie

Springer (1986) beschreibt 3 Phasen der Aphasietherapie:

- Aktivierungsphase,
- störungsspezifische Übungsphase
- Konsolidierungsphase.

Diese drei Phasen sind nicht strikt getrennt, sondern gehen ineinander über: Schon in der Aktivierungsphase wird begonnen, die Thera-

pie auf die beobachteten sprachlichen Symptome auszurichten, und die Konsolidierung beginnt schon während der störungsspezifischen Übungsphase. Die Konsolidierungsphase hat dabei folgendes Ziel: Die Aphasiker und ihre Angehörigen sollen die sprachlichen Defizite, die noch vorhanden sind und bleiben werden, akzeptieren und damit umgehen lernen. Die zur Verfügung stehenden kommunikativen Ausdrucksmittel sollen in Alltagssituationen möglichst effektiv eingesetzt werden können (Springer 1986).

Nur die Integration von sprachsystematischer (störungsspezifischer) Therapie und kommunikativer (konsolidierender) Therapie kann gewährleisten, daß der „Transfer" der wiedererarbeiteten sprachlichen Mittel in Alltagssituationen gelingt. Es wird häufig festgestellt, daß die Fähigkeit des Aphasikers, diesen Transfer zu leisten, sehr stark gestört ist (Kotten 1983). Daß dieser Transfer nicht gelingt, kann mehrere Ursachen haben:

1) In der Therapiesituation konzentriert sich der Patient auf *ein* bestimmtes sprachliches Problem. Die sprachlichen Äußerungen in nichttherapeutischen Situationen erfordern aber die Berücksichtigung sprachlicher Schwierigkeiten auf *verschiedenen* Ebenen (z.B. Wortfindungsstörungen, phonematische Störungen, syntaktische Störungen).

2) In der Therapie wird versucht, eine Atmosphäre zu schaffen, die ein konzentriertes Arbeiten ermöglicht: Der Patient steht nicht unter Zeitdruck, störende Einflüsse wie Lärm etc. sind weitgehend ausgeschaltet, der Patient muß sich nur mit einem Gesprächspartner beschäftigen. Auch diese Bedingungen sind außerhalb der Therapie oft nicht gegeben.

3) Begleitende neuropsychologische Defizite verhindern den Einsatz geübter Verhaltensweisen in Alltagssituationen.

Um den Transfer zu erreichen, muß der Einsatz aller Kommunikationsmittel in Kommunikationssituationen trainiert werden: die sprachsystematische Therapie wird begleitet von einer kommunikativen Therapie.

16.4.3 Sprachsystematische Therapie

Die traditionelle Aphasietherapie ist darauf ausgerichtet, die aphasischen Symptome zu reduzieren und die prämorbiden sprachlichen Fähigkeiten soweit wie möglich wiederherzustellen (vgl. v. Stockert 1984). Sie wird im folgenden als sprachsystematische Therapie bezeichnet.

Die Effektivität dieser Art von Therapie ist vielfach überprüft worden. Dabei wurde nachgewiesen, daß eine gezielte und systematisch aufgebaute Therapie eine Steigerung der sprachlichen Leistungen erzielt, die deutlich über die Verbesserungen durch die Spontanrückbildung hinausgeht (vgl. Taylor-Sarno 1980; Shewan u. Kertesz 1984).

Nur ansatzweise sind demgegenüber bisher verschiedene Therapieverfahren zur Behandlung einzelner Symptome in Therapieexperimenten miteinander verglichen worden. Bei der Auswahl zwischen alternativen Verfahren kann sich der Therapeut deshalb meist nicht auf Effektivitätsvergleiche stützen.

Planung der Therapie

In der Literatur zur Aphasietherapie gibt es bislang wenig Hinweise darauf, wie die Inhalte und Schwerpunkte der Aphasietherapie auf der Basis der diagnostischen Ergebnisse systematisch bestimmt werden können. Vor der Entscheidung für ein bestimmtes Therapieverfahren muß der Therapeut sich aber darüber klar werden, welche sprachlichen *Bereiche* oder *Modalitäten* er therapieren will. Erst nach dieser Entscheidung kann er ein geeignetes Verfahren oder Programm auswählen.

Mit Ausnahme der amnestischen Aphasie, die im wesentlichen durch *ein* Symptom (Wortfindungsstörungen) gekennzeichnet ist, können sich die Störungen auf den einzelnen sprachlichen Ebenen und in den einzelnen Modalitäten deutlich unterscheiden. Deshalb ist es auch nicht sinnvoll, generell dem Leitsymptom der jeweiligen Aphasie Priorität bei der Therapie einzuräumen. Aus dem gleichen Grund ist auch der Gesamtschweregrad der aphasischen Störung bei der Entscheidung über Therapieschwerpunkte kaum hilfreich. Wichtiger sind die beobachteten Symptome der Aphasie und die Schweregrade der Störungen in einzelnen sprachlichen Modalitäten.

Darüber hinaus sind zwei weitere Faktoren für die Therapieplanung unbedingt zu berücksichtigen: die Prognose für die zu erwartende Rückbildung (vgl. 16.2) und die individuellen Bedürfnisse des Patienten.

Die prognostischen Faktoren müssen berücksichtigt werden, weil sie Rahmenbedingungen schaffen, die die Möglichkeiten der therapeutischen Intervention begrenzen. Der wichtigste Faktor ist dabei der Zeitpunkt nach Beginn der Erkrankung. Je nach Ätiologie sind relevante Verbesserungen der sprachlichen Leistungen nur in einem begrenzten Zeitraum möglich. Bei vaskulären Aphasien sind nach einem Zeitraum von sechs Monaten zwar noch Verbesserungen zu erzielen, diese erfordern aber einen höheren therapeutischen Aufwand, und ihre Bedeutung für die spontansprachlichen Fähigkeiten ist deutlich geringer (vgl. Basso 1987).

Da also *substantielle* Veränderungen nur in einem begrenzten Zeitraum möglich sind und eine vollständige Rückbildung der Aphasie nicht zu erwarten ist, muß die Therapie auf Schwerpunkte konzentriert werden. Für jede Phase der Therapie wird ein Schwerpunkt bestimmt und ein Ziel festgelegt. Dieses Ziel gibt an, welche Leistungsverbesserung angestrebt wird. Ob dieses Ziel erreicht wurde, wird durch Verlaufsuntersuchungen mit dem AAT oder anderen Verfahren bestimmt. Nach jeder Verlaufsuntersuchung wird neu entschieden, welcher Schwerpunkt für die folgende Therapiephase sinnvoll ist.

Bei der Bestimmung der Schwerpunkte kann nicht der jeweilige Schweregrad der einzelnen Symptome entscheidend sein. Nicht das am stärksten ausgeprägte Symptom wird vorrangig behandelt. Priorität hat das Symptom, dessen Rückbildung die weitestgehende Verbesserung der kommunikativen Fähigkeiten des Patienten zur Folge hat. Dies sind die schweren Störungen des auditiven Sprachverständnisses und des Lesesinnverständnisses, weil sie den Aphasiker, selbst bei verfügbaren expressiven Mitteln, sozial isolieren. Bei den Störungen der expressiven Sprache wirken sich die semantischen Defizite (Wortfindungsstörungen, semantische Paraphasien und Neologismen) am deutlichsten aus. Phonematische Paraphasien und Neologismen beeinträchtigen die Verständlichkeit nur dann, wenn sie so stark ausgeprägt sind, daß viele der geäußerten Wörter wegen den phonematischen Veränderungen nicht eindeutig zu identifizieren sind. Die syntaktischen Defizite beschränken die sprachliche Kommunikationsfähigkeit nur dann stärker als semantische und phonematische Störungen, wenn diese nur noch gering ausgeprägt sind.

Aus diesen Überlegungen ergibt sich eine Hierarchie der Aphasietherapie:

Zuerst muß erreicht werden, daß das Sprachverständnis des Aphasikers ausreicht, um zumindest in vertrauten Situationen die Äußerungen eines Gesprächspartners verstehen zu können. Außerdem muß sprachliches Material, das expressiv geübt werden soll, rezeptiv sicher verarbeitet werden. Es ist also sinnlos, mit einem Patienten das Formulieren von Sätzen zu üben, wenn er noch Störungen im Satzverständnis zeigt.

Bei der Behandlung expressiver Störungen hat die Behandlung von Störungen der Semantik Vorrang vor der Therapie syntaktischer oder leichter phonematischer Defizite.

Die individuellen Bedürfnisse des Patienten sind vor allem bei der Entscheidung zu berücksichtigen, ob und in welchen Bereichen die Schriftsprache in die Therapie mit einbezogen wird.

Aufbau der Therapie

Nach der Entscheidung über den Schwerpunkt der ersten Therapiephase wird anhand der Testergebnisse festgelegt, auf welcher Schwierigkeitsstufe die Therapie beginnt. Die Schwierigkeitsstufe wird bestimmt durch das sprachliche Material, mit dem gearbeitet wird (z. B. Wörter, Sätze, Texte), und durch die Hilfen, die der Therapeut gibt. Bei einer Therapie im Bereich Sprachverständnis kann das z. B.

so aussehen, daß mit dem Verständnistraining für einfache konkrete Nomina mit hoher Vertrautheit für den Patienten begonnen wird. Der Patient hat die Aufgabe, das zum auditiv vorgegebenen Stimulus gehörige Bild aus einer Menge von Bildern herauszusuchen.

Die therapeutischen Hilfen bestehen zum einen in der Auswahl des Bildmaterials und in der Anzahl der Auswahlbilder (geringe oder große semantische Nähe zu dem gesuchten Bild). Zum anderen in den Hilfestellungen, die der Therapeut zusätzlich gibt, wenn der Patient nicht zu einer korrekten Lösung in der Lage ist; dazu gehören: Wiederholen des Stimulus, zusätzlicher Einsatz anderer Medien wie Schriftsprache oder Gestik.

Die Hilfen werden langsam abgebaut, d. h. es wird mit starken Hilfen begonnen, die dann durch weniger starke Hilfen ersetzt werden, bis die Leistung ohne oder mit nur geringer Hilfestellung erbracht werden kann. Die Wirksamkeit verschiedener Hilfen wird zu Beginn der Therapie ermittelt. Dabei kann auf zahlreiche experimentelle Untersuchungen zurückgegriffen werden. Eine Ordnung der verschiedenen Hilfen für unterschiedliche Therapiebereiche, die aus der Literatur zusammengestellt ist, geben Shewan und Bandur (1986). Unterscheiden muß man dabei vor allem zwischen Hilfen, die die gewünschte Leistung kurzfristig ermöglichen („prompting") und solchen Hilfen, die zu einer stabilen Leistungsverbesserung führen.

Vor einem Übergang zur nächsten Schwierigkeitsstufe muß geprüft werden, ob der Patient die trainierte Leistung auch mit nicht geübtem Material erbringen kann (Generalisierung). Ist das der Fall, wird der Schwierigkeitsgrad des benutzten sprachlichen Materials gesteigert. Auch auf dieser Stufe werden die Hilfen systematisch abgebaut, bis der Patient zu einer weitgehend eigenständigen Leistung fähig ist.

Die Schwierigkeit des sprachlichen Materials wird von verschiedenen Faktoren bestimmt und ist für einzelne sprachliche Modalitäten und aphasische Syndrome unterschiedlich. Die wichtigsten Faktoren, die die Schwierigkeit beeinflussen sind: Komplexität und Länge, Wortart, Konkretheit, Vertrautheit (vgl. Shewan und Bandur 1986).

Therapie von Störungen
des Sprachverständnisses

Schwere Störungen des Sprachverständnisses machen eine sprachliche Kommunikation für den Patienten praktisch unmöglich. Auch leichte Sprachverständnisstörungen führen bei komplexem Material (Texte) oder unter erschwerten Bedingungen (Gespräch in der Gruppe, Hintergrundgeräusche) zu deutlichen Störungen der Kommunikationsfähigkeit. Deshalb ist auch bei Patienten, deren Sprachverständnis in vertrauten Gesprächssituationen als nicht beeinträchtigt erscheint, eine Therapie oft sinnvoll. Außerdem ist das sichere Sprachverständnis eine Voraussetzung für die Therapie expressiver Leistungen. Darstellungen verschiedener Therapieverfahren finden sich bei Shewan und Bandur (1985), Marshall (1983) und Lang und v. Stockert (1986). Die Variablen, die das Verständnis beeinflussen sind:

- Länge der zu verstehenden Äußerung,
- Auswahl der Wörter,
- syntaktische Komplexität der Äußerung,
- Menge der genannten Fakten,
- Redundanz,
- Geschwindigkeit und Intonation beim Vorsprechen,
- Interesse des Patienten am Thema bzw. sein Vorwissen.

Marshall (1983) schlägt vor, die Schwierigkeitshierarchie für jeden Patienten individuell zu bestimmen, da der Einfluß der genannten Variablen individuell deutlich differieren kann.
Entsprechend den beschriebenen Prinzipien beim Therapieaufbau werden die Anforderungen kontinuierlich gesteigert, indem mit zunehmend komplexerem Material gearbeitet wird und die therapeutischen Hilfen schrittweise abgebaut werden.
Bei der Behandlung schwerer Sprachverständnisstörungen kann es notwendig sein, die Fähigkeit zu auditiver Diskrimination zuerst mit nichtsprachlichem Material (unterschiedliche Geräusche) zu trainieren und erst dann zu einfachen sprachlichen Stimuli überzugehen.
Bei der Therapie des Wortverständnisses können neben Nomina, Verben und Adjektiven auch Funktionswörter geübt werden, was zumindest für Pronomen und Adverbien auch außerhalb eines Satzkontexts sinnvoll ist.
Das Textverständnis aphasischer Patienten kann zusätzlich durch Störungen der Aufmerksamkeit und des Gedächtnisses beeinträchtigt sein. Störungen der Aufmerksamkeit behindern die *Aufnahme* der Textinformationen. Gedächtnisstörungen erschweren das Verständnis, weil die Inhalte der bereits gelesenen Textabschnitte nicht mehr verfügbar sind.
Bei der Arbeit mit akustisch aufgenommenen Texten (z. B. Rundfunknachrichten) sind die Anforderungen an die Aufmerksamkeit bei der Verarbeitung höher als beim Lesen eines gedruckten Texts. Die Fähigkeit, einen Zeitungstext zu lesen und zu verstehen, impliziert also nicht, daß auch gehörte Texte ähnlicher Länge und Struktur verstanden werden können. Je nach den Bedürfnissen des Patienten wird das Verständnis auditiv aufgenommener Texte in die Therapie einbezogen.
Die Therapieziele richten sich nach dem jeweiligen Schweregrad der Störung und den individuellen Bedürfnissen: die einfachste Leistung ist es, in einem Text *eine bestimmte* Information zu finden, was durchaus von praktischer Relevanz sein kann. Eine höhere Anforderung ist es, *das Thema* eines Textes herauszufinden. Noch höhere Anforderungen stellt die Aufgabe, die *wichtigsten Textinformationen* zu verstehen.
Wenn expressive Störungen die Beurteilung der sprachlichen Reproduktion eines Texts erschweren, bieten sich handlungsanleitende Texte an, z. B. Kochrezepte oder Gebrauchsanweisungen, bei denen das korrekte Verständnis durch die Beobachtung der ausgeführten Handlungen überprüft werden kann.
Die Arbeit mit Texten bietet die Möglichkeit, berufs- oder ausbildungsbezogenes Material in die Therapie einzubeziehen.

Therapie von Störungen der Semantik

Die Symptome auf der semantischen Ebene sind: semantische Neologismen, semantische Paraphasien und Wortfindungsstörungen. Eine Behandlung dieser Störungen ist nur dann sinnvoll, wenn das sprachliche Material, mit dem gearbeitet werden soll, rezeptiv sicher verarbeitet werden kann.

Unter Berufung auf Wiegel-Crump und Koenigsknecht (1973) wird vielen Autoren das Üben in „semantischen Feldern" vorgeschlagen. Die Ergebnisse neuerer Untersuchungen relativieren jedoch die Bedeutung der semantischen Felder. Howard et al. (1986) fanden keine Unterschiede der Benennleistungen für Wörter, die dem semantischen Feld angehörten, das in der Therapie schwerpunktmäßig geübt wurde. Poeck und Stachowiak (1975) fanden, daß Aphasiker beim Benennen innerhalb eines semantischen Feldes (Farben) eher mehr Schwierigkeiten haben als beim Benennen von Objekten, die zu unterschiedlichen semantischen Feldern gehören.

Statt eines Trainings innerhalb semantischer Felder wird das Training der Wortfindung in Satzkontexten vorgeschlagen (Lückensätze; vgl. Springer u. Weniger 1980). Variationen des Schwierigkeitsgrades gibt es bei den einzusetzenden Wörtern sowie durch eine Variation der semantischen Nähe von Satzkontext und einzusetzendem Wort (Übergangswahrscheinlichkeit).

Bei Patienten mit leichten Wortfindungsstörungen sind diese Verfahren wenig ökonomisch, weil die Patienten viele der Aufgaben spontan korrekt lösen und sich nur ein geringer Übungseffekt ergibt.

Sinnvoller sind bei diesen Patienten Verfahren wie die „divergente semantische Intervention" (Chapey 1983), die auf die Produktion mehrerer Lösungen abzielt. Dabei werden Aufgaben verwendet, die nicht *eine* korrekte Lösung haben, sondern die mehrere Antworten des Patienten erfordern (z. B.: Was braucht man für die Durchführung einer Weihnachtsfeier?).

Mit einem ähnlichen Therapieansatz haben wir bei der Behandlung von leichten Wortfindungsstörungen gute Erfahrungen gemacht.

Ziel dieser Therapie ist nicht die Verbesserung der Benennleistung, sondern das Entwickeln einer ökonomischen Strategie im *Umgang* mit Wortfindungsstörungen. Diese hilft, längere Unterbrechungen im Gesprächsfluß zu vermeiden, wie sie bei Wortfindungsstörungen häufig auftreten. Es werden in dieser Therapie verschiedene Formen von *Umschreibungen* (z. B. Angabe der Funktion, typische Eigenschaft, Oberbegriff) geübt. In freien Gesprächen wird dann der Einsatz dieser Umschreibungsstrategie trainiert. Alle Patienten mit nur noch leichten Wortfindungsstörungen konnten die geübte Strategie anwenden.

Therapie von phonematischen Störungen

Verschiedene Therapieverfahren für die Behandlung phonematischer Störungen werden bei Kotten (1984) und v. Stockert (1984) beschrieben.

Bei der Behandlung phonematischer Störungen ist zuerst zu prüfen, ob nicht eine Sprechapraxie vorliegt, die als Symptom u. a. phonematische Paraphasien zeigt (vgl. Kap. 19).

Voraussetzung für eine Behandlung phonematischer Unsicherheiten, Paraphasien und Neologismen ist, daß die auditive Diskriminationsfähigkeit der Patienten ausreicht, um phonematisch abweichende von phonematisch korrekten Wörtern zu differenzieren (vgl. Kap. 8).

Bei ausreichender Diskriminationsfähigkeit werden für die Therapie Stimuli in unterschiedlichen Modalitäten eingesetzt: Nachsprechen, Lesen, Benennen. Meist wird dabei mit Minimalpaaren gearbeitet, die sich im An-, In-, oder Auslaut unterscheiden. Diese verschiedenen Positionen stellen unterschiedliche Anforderungen und werden deshalb sukzessive eingesetzt. Therapeutische Hilfen bestehen dabei in den verschiedenen Feedback-Verfahren: Dem Patienten wird entweder eine Tonbandaufnahme seiner Äußerung vorgespielt, oder diese wird ihm schriftlich wiedergegeben. So wird, ausgehend vom Erkennen der gemachten Fehler, die Fähigkeit zur Selbstkorrektur trainiert und das Vermeiden der Fehler vorbereitet.

16.4.4 Kommunikative Therapie

Darstellungen verschiedener Therapieansätze finden sich bei Springer und Weniger (1980) und v. Stockert (1984).

Bei den syntaktischen Störungen wird unterschieden zwischen dem Agrammatismus, der durch einfache Satzstrukturen und die Auslassung von Funktionswörtern und Flexionsformen gekennzeichnet ist, und dem Paragrammatismus mit langen, komplexen Sätzen mit Satzverschränkungen, falschen Funktionswörtern und Flexionsformen.

Während bei der Therapie des Agrammatismus der langsame Aufbau von einfachen Sätzen geübt wird, steht bei der Therapie des Paragrammatismus die Auswahl der richtigen Satzkonstituenten und die Beurteilung der Sätze im Vordergrund. Wie auch in den anderen Bereichen der Aphasietherapie ist eine Progression in den Anforderungen durch die Arbeit mit schwierigerem Material und die langsame Reduzierung der therapeutischen Hilfen möglich (vgl. Shewan u. Bandur 1986).

Auswahl des Therapiematerials

Es ist schon mehrfach erwähnt worden, daß die Vertrautheit mit den Themen und Inhalten der Aphasietherapie sowie das Interesse daran die Leistungen des Patienten beeinflussen und seine Bereitschaft zur Therapie fördern.

Selbst bei der Therapie elementarer Sprachverständnisleistungen sollte deshalb Material verwendet werden, das dem Patienten vertraut ist und einen Bezug zu seinem Beruf, zu seiner häuslichen Umgebung oder zu seinem Hobby hat und das für seine individuellen kommunikativen Bedürfnisse relevant ist.

Sobald die sprachlichen Fähigkeiten des Patienten dies zulassen, kann die Übung isolierter sprachlicher Äußerungen auf Wort- oder Satzebene in bestimmte Handlungskontexte eingebettet werden, die entweder sprachlich oder durch Bilder vermittelt werden.

Eine ausschließlich sprachsystematische Therapie erweitert zwar das Inventar sprachlicher Mittel, kann aber deren tatsächliche Verfügbarkeit in alltäglichen Kommunikationssituationen nicht sichern. Die Fähigkeit zur Bewältigung von alltäglichen Kommunikationssituationen zu erweitern und damit die Bewegungsfreiheit und Selbständigkeit des Aphasikers zu vergrößern, ist das Ziel verschiedener Therapieansätze (vgl. z. B. Davis und Wilcox 1983; v. Hinckeldey 1983).

Die Bewältigung von kommunikativen Anforderungen gelingt am besten, wenn die verfügbaren sprachlichen Mittel optimal eingesetzt werden und wenn der Aphasiker zusätzlich nichtsprachliche Kommunikationsmittel benutzt. Neben diesem instrumentellen Aspekt muß die Bereitschaft des Aphasikers gefördert werden, sich diesen Situationen auszusetzen und auch das Mißlingen der Kommunikation zu riskieren.

Ein häufig eingesetztes Therapiemittel ist das Rollenspiel, mit dem unter therapeutischer Anleitung Alltagssituationen simuliert werden (vgl. v. Hinckeldey 1983). Video-Aufnahmen bieten die Möglichkeit, das Verhalten der Beteiligten zu analysieren und Verhaltensänderungen zu erarbeiten.

Solche Rollenspiele stellen eine Annäherung an Realsituationen dar. Aber der Unterschied zwischen Spielsituation und Realsituation ist immer noch groß. Wir haben deshalb damit begonnen, Aphasietherapie in Alltagssituationen durchzuführen. Dabei muß berücksichtigt werden, daß sich durch die Aphasie die Aufgabenverteilung in einer Familie ändern kann. Oft übernehmen die aphasischen Partner Aufgaben im Haushalt, die bisher von anderen erledigt wurden. Bei der Auswahl der Aufgaben werden deshalb der Patient selbst und seine Angehörigen beteiligt.

Auch freie Gespräche in der Kleingruppe über Themen, die von den Teilnehmern der Gruppe vorgeschlagen werden, gehören zu diesem Programm.

Die Therapie wird parallel zur sprachsystematischen Therapie durchgeführt. Wird diese reduziert oder beendet, verlagert sich der Therapieschwerpunkt auf die kommunikative Therapie. Die *parallele* sprachsystematische und kommunikative Therapie ist aus zwei Gründen einer sequentiellen Abfolge vorzuziehen, bei der die kommunikative erst nach Beendigung der sprachsystematischen Therapie beginnt:

a) Nur wenn die kommunikative Therapie parallel zur sprachsystematischen stattfindet, kann der Therapeut feststellen, ob sich die erreichten Verbesserungen tatsächlich in der alltäglichen Kommunikation auswirken.

b) Es wird ein Frustrationserlebnis vermieden oder abgemildert, das die Therapie massiv erschweren kann: Wenn sich in der sprachsystematischen Therapie keine Effekte mehr zeigen, ist das für den Therapeuten Anlaß, die Therapie zu beenden und eine kommunikative (konsolidierende) Therapie zu beginnen. Der Patient hingegen erwartet genau das Gegenteil: Weil sich keine Verbesserungen mehr zeigen, möchte er eine Intensivierung der sprachsystematischen Therapie. Er empfindet den Übergang zur kommunikativen Therapie als gegen seine Interessen gerichtet.

Eine „Verschränkung" der sprachsystematischen und der kommunikativen Therapie ist vielfach möglich. Dabei werden Kommunikationssituationen gewählt, in denen die gerade trainierten sprachlichen Leistungen gefordert werden. Wird z. B. das Sprachverständnis auf Wortebene geübt, kann parallel dazu das Einholen einfacher Informationen trainiert werden (z. B. Lesen von Hinweisschildern). Werden in der sprachsystematischen Therapie Strategien im Umgang mit Wortfindungsstörungen erarbeitet, ist eine geeignete Kommunikationssituation z. B. ein Reisebüro, wo der Patient sich Informationen über bestimmte Urlaubsgebiete besorgt. Solche Aufgaben können ebenso am Telefon durchgeführt werden.

Im Unterschied zur sprachsystematischen Therapie gibt es hier bislang noch wenige Methoden, deren Wirksamkeit überprüft ist. Auch fehlen noch weitgehend diagnostische Verfahren, die *Veränderungen* der kommunikativen Fähigkeiten messen.

16.4.5 Einzeltherapie, Gruppentherapie, Selbsttherapie

Der weitaus größte Teil der Aphasietherapie wird als *Einzeltherapie* durchgeführt. Wenn sich in der Einzeltherapie keine Verbesserungen mehr zeigen, wird der Patient in einer Gruppe weiterbehandelt (vgl. Fawcus 1979). Auch dieser Abfolge von Einzel- und Gruppentherapie liegt, ähnlich wie bei der sprachsystematischen und der kommunikativen Therapie, die Vorstellung zugrunde, daß zuerst intensiv sprachsystematisch gearbeitet werden muß und dann der Einsatz der erarbeiteten sprachlichen Fähigkeiten trainiert werden soll. Auf die Konflikte, die sich dabei zwischen den Interessen des Patienten und den Entscheidungen des Therapeuten ergeben können, wurde bereits hingewiesen (vgl. 16.4.4).

Es erscheint deshalb sinnvoller, auch die Einzel- und Gruppentherapie zu kombinieren. Dabei eignet sich die *Gruppentherapie* nicht nur für freie Gespräche, Rollenspiele etc., sondern kann durchaus auch im Rahmen der sprachsystematischen Therapie eingesetzt werden. Wir haben gute Erfahrungen mit Kleingruppen (2–3 Patienten) im Bereich der Sprachverständnistherapie und der Therapie semantischer Störungen gemacht. Eine solche Therapie wäre nicht akzeptabel, wenn die verfügbare Zeit einfach auf die Teilnehmer der Gruppe verteilt würde. Das Arbeitsprinzip besteht aber darin, daß ein Patient zu einer gestellten Aufgabe eine Lösung versucht und die anderen Patienten diese Lösung beurteilen, mit der eigenen Lösung vergleichen und wenn nötig korrigieren. So wird gewährleistet, daß alle Patienten an der Aufgabe arbeiten.

Für den Therapeuten ist eine Kleingruppentherapie schwieriger durchzuführen als eine Einzeltherapie: Er muß nicht nur die Aufmerksamkeit mehrerer Patienten aufrechterhalten, sondern auch die Reaktionen mehrerer Patienten protokollieren.

Die Effektivität der Kleingruppentherapie in der sprachsystematischen Aphasietherapie ist noch nicht empirisch nachgewiesen. Die Vorteile liegen jedoch auf der Hand: Der Aphasiker kommuniziert in der Gruppe nicht nur mit dem sprachgesunden Therapeuten, sondern auch mit anderen Aphasikern. Dabei erfährt er, daß auch aphasische Äußerungen verständlich sein können, und die Angst, sich zu äußern, nimmt ab.

Im Unterschied zu anderen Bereichen der neuropsychologischen Therapie gibt es in der Aphasietherapie bisher nur wenig Ansätze zur *Selbsttherapie.* Zwar werden Therapiestunden oft ergänzt um schriftliche Aufgaben, die der Patient zu Hause oder in der therapiefreien Zeit bearbeitet, es gibt aber noch keine Therapieprogramme, die er, unter therapeutischer Supervision und als Ergänzung zur Einzel- oder Gruppentherapie, selbständig durchführen kann.

Mikrocomputer bieten hier die Möglichkeit, differenzierte Selbsttherapieprogramme zu erstellen und dem Aphasiker auf diese Weise erheblich mehr Therapiekapazität zur Verfügung zu stellen, als dies ohne Computereinsatz möglich wäre.

Neben der Entwicklung geeigneter Programme, die auch in der BRD langsam beginnt, müssen auch die bestehenden Vorbehalte vieler Therapeuten abgebaut werden, die den therapeutischen Einsatz von Computern ablehnen.

16.5 Verlaufskontrolle

Eine Kontrolle des Therapieverlaufs ist notwendig, um zu überprüfen, ob die Ziele der jeweiligen Therapiephase erreicht wurden. Nach jeder Kontrolluntersuchung ist zu entscheiden, ob im bisherigen Therapieschwerpunkt weitergearbeitet wird oder ob der Therapieschwerpunkt gewechselt wird. Für die Verlaufskontrolle gibt es zwei Verfahren, die mit geringem Aufwand einsetzbar sind.

Das erste Verfahren besteht in der wiederholten Anwendung des AAT (vgl. Greitemann u.

Willmes 1985). Durch den Vergleich verschiedener Untersuchungen bei einem Patienten kann zunächst geprüft werden, ob sich überhaupt eine Veränderung im Untertestprofil des AAT ergeben hat. Solche Veränderungen können die Profilhöhe (Schätzwert für die allgemeine Leistungsfähigkeit) und die Profilgestalt (das Verhältnis der einzelnen Untertestleistungen zueinander) betreffen. Im zweiten Schritt wird für jeden einzelnen Untertest anhand der Rohwertdifferenzen überprüft, ob sich eine überzufällige Veränderung ergeben hat. In der Spontansprachebewertung des AAT kann jede Veränderung um mehr als einen Punktwert als überzufällig angesehen werden.

Daneben ist es oft interessant festzustellen, ob sich die Leistungen in dem Bereich verbessert haben, der gerade in der Therapie bearbeitet wurde (z. B. das auditive Verständnis für Verben). Der AAT ist für solche Fragestellungen oft nicht geeignet, weil in den jeweiligen Untertests verschiedene solcher Bereiche zusammengefaßt sind und z. B. das auditive Verständnis für Verben nur in wenigen Aufgaben geprüft wird. Für Verlaufskontrollen dieser Art eignet sich das „Binomialmodell" (vgl. Klauer 1972). Die Voraussetzungen für dessen Anwendung sind: Auswahl des Therapiematerials nach bestimmten Kriterien, genügende Anzahl von Aufgaben und genaue Dokumentation der Leistungen. Mit geringem Aufwand kann dann bestimmt werden, ob sich die Leistungen nach einer Therapiephase überzufällig von den Leistungen zu Beginn der Therapie unterscheiden.

Wenn sich bei mindestens zwei aufeinanderfolgenden Verlaufsuntersuchungen trotz intensiver Therapie keine überzufälligen Verbesserungen zeigen, ist davon auszugehen, daß eine Fortsetzung der sprachsystematischen Therapie keine Erfolge mehr ergeben wird.

16.6 Angehörigenberatung und Selbsthilfegruppen

Eine Aphasie betrifft nicht nur den Aphasiker selbst, sondern verändert das soziale Umfeld, in dem der Patient lebt. Aphasietherapie kann sich deshalb nicht darauf beschränken, die kommunikativen Fähigkeiten des Aphasikers so weit zu entwickeln, daß er den Anforderungen des Alltags wieder genügen kann. Genauso wichtig ist die Anpassung der Umwelt an die veränderten Kommunikationsbedingungen.

Die Beratung von Angehörigen dient der Vermittlung von Informationen über die Ursachen, die Symptomatik und die Prognose der Aphasie. Dazu kommt als zweiter Schritt die Hilfestellung bei der Veränderung der Bedingungen, unter denen der Aphasiker lebt. Die Bezugspersonen müssen die jeweils aktuellen sprachlichen und nichtsprachlichen Fähigkeiten des Aphasikers kennen, um eine Unter- oder Überforderung zu vermeiden und seine Selbständigkeit nicht mehr als nötig einzuschränken.

Ebenso sollte der Therapeut erläutern, welche häuslichen Übungen sinnvoll sind und welche nicht. Das oft geübte Nachsprechen und Abschreiben z. B. sind nur bei wenigen Patienten sinnvolle Therapieverfahren.

Hilfreich für Aphasiker und ihre Angehörigen ist der Anschluß an eine Selbsthilfegruppe des „Bundesverbandes für die Rehabilitation der Aphasiker e. V." (Straßburgerweg 23, 5300 Bonn 1), die es inzwischen in vielen Städten gibt. Hier finden die von einer Aphasie Betroffenen Kontaktmöglichkeiten und psychologische Unterstützung.

Literatur

Albert ML, Goodglass H, Helm NA, Rubens AB, Alexander MP (1981) Clinical aspects of dysphasia. Springer, Wien

Basso A (1987) Approaches to neuropsychological rehabilitation: language disorders. In: Meier MJ, Benton AL, Diller L (eds) Neuropsychological rehabilitation. Churchill Livingston, Edingburgh, pp 294–314

Chapey R (1983) Divergent semantic intervention. In: Chapey R (ed) (1983) Language intervention strategies in adult aphasia. Williams & Wilkins, Baltimore, pp 155–167

Code Ch, Müller DJ (1983) Perspectives in aphasia therapy: an overview. In: Code Ch, Müller DJ (eds) Aphasia therapy. Arnold, London, pp 2–13

v. Cramon D (1983) Prognostische Faktoren der Aphasie. In: Busch G, Eissenhauer W (Hrsg) Leistungsdiagnostik und Rehabilitation von organischen Hirnschädigungsfolgen. Braun, Karlsruhe, S 79–89

Davis JA, Wilcox MJ (1983) Incorporating Parameters of natural conversation in Aphasia treatment. In: Chapey R (ed) (1983) Language intervention strategies in adult aphasia. Williams & Wilkins, Baltimore, pp 169–193

Duffy JR (1983) Schuell's stimulation approach to rehabilitation. In: Chapey R (1983) Language intervention strategies in adult aphasia. Williams & Wilkins, Baltimore, pp 105–139

Fawcus M (1979) Gruppentherapie für den dysphasischen Patienten. Sprache Stimme Gehör 3: 12–17

Friederici A (1984) Neuropsychologie der Sprache. Kohlhammer, Stuttgart

Frühauf K (1983) Aphasieprüfverfahren (APV). Psychodiagnostisches Zentrum Berlin (DDR)

Fuster JM (1980) The prefrontal cortex. Raven, New York

Goodglass H, Kaplan E (1972) The assessment of aphasia and related disorders. Lea & Febiger, Philadelphia

Greitemann G, Willmes K (1985) Einzelfalldiagnostik und Befundung mit dem Aachener Aphasie Test. In: Springer L, Kattenbeck G (Hrsg) Aphasie. tuduv, München, S 47–95

v. Hinckeldey S (1983) Kommunikationstraining und Rollenspiel in einer Gruppentherapie für Aphasiker. Sprache Stimme Gehör 7: 101–105

Holland A (1980) Communicative abilities in daily living. University Park Press, Baltimore

Howard D, Patterson K, Franklin S, Orchard-Lisle V, Morton J (1985) The facilitation of picture naming in aphasia. Cognitive Neuropsychol 2/1: 49–80

Huber HP (1973) Psychometrische Einzelfalldiagnostik. Beltz, Weinheim

Huber W, Poeck K, Weniger D (1982) Aphasie. In: Poeck K (Hrsg) Klinische Neuropsychologie. Thieme, Stuttgart, S 66–107

Huber W, Poeck K, Weniger D, Willmes K (1983) Aachener Aphasie Test (AAT). Hogrefe, Göttingen

Kertesz A (1982) The western aphasia battery. Grune & Stratton, New York

Klauer KJ (1972) Zur Theorie und Praxis des binomialen Modells lehrzielorientierter Tests. In: Klauer KJ, Fricke R, Herbig M, Rupprecht H,

Schott F (Hrsg) (1972) Lehrzielorientierte Tests. Schwann, Düsseldorf, S 161-175

Kotten A (1983) Aphasietherapie unter linguistischen Gesichtspunkten. In: Bundesarbeitsgemeinschaft „Hilfe für Behinderte" (Hrsg) Kommunikation zwischen Partnern. Düsseldorf

Kotten A (1984) Phonematische und phonetische Probleme in Sprachproduktion und Perzeption und ihre Konsequenzen für die Aphasietherapie. In: Roth VM (Hrsg) Sprachtherapie. Narr, Tübingen, S 83-99

Lang Ch (1981) Aphasietestung mit psychometrischen Verfahren. Fortschr Neurol Psychiatr 49: 164-178

Lang Ch, von Stockert Th R (1986) Zum gegenwärtigen Stand der Aphasietherapie. Fortschr Neurol Psychiatr 54: 119-137

Lesser R (1985) Aphasia therapy in the early 1980s. In: Newman S, Epstein R (eds) (1985) Current perspectives in dysphasia. Churchill Livingstone, Edinburgh, pp 198-216

Leischner A (1979) Aphasien und Sprachentwicklungsstörungen. Thieme, Stuttgart

Lyon JG (1986) Standardized Test Batteries. Semin Speech Language 7: 159-180

Marshall RC (1983) Heightening auditory comprehension for aphasic patients. In: Chapey R (ed) Language intervention strategies in adult aphasia. William & Wilkins, Baltimore, pp 279-328

Milner B (1964) Some effects of frontal lobectomy in man. In: Warren JM, Akert K (eds) (1964) The frontal granular cortex and behavior. McGraw-Hill, New York, pp 313-334

Milton SB, Wertz RT (1985) Management of persisting communication deficits in patients with traumatic brain injury. In: Uzzell BP, Gross Y (eds) Clinical neuropsychology of intervention. Nijhoff, Boston, pp 223-256

Orgass B (1982) Token Test. Beltz, Weinheim

Pendleton MG, Heaton RK, Lehman RAW, Huliham D (1982) Diagnostic utility of the Thurstone Word Fluency Test in neuropsychological evaluations. J Clin Neuropsychol 4: 307-317

Peuser G (1978) Aphasie. Fink, München

Poeck K, Stachowiak FJ (1975) Farbbenennungsstörungen bei aphasischen und nicht-aphasischen Hirnkranken. J Neurol 209: 95-102

Prigatano GP, Roueche JR, Fordyce DJ (1986) Nonaphasic language disturbances after brain injury. In: Prigatano GP (ed) Neuropsychological rehabilitation after brain injury. The Johns Hopkins University Press, Baltimore

Schuell H (1965) Differential diagnosis of aphasia with the Minnesota test. University of Minnesota Press, Minneapolis

Shewan CM, Bandur DL (1986) Treatment of aphasia. Taylor & Francis, London

Shewan CM, Kertesz A (1984) Effects of speech and language treatment on recovery from aphasia. Brain Language 23: 272-299

Simmons NN (1986) Beyond standardized test measures: special tests, language in context, and discourse analysis in aphasia. Semin Speech Language 7: 181-206

Springer L (1986) Behandlungsphasen einer syndromorientierten Aphasietherapie. Sprache Stimme Gehör 10: 22-29

Springer L, Weniger D (1980) Aphasietherapie aus linguistisch-logopädischer Sicht. In: Böhme G (Hrsg) Therapie der Sprach-, Sprech- und Stimmstörungen. Fischer, Stuttgart

v. Stockert, Th R (1984) Theorie und Praxis der Aphasietherapie. Fink, München

Stuss DT, Benson DF (1986) The frontal lobes. Raven, New York

Taylor Sarno M (1969) The functional communicative profile. New York Medical Center

Taylor Sarno M (1980) Review of research in aphasia: recovery and rehabilitation. In: Taylor Sarno M, Höök O (eds) Aphasia. Almquist & Wiksell, Stockholm

Tropp Erblad I (1985) Katze fängt mit S an. Fischer Taschenbuch Verlag, Frankfurt/M.

Wertz R, Collins MJ, Weiss D et al. (1981) Veterans administration cooperative study on aphasia: a comparison of individual and group treatment. JSHR 24: 580-594

Wiegel-Crump C, Koenigsknecht RA (1973) Tapping the lexical store of the adult aphasic. Cortex 9: 411-418

17 Lesen und Schreiben

E. G. DE LANGEN

17.1 Einleitung

Die aphasischen Lese- und Schreibstörungen
stellen in der neuropsychologischen Rehabilitation ein besonderes Problem dar. Lesen und
Schreiben gehören zu den Kulturtechniken,
die relativ spät erworben werden. Sie erfordern die Fähigkeit, *bewußte Operationen* an
sprachlichem Material auszuführen. Diese Fähigkeit wird im Spracherwerb erst mit 6–7 Jahren erreicht. Das Ausmaß, in dem sich das Lesen und das Schreiben durch den Erwerb und
die häufige Anwendung von diesen bewußten
Operationen weg automatisieren können, ist
individuell sehr unterschiedlich. Diese Tatsache ist in der Klinik zu berücksichtigen. Die
Beeinträchtigung der autonomen Leistung
durch die erworbene Hirnschädigung führt
dazu, daß der Patient bei der Lösung schriftsprachlicher Probleme Umwegleistungen einsetzen muß, die die genannte Fähigkeit zu bewußten Operationen voraussetzen. Das ist für
aphasische Patienten oft extrem schwierig.
Dieses Kapitel beschränkt sich auf Störungen
im Rahmen einer Aphasie. Nicht behandelt
werden Störungen, die z. B. durch zerebrale
Sehstörungen bedingt sind (s. dazu Kap. 7)
oder die bereits prämorbid vorhanden waren,
wie Legasthenie und funktionaler Analphabetismus.[1] Die Abgrenzung der aphasischen von
den nichtaphasischen Lese- und Schreibstörungen kann u. U. problematisch sein. Besonders bei der (Spät-)Legasthenie ist die Differentialdiagnostik nicht immer leicht. In diesem
Zusammenhang kommt einer intensiven
(fremd)anamnestischen Erhebung besondere
Bedeutung zu.

17.1.1 Alexien

Besonders die *Alexiesyndrome* sind bisher
überwiegend durch anglo-amerikanische Studien gut dokumentiert und voneinander abgegrenzt. (Coltheart et al. 1980; Warrington u.
Shallice 1980; Patterson et al. 1985). Die in
diesen Darstellungen beschriebenen Syndrome decken, zusammen mit der schwersten Beeinträchtigung der Lesefähigkeit, der globalen
Alexie, den allergrößten Teil der mehr oder
weniger häufigen klinischen Erscheinungsfor-
men ab. Es ergibt sich folgende *Syndromklassifikation:*

- globale Alexie,
- Tiefenalexie,
- Oberflächenalexie,
- Wortformalexie.

Diese Syndrome sind mit der jeweils zugeord-
neten Symptomatik in einem *Klassifikationsschema* in Tabelle 17.1 dargestellt.
Bei den aphasischen Lesestörungen kann zwischen folgenden häufig zu beobachtenden
Symptomen unterschieden werden:

- Phonematische Paralexien: Ersetzung, Hinzufügung, Auslassung oder Umstellung eines Buchstabens bzw. Lautes.
- Phonematische Neologismen: lautliche Veränderung, durch die das Zielwort nicht
  mehr identifizierbar ist.
- Semantische Paralexien: Produktion eines
  dem Zielwort semantisch verwandten Wortes.

---

[1] Fachausdrücke werden im Glossar erläutert.

Tabelle 17.1. Alexiesyndrome. (*G-P-K* Graphem-Phonem-Konvertierung)

	Globale Alexie	Tiefenalexie	Oberflächenalexie	Wortformalexie
Fehler in Abhängigkeit von Wortkategorie und Wortlänge	Fehler bei allen Wortkategorien und Wortlängen Eventuell bessere Leistung bei kurzen, konkreten, gebrauchshäufigen Nomina	Mehr Fehler bei abstrakten, nicht bildhaften Inhaltswörtern und bei Funktionswörtern als bei konkreten, bildhaften Nomina	Mehr Fehler bei zunehmender Wortlänge ohne wortkategorielle Unterschiede	Weniger Fehler bei hochvertrauten kurzen Wörtern
Fehlertypen	Nullreaktionen Phonematische Neologismen G-P-K unmöglich	Semantische Paralexien Nullreaktionen Funktionswortsubstitutionen Morphematische Paralexien G-P-K schwer gestört	Phonematische Paralexien Morphematische Paralexien Ableitungsfehler Funktionswortsubstitutionen Vernachlässigungsfehler Phonematische Neologismen G-P-K mittelschwer gestört	Ratefehler Verwechslung enantiomorpher, formähnlicher und schwar markierter Buchstaben (G-P-K selektiv gestört)
Störungen der Korrektur- und Umwegleistung	Leistungszunahme: keine Keine Korrekturversuche Keine Umwegleistungen	Leistungszunahme: gering Korrekturversuche durch lexikalische Substitution Keine Umwegleistungen	Leistungszunahme: gering Selten Korrekturversuche Umwegleistung: selten Anpassung des Lesetempos und silbischen Lesens	Leistungszunahme: deutlich Gute Selbstkorrekturleistung Umwegleistung: buchstabierendes (evtl. silbisches) Lesen mit Phonemsynthese
Koinzidenz mit Aphasiesyndromen	Globale Aphasie Wernicke-Aphasie Transkortikal-sensorische Aphasie	Broca-Aphasie Rückgebildete globale Aphasie	Wernicke-Aphasie Rückgebildete Broca-Aphasie Transkortikal-sensorische Aphasie Leitungsaphasie	Leichte amnestische Aphasie bzw. keine Aphasie

- Morphematische Paralexien: Veränderung der morphosyntaktischen Struktur des Zielworts.
- Ableitungsfehler: Das produzierte Wort enthält Kompositumteile oder Morpheme des Zielworts in Kombination mit neuen Segmenten.
- Vernachlässigungsfehler: Auslassung von Kompositumteilen oder Morphemen des Zielworts.
- Verwechslung von Buchstaben, die durch Kippen oder Rotation die Form eines anderen Graphems annehmen können oder formähnlich sind.
- Unangepaßtes Lesetempo, in den meisten Fällen zu schnell.
- Ratefehler: Ein Wort wird aufgrund einer Teilinformation fehlerhaft ergänzt oder ein Satz wird durch falsche Schlüsse aus der Satzsemantik fehlerhaft weitergelesen.

Außer diesen Fehlertypen können wir bei den Alexiesyndromen noch Vorkommenshäufigkeiten von Fehlertypen in Abhängigkeit von

Tabelle 17.2. Agraphiesyndrome

	Globale Agraphie	Wortkategorielle Agraphie	Phonologisch-lexikalische Agraphie	Orthographische Agraphie
Fehler in Abhängigkeit von Wortkategorie und Wortlänge	Fehler bei allen Wortkategorien und Wortlängen Eventuell bessere Leistung bei kurzen, konkreten, gebrauchshäufigen Nomina	Mehr Fehler bei abstrakten, nicht bildhaften Inhaltswörtern und bei Funktionswörtern als bei konkreten, bildhaften Nomina	Mehr Fehler bei zunehmender Wortlänge ohne wortkategorielle Unterschiede	Mehr Fehler bei orthographisch ambiguen und bei orthographisch irregulären Wörtern
Fehlertypen	Abbruchphänomene Graphematische Neologismen Schriftliche „Logorrhö"	Semantische Paragraphien Abbruchphänomene Graphematische Paragraphien	Graphematische Paragraphien Fehlerzunahme im letzten Wortteil Phonematisch-paraphasisch induzierte Paragraphien	Orthographische Paragraphien Reversionsfehler
Störungen der Korrektur- und Umwegleistung	Leistungszunahme: keine Keine Korrekturversuche Keine Umwegleistungen	Leistungszunahme: keine Eingeschränkte Korrekturleistung Umwegleistung: auditiv Selbstvorgabe ohne Segmentierung	Leistungszunahme: gering Eingeschränkte Korrekturleistung Umwegleistung: auditiv Selbstvorgabe mit Segmentierungsversuchen	Leistungszunahme: deutlich Eingeschränkte Korrekturleistung Umwegleistung: auditiv Selbstvorgabe mit guter Segmentierung
Koinzidenz mit Aphasiesyndromen	Globale Aphasie Wernicke-Aphasie Transkortikal-sensorische Aphasie	Broca-Aphasie Rückgebildete globale Aphasie	Wernicke-Aphasie Leitungsaphasie Transkortikal-sensorische Aphasie Rückgebildete Broca-Aphasie	Rückgebildete Wernicke-Aphasie Amnestische Aphasie Rückgebildete transkortikal-sensorische Aphasie Aphasische Residualsyndrome

der Wortlänge und der Wortkategorie sowie typische Fähigkeiten bzw. Defizite im Hinblick auf bestimmte Korrektur- und Umwegleistungen unterscheiden.

17.1.2 Agraphien

Die Beschreibung *agraphischer Syndrome* in der Literatur weist eine Reihe von „reinen" Syndromen" auf, die auf einer relativ geringen Anzahl von Einzelfallstudien bzw. Kleinstgruppenstudien basieren (s. Ellis 1984; Margolin 1984; Roeltgen 1985). Die aphasisch-agraphischen Störungsbilder bei einer unselektierten Population im klinischen Alltag legen eine

Modifikation dieser Syndromverteilung nahe, die zur folgenden *Taxonomie* führt (de Langen u. von Cramon, 1986)

- globale Agraphie,
- wortkategorielle Agraphie,
- phonologisch-lexikalische Agraphie,
- orthographische Agraphie,

Diese Syndrome, die in einem *Klassifikationsschema* in Tabelle 17.2 dargestellt sind, werden durch verschiedene Symptome gekennzeichnet:

- Abbruchphänomene: Der Patient bricht das Zielwort nach einigen Buchstaben ab.
- Semantische Paragraphien: Produktion ei-

nes dem Zielwort semantisch verwandten Wortes.

- Graphematische Paragraphien: Ersetzung, Hinzufügung, Auslassung, Umstellung oder Antizipation eines bzw. einiger Buchstaben des Zielworts.
- Fehlerzunahme im letzten Wortteil: Graphematische bzw. graphematisch-neologistische Veränderungen, während der erste Wortteil ganz oder nahezu fehlerfrei ist.
- Orthographische Paragraphien: Bei diesem Fehlertyp wird gegen die orthographischen Regeln verstoßen, die Lautform des produzierten Worts ist aber in den meisten Fällen identisch mit der Lautform des Zielworts.
- Reversionsfehler: Buchstabenvertauschungen bei solchen Graphemen, die durch Kippen oder Rotation die Form eines anderen Graphems annehmen können.
- Groß- und Kleinschreibfehler.
- Graphematische Neologismen: Aus dem produzierten Wort läßt sich kein Zielwort ableiten; oft kommen Verstöße gegen die graphotaktischen Regeln der jeweiligen Rechtschreibung vor.

Beispiele für diese Symptome finden sich bei de Langen u. von Cramon (1986). Auch bei den Agraphien kommen Fehler in Abhängigkeit von der Wortlänge und der Wortkategorie vor. Die Fähigkeit, bestimmte Korrektur- und Umwegleistungen zu erbringen, kann, je nach Syndrom, in unterschiedlicher Weise gestört sein.

17.1.3 Primäre Störungsbereiche

Als primäre Störungsbereiche werden die Bereiche bezeichnet, die die für die Schriftsprache charakteristischen Leistungen enthalten. Eine primäre Störung ist demnach die Beeinträchtigung einer Operation, die für das Lesen und/oder Schreiben notwendig ist, im Gegensatz zu einer hinsichtlich der Alexie bzw. Agraphie sekundären Störung, wie z. B. des schriftlichen Benennens aufgrund von Wortfindungsstörungen. Beeinträchtigungen der linguistischen Strukturebenen können modalitätsübergreifend zum Ausdruck kommen und

stellen daher, wenn wir von der Lese- bzw. Schreibfunktion sprechen, sekundäre Störungsbereiche dar.

Wir können 3 primäre Störungsbereiche unterscheiden:

- Es können die *ganzheitlich orientierten Leistungen,* d. h. der semantisch-lexikalische Zugang beim Lesen bzw. die Verfügbarkeit von Information aus dem mentalen orthographischen Lexikon ohne deutliche Hilfe phonologischer Strategien beeinträchtigt sein.
- Weiter kann eine *Störung der Konvertierung zwischen Phonemen und Graphemen* und umgekehrt vorliegen. Hier können sowohl die komplexen als auch die einfachen Beziehungen zwischen dem Lautsystem und dem Buchstabensystem betroffen sein.
- Schließlich gibt es *Beeinträchtigungen der sog. phonologischen Bewußtheit,* d. h. der Fähigkeit, von der Bedeutung eines Worts zu abstrahieren und über die Formkennzeichen der Lautform eines Wortes zu reflektieren. Beispiele für diese Fähigkeit sind: das Zerlegen einer kontinuierlichen Lautform in einzelne Phoneme (Segmentieren), das Verbinden einzelner Phoneme zu einer kontinuierlichen Lautform (Synthese) und das Bestimmen der Position eines Phonems in einer Lautform.

Die vorhin genannten Fehlertypen lassen sich zum größten Teil aus dem Vorliegen eines oder mehrerer dieser Störungsbereiche erklären.

17.1.4 Untersuchungs- und Therapieverfahren

In der deutschsprachigen Literatur findet sich kein umfassendes und differenziertes Untersuchungsverfahren für aphasische Lese- und Schreibstörungen. In den angloamerikanischen Fallstudien sind immer wieder Aufgabensammlungen beschrieben, die jedoch nur für die jeweilige Fragestellung konstruiert wurden. Die amerikanischen Untersuchungsverfahren enthalten einige gute Ansätze, sind jedoch nicht ohne weiteres auf die deutsche

Schriftsprache anwendbar und keineswegs übersetzbar.

Es wurden im letzten Jahrzehnt zahlreiche Therapieverfahren entwickelt, meistens für bestimmte Syndrome. Ein Therapieprogramm für die Wortformalexie beschrieb Godwin (1983) und für die Tiefenalexie de Partz (1986). Therapieansätze, die aber keine detaillierten Instruktionen enthalten, wurden besonders für die Alexien von verschiedenen Autoren angewendet (Moyer 1979; Wiegel-Crump 1979; Webb 1983; Webb u. Love 1986). Für den Bereich der Agraphietherapie gibt es sehr viel weniger Darstellungen (Hatfield u. Weddell 1976; Hatfield 1983). Aus dem Bereich der sowjetischen Neuropsychologie gibt es umfangreiche Therapieanleitungen von Luria (1970). Darauf basieren im wesentlichen die Therapieansätze für die Alexie- und Agraphietherapie, die in deutscher Sprache von Gheorghita und Fradis (1979) und Tsvetkova (1982) beschrieben wurden.

17.2 Diagnostische Verfahren

Die *neurolinguistische Untersuchung der Schriftsprache* dient der detaillierten Beschreibung der Lese- und Schreibstörungen. Sie soll Störungen auf allen Komplexitätsstufen der Lese- und Schreibleistung erfassen und Aufschluß über die tatsächlich beim Patienten vorhandenen, kommunikativ einsetzbaren Fähigkeiten geben. Neben der Symptombestimmung und der Syndromklassifikation sollen die Ergebnisse der Untersuchung eine Hypothesenbildung über die zugrundeliegenden Ursachen ermöglichen und die Informationen geben, auf deren Basis ein Therapieplan erstellt werden kann. Schließlich soll es die Untersuchung erlauben, die Alexien und Agraphien mit ausreichender Trennschärfe von den verwandten Störungsbildern zu unterscheiden.

17.2.1 Aufbau der Untersuchung

Im Vordergrund der Aufgaben stehen die Unterscheidung verschiedener *Wortkategorien* (z. B. Inhaltswörter vs. Funktionswörter), die Variation der *Wortlänge* und der *orthographischen Komplexität*. Bei den Aufgaben, die in Tabelle 17.3 dargestellt sind, werden Leistungen auf der Ebene von *Buchstaben, Wörtern, Sätzen* und *Texten* untersucht. Es sind somit alle Komplexitätsstufen in der Untersuchung enthalten. Die Aufgaben werden mit einer *auditiven, visuellen* oder *taktil-kinästhetischen* Stimulusvorgabe gestellt. Lediglich für die An-

Tabelle 17.3. Aufgaben zur neurolinguistischen Untersuchung der Schriftsprache

Aufgaben

1. Lautes Lesen von einzelnen Wörtern
2. Buchstabierendes Lesen von einzelnen Wörtern
3. Vorgesprochene Wörter buchstabieren
4. Kurz gezeigte Wörter buchstabieren
5. Lesen handschriftlicher Vorlagen
6. Identifizieren von vorgesprochenen Wörtern in Sätzen
7. Identifizieren von vorgesprochenen Phonemen in einer Liste mit Graphemen
8. Leseinnverständnis auf Textebene
9. Wörter aus vorgesprochenen Phonemfolgen bilden
10. Buchstaben als Kategorie zwischen Ablenkern erkennen
11. Buchstaben taktil benennen
12. Buchstaben kinästhetisch benennen
13. Personalien schreiben
14. Schreiben von einzelnen Wörtern nach Diktat
15. Zusammensetzen von einzelnen Wörtern nach Diktat (fakultativ, wenn 14. nicht möglich)
16. Schreiben von einzelnen Wörtern nach kurzer visueller Vorgabe
17. Zusammensetzen von einzelnen Wörtern nach kurzer visueller Vorgabe (fakultativ, wenn 16. nicht möglich)
18. Zusammensetzen von einzelnen Wörtern nach Diktat mit beschränkter Graphemvorgabe (fakultativ, wenn 15. nicht möglich)
19. Schriftliches Benennen nach Bildvorlage
20. Schriftliche Phonem-Graphem-Konvertierung
21. Korrigieren von Wörtern mit Fehlern
22. Graphemlücken bei Wörtern ergänzen
23. Graphemlücken bei Wörtern ergänzen bei Vorgabe von 3 Möglichkeiten (fakultativ, wenn 22. nicht möglich)
24. Freie schriftliche Produktion auf Textebene

gabe der Personalien und die freie Textproduktion wird eine thematische Vorgabe gestellt. Je nach Art der Aufgabe soll der Patient etwas *produzieren* (z. B. laut lesen oder schreiben), einen auditiv vorgegebenen Stimulus in einer Auswahlmenge *identifizieren* oder eine fehlerhafte Vorgabe *korrigieren*. Einige Aufgaben sind fakultativ und kommen nur dann zur Anwendung, wenn bei einer obligatorischen Aufgabe das Abbruchkriterium erfüllt wurde und eine leichtere Aufgabe gestellt werden soll. Der obere Leistungsbereich, nämlich das Lesen von Texten und das spontane Schreiben, soll nur dann untersucht werden, wenn dies sinnvoll erscheint. Aufgaben, die eine schreibmotorische Leistung erfordern, können bei schwer gestörter Handfunktion alternativ durch Zusammensetzen mit Magnetbuchstaben geprüft werden. Manche Aufgaben betreffen die Leseleistung, andere in erster Linie die Schreibleistung. Einige Untersuchungsteile prüfen Leistungen, die beide Modalitäten betreffen, wie z. B. das *Segmentieren* und die *auditive Analyse*.

17.2.2 Durchführung und Auswertung der Untersuchung

Für die Durchführung der Untersuchung sind 2 Untersuchungstermine vorgesehen. Die Gesamtdauer beträgt ca. 80–120 min. Die Durchführungskriterien sind festgelegt, eine zeitliche Begrenzung für die einzelnen Aufgaben ist nicht vorgesehen. Bei den Aufgaben auf Textebene soll jedoch die benötigte Zeit festgehalten werden, bei den anderen Aufgaben sollen auffällige Latenzen protokolliert werden. Die Untersuchungsteile, die eine lautsprachliche Antwort erfordern, werden auf Tonband festgehalten und anschließend schriftlich protokolliert. Die Auswertung dauert ca. 45–60 min. Für die Auswertung und Befundung sind 3 Beobachtungsebenen festgelegt:

- *Die Beobachtung der Verhaltensweisen* während der Ausführung der Aufgaben (z. B. Zuhilfenahme lautsprachlicher Strategien, Korrekturverhalten, Leistungsgeschwindigkeit).

- *die Analyse der direkt beobachteten Produktion* und Bestimmung der Symptomatik sowie deren Häufigkeit,
- *die Beobachtung eventueller Leistungsunterschiede bei spezifischen operationalen Aufgaben* (z. B. Segmentieren, Phonemsynthese, Leistung bei auditiver vs. visueller Stimulusdarbietung).

17.2.3 Befundungsanleitung

Die Befundung kann erleichtert und systematisiert werden, indem der Untersucher für jeden Patienten eine Reihe von Fragen in einer *Checkliste* zu beantworten versucht. Eine derartige Erfassung der Leistungsstörungen ist außerdem hilfreich bei der Entscheidung, nach welchem methodischen Ansatz und auf welchem Komplexitätsniveau therapeutisch vorgegangen werden soll.

Fragen, die sowohl für das *Lesen* als auch für das *Schreiben* relevant sind:

- Ab welchem Schwierigkeitsniveau treten gehäuft Fehler auf (Buchstabe, Wort, Satz, Text)?
- Gibt es einen Wortkategorieeffekt?
- Gibt es einen Wortlängeeffekt?
- Gibt es einen Worthäufigkeitseffekt?
- Welche Fehlertypen treten gehäuft auf, welche seltener?
- Beeinflußt die orthographische Komplexität die Leistung?
- Benutzt der Patient spontan Umwegstrategien?
- Verfügt der Patient über eine spontane Selbstkorrektur und wie erfolgreich ist diese?
- Kann der Patient die geschriebene Form bzw. die Lautform segmentieren?
- Kann der Patient einzelne Phoneme zu einer kontinuierlichen Lautform zusammenfügen?
- Kann der Patient die Position eines Phonems in einem Wort bestimmen?
- Setzt der Patient seine residualen Fähigkeiten tatsächlich im Alltag ein?
- Gibt es assoziierte Symptome, die die Lese-

bzw. Schreibleistung zusätzlich beeinträchtigen?
- Wie war das prämorbide Leistungsniveau?

Speziell für das *Lesen* sind folgende Fragen zu stellen:

- Wie ist die Graphem-Phonem-Konvertierung?
- Beeinflußt die Art der Vorlage die Leistung?
- Kann der Patient vorgesprochene Wörter schnell identifizieren?
- Entspricht das Lesetempo den tatsächlichen Fähigkeiten?
- Wie gut ist das Lesesinnverständnis?
- Benutzt der Patient Ratestrategien?

Speziell für das *Schreiben* sind folgende Fragen zu stellen:

- Wie ist die Phonem-Graphem-Konvertierung?
- Verfügt der Patient zumindest teilweise erkennbar über orthographische Information?
- Schreibt der Patient flüssig oder setzt er manchmal ab?
- Wie ist das Zeit-Leistung-Verhältnis?
- Verbessert die auditive Selbstvorgabe die Schreibleistung?

17.2.4 Verlaufsuntersuchung

Das Untersuchungsverfahren eignet sich auch dazu, für die Verlaufsbeobachtung Leistungsveränderungen zu dokumentieren. Aufgrund der Verlaufsdiagnostik können Entscheidungen über eventuelle Modifikationen des therapeutischen Vorgehens getroffen werden. Eine solche Diagnostik sollte aber in jedem Fall durch eine Untersuchung ergänzt werden, die Aufschluß darüber gibt, inwiefern der Patient tatsächlich seine vorhandenen Fähigkeiten im Alltag nutzt (z.B. spontane Bereitschaft zur Zeitungslektüre oder die selbständige Anfertigung schriftlicher Notizen).

17.3 Methodische Ansätze in der Alexie- und Agraphietherapie

Bei der Therapie von aphasischen Lese- und Schreibstörungen müssen 2 Bereiche voneinander getrennt werden: *Der erste - und primäre - Bereich* ist die Therapie von Funktionen, die Bestandteile des Lese- bzw. Schreibprozesses sind, d.h. unmittelbar die Vorgänge betreffen, die für diese Modalitäten spezifisch sind. *Der zweite - und sekundäre - Bereich* ist die Therapie der sprachlichen Ausdrucksfähigkeit bzw. der Verarbeitung von sprachlichen Ausdrücken in der Modalität des Lesens bzw. Schreibens, d.h. Training modalitätsüberfreifender Funktionen. Für die Wahl des *methodischen Ansatzes* gibt es grundsätzlich 3 Möglichkeiten, die Seron (1982) mit den Begriffen Wiederherstellung, Umstellung und Anpassung an die Gegebenheiten bezeichnet hat. Die Entscheidungsgrundlage bilden die Erkenntnisse, die durch die neurolinguistische Untersuchung der Schriftsprache gewonnen werden.

- *Wiederherstellung* der prämorbiden Fähigkeiten heißt, daß der Patient durch die Therapie in die Lage versetzt wird, ohne Zuhilfenahme von zeitraubenden Strategien mit der gleichen Effizienz wie früher zu lesen oder zu schreiben.
- *Umstellung* des Lese- und Schreibvorgangs heißt, daß der Patient lernt, bei auftretenden Schwierigkeiten eine alternative (Hilfs-)Strategie zu wählen und durch deren adäquaten Einsatz zu einer Problemlösung zu kommen. Der Patient wird trainiert, bei einem Mißerfolg nicht auf seiner gewohnten, aber nun ineffektiv gewordenen Strategie zu beharren, sondern sich rasch umzustellen. Es wird dabei nicht primär ein Wiedererwerb des prämorbiden Niveaus angestrebt.
- Eine Therapie, bei der eine *Anpassung* an die Gegebenheiten angestrebt wird, zielt primär darauf ab, dem Patienten zu einem funktional effektiveren Einsatz seiner residualen Fähigkeiten zu verhelfen, ohne daß ein Ausbau dieser Fähigkeiten im Vorder-

grund steht. Bei einer Mehrzahl der Patienten ist eine Wiederherstellung der Lese- und Schreibfähigkeiten auf prämorbidem Niveau nicht möglich. Hier soll durch das Training von Umwegleistungen eine Reduzierung der Fehlerhäufigkeit, ein effektiver Einsatz der Selbstkorrektur und eine höhere Leistungsgeschwindigkeit angestrebt werden.

Es ist nicht möglich, allgemeingültige Programmpakete mit einer festgelegten Vorgehensweise für die einzelnen Alexie- bzw. Agraphiesyndrome zusammenzustellen. Wir können zwar je nach Syndrom zwischen jeweils grundsätzlich sinnvollen Behandlungsansätzen unterscheiden, beim individuell zu erstellenden Therapieplan müssen jedoch zusätzlich die Kriterien Schweregrad, Zeitspanne seit dem hirnschädigenden Ereignis, assoziierte neuropsychologische Symptome und das prämorbide Leistungsniveau berücksichtigt werden. Auch die jeweilige nichtschriftsprachliche aphasische Symptomatik kann Modifikationen eines Behandlungsansatzes erforderlich machen.

17.3.1 Therapie der primären Störungsbereiche

Die überwiegende Mehrzahl der Patienten mit Alexie und Agraphie haben sowohl Störungen der *ganzheitlichen* als auch der *segmental-sequentiell* orientierten Fähigkeiten und Fertigkeiten. Die Konvertierung von Graphem zu Phonem und von Phonem zu Graphem erweist sich oft als gestört. Die Therapie kann grundsätzlich bei allen Störungsbereichen ansetzen. Diese Regel hat 2 Ausnahmen: Bei der Wortformalexie und der orthographischen Agraphie sind die auditive Analyse und die auditive Synthese keine Therapieziele, weil diese Operationen bei diesen Syndromen gut erhalten sind und von den Patienten spontan kompensatorisch eingesetzt werden. Bei schweren Störungen der Lautsprache (z. B. Automatismen, phonematische Neologismen usw.) ist das Training phonologischer Strategien für die Schriftsprache zurückzustellen, bis

sich der Schweregrad entsprechend geändert hat.

Alexie- und Agraphietherapie können nicht streng getrennt werden, da sich Lese- und Schreibleistung wechselseitig bedingen. Eine gleichzeitige Therapie beider Leistungen, deren grundlegende Mechanismen einen so engen Zusammenhang zeigen, ist deshalb erforderlich.

Training der Konvertierungsstörungen

Störungen der Umsetzung von Lauten in Buchstaben und umgekehrt können durch gezielte Übungen trainiert werden. Bei der *Störung der Graphem-Phonem-Konvertierung* steht das Training der Buchstabenbenennung im Vordergrund. Großbuchstaben können schwerer gestört sein als Kleinbuchstaben, aber auch umgekehrt. Es ist sinnvoll, bestimmte Übungsabschnitte systematisch zu gestalten, indem in Gruppen lautähnliche, formähnliche und niedrigfrequente Grapheme geübt werden und allmählich komplexere Einheiten, wie Digraphen, in die Therapie miteinbezogen werden. Die Phonem-Graphem-Konvertierung kann durch *Identifikationsaufgaben* trainiert werden, indem das entsprechende Graphem in unterschiedlich komplex gestalteten Vorlagen gezeigt werden muß, oder durch die *graphomotorische* Leistung geübt werden. Dabei sind besonders Störungen der Handmotorik (vgl. Kap. 20), eine eventuelle Rechts-links-Umstellung oder räumlich-konstruktive Defizite (vgl. Kap. 12) zu berücksichtigen.

Training der Analyse und Synthese

Wenn ein Patient eine gewisse Stabilität bei der Konvertierungsleistung erreicht hat, können die Konvertierungsübungen in das Training der auditiven und visuellen Analyse, des Segmentierens und der Synthese von Phonemfolgen miteinbezogen werden. Konvertierung, Segmentierung und Synthese sind funktional nicht voneinander zu trennen. Wenn ein Patient ein Wort beim Lesen zwar buchstabieren, aber die einzelnen Laute nicht zu einem Wort verbinden kann, wird er nicht über die auditive Form zur Wortbedeutung gelangen können. Ebenso nützt die Fähigkeit, ein Phonem in ein Graphem konvertieren zu können, dem Patienten beim Schreiben nichts, wenn er nicht vorher die Lautform durch Analyse in einzelne Phoneme zerlegen kann.

Übungen zur Analyse einer geschriebenen Wortform gehen zwangsläufig immer mit einer Phonem-Graphem-Konvertierung einher. Die Analyse der Lautform eines Worts sollte sinnvollerweise mit der Phonem-Graphem-Konvertierung kombiniert werden. Übungen zur Synthese von Phonemen zu einer kontinuierlichen Lautform erfolgen, wenn die Grapheme eines Wortes konvertiert sind.

Wenn Störungen bei der *Konvertierung sowie der Analyse und Synthese* vorliegen, kommen für den Bereich des Lesens in erster Linie die untenstehenden Therapieschritte in Betracht.

Graphem-Wort-Assoziationsübungen

Bei diesen Übungen werden die Grapheme, die einzeln dargeboten werden, mit einem Wort assoziiert, das mit eben diesem Graphem anfängt. Eine solche Übung ist besonders bei Patienten mit einer Tiefenalexie sehr hilfreich. Der Patient soll dann jeweils das Anlautphonem des assoziierten Wortes segmentieren, damit mit diesem Phonem der jeweilige Buchstaben benannt werden kann. Sobald sich die Konvertierungsleistung und die Anlautsegmentierung stabilisiert haben, sollte die Verwendung von Assoziationen wieder abgebaut werden.

Übungen mit Silben und Nonsenswörtern

Bei diesen Aufgaben sollen anhand einfacher Konsonant - Vokal - Konsonant - (CVC) Silben und Nonsenswörter mit illegalen Graphemsequenzen mehrere Buchstaben hintereinander konvertiert werden. Die Verwendung von sinnlosen Silben und Nonsenswörtern führt zu einer Vereinfachung der Segmentieraufgaben, weil durch die orthographische Unähnlichkeit solcher Stimuli mit realen Wortformen die Neigung zu ganzheitlichen Strategien und damit zu semantischen Paralexien unterbunden

wird. Besonders die Aufgaben mit Silben können auch als Übung zur Phonemsynthese verwendet werden.

Übungen mit richtigen Wörtern

Diese Übungen stellen insofern eine Erhöhung des Schwierigkeitsgrads dar, da hier die spontane Neigung zu ganzheitlichen Lesestrategien unterdrückt werden muß, damit keine semantischen, phonematischen oder Ableitungsparalexien produziert werden, und der Patient die *sequentielle Lesestrategie* konsequent einüben muß. Der Schwerpunkt kann bei solchen Aufgaben, je nach Syndrom, auf *wortkategorielle Aspekte,* auf die *Wortlänge* oder auf die *orthographische Komplexität* gelegt werden. Es können z. B. besonders die Klasse der Funktionswörter, Wörter mit zunehmender Silbenzahl oder Konsonantenhäufungen bzw. Digraphen geübt werden.

Anwendung für die Schreibleistung

Die genannten Übungen können auch für die Schreibleistung nutzbar gemacht werden, indem konvertierte Grapheme – nach Abdecken der Vorlage – wieder aufgeschrieben werden müssen. Von besonderer Bedeutung für das Schreiben ist die *segmentale Analyse der Lautform.* Hier stehen vor allem Übungen mit Wörtern ansteigender orthographischer Komplexität und Übungen zur Segmentierung von Diphthongen im Vordergrund. Zusätzlich soll die *Selbstkorrekturleistung* trainiert werden. Dazu ist einerseits eine analytische Leseleistung erforderlich, so daß der Patient das Geschriebene lesen können muß. Andererseits muß er in der Lage sein, bei der auditiven Analyse der Lautform die Position der Phoneme zu bestimmen, damit ein Phonem dem falschen oder fehlenden Graphem zugeordnet werden kann. Solche Übungen können mit Aufgaben zur Lückenergänzung, Wortergänzung und Korrektur von fehlerhaft vorgegebenen Wörtern durchgeführt werden.

Training der ganzheitlichen Leistung

Bei vielen Patienten sind residuale Fähigkeiten im Hinblick auf die ganzheitliche Erfassung geschriebener Wörter bzw. die ganzheitliche Produktion von Wortformen vorhanden. Ein Training der ganzheitlichen Leistung zielt darauf ab, diese Fähigkeiten zu konsolidieren und nach Möglichkeit auszubauen. In vielen Fällen ist dieser Ansatz unumgänglich, weil schwere Störungen der phonematischen Struktur und/oder der Sprechmotorik (z. B. phonematische Neologismen, schwere Sprechapraxie, Automatismen) ein systematisch segmentales Vorgehen als Problemlösestrategie unmöglich machen. Auch bei Patienten, die zu einem segmentalen Leseverhalten neigen, ist eine Stimulation zur ganzheitlichen Erkennung sinnvoll. Das Training der ganzheitlichen Leistung versucht, verschiedene Fähigkeiten zu verbessern:

- Die Fähigkeit, orthographisch ähnliche Wörter sicher voneinander unterscheiden sowie Wörter schnell aufgrund spezifischer orthographischer Merkmale erkennen zu können, soll durch *Wortidentifikations- und Wortformdiskriminationsaufgaben* trainiert werden.
- Die Fähigkeit, Wörter schnell ganzheitlich zu erfassen, damit das *Lesetempo* erhöht werden kann, wird durch tachistoskopische Leseaufgaben trainiert.
- Teilweise im semantischen Bereich angesiedelt ist die Fähigkeit, bildliche Darstellungen mit den entsprechenden schriftlichen Bezeichnungen assoziieren zu können. Hier soll eine Leistungsverbesserung durch *Wort-Bild-Zuordnungsaufgaben* erreicht werden.
- Eine zentrale Rolle spielt auch die Fähigkeit, orthographische Strukturen speichern zu können, insbesondere unter Ausnutzung hervorragender Formkennzeichen eines Worts, und diese Strukturen abrufen zu können. Hier ist die (kurze) visuelle Vorgabe beim Schreiben eine sinnvolle Trainingseinheit. Im folgenden wird das Vorgehen bei den genannten Trainingsabschnitten kurz erläutert.

Wortidentifikationsaufgaben

Bei diesen Übungen bekommt der Patient einen Satz vorgelegt, und der Therapeut spricht ihm ein Wort aus diesem Satz vor. Der Patient soll nun möglichst schnell auf das entsprechende Wort im Satz zeigen. Für diese Aufgabe gibt es verschiedene Gestaltungskriterien. Es kann die Wortkategorie variiert werden, d. h. es werden gezielt grammatische Funktionswörter in Kontrast zu Inhaltswörtern geübt, oder es wird die Wortlänge variiert, bei der vor allem die Sensitivität des Patienten für die Korrespondenz zwischen Länge der Lautform und Länge der graphischen Form gefördert wird. Eine weitere Variation betrifft die orthographischen Unterscheidungsmerkmale, wo bei allmählich die orthographische Ähnlichkeit der zu diskriminierenden Wörter im Satz gesteigert wird.

Wort-Bild-Zuordnungsaufgaben

Hier soll der Patient ein geschriebenes Wort einem Bild zuordnen, wobei er mehrere Wortkarten und ein Bild vorgelegt bekommt. Eine umgekehrte Anordnung ist auch möglich. Dabei kann die Anzahl der Bildvorlagen gesteigert werden. Die Stimuli sollten überwiegend solche Wörter repräsentieren, die im Alltag eine hohe Gebrauchshäufigkeit aufweisen. Es können neben gegenständlichen Nomina auch Verben, die einen bestimmten Vorgang ausdrücken, abgebildet werden. Bei diesen Aufgaben wird primär der semantisch-lexikalische Zugang zu den Wörtern über den visuellen Hinweisreiz stimuliert.

Wortformdiskriminationsaufgaben

Bei diesen Aufgaben soll der Patient ein Wort, das ihm auditiv oder kurz visuell (ca. 2 s) dargeboten wird, in einem anschließend schriftlich dargebotenen Wortpaar oder in einer Reihe von Wörtern identifizieren. Diese Übung kann auch als lexikalische Entscheidungsaufgabe durchgeführt werden, indem Wörter und Pseudowörter bzw. Nichtwörter nebeneinander dargeboten werden und der Patient entscheiden soll, welches Wort ein richtiges Wort ist. Bei dieser Aufgabe wird das *kurzfristige Behalten* einer auditiv oder visuell vorgegebenen Wortform gefördert und die Unterscheidung richtiger vs. fehlerhafter Wörter trainiert. Letzteres kann sich positiv auf die Erkennung von fehlerhaften Wörtern bei der eigenen Schreibleistung auswirken. Bei der Verwendung von Minimalpaarwörtern wird die Diskriminationsfähigkeit für orthographisch ähnliche Wörter geübt.

Tachistoskopische Leseaufgaben

Bei diesen Übungen werden dem Patienten Wörter mit einer beschränkten Darbietungszeit gezeigt. Diese Zeit ist je nach Leistungsfähigkeit des Patienten individuell zu bestimmen und kann im Laufe der Therapie allmählich reduziert werden. Der Patient hat die Aufgabe, die Wörter laut zu lesen. Wenn das nicht möglich ist, kann diese Übung als Identifikationsaufgabe durchgeführt werden, indem ein Bilderset (mit Ablenkern) vorgelegt wird. Tachistoskopische Leseaufgaben dienen der Verbesserung der ganzheitlichen Erfassung von Wörtern, sind aber nur dann sinnvoll, wenn die Quote richtiger Antworten im überzufälligen Bereich liegt und der Patient nicht zu sehr zu semantischen Paralexien und Raten neigt.

Visuelle Vorgabe beim Schreiben

Bei dieser Übung bekommt der Patient für kurze Zeit ein Wort visuell dargeboten, das er anschließend schreiben soll. Diese Darbietung kann eventuell öfters wiederholt und dabei verlängert werden. Der Patient soll versuchen, sich das Wort und dessen orthographische Struktur einzuprägen. Er kann auch bestimmte Segmente des Worts unter Auslassung anderer Segmente aufschreiben und dann das Wort nach erneuter Darbietung ergänzen. Dabei kann besonders die Einprägung bestimmter orthographischer Signalgruppen (Doppelkonsonanten, Über- und Unterlängen, Digraphen) trainiert werden. Die kurzfristige Behaltensleistung für Graphemsequenzen kann bei diesen Aufgaben allmählich für längere Einheiten

bzw. für mehrere Segmente gleichzeitig gesteigert werden.

17.3.2 Computerunterstützte Alexie- und Agraphietherapie

Die meisten der vorhin erwähnten Übungen können mit Hilfe eines Mikrocomputers durchgeführt werden. Die Basisprogramme wurden für den Heimcomputer Commodore 64 entwickelt. Die Vorteile einer computerunterstützten Therapie bestehen hauptsächlich in der *Systematisierung der Vorgehensweise* und der *ökonomischen Verwaltung und Verwendung des Therapiematerials.* Weiter kann ein Schreibtraining ohne die für die Schreibschrift erforderlichen handmotorischen Fertigkeiten (vgl. Kap. 20) erfolgen, und zeitliche Darbietungen und Darbietungsabfolge sind standardisiert. Nicht zuletzt ist eine *Dokumentation der Fehlleistungen,* der Ersatz- und Korrekturstrategien und der in Anspruch genommenen Hilfestellungen möglich. Besonders die Dokumentation erweist sich als sehr sinnvoll, weil diese die quantitative und qualitative Analyse einer Therapiestunde erlaubt, ohne daß der Therapeut die jeweiligen Leistungen protokollieren muß. Er kann sich somit voll auf den Patienten konzentrieren. Auch die Zusammenstellung von umfangreichen Sammlungen von Therapiematerial auf Disketten sowie der problemlose Aufbau von z. B. Lückenwörtern oder Multiple-choice-Aufgaben am Bildschirm haben sich als sehr vorteilhaft und zeitsparend erwiesen. Einige der Programme eignen sich inhaltlich und hinsichtlich der Handhabung auch für die *Selbsttherapie.* Diese Form der Therapie erfolgt unter Supervision des behandelnden Therapeuten, was durch die vorhin erwähnte Protokollierung und Dokumentation wesentlich erleichtert wird. Auch einige der unter 17.3.3 skizzierten Übungen können mit Computerunterstützung durchgeführt werden bzw. sind speziell dafür konzipiert und entwickelt.
Eine weitere Entwicklung im Bereich der computerunterstützten Therapie ist das *TV-Textgerät,* das in erster Linie zur Behandlung von he-

mianopischen Lesestörungen konzipiert wurde (Zihl et al. 1984; vgl. Kap. 7). Dieses Gerät eignet sich für das Training zur Erhöhung des *Lesetempos* und des *ganzheitlichen Erkennens*. Es werden Wörter, Sätze oder Texte auf dem Bildschirm mit Laufschrift dargestellt, d. h. die Stimuli gehen von rechts nach links über den Bildschirm. Die Durchlaufgeschwindigkeit kann individuell bestimmt und im Laufe des Trainings allmählich erhöht werden.

17.3.3 Komplexe Übungen

Während die bisher skizzierten Übungen überwiegend das Training auf Wortebene betrafen, sind die nachfolgenden komplexer angelegt. Voraussetzung für die Durchführung dieser Übungen ist allerdings, daß der Patient auf der Wortebene beim Lesen und beim Schreiben eine geringe Fehlerhäufigkeit hat und die jeweils adäquaten Umwegleistungen bereits erfolgreich geübt worden sind. Der Begriff „komplex" ist für die Alexie- und Agraphietherapie wie folgt definiert: Als komplex gelten Wörter, die mehr als 7 Buchstaben und/oder eine schwierige orthographische Struktur aufweisen. Übungen auf Satz- und Paragraphenebene steigern den Komplexitätsgrad, auch unabhängig von der Wortlänge und der orthographischen Struktur.

Aufbauendes Lesen

Ein Phänomen, das bei differenzierter Untersuchung oft beobachtet werden kann, ist, daß Patienten beim Lesen auf Wortebene eine sehr geringe Fehlerfrequenz haben, diese aber auf Satzebene und vor allem auf Textebene rapide ansteigt. Dafür gibt es im wesentlichen 2 Ursachen: Die Patienten passen ihr *prämorbides Lesetempo* nicht den aktuellen Leistungsmöglichkeiten an, oder es führen an sich sinnvolle *Ratestrategien* aufgrund des unzureichenden Lesesinnverständnisses nicht zum Erfolg, weil das erforderliche semantische Erwartungsniveau nicht erreicht wird.
Die Übungen zum aufbauenden Lesen, die am Bildschirm eines Mikrocomputers durchge-

führt werden, können nach den jeweiligen Fähigkeiten der Patienten gestaltet werden. Auf diese Weise können einzelne Wörter oder Wörter in einem Satz buchstabenweise in einer individuell zu bestimmenden Zeit am Bildschirm aufgebaut oder auch die Wörter eines Satzes Wort für Wort sukzessiv dargeboten werden. Der Patient konzentriert sich somit auf das aktuell erscheinende Wort und kann erst weiterlesen, wenn dieses Wort richtig gelesen wurde. Buchstaben bzw. Wörter können auch am Bildschirm gelöscht und anschließend erneut aufgebaut werden. Bei Patienten, die ein zu langsames Lesetempo haben, kann das Lesetempo mit diesem Verfahren allmählich gesteigert werden.

Satzergänzendes Schreiben

Wenn der Patient eine ausreichende Sicherheit beim Schreiben von Wörtern bis ca. 7 Buchstaben erreicht hat, dann kann – ergänzend zu einem Schreibtraining mit längeren Wörtern – auf Satzebene gearbeitet werden, indem Lücken in einem Satz ergänzt werden müssen. Diese Übung beinhaltet gleichzeitig ein *Training des Lesesinnverständnisses*. Bei Anwendung eines Mikrocomputers können die Lücken an beliebiger Stelle im Satz gesetzt werden, bei konventioneller Vorgehensweise müssen vorbereitete Übungsblätter mit fixierter Lücke verwendet werden. Die Vorgabe mehrerer Möglichkeiten im Sinne einer Multiple-choice-Aufgabe ist eine im Schwierigkeitsgrad leichtere Variante dieser Übung.
Die Stimulation des Patienten kann wie folgt variiert werden: Das Zielwort muß aufgrund des Lesesinnverständnisses gefunden werden, das Zielwort wird durch auditive Vorgabe dieses Worts oder des ganzen Satzes stimuliert, das Zielwort muß durch eine zum Satz gehörende Bildvorlage gefunden werden, oder das Zielwort wird durch visuelle Vorgabe mehrerer Auswahlmöglichkeiten (einschließlich Ablenker und neutraler Wörter) stimuliert.
Durch eine gezielte Variation der Lückensetzung kann schwerpunktmäßig gearbeitet werden. So können z. B. grammatische Funktionswörter, Verben oder das logische Subjekt aus-

gelassen werden. Bei diesem Ansatz können also strukturelle Komponenten der aphasischen Störung in die Alexie- und Agraphietherapie miteinbezogen werden.

17.3.4 Training des funktionalen Einsatzes

Bei einem Training des funktionalen Einsatzes von Lese- und Schreibfähigkeiten können 2 verschiedene Bereiche unterschieden werden:

a) Bei Patienten mit *schweren oder mittelschweren Lese- und/oder Schreibstörungen* kann in vielen Fällen eine störungsspezifische Therapie nur eingeschränkt zu einer Leistungsverbesserung führen. Es ist ein wesentlicher Aspekt der Therapie, in solchen Fällen den Einsatz der residualen Fähigkeiten für die Verwendung im Alltag zu trainieren.

b) Bei Patienten, die bei einem insgesamt *leichten Störungsgrad* in der Untersuchungssituation gute Leistungen erzielen, ist in vielen Fällen ein spontaner Einsatz der vorhandenen Fähigkeiten nicht erkennbar. Diese Tatsache gilt insbesondere für die spontane Schreibleistung, d. h. ohne Stimulusvorgabe und ohne Intervention des Therapeuten. Bei solchen Patienten ist demnach die Lese- und Schreibleistung auf komplexer und in erster Linie auf die persönlichen Bedürfnisse des Patienten abgestimmter Ebene zu trainieren.

Übungen bei schweren Störungen

Diese Übungen haben als Ziel, die *Selbständigkeit des Patienten,* soweit die Schriftsprache involviert ist, zu fördern. Dabei steht die Übung folgender Leistungen im Vordergrund: Die Sinnentnahme aus kurzen geschriebenen Mitteilungen, die Verfassung kurzer Einwortnotizen, die Angabe der Personalien sowie das Aufsuchen von Telefonnummern oder Adressen und das Lesen von Hinweisschildern. Auch das Training im Umgang mit schriftsprachlich orientierten Hilfsmitteln kann sinnvoll sein.

Wichtig ist es, diese Übungen in realistischen Situationen des alltäglichen Lebens durchzuführen und, wenn möglich, durch Fremdbefragung festzustellen, ob der Patient die geübten Handlungen auch tatsächlich in seiner eigenen Umgebung ausführt.

Übungen bei leichten Störungen

Mit Patienten, die beim Lesen einzelner Wörter relativ sicher sind und nur sehr wenige Fehler machen sowie ein gutes Leseinnverständnis auf Satzebene haben, soll das Lesen und die Sinnentnahme mit kurzen Texteinheiten trainiert werden. Dazu eignen sich Zeitungsartikel und einzelne Absätze von Texten, die im Interessengebiet des Patienten liegen. Ein wesentlicher Aspekt dieses Trainings ist die *Systematisierung des Informationsflusses,* indem Inhalte kurzer Abschnitte stets durch Stichworte schriftlich wiedergegeben werden müssen, damit der Patient nach der Lektüre über einen Rahmen verfügt, mit dem er den roten Faden der Geschichte rekapitulieren kann (s. dazu auch Kap. 13 und 16).

Bei Patienten, die beim Schreiben von Wörtern und kurzen Sätzen nur leichte Störungen haben, ist die schriftliche Formulierung auf komplexer Ebene oft schwer gestört. Die Übertragung lautsprachlich formulierter Äußerungen in die schriftliche Form gelingt nur bruchstückweise, und die Planung längerer Abschnitte ist meist nicht möglich. Es ist deshalb sinnvoll, die Strukturierung solcher Einheiten zu üben, indem die wesentlichen Punkte vorher mit einzelnen Wörtern oder kurzen Sätzen chronologisch und logisch richtig aufgeschrieben werden, damit dem Patienten zur Ausformulierung ein „Gerüst" zur Verfügung steht. Übungsziele sind die kurze Beschreibung von Alltagssituationen, Bildersequenzbeschreibungen und das Verfassen kurzer Briefe.

17.3.5 Therapie der Wortformalexie

Die Wortformalexie ist insofern eine Sonderform der Alexie, als sie in den meisten Fällen nicht von einem aphasischen Syndrom begleitet wird. Die häufige Assoziation mit zerebralen Sehstörungen stellt eine erschwerende Bedingung für die Wiederherstellung der Leseleistung dar. Die meisten Patienten neigen zu einem *buchstabierenden Lesen* und beherrschen die dazu notwendigen Strategien der Segmentierung und der Phonemsynthese gut. Allerdings werden Fehler bei zunehmender Wortlänge häufiger, das Lesesinnverständnis ist auf Textebene schwer beeinträchtigt. Störungen der Graphem-Phonem-Konvertierung kommen bei formähnlichen (m-w; t-f usw.) und graphisch schwach markierten Buchstaben (i, l) vor. Ansätze für die Behandlung der Wortformalexie sind u. a. bei Tsvetkova (1982), Godwin (1983) und LaPointe & Kraemer (1983) beschrieben.

Für die *Therapie* der Wortformalexie gibt es verschiedene Schwerpunkte. Wenn die vorher genannten Störungen auf Buchstabenebene vorhanden sind, müssen Graphem-Phonem-Konvertierungsübungen durchgeführt werden, eventuell mit Hilfe durch Aufmalen des Buchstabens mit dem Finger auf den Tisch oder auf die Haut (sog. „finger spelling"). Bei nicht erfolgreichem Raten, d. h. wenn der Patient bereits nach einigen Buchstaben auf das ganze Wort zu schließen versucht und dabei viele Fehler macht, soll er das Buchstabieren des Wortes bis zum Wortende ohne vorheriges Raten trainieren. Bei erfolgreichem Raten, d. h. dem Patienten gelingt es häufig, mit einer Teilinformation über das Wort das richtige Wort zu raten, soll er versuchen, den Umfang der für das Raten benötigten Teilinformation allmählich zu reduzieren. Ein Training der ganzheitlichen Erkennung von kurzen gebrauchshäufigen Wörtern des alltäglichen Lebens und von Silben ist immer notwendig, ebenso Wortidentifikationsaufgaben und Wortformdiskriminationsaufgaben wie auf S. 298 beschrieben. Die Durchführung von Aufgaben mit Vorlagen unterschiedlicher graphischer Qualität (z. B. eigene Handschrift) ist in den meisten Fällen notwendig. Beim Übergang vom buchstabierenden Lesen zum silbischen Lesen kann das Lesetempo allmählich wie auf S. 299 beschrieben gesteigert werden. Bei leichten Störungen kann eine Verbesserung der Wortidentifikation und Erhöhung des Lesetempos erreicht werden, indem ein Text gelesen wird, der gleichzeitig vom Tonband vorgespielt wird. Ebenfalls bei leichten Störungen oder einer guten Restitution der Lesefunktion ist ein Training des Lesesinnverständnisses auf Paragraphen- und Textebene für die Funktionalität der Leseleistung wichtig.

17.3.6 Ungeeignete Behandlungsmethoden

Generell kann gesagt werden, daß das Therapiematerial für den jeweiligen Patienten keine Anforderungen enthalten soll, die er aufgrund der aphasischen Störung der linguistischen Strukturkomponenten nicht bewältigen kann. Es wurde bereits erwähnt, daß bei schweren Störungen der phonematischen Struktur die gezielte Anwendung von phonologisch-lautsprachlich orientierten Strategien beim Lesen und beim Schreiben *kontraindiziert* ist. Es ist ebenfalls abzusehen von schriftlichem Benennen von Bildmaterial, wenn schwere Störungen der semantischen Struktur und der Wortfindung vorliegen, und von Übungen auf Satzebene, wenn schwere Störungen der Syntax vorliegen.

Bei schweren Störungen der kurzfristigen Behaltensleistung ist das Üben der Phonemsynthese für längere Wörter (ab ca. 7 Buchstaben) nicht sinnvoll.

Das Training der Graphem-Phonem-Konvertierung darf nicht mittels sog. „Kletterstrategien" erfolgen, bei denen der Patient sich das Alphabet vorsagt und auf das gesuchte Phonem „wartet". Eine solche Strategie ist nicht erfolgversprechend, weil 1) die meisten Aphasiker nicht das ganze Alphabet aufsagen können und 2) diese Methode außerordentlich unökonomisch ist. Beim Schreiben sind Aufgaben, die eine reine Kopierleistung bei visueller Kontrolle erfordern, nicht sinnvoll. Sie verhindern die *bewußte* Auseinandersetzung mit den Graphemen und deren phonemischer Repräsentation.

Ein wesentlicher Aspekt bei der Auswahl des Therapiematerials ist die Forderung, daß es *altersgemäß* sein muß. Es sollten deshalb keine Anleihen bei Materialsammlungen für entwicklungsdyslektische und -dysgraphische Kinder gemacht werden. Es lassen sich auch auf inhaltlich und orthographisch einfacher Ebene immer problemlos Aufgaben finden, die auf Erwachsene abgestimmt sind und – bei Übungen auf Textebene – das Interessensgebiet des jeweiligen Patienten berühren.

17.4 Prognose

Die Chancen für eine *Wiederherstellung* der prämorbiden Leistungsfähigkeit sind bei einem initial leichten Störungsgrad günstig. Liegen jedoch mittelschwere oder schwere Störungen vor, so sind einer erfolgreichen Rehabilitation deutliche Grenzen gesetzt, besonders was die Textperformanz betrifft. Die Ursache für die eingeschränkten Erfolgsaussichten ist in erster Linie in der Komplexität der schriftsprachlichen Leistung selbst begründet. Lesen und Schreiben (und Rechnen) unterscheiden sich von anderen Leistungen besonders durch den relativ späten und langwierigen Erwerb dieser Fähigkeiten. Der in vielen Fällen notwendige Einsatz von Umweglleistungen, die kognitiv anspruchsvoll sind und bewußte Operationen erfordern, bleibt vielen Patienten als Mittel zur Selbsthilfe verschlossen. Für manche Patienten bringt die prämorbid geringe Vertrautheit mit diesen Leistungen zusätzliche Probleme mit sich.

Es gibt aber auch einige *nicht modalitätsspezifische Faktoren,* die die Prognose für die berufliche Rehabilitation ungünstig beeinflussen können. Als Einflußfaktoren sind vor allem das Gesamtausmaß der aphasischen Störung und das Fehlen bzw. Vorhandensein assoziierter neuropsychologischer Störungen zu nennen. Aber auch das Ausmaß der Anforderungen, die die jeweilige berufliche Tätigkeit im Hinblick auf Lesen und Schreiben stellt, ist für den Rehabilitationserfolg mitentscheidend. Man kann sagen, daß die Chancen für einen Patienten mit Lese- und Schreibstörungen, in einen Beruf zurückzukehren, in dem die Schriftsprache eine wesentliche Rolle spielt, gering sind. In diesem Zusammenhang kommt auch der *Leistungsgeschwindigkeit* eine besondere Bedeutung zu.

Für viele Patienten wird aber eher die Prognose für die Gebrauchsmöglichkeiten der Schriftsprache im privaten Bereich aktuell sein. Im folgenden sollen einige Faktoren genannt werden, die nicht genuin schriftsprachlicher Natur sind und sich ungünstig auf die Prognose auswirken:

Die residuale aphasische Symptomatik im Bereich der Semantik, der Syntax und der Textperformanz verhindert oft, daß der Patient seine schriftsprachlichen Fähigkeiten wieder adäquat einsetzen kann. Hier sind also dem Patienten aufgrund der supramodalen Sprachstörung Grenzen gesetzt.

Assoziierte neuropsychologische Symptome

Aphasische Lesestörungen, die mit *zerebralen Sehstörungen* einhergehen, haben eine ungünstige Prognose. Solche Sehstörungen, die auch *ohne gleichzeitige Alexie Lesestörungen* zur Folge haben können, sind postchiasmatische Gesichtsfelddefekte mit einem Restgesichtsfeld von weniger als 3 Sehwinkelgrad, besonders bei rechtsseitigen Gesichtsfeldausfällen, eine herabgesetzte Sehschärfe, die nicht durch Hilfsmittel korrigiert werden kann, und zerebrale Amblyopien. Auch Störungen des Überblicks und der visuellen Exploration, visuelle Vernachlässigungsphänomene und Störungen der visuellen Orientierung können zu Störungen des Lesens führen (vgl. Kap. 7 und 12).

Für das Schreiben sind die räumlich-konstruktive und die motorische Komponente der Leistung von großer Bedeutung. Das gleichzeitige Vorliegen einer Agraphie und einer *räumlich-konstruktiven Störung* bedeutet, daß die Rückbildungschancen für die Schreibstörung sehr gering sind. Die bei vielen aphasischen Patienten *eingeschränkte Funktion der Handmotorik* macht oft eine Umstellung von der geübten rechten Schreibhand auf die ungeübte linke Hand erforderlich. Diese Umstellung gelingt nicht immer funktionell befriedigend. In allen Fällen bedeutet sie aber eine erhebliche Reduzierung der Leistungsgeschwindigkeit. Ein weiterer ungünstiger Faktor für die Prognose ist das Vorliegen einer bereits *prämorbid vorhandenen Spätlegasthenie*. Bereits leichte Störungen reduzieren die Chancen einer Alexie- und Agraphietherapie beträchtlich.

17.5 Weiterentwicklung der Diagnostik und der Therapieverfahren

Das relativ neue Gebiet der Diagnostik und Therapie aphasischer Lese- und Schreibstörungen bedarf noch in mehreren Punkten einer Weiterentwicklung. Zur Erforschung der Lese- und Schreibprozesse sind Einzelfallstudien erforderlich, Gruppenstudien sollen zu einer Erhöhung der Effizienz in der Diagnostik und Therapie beitragen.

Im Bereich der *Diagnostik* sollen, zusätzlich zum bestehenden Untersuchungsverfahren, kurze und zeitsparende Verlaufskontrollverfahren entwickelt werden, die eine gezielte Leistungsmessung ermöglichen. Dabei geht es um die Messung der Fähigkeit zur Segmentierung und auditiven Synthese, der Leistungsgeschwindigkeit, der Textperformanz und des Einsatzes von Schriftsprache im alltäglichen Leben. Solche Screeningverfahren sind auch sinnvoll für eine effiziente und leistungsorientierte Therapie.

Im Bereich der *Therapieverfahren* geht es vor allem darum, die sinnvolle Dauer von Therapieerprobungsphasen besser einzugrenzen und die Frage zu klären, welche Rolle die Faktoren aphasisches Gesamtdefizit, Belastbarkeit, Konzentration und Aufmerksamkeit bei der Alexie- und Agraphietherapie spielen. Auch sollte die Therapie mit der Behandlung assoziierter neuropsychologischer Defizite abgestimmt werden.

Eine besondere Bedeutung kommt der Weiterentwicklung von geeigneten Verfahren zur supervisierten Selbsttherapie zu, damit die Therapiefrequenz bei gleichzeitiger Entlastung der Therapeuten erhöht werden kann. Dazu ist die Entwicklung von Lese- und Schreibprogrammen auf leistungsfähigen Computern erforderlich, bei denen durch eine Sprachausgabe das Fehlen der direkten Intervention des Therapeuten teilweise ersetzt werden kann. Die derzeitige Entwicklung des Thera-Voice-Geräts für die Aphasietherapie ist ein wichtiger Schritt in diese Richtung. Neue Konzeptionen sollten die Einsatzmöglichkeiten für die Therapie schriftsprachlicher Leistungen auf solchen Sprachtherapiesystemen berücksichtigen.

Literatur

Coltheart M, Patterson K, Marshall JC (eds) (1980) Deep dyslexia. Routledge & Kegan Paul, London

Ellis AW (1984) Reading, writing and dyslexia: a cognitive analysis. Erlbaum, London

Gheorghita N, Fradis A (1979) Rehabilitationsmethoden des Lesens und Schreibens bei Aphatikern. In: Peuser G (Hrsg) Studien zur Sprachtherapie. Fink, München, pp 290-314

Godwin R (1983) The treatment of pure alexia. In: Code C, Müller DJ (eds) Aphasia therapy. Arnold, London, pp 146-156

Hatfield FM (1983) Aspects of acquired dysgraphia and implications for re-education. In: Code C, Müller DJ (eds) Aphasia therapy. Arnold, London, pp 157-169

Hatfield FM, Weddell R (1976) Re-training in writing in severe aphasia. In: Lebrun Y, Hoops R (eds) Recovery in aphasics. Swets & Zeitlinger, Amsterdam, pp 65-78

Langen EG de, Cramon D von (1986) Phänomenologie der Agraphie. Nervenarzt 57: 719-726

LaPointe LL, Kraemer IT (1983) Treatment of alexia without agraphia. In: Perkins WH (ed) Language handicaps in adults. Thieme-Stratton, New York, pp 77-85

Luria AR (1970) Traumatic aphasia. Mouton, Den Haag

Margolin DI (1984) The neuropsychology of writing and spelling: Semantic, phonological, motor, and perceptual processes. Q J Exp Psychol 36A: 459-489

Moyer SB (1979) Rehabilitation of alexia: A case study. Cortex 15: 139-144

Partz M-P de (1986) Re-education of a deep dyslexic patient: Rationale of the method and results. Cognitive Neuropsychol 3: 149-177

Patterson KE, Marshall JC, Coltheart M (eds) (1985) Surface dyslexia. Erlbaum, London

Roeltgen D (1985) Agraphia. In: Heilman KM, Valenstein E (eds) Clinical neuropsychology, 2nd edn. University Press, New York, pp 75-96

Seron X (1982) Les choix de stratégies: rétablir, réorganiser ou aménager l'environnement. In: Seron X, Laterre C (eds) Rééduquer le cerveau. Pierre Mardaga, Bruxelles, pp 63–76

Tsvetkova LS (1982) Aphasietherapie bei örtlichen Hirnschädigungen. Narr, Tübingen

Warrington EK, Shallice T (1980) Word-form dyslexia. Brain 103: 99–112

Webb WG (1983) Treatment of alexia with agraphia. In: Perkins WH (ed) Language handicaps in adults: Thieme-Stratton, New York, pp 69–75

Webb WG, Love RJ (1986) Therapy for retraining reading. In: Chapey R (ed) Language intervention strategies in adult aphasia, 2nd edn. Williams & Wilkins, Baltimore, pp 394–401

Wiegel-Crump CA (1979) Rehabilitation of acquired dyslexia of adolescence. In: Waller TG, Mackinnon GE (eds) Reading research, vol 1. Academic Press, New York, pp 171–186

Zihl J, Krischer C, Meißen R (1984) Die hemianopische Lesestörung und ihre Behandlung. Nervenarzt 55: 317–323

Glossar

Agraphie: Störung bereits erworbener linguistischer Schreibfähigkeiten nach Hirnschädigung

Alexie: Störung bereits erworbener linguistischer Lesefähigkeiten nach Hirnschädigung

Automatismen: Ständig wiederkehrende, formstarre Äußerungen, die aus neologistischen Silbenabfolgen, beliebigen Wörtern oder Phrasen bestehen, weder lexikalisch noch syntaktisch in den sprachlichen Kontext passen und die der Patient gegen die vom Gesprächspartner erwartete Intention hervorbringt

Digraph: Repräsentation eines Phonems durch zwei graphische Zeichen

Diphthong: Langer Vokal mit gleitender Zungenstellung, dessen zwei Hauptbestandteile artikulatorisch untrennbar ineinander übergehen und nicht auf zwei Silben verteilt werden können

Funktionaler Analphabetismus: Unterschreitung der gesellschaftlichen Mindestanforderungen an die Beherrschung der Schriftsprache trotz regulärem Schulbesuch und bei normaler Intelligenz

Graphem: Kleinste distinktive Einheit des Schriftsystems einer Sprache zur Wiedergabe eines Phonems

Graphotaktisch: Der Lehre von der Verbindbarkeit von Graphemen in verschiedenen Positionen einer Sprache entsprechend

Kompositum: Sprachlicher Ausdruck, der aus mindestens 2 frei vorkommenden Morphemen oder Morphemkonstruktionen zusammengesetzt ist

Konvertierung: Umsetzung von Phonem(gruppen) in die korrespondierenden Graphem(gruppen) und umgekehrt

Minimalpaar: Zwei Ausdrücke einer Sprache mit verschiedenen Bedeutungen, die sich nur durch ein Phonem unterscheiden

Modalität: Ausdrucksform der Sprache (Lautsprache, Sprachverstehen, Lesen, Schreiben)

Morphem: Das kleinste bedeutungstragende Element einer Sprache, das als phonologisch-semantisches Basiselement nicht mehr in kleinere Einheiten zerlegt werden kann

Morphologie: Lehre der Wortbildung und der Flexionsregeln

Neologismus: Wort, das in der Standardsprache aus lautlichen bzw. semantischen Gründen nicht vorkommt

Paragraphie: Fehlleistung beim Schreiben im Rahmen einer Agraphie

Paralexie: Fehlleistung beim Lesen im Rahmen einer Alexie

Paraphasie: Fehlleistung in der Lautsprache im Rahmen einer Aphasie

Phonem: Die kleinste segmentierbare, aus dem Schallstrom der Rede abstrahierte lautliche Einheit mit potentiell bedeutungsunterscheidender Funktion

Phonologie: Lehre, die sich mit den bedeutungsunterscheidenden Sprachlauten beschäftigt

Semantik: Lehre, die sich mit der Analyse und Beschreibung der „wörtlichen" Bedeutung von sprachlichen Ausdrücken beschäftigt

18 Zahlenverarbeitung und Arithmetik

D. CLAROS SALINAS

18.1 Einleitung

Störungen im Umgang mit Zahlen, die als Folge einer Hirnschädigung bei Erwachsenen auftreten, werden schon seit dem 19. Jahrhundert berichtet (vgl. Levin u. Spiers 1985). Die systematische Erforschung derartiger Störungen aber, die mit dem Begriff „Akalkulie" (Henschen 1919) zusammengefaßt werden können, blieb begrenzt. Besonders innerhalb der neuropsychologischen Rehabilitationsforschung wurde die „Akalkulie" bislang vernachlässigt; es fehlt an differenzierten, standardisierten Diagnostikverfahren ebenso wie an spezifischen Therapieprogrammen.

18.2 Fehlersymptomatik der Akalkulie

Die wichtigsten der in der Literatur beschriebenen Fehlersymptome werden im folgenden kurz dargestellt (vgl. weitere Überblicksdarstellungen bei Boller u. Grafman 1983, 1985; Levin u. Spiers 1985).

18.2.1 Störungen des Schreibens und Lesens von Zahlen

Zahlenschreib- und -lesestörungen bei aphasischen Patienten

Die Unterscheidung von Zahlenschreib- und -lesestörungen bei Aphasikern von solchen bei nichtaphasischen Patienten impliziert nicht, daß Störungen des Zahlenlesens und -schreibens bei Aphasikern ausschließlich auf die Sprachstörung zurückgehen.

Störungen des schriftsprachlichen Umgehens mit Zahlen werden als häufiges Begleitsymptom aphasischer Störungen berichtet (Sittig 1919; 1920; Henschen 1920; Head 1926; Hécaen et al. 1961; Benson u. Denckla 1969; Deloche u. Seron 1982a, b; McCloskey et al. 1985; Claros Salinas u. von Cramon 1987). Störungen des Zahlenlesens und -schreibens müssen nicht gemeinsam auftreten (Sittig 1919; Henschen 1920) und kommen selten isoliert vor (Henschen 1920). Sie sind vielmehr meist begleitet von Störungen des Lesens und Schreibens sonstigen sprachlichen Materials (Henschen 1920) und sind dabei oft weniger stark ausgeprägt (Sittig 1919; Kleist 1934). Im Vergleich zur Wortagraphie und -alexie sind Störungen des Zahlenschreibens und -lesens insgesamt seltener (Peritz 1918; Kleist 1934; Leischner 1957).

Qualitativ werden Fehler wie Spiegelschrift bei einzelnen Ziffern (Sittig 1919) berichtet und vor allem Fehler bei zweistelligen Zahlen, wo die einzelnen Ziffern in umgekehrter Reihenfolge, also entsprechend der lautsprachlichen Abfolge im Deutschen, geschrieben wurden (Sittig 1919; Leischner 1957). Für das Zahlenlesen sind Fehler bei mehrstelligen Zahlen erwähnt. Diese werden nicht mehr als Einheit gelesen, sondern in Teile zerlegt (Sittig 1920, Claros Salinas u. von Cramon 1987).

(Psycho)linguistische Beschreibungen fehlerhaften Lesens und Schreibens von Zahlen bei Aphasikern (Deloche u. Seron 1982a, b; Seron u. Deloche 1983, 1984; McCloskey et al. 1985) gehen von folgendem Modell der Zahlenverarbeitung aus:

Die Zahlenmenge ist linguistisch mittels eines begrenzten Lexikons zu beschreiben, das durch Untermengen oder Klassen strukturiert ist. Separate Mengen oder Klassen, deren Elemente seriell geordnet sind, bilden die Ziffern 1-10, die Zahlen 11-19 im Englischen und die Zahlen 11-16 im Französischen sowie die Zehnerzahlen 10, 20, ... 90.

Zusätzlich enthält das Zahlenlexikon Zahlmorpheme wie „hundert", „tausend", „Million" etc., die verbunden mit Elementen aus den erwähnten Klassen jede beliebige Zahl zu bilden vermögen. Der Zugriff auf das Zahlenlexikon kann in unterschiedlicher Weise gestört sein:

- Die Klassen werden miteinander vertauscht. Bei einer Transkodierungsaufgabe wird die vorgegebene „fünfzig" als „5" übertragen, d.h. statt der Klasse der Zehnerzahlen wird diejenige der Ziffern gewählt. Allerdings bleibt dabei die Eigenschaft des Elements, in einer Klasse an 5.Stelle zu stehen, erhalten.
- Die Klasse wird korrekt gewählt, aber innerhalb der Klasse wird ein falsches Element gewählt. „5" (Zifferklasse) wird z.B. gelesen als „sechs" (Zifferklasse).

Derartige Fehler werden als lexikalische Fehler bezeichnet. Unter syntaktischen Fehler werden solche Fehler begriffen, die bei der Integration von Zahlmorphemen wie „hundert", „tausend" etc. unterlaufen (z.B. wird die diktierte Zahl „drei*tausend*sechs*hundert*neunundfünfzig" geschrieben als „300060059").

Zahlenschreib- und -lesestörungen bei nichtaphasischen Patienten

Störungen des Schreibens von Zahlen treten bei Patienten ohne Aphasie erst bei komplexerem Zahlenmaterial auf. Bei mehrstelligen Zahlen, deren einzelne Ziffern ungleich Null sind (z.B. 12874), treten beim Schreiben nach Diktat Abbruchphänomene auf. Der Patient notiert die ersten Ziffern und bricht ab (z.B. 12874→128). Diese Abbrüche sind im Zusammenhang mit einer Reduktion der Zahlenspanne zu sehen. Dabei kann diese isoliert auftreten, andere (verbale oder nonverbale) Leistungen des kurzfristigen Behaltens können ungestört sein.

Beim Schreiben mehrstelliger Zahlen nach Diktat sind weiterhin Fehler zu beobachten, die durch Ersetzen oder Vertauschen einzelner Ziffern der jeweiligen Zahlen entstehen. Patienten, denen derartige Fehler unterlaufen, geben nach der Hirnschädigung Unsicherheiten im Umgang mit Zahlen an (diese seien „wie fremd" und „müßten von weit hergeholt" werden; vgl. auch Claros Salinas u. von Cramon 1987).

Bei spezifisch strukturierten Zahlen wie Zahlen mit „eingebetteten" Nullstellen (z.B. 2003) werden Nullstellen ausgelassen oder hinzugefügt. Patienten, die ausschließlich derartige Zahlen fehlerhaft schrieben, zeigten zusätzlich Störungen räumlich-konstruktiver Leistungen.

Störungen des Zahlenlesens nichtaphasischer Patienten äußern sich als Vernachlässigungsfehler am Ende einer mehrstelligen Zahl (12874→1287) oder (seltener) am Anfang einer solchen Zahl (12874→2874). Derartige Fehler gehen auf visuelle Wahrnehmungsstörungen (Hemianopsie) zurück oder sind Folge eines visuellen Neglects (Peritz 1918; Kleist 1934; Hécaen et al. 1961). Dabei sind diese Lesestörungen manchmal nur bei Zahlenmaterial zu finden. Semantisch gehaltvolleres Sprachmaterial wird fehlerfrei oder mit Selbstkorrekturen gelesen (Claros Salinas u. von Cramon 1987). Zahlen mit eingebetteten Nullstellen werden von nichtaphasischen Patienten mit visuellen Wahrnehmungsstörungen oder visuellem Neglect fehlerhaft gelesen. Es kommt zu Auslassungen oder (seltener) zu Hinzufügungen von Nullstellen.

18.2.2 Störungen der Verarbeitung von Rechenzeichen

Störungen der Verarbeitung von Rechenzeichen können bei Aphasikern auftreten: auditiv vorgegebene Rechenzeichen werden nicht verstanden oder mit anderen Rechenzeichen verwechselt. Bei visueller Vorgabe wurden, wiederum bei Aphasikern, Vertauschungen der Rechenzeichen „+" und „×" beobachtet (Ehrenwald 1931).

Während derartige Störungen als aphasiebedingt interpretiert wurden, sind ebenso selektive Störungen der Verarbeitung von Rechenzeichen belegt (Ferro u. Botelho 1980). Visuell vorgegebene Rechenoperatoren konnten weder identifiziert noch benannt werden. Andere visuelle Symbole jedoch wurden richtig erkannt.

Für Wernicke-Aphasiker wurde in einer experimentellen Untersuchung (Dahmen et al. 1982) festgestellt, daß sie Aufgaben, in die Rechenzeichen einzusetzen waren (3 ... 3 = 9), schlechter lösten als Broca-Aphasiker. Derartige Aufgaben waren zuvor mit verschiedenen statistischen Verfahren als diejenigen ermittelt worden, die mehr als andere arithmetische Aufgaben eine Vorstellungsfähigkeit für räumliche Beziehungen voraussetzten. Das Untersuchungsergebnis bestätigte die Hypothese, daß die Rechenstörungen der Wernicke-Aphasiker auf Störungen der räumlichen Vorstellung zurückgehen.

18.2.3 Störungen der Rechenfähigkeit

Als „anarithmétie" bezeichneten Hécaen et al. (1961) alle Störungen, die während der Lösung einer Rechenaufgabe zu beobachten waren und nicht auf Ziffernagraphie und -alexie oder spatiale Störungen reduziert werden konnten (s. 18.3.2). Zur weiteren Differenzierung der Rechenstörungen kann man eine Störung der automatisierten Rechenfähigkeit von einer Störung der Fähigkeit, mehrschrittige Rechenoperationen durchzuführen, unterscheiden (vgl. erste Ansätze bei Poppelreuter 1915; Peritz 1918; Henschen 1920; vgl. auch das „calculation system" bei McCloskey et al. 1985).

Störungen der automatisierten Rechenfähigkeit

Störungen des Zählens, des einfachen Addierens und Subtrahierens (Zahlenraum < 20), des einfachen Multiplizierens und Dividierens (kleines Einmaleins) können als Störungen der automatisierten Rechenfähigkeit bezeichnet werden. Bei derartigen Aufgaben wird im allgemeinen das Ergebnis nicht schrittweise er-

rechnet, sondern aus einer Art Ergebnisspeicher abgerufen (Miller et al. 1984).

Diese Fähigkeit, auf Rechenergebnisse zuzugreifen wie auf hoch überlernte Fakten, kann selektiv gestört sein: die Fähigkeit, komplexere Rechenoperationen durchzuführen, ist dabei meist nicht betroffen (McCloskey et al. 1985; Claros Salinas u. von Cramon 1987).

Zählstörungen können als deutlichster Hinweis auf eine Störung automatisierter Rechenfähigkeiten gelten. Derartige Störungen sind vielfach bei aphasischen Patienten beobachtet worden (Peritz 1918; Henschen 1920; Head 1926). Während die Fähigkeit, von 1-10 zu zählen, auch bei schweren Aphasien oft erhalten ist, wird bei höherstelligen Zahlen neologistisch, paraphasisch oder unter Auslassung einzelner oder mehrerer Zahlen gezählt.

Nichtaphasischen Patienten gelingt das Vorwärtszählen in der Regel fehlerfrei, jedoch werden bei der Anforderung, rückwärts zu zählen, teilweise spezifische Fehler gemacht: bei den Übergängen von einem Zehner zum nächsten wird eine falsche Zehnerzahl, nämlich die der folgenden Zehnergrenze, genannt (z. B. 73 72 71 60). Darauf wird korrekt weiter gezählt oder eine Zehnerreihe ausgelassen.

Zählstörungen können als Störungen einfacher Reihenbildung verstanden werden, Störungen des (kleinen) Einmaleins entsprechend als Störungen komplexerer Reihenbildung. Bei derartigen Störungen des einfachen Multiplizierens (und in der Folge des einfachen Dividierens) fiel auf, daß fehlerhafte Ergebnisse entsprechender Aufgaben teilweise nicht völlig beliebig waren, sondern aus anderen Einmaleinsreihen entnommen wurden (McCloskey et al. 1985). Störungen des einfachen Addierens sind weniger durch fehlerhafte Ergebnisse gekennzeichnet als vor allem durch erhöhte Lösungsdauer (Warrington 1982).

Störungen der Durchführung mehrschrittiger Rechenoperationen

Bei Rechenoperationen, die sich aus mehreren Teiloperationen zusammensetzen, wie dies beim Grundrechnen mit zwei- und mehrstelligen Zahlen der Fall ist, wird über folgende Fehlertypen berichtet:

- Bei schriftlichen Additionsvorgängen werden die Zehnerüberträge nicht berücksichtigt (McCloskey et al. 1985). Entsprechend wird bei schriftlicher Subtraktion der Vorgang des Zehnerborgens ausgelassen oder fehlerhaft durchgeführt.
- Bei schriftlicher Addition und Multiplikation werden die Zwischenergebnisse fehlerhaft berechnet, indem z. B. die Regel nicht beachtet wird, nur die Einerziffern eines Zwischenergebnisses zu notieren, die Zehnerziffer dagegen zu merken und erst im folgenden Schritt zu verrechnen. Stattdessen wird das gesamte Zwischenergebnis notiert (Head 1926; McCloskey 1985).
- Ähnlich werden bei der schriftlichen Division einzelne Zwischenschritte fehlerhaft durchgeführt, z. B. indem der Divisionsvorgang am Ende, also bei den Einer- oder Zehnerziffern des Dividenden begonnen wird. Oder es werden einzelne Zwischenschritte völlig ausgelassen, z. B. der Subtraktionsvorgang als Einleitung eines neuen Divisionszwischenschritts.

Störungen des operationalen Vorgehens können unabhängig von Störungen der automatisierten Rechenfähigkeit auftreten (Poppelreuter 1915; McCloskey et al. 1985).

Störungen der stellenwertbezogenen Anordnung

Bei einigen schriftlichen Rechnungsarten ist es u. a. erforderlich, Zahlen regelhaft anzuordnen. Dies setzt konstruktive Fähigkeiten voraus, die folgendermaßen beeinträchtigt sein können: Beim Untereinanderschreiben mehrerer Zahlen, die anschließend addiert werden sollen, gelingt es nicht, die Zahlen stellenwertbezogen anzuordnen, also Einer unter Einer, Zehner unter Zehner etc. Vielmehr werden die Ziffern derart uneindeutig untereinandergeschrieben, daß der Patient beim Zusammenzählen in den einzelnen Spalten „verrutscht" und z. B. Zehner mit Einern verrechnet (Cohn 1961). Während dies für Patienten mit visuellen Wahrnehmungsstörungen (Hemianopsie)

charakteristisch ist, sind bei Patienten mit (zusätzlichen) räumlich-konstruktiven Störungen folgende Fehler zu beobachten: Einer werden unter Zehnern oder Hunderter unter Einern angeordnet, so daß die nachfolgende Addition notwendig falsch wird, obgleich die einzelnen Additionsschritte in sich korrekt durchgeführt wurden. Bei schriftlicher Multiplikation kann die Anordnung der Zwischenergebnisse fehlerhaft sein, indem das zweite Multiplikationszwischenergebnis nicht (nach rechts oder - meistens - nach links) eingerückt wurde (Ehrenwald 1931).

Selektive Ausfälle von Grundrechenarten

Während bislang unterschiedliche Fehlertypen bei arithmetischen Aufgaben beschrieben wurden, soll im folgenden dargestellt werden, daß Rechenfähigkeiten völlig ausfallen können. Für Globalaphasiker ist bekannt, daß sie selbst einfache Grundrechenaufgaben nicht mehr zu lösen vermochten (Barbizet et al. 1967) oder ausschließlich bestimmte Grundrechenarten unter erleichterten Bedingungen durchführen konnten (z. B. einfache Additionsaufgaben, die visuell vorgegeben waren). Bei weniger schweren Aphasien ist davon auszugehen, daß die Fähigkeit zu addieren und zu subtrahieren weitgehend erhalten ist. Selektiv ausfallen kann jedoch die Fähigkeit zu multiplizieren (McCloskey et al. 1985) oder zu dividieren (Lewandovsky u. Stadelmann 1908; Berger 1926; Poppelreuter 1915). Berichtet ist auch der kombinierte Ausfall von Subtraktions- und Divisionsvermögen (Berger 1926) und von Multiplikations- und Divisionsvermögen (Sittig 1920; Berger 1926; Krapf 1937).

Von diesen selektiven Ausfällen der Grundrechenarten zu trennen sind Nullreaktionen, die bei bestimmten Vorgabemodalitäten und Schwierigkeitsgraden, z. B. bei schriftlicher Division und Multiplikation auftreten. Derartige Nullreaktionen finden sich bei Patienten, deren operationales Vorgehen gestört ist oder die Schwierigkeiten mit der Anordnung der Zahlen haben. Ändert sich die Vorgabemodalität oder nimmt der Schwierigkeitsgrad ab, sind diese Patienten in der Lage, die betreffenden Aufgaben zu lösen. Ein grundsätzliches Verständnis dafür, was die Operation „Multiplikation" oder „Division" bedeutet, ist also vorhanden.

18.3 Diagnostik

18.3.1 Akalkulie und prämorbides Leistungsniveau

Übereinstimmend wird in der Literatur davon ausgegangen, daß die oben beschriebenen Störungen im Umgang mit Zahlen als Folge der Hirnschädigung zu verstehen sind. Dies ist insofern nicht selbstverständlich, als es sich bei der Fähigkeit, mit Zahlen umzugehen, um eine kognitive Fähigkeit handelt, die entwicklungspsychologisch relativ spät und meist in (schulisch) gesteuerten Lernprozessen erworben wird. Der Grad der Fertigkeit im Umgang mit Zahlen hängt von Faktoren wie vielfachem Gebrauch im Alltag, gezielter Übung oder spezifischer Begabung ab. Demnach ist z. B. für die individuelle Rechenfähigkeit eine beträchtliche Variationsbreite zu erwarten, die bei der diagnostischen Beurteilung und der therapeutischen Zielsetzung zu berücksichtigen ist. Für die Akalkuliediagnose muß daher das prämorbide Leistungsniveau zumindest so weit erhoben werden, daß der Einfluß einer prämorbiden Minderleistung auszuschließen ist.

18.3.2 Bestehende Verfahren

Während die meisten Studien zur Akalkulie auf eine nur geringe Datenbasis zurückgingen oder eher Einzelaspekte hervorhoben, leisteten Hécaen et al. (1961) eine umfassende neuropsychologische Untersuchung von 183 Patienten mit retrorolandischen Läsionen. Aufgrund der Ergebnisse dieser Untersuchung wurde eine Syndromklassifizierung der Akalkulie möglich, die bei nachfolgenden Arbeiten oft zugrundegelegt wurde. Folgende 3 Syndrome wurden unterschieden:

a) Ziffernalexie und -agraphie, die mit und ohne Alexie und Agraphie für Buchstaben und Wörter auftreten und in Rechenprozessen zu Fehlern führen können.
b) Räumliche Akalkulie („acalculie de type spatiale"), die als Störung der räumlichen Organisation von Zahlen beschrieben ist. Zusätzlich werden unter räumlicher Akalkulie auch Vernachlässigungsphänomene („négligences spatiales") verstanden.
c) Anarithmetie, die durch solche Störungen bei der Durchführung arithmetischer Operationen gekennzeichnet ist, die nicht durch die erstgenannten Syndrome zu erklären sind.

Diese Syndromklassifizierung eignet sich für eine erste diagnostische Einteilung beobachtbarer Fehlsymptome. Sie ist jedoch, wie schon am Beispiel der Anarithmetie (s. 18.2.3) gezeigt, nicht ausreichend.
Einen Akalkulietest, der als „bedside calculation test" eingeführt ist, entwickelten Boller u. Mitarb. (s. Boller u. Grafman 1985).

Der Test umfaßt zwei Vortests und einen arithmetischen Test. In einem Vortest geht es um das Zuordnen von Zahlen zu Mengen und das Schreiben von Ziffern: dem Patienten werden zwischen 1 und 9 Plättchen („tokens") dargeboten, deren Anzahl er als Ziffer aufschreiben soll. Im zweiten Vortest soll das Verstehen und Lesen von Zahlen überprüft werden. Dem Patienten werden dazu 10 verschiedene Zahlenpaare vorgelegt, für die er jeweils die größere der beiden Zahlen bestimmen soll. Im arithmetischen Test sind insgesamt 27 schriftliche Aufgaben zu den 4 Grundrechnungsarten zu lösen.
Die Lösungsdauer wird getrennt für die Vortests und die Aufgabengruppen des arithmetischen Tests gemessen. Die Ergebnisse werden quantitativ und qualitativ ausgewertet. In der quantitativen Auswertung wird gezählt, wieviele Ziffern numerisch und stellenwertmäßig richtig waren. Bei der qualitativen Auswertung werden die Ergebnisse daraufhin untersucht, ob einzelne Ziffern ersetzt, ausgelassen oder perseveratorisch wiederholt wurden oder ob es zu Ziffernverdrehung bzw. -rotation kam.
Durchgeführt wurde dieser Test an 76 Patienten mit umschriebenen Hirnläsionen (Grafman et al. 1982). Dabei wurden nur solche Patienten in die Stichprobe aufgenommen, die bei den Vortests keine Auffälligkeiten gezeigt hatten. Die Autoren nahmen daher an, daß die Zahlenlese- und schreibleistungen aller 76 Patienten intakt seien.
Basso und Capitani (1979) standardisierten den

„bedside calculation test" an 303 Hirngesunden. Bei einem maximal erreichbaren Punktwert von 101 und einem durchschnittlichen Punktwert von 93,44 (Standardabweichung: $+/-$ 10,19) wurde Punktwert 74 (gleich Prozentrang 5) als kritischer Wert festgelegt. Für alle diejenigen Patienten, die einen Punktwert unter 74 erreichen, kann mit einer Irrtumswahrscheinlichkeit von 5% eine Akalkulie diagnostiziert werden.

Der „bedside calculation test" ist ein Auslesetest, der Patienten mit Akalkulie von solchen ohne Akalkulie unterscheidet. Die Art und die Ausprägung der Akalkulie können damit jedoch nicht angegeben werden.

Fraglich scheint, ob die Aufgaben der Vortests geeignet sind, Lese- und Schreibstörungen für Zahlen umfassend festzustellen. Bei der Aufgabe, die Anzahl von höchstens 9 Gegenständen als Ziffer wiederzugeben, kann zwar die Fähigkeit, Ziffern zu schreiben, überprüft werden, nicht aber die viel häufiger gestörte Fähigkeit, mehrziffrige Zahlen zu schreiben. Nach unseren Erfahrungen ist auch die Aufgabe, bei Zahlenpaaren die größere Zahl anzugeben, sehr einfach. Sie wird z.B. von fast allen Globalaphasikern gelöst, wenn die Vorgabe visuell ist und das Instruktionsverständnis ausreicht.

Die Vorgabemodalität des „bedside calculation test" ist nicht nur bei den Vortests sondern auch im Arithmetiktest auf die visuelle Darbietung beschränkt. Wie eine Untersuchung an 52 Patienten (Claros Salinas u. von Cramon 1987) zeigt, ist es aber notwendig, Aufgaben visuell und auditiv darzubieten. So ergab sich z.B., daß schriftliche Additionsaufgaben insgesamt leichter zu lösen waren als auditiv vorgegebene Aufgaben des gleichen Schwierigkeitsgrades. Bei Multiplikation und Division hingegen war die Anzahl fehlerhafter Lösungen (bei vergleichbaren Aufgaben) in beiden Vorgabemodalitäten etwa gleich hoch. Auszunehmen von diesem Gesamtergebnis waren Patienten mit visuellen Wahrnehmungsstörungen oder visuellem Neglect, die bei visueller Vorgabe Aufgaben fehlerhaft lösten, welche sie auditiv vorgegeben ohne Schwierigkeiten bearbeiteten. Auch diese modalitätsspezifischen Störungen im Umgang mit Zahlen kann ein Diagnostikverfahren, das sich auf eine Vorgabemodalität beschränkt, nicht erfassen.

18.3.3 Eigene Verfahren

Das von uns entwickelte Akalkulie-Untersuchungsverfahren (Claros Salinas u. von Cramon 1987) enthält zahlengebundene Aufgaben, die der Patient selbständig und ohne zeitliche Begrenzung lösen soll.

Für die Festlegung der Aufgabenbereiche des Akalkulie-Untersuchungsverfahrens war einmal die Überlegung entscheidend, daß die jeweiligen Aufgabenstellungen so wenig wie möglich bildungsabhängig sein sollten, um eine breite Anwendbarkeit des Verfahrens zu gewährleisten. Zum anderen sollte der Fähigkeit, die Aufgaben lösen zu können, eine möglichst hohe Alltagsrelevanz zukommen. Die Aufgabenbereiche sollten weiterhin so ausgewählt werden, daß möglichst viele der in der Literatur beschriebenen Akalkuliesymptome erfaßbar und überprüfbar würden.

Aufgabenbereiche, die die Forderungen „weitgehend bildungsunabhängig, alltagsrelevant und akalkuliediagnostisch relevant" erfüllen, sind Zahlenverarbeitung und Arithmetik.

Bei der Überprüfung der *Zahlenverarbeitung* soll die Fähigkeit des Patienten festgestellt werden, Zahlen noch unabhängig von rechnerischen Prozessen zu erfassen. Anforderungen sind dabei, „Zahlenschreiben nach Diktat", „lautes Lesen von Zahlen". Hinzu kommt die Aufgabe „Anordnen von Zahlen zu stellenwertbezogenen Spalten", um mögliche Störungen bei der Anordnung (s. 18.2.3) von eigentlichen Rechenstörungen zu trennen. Zusätzlich wird die Fähigkeit, Rechenzeichen nach Diktat schreiben bzw. benennen zu können, überprüft.

Der Aufgabenbereich *Arithmetik* enthält Aufgaben wie Vor- und Rückwärtszählen und Aufgaben zu Addition, Subtraktion, Multiplikation und Division. Die Grundrechnungsaufgaben werden dabei in 3 verschiedenen Modalitäten gestellt.

a) Auditive Aufgabenstellung: Die Aufgabe wird vorgesprochen - die Lösung des Patienten erfolgt lautsprachlich bzw. schriftsprachlich, wenn der Patient z. B. aufgrund einer Sprechstörung dazu besser in der Lage ist.

b) Schriftlich-horizontale Aufgabenstellung: Die Aufgabe wird schriftlich vorgelegt, die jeweiligen Zahlen sind nebeneinander angeordnet, der Patient soll die Lösung „im Kopf", d. h. ohne schriftliche Zwischenrechnung berechnen und aufschreiben (z. B. 42 + 17).

c) Schriftlich-vertikale Aufgabenstellung: Die Aufgabe wird schriftlich vorgelegt, die jeweiligen Zahlen sind vertikal (vgl. Addition und Subtraktion) bzw. so angeordnet, daß ersichtlich wird, daß die Lösung „schriftlich", d. h. unter Zuhilfenahme von Neben- oder Zwischenrechnungen erfolgen kann (z. B.   42
 + 17).

Um herauszufinden, inwieweit die Vorgabemodalität die Lösungssicherheit des Patienten beeinflußt, werden parallel konstruierte Aufgaben in allen 3 Modalitäten angeboten, soweit dies möglich oder sinnvoll ist.

Die Möglichkeit, die Diagnose „Akalkulie" differenziert – z. B. nach Art und Schweregrad – zu stellen, hängt davon ab, wie systematisch und objektiv kontrollierbar die Aufgaben konstruiert sind, an denen eine Störung im Umgang mit Zahlen zu beobachten ist. Um eine derartige Systematik und Objektivität der Aufgabenkonstruktion zu erreichen, wurde an ein Meßverfahren der pädagogischen Psychologie angeknüpft, die sog. *kriteriumsorientierte Leistungsmessung.* Eine Leistung „kriteriumsorientiert" zu messen, heißt, angeben zu können, ob und eventuell wie gut ein Individuum ein zuvor festgelegtes Ziel oder Kriterium erreicht hat (vgl. Klauer et al. 1977). Hierzu ist es notwendig, das Kriterium möglichst vollständig zu beschreiben. Für die Akalkuliediagnostik heißt dies, daß man z. B. angeben möchte, ob und inwieweit ein Patient das Kriterium „Addieren" erreicht, wie hoch sein individueller Fähigkeitsgrad ist. Erforderlich ist dazu eine genaue Beschreibung des Kriteriums „Addieren" – z. B. in Form von Aufgabenmengen, die alle Varianten und Schwierigkeitsgrade der

Fähigkeit „Addieren" beinhalten. Da es nicht möglich ist, alle nur denkbaren Additionsaufgaben aufzuzählen, wurde stattdessen, nach zuvor definierten Vorschriften und Regeln eine abstrakte Grundmenge von Aufgaben erzeugt, aus der durch Einsetzen von Zahlen die konkreten Aufgaben zufallskritisch gezogen wurden. Vorschriften und Regeln bestimmten dabei Größe, Form und Anzahl der zu berechnenden Zahlen und formulierten Schwierigkeitsgrade, wie sie nach Ergebnissen der Akalkulieforschung und auch klinischen Erfahrungsdaten unterscheidbar sind. Die gemäß den Vorschriften und Regeln generierte Grundmenge von Aufgaben wird aufgrund ihrer Abgeschlossenheit auch als Universum bezeichnet.

Aus den Festlegungen von Aufgabenuniversen für Zahlenverarbeitung, Zählen, Addition, Subtraktion, Multiplikation und Division folgen die Einzelaufgaben des Akalkulie-Untersuchungsverfahrens. Diese Aufgaben bilden ein Aufgabenkorpus, beliebig viele Parallelformen des Verfahrens sind durch Einsetzen unterschiedlichen Zahlenmaterials in die jeweiligen Aufgabenuniversen erzeugbar.

Das *Zahlenverarbeitungsuniversum* legt Aufgaben fest wie „Schreiben nach Diktat" und „Lesen von Zahlen", die ein- bis siebenstellig sind. Dabei variieren die Ziffern der zwei- bis siebenstelligen Zahlen folgendermaßen:

- zweistellige Zahlen, deren Ziffern ungleich Null sind und voneinander verschieden: 53, 89, 24 etc.,
- drei- bis siebenstellige Zahlen, deren Endziffern Null sind: 300, 500000, 180000 etc.,
- drei- bis siebenstellige Zahlen, deren Ziffern ungleich Null sind: 315, 571782, 184692 etc.,
- drei- bis siebenstellige Zahlen, bei denen sich einzelne Ziffern (ungleich Null) wiederholen: 335, 575572, 182845 etc.,
- drei- bis siebenstellige Zahlen, die „eingebettete" Nullstellen enthalten: 305, 500018, 180002 etc.

Zusätzlich zu den beschriebenen natürlichen Zahlen werden Dezimalbrüche festgelegt, deren ganzer Anteil einstellig und deren Bruchteile ein- oder zweistellig sind: 5,2, 6,89 etc.

Weiterhin definiert das Zahlenverarbeitungsuniversum Aufgaben zur spaltenweisen, stellenwertbezogenen Anordnung von Zahlen und legt dabei die Form, Stelligkeit und Reihenfolge der – diktierten bzw. schriftlich vorgegebenen – Zahlen fest:

- Die einzelnen Ziffern mehrstelliger Zahlen sind ungleich Null und wiederholen sich nicht.
- Reihenfolge: zweistellige Zahl – einstellige Zahl – dreistellige Zahl – Dezimalbruch – fünfstellige Zahl (53 9 486 2,7 35841).

Das Aufgabenuniversum für die *Verarbeitung von Rechenzeichen* legt fest, daß die gängigen Rechenzeichen ($+$, $-$, $=$, $:$, $\times$) benannt bzw. nach Diktat geschrieben werden, wobei deren Reihenfolge je nach der Vorgabemodalität – visuell oder auditiv – variiert.

Das *Zähluniversum* unterscheidet folgende Aufgaben:

- Vorwärtszählen (Ziffernfolge 1–10, Zählintervall $>20<100$ mit der Länge 20, z.B. 52–72),
- Rückwärtszählen (Zählintervall $>20<100$ mit der Länge 20, z.B. 48–28),
- Vor- und Rückwärtszählen in Zweierschritten (Zählintervall $>20<100$ mit der Länge 20, z.B. 62–82 oder 46–26).

Das *Additionsuniversum* formuliert verschiedene Aufgabentypen abhängig von der Summandengröße (ein-, zwei-, dreistellige Summanden), von der Reihenfolge der Summanden (1. Summand $>$ 2. Summand vs. 1. Summand $<$ 2. Summand), von bestimmten Eigenschaften der Summanden (bei Addition der Einer- oder Zehnerstellen Überschreiten der Zehnergrenze erforderlich/nicht erforderlich).

Das *Subtraktionsuniversum* legt vergleichbare Aufgabentypen fest, wobei infolge der Nichtanwendbarkeit des Kommutativgesetzes auf die Subtraktion der Aufgabentyp, der die Reihenfolge der zu verrechnenden Zahlen variiert, nicht zulässig ist.

Das Aufgabenuniversum für *Multiplikation* legt Aufgaben aus dem Bereich „kleines und großes Einmaleins" fest, die sich nach der Größe (<5 vs. >5 bzw. <15 vs. >15) der Multiplikanden bzw. Multiplikatoren unterscheiden. Weiterhin definiert das Multiplikationsuniversum Aufgaben, die über diejenigen des kleinen und großen Einmaleins hinausgehen und deren Berechnung mündliche oder schriftliche Zwischenschritte bzw. Zerlegungsprozesse erforderlich macht wie z.B. bei den Aufgaben „35×7" oder „346×67". Diese Aufgaben werden weiter differenziert nach Größe (bis zu dreistelligen Zahlen) und Reihenfolge der Multiplikanden bzw. Multiplikatoren.

Sonderfälle, wie sie durch das Vorkommen der Ziffer „Null" entstehen, werden folgendermaßen aufgenommen:

- Die Einerstelle des zweistelligen Multiplikanden ist gleich Null, vgl. Aufgaben wie „30×9".
- Die Zehnerstelle des dreistelligen Multiplikanden oder dreistelligen Multiplikators ist gleich Null, vgl. Aufgaben wie „403×58" und „473×708".

Das Aufgabenuniversum für die *Division* definiert Aufgaben, die analog zu den Multiplikationsaufgaben „kleines und großes Einmaleins" konstruiert sind, vgl. Aufgaben wie „$36:9$" oder „$84:12$".

Weiterhin werden im Divisionsuniversum Aufgaben festgelegt, deren Dividend mehr als zweistellig (drei- bis vierstellig) und deren Divisor zweistellig und >20 sind. Dabei wird weiter unterschieden nach Aufgaben, deren Ergebnis eine natürliche Zahl darstellt und nach Aufgaben, deren Lösung einen Dezimalbruch ergibt. Darüber hinaus sind auch Sonderfälle vorgesehen, die durch das Vorkommen der Ziffer „Null" entstehen:

- Die Einerstelle des dreistelligen Dividenden und die Einerstelle des zweistelligen Divisors sind gleich Null, vgl. Aufgaben wie „$780:30$".
- Die Zehnerstelle des vierstelligen Dividenden ist gleich Null und die Ziffern der Hunderter- und Tausenderstellen desselben sind so gewählt, daß sich für zwei Zwischener-

gebnisse die Lösung „Null" ergibt, vgl. Aufgaben wie „4602:23 = 200,13".

Nach den Festlegungen der Aufgabenuniversen wurde ein ausführliches Untersuchungsverfahren sowie eine Kurzform davon generiert. Diese Kurzform (14 Aufgaben zur Zahlenverarbeitung, 14 Arithmetikaufgaben; Durchführungsdauer: 10-15 min) wird als Screeningverfahren eingesetzt.

Das ausführliche Akalkulie-Untersuchungsverfahren enthält 114 Aufgaben zur Zahlenverarbeitung und 116 Aufgaben zur Arithmetik. Die Durchführungsdauer beträgt ca. 60-90 min.

18.3.4 Fehlerkonfigurationen

Das unter 18.3.3 beschriebene Akalkulie-Untersuchungsverfahren wurde an 57 Patienten durchgeführt (Claros Salinas u. von Cramon 1987). Die detaillierte Auswertung (n = 52) zeigte, daß Fehler in den Aufgabenbereichen Zahlenverarbeitung und Arithmetik nicht unabhängig voneinander auftraten, sondern in bestimmter Verteilung. Es ergaben sich folgende Fehlerkonfigurationen:

- Störungen des Schreibens nach Diktat von mehrstelligen Zahlen traten gemeinsam mit Störungen des Rückwärtszählens, des Addierens und Subtrahierens schon im Zahlenraum < 20 und des einfachen Multiplizierens wie Dividierens (kleines Einmaleins) auf (n = 9). Die beschriebenen Rechenstörungen fanden sich weiterhin auch im Zusammenhang mit deutlichen Störungen des Schreibens und Lesens von Zahlen (n = 7).
- Störungen des Schreibens mehrstelliger Zahlen (Abbruchphänomene) traten auch ohne deutlichen Zusammenhang mit arithmetischen Störungen auf (n = 5).
- Störungen bei der Durchführung mehrschrittiger Rechenoperationen, besonders bei schriftlicher Multiplikation und Division traten ohne wesentliche Beeinträchtigungen der Zahlenverarbeitungsleistungen auf (n = 8).

- Arithmetische Störungen sowohl des Rückwärtszählens und einfachen Grundrechnens als auch bei der Durchführung mehrschrittiger Rechenoperationen fanden sich in Kombination mit schweren Störungen der Zahlenverarbeitung, vor allem des Lesens und Schreibens (n = 12).
- Störungen des Schreibens von Zahlen mit eingebetteten Nullstellen und der stellenwertbezogenen Anordnung von Zahlen fanden sich zusammen mit Lösungsschwierigkeiten bei Aufgaben zur schriftlichen Multiplikation und Division (n = 6).
- Störungen des Lesens von Zahlen (Vernachlässigungs-, Auslassungs- und Hinzufügungsfehler) traten zusammen mit einer Fehlerhäufung bei schriftlichen arithmetischen Aufgaben auf (n = 5).

18.4 Therapie

18.4.1 Indikation

Die Therapiebedürftigkeit geht aus den Ergebnissen der Akalkuliediagnostik hervor. Wie notwendig eine Therapie der Akalkulie ist, hängt aber zusätzlich davon ab, welches Rehabilitationsziel für den einzelnen Patienten in Abstimmung mit allen anderen neuropsychologischen Diagnostikergebnissen angestrebt wird. Demnach ist Akalkulietherapie dann indiziert,

- wenn anzunehmen ist, daß der Patient (zumindest versuchsweise) wieder in sein bisheriges Arbeitsfeld zurückkehrt und in diesem ein zuverlässiger Umgang mit Zahlen entscheidend ist (vgl. etwa kaufmännische und handwerklich-technische Berufe),
- wenn der Patient für eine neue berufliche Tätigkeit bzw. Ausbildung (Umschulung) vorbereitet werden soll, in der z. B. Rechnen erforderlich ist,
- wenn die Störungen im Umgang mit Zahlen grundlegende Fähigkeiten betreffen, ohne die ein selbständiges Alltagsleben kaum möglich ist (vgl. Umgang mit Geld, Uhrablesen).

18.4.2 Therapieinhalte

Im folgenden wird die Behandlung von Zahlenverarbeitungs- und arithmetischen Störungen beschrieben. Allgemein gilt: Der Therapieschwerpunkt und der anfängliche Schwierigkeitsgrad wird abgeleitet von den Ergebnissen des unter 18.3.3 vorgestellten Diagnostikverfahrens. Da es nicht sinnvoll ist, Akalkulietherapie als gemischtes Rechenprogramm zu gestalten, werden gezielt diejenigen Aufgabengruppen (z.B. Subtraktion) herausgenommen, bei denen der Patient viele fehlerhafte Ergebnisse zeigt. Anhand der Festlegungen des abstrakten Aufgabenuniversums ist herauszufinden, ab welcher Schwierigkeitsstufe es zu Fehlerhäufungen kommt. Ist z.B. festzustellen, daß der Patient gehäuft Fehler bei einfachen Additionsaufgaben mit Zehnerüberstieg macht, wird auf diesem Schwierigkeitsniveau begonnen. Zeichnen sich durch ausreichende Übung Leistungsverbesserungen ab, kann zur nächsthöheren Schwierigkeitsstufe weitergegangen werden. Äußert sich die Störung im Umgang mit Zahlen nicht nur in fehlerhaften Ergebnissen, sondern sind zugleich erhöhte Lösungszeiten zu beobachten, sollte zunächst an der Verringerung der Fehler gearbeitet werden und bei entsprechenden Verbesserungen auch an der Steigerung des Lösungstempos (Fortschreiten von qualitativen zu quantitativen Verbesserungen).

Therapie von Störungen der Zahlenverarbeitung

Bei Störungen des Zahlenschreibens nach Diktat, die als Störungen des automatisierten Umgangs mit Zahlen erscheinen, ist es sinnvoll, zunächst das Erfassen von Zahlen bei visueller Darbietung zu festigen. Dazu sind verschiedene Übungsformen geeignet: vorgegeben werden z.B. Zahlenpaare, bei denen zu entscheiden ist, welches die größere bzw. die kleinere Zahl ist. Oder es werden mehrere Zahlen dargeboten, die auf eine Linie (Zahlenstrahl) eingetragen werden sollen, auf der in unregelmäßigen Abständen einzelne Zahlen der Größe nach geordnet vorgegeben sind. Entscheidend bei derartigen Aufgaben ist es,

das Zahlenmaterial hinreichend schwierig zu gestalten, z.B. Zahlenpaare zu konstruieren, die aus mehrstelligen Zahlen bestehen und deren einzelne Ziffern sich wiederholen (8969 vs. 8989) etc. Darüber hinaus kann die Darbietungsdauer (z.B. anfangs reaktionsgesteuert, später reizgesteuert) die Anforderung derartiger Aufgaben variieren.

Wenn das Erfassen visuell vorgegebener Zahlen ausreichend sicher ist (Fehlerquote < 5%), wird zur Aufgabenstellung „Schreiben nach Diktat" übergegangen. Die Schwierigkeitshierarchie der Aufgaben ist dabei durch das entsprechende Zahlenverarbeitungsuniversum (s. 18.3.3) vorgegeben. Das Kriterium für den Fortschritt von einem Schwierigkeitsgrad zum nächsten kann in einer zulässigen Fehlerquote < 10% angegeben werden.

Einen Sonderfall bei der Therapie von Zahlenschreibstörungen stellen Zahlen mit „eingebetteten" Nullstellen dar, bei denen Nullstellen hinzugefügt oder ausgelassen werden (s. 18.2.1). Hier gilt es, den Zusammenhang der Zahlenstelligkeit (ein-, zweistellig etc.) mit der Anzahl einzelner Ziffern einer mehrstelligen Zahl zu erarbeiten. Geübt wird zunächst, die Stelligkeit von Hunderter-, Tausenderzahlen etc. zu bestimmen. Im nächsten Schritt wird dies an den kritischen Zahlen mit eingebetteten Nullstellen geübt. Bei der nachfolgenden Übung „Schreiben nach Diktat" wird der Patient aufgefordert, beim Hören der diktierten Zahl für sich die Stelligkeit zu bestimmen und bei der niedergeschriebenen Zahl zu kontrollieren, ob die Ziffernanzahl mit der Stelligkeit der Zahl übereinstimmt.

Störungen des Lesens von Zahlen können, soweit sie alektisch bedingt sind, mit Therapiemethoden für die Alexie (vgl. Kap. 17) behandelt werden. Störungen des Lesens von Zahlen, die auf Hemianopsie oder visuellen Neglect zurückgehen, werden im Rahmen der Hemianopsie- bzw. Neglecttherapie behandelt (vgl. Kap. 7 und 11).

Störungen der Anordnung von Zahlen zu stellenwertbezogenen Spalten werden innerhalb der Akalkulietherapie behandelt, wenn gewährleistet ist, daß der Patient über eine ausreichende visuelle Kontrolle verfügt, also wahrnehmen kann, wie Zahlen zueinander angeordnet sind. Ist dies gegeben, kann die Therapie derartiger Störungen zweifach ansetzen. Zunächst werden dem Patienten „äußere" Hilfen gegeben, z. B. kariertes Papier, auf dem die Senkrechten nachgezogen sind, um die Spaltenabgrenzung deutlich zu markieren. Parallel wird überprüft, inwieweit dem Patienten das kognitive Konzept des stellenwertbezogenen Anordnens („Einer unter Einer, Zehner unter Zehner etc.") zur Verfügung steht. Ist dies nicht der Fall, kann es mit Aufgaben wie Angeben bzw. Anstreichen der einzelnen Stellenwerte vorgegebener Zahlen wiedererarbeitet werden. Unterstützend wirkt dabei eine farbliche Markierung der Stellenwerte (rote Einer, blaue Zehner etc.), die in der Übungsphase, wo Zahlen untereinander zu schreiben sind, anfänglich beibehalten wird. Erfahrungsgemäß ist in wenigen Therapiestunden (ca. 3-5 Therapiestunden) abzusehen, ob der Einsatz äußerer Hilfsmittel bzw. das Wiedererarbeiten des Stellenwertkonzepts zu einer Verbesserung führt.

Therapie arithmetischer Störungen

Bei der Behandlung von Rechenstörungen muß zunächst erfaßt sein, welche Komponente arithmetischer Fähigkeiten schwerpunktmäßig gestört ist: die automatisierte Rechenfähigkeit oder die Fähigkeit, mehrschrittige Rechenoperationen durchzuführen. Je nach Störungsschwerpunkt unterscheidet sich das therapeutische Vorgehen:

- Störungen der automatisierten Rechenfähigkeit werden extensiv behandelt. Die betreffenden Aufgaben (z. B. Einmaleinsaufgaben) werden (wiederum nach Schwierigkeitsgrad geordnet) dem Patienten in großer Anzahl und über einen längeren Zeitraum (ca. 5-10 Therapiestunden) vorgegeben. Die Erwartung ist, daß der Abrufvorgang für einfache Rechenergebnisse durch vielfache Wiederholung zunehmend erleichtert wird.
- Störungen des operationalen Vorgehens werden intensiv behandelt: Entsprechende

Aufgaben (z. B. mehrschrittige Multiplikation bzw. Division) werden zunächst in Teilschritte zerlegt. Mit dem Patienten wird erarbeitet, welche Rechenschritte er zu leisten hat und wie diese aufeinanderfolgen müssen. In manchen Fällen ist es günstig, zunächst ein Schema des Vorgehens zu erstellen, z. B. in einer Darstellung des schriftlichen Multiplikationsvorgangs, wo anstelle der Zahlen Kreise gesetzt sind und Regeln wie „Einrücken des zweiten Zwischenergebnisses" als „Stufe" gekennzeichnet sind. Im folgenden kann zu Aufgaben mit konkreten Zahlen weitergegangen werden, die einfach zu berechnen sind (Ziffern von Multiplikand/Multiplikator <5), abschließend werden die Regeln für Sonderfälle (Verrechnen von Null) wiedererarbeitet. Diese Therapie geht also davon aus, daß durch intensive Vermittlung der jeweiligen Regeln fehlendes bzw. mangelndes operationales Wissen wiedererworben werden kann. Ob dies gelingt, ist nach wenigen Therapiestunden (Abbruchkriterium: keine Verbesserung nach ca. 5 Therapiestunden) zu beurteilen.

Wie das Beispiel „schriftliche Multiplikation" zeigt, geht es bei der Therapie von Störungen des operationalen Vorgehens um Grundrechnungsarten, die viele hirngesunde Rechner vorzugsweise mit einem Taschenrechner lösen. Dies ist einem Patienten mit Störungen im Umgang mit Zahlen ebenso zuzugestehen. Ein Einsatz von Hilfsmitteln wie Taschenrechner ist in der Akalkulietherapie überaus sinnvoll. Um die Akzeptanz eines solchen Hilfsmittels zu erhöhen, sollte der Umgang mit dem Taschenrechner von Anfang an parallel zu oben beschriebenen Therapieverfahren eingeübt werden. In Verbindung mit dem selbständigen Üben und Wiedererarbeiten von Rechenvorgängen kann der Taschenrechner vor allem zur Überprüfung eingesetzt werden: der Patient kontrolliert die Ergebnisse seiner Rechnungen mit dem Taschenrechner. Erfahrungsgemäß ist der Umgang mit einem Taschenrechner für alle Patienten erlernbar. Wenn der Wiedererwerb selbständiger Rechenfähigkeiten nicht gelingt, steht mit dem

Taschenrechner immerhin ein praktikables Hilfsmittel zur Verfügung. Die parallele Therapie hat dabei gegenüber einer sequentiellen Therapie den Vorteil, daß der Einsatz dieses Hilfsmittels nicht als schlechte Notlösung erscheint.

18.4.3 Therapieformen

Gruppen- und Einzeltherapie

Akalkulietherapie eignet sich grundsätzlich für Gruppentherapie: gestellte Aufgaben werden von den einzelnen Teilnehmern bearbeitet, anschließend werden die Ergebnisse verglichen und, wenn nötig, korrigiert. Das gegenseitige Korrigieren der Ergebnisse wird von vielen Patienten als angenehmer empfunden als die Korrektur ausschließlich durch den Therapeuten, wie es in der Einzeltherapie der Fall ist. Einzeltherapie kann jedoch dann notwendig werden, wenn mit dem Patienten ausbildungs- und berufsspezifische Fähigkeiten erarbeitet werden.

Mikrocomputerunterstützte Selbsttherapie

Bei der intensiven Akalkulietherapie ist es notwendig, daß der Patient eine große Anzahl gleichartiger Aufgaben bearbeitet. Dies bedeutet sowohl für die Therapievorbereitung als auch für deren Durchführung einen hohen zeitlichen Aufwand. Wir entwickelten deshalb ein Programm für Mikrocomputer, das anhand der abstrakten Aufgabenuniversen (vgl. 18.3.3) beliebig viele Aufgaben nach Zufallsprinzip generiert und das aufgrund seiner einfachen Bedienung für die Selbsttherapie geeignet ist. Der Therapeut wählt eine Schwierigkeitsstufe innerhalb einer Grundrechenart aus. Entsprechende Aufgaben erscheinen auf dem Bildschirm. Der Patient gibt seine Lösung ein. Dieser Vorgang kann erleichtert werden durch ein zusätzliches Eingabegerät, das wie ein Taschenrechner aufgebaut ist. Der Patient erhält eine Rückmeldung darüber, ob seine Lösung richtig oder falsch war. Nach Beenden einer Übungseinheit wird ein detailliertes Protokoll

ausgedruckt, das die Aufgaben, die Lösungen und die Lösungsdauer pro Aufgabe auflistet und abschließend eine Gesamtbeurteilung der Leistung (Anzahl der richtigen vs. falschen Lösungen, Fehlerquote sowie durchschnittliche Lösungszeit pro Aufgabe) gibt.

Literatur

Barbizet J, Bindefeld N, Moaty F, Le Goff P (1967) Persistances de possibilites de calcul elementaire au cours des aphasies massives. Rev Neurol 116: 170-178

Basso A, Capitani E (1979) Un test standardizzato per la diagnosi di acalculia: descrizione e valori normativi. Riv Appl Psicol 1: 551-564

Benson FD, Denckla MB (1969) Verbal paraphasia as a source of calculation disturbance. Arch Neurol 21: 96-102

Berger H (1926) Über Rechenstörungen bei Herderkrankungen des Großhirns. Arch Psychiatrie Nervenkrankh 78: 238-263

Boller F, Grafman J (1983) Acalculia: Historical development and current significance. Brain Cognition 2: 205-223

Boller F, Grafman J (1985) Acalculia. In: Frederics JAM (ed) Clinical neuropsychology. Elsevier Science, B.V. (Handbook of clinical neurology, vol I (45))

Claros Salinas D, von Cramon D (1987) Diagnostik von Störungen im Umgang mit Zahlen (Akalkulie). Fortschr Neurol Psychiatr 8: 239-248

Cohn R (1961) Dyscalculia. Arch Neurol 4: 301-307

Dahmen W, Hartje W, Büssing A, Sturm W (1982) Disorders of calculation in aphasic patients - spatial and verbal components. Neuropsychologia 20: 145-153

Deloche G, Seron X (1982a) From one to 1: An analysis of a transcoding process by means of neuropsychological data. Cognition 12: 119-149

Deloche G, Seron X (1982b) From three to 3: A differential analysis of skills in transcoding quantities between patients with Broca's and Wernicke's aphasia. Brain 105: 719-733

Ehrenwald H (1931) Störung der Zeitauffassung, der räumlichen Orientierung, des Zeichnens und des Rechnens bei einem Hirnverletzten. Z Ges Neurol Psychiatr 132: 518-569

Ferro JM, Botelho MAS (1980) Alexia for arithmetical signs. A cause of disturbed calculation. Cortex 16: 175-180

Grafman J, Passafiume D, Faglioni P, Boller F (1982) Calculation disturbances in adults with focal hemisperic damage. Cortex 18: 37-50

Head H (1926) Aphasia and kindred disorders, vol I. Cambridge University Press, Cambridge

Hécaen H, Angelergues R, Houillier S (1961) Les varietes cliniques des acalculies au cours des lesions retrorolandiques: Approche statistique du probleme. Rev Neurol 105: 85-103

Henschen SE (1919) Über Sprache, Musik, und Rechenmechanismen und ihre Lokalisation im Großhirn. Z Ges Neurol Psychiatr 52: 273-298

Henschen SE (1920) Klinische und anatomische Beiträge zur Pathologie des Gehirns, 5. Teil: Über Aphasie, Amusie und Akalkulie. Nordiska Bokhandeln, Stockholm

Klauer KJ, Fricke R, Herbig M, Rupprecht H (1977) Lehrzielorientierte Leistungsmessung. Schwann, Düsseldorf

Kleist K (1934) Gehirnpathologie. Barth, Leipzig

Krapf W (1937) Über Akalkulie. Schweiz Arch Neurol Psychiatr 33: 330-334

Leischner A (1957) Die Störungen der Schriftsprache. Agraphie und Alexie. Thieme, Stuttgart

Levin HS, Spiers PA (1985) Acalculia. In: Heilman KM, Valenstein E (eds) Clinical neuropsychology, 2nd ed Oxford University Press, New York

Lewandowsky M, Stadelmann E (1908) Über einen bemerkenswerten Fall von Hirnblutung und über

Rechenstörungen bei Herderkrankung des Gehirns. J Psychol Neurol 11: 249-265

McCloskey M, Caramazza A, Basili A (1985) Cognitive mechanisms in number processing and calculation: evidence from dyscalculia. Brain Cognition 4: 171-196

Miller K, Perlmutter M, Keating D (1984) Cognitive arithmetic: comparison of operations. J Exp Psychol Learning, Memory, Cognition 10: 46-60

Peritz G (1918) Zur Pathopsychologie des Rechnens. Dtsch Z Nervenheilkd 61: 234-340

Poppelreuter W (1915) Über psychische Ausfallserscheinungen nach Hirnverletzungen. MMW Feldbeilage: 489

Seron X, Deloche G (1983) From 4 to four. Brain 106: 735-744

Seron X, Deloche G (1984) From 2 to two: an analysis of transcoding process by means of neuropsychological evidence. J Psychol Res 13: 215-236

Sittig O (1919) Über Störungen des Ziffernschreibens bei Aphasischen. Z Pathopsychol 3: 298-306

Sittig O (1920) Störung des Ziffernschreibens und Rechnens bei einem Hirnverletzten. Monatsschr Psychiatr Neurol 49/5: 299-306

Warrington EK (1982) The fractionation of arithmetical skills: A single case study. Q J Exp Psychol 34A: 31-51

19 Sprechen

M. VOGEL, W. ZIEGLER und H. MORASCH

19.1 Vorbemerkung

Das vorliegende Kapitel behandelt Ansätze der Diagnostik und Therapie sprechmotorischer Störungen nach Läsionen des zentralen Nervensystems. Den beiden großen Syndromklassen der Dysarthrien und der sprechapraktischen Störungen ist dabei jeweils ein eigenes Unterkapitel gewidmet.

Im Abschnitt zur Dysarthrie werden, der thematischen Eingrenzung auf *zentrale* Sprechstörungen folgend, die Störungen nach Schädigung des peripheren Neurons ausgeklammert. Die dargestellte diagnostische Vorgehensweise und die beschriebene Symptomatik sind nicht an bestimmte Ätiologien gebunden. Dagegen nimmt das Kapitel unter dem Aspekt des Verlaufs und seiner therapeutischen Beeinflussung direkten Bezug auf dysarthrische Störungen, wie sie nach schwerem, gedecktem Schädel-Hirn-Trauma und nach zerebrovaskulären Erkrankungen auftreten, und läßt besondere Gesichtspunkte des Verlaufs und der Behandlung von Sprechstörungen bei degenerativen Erkrankungen des zentralen Nervensystems außer acht. Die Klassifikation von Symptomen nach dysarthrischen Syndromen bleibt unerwähnt, da sie (noch) keine unmittelbare prognostische oder therapeutische Relevanz besitzt.

Die im Zusammenhang mit einer Dysarthrie häufig auftretenden Kau- und Schluckstörungen sind nicht berücksichtigt.

Im Abschnitt zur Sprechapraxie wird auf eine breite Darstellung der in der Literatur beschriebenen Symptomatik, unter Hinweis auf die wichtigsten neueren Überblicksarbeiten, verzichtet. Dagegen wird versucht, eine Systematik der Symptome darzustellen. Sie soll dem Untersucher dazu verhelfen, das häufig sehr komplexe Störungsbild nach diagnostisch und therapeutisch relevanten Gesichtspunkten zu analysieren.

In den Abschnitten zur Therapie sowohl der Dysarthrien als auch der Sprechapraxie bleibt der wichtige Bereich des Einsatzes von Kommunikationshilfen ausgespart.

19.2 Dysarthrien

19.2.1 Einleitung

Definition und Pathophysiologie

Nach einer Definition von Netsell (1984) bezeichnet der Begriff der Dysarthrie Sprechstörungen, die aufgrund einer Beeinträchtigung neuraler Mechanismen der *Steuerung* von Sprechbewegungen zustande kommen. Dabei können die Funktionskreise der Sprechatmung, der Phonation und der Artikulation betroffen sein ("Dysarthrophonopneumie"). Die von Netsell gewählte definitorische Einengung auf die motorische "Steuerung" zielt auf eine Abgrenzung zur Sprechapraxie, für die er eine Störung übergeordneter sprechmotorischer Funktionen verantwortlich macht (s. 19.3). Eine pathophysiologische Spezifikation der Beeinträchtigung sprechmotorischer Steuerungsprozesse vermeidet Netsell in seiner Definition jedoch. Darley et al. (1975) hatten dies versucht, indem sie Schwäche, Verlangsamung, Dyskoordination oder Tonusänderung der beteiligten Muskulatur für die Störungsbilder verantwortlich machten. Sie konnten allerdings ihre Vermutung nicht durch neurophysiologische Befunde erhärten, und bis heute sind die pathophysiologischen Substrate der Dysarthrien nicht aufgeklärt.

Immerhin ist, nicht zuletzt durch die Arbeiten von Netsell, der Charakter der Dysarthrien als (zentral-)motorische Störungen des Sprechens und die Notwendigkeit einer physiologisch fundierten Diagnostik und Behandlung in den Vordergrund gerückt. Daß die Aufklärung der Pathophysiologie der Dysarthrien dabei noch weit hinter dem Erkenntnisstand auf dem Gebiet der Extremitätenmotorik zurücksteht, ist in erster Linie der ungleich schwereren Untersuchbarkeit des Systems zuzuschreiben: die am Sprechen beteiligten Strukturen sind zum Teil tief in Mund- und Rachenhöhle verborgen und können nicht ohne weiteres, wie etwa in einer neurologischen Untersuchung der Extremitäten, manipuliert, an Meßinstrumente angeschlossen, beliebig inspiziert oder palpiert werden. Prüfungen der Kraft oder des Dehnungswiderstands und die Untersuchung kinematischer Parameter des Bewegungsablaufs, wie sie an den Gliedmaßen zur Differenzierung von motorischen Störungen durchgeführt werden, sind an Zunge, Velum oder gar Kehlkopf daher überhaupt nicht oder nur sehr begrenzt möglich. Aus ähnlichen Gründen sind auch elektromyographische Untersuchungen bisher sehr selten.

Ein weiterer Grund für das Fehlen einer neurophysiologischen Systematik dysarthrischer Syndrome ist darin zu suchen, daß die Modelle der Extremitätenmotorik nicht unmittelbar auf die Sprechmotorik übertragbar sind. Die beiden motorischen Systeme unterliegen unterschiedlichen biomechanischen und neurophysiologischen Voraussetzungen (Dubner et al. 1978; Abbs et al. 1983; von Cramon u. Ziegler 1987).

So wichtig es ist, im Sinne einer funktionellen Diagnostik und eines physiologischen Therapieansatzes das Wesen der Dysarthrien als *Bewegungsstörungen* hervorzuheben, so bedeutsam ist es auch, die Konsequenzen solcher Störungen für die Kommunikationsfähigkeit der Betroffenen zu berücksichtigen. Eine Veränderung sprechmotorischer Abläufe kann die Fähigkeit zur Übermittlung linguistisch enkodierter Information einschränken und damit die Verständlichkeit gesprochener Sprache reduzieren. Hinzu kommen Veränderungen der Natürlichkeit des Gesprochenen: Der dysarthrische Patient wird, auch wenn er völlig verständlich spricht, von jedem Gesprächspartner sofort als sprechbehindert erkannt. Dafür sind in erster Linie prosodische Eigenheiten, aber auch Veränderungen der Stimme und der segmentalen Struktur von Äußerungen verantwortlich. Dies beinhaltet auch, daß paralinguistische Informationen, die der Kommunikationspartner gewöhnlich über einen Sprecher erhält (z.B. Hinweise auf das Alter, den affektiven Zustand, das Geschlecht etc.), nicht oder in veränderter Form übermittelt werden.

Diese Auswirkungen der dysarthrischen Störung erschweren dem Patienten die Rückkehr in sein soziales und berufliches Umfeld. Sie bilden daher den Maßstab, an dem sich die Rehabilitation dysarthrischer Patienten zu orientieren hat (vgl. Kap. 1).

Somit stellen sich in der Untersuchung der Dysarthrien zwei Aufgaben: die Herleitung von Hypothesen über die pathophysiologischen Grundlagen der gestörten Sprechmotorik und die Beschreibung des Umfangs der daraus resultierenden kommunikativen Beeinträchtigung.

Untersuchungen

In der bislang umfangreichsten Untersuchung sprechmotorischer Störungen haben Darley et al. (1975) auditive Merkmale der Dysarthrien bei unterschiedlichen neurologischen Erkrankungen beschrieben. Ihre Beschreibungskategorien zielten allerdings noch nicht auf die Besonderheiten des gestörten Sprechbewegungsablaufs, sondern blieben bei einer phänomenologischen Erfassung charakteristischer Merkmale dysarthrischer Sprechweise (z.B. „unscharfe Konsonanten", „entstellte Vokale", „reduzierte Akzentuierung"). Daher ließen sich aus den gewonnenen Beschreibungsmustern keine unmittelbaren Rückschlüsse auf die vermuteten pathophysiologischen Substrate ziehen und auch keine Anhaltspunkte für die Konzeption einer funktionell wirksamen Behandlung gewinnen.

Diese Studie war jedoch Auslöser für zahlreiche physiologische Untersuchungen in der Folgezeit, in denen durch direkte Messung von Bewegungsparametern, muskulären Kräften und myoelektrischer Aktivität versucht wurde, die Sprechbewegungsstörungen dysarthrischer Patienten näher zu analysieren (z. B. Netsell 1984; Weismer 1985; Hirose 1986). Daneben wurde auch weiterhin der Weg verfolgt, aus auditiven und akustischen Merkmalen des Sprachschalls Aufschluß über die unterschiedlichen Dysarthrietypen zu erhalten (z. B. Vogel u. von Cramon 1983; Ludlow u. Bassich 1984; Weismer 1984; Hartmann u. von Cramon 1984; Ziegler u. von Cramon 1986b).

Standardisierte Verfahren der klinischen Dysarthriediagnostik liegen für den deutschen Sprachraum bisher nicht vor. Ein vorwiegend im englischen Sprachraum eingesetztes Verfahren ist das „Frenchay Dysarthria Assessment" (Enderby 1983). Es beinhaltet eine Beurteilung von Reflexen und eine Funktionsprüfung der einzelnen am Sprechen beteiligten Organe. Daneben sieht es eine Messung der Verständlichkeit dysarthrischer Patienten in Anlehnung an eine von Yorkston u. Beukelman (1984) entwickelte Methode vor.

Therapieverfahren

Die Unterscheidung verschiedener Dysarthrieformen nach perzeptiven Symptomen (Darley et al. 1975) führte konsequenterweise zu einem Therapieansatz, der primär auf die Modifikation der die Verständlichkeit beeinträchtigenden perzeptiven Merkmale abzielt. Im Therapieaufbau von Darley und Mitarbeitern steht deshalb die Behandlung der Artikulationsstörung im Mittelpunkt, weil von ihnen die Artikulationsstörung als entscheidende Einflußgröße für die reduzierte Verständlichkeit angesehen wird. Die Modifikation der Atmung steht im Behandlungsplan nach Phonation und Prosodie an letzter Stelle.

Aufbauend auf das Klassifikationssystem der Dysarthrien nach Darley und Mitarbeitern findet man bei Perkins (1983) eine Zusammenstellung syndromspezifischer Behandlungsansätze.

Eine an physiologischen Hypothesen orientierte Sprechtherapie setzt die Instrumente, mit denen der Sprachschall und spezifische sprechmotorische Funktionen analysiert werden, in Form von Feedbackverfahren ein (Netsell u. Daniel 1979; Rosenbek 1984; Netsell u. Rosenbek 1986). Mit Feedbackverfahren können physiologische Variablen (z. B. subglottischer Luftdruck, intraoraler Luftdruck, oraler und nasaler Luftstrom, Muskelaktivität) und akustische Variablen (z. B. Intensität, Tonhöhe, Sprechtempo, Artikulationsschärfe) modifiziert werden (Netsell u. Rosenbek 1986). Eine kritische Diskussion zur Theorie und Praxis der Feedbackverfahren in der Dysarthrietherapie findet sich bei Rubow (1984), der aufgrund eigener experimenteller Untersuchungen der Feedbackmethode den Vorzug vor traditionellen Übungsmethoden gibt.

Der Stand der operativen und prothetischen Maßnahmen bei Dysarthrien ist ebenfalls bei Rosenbek (1984) und Netsell u. Rosenbek (1986) zusammengefaßt.

Generell liegt in der Literatur zur Dysarthrietherapie der Schwerpunkt auf aktivem Üben. Es fehlt jedoch der Versuch einer systematischen Begründung des Zusammenhangs von sprachlichen und nichtsprachlichen Bewegungsübungen. Bei Fröschels (1943) sind bereits Ansätze in diese Richtung zu finden. Der wichtige Bereich der Sensibilität bzw. der sensiblen Stimulation bleibt in der Therapieliteratur ebenfalls weitgehend unberücksichtigt, obwohl ihr theoretischer Stellenwert im sprechmotorischen System hoch eingeschätzt wird (s. Netsell 1986).

19.2.2 Klinische Diagnostik

Die Hauptziele einer klinischen Diagnostik dysarthrischer Störungen sind:

- Sicherstellung des Vorliegens einer Dysarthrie mit Abgrenzung peripherer Sprechstörungen,

- Ermittlung des Störungsschwerpunkts unter den funktionellen Komponenten des Sprechbewegungsapparats,
- Abschätzung des Schweregrads der Störung und ihrer Auswirkung auf die Verständlichkeit,
- Herleitung einer Vorgehensweise für die Behandlung,
- Erstellung einer Prognose.

Eine regelmäßige Wiederholung der Dysarthriediagnostik kann über den Umfang spontaner oder therapeutisch bedingter Veränderungen des Störungsbilds aufklären.

Die klinische Untersuchung dysarthrischer Patienten läßt sich in 3 Abschnitte gliedern: eine inspektive Untersuchung der Sprechorgane im Rahmen einer erweiterten otorhinolaryngologischen Diagnostik, eine phonetische Untersuchung mit auditiver Befundung und eine Verständlichkeitsuntersuchung.

Inspektive Untersuchung der Sprechorgane

Untersuchungsziele

Erstes Ziel einer inspektiven Untersuchung der Sprechorgane ist der Ausschluß bzw. die Beschreibung peripherer Anteile an der Sprechstörung. Weiterhin soll sie die charakteristischen Merkmale zentraler Bewegungsstörungen des Kehlkopfs und der Artikulatoren erfassen.

Sehr häufig liegt bei Patienten nach einem schweren Krankheitsereignis und einer Phase der Wiederherstellung vitaler Funktionen ein kombiniertes Bild von Störungen zentraler und peripherer Genese vor, dessen Einzelkomponenten bestimmt werden müssen. Die peripheren Ursachen können durch eine Massen- oder Strukturveränderung des Organs bedingt sein, beispielsweise bei Kopf- und Halsverletzungen oder als Folge einer Langzeitintubation. Sie können aber auch als Bewegungsstörung bei Schädigung der Hirnnervenkerne und/oder der peripheren Nerven vorliegen. Eine Differenzierung dieser Störungsanteile ist aus therapeutischen Gründen unabdingbar.

Untersuchungsmethoden

Im Rahmen einer erweiterten otorhinolaryngologischen Untersuchung werden speziell die Organe Lippen, Kiefer, Zunge, Gaumensegel, Pharynx und Kehlkopf beurteilt. Die Untersuchung von Lippen, Kiefer, Zunge und Gaumensegel erfolgt durch eine Spiegeluntersuchung und ggf. Palpation der Muskulatur. Hypopharynx und Larynx werden mit dem Lupenlaryngoskop untersucht. Die Beurteilung des Spannungszustands und der Schwingungsfähigkeit der Stimmlippen erfolgt durch die Lupenstroboskopie. Häufig unverzichtbar ist die zusätzliche Untersuchung von Kehlkopf und Gaumensegel mit dem flexiblen Nasenendoskop: Die Überlagerung der erhobenen Befunde durch Abwehrbewegungen (Würgen) ist geringer, die Beobachtung reflektorischer Funktionen (Husten, Schlucken) sowie der Bewegungen von Kehlkopf und Gaumensegel beim Sprechen ist möglich.

Die einzelnen Organe werden in 3 Modalitäten untersucht: im Ruhezustand, bei intendierter Bewegung und bei reflektorischer Bewegung. Die Beurteilung der intendierten Bewegung erfolgt bei Lippen, Kiefer und Zunge anhand von nichtsprachlichen Aufgaben, bei Gaumensegel und Kehlkopf anhand von sprachlichen und nichtsprachlichen Aufgaben.

Die Beurteilungskriterien sind

- Oberflächenbeschaffenheit, Konsistenz, Form und Lage der einzelnen Strukturen,
- Radius, Geschwindigkeit und Ablauf einzelner Bewegungen,
- Regelhaftigkeit repetitiver Bewegungen.

Ergänzend zu den Untersuchungen der motorischen Störungen erfolgt eine qualitative Überprüfung der taktilen Sensibilität. Dabei werden mit einem Wattehärchen Berührungsreize im Mund-, Rachen- und ggf. Kehlkopfschleimhautbereich gesetzt.

Diagnostische Schritte

Erfassung bzw. Ausschluß peripherer Störungsanteile. Hauptunterscheidungsmerkmal zentraler und peripherer Bewegungsstörungen ist die erhaltene *reflektorische Funktion* bei aufgehobener oder eingeschränkter intentionaler Beweglichkeit bei zentralen Läsionen. Bei vorliegender Atrophie der Muskulatur kann eindeutig auf eine periphere Läsion geschlossen werden. Die reflektorische Funktionsfähigkeit ist nur an Gaumensegel und Kehlkopf überprüfbar. Am Gaumensegel erfolgt die Überprüfung der reflektorischen Beweglichkeit durch Auslösung des Würgreflexes. Gerade diese Untersuchung führt jedoch oft zu Fehldiagnosen: Die Berührungsempfindung bzw. Reflexauslösbarkeit im Bereich des weichen Gaumens und der Rachenhinterwand kann bei neurologischen Patienten so herabgesetzt sein, daß kein Würgreflex auslösbar ist, keine Anhebung des Gaumensegels erfolgt und irrtümlich eine periphere Lähmung diagnostiziert wird. Es kann in diesen Fällen versucht werden, durch Druck auf den tiefen seitlichen Hypopharynx oder den tiefen Zungengrund einen Würgreflex auszulösen. Gelingt auch dies nicht, muß eine Untersuchung mit dem flexiblen Nasenendoskop erfolgen, welche die Beobachtung beim Schlucken erlaubt.

Die Beurteilung der reflektorischen Funktion des Kehlkopfs erfolgt durch vorsichtiges Auslösen eines leichten Husten- oder Würgreflexes. Auch bei Patienten mit völlig aufgehobener intentionaler Stimmlippenbeweglichkeit infolge zentraler Läsion kommt es zum vollständigen Glottisschluß bei Husten oder Würgen. Im Lippen-, Kiefer- und Zungenbereich muß darauf geachtet werden, ob Beweglichkeit bei emotionalen Äußerungen (Lachen, Weinen), vitalen Funktionen (Kauen, Schlukken) oder oralen Schablonen bei zerebraler Desintegration vorhanden ist und damit eine Intaktheit des peripheren Neurons anzeigt.

Beobachtungen in Ruhe. Ist das Vorliegen einer *zentralen* Sprechstörung sichergestellt, müssen die Merkmale der Bewegungsstörung der einzelnen Organe beschrieben werden. Dazu erfolgen zunächst Ruhebeobachtungen. Ein unvollständiger Mundschluß, eine Asymmetrie der *Lippen,* ein Speichelfluß oder ein Liegenbleiben von Speiseresten im Mundvorhof können sowohl durch eine zu hohe als auch durch eine zu niedrige Spannung der perioralen Muskulatur bedingt sein. Die Lippen können straff auseinandergezogen sein, die Spannung der gesamten perioralen Muskulatur kann aber auch herabgesetzt sein und die Unterlippe schlaff herabhängen.

Am *Kiefer* führt eine unterschiedliche Tonisierung der Muskulatur zu unterschiedlichen Symptomen: bei zu geringer Spannung der Kiefermuskulatur hängt der Unterkiefer schlaff herab, bei zu hoher Spannung kommt es zu einer starren Kieferhaltung in geschlossener oder halboffener Position.

Die *Zunge* ist in Ruhe bei niedriger Spannung flach, breit und weich, bei zu hoher Spannung schmal und derb, häufig auch erhöht. Am *Gaumensegel* zeigt sich bei zu niedriger Spannung ein Tiefstand und ein Flattern im exspiratorischen Luftstrom, bei zu hoher Spannung eine scharfkantige Konturierung und eine spitzbogige Form der Gaumenbögen sowie ein erhöhter Abstand von der Rachenhinterwand (bei zu hoher Kontraktion des M. tensor veli palatini). Manchmal ist dabei auch eine Kontraktion der Uvula zu beobachten.

Am *Kehlkopf* ist der Begriff der „Ruhebeobachtung" zu relativieren. Die Glottisöffner sind immer aktiv, und es zeigen sich auch in Ruhe atmungssynchrone Bewegungen: eine Glottiserweiterung bei Inspiration, eine Glottisverengung bei Exspiration. Diese respiratorischen Stimmlippenbewegungen können bei zentralen Läsionen aufgehoben und abgeschwächt erscheinen (z. B. bei erhöhter Spannung), aber auch verstärkt oder paradox ablaufen. Eine erniedrigte Spannung zeigt sich an der Schlaffheit und Exkavation der Stimmlippen. Eine erhöhte Spannung bewirkt eine Eindrehung des Aryknorpels nach vorn und medial sowie eine Verkürzung und Verdickung der Stimmlippen, was zu einer unvollständigen oder aufgehobenen Abduktion der Stimmlippen, damit zu einer Glottisverengung führt oder das Bild einer peripheren „straffen" Kehlkopflähmung vortäuschen kann. Es ist deshalb unbedingt erforderlich, den Kehlkopf über einen längeren Zeitraum bei maximaler

Entspannung zu beobachten, um ein Nachlassen der Spannung und damit einen Stellungswechsel, der bis zur vollständigen Abduktion erfolgen kann, zu erfassen und die peripheren Läsionen damit auszuschließen. Sollte dies laryngoskopisch nicht möglich sein, ist eine Untersuchung mit dem flexiblen Nasenendoskop erforderlich.

Bereits in Ruhe können an den Sprechorganen Hyperkinesen zu beobachten sein. Sie werden nach ihrer Frequenz, Amplitude, Phase und Beschleunigung beurteilt. Sie können ebenso wie alle anderen Symptome ein- oder beidseitig auftreten. Sie sind immer ein eindeutiger Hinweis für eine zentrale Schädigung.

Beobachtung bei intendierter Bewegung. Bei Prüfung der intentionalen Beweglichkeit ist zu beachten, daß der Patient die Bewegungen möglicherweise erst mit beträchtlichen Verzögerungen ausführen kann. Es ist auch möglich, daß die geforderte Bewegung im Augenblick nicht ausgeführt wird, aber zu einem anderen Zeitpunkt abläuft, z. B. als Suchbewegung oder Ersatzhandlung. (Beispiel: Der Patient kann auf Aufforderung die Zunge nicht herausstrecken. Die anschließende Aufforderung, sich auf die Unterlippe zu beißen, wird jedoch mit dem Herausstrecken der Zunge beantwortet.)

Einige nichtsprachliche Bewegungsabläufe der *Artikulationsorgane* seien genannt, deren Störung relevant für die Sprechfunktion ist: Der willkürliche Lippenschluß, das Spitzen und Spreizen der Lippen, das Beißen auf die Unterlippe, das weite Mundöffnen, das Anheben der Zungenspitze. Bei seitlichen Wechselbewegungen und dem feinen Entlangfahren der Zungenspitze an Ober- und Unterlippe lassen sich gut Bewegungsradius, Tonisierung (anhand der Zungenspitzenform) und kontinuierlicher Ablauf ablesen.

Am Gaumensegel kann eine Schwäche des M. levator veli palatini bestehen, aber auch eine zu starke Kontraktion der Gaumenbogenmuskulatur (M. palatoglossus, M. palatopharyngeus) der Anhebung entgegenwirken. Bei einseitigem Befund ist die Uvula bzw. die Raphe dabei zur Seite der erhöhten Kontraktion hin

verzogen und bleibt es auch bei intendierter Anhebung.

Schon bei leichteren Störungen ist die Beurteilung der kontinuierlichen Anhebung und der diadochokinetischen Bewegung am Gaumensegel bei geöffnetem Mund oft schwierig, da nur ein wiederholtes „a-a-a" geprüft werden kann. Beim Verdacht einer Bewegungsstörung des Gaumensegels erfolgt deshalb stets die Untersuchung mit dem flexiblen Nasenendoskop. Damit können schon geringe Kontraktionen des M. levator veli palatini registriert werden. Die Höhe der Gaumensegelanhebung, die Vollständigkeit des nasopharyngealen Verschlusses, die Dauer der Anhebung und der Wechsel zwischen Anhebung und Entspannung sind beobachtbar. Ein wichtiger Hinweis für eine erhöhte Spannung der Gaumensegelmuskulatur ist die Beobachtung, daß der normalerweise querovale Epipharynxspalt rundlich wirkt, bedingt durch den erhöhten Abstand des Gaumensegels von der Rachenhinterwand.

Die intendierten *Kehlkopfbewegungen* werden nach Beobachtung von ca. 30 s ruhiger Atmung durch die Aufforderung zu einem „he" in mittlerer Sprechstimmlage geprüft. Mit dem Lupenlaryngoskop läßt sich die Abduktion der Stimmlippen beurteilen und ihre Adduktion nach Beendigung der Phonation. Aufhebung bzw. Einschränkung der intendierten Beweglichkeit bezieht sich am Kehlkopf ausschließlich auf die Adduktionsfähigkeit. Es ist entweder gar keine oder nur eine unzureichende Glottisverengung möglich. Bei erhöhter Spannung sind die Stimmlippen bei der Phonation - häufig durch eine Hyperadduktion der Processus vocales mit hinten offenem kleinen Dreieck - verkürzt, verdickt und aneinandergepreßt. Sie können aber auch straff gespannt sein, ohne wesentliche Verkürzung und Verdickung, und bis zur Paramedianlinie „einrücken", so daß ein feiner Spalt über die gesamte Glottis offen bleibt. Die Adduktionsbewegung erfolgt deutlich langsamer. Dieser Zeitunterschied ist mit bloßem Auge jedoch nur bei einseitiger Symptomatik deutlich. Bei einer ungenügenden Spannung der Kehlkopfmuskulatur sind die Stimmlippen schlaff, exkaviert und nähern sich nur unvollständig, meist in Sanduhrglottisform. Von der Spannungsänderung müssen jedoch nicht alle Kehlkopfmuskeln gleichermaßen betroffen sein (Morasch et al. 1987).

Zur genauen Bestimmung der Stimmlippenspannung bei Phonation wird die Stroboskopie durchgeführt, sobald eine ausreichend lange Tonhaltedauer (2–3 s) möglich ist. Die Veränderungen von Amplitude und Randkantenverschiebung, Glottisschluß und Schlußphase entsprechen dem Bild der hypofunktionellen Störung bei erniedrigter Spannung und dem Bild der hyperfunktionellen Störung bei erhöhter Spannung. Die erhöhte Spannung kann bei zentralen Störungen noch differenziert werden:

Einmal zeigen sich verminderte Amplituden und Randkantenverschiebungen und eine verlängerte Schlußphase bei vollständigem Glottisschluß bzw. nur kleinem offenen Dreieck hinten, zum anderen sind ebenfalls verminderte Amplituden und Randkantenverschiebungen beobachtbar, jedoch eine verkürzte Schlußphase und ein unvollständiger Glottisschluß mit feinem Spalt über die gesamte Glottis.

Hyperkinesen bei intendierten Bewegungen werden nach den gleichen Kriterien beurteilt wie die Ruhehyperkinesen. Bei nicht zu großer Amplitude beeinflussen sie die Funktion von Lippen und Zunge kaum. Anders ist es am Gaumensegel und Kehlkopf: Die Anhebung des Gaumensegels wird sichtbar beeinträchtigt, die Spannung, Länge und Dicke der Stimmlippen variiert ständig, vor allem bei dem in diesem Bereich häufigsten Symptom, den velopharyngeolaryngealen Myoklonien. Bei größerer Amplitude verursachen diese Myoklonien ein ständiges kurzzeitiges Absinken des Gaumensegels, am Kehlkopf ein Auseinanderziehen der eigentlich adduzierten Stimmlippen mit Glottisöffnung. Diese Hyperkinesen verursachen meist ein kompensatorisches Preßverhalten im laryngealen Bereich. Sie können wiederum einseitig oder beidseitig vorhanden sein.

Auch reflektorische Bewegungsabläufe können durch Hyperkinesen überlagert sein (die velopharyngolaryngealen Myoklonien bestehen sogar im Schlaf), ihre Funktion kann dadurch erheblich beeinträchtigt werden. Am Gaumensegel kann dies beim Schlucken zum Übertritt von Flüssigkeit und Speise in die Nase, am Kehlkopf zur Aspiration führen.

Prüfung der Berührungsempfindung. Wenn auch die Bedeutung der Verarbeitung taktiler Reize für die Sensomotorik des Sprechens noch ungeklärt ist, so scheint doch eine ausgeprägte Einschränkung der Berührungsempfindung die Prognose für das „Neuerlernen" von Artikulationsbewegungen bei Dysarthrikern zu verschlechtern. In folgenden Bereichen wird die Schleimhaut durch Berührung mit einem Wattehärchen gereizt: Lippen, Wangen, Zungenspitze, -mitte und Zungengrund, harter und weicher Gaumen, Gaumenbögen und Rachenhinterwand. Bei Verdacht auf Schädigung des N. laryngeus superior erfolgt auch eine Prüfung der laryngealen Epiglottisfläche und der Aryknorpel unter visueller Kontrolle mit dem Kehlkopfspiegel. Der Patient muß bei geschlossenen Augen den Berührungsreiz zunächst lokalisieren und als zweiten Schritt die Stärke der Empfindung im Seitenvergleich angeben. Im Lippen-, Zungen- und Wangenschleimhautbereich sowie im Bereich des harten Gaumens sind Herabsetzungen der Berührungsempfindungen häufig einseitig und mit motorischen Störungen – meist der gleichen Seite – verbunden. Seltener treten auch Empfindungsstörungen auf der Gegenseite auf. Im Bereich des weichen Gaumens, der Rachenhinterwand und des Kehlkopfs finden sich häufiger beidseitige Störungen.

Auditiv-phonetische Untersuchung

Die meisten der in der Einleitung erwähnten Methoden der *instrumentellen Untersuchung* von Sprechbewegungen erfordern einen hohen technischen Aufwand und erfassen lediglich begrenzte Teilaspekte der Sprechbewegungsstörung, deren funktionelle Relevanz in vielen Fällen nicht geklärt ist. Aus diesen Gründen eignen sich nur wenige der instrumentellen Verfahren für eine Standarddiagnostik an einer Rehabilitationseinrichtung. Die im vorangehenden Abschnitt beschriebenen Methoden der phoniatrischen Inspektion zählen dazu.

Eine *auditiv-phonetische Untersuchung* hat demgegenüber den Vorteil, daß sie den Patienten nur wenig belastet, technisch leicht realisierbar ist und die funktionell relevanten Aspekte der Sprechstörung erfaßt. Für die Vorgehensweise sind dabei 2 Hauptprinzipien von Bedeutung:

1) Sowohl die Auswahl der Aufgaben für den Patienten als auch die Wahl der zu beurteilenden Variablen muß so getroffen werden, daß hinter den vielfältigen Auffälligkeiten der Sprechweise des Patienten ein bewegungsphysiologisch begründetes Ordnungsprinzip erkennbar wird.
2) Um der Gefahr einer geringen Reliabilität des subjektiven Urteils zu begegnen, wird die Aufmerksamkeit des Beurteilers selektiv auf ausgewählte Ausschnitte des vom Patienten Gesprochenen gelenkt; die Kriterien für die Beurteilung dieser Segmente sind präzise vorgegeben.

Die Untersuchung umfaßt ein etwa 10minütiges freies Gespräch und eine Reihe von Aufgaben, bei denen der Patient ausgewählte Laute, Wörter und Sätze nachspricht. Eine Untersuchung der Spontansprache ist unabdingbar, da die Befunde für die Spontansprache und das Nachsprechen vor allem hinsichtlich des Schweregrads deutlich voneinander abweichen können.

Sprechatmung

Die Aufgabe der respiratorischen Muskulatur beim Sprechen besteht darin, für einen *konstanten subglottischen Druck* zu sorgen. Die dabei erforderlichen Anpassungen der interkostalen und der abdominalen Muskulatur werden, im Gegensatz zur Ruheatmung, willkürlich gemäß den Anforderungen durch die Sprechplanung gesteuert. Eine detailliertere Beschreibung von Funktion und Physiologie der Sprechatmung findet sich an anderer Stelle (z. B. Hardcastle 1976; Vogel 1987).

Störungen der Sprechatmung sind bei allen Dysarthrietypen zu finden. Sie können primär, also durch eine Beeinträchtigung der motorischen Steuerung der Respirationsmuskulatur, bedingt sein; sie können andererseits aber auch durch eine Störung der Regulation des Luftstroms an der Glottis oder im Ansatzrohr zustande kommen. Weitere mögliche Ursachen für das Auftreten der Symptome einer Sprechatmungsstörung sind etwa eine pathologisch verringerte Vitalkapazität, eine Hemiplegie/Hemiparese sowie Haltungsanomalien.

Aufgabe der Dysarthriediagnostik ist es, diese Einflußfaktoren möglichst zu differenzieren und bei Vorliegen einer primären Sprechatmungsstörung die zugrundeliegende Bewegungsstörung zu beschreiben. Speziell in diesem Bereich der Diagnostik spielen Beobachtung und Tastbefund eine zentrale Rolle.

Um Hinweise auf das Vorliegen einer Sprechatmungsstörung zu bekommen, achtet der Untersucher zunächst in der Spontansprache auf die *Einatmungshäufigkeit* und darauf, ob der Patient die Atempausen adäquat setzt. Beeinträchtigungen der Sprechatmung äußern sich hauptsächlich in einer Verkürzung der Exspiration, also einer Erhöhung der Atemfrequenz. Auch eine Verringerung der mittleren *Lautstärke* bzw. eine Unfähigkeit zu lautem Sprechen können Folge einer Sprechatmungsstörung sein. Schließlich kann sich die reduzierte Fähigkeit zur Erzeugung eines ausreichenden *intraoralen Drucks* in einer Verringerung der Artikulationsschärfe zeigen.

Die maximale Länge der Exspirationsphase wird in einem Leistungstest durch Tonhalteaufgaben überprüft. Dabei ist zu beachten, daß eine verkürzte Exspiration sekundär, also durch einen erhöhten Luftverbrauch an der Glottis (behauchte Stimme!) oder durch ungenügende Verschlußbildung im Ansatzrohr oder durch Veluminsuffizienz bedingt sein kann. Um diese Faktoren zu trennen, werden sowohl angehaltene Vokale (Glottis in Phonationsstellung, Ansatzrohr offen) als auch angehaltene stimmlose Frikative (Glottis abduziert, Geräuschbildung im Ansatzrohr) überprüft. Bei Verdacht auf einen Luftverlust durch die Nase infolge Veluminsuffizienz sollten diese

Aufgaben auch mit Hilfe einer Nasenklammer durchgeführt werden.

Experimentelle Untersuchungen haben gezeigt, daß die Leistungen gesunder Probanden in Tonhalteaufgaben sehr stark variieren können. Es gibt deutliche Alters- und Geschlechtsunterschiede. Eine weitere wichtige Einflußgröße scheint die Zahl der Aufgabenwiederholungen zu sein: bei gesunden Versuchspersonen konnte in einer experimentellen Untersuchung eine Leistungssteigerung über bis zu 15 Wiederholungen verzeichnet werden (Kent et al., im Druck). Die klinische Diagnostik wird sich jedoch realistischerweise mit etwa 3 Wiederholungen je Aufgabe begnügen müssen. Die Resultate sind dementsprechend konservativ auf die Normdaten aus der Literatur (vgl. Kent et al., im Druck) zu beziehen, wonach mit ausreichender Sicherheit lediglich Tonhaltedauern von weniger als 6 s als pathologisch gewertet werden können.

Liegen nach den genannten Kriterien Hinweise auf eine Sprechatmungsstörung vor, so müssen deren Ursachen in spirometrischen Untersuchungen der Vitalkapazität und des Druckaufbaus eingegrenzt werden (Vogel 1987). Um schließlich Anhaltspunkte zum Charakter einer möglichen Atembewegungsstörung zu bekommen, macht sich der Untersucher ein Bild vom *Atemtyp*, den der Patient in Ruhe und beim Sprechen verwendet. Es wird beurteilt, von welchen Muskelgruppen die Atembewegungen hauptsächlich geführt werden. Die Einteilung erfolgt nach den bekannten Kategorien abdominal, thorakal, klavikular, kostoabdominal und paradox. Genauere Aussagen über Auslenkung, Frequenz und Koordination von abdominalen und thorakalen Atembewegungen erhält man in einer Ableitung mittels Atemgürteln (Vogel 1987).

Phonation

Üblicherweise werden die Symptome zentraler Bewegungsstörungen des Kehlkopfs nach den perzeptiven bzw. akustischen Kategorien der Stimmqualität, der Tonhöhe und der Lautstärke geordnet. Unter dem Gesichtspunkt eines physiologischen Ansatzes von Diagnostik und Therapie scheint es jedoch sinnvoll, die Systematik von Untersuchung und Symptombeschreibung an den Kehlkopffunktionen beim Sprechen auszurichten.

Für die Zwecke einer klinischen Untersuchung der Phonation muß dabei die äußerst komplexe Kehlkopfmotorik stark vereinfacht nach wenigen Bewegungstypen gegliedert werden: nach Bewegungen, die der Regulierung der Glottisweite dienen (also Adduktion und Abduktion der Stimmbänder), und solchen, die die Spannung und die schwingungsfähige Masse der Stimmbänder verändern. Durch diese elementaren laryngealen Anpassungen werden die phonetisch relevanten Parameter, nämlich Tonhöhe und Lautstärke, Stimmhaftigkeit bzw. Stimmlosigkeit von Konsonanten sowie der Stimmklang reguliert bzw. beeinflußt. (Für einen detaillierten Überblick s. Ziegler u. von Cramon 1987a).

In der Regel sind zur Aufdeckung von *Störungen der Adduktionsbewegung* keine spezifischen Aufgaben nötig. Schwere Einschränkungen zeigen sich beim Versuch zu willkürlichem Husten und sind darüber hinaus im Gespräch mit dem Patienten und bei Vorgabe beliebiger stimmhafter Äußerungen an der Unfähigkeit zur stimmhaften Phonation oder an der Behauchung der Stimme zu erkennen. Der Extremfall der Aphonie weist auf eine vollständige Akinese der Stimmbandadduktoren hin. Bei geringerer Ausprägung sind die betroffenen Patienten in der Lage, ihre Stimmbänder so weit anzunähern, daß Flüstern oder sogar stimmhafte Phonation mit deutlicher Behauchung möglich ist (von Cramon u. Vogel 1981; Vogel u. von Cramon 1982; Morasch u. von Cramon 1984).

Sensitiv für geringergradige Störungen sind Vokale im Anlaut, vor allem /a/, die bei verlangsamter oder reduzierter Adduktion durch eine deutliche Vorbehauchung auffallen, sowie kurze Vokale zwischen stimmlosen Konsonanten, wo die erforderliche rasche Adduktion der Stimmbänder ausbleiben und zu einer Entstimmung des vokalischen Segments führen kann.

Störungen der Adduktionsgeste im Sinne eines Überschießens (Hyperadduktion) wurden auf

S. 324 beschrieben. Sie äußern sich in einer ge-
preßten Stimmqualität.

Vor allem in der Folge einer Hyperadduktion
der Stimmbänder kann die Fähigkeit zur *Abduktion* beeinträchtigt sein. Eine Beurteilung
dieser Funktion wird sich an der Realisierung
von Lautsequenzen mit intervokalischem
stimmlosem Frikativ oder intervokalischem
Glottisschlag orientieren. Durchgängige
Stimmhaftigkeit in diesen Segmenten ist ein
Hinweis auf eine fehlende oder ungenügende
Entstimmungsbewegung.

Die *Regulation von schwingungsfähiger Masse
und Elastizität* der Stimmbänder dient in erster
Linie der Kontrolle der Tonhöhe, wird aber
auch zur Anpassung des Glottiswiderstands
bei Veränderungen der Lautstärke wirksam.
Diese Funktion kann bei zentralen Stimmstörungen absolut eingeschränkt sein, was sich in
einer Reduktion des Tonhöhen- und des Laut-
stärkeumfangs zeigt. Es kann jedoch auch lediglich die komplexere Leistung der zeitlich
präzisen Regulation von Tonhöhe und Lautstärke während des Sprechens beeinträchtigt
sein. Anzeichen dafür ist eine monotone
Sprechweise (Darley et al. 1975; Aronson
1985; Ziegler u. von Cramon 1987a, b).

Die Fähigkeit zur Regulation der Stimmlippenspannung wird zunächst anhand von Aufgaben zur Überprüfung des physiologischen
Tonumfangs untersucht, also durch Nachsin-
gen einer Tonleiter oder eines Portamento. Bei
der Interpretation der Befunde muß die hohe
Variabilität dieser Leistung auch unter Stimm-
gesunden in Rechnung gestellt werden. Physiologische Tonhöhenumfänge von weniger als
1,5 Oktaven können im allgemeinen als pathologisch angesehen werden.

Die quantitative Erfassung des Lautstärke-
umfangs bedarf eines Schallpegelmessers und
einer äußerst sorgfältigen Untersuchungstechnik. Schwere Einschränkungen lassen
sich diagnostizieren, wenn man den Patienten
geeignete Wörter leise und laut nachsprechen und möglichst laut rufen läßt. Dabei ist
in besonderem Maße auf Veränderungen
der Stimmqualität zu achten und zu bedenken, daß für die Lautstärkeentwicklung primär der Aufbau eines hohen Anblasedrucks,

also eine respiratorische Funktion verantwortlich ist.

Bei der Prüfung von Tonhöhen- und Lautstär-
keumfang muß weiterhin beachtet werden,
daß die Bereitschaft von Versuchspersonen,
unter den Bedingungen einer klinischen Untersuchung tatsächlich an die Grenzen des
physiologisch Realisierbaren zu gehen, sehr
stark variieren und vom Geschick des Untersuchers abhängen kann (vgl. Kent et al., im
Druck).

Schließlich bleibt in einer Untersuchung des
Funktionskreises der Phonation zu prüfen, ob
dysarthrische Patienten in der Lage sind, laryngeale Konfigurationen über einen gewissen
Zeitraum stabil zu halten. Die bereits auf
S. 325 beschriebenen laryngealen Hyperkinesen zeigen sich am deutlichsten bei Tonhalteaufgaben auf den Vokal /a/ in Form von
Stimmzittern, periodischen oder episodisch
auftretenden Tonhöhen- und Lautstärkeän-
derungen oder sogar Stimmabbrüchen
und Stimmschwund. Bei der Auswertung
solcher Befunde empfiehlt sich die Verwendung eines Oszilloskops zur Darstellung von
Grundfrequenz- und Intensitätskontur („Visi-
pitch").

Artikulation

Der Funktionskreis der Artikulation umfaßt
die Funktionen von Lippen, Kiefer, Zunge,
Gaumensegel und Pharynx beim Sprechen.
Die Bewegungen dieser Organe dienen der
primären Erzeugung von Geräuschen im Ansatzrohr oder der Modifikation von an der
Glottis erzeugtem Schall. Für die Zwecke einer klinischen Dysarthriediagnostik muß es
genügen, unter den zahlreichen Freiheitsgra-
den der Artikulationsorgane einige wenige
„elementare" Gesten für die Untersuchung
auszuwählen. Die in Tabelle 19.1 aufgelisteten
Bewegungstypen stellen ein vereinfachtes Beschreibungsinventar dar, das für die Erfassung
der Artikulationsstörungen bei dysarthrischen
Patienten geeignet erscheint.

Die auditiv-phonetische Untersuchung der Artikulation zielt darauf ab, aus den auditiv
wahrnehmbaren Merkmalen der dysarthri-

Tabelle 19.1. Phonetische Untersuchung von Artikulationsstörungen bei Dysarthrie: Bewegungstypen und Beispiellaute für deren (auditive) Beurteilung

Artikulationsbewegung	Beurteilbar an den Lauten
Verschluß und Rundung der Lippen	p, pf, b, w, u, ü
Kieferöffnung	Vorwiegend visuelle Beurteilung des Öffnungsgrads bei allen Lauten
Protrusion der Zunge	t, d, s, sch
Retraktion der Zunge	k, g, ch
Anhebung der Vorderzunge	t, d, s, sch, i
Anhebung der Hinterzunge	k, g, ch, u
Feinmotor. Verformung der Vorderzunge	l, s, sch und Verbindungen von t, d, n, l, s und sch
Anhebung des Velums	Vor allem Verbindungen nasaler und oraler Konsonanten

Tabelle 19.2. Auditive Merkmale unterschießender und überschießender Artikulationsbewegungen am Beispiel „Anhebung der Vorderzunge"

Unterschießend	Überschießend
Zentralisierung der Vorderzungenvokale (vor allem i),	In extremen Fällen: hörbares Reibegeräusch beim Vokal i
Verminderung der Artikulationsschärfe bei d, t (Lenisierung, Reduktion zu Frikativ oder Halbvokal)	Fortisierung von d, t
Verminderung der Artikulationsschärfe bei s, sch (Verminderung der Intensität des Friktionsgeräuschs, Reduktion zu Halbvokal)	Affrizierung oder komplette Verschlußbildung bei s, sch

schen Sprechstörung Hypothesen über die Realisierung dieser Bewegungstypen zu gewinnen, und zwar im besonderen zur realisierten Bewegungs*auslenkung*.

Grundlage für die Beurteilung sind sowohl die Äußerungen, die der Patient während des freien Gesprächs spontan produziert, als auch spezifische Aufgaben, in denen der Patient vorgegebene Sätze nachspricht. Es werden in diesen Sätzen Laute und Lautverbindungen abgeprüft, deren Realisierung die in Tabelle 19.1 beschriebenen Artikulationsbewegungen in spezifischer Weise erfordern. Bei der Beurteilung ist die Aufmerksamkeit selektiv auf diese Segmente zu richten. Ihre akustische Qualität ist nach dem Kriterium zu bewerten, ob die erforderliche Artikulationsbewegung ihren Zielpunkt erreicht hat, ob sie „unterschießend", also mit zu geringer Auslenkung, oder ob sie „überschießend", also mit übermäßiger Bewegungsauslenkung, realisiert wurde. Die auditiv wahrnehmbaren Auffälligkeiten, die aus solchen Abweichungen von der Zielkonfiguration resultieren, lassen sich angeben;

ein Beispiel für die Beurteilung des Bewegungsparameters ,Anhebung der Vorderzunge' anhand von phonetischen Kriterien findet sich in Tabelle 19.2.

In analoger Weise lassen sich auch für die übrigen genannten Elementarbewegungen die Symptome überschießender bzw. unterschießender Realisierung auf auditiv-phonetische Kategorien abbilden (Vogel 1987).

Ein weiterer wichtiger Parameter zur Beschreibung der Artikulation ist das *Sprechtempo*. Es wird einerseits bestimmt durch Amplitude und Geschwindigkeit der einzelnen Artikulationsbewegungen, also durch die Kinematik des Sprechbewegungsablaufs; andererseits gehen in diesen Parameter als weitere Faktoren die Häufigkeit und Dauer von Sprechpausen, die Häufigkeit von Laut- oder Silbeniterationen und die Häufigkeit von Laut- oder Silbenauslassungen ein.

Die Beurteilung des Sprechtempos wird mit Hilfe einer Stoppuhr durchgeführt. Längere Sprechpausen sind dabei von der Messung auszunehmen. Das Sprechtempo gesunder Versuchspersonen kann mit etwa 3–5 Silben pro Sekunde angegeben werden (Goldmann-Eisler 1956). Für die Interpretation der erhaltenen Meßwerte ist von Bedeutung, ob eine Verlangsamung etwa durch Sprechpausen oder durch eine Dehnung von Lauten und Lautübergängen zustande kommt.

Unter den Bedingungen einer erhöhten Leistungsanforderung wird die Fähigkeit zur Ausführung schneller *artikulatorischer Wechselbewegungen* überprüft. Dabei ist der Patient aufgefordert, die Silben /pa/ (Überprüfung der Lippen), /ta/ (Überprüfung der Vorderzunge) und /ka/ (Überprüfung der Hinterzunge) so schnell und so lange wie auf einen Atemzug möglich zu wiederholen. Entscheidend für die Beurteilung dieser Leistung ist nicht allein der (mit der Stoppuhr und durch Auszählen ermittelte) Wert der Silbenrate, sondern auch die Artikulationsschärfe, die Regelmäßigkeit in den Silbenwiederholungen und besondere Merkmale wie etwa ein „Einfrieren" der repetitiven Bewegung (Ziegler u. von Cramon, 1987 b).

Noch wichtiger als bei Atmung und Phonation ist bei der Interpretation auditiv-phonetischer Merkmale der Artikulation die Berücksichtigung der zahlreichen *wechselseitigen Abhängigkeiten* zwischen einzelnen Funktionen und der Tatsache, daß jedes Symptom auch andere als die genannten Ursachen haben kann. Beispielsweise kann der Eindruck einer Lenisierung bzw. Fortisierung von Plosiven auch durch einen verringerten oder erhöhten Anblasedruck, also eine respiratorische Fehlfunktion, hervorgerufen werden. Veränderungen alveolarer oder labiodentaler Frikative können neben einer eher grobmotorischen Abweichung in der Bewegungsauslenkung immer auch einer reduzierten feinmotorischen Verformbarkeit der beteiligten Artikulatoren zugeschrieben werden. Schließlich bestehen zwischen Unterkiefer und Zunge bzw. Unterkiefer und Lippen komplizierte Synergismen, die eine Trennung spezifischer Einflüsse häufig erschweren. Eine Beobachtung der Kieferstellung in Ruhe und beim Sprechen leistet daher einen unerläßlichen Beitrag zur Interpretation der wahrnehmbaren Merkmale. In besonderen Fällen kann es nützlich sein, den Unterkiefer mittels eines Beißblocks zu fixieren, um so die Beweglichkeit von Zunge oder Lippen beim Sprechen differentiell erfassen zu können.

Die besondere diagnostische Leistung des Untersuchers besteht darin, aus der Vielzahl von Wahrnehmungsmerkmalen der Sprechstörung, unter Zuhilfenahme der Ergebnisse instrumenteller und inspektiver Methoden zu einer konsistenten Hypothese über die Bewegungsstörung der einzelnen Artikulatoren zu kommen. Die Reliabilität des auditiv-phonetischen Urteils in der Diagnostik dysarthrischer Störungen läßt sich durch vermehrten Einsatz einfacher akustischer Meßverfahren und durch die Verwendung von Standardhörbeispielen für die wichtigsten Symptome zur „Eichung" der Beurteilungskriterien noch beträchtlich erhöhen. Die Implementierung solcher Hilfsmittel für die klinische Standarddiagnostik ist eine der vordringlichen Aufgaben für die Zukunft.

Verständlichkeit

Mit der Beeinträchtigung von Sprechbewegungen kann die Fähigkeit zur akustischen Differenzierung von Sprachlauten so reduziert sein, daß die Verständlichkeit des betroffenen Patienten darunter leidet. Man muß davon ausgehen, daß die Verständlichkeit dysarthrischer Patienten in hohem Maße von äußeren Faktoren abhängt, etwa vom situativen Kontext, von Umgebungsgeräuschen oder vom Vertrautheitsgrad des Hörers mit dem Sprecher. Man wird in der klinischen Untersuchung versuchen, diese Faktoren zu kontrollieren.

Bei einer auf dem „Reimtestprinzip" bestehenden Verständlichkeitsuntersuchung[1] wird der Patient gebeten, eine Liste von 100 Wörtern nachzusprechen oder zu lesen. Die auf Tonband aufgezeichneten Sprechproben werden einem mit dem Patienten nicht vertrauten Hörer dargeboten. Dieser hat die Aufgabe, jedes der dargebotenen Wörter in einem „Ensemble" von sechs ähnlich klingenden Wörtern zu identifizieren (Tabelle 19.3). Die Zahl der korrekt identifizierten Stimuli wird als Maß für die Verständlichkeit des Patienten betrachtet.

---

[1] Dieses Verfahren wurde in der Neuropsychologischen Abteilung des Max-Planck-Instituts für Psychiatrie entwickelt. Wir danken Herrn E. Hartmann und Frau I. Wiesner für ihre Mitarbeit.

Tabelle 19.3. Ensemblebeispiele zur Beurteilung der Verständlichkeit dysarthrischer Patienten

Vokaldiskrimination

Stil still Stahl Stall Stuhl steil
fühlen füllen fehlen fällen Fohlen fallen

Konsonantendiskrimination

Bach wach Fach flach Schach schwach
Wurst Wulst wund Wunsch Wurm Wurf
reiben Reifen reiten reisen Reigen reichen

Die nachzusprechende Wortliste enthält in der Mehrzahl hochfrequente Inhaltswörter. Flektierte Formen und Funktionswörter fehlen fast vollständig. Die Wörter eines Ensembles unterscheiden sich untereinander lediglich in einem Segment. Die differenzierenden Laute sind hinsichtlich Artikulationsstelle und Artikulationsmodus nach einem festen Schlüssel über die nachzusprechende Testliste verteilt. Damit ist, im Gegensatz zu dem von Yorkston u. Beukelman (1984) entwickelten Verfahren, eine Kennzeichnung der für die Verständlichkeitseinschränkung verantwortlichen Segmente möglich.

Um bei der Beurteilung zu vermeiden, daß aufgrund eines Lerneffekts das jeweils folgende Wort bei der Stimulusdarbietung für den Beurteiler mit gewisser Wahrscheinlichkeit vorhersagbar ist, stehen zur Testung insgesamt 15 unterschiedliche Wortlisten zur Verfügung, deren Aufbau demselben, oben beschriebenen Konstruktionsprinzip folgt.

Die Ergebnisse der Verständlichkeitsuntersuchung nach dem beschriebenen Verfahren sind Rohwerte und bislang nur begrenzt aussagefähig. Erst nach einer psychometrischen Standardisierung des Verfahrens können sie, im Sinne eines operationalen Kriteriums (vgl. Kap. 1), für Schweregradsvergleiche herangezogen werden. Möglicherweise ist es dabei erforderlich, durch eine zusätzliche Maskierung der Stimuli (Unterlegung mit einem Geräusch) die Sensitivität der Methode im Bereich der geringgradigen Störungen zu erhöhen.

19.2.3 Therapie

Leitlinien

Physiologisch orientierte Therapieziele

Das therapeutische Vorgehen ist entscheidend davon bestimmt, welches diagnostische Ziel definiert wird. Dysarthrien sind Bewegungsstörungen. Es genügt daher nicht, die perzeptiven Symptome zu beschreiben. Dies würde eine im wesentlichen an auditiven Auffälligkeiten orientierte Therapie bestimmen. Man beginnt bei diesem Ansatz mit der Behandlung des Funktionskreises, dem man die auditiv auffälligsten Symptome zuordnet. Eine physiologisch orientierte Diagnostik analysiert zusätzlich die Komponenten der Bewegungsanomalien. Die wechselseitigen Abhängigkeiten zwischen den beteiligten Organen bestimmen Schwerpunkt und Reihenfolge des therapeutischen Vorgehens.

Therapieziele und therapeutische Entscheidungen werden entsprechend den in der Diagnostik formulierten physiologischen Hypothesen getroffen. Je schwerer die Sprechstörung, um so sinnvoller ist es, die Behandlung eng an den physiologischen Hypothesen auszurichten. Bei Anarthrie, Aphonie oder schwerer respiratorischer Störung wird man zunächst versuchen, elementare Bewegungen und Funktionen anzubahnen und störende Bewegungsmuster zu hemmen. Konkreter wird darauf bei der Besprechung der einzelnen Funktionskreise eingegangen.

Allgemein formulierte Therapieziele sind:

- die verbliebenen sprechmotorischen Leistungen zu verbessern,
- den Umgang mit den eingeschränkten sprechmotorischen Leistungen zu verbessern,
- kompensatorisches Verhalten zu erlernen,
- strukturelle Veränderungen zu treffen.

Die verbliebenen sprechmotorischen Leistungen zu verbessern, kann z.B. bei verkürzter Phonationsdauer oder einseitig klavikularer/thorakaler Atmung auf eine stärkere Mitwirkung der abdominalen Atmungsbewegung bzw. des Zwerchfells abzielen.

Den Umgang mit einer eingeschränkten sprechmotorischen Leistung zu verbessern, kann – um im Beispiel zu bleiben – bedeuten, den Sprechrhythmus einer verkürzten Exspirationsdauer anzupassen. Ist der zum Sprechen notwendige Exspirationsdruck oder eine ausreichende Exspirationsdauer mit physiologischen Bewegungsmustern nicht herzustellen, kann mit kompensatorischen Kräften, z. B. einer gezielten Beteiligung der klavikularen Muskeln, eine Verbesserung erreicht werden.

Mit strukturellen Veränderungen sind Hilfsmittel und Prothesen gemeint, die in den Sprechvorgang eingreifen.

Pragmatischer Behandlungsansatz

Bei weniger schweren Störungen kann der systematischen Behandlung eine Phase der therapeutischen Diagnostik vorausgehen. Oft sind es sehr einfache Mittel, die eine spürbare Erleichterung für das Sprechen oder eine Verbesserung der Verständlichkeit bewirken können. Zu solchen Mitteln gehört, daß man den Patienten in eine das Sprechen begünstigende Körperhaltung bringt oder sein Sprechtempo mit einem Tastbrett kritisch drosselt. Derartige Maßnahmen, die unspezifisch wirken, die Symptome aber entscheidend lindern helfen, können absoluten Vorrang vor langwierigem Üben einzelner Funktionen haben. Das ganze Störungsbild kann sich dadurch in seinem Akzent verschieben. Entscheidend ist, daß der Patient durch spürbare Fortschritte Vertrauen in das therapeutische Vorgehen gewinnt.

Ein Mangel an Erfolgserlebnissen gehört zu den kritischen Punkten, die ein streng physiologischer Behandlungsansatz in sich birgt.

Motorisches Lernen

Eine grundsätzliche Frage bleibt, inwieweit kognitives Lernen beim Training motorischer Abläufe, insbesondere bei hirngeschädigten Patienten, gefordert werden soll. Bewegungen lassen sich erlernen, ohne daß von der gewünschten Bewegung selbst die Rede ist. Anstelle von verbalen Instruktionen, was und wie sich der Patient bewegen soll, setzt man zweckgerichtete Bewegungen. Die gewünschte Bewegung ist ein Bestandteil der Bewegungsabfolge, die ihn ans Ziel der Aufgabe bringt. Das Lernen mit Feedback gehört in diese Kategorie von Methoden, da es vom Patienten ein adaptives Verhalten an bestimmte Aufgaben verlangt. „Empfindungen", die aus einer Bewegungsfolge für eine bestimmte Aufgabe resultieren, werden im Gedächtnis gespeichert und ermöglichen, nach entsprechend häufigen Wiederholungen derselben Aufgabe, eine Ausübung mit einem höheren Grad an Automatisierung und Koordination (O'Connell u. Gardner 1967).

Man muß sich bei all diesen grundsätzlichen Entscheidungen zum Therapieansatz darüber im klaren sein, daß eine systematische und grundlegende Einübung eines Bewegungsstereotyps außerordentlich langwierig ist. Dieser Umstand sollte besonders im Hinblick auf eine angestrebte Modifikation der Atmung berücksichtigt werden, die – wie oben erwähnt – sinnvollerweise am Anfang der Behandlung im Vordergrund stehen wird. Gerade in dem Bemühen um eine ökonomische Atmung als Voraussetzung für die übrigen Sprechfunktionen gilt es, einen pragmatischen Mittelweg zwischen Erstrebenswertem und zeitlicher Begrenzung zu finden. Wir stellen an die Sprechatmung objektive Leistungsanforderungen. Wir wissen aus Erfahrung, daß eine unzureichende Kontrolle der Atembewegungen sich auf das artikulatorische und besonders auf das phonatorische Verhalten störend auswirkt. Aber wir haben mit einem begrenzten physiologischen Leistungspotential zu rechnen. Zusätzlich erfordert eine Umstellung der Atmung – auch bei Hirngesunden – ein hohes Maß an Bereitschaft zur Verhaltensänderung, die über das physiologische Verhalten hinausgeht. Das Therapieziel muß daher immer wieder neu überprüft werden, um nicht nur das prinzipiell Erreichbare, sondern auch das zeitlich Mögliche im Blick zu behalten.

Stellenwert der sensiblen Stimulation

Es erwies sich bislang als sinnvoll, bei begleitenden sensomotorischen Störungen von vornherein die Kooperation mit der Krankengymnastik zu suchen. Sie kann darüber Hinweise geben, welche Bewegungs-, Druck-, Vibrations- und Dehnungsreize oder welche passive Bewegungen der Extremitäten adäquat sind.

In der Therapie stimulieren wir die Patienten mehr oder weniger systematisch auf multisensorische Weise. Multisensorisch heißt, den Patienten über mehr als einen Sinneskanal zu stimulieren. Wir tun dies, indem wir z.B. Berührungsreize setzen (taktile Stimulation) und gleichzeitig passiv eine Bewegung (propriozeptive Stimulation) ausführen oder verbal eine entsprechende Bewegungsvorstellung (auditive Stimulation) auszulösen versuchen. Wir gehen davon aus, daß die Informationen „im Patienten konvergieren" und die gewünschte motorische Handlung hervorrufen.

Hemmende Reize sind notwendig, wenn zu hohe Muskelspannung herrscht, wenn Hirnstammreflexe auslösbar sind, wenn eine taktile Hyperästhesie und wenn eine hohe affektive Erregbarkeit besteht. Bahnende Reize werden bei schlaffer Muskulatur und bei taktiler Hypästhesie angewandt. Die Stimulationsformen beinhalten taktile Reizung mit kontrolliertem Druck, Dehnen, Ausstreichen, Vibration und passives Bewegen einschließlich Widerstandsübungen. Neuere Arbeiten haben bestätigt, daß Lippen und Zunge besonders reich mit Hautrezeptoren ausgestattet sind und daß über 50% der kortikalen Neurone kutane Rückmeldung erhalten (Abbs u. Welt 1985). Dieselben Autoren stellen weiterhin fest - und sie stehen mit dieser Auffassung nicht allein (vgl. Jung 1976) - daß die motorische Steuerung unter ständigem und intensivem afferentem Einfluß des peripheren Endorgans steht. Die eigentliche Funktionsweise dieser Regelmechanismen ist allerdings noch weitgehend unklar. Wir leiten aus diesen Annahmen für die Therapie von sprechmotorischen Störungen ab, daß eine Normalisierung der Sensibilität auch die sensorischen Bedingungen für diese motorische Funktion verbessern kann.

Oberstes Gebot bei allen Stimulationsbehandlungen ist, aversive Reaktionen des Patienten zu vermeiden. Wir sollten seine Empfindungen immer abfragen, nicht nur weil Abwehr den gegensätzlichen Effekt hervorrufen kann, sondern auch weil der Therapeut sich an den gewünschten Effekt herantasten muß.

Spontane Fehlentwicklungen

Es hat - nicht nur was die Phonation betrifft - den Anschein, daß es kritische Phasen während der Spontanrückbildung einer sprechmotorischen Störung gibt, so daß eine Verhaltensweise in geradezu prägender Form vom Patienten übernommen wird. Sie mag oberflächlich besehen sich als die adäquate Antwort auf ein Symptom ausnehmen. Im Hinblick auf die Dynamik der Sprechstörung kann sie auf längere Sicht hemmend sein. Besonders die (kompensatorischen oder synergistischen) Bewegungen von Muskeln, die normalerweise für eine bestimmte Bewegungsfunktion nicht notwendig sind, sollten soweit möglich vermieden oder abgebaut werden. Dadurch wird der Kraftaufwand für eine Bewegung möglichst gering gehalten und die Selektivität notwendiger Bewegungen erhöht.

Wiederherstellung der Vitalfunktionen vor der Sprechfunktion

Die Reihenfolge der Besprechung der Behandlungsmethoden folgt der hierarchisch gegliederten Funktionsweise des Sprechvorgangs. Damit soll keine Reihenfolge der Behandlungsschritte festgelegt werden, wenngleich es überlegenswert ist, die Modifikation des Sprechvorgangs von der Atmung her aufzubauen. Als allgemeine Richtlinien für eine Behandlungsreihenfolge können gelten: an erster Stelle steht die Behandlung vitaler Funktionen (z.B. Kauen, Schlucken), wobei es notwendig sein kann, an allen drei Funktionskreisen zu arbeiten. Bei der Wiederherstellung vitaler Funktionen werden zum Teil elementare Bewegungen für das Sprechen angebahnt (z.B. Atmung, Körperhaltung, Mundschluß). Wenn die Vitalfunktionen ausreichend wiederhergestellt sind, sollte sich der Akzent der Behandlung auf die Anbahnung spezifischer Sprechbewegungen verschieben. In die weiteren Therapieentscheidungen fließen außerdem Überlegungen ein, ob ein Funktionskreis weitgehend isoliert behandelt werden soll oder ob parallel Korrekturen anderer Bereiche notwendig sind. Letztlich sind die Entscheidungen danach zu treffen, welche Funktionen einander bedingen und welche aufeinander aufbauen.

Behandlungsmethoden

Atmung

Behandlungsschwerpunkte. Die Behandlung der Atmung wird im Vordergrund stehen, wenn das Luftvolumen für die Phonation zu gering ist, die Luft nicht dosiert abgegeben oder die inspiratorische Spannung nicht über ein Mindestmaß an Zeit gehalten werden kann. Es müssen also im Extremfall erst die Grundvoraussetzungen für die Erzeugung eines Sprachschalls geschaffen werden.
Bei schweren zentralen Sprechstörungen können wir vor der Aufgabe stehen, die intentionale Veränderung des Atemrhythmus anzubahnen oder die intentional geführte Atembewegung von assoziierten Reaktionen (Bobath 1983), z.B. von assoziierter Stimmbandadduktion (Phonation), zu entkoppeln. Für die Entkopplung der beiden Funktionskreise genügt es, wenn der Patient lernt, die intentionale Atembewegung mit einem möglichst geringen Kraftaufwand auszuführen.

Ruheatmung. Zur Modifikation der Ruheatmung und Anbahnung der Phonationsatmung empfiehlt es sich, den Patient erst einmal *liegend* zu behandeln. In Rückenlage ändern sich einige respiratorischen Bedingungen: Der Entspannungsdruck, resultierend aus den elastischen Rückstellkräften, ist höher. Die verbleibende funktionelle Residualkapazität in Atemmittellage ist im Liegen geringer als in aufrechter Position. Der Patient ist im Liegen entspannter und für die Stimulation gewünschter Bewegungsmuster empfänglicher.

Im Liegen wird der Patient daher in aller Regel früher intentional stimmhaft phonieren als im Sitzen. Das wesentliche Ziel in dieser Phase der Modifikation der Atmung ist, gezielt die abdominalen Atemmuskeln und andere atemwirksame Flanken- und Rückenmuskeln zuerst einmal für die Ruheatmung ins Spiel zu bringen. Je eher und besser dies gelingt, desto effektiver wird die für das Sprechen notwendige Balance von inspiratorischen und exspiratorischen Kräften sein.
Es ist bei allen Atemstörungen sinnvoll, die Wahrnehmungsfähigkeit für Schwere, Muskelspannung und für Bewegungsabläufe zu schulen. Die Methoden, mit denen diese Fähigkeit angestrebt wird, umfassen verschiedene Entspannungstechniken, sensible Stimulationsformen, Übungen der funktionellen Atembehandlung (z.B. Parow 1972) und gymnastische Übungen. Wie hilfreich Entspannungstechniken sind, hängt nicht zuletzt von der Persönlichkeitsstruktur und von der Ablenkbarkeit des Patienten ab. Neben den mechanischen Reizen kann auch der olfaktorische Reiz atemwirksame Reflexe auslösen. Die reflektorische Beeinflussung der Atemabläufe kann unter Umständen rascher bestimmte Bewegungselemente mobilisieren als eine im wesentlichen verhaltenstherapeutisch ausgerichtete Behandlung.
Die Behandlung der Ruheatmung schließt von Anfang an die *Regulierung des Luftstroms* in den oberen Atemwegen mit ein. Diese sog. Atemsteuerung bezeichnet die Funktion des oberen Ansatzrohrs, einen atemsteuernden Widerstand aufzubauen, der normalerweise durch die Nasenenge entsteht. Diesem Widerstand wird im wesentlichen eine postive Wirkung auf die Spannkraft der Atmungsmuskulatur beigemessen. Die erste Maßnahme zur Atemsteuerung besteht im Einüben des Mundschlusses. Die erwähnte olfaktorische Reizung ist besonders dazu geeignet, einen erhöhten Luftwiderstand an der Nase zu erzeugen und damit Zwerchfell und Brustmuskulatur zu vermehrter Tätigkeit anzuregen.
Die Effektivität der Therapie kann in diesem Behandlungsabschnitt mit den diagnostischen Verfahren zur Messung der Vitalkapazität, der

maximalen Durchflußrate, der Exspirationsdauer und der Volumengeschwindigkeit kontrolliert werden. In diesem Abschnitt der Modifikation der Ruheatmung und Anbahnung
der Phonationsatmung geben die Meßwerte
der Vitalkapazität und des maximalen Flußvo-
lumens sowie die Pneumographie über die
Dynamik Aufschluß.

Der nächste Schritt beinhaltet Atemübungen
im Sitzen. Es gilt nun, die im Liegen erarbeiteten Bewegungsmuster in diese veränderten
Schwerkraftverhältnisse zu übertragen. In dieser Phase müssen wir uns in der Regel auch
mit gestörter Rumpfbalance, spastischen Kontraktionen, z. B. der Seitbeuger des Rumpfs
und Fehlhaltungen des Kopfs auseinandersetzen. Die Kooperation mit der Krankengymnastik beinhaltet unter anderem, reflexhemmen-
de Haltungstechniken für den Patienten zu
finden. Außerdem sollten parallel zur logopädischen Behandlung die krankengymnasti-
schen Maßnahmen gezielt an der Beseitigung
körperlicher Fehlhaltungen arbeiten, damit eine optimale Beweglichkeit der Rippen und der
Bauchmuskulatur gewährleistet ist.

Es bedarf unserer ganzen Aufmerksamkeit,
den Patienten soweit wie möglich vor Haltungsanomalien und „totalen Synergismen"
(Bobath 1983) zu bewahren. Unter Sprechbe-
lastung verstärken sich diese Muster. Sie können Hochatmung provozieren und dadurch
die Atemarbeit erhöhen. Zusätzlich beeinträchtigen sie die selektive Beweglichkeit des
Kehlkopfs und der Artikulatoren.

Es kann sich bei Patienten, die auf einen Rollstuhl angewiesen sind, als notwendig erweisen,
strukturelle Veränderungen am Sitz vorzunehmen. Dazu gehören stützende Maßnahmen,
damit die Exkursionsfähigkeit der Rippen
durch Fehlbelastung der hemiplegischen Seite
oder des Zwerchfells durch Hochdrängen der
Bauchorgane nicht behindert ist.

Phonationsatmung. Das nächste Ziel der Behandlung der Atmung ist, effektive Bewegungsmuster für die Sprech- bzw. Phonationsatmung herzustellen. Bei eher schlaffem Ge-
samtbild wird man auch Kräftigungsübungen
und Mobilisationstechniken einsetzen, wie sie

aus der funktionellen Atemtherapie bekannt
sind, soweit sie mit den sonstigen sensomotorischen Störungen vereinbar sind. Miteinzubeziehen sind fazilitierende, sensible Stimuli
nach dem Prinzip, daß die Stimulusrate
schnell, ungleichmäßig und unterbrochen sein
soll (Farber 1974). Bleiben die Maßnahmen
ohne Erfolg, wird schließlich die Atemhilfs-
muskulatur ins Spiel gebracht, wenn nur so
ein ausreichender subglottischer Druck und
eine adäquate Exspirationsdauer erzielt werden können. Wir nehmen bei unzureichendem
Atemvolumen und Exspirationsdruck bewußt
eine unphysiologische Atmung in Kauf.

Entwickelt der Patient eher spastische Muster,
sollte die sensible Stimulation, z. B. Vibration
auf dem Brustbein oder längs der Wirbelsäule,
langsam, gleichmäßig und rhythmisch erfolgen (Tegart u. Mitto 1987).

Aktive Übungen unterliegen dem Prinzip des
geringsten Kraftmaßes; wenn der Patient sich
anstrengt, schnell bewegt oder wenn er sich
aufregt, kann vorübergehend eine Verstärkung
der muskulären Spannung eintreten. Übungen, die der Leistungsverbesserung der Sprechatmung (Verlängerung der Ausatmungsdauer,
Stabilisierung des Anblasedrucks, Vergrößerung des Atemzugvolumens) dienen, müssen
entsprechend vorsichtig eingesetzt werden.
Die Mehrzahl der Patienten hat meist unbe-
wußt die Tendenz, die geforderten Aufgaben
durch Anstrengung zu bewältigen. Es ist integraler Bestandteil solcher Übungen, den Patienten nach seiner subjektiv empfundenen Anstrengung zu fragen und ihn dafür zu sensibili-
sieren. Für bestimmte Aufgaben kann es sinnvoll sein, die Atembewegungen in verschiedenen Positionen – in Rücken-, Bauch- und
Seitenlage – spüren zu lassen.

Die Führung und die zeitliche Verlängerung
des Ausatmungsstroms, die Abstimmung der
Ausatmung auf die Phonation und Artikulation verlangen eine feine Kontrolle des Anta-
gonismus von Ein- und Ausatmungsmuskula-
tur. Der unscharfe und umstrittene Begriff der
Atemstütze deutet den physiologischen Aspekt
dieser Funktionen an. Übungen zur Atemstütze werden in der logopädischen Praxis vielfach eingesetzt. Von der Muskelfunktion her

erklärt, geht es um die Brust-, Bauch-, Flanken- und Zwerchfell„stütze". Der Stützvorgang bedeutet, daß die eine oder andere Muskelgruppe in Inspirationsstellung verharrt, während die Ausatmung bereits eingesetzt hat. Es bleibt wohl noch ein unentschiedener Meinungsstreit, welche Stützfunktion – die der Bauchdecke oder die des Brustkorbs – bevorzugt werden soll. Man geht am besten pragmatisch vor und richtet die Übungen an den (patho)physiologischen Gegebenheiten des Einzelfalls aus.

Atemrhythmus. Je mehr mit natürlichsprachlichen Inhalten gearbeitet werden kann, desto stärker wird die zeitliche Koordination von Atmung und Phonation/Artikulation Gegenstand des Übens sein. Zunächst handelt es sich dabei um die Atemeinteilung. Damit ist die Fähigkeit gemeint, zu jedem beliebigen Zeitpunkt die Ausatmung anzuhalten und wieder einzusetzen. Außerdem gehört dazu die Fähigkeit, die Aus- und Einatmungszyklen den artikulatorischen und phonatorischen Bedingungen so anzupassen, daß einerseits die verfügbare Luft optimal genutzt und andererseits nicht zu häufig und zu viel in die funktionelle Residualkapazität geatmet wird. Die Atemeinteilung tritt in den Mittelpunkt des Bemühens, wenn der Luftverlust an der Glottis durch unzureichende Stimmbandadduktion oder im Bereich der Artikulation dauerhaft zu hoch bleibt. Im weiteren Verlauf der Behandlung kann die zeitliche Synchronisation von Exspiration und Stimmbandadduktion bzw. artikulatorischer Geste Gegenstand der Übungen sein.

Die phonatorischen und artikulatorischen Inhalte der Übungen richten sich nach den in diesen Funktionskreisen bestehenden Fähigkeiten. Es ist sicher nicht effizient, Übungen zur Verlängerung der Exspirationsdauer mit Frikativen zu gestalten, wenn der Luftstrom wegen unzureichender Velumanhebung durch die Nase entweicht. Übungen mit Vokalen und Nasalen sind dafür geeigneter. Die Kontrolle einzelner funktioneller Komponenten der Exspirationsphase kann gezielt mit Feedbackverfahren trainiert werden. Einzel-

heiten dazu werden in dem entsprechenden Abschnitt behandelt (s. S. 344).

Mund- und Nasenatmung. Mangelnder Mundschluß ist nicht nur ein Problem der Frühphase. Es kann uns u. a. bei Patienten mit traumatisch bedingter Dysarthrie längere Zeit beschäftigen. Dabei geht es nicht um die Frage, ob die Mund- oder die Nasenatmung bevorzugt werden soll, sondern inwieweit Mundatmung sinnvoll ist. Die Nasenatmung hat neben ihrer Bedeutung für die Gesundheit die Funktion eines Gegenspielers zum Zwerchfell (Parow 1972). In unseren Bemühungen, Hochatmung zu verhindern und die Bauchatmung mehr ins Spiel zu bringen, erweisen sich die Übungen mit künstlicher Verengung der Nase als wirkungsvoll. Das Zwerchfell, das ja unserem Willen nicht direkt zugänglich ist, wird dadurch zu stärkerer Saugwirkung herausgefordert.

Für die Ruheatmung ist grundsätzlich die Nasenatmung zu fordern, da sie sich außer auf die Atemfunktion auch auf vegetative Funktionen (z. B. Erhöhung der Ansaugwirkung des venösen Bluts in die Lungen durch gesteigerten Unterdruck im Brustkorb, Schmitt 1956) positiv auswirkt. Beim Sprechen sollten wir die Mundatmung jedoch zulassen, da sich die Einatmungszeit durch ausschließliche Nasenatmung verlängert und die meist sowieso schon unnatürlich lange Äußerungsdauer noch mehr in die Länge ziehen würde.

Die Therapiewirkung kann über den Zuwachs der Vitalkapazität, der maximalen Durchflußrate, der Ausatmungsverlängerung und der Gleichmäßigkeit des Exspirationsstroms kontrolliert werden. Veränderungen der Bewegungsmuster können mit Hilfe von Videoaufnahmen festgestellt werden.

Der Spielraum für die Modifikation von zentralen Atemstörungen ist nach unseren Erfahrungen eng begrenzt. Wir haben bei anfangs verstelltem intentionalem Zugriff auf die Atmung und zu schwachem Luftstrom für Phonation einen Leistungszuwachs beobachtet, der das Sprechen von wenigstens 2–3 Silben auf eine Ausatmungsphase erlaubte.

Die Prognose ist, was eine Normalisierung betrifft, indessen eher als schlecht zu bewerten. Die Atmung kann auch relativ schwerer gestört bleiben als Phonation und Artikulation. Insbesondere sind Dysarthrophonien nach Mittelhirn- oder Kleinhirnschädigung durch solche Unterschiede im Störungsgrad der Funktionskreise gekennzeichnet.

Phonation

Behandlungsschwerpunkte. Die Phonation, d. h. das laryngeale System, kann im Gegensatz zum respiratorischen Funktionskreis isoliert beübt werden. Wie gut die Phonation wiederherstellbar sein wird, hängt in entscheidendem Maß von den Erfolgen der Atemtherapie ab. Nach unserer Erfahrung sollte die Behandlung von mittelschweren und schweren zentralen Stimmstörungen immer auf eine intensive Atemtherapie aufbauen, die Körperspannung und -haltung miteinschließt.

Die Behandlungsziele richten sich nach der Störung der phonatorischen Grundfunktionen: Hypo- oder Hyperadduktion der Stimmbänder, eingeschränkte Lautstärke- und Tonhöhenvariation, Irregularität und Instabilität der Stimmbandschwingungen.

Wiederherstellung der stimmhaften Phonation. Besonders hervorzuheben ist die Behandlung von Patienten mit traumatischem Mutismus. Bei ihnen besteht die Gefahr, daß sich aus einer vorhandenen Hypoadduktion allmählich eine Hyperadduktion entwickelt. Es hat sich bislang durchwegs bewährt, die manchmal sehr langsame Wiederkehr der Phonationsfunktion behutsam und mit Schonhaltung zu begleiten. Die therapeutische Hauptaktivität liegt dabei in der passiven Bewegung des Kehlkopfs und der sensiblen Stimulation der äußeren Kehlkopfmuskeln. Zu den adäquaten Reizformen zählen manuelle Vibration, seitliches und vertikales Verschieben des Kehlkopfs; Druck auf den Schildknorpel gleichzeitig von beiden Seiten nach median; kreisende Massage des Kehlkopfs. Die Erfahrung hat gezeigt, daß sich Kräftigungsübungen (z. B. Fröschels-Stoßübungen) im Hinblick auf einen sich schon spontan einstellenden Um-

schlag in laryngeales Preßverhalten direkt schädigend auswirken können. Nur wenn mit Sicherheit eine dauerhafte Hypotonie oder eine Muskelschwäche anzunehmen ist, die nicht auf erhöhten Muskeltonus zurückzuführen ist, sind kompensatorische Anstrengungen, die über das normale Kraftmaß hinausgehen, vertretbar.

Bei Patienten mit vaskulär bedingter Hirnschädigung entscheiden wir uns in einzelnen Fällen mit persistierender Aphonie für aktive Methoden, wie sie bei funktioneller Aphonie angewandt werden. Das entscheidende Kriterium dafür ist, daß Zeichen einer pathologischen Tonuserhöhung der laryngealen, aber auch der assoziierten Motorik fehlen. Bei Hyperadduktion der Stimmbänder erweisen sich die Methoden aus der funktionellen Stimmtherapie als fruchtbar. Sie müssen selbstverständlich entsprechend der begleitenden Artikulations- oder Atmungsstörung modifiziert werden. Bei gepreßter Phonation ist der Einfluß der Atmung besonders kritisch einzuschätzen. Es ist vorstellbar, daß auch ein nur geringfügig zu hoher Atmungsdruck reflektorisch die Adduktionsspannung erhöhen kann.

Interaktion mit der Artikulation. Bei schwerer Artikulationsstörung wird man schwerpunktmäßig die Artikulation zu verbessern suchen, bevor man dann auf die Interaktion von Artikulation und Phonation, d. h. auf die Kontrastierung von stimmhaften und stimmlosen Lauten, auf artikulatorische und prosodische Funktionen der Phonation eingeht. Die Koordination von laryngealem und respiratorischem System kann nicht nur das Kräfteverhältnis, sondern auch die zeitliche Aufeinanderabstimmung betreffen. Entsprechende Dissoziationen werden unter dem Aspekt der Atemeinteilung isoliert mit Stimmeinsatzübungen angegangen. Koordinationsübungen zwischen Artikulation und Phonation sind bei gestörten Stimmhaft-stimmlos-Kontrasten notwendig.

Prosodische Funktionen. Die Verbesserung der Modulationsfähigkeit von Tonhöhe und Lautstärke erfolgt erst dann, wenn die stimmhafte Phonation und die Stimmqualität ausreichend stabilisiert sind. Diese Fähigkeiten übt man in natürlichsprachlichem Kontext, d. h. in der Funktion als Wort- und Satzakzent und als bestimmte Intonationskontur. Es ist jedoch zu überlegen, ob mit der Tonhöhe, der Lautstärke oder mit beidem die Akzentuierung realisiert werden soll. Die Akzentuierung dem freien Spiel der Kräfte zu überlassen, kann bedeuten, daß funktionelle Ungleichgewichte entstehen, die man in elementaren Übungsphasen sorgsam zu vermeiden sucht. Im normalen Sprechen ist die Führungsgröße der Akzentuierung die Tonhöhe. Bei dysarthrischen Sprechern ist zu beobachten, daß der Akzent eher von der Lautstärke geprägt ist. Es ist daher vom Standpunkt der Ökonomie aus zu entscheiden, ob man der Kehlkopffunktion (Tonhöhe) oder der Atmung (Lautstärke) die Führungsrolle übertragen will. Für die Entscheidung solcher Fragen sind elektroakustische Instrumente hilfreich. Die entsprechenden instrumentellen Therapiehilfen und Feedbackmethoden werden weiter unten dargestellt.

Artikulation

Die Therapie der Artikulationsstörungen bei Dysarthrie nimmt in den einschlägigen Arbeiten gewöhnlich den breitesten Raum ein. Dafür sind mehrere Gründe verantwortlich zu machen:

- In der Artikulationsstörung wird meistens die Hauptursache für reduzierte Verständlichkeit gesehen.
- Sprechen und der Begriff Dysarthrie werden kurzschlüssig nur mit Artikulation in Zusammenhang gebracht.
- Das Beschreibungsinventar der artikulatorischen Vorgänge ist am differenziertesten entwickelt.

Behandlungsschwerpunkte. Die Besonderheit von dysarthrischen Artikulationsstörungen besteht u. a. darin, daß neben der Lautbildung auch elementare (vitale) Funktionen wie Kauen, Schlucken und Säuberungsfunktionen des Rachens und der Nase gestört sein können. Es

versteht sich von selbst, daß bei entsprechender Störung der vitalen Funktionen deren Behandlung im Vordergrund steht. Eine schwere Artikulationsstörung verlangt zu Beginn die gleichen Therapieansätze wie eine entsprechend schwere Kau- und Schluckstörung, da in einem relativ unspezifischen Stadium der Behandlung beiden Funktionen gemeinsam zugrundeliegende sensomotorische Fertigkeiten stimuliert werden. Eine umfassende Darstellung der Kau- und Schlucktherapie findet man bei Logemann (1983). Bereits Fröschels (1943) hat im Üben nichtsprachlicher Bewegungen eine notwendige Voraussetzung für die weitere artikulatorische Differenzierung gesehen. Leider werden seine systematischen und differenzierenden Überlegungen zu diesem Thema vernachlässigt und sein Ansatz auf die „Kaumethode" eingeengt. Allerdings hat er bei seinen Überlegungen die somatosensible Seite der Motorik weitgehend außer acht gelassen.

Orale Sensibilität. In unserem Therapieansatz steht das Bestreben zur Normalisierung der Sensibilität und die Integration pathologischer Reflexe am Anfang. Da der Tonus, die Reizschwellen für Reflexe und die Beweglichkeit in den einzelnen artikulatorischen Muskeln sehr unterschiedlich sein können, wird man die adäquaten Stimuli jeweils herausfinden müssen. Eine genaue Untersuchung der einzelnen Artikulatoren kann zeigen, wo fazilitierende und wo hemmende Reize appliziert werden sollen. Wie schon erwähnt, wirken langsame, gleichmäßige und rhythmische Reize inhibierend, während schnelle, ungleichmäßige und intermittierende Reize fazilitierend auf die Muskelreflexe wirken.
Aufgrund der theoretischen Erwägungen (s. S. 333) ist es denkbar, daß das taktile Feedback eine wichtige Bedeutung für das „Wiedererlernen" von motorischen Mustern in positiver und negativer Weise hat. Wir vermuten, daß z. B. mangelnder intraoraler Luftdruck wegen Veluminsuffizienz nicht nur die Akustik, sondern auf Dauer auch die Bewegungsmuster im zeitlichen Ablauf und in der Kraft störend beeinflußt, denn die abnormen Luft-

druckverhältnisse verändern auch die sensiblen Rückmeldungen. Wie bei der Theorie der Phonation ist auch bei der Artikulation eine Wechselwirkung zwischen Muskelspiel und Luftstrom anzunehmen. Das bedeutet: der orale Luftstrom wird durch die Artikulationsbewegungen nicht nur gelenkt, sondern er wirkt selbst auch steuernd auf die Kraft und Geschwindigkeit der Artikulationsbewegungen.

Bei nachweisbaren sensiblen Störungen und gravierender artikulatorischer Beeinträchtigung sollte eine Normalisierung der taktilen Sensibilität im Vordergrund stehen. Die praktische Vorgehensweise kann im Rahmen dieser Darstellung nur skizziert werden. Zur Ergänzung wird jeweils auf die einschlägige Literatur verwiesen. Die Bereiche, in denen wir stimulieren, schließen in der nachstehenden Reihenfolge den Hals, das Gesicht, den Mundboden und den Kiefer sowie intraoral die Wangenschleimhaut, die Zunge von oben und unten, den harten und den weichen Gaumen ein. Für die einzelnen Bereiche muß entschieden werden, ob die Reizschwelle herauf- oder herabzusetzen ist. Die Methoden beinhalten: Druck ausüben (Knott u. Voss 1968), die Muskeln in Faserrichtung dehnen (Harris 1978), beklopfen (Knott u. Voss 1968), Vibration (z. B. mit einer Zahnbürste; Bishop 1974, 1975 a, b) und einen thermischen Reiz (Eis; Knott u. Voss 1968) anwenden. Es wurde schon darauf hingewiesen, daß die Art (Amplitude, Frequenz, Geschwindigkeit, Druck) des Reizes darüber entscheidet, ob er hemmend oder bahnend wirkt. Die PNF-Methode („proprioceptive neuromuscular facilitation") beispielsweise gehört zu den fazilitierenden Behandlungen und wäre bei spastischer Dysarthrie kontraindiziert (Tegart u. Mitto 1987). Natürlich wird die sensorische Stimulation nicht stereotyp durchgeführt, sondern fakultativ da angewandt, wo gestörte Muskelfunktionen vorliegen. Der nächste Schritt in der Behandlungsfolge umfaßt die passiven Bewegungen. Das passive Bewegen der Artikulatoren wird bei schweren, aber auch schon bei leichteren Bewegungsstörungen von vielen Patienten als angenehm und hilfreich empfunden.

Der Neuroanatom Brodal (1973), der selbst einen Schlaganfall erlitten hat, berichtete über diese nützliche Hilfestellung sehr anschaulich. Passives Bewegen wird dort als sinnvoll betrachtet, wo selektive Bewegungen von assoziierten Reaktionen begleitet sind, wie bei der spastischen Dysarthrie (Tegart u. Mitto 1987), aber auch prinzipiell da, wo Haltungen und Bewegungen erst wieder angebahnt werden. Passiv bewegt wird also nicht nur für nichtsprachliche Bewegungen, sondern auch für phonetische Zielbewegungen. Bei mehrfacher Störung hat sich bewährt, am Kiefer zu beginnen, da er primär eine Haltungs- und Stabilisierungsfunktion für Lippen- und Zungenbewegungen hat.

Nichtsprachliche Bewegungsübungen. Der Übergang zu aktiven Bewegungsübungen umfaßt zuerst die nichtsprachlichen Bewegungen. Zu solchen Übungen gehört, z. B. den Kiefer seitwärts und vorwärts zu bewegen oder mit der Zunge zu kreisen. Die Übungen können nach verschiedenen Anforderungen variiert werden: nach Geschwindigkeit, Regelmäßigkeit oder Flüssigkeit der Bewegungen sowie nach Kraft in Form von isometrischen Übungen. Der Patient soll lernen, bei einfachen Bewegungen ein adäquates Maß zu entwickeln, was Kraft, Geschwindigkeit und Auslenkung betrifft. Je höher die Anforderungen werden, desto schwerer kontrollierbar wird die Art und Weise der Ausführung – für den Patienten wie für den Therapeuten.

Die Übungen sollten nicht nur phonetisch relevante Bewegungen und Bewegungsrichtungen, sondern alle prinzipiell möglichen Bewegungen einschließen. Wir wissen noch zu wenig darüber, wie die muskulären Kräfte für bestimmte artikulatorischen Zielbewegungen im einzelnen wirken, um hier eindeutige Akzente zu setzen. Wir können nur ganz intuitiv auf ein freies und ausgewogenes Spiel der muskulären Kräfte hinarbeiten. Auf dieser Übungsstufe gilt auch das, was für die Atmung gesagt wurde, daß die Körperhaltung, d. h. insbesondere die Rumpf- und Kopfhaltung, aktiv in das Geschehen einbezogen werden soll.

Das Training phonetischer Zielbewegungen fängt bei schweren Artikulationsstörungen erfahrungsgemäß am wirkungsvollsten bei den Vokalen an. Wir beginnen nicht deshalb mit ihnen, weil sie scheinbar am leichtesten realisierbar sind, sondern weil sie physiologisch bzw. nach Koartikulationsmechanismen gesehen vermutlich die Basis für die Konsonantenartikulation darstellen. Es fehlt bislang der wissenschaftlich gesicherte Nachweis, daß Konsonanten physiologisch schwieriger realisierbar sein sollen als Vokale. Konsonanten sind vor allem akustisch „verletzbarer". Man betrachtet spätestens dann das Konzept von den schwierigeren Konsonanten kritisch, wenn man einen Patienten erlebt hat, dessen Störungsschwerpunkt symptomatisch in der Vokalartikulation liegt. Mit den Vokalen zu beginnen birgt den Nutzen, von Anfang an die Stützfunktion und den Synergismus des Unterkiefers miteinzubeziehen. Man kann darüber streiten, ob man bei Konsonanten mit den Haltelauten beginnt – also mit den Nasalen, den Frikativen und dann erst die Plosive und zuletzt die Konsonantenverbindungen einführt. Es hat sich bewährt, bei der Erarbeitung des Lautinventars symptomorientiert vorzugehen und dabei mit den Lauten zu beginnen, die am leichtesten fallen. Wichtig erscheint es uns, bei langsamen Fortschritten – auch bei noch sehr unvollständigem Lautinventar – neben systematisch, aber nicht semantisch sinnvollen Silbenübungen frühzeitig natürliche und alltagsrelevante Wörter verfügbar zu machen, um dem Patienten Erfolge zu vermitteln.

Bei unvollständiger Gaumensegelanhebung sind dem therapeutischen Bemühen um die Verbesserung der Artikulation klare Grenzen gesetzt. Das Velum ist dem bewußten Zugriff mehr als alle anderen Artikulatoren entzogen. Insofern gibt es kaum spezifische Übungen, die es gezielt ansprechen. Bei persistierender Veluminsuffizienz kann eine passive Anhebung durch eine Gaumensegelprothese eine Annäherung an die physiologischen intraoralen Luftstromverhältnisse bringen (s. S. 343).

Prosodische Funktionen. Wichtig ist, so bald wie möglich prosodische Variablen einzuführen. Dazu gehört die systematische Variation von Laut- und Silbendauer, das Markieren von Silben- und Wortgrenzen sowie das artikulatorische Hervorheben akzentuierter Silben bzw. das artikulatorische Reduzieren unbetonter Silben. Das auditive Feedback des Patienten reicht in der Regel für eine wirksame Eigenkontrolle nicht aus. Besonders deutlich tritt diese Schwierigkeit zutage, wenn man das Sprechtempo des Patienten zu drosseln versucht, was eine der Schlüsselvariablen für bessere Verständlichkeit sein kann.

Kommunikatives Training

Alle therapeutischen Bemühungen und Übungen sind von nur relativer Wirksamkeit, solange sie nicht auf ihre Tragfähigkeit in alltäglichen Kommunikationssituationen erprobt und trainiert worden sind. Das emotionale Befinden, die geteilte Aufmerksamkeit und die Umgebungsgeräusche zeigen oft erst den eigentlichen Schweregrad einer Dysarthrie. Der Patient muß deshalb mit diesen Einflußfaktoren umgehen lernen und eine realistische Einschätzung seiner kommunikativen Möglichkeiten und seiner Belastbarkeit erwerben. Praktisch bedeutet dies, daß man im Prinzip parallel zur Einzeltherapie Therapie in Kleingruppen durchführen sollte. Eine Klinik bietet außerdem noch andere Möglichkeiten des kommunikativen Trainings. Es gibt kleine Geschäfte, einen Informationsstand, ein Cafe, ein Telefon u. ä., um dem Patienten kommunikative Aufgaben zu stellen. So kann er vielleicht das notwendige Selbstbewußtsein gewinnen, seine potentiellen lautsprachlichen Fähigkeiten umzusetzen. Unsere bisherigen Erfahrungen zeigen, daß sich unter dem Eindruck der tatsächlichen Kommunikationsfähigkeit Therapieschwerpunkte in Richtung Verhaltensmodifikation verschieben können. Letztlich kann man aus dem kommunikativen Training die plausibelsten Kriterien für einen Abbruch der Therapie gewinnen. Wir müssen leider oft feststellen, daß die Leistungen des Patienten in der Therapiesituation nicht in kommunikative Alltagssituationen übertragen werden.

Außerdem lassen sich die fehlerhaften Verhaltensweisen der Gesunden im Umgang mit dem Sprechgestörten aufdecken. Der Therapeut kann daraus nützliche Hinweise ziehen, wie er die Angehörigen des Patienten beraten kann.

Therapeutische Hilfsmittel

Im folgenden wird eine Auswahl von bewährten Übungshilfen, prothetischen Maßnahmen und Feedbackmethoden vorgestellt. Die Zusammenstellung der Verfahren spiegelt teilweise den Trend wider, die Dysarthrietherapie immer mehr mit einem physiologischen Ansatz zu begründen. Feedbackmethoden aber auch prothetische Maßnahmen basieren auf physiologischen Hypothesen zu den vorliegenden Sprechstörungen. Die Anwendung von Feedback ist an eine entsprechende instrumentelle Ausstattung, an eine ausreichende Erfahrung im Umgang mit physiologischen Meßgeräten und an Kenntnisse zur Theorie und Praxis von Feedbackverfahren gebunden.

Die Anpassung einer Gaumensegelprothese bedarf eines interdisziplinären Teams, das neben dem Therapeuten aus einem Zahnarzt/ Kieferorthopäden, einem HNO-Arzt/Phoniater und wenn möglich einem Phonetiker besteht, der die notwendigen akustischen und aerodynamischen Messungen durchführt.

Übungshilfen

Übungshilfen für die Kräftigung der Lippen. Die Beweglichkeit der Artikulationsorgane kann bis zur Anarthrie gestört sein. In diesem Zustand kann die Anbahnung ganz elementarer Bewegungen und Funktionen im Vordergrund stehen. Ein einfaches Hilfsmittel, um die isometrische Muskelkraft der Lippen zu stärken, kann ein an einem Faden befestigter Knopf sein (Garliner 1976). Der Knopf wird zwischen Zähne und Lippen des Patienten geschoben. Der Therapeut zieht mit mäßiger Kraft an dem Faden. Der Patient hat die Aufgabe durch kräftiges Auseinanderpressen der Lippen das Herausrutschen des Knopfs zu verhindern.

Übungshilfe für die Anhebung und Kräftigung der Zunge. Das Anheben der Zunge zum Gaumen kann sehr mühsam oder gar unmöglich sein. Die Hinterzunge ist meist stärker von dieser Einschränkung betroffen als die Vorderzunge. Beim Kauen und bei der Artikulation ist von außen nicht zu sehen, wie weit, mit welcher Kraft und in welchem Bereich der Patient die Zunge anheben kann. Man kann sich jedoch indirekt mit Hilfe eines Aufblasbällchens einen annähernden Eindruck über das Ausmaß der Anhebung verschaffen. Auf die Öffnung des Aufblasbällchens wird ein transparenter Plastikschlauch gesteckt. Das andere Ende des Schlauchs wird in ein Glas mit Wasser gehalten. Wird die Luft vollständig aus dem Bällchen gedrückt und läßt man es wieder los, wird die Wassermenge entsprechend dem Volumen der herausgedrückten Luft in dem Schlauch ansteigen. Der Patient hat nun die Aufgabe, das Bällchen entweder auf die Vorder- oder Hinterzunge zu legen und an den Gaumen zu drücken. Je nach Ausmaß der Zungenanhebung und des Drucks auf das Bällchen fällt die Wassersäule im Schlauch. Skaliert man den Abschnitt des Schlauchs oberhalb des Flüssigkeitsspiegels im Zentimeterabstand, erhält man sogar ein „Feedbackinstrument". Die Schwierigkeit dieser Übung läßt sich durch verschiedene Ballgrößen und Elastizitäten des Gummis variieren. Man kann bei dieser Übung davon ausgehen, daß nicht nur die vertikale Bewegung und Kraft der Zunge trainiert wird; die Zungenmuskeln müssen auch spielerische Balance halten, damit das Bällchen nicht wegrutscht. Insofern handelt es sich ansatzweise um eine Vorübung für die Vokalartikulation, für die eine balancierte Anhebung des Zungenkörpers notwendig ist.

Übungshilfe zur Erhöhung des subglottischen Drucks. Mit einem Strohhalm Luftblasen im Wasser aufsteigen zu lassen, gehört zum Standardrepertoire der Übungen bei insuffizienter Velumanhebung. Ein ähnlicher Aufbau kann für ein kontrolliertes Üben herangezogen werden, um bei schwerer Atemstörung den notwendigen subglottischen Druck für stimmhafte Phonation herzubekommen. Nach Netsell & Daniel (1979) sind die elementaren Anforderungen an die Respiration erfüllt, wenn ein Druck von 5 cm Wasser über 5 s gehalten werden kann. Diese Voraussetzung kann entweder mit einem handelsüblichen Wassermanometer geprüft und trainiert werden, oder aber man bedient sich der selbst herstellbaren Anordnung nach Hixon et al. (1982).

Tastbrett („pacing board") zur Beeinflussung der Prosodie. Bei dysarthrischen Patienten kann ein langsameres Sprechtempo zu verständlichem Sprechen verhelfen. Ein Mittel, langsameres Sprechen ohne langes Training zu erreichen, stellt das silbische Segmentieren mit Hilfe eines Tastbretts dar. Diese Hilfe wurde von Helm (1979) als „pacing board" vorgestellt. Es soll den Patienten zum Unterbrechen des Sprechflusses an der Silbengrenze bringen. Das silbische Segmentieren hat allerdings den Nachteil, daß ein unnatürlicher Sprechrhythmus entsteht und daß es die Sprechmelodie monotonisiert. Der Einsatz des Tastbretts kann als Zwischenschritt dienen, um den Patienten an eine Kontrolle seines Sprechtempos zu gewöhnen. Wir haben aber auch Patienten gesehen, bei denen kein Transfer zum Sprechen ohne Hilfsmittel stattfand. Manche dieser Patienten akzeptierten es jedoch, das Tastbrett ständig bei sich zu führen. Für die alltägliche Verwendung eignet sich aus Gründen der Platzersparnis die strahlenförmige Anordnung der Leisten auf einem runden Brett (nach einer Vorlage von Rosenbek 1984).

Stabilisieren des Unterkiefers mit einem Beißblock. Die verschiedenen Artikulatoren sind zeitlich und räumlich in ihren Bewegungen eng miteinander verkoppelt. Da sich eine Hirnschädigung nicht als einheitliche Bewegungsstörung auf die artikulatorischen Komponenten (s. S. 322) auswirkt, ist es für den Therapeuten wichtig, den Beitrag der Beeinträchtigung eines einzelnen Artikulators an der Sprechstörung einzuschätzen. Experimentelle Untersuchungen und klinische Anwendungen zeigen, daß sich die Stabilisierung des Unterkiefers mit einem Beißblock günstig auf den Sprechbewegungsablauf auswirkte (Abbs et al. 1983, Rosenbek 1984). Die Verwendung des Beißblocks in der Therapie kann bei Artikulationsübungen differenziertere Lippen- und Zungenbewegungen stimulieren. Außerdem ist durch die künstliche Situation die Aufmerksamkeit des Patienten stärker auf den artikulatorischen Vorgang gelenkt, was auch zu präziseren Bewegungsabläufen beitragen kann.

Bei Patienten, die zu erhöhter Muskelanspannung neigen, kann der Beißblock diese Tendenz in der orofazialen und Halsmuskulatur verstärken, weshalb man von seiner Verwendung dann eher absehen sollte.

Der Beißblock kann gute Hilfe leisten bei Patienten, bei denen die synergistische Anhebung des Unterkiefers zur Konsonantenartikulation gestört ist. Bei schwereren Dysarthrien – vor allem bei den spastischen – wird die angestrebte Engebildung durch die Zunge nicht durch das Anheben des Unterkiefers unterstützt. Im Extremfall erreicht die Zunge die Artikulationsstelle nicht, vor allem wenn sie selbst schon in ihrer Beweglichkeit eingeschränkt ist. Wir beobachten aber auch das Phänomen, daß der Kiefer sich noch mehr absenkt, während sich die Zunge beispielsweise für das /l/ an die Alveolen drückt. Die Zunge streckt sich bisweilen so sehr, daß ihre Unterseite zu sehen ist. Man gewinnt bei diesen Manövern den Eindruck, als ob der Unterkiefer als Widerlager dem Druck der Zunge an den Gaumen nicht standhalte und nach unten nachgäbe. Der Beißblock kann diesen Tendenzen entgegenwirken, indem er eine aktive Kontrolle des Unterkiefers ständig stimuliert.

Prothesen

Beißblock als Prothese. Ein Beißblock kann auch die Symptome bei unwillkürlichen, abnormen Artikulationsbewegungen mildern. Diese Erfahrung machten andere Autoren (Netsell u. Rosenbek 1986). Die prothetische Versorgung mit einem Beißblock soll am Beispiel einer 50jährigen Patientin demonstriert werden.

Diese Patientin litt seit über 10 Jahren unter Überschußbewegungen besonders der Vorderzunge, die aber auch auf die Haltung des Unterkiefers und des Kopfs übergegriffen hatten. Ein Beißblock schwächte die Symptome hör- und sichtbar ab, nahm ihr viel von der Sprechanstrengung und verbesserte ihre Verständlichkeit. Wir paßten ihr deshalb eine Knirscher-Schiene (auch als Aufbißschiene bezeichnet; sie soll den Abrieb bei nächtlichem Zähneknirschen verhindern) aus durchsichtigem Kunststoff an, auf die im Bereich der Molaren ein Block in der notwendigen Höhe aufgearbeitet war. Nach einem ca. 20stündigen Training war sie nach Jahren lautsprachlicher Enthaltsamkeit wieder in der Lage, mit anderen als nur vertrauten Menschen in lautsprachliche Kommunikation zu treten.

Prothese zur Anhebung des Gaumensegels („palatal lift"). Im angloamerikanischen Sprachbereich wird dieses Verfahren nunmehr seit fast 30 Jahren auch bei Patienten mit neuromuskulärer Funktionsstörung des Velums praktiziert, entsprechend reich sind die Erfahrungen. In der BRD wird dieses Verfahren vorwiegend bei organischen Abnormalitäten (z.B. Gaumenspalten, verkürztem Velum) angewendet. Nach einer kürzlich veröffentlichten Statistik zeigten von 415 Fällen 50% eine Verbesserung um 50-100% (Netsell & Rosenbek 1986). Eine Gaumensegelprothese besteht aus einer Gaumenplatte, die Befestigungsklammern für die Zähne hat. Sie hat eine schmale Verlängerung nach hinten, die bis fast an die Rachenhinterwand reicht. Dieser Teil dient der Anhebung des Velums. Die Anpassung einer Gaumensegelprothese sollte erst dann erwogen werden, wenn alle herkömmlichen Behandlungsmethoden fehlgeschlagen sind. Die Indikation ist gegeben, wenn mit einiger Wahrscheinlichkeit eine Verbesserung der Lautbildung durch die Prothese vorausgesagt werden kann. Diese Voraussage zu treffen, ist jedoch schwer, weil bei komplettem Ausfall der Gaumensegelfunktion meist auch die übrigen Artikulatoren stark gestört sind.

Um den Einfluß der Velumstörung auf Artikulation und Atmung abzuschätzen, haben wir eine Reihe von Aufgaben zusammengestellt, die unter zwei Bedingungen - einmal mit und einmal ohne Nasenklammer - ausgeführt werden. Kann eine Verbesserung durch das Verschließen der nasalen Passage nachgewiesen werden, ist im Prinzip eine Indikation für die prothetische Maßnahme gegeben. Eine Gegenindikation besteht bei athetotischen und dystonen Bewegungsstörungen und bei sehr starken Kontraktionen des Velums, des M. palatoglossus oder der pharyngalen Konstriktoren. Letzteres stellt sich leider oft erst heraus, wenn der Patient die Plastik nicht verträgt. Prinzipiell können sich jedoch auch sehr empfindliche Menschen mit leicht auslösbarem Würgreflex an den Fremdkörper gewöhnen. Die Gewöhnungzeit kann mehrere Wochen betragen. Der Patient fühlt in der ersten Zeit vor allem beim Schlucken eine Behinderung. Die Speichelproduktion kann sich - in der Regel vorübergehend - erheblich steigern. Daniel (1982) schlägt eine Methode zur Desensibilisierung des weichen Gaumens vor. Es erfordert viel Geduld und einen kooperativen Zahnarzt, bis die Prothese den für das Sprechen adäquaten Abschluß bildet und Nasenatmung noch ermöglicht.

Die volle Wirkung der Prothese stellt sich nach abgeschlossener Anpassung nicht sofort ein. Je nach Störungsgrad der übrigen Artikulatoren ist eine intensive Behandlung notwendig, bis sich die verbesserten aerodynamischen Verhältnisse auch als Verbesserung des Sprachschalls auswirken. Eine entsprechende Aufklärung des Patienten darf nicht versäumt werden.

Es bleibt noch die Frage offen, wann im Verlauf einer Behandlung mit einer prothetischen Maßnahme begonnen werden sollte. Die Literatur gibt dazu keine schlüssigen Antworten, außer, wie oben schon erwähnt, daß zuerst alle herkömmlichen Mittel, d.h. entsprechende Übungen usw., ausgeschöpft sein sollten. Es ist im Prinzip nie zu spät für eine Prothese. Wir konnten auch noch 2½ Jahren nach der Hirnschädigung und nach längerer Therapiepause mit einer Gaumensegelprothese entscheidende Verbesserungen erzielen. Allerdings haben wir den Eindruck gewonnen, daß bei stark reduziertem oralem Luftstrom bzw. Luftverlust durch die Nase sich manche artikulatorischen Konfigurationen nicht vollständig entwickeln lassen. Eine mögliche Erklärung dafür wäre, daß für die Entwicklung der

Feinmotorik von Lippen und Zunge die sensible Rückmeldung durch die Luftströmung und den intraoralen Druck fehlt. Unerwünschte Reaktionen auf die Veluminsuffizienz sind generell zu beobachten. Dazu gehört die Entwicklung einer Hochatmung und das Überziehen der Atemmittellage, um den Luftverlust auszugleichen. Auch die Kontraktion der perioralen und perinasalen Muskeln, um den Luftwiderstand an den Nasenflügeln zu erhöhen, dürfte als Reaktion darauf gewertet werden.

Aus diesen Überlegungen heraus sind wir dazu übergegangen, bei schweren artikulatorischen Einschränkungen, neben der Stimulation des Gaumensegels, artikulatorische Übungen mit und ohne mechanisches Verschließen der Nase mit einer Nasenklammer durchzuführen. Die Erfahrungen sind bislang noch zu gering, um die Wirkung dieser kombinierten Vorgehensweise abschätzen zu können.

Feedbackverfahren

Schon Fröschels (1931) betonte den „pädagogisch praktischen Wert, (...) durch Übung am Apparate" eine Verhaltensänderung zum Besseren zu erreichen. Er darf wohl als einer der geistigen und praktischen Wegbereiter gelten, Verfahren, die eigentlich der Registrierung von Sprechbewegung dienten, darüber hinaus für die Behandlung entsprechender Störungen dienstbar gemacht zu haben. Allgemein ausgedrückt bedeutet Feedback, physiologische Vorgänge unter intentionale Kontrolle zu bringen. Wenn jemand z.B. den Spannungszustand eines Muskels beeinflussen möchte, so wird ihm visuell oder auditiv die Information über den momentanen Spannungszustand zurückgemeldet. Das Lernen mit Feedback ist an 3 wesentliche Voraussetzungen gebunden:

- Die physiologische Funktion, die unter Kontrolle gebracht werden soll, muß kontinuierlich und mit ausreichender Sensitivität aufgezeichnet werden, so daß schnelle und kleine Änderungen aufgedeckt werden.
- Die Änderung der physiologischen Größe

muß sofort an die Person, die die physiologische Funktion beherrschen lernen will, zurückgemeldet werden.
- Die Person muß dazu bereit sein, die physiologische Veränderung herbeizuführen.

Vor der Anwendung von Feedbackverfahren ist weiterhin sicherzustellen, daß auditive und visuelle Wahrnehmung ausreichen, um z.B. feine, sich kontinuierlich ändernde Tonhöhenunterschiede zu hören bzw. einen horizontal oder vertikal wandernden Lichtpunkt dauernd zu verfolgen.

Einen Einstieg und Überblick zu den klinischen Biofeedbackverfahren bietet das Handbuch von Ray et al. (1979).

Auditives Feedback der Atembewegung und des Atemrhythmus. Wie oben (s. S. 334) ausgeführt hat die Aktivierung der Bauchatmung ihren Platz schon früh im Behandlungsprogramm. Die Stimulation der Bauchdeckenexkursion erfolgt durch ein sog. Atemfeedbackgerät. Es handelt sich dabei um einen Infrarotsensor, der den sich durch die Atembewegung ständig verändernden Abstand von der Bauchdecke kontinuierlich in ein akustisches Signal umwandelt. Die Vertiefung der Einatmungsbewegung geht häufig mit einer Rhythmisierung der Atembewegungen einher.

Normalerweise liegt der Patient bei diesem Training flach auf dem Rücken. Es läßt sich aber auch in sitzender Position anwenden. Bei Patienten mit deutlicher Atemstörung muß in der Regel vor dem Feedbacktraining eine Modifikation der Bewegungsmuster durch den Therapeuten angebahnt und parallel dazu behandelt werden.

Visuelles Feedback der thorakalen und abdominalen Bewegungsauslenkung (Pneumographie). Bei diesem Verfahren wird dem Patienten um Brust und Bauch je ein Dehnungsmeßstreifen angelegt. Beide Streifen sind an einen Meßverstärker und Oszillographen angeschlossen, der die Atembewegung als sinusförmige Kurve auf einem Bildschirm anzeigt. Der Unterschied zur vorher beschriebenen Methode liegt einmal im anderen Rückkopplungskanal. Zum anderen kann gleichzeitig mit der Bewegung des Bauches auch die des Brustkorbs zurückgemeldet werden. Letztlich kann sich der Patient ungezwungener bewegen, weil er nicht auf gleichbleibenden Abstand zu einem Sensor zu achten hat. Während das Infrarotgerät eher beim liegenden Patienten eingesetzt wird, findet dieses Verfahren vorrangig in sitzender Position Anwendung.

Die Indikation für die Anwendung der Pneumographie ist die Stimulation der abdominalen bzw. der kombinierten Atmung, da ja auch die thorakale Bewegung dargestellt wird.

Außerdem eignet sich dieses Feedbackverfahren hervorragend, spezifische Aufgaben der Sprechatmung zu kontrollieren. Dazu gehört die aktive Verlängerung der Exspirationsphase, was physiologisch zunächst einem allmählichen, dosierten Nachlassen der Spannung der Inspirationsmuskulatur entspricht und als flach abfallende Kurve dem Patienten zurückgemeldet wird.

Es ist im Einzelfall zu entscheiden, ob und wann solche Übungen mit phonatorischen und artikulatorischen Übungen zu kombinieren sind.

Visuelles Feedback der Luftströmung durch Mund und Nase (Pneumotachographie). Die Ableitung der Luftströmung erfolgt über eine in zwei Kammern geteilte Gesichtsmaske für Mund und Nase getrennt. Über Photoelektroden wird die Volumengeschwindigkeit der Luft (cm^3/s) in elektrische Spannung umgewandelt und als Kurvenverlauf auf einem Bildschirm dargestellt.

Mit Hilfe eines solchen Pneumotachographen oder Aerometers lassen sich einige für das Sprechen wichtige Anforderungen an die Atmung trainieren. Nach abgeschlossener Einatmung muß der Luftdruck, der normalerweise bei ungezügelter Entspannung der inspiratorischen Muskeln durch die elastischen Rückstellkräfte auf die geschlossene Glottis wirken würde, um das 3- bis 4fache reduziert werden. Diese notwendige Verlangsamung der exspiratorischen Luftströmung wird unmittelbar über den Kurvenverlauf am Bildschirm kontrolliert. Die Empfindlichkeit der Instrumente reicht

aus, um die Anforderungen bei der Dosierung der Luftabgabe sehr differenziert zu stellen. Dazu werden Marken am Bildschirm aufgezeichnet, die nicht unter- oder überschritten werden dürfen. Eine Spezifizierung der Aufgabe besteht darin, den Exspirationsstrom nicht nur auf ein bestimmtes Niveau zu drosseln, sondern ihn auf eine bestimmte Dauer auszudehnen und dabei möglichst konstant zu halten. Auf diese Weise wird eine grundlegende Leistung der Sprechatmung trainiert, denn während des Sprechens mit normaler Lautstärke und Akzentuierung bleibt die Luftströmung ziemlich konstant.

Ein Aerometer kann auch für die Kontrolle einer rein artikulatorischen Funktion eingesetzt werden. Bei fehlender oder zu geringer Gaumensegelanhebung entweicht Luft durch die Nase. Je höher der orale Luftwiderstand, desto mehr Luft fließt durch die Nase ab, dem Prinzip des geringsten Widerstands folgend.

Das Ziel eines solchen Feedbacks ist es, kompensatorische Möglichkeiten der Luftstromlenkung und Dosierung zur Wirkung zu bringen. Welche Mechanismen letztlich dafür die entscheidende Rolle spielen, ist noch unklar. Die Erfahrung zeigt, daß auch bei bleibender insuffizienter Gaumensegelfunktion die negative Auswirkung durch entsprechende Übungen gemildert werden kann.

Visuelles Feedback der Tonhöhen- und Lautstärkemodulation. Die unmittelbare Darstellung des Grundton- oder Lautstärkeverlaufs der Stimme kann zur intentionalen Kontrolle dieser beiden Stimmparameter genutzt werden. Die gebräuchlichen Geräte (sog. Sprachsichtgeräte) haben eine genügend feine Auflösung, um auch geringe Schwankungen sichtbar zu machen. Mit diesem Feedback ist es möglich, in sehr kleinen Schritten an der Veränderung eines pathologischen Stimmeinsatzes zu arbeiten, d. h. eben auch die präphonatorische Stimmbandeinstellung zu beeinflussen.

Gute Fortschritte konnten mit dem Feedback des Tonhöhenverlaufs hinsichtlich Stimmstabilität und Stimmqualität erzielt werden. Es scheint, daß mit dieser Methode eine gezielte

Tonhöhenführung sicherer kontrolliert werden kann als mit rein auditiver Kontrolle.

Mit der gleichzeitigen Darstellung des Tonhöhen- und Lautstärkeverlaufs kann ohne große intellektuelle Anforderung und Voraussetzungen von seiten des Gehörs die Fähigkeit vermittelt werden, beide Stimmfunktionen unabhängig voneinander zu variieren. Mit dem Feedback des Grundtons oder der Lautstärke lassen sich auch gezielt die Mittel zur Akzentkontrastierung entwickeln.

Visuelles Feedback der Artikulation. Die spektrographische Darstellung des akustischen Sprachsignals bildet die gesamten Vorgänge ab, die zur Erzeugung dieses Signals geführt haben. Es gibt jedoch einige Eigenschaften in einem Spektrogramm – auch als Sonagramm bezeichnet – die in erster Linie mit den Bewegungen der Artikulatoren korrelieren. An einem Sonagramm lassen sich die Artikulationsstelle, der Artikulationsmodus und die Qualität der Lautbildung sowie die Dauer von Lautübergängen und Lautereignissen erkennen. Auch bei einem Spektrographen, der den Sprachschall kontinuierlich und synchron zu den Sprechbewegungen auf einem Bildschirm aufzeichnet, handelt es sich eigentlich nicht um ein Biofeedbackgerät. Die ständig wechselnden Lautfolgen laufen zu schnell vor dem Auge ab, um überprüfen zu können, ob Korrekturen notwendig wären. Bei monotonen Wiederholungen von Lauten und Silben und bei ausgehaltenen Lautproduktionen (z. B. ein /s/ aushalten) entstehen jedoch einfache spektrographische Muster, die während des Ausübens dieser Aufgabe korrigiert werden können.

Solche Anforderungen sind im natürlichen Sprechen nicht gestellt, sie können jedoch dysarthrische Sprecher sehr rasch an ihre Leistungsgrenze bringen, was Geschwindigkeit, Präzision und Stabilität der Bewegungen betrifft. Das Üben nach derartigen Leistungskriterien zeigt in der Regel schon nach wenigen Trainingsstunden Verbesserungen. Über den Stellenwert solcher Übungen und mögliche generalisierende Effekte können nur Vermutungen angestellt werden.

Der Wert eines in Echtzeit arbeitenden Spektrographen liegt auch in seinem Einsatz als didaktische Hilfe und begleitende Effektivitätskontrolle beim Erarbeiten einzelner Lernziele, die nach dem Versuch-Irrtums-Prinzip angestrebt werden. Je feiner die Rückmeldungen über Erfolg oder Mißerfolg einer Lautbildung sind, desto geschickter ist eine Auswahl des Übungsmaterials möglich und desto differenzierter sind die Lernschritte gestaltbar.

Hilfreich sind die Korrekturmöglichkeiten mit dem Spektrographen auch bei Patienten mit (zentralen) Hörstörungen, wie sie immer wieder nach schwerem gedecktem Schädelhirntrauma vorkommen (vgl. Kap. 8 und Anhang).

Verzögertes auditives Feedback des akustischen Sprachsignals. Sprachverzögerer können erfolgreich dazu verwendet werden, das Sprechtempo zu drosseln und lauter zu sprechen (Hanson u. Metter 1983). Besonders die Verlangsamung kann ein entscheidender Schritt zur besseren Verständlichkeit sein (vgl. S. 342). Da nach den Erfahrungen von Hanson & Metter (1983) keine Generalisierung des Effekts eintritt, wurden die Patienten dauerhaft mit einem tragbaren Sprachverzögerer mit Kehlkopfmikrophon versorgt.

Wir haben bislang den Sprachverzögerer als didaktisches Hilfsmittel eingesetzt, um bei den Patienten die auditive Selbstwahrnehmung zu verstärken und die Aufmerksamkeit auf den Sprechvorgang zu erhöhen.

Auditives Feedback des Muskeltonus. Diese Technik des Biofeedbacks zielt auf die Beeinflussung muskulärer Aktivitäten mit Hilfe der Elektromyographie (EMG) ab. Elektromyographie mißt die elektrische Aktivität der Muskeln, die dann in ein analoges akustisches Signal umgewandelt wird. Mit der Veränderung der muskulären Spannung ändert sich auch die Tonhöhe dieses Signals. Durch geeignete isometrische Übungen lernt der Patient, die Tonhöhe bzw. die Muskelanspannung zu beeinflussen.

Da wir selbst in diesem Bereich wenig Erfahrungen gesammelt haben, soll auf die Überblicksarbeit von Inglis et al. (1976) verwiesen werden. EMG-Feedback wird zur Funktionsverbesserung nach Anastomose des N. facialis oder zur Muskelkräftigung bei schlaffer Muskulatur angewandt. Die Ergebnisse - spürbare Verbesserungen des Sprechens - sind positiv und ermutigend (Davis u. Drichta 1980).

Wir haben bislang die Methode des auditiven EMG-Feedbacks bei nur einer Patientin mit hemifazialer Spastik benutzt. Die meist während des Sprechens auftretenden spastischen Kontraktionen verstärkten die Symptome der außerdem bestehenden Dysarthrie. Nach insgesamt 15 Sitzungen hatte sie die Beeinflussung der Spannung in der betroffenen Gesichtshälfte gut unter Kontrolle, und sie berichtete auch von einer Reduktion der Symptome im alltäglichen Sprechen. Nach einer mehrwöchigen Trainingspause fühlte sie sich immer noch durch die Symptome weniger belastet als früher. Es waren jedoch äußerlich noch leichte Kontraktionen der Gesichtshälfte zu beobachten.

19.3 Sprechapraxie

19.3.1 Zum Syndromstatus der Sprechapraxie

Es besteht keineswegs Einigkeit darüber, der Sprechapraxie den Status eines eigenständigen Syndroms neben den Dysarthrien und den Aphasien einzuräumen. Eine Reihe von Autoren diskutieren die Symptome, die der Sprechapraxie zugeordnet werden, unter dem Etikett der Broca-Aphasie; andere Autoren wiederum bezeichnen, in schroffem Gegensatz dazu, dieses Störungsbild als „kortikale Dysarthrie" und reihen es damit unter die übrigen Dysarthriesyndrome ein (Holland et al. 1986). Daneben besteht jedoch eine lange Tradition, der sprechapraktischen Symptomatik einen Sonderstatus zwischen den Dysarthrien und den Aphasien zu verleihen. Die Bezeichnungen wechseln zwischen „Aphemie", „Anarthrie", „phonetische Desintegration", „verbale Apraxie" oder „Sprechapraxie", wobei jede einzelne dieser Syndrombezeichnungen umstritten ist. Mit relativ hoher Übereinstimmung wird jedoch die klinische Symptomatik beschrieben: Die am häufigsten genannten Symptome sind Veränderungen der Lautstruktur in Form von Lautentstellungen, Ersetzungen, Auslassungen und Hinzufügungen, silbisches Sprechen, sichtbare Suchbewegungen von Zunge, Lippen und Kiefer und deutliche Sprechanstrengung (Rosenbek et al. 1984).

Vor allem aufgrund der beobachtbaren Suchbewegungen und der Lautentstellungen wird die Sprechapraxie von einer Reihe von Autoren als in erster Linie sprech*motorische* Störung verstanden und damit, trotz der hohen Koinzidenz mit der Broca-Aphasie, von den aphasischen Syndromen unterschieden. Als Merkmale, die die Sprechapraxie von den Dysarthrien unterscheidet, werden das Vorkommen von Lautsubstitutionen, die Variabilität der Fehler bei wiederholter Produktion einer Äußerung sowie die Abhängigkeit der Fehlerzahl von linguistischen und von Modalitätseinflüssen betrachtet. Rosenbek et al. (1984) nennen als weitere Besonderheit, daß bei Sprechapraxie ausschließlich die *Sprech*motorik, bei den Dysarthrien dagegen auch die nichtsprachliche orale Motorik beeinträchtigt sei. Dieses Unterscheidungskriterium berücksichtigt allerdings nicht, daß Sprechapraxie häufig im Zusammenhang mit einer buccofacialen Apraxie auftritt.

Die der Sprechapraxie zugrundeliegende sprechmotorische Beeinträchtigung wird in der Tradition von Darley et al. (1975) als „Programmstörung" betrachtet. Was darunter verstanden werden kann, umschreibt Netsell (1984) als „Störung neuraler Mechanismen zur Selektion, Aneinanderreihung und (möglicherweise) Konstruktion der räumlich-zeitlichen Bestimmungsgrößen („goals") eines Sprechaktes". Eine genauere definitorische Eingrenzung des vermuteten Pathomechanismus stößt jedoch an die Grenzen unseres Verständnisses von den einzelnen Komponenten der Sprachproduktion. Insbesondere ist ungeklärt, welche Zwischenstufen der Prozeß einer Transformation linguistischer Einheiten (Wörter, Phoneme) in motorische Kommandos an die Effektoren genau durchläuft. So ist es nicht verwunderlich, daß die Symptome einer veränderten Lautstruktur bei Sprechapraxie sehr unterschiedlich interpretiert werden; vor allem die Lautsubstitutionen und Lautadditionen werden häufig einer Störung auf der Ebene der Verarbeitung von diskreten Einheiten, also Phonemen, zugeschrieben. Diese Interpretation scheint von der verwendeten Beschreibungsmethode beeinflußt zu sein: das in der älteren Literatur ausschließlich und auch heute noch am häufigsten verwendete Analyseverfahren besteht darin, die Sprachproduktion zu transkribieren, also in diskrete Segmente zu zerlegen und dabei die produzierten Sprachlaute nach vorgegebenen phonematischen Kategorien zu gliedern. Ein solches Verfahren begünstigt die Interpretation von Fehlern im Sinne von Störungen der Selektion oder der sequentiellen Anordnung von Phonemen und kann bei unkritischer Verwendung das Aufspüren gradueller Abweichungen von sprechmotorischen Zielkonfigurationen verhindern.

Solche Abweichungen, die nicht mehr sprachsystematisch erklärbar sind, wurden in den vergangenen Jahren mehr und mehr durch physiologische und akustische Untersuchungen aufgedeckt. Die Ergebnisse einiger dieser Untersuchungen scheinen zu belegen, daß eine Reihe von Lautsubstitutionen oder -additionen aufgrund von Aberrationen artikulatorischer Gesten zustandekommen. Dabei scheint eine Störung der zeitlichen Organisation von Sprechbewegungen eine wichtige Rolle zu spielen (Itoh et al. 1980; Ziegler u. von Cramon 1986 a).

Eine detailliertere Zusammenfassung der Auseinandersetzungen um Syndromstatus und mögliche Erklärungsmodelle wurde von Rosenbek et al. (1984) und Wertz et al. (1984) gegeben.

Sprechapraktische Störungen sind nicht an das Bild einer Broca-Aphasie gebunden. Wir haben Patienten gesehen, die, vor allem aufgrund von paragrammatischen Symptomen, als Wernicke-Aphasiker klassifiziert waren (vgl. Kap. 16). In der Literatur wurden auch Fälle von Sprechapraxie ohne Aphasie beschrieben (vgl. Square 1986). Möglicherweise handelt es sich dabei um Fälle von persistierender Sprechapraxie nach zurückgebildeter Aphasie.

Leider kann die klinische Untersuchung der Sprechapraxie bisher noch nicht auf standardisierte Verfahren zurückgreifen. Im Aachener Aphasie Test (AAT) (Huber et al. 1983) werden sprechapraktische Symptome weder durch das Untersuchungsmaterial noch durch Auswertungskriterien adäquat erfaßt. Auch im englischen Sprachraum hat sich bisher kein einheitliches Untersuchungsverfahren durchgesetzt.

19.3.2 Klinische Diagnostik

Indikation und diagnostische Ziele

Der Verdacht des Vorliegens einer Sprechapraxie ergibt sich meist während der Aphasie- oder der Dysarthriediagnostik. Patienten, die bei der Bewertung der Spontansprache im AAT zwar Störungen der Artikulation zeigen, welche jedoch wegen ihrer hohen Variabilität und der beigemengten „phonematischen" Fehler nicht eindeutig als dysarthrisch bezeichnet werden können, müssen auf Sprechapraxie untersucht werden. Eine weitere Indikation für die Sprechapraxiediagnostik ergibt sich aus dem AAT, wenn die auf mündlicher Sprachproduktion basierenden Untertests (Nachsprechen, lautes Lesen, Benennen) aufgrund der genannten Symptome durch deutlich verminderte Leistungen charakterisiert sind.

Die klinische Diagnostik der Sprechapraxie steht zunächst vor dem Problem, daß eine einheitliche Beschreibung der Symptomatik fehlt und unterschiedliche Erklärungsansätze bestehen. Die Untersuchung muß also so angelegt sein, daß sie auch Merkmale systematisch erfaßt, deren Syndromspezifität noch ungeklärt ist; sie muß mögliche, aber noch nicht näher beschriebene Untertypen der Sprechapraxie identifizieren können und darf vorläufig noch nicht auf *eine* Hypothese zur Entstehung sprechapraktischer Fehler festgelegt sein. Diese Untersuchungsziele sind vor allem unter dem Aspekt des Behandlungsansatzes wichtig. Darüber hinaus ist vorrangiges Ziel eine Abgrenzung dysarthrischer und aphasischer Störungen.

Gliederung der Symptomatik

Die Vielfalt der in der Literatur beschriebenen Symptome einer Sprechapraxie muß zum Zweck der klinischen Diagnostik geordnet und mit Prioritäten versehen werden. Das Merkmal, das mit der höchsten Übereinstimmung beschrieben ist, läßt sich als differentialdiagnostisch bedeutsames Kernsymptom wie folgt formulieren:
Patienten mit Sprechapraxie zeigen Auffälligkeiten in der Lautbildung, die sich differenzieren lassen nach

- entstellten Realisierungen des Ziellauts,
- entstellten Realisierungen einer vom Ziellaut verschiedenen Lautkategorie,
- nicht entstellten Realisierungen einer vom Ziellaut verschiedenen Lautkategorie.

Diese Abweichungen variieren bei wiederholter Produktion derselben Äußerung.
Dieses Kriterium bezieht sich ausschließlich auf die Lautstruktur der Äußerungen des Patienten. Es erlaubt die differentialdiagnostische Abgrenzung sowohl aphasischer als auch dysarthrischer Störungen: das Vorkommen von Lautentstellungen ist durch eine Aphasie nicht erklärbar, das Vorkommen von Substitutionen („nicht entstellten Realisierungen einer vom Ziellaut verschiedenen Lautkategorie") und die Variabilität der Fehler bei Wiederholungen können nicht im Sinne einer dysarthrischen Störung interpretiert werden.
In der Formulierung dieses Kernsymptoms wird darauf verzichtet, die Fehler der Lautbildung nach syntagmatischen Kriterien weiter zu differenzieren: Es gibt unter differentialdiagnostischen Gesichtspunkten keinen Grund, Metathesen, progressive Assimilationen oder regressive Assimilationen besonders hervorzuheben, da die Berichte in der Literatur über die Wertigkeit dieser Sonderfälle des Substitutionsfehlers widersprüchlich sind. Ähnliches gilt für die Beurteilung des Vorkommens von Lautauslassungen und Lauthinzufügungen.
Auch die über das genannte Kernsymptom hinausgehende Symptomatik (z. B. Beobachtungen zur Prosodie und zum Sprechverhalten) ist differentialdiagnostisch nicht verwertbar. Sie wird dennoch nach einem einheitlichen Schema erfaßt, um im speziellen Einzelfall das Störungsmuster näher charakterisieren zu können und Anhaltspunkte für die Vorgehensweise in der Behandlung zu gewinnen.

Diagnostische Schritte

Unterschiede im Schweregrad der Sprechapraxie und Unterschiede nach Art und Ausmaß der eventuell assoziierten Aphasie erschweren eine einheitliche Vorgehensweise bei der Diagnostik der Sprechapraxie. Ein wichtiger Sonderfall etwa ist die vollständige oder nahezu vollständige Unfähigkeit eines Patienten zur mündlichen Sprachproduktion, wie sie im Rahmen einer schweren Globalaphasie vorkommen kann. Ein solches Störungsbild läßt die Diagnose einer Sprechapraxie nicht zu. Möglicherweise zeigt sich aber im Verlauf der Rückbildung der Aphasie eine darunterliegende sprechapraktische Störung. Eine sichere Diagnose nach den im vorigen Abschnitt genannten Kriterien ist erst dann möglich, wenn der Patient zu zusammenhängenden Lautäußerungen zumindest auf Einzelwortebene fähig ist.
Bei schweren Störungen spielt das Abprüfen von Einzellauten eine vorrangige Rolle, und zwar nicht so sehr aus differentialdiagnostischen Gründen, sondern vielmehr, um Anhaltspunkte für die ersten therapeutischen Schritte zu gewinnen.

Untersuchungsmaterial

Die Diagnostik einer Sprechapraxie beruht auf einer auditiv-phonetischen Beurteilung der Spontansprache und der im Rahmen spezieller Aufgaben produzierten Äußerungen des Patienten. In der Regel bestehen diese Aufgaben darin, Einzelwörter und Sätze nachzusprechen. Bei schweren Beeinträchtigungen des Nachsprechens und relativ gut erhaltener Leseleistung muß auf schriftliche Vorlagen zurückgegriffen werden können. Ergänzend kann die Sprechstörung auch durch Benennaufgaben überprüft werden. Bei der Auswahl der Stimulusmodalität wie auch bei der Interpretation der Leistung ist es außerdem wichtig, die Befunde der zentralen und peripheren Hördiagnostik (Kap. 8) zu kennen. Vor allem eine Beeinträchtigung der Fähigkeit zur Lautdiskrimination kann die Nachsprechleistung deutlich verschlechtern und eine auditive Selbstkontrolle unmöglich machen.

Die Konstruktion des Sprachmaterials[1] richtet sich zunächst nach dem Prinzip, die Lautstruktur des Deutschen möglichst vollständig zu erfassen. Die Laute des Deutschen sind im Anlaut, im Inlaut und im Auslaut (soweit dies möglich ist) vertreten. Auch ein- und zweistellige Konsonantenverbindungen sind berücksichtigt. Um Interferenzen mit lexikalischen Effekten und Wortlängeeffekten auszuschließen, beschränkt sich dieser Korpus auf hochfrequente, ein- und zweisilbige Inhaltswörter. Eine kleine Unterauswahl von Wörtern wird innerhalb der Wortliste mehrfach wiederholt, um daran die Konstanz der artikulatorischen Leistung zu prüfen. Darüber hinaus enthält die Wortliste dreisilbige Wörter, deren silbische Bestandteile von einfacher Konsonant-Vokal-Struktur sind. Sie dienen der Erfassung von Wortlängeeffekten. Ebenfalls überprüft wird das Sprechtempo anhand der bereits in der Dysarthriediagnostik (s. S. 329) verwendeten Standardsätze.

Beurteilungskriterien

Während der Untersuchung ist auf Merkmale des *Sprechverhaltens* zu achten, die dem Tonbandprotokoll anschließend nicht mehr entnommen werden können. Der Untersucher registriert, ob der Patient Suchbewegungen zeigt, ob er unterstützend Gesten oder Schreibversuche einsetzt und ob er versucht, vom Mund abzulesen. Bei der Auswertung des Tonbandprotokolls fertigt der Untersucher zunächst *Transkripte* der einzelnen Äußerungen an. Die Mindestanforderung ist eine orthographische Transkription, wie sie etwa bei der Auswertung des AAT verwendet wird. Dabei sollte auf jeden Fall das Vorkommen von Lautent-

stellungen im Transkript vermerkt sein. Solche Lautentstellungen liegen dann vor, wenn der realisierte Laut hinsichtlich Dauer (vor allem bei Vokalen und Frikativen), Artikulationsstelle oder Artikulationsmodus nicht dem geforderten, aber auch keinem anderen Laut des Deutschen entspricht.

Symptome

Häufig auftretende Lautentstellungen bei Sprechapraxie sind etwa hörbar verlängerte Vokale, deutlich zurückverlagerte alveolare Plosive, stimmlose Plosive mit auffällig langer Aspirationsphase, diphthongisierte Vokale oder Reduktionen bzw. verlangsamte Lautübergänge in Konsonantenverbindungen. Der Anteil solcher Entstellungen sowie der Anteil von nicht entstellten Realisierungen einer vom Ziellaut verschiedenen Lautkategorie (Substitutionen) wird registriert und entsprechend dem formulierten Kernsymptom differentialdiagnostisch gewertet. Dabei müssen die realisierten Wortwiederholungen auf Fehlerkonstanz überprüft werden, um eine Dysarthrie ausschließen zu können.

Hat sich der Verdacht einer Sprechapraxie bestätigt, so sind die einzelnen Komponenten des Störungsbildes genauer zu beschreiben. Zunächst erfolgt eine Analyse der *artikulatorischen (segmentalen) Fehler* hinsichtlich des Anteils von Vokalen, Konsonanten und Konsonantenverbindungen an der Gesamtfehlerzahl sowie eine genauere Aufschlüsselung der Konsonantenfehler nach den distinktiven Merkmalen der Artikulationsstelle, des Artikulationsmodus, der Nasal-oral-Unterscheidung und der Stimmhaft-stimmlos-Unterscheidung. Ein Vergleich dieser Fehlertypen muß allerdings unter dem Gesichtspunkt der zufallskritischen Testung betrachtet werden. In den meisten Fallbeschreibungen wird ein Überwiegen der Fehler hinsichtlich der Artikulationsstelle berichtet; solche Fehler sind jedoch allein aufgrund der Verteilung distinktiver Merkmale im Lautinventar des Deutschen weit wahrscheinlicher als etwa die wechselseitige Ersetzung nasaler und oraler bzw. stimmhafter und stimmloser Laute.

---

[1] Dieses Material wurde von Frau E.-M. Engl-Kasper am Max-Planck-Institut für Psychiatrie erstellt.

Das Resultat einer solchen Fehleranalyse bestimmt einerseits die Konzeption einer symptomorientierten Therapie, andererseits kann es Hinweise auf die Genese von Fehlern liefern. Die Vertauschung der Kategorien nasal/oral oder stimmhaft/stimmlos kann Resultat einer fehlerhaften zeitlichen Abstimmung der beteiligten Organe (Velum oder Kehlkopf mit den übrigen Artikulatoren) sein, während fehlerhafte Realisierungen der Artikulationsstelle und des Artikulationsmodus eher Zeichen räumlicher Aberrationen oder einer fehlerhaften Selektion des artikulierenden Organs sind. Grundsätzlich ist, auch bei nicht entstellten Substitutionen, immer die Möglichkeit einer sprechmotorischen Erklärung zu bedenken; die darüber hinaus beobachtbaren Lautentstellungen können im Einzelfall diese Hypothese erhärten.

Neben Lautersetzungen können auch Hinzufügungen und Auslassungen von Lauten die phonematische Struktur der Sprachproduktion prägen. Auch diese Fehler sind zu registrieren. Der Untersucher mache sich dabei klar, daß Lautauslassungen dadurch zustandekommen können, daß ein Segment etwa aufgrund verspätet einsetzender oder verfrüht absetzender Phonation unhörbar wird. Andererseits können auch Lautadditionen sprechmotorische Ursachen haben: ein zusätzlicher Laut kann Resultat einer hörbar gewordenen Suchbewegung sein; ein Nasal kann durch verfrühtes Anheben des Velums zu einer Nasal-Plosiv-Verbindung werden (Ziegler u. von Cramon 1986a), und durch laryngeale Fehlsteuerungen kann eine Vokalintrusion während einer intersilbischen Pause ausgelöst werden. Solche Hypothesen sind im Einzelfall zu prüfen und können zu einem konsistenten Bild vom Charakter der individuellen Sprechstörung beitragen.

Ein weiteres Symptom, das der Lautstruktur zugeordnet werden kann, ist das der Iterationen von Lauten oder Silben. Iterationen können so vorherrschen, daß das gesamte Störungsbild von dieser Symptomatik geprägt ist.

Sind die Veränderungen der Lautproduktion des Patienten so beschrieben, so analysiert der Untersucher die möglichen *Einflußgrößen,* also die Bedingungen, unter denen sich die beobachtete Symptomatik verstärkt oder abschwächt. Durch Auszählen wird ermittelt, ob die registrierten Fehler bevorzugt den Wortanfang betreffen oder sich auf An-, In- und Auslaut etwa gleich verteilen. Das gewählte Stimulusmaterial läßt auch eine Aussage über den Einfluß der Wortlänge auf die Fehlerzahl zu. Schließlich ist die Fehlerliste daraufhin durchzusehen, ob Einflüsse des phonologischen Kontextes erkennbar sind, etwa im Sinne des Vorkommens von Antizipationen (z. B. „Theke" wird zu „Keke") oder progressiver Assimilationen („Theke" wird zu „Thete"). Progressive Assimilationen eines Lauts oder einer Lautfolge können sich über mehrere Testwörter erstrecken. Dieses perseverierende Verhalten kann eine Hauptquelle für die Fehlerproduktion eines Patienten sein und damit besondere therapeutische Beachtung erfordern.

Die Beschreibung der Störungen auf Lautebene muß ergänzt werden durch Beobachtungen zur *Prosodie.* Eine grobe Abschätzung des Sprechtempos läßt sich, wie in 19.2 für die Dysarthrien beschrieben, aus der Spontansprache und aus nachgesprochenen Standardsätzen gewinnen. Aufgrund von intersilbischen Pausen, Vokaldehnungen oder Besonderheiten der Intonation kann es zu einer „silbischen Sprechweise" kommen, deren Konstituenten zu beschreiben sind. Silbisches Sprechen kann auch eine Strategie des Patienten sein, die zeitliche Organisation von Sprechbewegungen in kleinere Einheiten (Silben) zu portionieren, zugunsten der Verständlichkeit, aber zu Lasten der Prosodie.

Zuletzt sollen die Beobachtungen des Untersuchers zum *Sprechverhalten* des Patienten in die Befundung eingehen. Sie betreffen das Störungsbewußtsein des Patienten, sein Korrekturverhalten, den Gebrauch von Gesten oder Schreibversuchen, das Vorkommen artikulatorischer Suchbewegungen. Solche Beobachtungen können den Rahmen der therapeutischen Arbeit entscheidend beeinflussen.

19.3.3 Therapie

Konzeptuelle Vorbemerkung

In den letzten 15 Jahren wurde u. a. in der angloamerikanischen Literatur eine Fülle von therapeutischen Ansätzen zur Behandlung der Sprechapraxie publiziert (s. Rosenbek et al. 1984; Wertz et al. 1984). Alle Berichte spiegeln wider, daß die verschiedenen Methoden im Ergebnis keine signifikanten Unterschiede erbringen. Ein kritischer Vergleich der Methoden zeigt, daß auch keine fundamentalen Unterschiede zwischen ihnen bestehen. Sie variieren fast ausnahmslos das Prinzip des imitatorischen Lernens. Nur einzelne Schritte weichen in manchen Programmen davon ab, indem sie den Patienten ohne Hilfestellung laut lesen oder benennen lassen. Der Schwerpunkt der Übungen richtet sich auf die Artikulation und die Prosodie. Die Anschauung, die dahinter steckt, Sprechapraxie im wesentlichen als eine Artikulationsstörung zu sehen, hat - wie an anderer Stelle bereits erwähnt - ihre Ursache in den Untersuchungsmethoden. Die phonologische Beschreibung der sprechapraktischen Symptome nach den distinktiven Merkmalen der Phoneme reduziert Sprechapraxie auf eine „Programmstörung", bei der die zeitlich-räumlichen Engramme als Korrelat der distinktiven Merkmale verloren gegangen sind. Es ist sehr leicht festzustellen, daß nicht nur die Übungsstufen, sondern auch das Übungsmaterial üblicherweise nach diesem Konzept zusammengestellt ist. Seit Luria (1970) hat sich ein stufenweises Vorgehen in der Therapie der Sprechapraxien entwickelt und sich bis heute in seinen Grundzügen erhalten. Die Therapie der Sprechapraxie kann immer nur ein Bestandteil einer umfassenderen logopädischen Therapie sein, in der Sprechen, Lesen, Schreiben, Sprachverständnis und Gestik im Sinne einer Verbesserung der Kommunikationsfähigkeit gleichermaßen berücksichtigt werden. Allerdings werden systematische Schwerpunkte der Therapie festgelegt, denn die einzelnen sprachlichen Komponenten bauen teilweise aufeinander auf.

Indikation zur Therapie

Grundsätzlich wird jeder Patient mit Sprechapraxie behandelt. Abhängig vom Schweregrad der Sprechapraxie und der begleitenden neuropsychologischen Störungen können sich Inhalt und Ziel und davon abhängig die Dauer der Therapie erheblich voneinander unterscheiden. Innerhalb der Sprach-Sprech-Störungen muß man im Einzelfall entscheiden, welche Voraussetzungen geschaffen werden müssen, um an der sprechapraktischen Störung zu arbeiten. In jedem Fall sollte das auditive Sprachverständnis so weit wiederhergestellt sein, daß es einfachen kommunikativen Anforderungen genügt. Weitere Voraussetzungen für eine spezifisch sprechapraktische Therapie sind, daß die Symptome einer bestehenden schweren bis mittelschweren Dysarthrie oder buccofacialen Apraxie vorher gemildert werden können. Zwischen buccofacialer Apraxie und Sprechapraxie wird zwar kein enger funktionaler Zusammenhang gesehen, aber die Anbahnung von Einzellauten erfolgt u. a. auch über nichtsprachliche Bewegungen. Es sollte gegebenenfalls der Behandlungsschwerpunkt darauf gelegt werden, sprachliche Perseverationen unter Kontrolle zu bringen. Da wir bei der Sprechapraxietherapie intensiv über die Bewußtmachung sprechmotorischer Vorgänge und über die auditive Selbstwahrnehmung arbeiten, ist der Erfolg an eine ausreichende Lernfähigkeit und Diskriminationsfähigkeit der Sprachlaute gebunden. Besonders wichtig ist die Abklärung der Hörfähigkeit und Sprachwahrnehmung. Gegebenenfalls wird ein Training zur Lautdiskrimination vorgeschaltet werden müssen.

Das Gewicht der genannten Einflußgrößen auf die Durchführbarkeit und Wirksamkeit einer spezifischen Behandlung der Sprechapraxie läßt sich erst nach einem Therapieversuch ausreichend ermessen.

Faktoren für die Prognose sind die genannten Hirnleistungsfunktionsstörungen und deren Schweregrad. Ihr Einfluß auf die Dynamik läßt sich oft erst nach einigen Wochen Therapie abschätzen. Spätestens dann sollte versucht werden, ein angemessenes Therapieziel zu definieren. Ohne gravierende aphasische oder dysarthrische Störungen ist die Prognose hinsichtlich einer Wiedererlangung der funktionalen Kommunikationsfähigkeit generell günstig.

Behandlungsziel

Das Behandlungsziel hängt von den oben genannten Voraussetzungen und Begleitumständen ab. Das Ziel im weiteren Sinne ist, eine funktionale Kommunikationsfähigkeit wiederherzustellen. Im engeren Sinne verfolgen wir das Ziel, die potentiellen Fähigkeiten der Sprechmotorik, herauszuarbeiten und zu stabilisieren sowie kompensatorische Techniken zu vermitteln.

Behandlungsmethoden

Entspannung

Die bei sprechapraktischen Patienten zu beobachtende Sprechanstrengung äußert sich durch physische und psychische Anspannung. Diese Symptome, die blockierend wirken, veranlassen uns in einzelnen Fällen, mit dem Patienten aktive Entspannungstechniken zu üben. Dabei haben wir den Eindruck gewonnen, daß ihre Anwendung den Lernerfolg in der Therapie steigern kann. Wir vermissen allerdings in den meisten Fällen eine Generalisierung in Kommunikationssituationen außerhalb der Therapiesitzung.

Rosenbek et al. (1984) führte ein Entspannungstraining mit Hilfe von EMG-Feedback bei 4 Patienten durch; sie konnten danach zwar keinen signifikanten Unterschied zu herkömmlich behandelten Patienten messen, die Patienten und deren Angehörige berichteten aber über eine deutliche Verbesserung der Kommunikationsfähigkeit.

Soweit es wirksam erscheint, sollten Entspannungsübungen die ganze Therapiezeit begleiten.

Systematik des Übungsmaterials

Der Aufbau der Übungen richtet sich nach der in der Diagnostik ermittelten Fehlerverteilung. Dabei spielt die Länge der artikulierbaren Einheiten eine Rolle. Die Häufigkeit der Fehler in einer bestimmten Position der Lautsequenz, der phonetische Kontext und die Bindung an einen bestimmten Artikulator hinsichtlich Artikulationsstelle und -modus sind zu berücksichtigen.

Bei sehr schweren Störungen reicht die Sprachproduktion nicht aus, um eine Analyse nach den genannten Kriterien durchzuführen. Für den Aufbau der Übungen wird man dann allgemeine Kriterien heranziehen: Häufigkeitsverteilung der Phoneme der deutschen Sprache, phonetische Kriterien.

Falls das Phoneminventar erst einzeln aufgebaut werden muß, ist es erfahrungsgemäß sinnvoll, mit dem Erlernen der Kardinalvokale zu beginnen, gefolgt von den Diphtongen und den Nasalen. Das weitere Vorgehen wird von den Lauten bestimmt, die am leichtesten reorganisierbar sind – allerdings dann bereits nach den unten beschriebenen Regeln.

Prinzipiell bevorzugen wir eine Zusammenstellung der Übungen nach *phonetischen Kriterien*. Die Auswahl der Kriterien ist willkürlich, solange der Pathomechanismus für die sprechapraktischen Fehler ungeklärt bleibt. Im folgenden soll der Ansatz eines phonetischen Übungsaufbaus skizziert werden, der der Annahme folgt, daß ein wesentliches Symptom der Sprechapraxie die Störung der artikulatorischen Sequenzierung darstellt. Deshalb spielen in diesem Ansatz die Phänomene der artikulatorischen Sequenzierung eine herausragende Rolle.

Lautfolgen lassen sich unter anderem nach dem Artikulationsorgan – oder den Organen, wenn mehrere gleichzeitig beteiligt sind – beschreiben. Es ist bei diesem Beschreibungssystem zu berücksichtigen, daß die Zunge funktionell in 3 Abschnitte unterteilt wird: in Zungenspitze, die Vorder- und die Hinterzunge, wobei Vorder- und Hinterzunge als zwei weitgehend unabhängig agierende Artikulatoren betrachtet werden.

Bei einem Wort wie „satt" gibt es 3 lautliche Ereignisse, [s], [a] und [t], die auditiv und introspektiv ohne intensiveres phonetisches Training wahrnehmbar sind. Diese 3 wahrnehmbaren Segmente sind durch größere Wendepunkte im artikulatorisch-phonatorischen Bewegungsfluß markiert. Unter den artikulatorischen Sequenzen gibt es bestimmte Typen, die im folgenden veranschaulicht werden:

Werden beispielsweise zwei aufeinanderfolgende Konsonanten durch dasselbe Organ gebildet, dann liegt eine *homorganische* Lautverbindung vor, z. B. die zwei Segmente in [ts] werden beide mit der Zungenspitze gebildet. Ebenso haben die nachstehenden Segmentverbindungen [mp, xk] jeweils denselben Artikulator.

Werden sie durch einen unmittelbar beieinanderliegenden Teil desselben Organs gebildet, bezeichnet man diese Verbindung als *angrenzende* Lautverbindung, z. B. [lʃ, kj].

Sind zwei verschiedene Artikulatoren nacheinander beteiligt, handelt es sich um eine *heterorgane* Lautverbindung, z. B. [pt, nk, kt].

Alle 3 Klassen von Verbindungen lassen sich noch nach weiteren Parametern unterteilen: nach Identität (z. B. [ss] wie in „aussaufen"), nach dem Wechsel der Konstriktion (z. B. [st] in „hast"), nach der Änderung des Luftstroms (z. B. [ŋk] in „Anker" oder [tl] in „Atlas").

Konsonant-Vokal-Verbindungen können natürlich nach denselben Parametern beschrieben werden. Hintere Vokale, z. B. [u] oder [o], in Verbindung mit einem Konsonanten der Hinterzunge, ergeben eine homorganische Lautverbindung.

Die Übungsschritte bzw. die Übungsmaterialien folgen in ihrem Aufbau diesem oben skizzierten Beschreibungssystem der Lautverbindungen.

Nach unserer Erfahrung steigern sich die Anforderungen an sprechapraktische Patienten, wenn sie zuerst Sprechübungen mit homorganen, dann mit angrenzenden und schließlich mit heterorganen Lautverbindungen ausführen. Der Schweregrad und die Fehlerverteilung der Sprechapraxie bestimmen außerdem, wie die Komplexität der Silbenstruktur aufgebaut sein soll. Man kann mit einfachen, offe-

nen (z. B. [te]) oder geschlossenen ([tet]) Silben beginnen. Man kann aber auch mit rein konsonantischen Verbindungen (z. B. mit homorganischen Verbindungen wie [mp, nt, lt, ts] usw.) anfangen. Die Erfahrungen reichen noch nicht aus, um zu entscheiden, ob das Übungsprogramm für jeden sprechapraktischen Patienten gleich gestaltet sein kann oder ob jeweils ein individuelles Programm nach Fehlerverteilung und Schweregrad zusammengestellt werden sollte.

Diese Systematik der Materialzusammenstellung erlaubt es, zwei Übungsreihen in der Reihenfolge homorganisch, angrenzend, heterorganisch und die andere umgekehrt aufzustellen. Die erste Reihe verlangt anfangs Artikulation auf engstem Raum und steigert die Freiheitsgrade. Bei der zweiten Reihe ist es gerade umgekehrt, sie läßt zuerst viel Spielraum in den Lautübergängen und engt die Möglichkeiten abzuweichen zunehmend ein. Eine weitere Begründung für diese Vorgehensweise sehen wir darin, daß eine strenge Ordnung des Materials auch entsprechend systematische Beobachtungen ermöglicht. Über das Material als Einflußgröße auf den Therapieerfolg ist unseres Wissens noch sehr wenig bekannt.

Trainiert man ganz systematisch nach dieser Stimuluszusammenstellung, so muß man zwangsläufig auch auf sinnlose Silben und Lautfolgen zurückgreifen. Wir haben die Erfahrung gemacht, daß die Patienten nach angemessener Aufklärung dafür aufgeschlossener sind, als man zunächst vermuten würde. Dabul u. Bollier (1976) vertraten bereits einen ähnlichen Ansatz mit der Begründung, daß das Üben vertrauter Wörter und Lautfolgen nicht ausreichend generalisieren würde. Je nach begleitenden aphasischen Symptomen kann es notwendig sein, mehr mit natürlichen und sinnvollen Wörtern zu üben anstelle von Logatomen.

Übungsaufbau

Der Aufbau der Therapie kann nach der Ordnung der Stimuli, nach den Modalitäten der Stimulation und den Fazilitierungstechniken gestuft sein. Eine schlüssige Darstellung der verschiedenen Ansätze ist bei Rosenbek et al. (1984) zu finden. Es wurde eingangs erwähnt, daß keine eindeutigen Ergebnisse in der Bewertung der verschiedenen Methoden vorliegen, wonach der einen oder der anderen der Vorzug zu geben wäre. Die entscheidende Gemeinsamkeit der meisten dort vorgestellten methodischen Varianten ist der klar gestufte Aufbau. Das bedeutet, daß Lernschritte und Lernziele definiert werden. Und auch darin herrscht Übereinstimmung, daß ein Lernziel dann als erreicht gilt, wenn die Erfolgsquote der Patientenreaktionen bei ungefähr 80% liegt.

Der Therapieaufbau beinhaltet zwei Hauptteile:

- imitatorisches Lernen,
- selbstgeneriertes Sprechen.

Für den ersten Teil bevorzugen wir Lernschritte, die den Organisationsregeln des Stimulusmaterials folgen. Das bedeutet, je nach Verteilungsmuster der Symptome wird die Reihenfolge der zu beübenden Laute und auch die Komplexität, d. h. die Anzahl der aufeinanderfolgenden Laute und Silben, festgelegt. Dabei kann sich im Verlauf zeigen, daß das geplante Kontinuum der Übungen unerwartete Sprünge erhält. Das kann sich durch die nicht vorhersagbare Dynamik der Rückbildung der Sprechapraxie ergeben. Das Material wird dann entsprechend angepaßt. Der nächste Lernschritt erfolgt, wenn 8 von 10 direkt hintereinandergesprochenen Reaktionen richtig sind. Wir berücksichtigen dabei die Erfahrungen von Bugbee u. Nichols (1980), daß sprechapraktischen Patienten weniger Fehler machen, wenn sie die Antwortlatenz selbst bestimmen. Ein Unterschied zu vergleichbaren Programmen ist, daß wir nach jedem Übungsabschnitt eine Wiederholung der bisherigen Übungen einlegen. Dieser Zwischenschritt soll die Konsolidierung der bewältigten Inhalte überprüfen und zu einer Vertiefung dienen.

Als Stimulusmodalität bevorzugen wir die auditive Vorgabe durch den Therapeuten. Falls möglich, wird sie von Anfang an mit der graphematischen Vorgabe kombiniert, damit man dem Patienten Material für selbständiges Üben mitgeben kann. Die Antwortmodalität des Patienten läßt sich variieren, indem man ihn zuerst innerlich „nachsprechen" oder flüstern läßt. Für ein komplettes Übungsprogramm dieser Form sind bei mittelschwerer apraktischer Störung – ohne gravierende aphasische Störungen – gut 70 Stunden zu veranschlagen, ohne die Zeit des selbständigen Übens dazuzurechnen.

Ist die Phase des systematischen Übens abgeschlossen, folgt die Phase des selbstgenerierten Sprechens. In einem ersten Abschnitt kann man die Äußerungen des Patienten vorstrukturieren, indem man ihm Fragen stellt oder Bilder beschreiben läßt, die bestimmte Wörter bzw. bestimmte Lautverbindungen beinhalten. Bei diesem Übungsschritt soll der Patient Lautverbindungen artikulieren, ohne daß er eine akustische Modellvorgabe durch den Therapeuten erhält. Das halbstrukturierte Spontansprechen kann auch im Rahmen der semantischen Übungen geschehen, falls sie aufgrund der Aphasie indiziert sind.

Im nächsten Abschnitt kann ein freies Gespräch mit dem Therapeuten oder noch effektiver in der Gruppe stattfinden. Methodische Schwerpunkte sind dabei, die Selbstkorrekturfähigkeit, Deblockierungs- und Fazilitierungstechniken zu verbessern.

Vermittlungstechniken

Die Vermittlungstechniken nehmen eine zentrale Stellung in der Sprechapraxietherapie ein. Eine Vermittlungstechnik, das Vorsprechen, wurde bereits erwähnt. Es ist die eigentliche Modellvorgabe, nach der der Patient sich richten soll. Begleitend oder unterstützend können noch andere Vorgaben und Informationen für den Patienten in die Therapie eingeführt werden. Die geläufigsten Methoden gehen hauptsächlich auf Luria (1970) zurück, der davon überzeugt war, daß aus jedem Sprechapraktiker ein „Laienphonetiker" gemacht werden solle. Der Patient solle eine klare Vorstellung von den Regeln und konkreten Abläufen der Sprechbewegung vermittelt bekommen. Durch diese systematisch verbesserte Fähigkeit zur Introspektion könne es dem Patienten eher gelingen, seine Sprechbewegung zu kontrollieren. Die Vermittlungstechniken dienen demnach nicht nur als didaktische Hilfen, sondern auch zur Fazilitierung und Deblockierung von Sprechbewegungen. Für diese Schulung werden als didaktische Hilfen schematische Sagittalschnitte des Ansatzrohrs mit elementaren artikulatorischen Konfigurationen vorgeschlagen, gezeichnete oder photographische Mundbilder, die – wie Momentaufnahmen hintereinandergelegt – die Artikulationsbewegungen für ganze Lautfolgen darstellen. Eine andere Art von Hilfe stellt das passive Führen der Artikulatoren in die gewünschte Position oder das Berühren der Kontaktstellen dar. Für das Anbahnen von bestimmten oralen Konfigurationen helfen auch nichtsprachliche orale Gesten und Vorstellungen (z. B. das Wegblasen von Watte für die Anbahnung eines /f/). Eine weitere, besonders zur Deblockierung wirkungsvolle Methode wurde von Romero (1980) als „Mediationstechnik" vorgestellt. Sie besetzt jeden Laut mit einer Handgeste, wobei die Hand dessen Konfiguration oder dynamische Eigenschaft typisiert. Die Hand wird dabei direkt am Mund oder am Mundboden angesetzt.

Gute Erfolge werden auch durch die Beeinflussung der Prosodie erzielt. Ein Mittel ist, daß eine Hand oder ein Finger den silbischen Rhythmus oder aber nur akzentzählend mitklopft. Damit wird allerdings dem Symptom des silbischen Sprechens Vorschub geleistet. Man kann mehrere Erklärungen heranziehen, warum die Fehlerhäufigkeit abnimmt: die Verlangsamung, die Erhöhung der Aufmerksamkeit auf die Sprechbewegung oder eine Reduktion der Koartikulationsanforderungen an den Silbengrenzen.

Die Aufzählung der verschiedenen Hilfskonstruktionen und didaktischen Kunstgriffe könnte noch umfangreicher ausfallen. Kritische Einwände sind gegen die Methoden zu erheben, die viel verbale Instruktion erfordern. Dazu gehört die Vermittlung phonetischer Details. Hier besteht die Gefahr, zu kompliziert zu werden und letztlich kostbare Zeit zu vergeuden. Eine andere Frage stellt sich im Zusammenhang mit den Mitteln, die fazilitierend

oder deblockierend wirken. Ab wann soll man sie ausblenden? Man kann darauf eine pragmatische Antwort geben, die durch das folgende Beispiel veranschaulicht werden soll. Die Handgeste, die dazu gelernt wurde, eine bestimmte Lautbewegung zu bahnen, erfüllt ihren Zweck, solange nicht auf andere Weise der korrekte Sprechfluß fortgesetzt werden kann. Die Häufigkeit und der Schweregrad der Artikulationsfehler bestimmen die Anwendung dieses Hilfsmittels. Es sollte aber auch kritisch erwogen werden, daß ein kompensatorisches Verhalten kommunikativ und sozial störend wirken kann. In der Regel beobachten wir jedoch, daß die Patienten Hilfsstrategien eher zuwenig einsetzen.

Mit einigen Fazilitierungshilfen zielen wir darauf ab, die Suchbewegungen unter Kontrolle zu bekommen. Nach unserer Erfahrung liegt in der Verbesserung des Korrekturverhaltens eine gute Chance, die Symptome zu mildern und das Sprechen flüssiger zu machen. Nicht jeder Artikulationsfehler beeinträchtigt die Verständlichkeit. Andererseits kann häufiges Korrigieren den Sprechfluß eher wieder hemmen. Wir tendieren deshalb dazu, Selbstkorrekturverhalten nur dort systematisch zu verbessern, wo die Verständlichkeit zu sehr unter den Artikulationsfehlern leidet. Auch in diesen Entscheidungen, sollten wir uns vor Augen halten, daß nicht Normalisierung des Sprechens sondern Kommunikationsfähigkeit das Therapieziel ist.

Instrumentelle Hilfsmittel

Anders als in der Dysarthrietherapie gibt es außer dem EMG-Biofeedback keine technischen Hilfsmittel. Wir haben begonnen, mit einem Spektrographen, der in Echtzeit das akustische Sprachsignal darstellt, einige Übungsabschnitte des systematischen Trainings zu unterstützen. Die Übungsinhalte umfassen bisher die Korrektur von Frikativen, die Verbesserung der Stimmhaft-Stimmlos-Kontraste, Akzentkontrastübungen und die Verbesserung von Konsonantenverbindungen. Diese Art von Feedback ist dazu geeignet, artikulatorische Bewegungsmuster zu stabilisieren und zu konsolidieren. Die Patienten, die wir bislang damit behandelten, arbeiteten gern mit diesem Feedback. Man kann erwarten, daß sich die Lernprozesse beschleunigen. Die spektrographische Darstellung ermöglicht es, am Bewegungskontinuum zu arbeiten, was ja den tatsächlichen physiologischen Verhältnissen entspricht. Nach einer allgemeingültigen didaktischen Regel sind es eher die kleinen Lernschritte, die einen Lernerfolg garantieren.

Danksagung

Der Erfahrungsaustausch mit unseren logopädischen Kolleginnen und Kollegen hat diese Arbeit bereichert. Wir danken E.M.Fuchs, I.Keil, B. Kilian, I.Löwenstein, U.Olf und A.Rogowski für ihre Ideen und Anregungen.

Literatur

Abbs JH, Welt C (1985) Structure and function of the lateral precentral cortex: Significance for speech motor control. In: Daniloff RG (ed) Speech science. Recent advances. Taylor & Francis, London, pp 155-191

Abbs JH, Hunker CJ, Barlow SM (1983) Differential speech motor subsystem impairments with suprabulbar lesions: neurophysiological framework and supporting data. In: Berry WR (ed) Clinical dysarthria. College Hill Press, San Diego, pp 21-56

Aronson AE (1985) Clinical voice disorders, 2nd edn. Thieme-Stratton, Stuttgart

Bishop B (1974) Vibratory stimulation. Part I Neurophysiology of motor responses avoked by vibratory stimulation. Phys Ther 54: 1273-1281

Bishop B (1975a) Vibratory stimulation. Part II Vibratory stimulation as an evaluation tool. Phys Ther 55: 29-33

Bishop B (1975b) Vibratory stimulation. Part III Possible application of vibration in treatment of motor dysfunction. Phys Ther 55: 139-143

Bobath B (1983) Die Hemiplegie Erwachsener: Befundaufnahme, Beurteilung und Behandlung, 3.Aufl. Thieme, Stuttgart

Brodal A (1973) Self-observations and neuro-anatomical considerations after a stroke. Brain 96: 675-694

Bugbee JK, Nichols AC (1980) Rehearsel as a self-correction strategy for patients with apraxia of speech. In: Brookshire RH (ed) Clinical aphasiology: Conference proceedings 1981. BRK, Minneapolis, pp 133-140

von Cramon D, Vogel M (1981) Der traumatische Mutismus. Nervenarzt 52: 664-668

von Cramon D, Ziegler W (1987) Die spastische Dysarthrophonie. In: Springer L, Kattenbeck G (Hrsg) Aktuelle Beiträge zur Dysarthrophonie und Dysprosodie. Tudur, München (Interdisziplinäre Reihe zur Theorie und Praxis der Logopädie, Bd 5, S 101-121)

Dabul B, Bollier B (1976) Therapeutic approaches to apraxia. J Speech Hear Disord 41: 268-276

Daniel B (1982) A soft palat desensitization procedure for patients requiring palatal lift prostheses. J Prosthet Dent 48: 65-566

Darley FL, Aronson AE, Brown JR (1975) Motor speech disorders. Saunders, Philadelphia

Davis SN, Drichta CE (1980) Biofeedback theory and application in allied health. Biofeedback Self Regul 5: 159-174

Dubner R, Sessle BJ, Storey AT (1978) The neural basis of oral and facial function. Plenum, New York

Enderby P (1983) The standardized assessment of dysarthria is possible. In: Berry WR (ed) Clinical dysarthria. College Hill Press, San Diego, pp 109-119

Farber DS (1974) Sensorimotor evaluation and treatment for allied health personnel, 2nd edn. Indiana University Foundation, Indianapolis

Fröschels E (1931) Lehrbuch der Sprachheilkunde, 3.Aufl. Deuticke, Leipzig

Fröschels E (1943) A contribution to the pathology and therapy of dysarthria due to certain cerebral lesions. J Speech Disord 8: 301-321

Garliner D (1976) Myofunctional therapy. Saunders, Philadelphia

Goldman-Eisler F (1956) The determinants of the rate of speech output and their mutual relations. J Psychosomat Res 1: 137-143

Hanson WR, Metter EJ (1983) DAF speech rate modification in Parkinson's disease: a report of two cases. In: Berry W (ed) Clinical dysarthria. College Hill Press, San Diego, pp 231-259

Hardcastle WJ (1976) Physiology of speech production. Academic Press, London

Harris FA (1978) Facilitation techniques in therapeutic exercise. In: Basmajian JV (ed) Therapeutic exercise, 3rd edn. Willian & Wilkins, Baltimore

Hartmann E, von Cramon D (1984) Acoustic measurement of voice quality in central dysphonia. J Commun Disord 17: 425-440

Helm N (1979) Management of pailalia with a pacing board. J Speech Hear Disord 44: 350-353

Hirose H (1986) Pathophysiology of motor speech disorders (dysarthria). Folia Phoniatr (Basel) 38: 61-88

Hirose H, Kiritani S (1979) Velocity of articulatory movements in normal and dysarthric subjects. Ann Bull RILP 13: 10-112

Hirose H, Kiritani S, Sawashima M (1980) Patterns of dysarthric movements in patients with amyotrophic lateral sclerosis and pseudobulbar palsy. Ann Bull RILP 14: 263–272

Hixon TJ, Hawley JL, Wilson KJ (1982) An around-the-house device for the clinical determination of respiratory driving pressure: A note on making simple even simpler. J Speech Hear Disord 47: 413–415

Holland AL, Fromm D, Swindell CS (1986) The labeling problem in aphasia: An illustrative case. J Speech Hear Disord 51: 176–180

Huber W, Poeck K, Weniger D, Willmes K (1983) Aachener Aphasie Test. Hofgrefe Verlag, Göttingen

Inglis J, Campbell D, Donald MW (1976) Electromyographic biofeedback and neuromuscular rehabilitation. Can J Behav Sci 8: 299–323

Itho M, Sasanuma S, Hirose H, Yoshioka H, Ushijima T (1980) Abnormal articulatory dynamics in a patient with apraxia of speech: X-Ray microbeam observation. Brain Lang 11: 66–75

Jung R (1976) Einführung in die Bewegungsphysiologie. In: Haase J, Henatsch HD, Jung R, Strata P, Thoden U (Hrsg) Sensomotorik. Urban & Schwarzenberg, München (Physiologie des Menschen, Bd 14, S. 1–90)

Kent RD, Netsell R (1975) A case study of an ataxic dysarthric: cineradiographic and spectrographic observations. J Speech Hear Res 40: 467–480

Kent RD, Netsell R, Abbs JH (1979) Acoustic characteristics of dysarthria associated with cerebellar disease. J Speech Hear Res 22: 627–648

Kent RD, Kent JF, Rosenbek JC (1988) Maximum performance tests of speech production. J Speech Hear Disord in press

Knott M, Voss D (1968) Proprioceptive neuromuscular facilitation, 2nd edn. Harper & Row, New York

Linebaugh CW, Wolfe VE (1984) Relationships between articulation rate, intelligibility, and naturalness in spastic and ataxic speakers. In: McNeil MR, Rosenbek JC, Aronson AE (eds) The dysarthrias: physiology, acoustics, perception, management. College-Hill Press, San Diego, pp 197–205

Logeman JA (1983) Evaluation and treatment of swallowing disorders. College Hill Press, San Diego

Ludlow CL, Bassich CJ (1984) Relationship between perceptual ratings and acoustic measures of hypokinetic speech. In: McNeil MR, Rosenbek JC, Aronson AE (eds) The dysarthrias: physiology, acoustics, perception, management. College-Hill Press, San Diego, pp 163–195

Luria AR (1970) Traumatic aphasia: its syndromes, psychology and treatment. Mouton, The Hague

Morasch H, Cramon DV (1984) Laryngoskopische Befunde bei Dysphonie nach traumatischem Mittelhirnsyndrom. HNO 32: 13–16

Morasch H, Joussen K, Ziegler W (1987) Zentrale laryngeale Bewegungsstörungen nach schwerem, gedeckten Schädelhirntrauma und bei zerebrovaskulären Erkrankungen. Laryngol Rhinol Otol 66: 214–220

Netsell R (1984) A neurobiologic view of the dysarthrias. In: McNeil MR, Rosenbek JC, Aronson AE (eds) The dysarthrias: physiology, acoustics, perception, management. College-Hill Press, San Diego, pp 1–36

Netsell R (1986) Physiological studies of dysarthria and their relevance to treatment. In: Netsell R (ed) A neurobiologic view of speech production and the dysarthrias. College Hill Press, San Diego, pp 105–122

Netsell R, Daniel B (1979) Dysarthria in adults: physiologic approach to rehabilitation. Arch Physical Med Rehab 6: 502–508

Netsell R, Rosenbek JC (1986) Treating the dysarthrias. In: Netsell R (ed) A neurobiologic view of speech production and the dysarthrias. College Hill Press, San Diego, pp 123–152

O'Connell A, Gardner E (1967) Ingredients of coordinate movements. Am J Phys Med 46: 334–361

Parow J (1972) Funktionelle Atemtherapie. Thieme, Stuttgart

Perkins WH (1983) Current therapy of communication disorders: dysarthria and apraxia. Thieme-Stratton, New York

Platt LJ, Andrews G, Young M, Quinn PT (1980) Dysarthria of adult cerebral palsy: I. Intelligibility and articulatory impairment. J Speech Hear Res 23: 28–40

Ray WJ, Raczynski JM, Rogers T, Kimball WH (1979) Evaluation of Clinical Biofeedback. Plenum, New York

Romero B (1980) Sprachrehabilitation in einem Aphasiefall mit Hilfe der Mediationstechnik. Psychiatr Neurol Med Psychol 32: 731–738

Rosenbek JC (1984) Treating the dysarthric talker. Sem Speech Language 5: 359–384

Rosenbek JC, Kent RD, LaPointe LL (1984) Apraxia of speech: an overview and some perspectives. In: Rosenbek JC, McNeil MR, Aronson AE (eds) Apraxia of speech: physiology, acoustics, linguistics, management. College-Hill Press, San Diego, pp 1–72

Rubow R (1984) Role of feedback, reinforcement, and compliance on training and transfer in biofeedback-based rehabilitation of motor speech disorders. In: McNeil MR, Rosenbek JC, Aronson AE (eds) The dysarthrias: physiology, acoustics, perception, management. College-Hill Press, San Diego, pp 207–230

Schmitt JL (1956) Atemheilkunst, 2. Aufl., Müller, München

Square-Storer P (1987) Acquired apraxia of speech. In: Winitz H (ed) Human communication and its disorders, a review. ABLEK, Norwood, pp 88-166

Tegart L, Mitto H (1987) Die Therapie der spastischen Dysarthrie. In: Springer L, Kattenbeck G (Hrsg) Aktuelle Beiträge zur Dysarthrophonie und Dysprosodie. Tudur, München (Interdisziplinäre Reihe zur Theorie und Praxis der Logopädie, Bd 3, S 123-139)

Vogel M (1987) Einführung in die phonetische Beschreibung der Dysarthrophonien. In: Springer L, Kattenbeck G (Hrsg) Aktuelle Beiträge zur Dysarthrophonie und Dysprosodie. Tuduv, München (Interdisziplinäre Reihe zur Theorie und Praxis der Logopädie. Bd 5, S 25-58)

Vogel M, von Cramon D (1982) Dysphonia after traumatic midbrain damage. Folia Phoniatr (Basel) 34: 150-159

Vogel M, von Cramon D (1983) Articulatory recovery after traumatic midbrain damage: a follow-up study. Folia Phoniatr (Basel) 35: 294-309

Weismer G (1984) Articulatory characteristics of Parkinsonian dysarthria: Segmental and phrase-level timing, spirantization, and glottal-supraglottal coordination. In: McNeil MR, Rosenbek JC, Aronson AE (eds) The dysarthrias: physiology, acoustics, perception, management. College-Hill Press, San Diego, pp 101-130

Weismer G (1985) Speech Breathing: Contemporary Views and Findings. In: Daniloff RG (ed) Speech science. Recent advances. Taylor & Francis, London, pp 47-72

Wertz RT, LaPointe LL, Rosenbek JC (1984) Apraxia of speech in adults. Grune & Stratton, Orlando

Yorkston KM, Beukelman DR (1984) Assessment of intelligibility of dysarthric speech. CC Publications, Tigard

Yorkston KM, Beukelman DR, Minifie FD, Sapir S (1984) Assessment of stress patterning. In: McNeil MR, Rosenbek JC, Aronson AE (eds) The dysarthrias: physiology, acoustics, perception, management. College-Hill Press, San Diego, pp 131-162

Ziegler W, von Cramon D (1986a) Timing deficits in apraxia of speech. Eur Arch Psychiatr Neurol Sci 236: 44-49

Ziegler W, von Cramon D (1986b) Spastic dysarthria after acquired brain injury: an acoustic study. Br J Dis Comm 21: 173-187

Ziegler W, von Cramon D (1987a) Zentrale Stimmstörungen. In: Springer L, Kattenbeck G (Hrsg) Aktuelle Beiträge zur Dysarthrophonie und Dysprosodie. Tuduv, München (Interdisziplinäre Reihe zur Theorie und Praxis der Logopädie, Bd 5, S 59-79)

Ziegler W, von Cramon D (1987b) Differentialdiagnostik der traumatisch bedingten Dysarthrophonien. In: Springer L, Kattenbeck G (Hrsg) Dysarthrie. Tuduv, München (Interdisziplinäre Reihe zur Theorie und Praxis der Logopädie. Bd 5, S 81-100).

20 Störungen der Handfunktionen

N. Mai

20.1 Einleitung

Von allen Primaten hat der Mensch die beweglichste Hand, bedingt durch eine schon anatomisch festgelegte Beweglichkeit des Daumens. Die Hand und besonders die Fingerkuppen erlauben faszinierende sensible Leistungen. Die Auflösung von Bewegungen auf der Haut ist vergleichbar mit der Auflösung beim Bewegungssehen. Die sensible Leistungsfähigkeit kann erheblich gesteigert werden, wie sich beim Erlernen der Braille-Schrift zeigt. Beispiele für die motorische Leistungsfähigkeit der Hand sind noch geläufiger. Die differentielle Beweglichkeit der Finger hat den subtilen Gebrauch von Werkzeugen ermöglicht und wird besonders deutlich in Spitzenleistungen eines Pianisten oder eines Chirurgen, der unter Mikroskopkontrolle operiert. Wir können in verschiedenen Haltungen, an einer Tafel, am Schreibtisch oder auf einer Unterlage auf den Knien schreiben. Obwohl in Abhängigkeit von der Haltung ganz unterschiedliche Muskelgruppen an der Produktion der Handschrift beteiligt sind, bleiben individuelle Charakteristika erhalten. Die Effektivität, aber auch die Komplexität der Handsteuerung wird deutlich, wenn man sich vorstellt, man wollte einen Roboterarm für ähnliche Leistungen programmieren.

Störungen der Handfunktionen bei Läsionen des zentralen Nervensystems fallen den betroffenen Patienten meist sehr schnell auf. Die Hand ist im Alltag zu wichtig, um übersehen zu werden. Bei der Untersuchung von Patienten geht es daher selten um die Frage, ob eine Störung der Handfunktionen vorliegt. Störungen werden entweder von den Patienten unmittelbar berichtet oder können leicht demonstriert werden.

Schwieriger wird es, wenn wir wissen wollen, welche Aspekte der Handfunktionen gestört sind. Welche Aspekte müssen überhaupt unterschieden werden? Geläufig ist die Unterscheidung von sensiblen und motorischen Defiziten. Schon diese Unterscheidung ist künstlich und läuft Gefahr, das Zusammenwirken von Sensibilität und Motorik, die Sensomotorik, zu vernachlässigen. Innerhalb der sensiblen Leistungen sind viele Einzelaspekte beschrieben worden, die durch zerebrale Läsionen beeinträchtigt werden können. Beispiele sind veränderte Schwellen für leichte Berührung, Druck oder Schmerz; gestörte Lokalisation von Reizen in der Hand oder eine beeinträchtigte Wahrnehmung von passiven Bewegungen. Sind Störungen einer sensiblen Teilleistung immer mit Störungen in einer anderen Teilleistung gekoppelt? Würde es dann nicht ausreichen, nur eine der beiden Leistungen zu untersuchen? Gibt es eine Hierarchie zwischen den einzelnen Teilleistungen und können schließlich Störungen „komplexer" Leistungen (z. B. das taktile Erkennen von Gegenständen) auf Defizite in „einfacheren" Leistungen zurückgeführt werden.?

Analoge Fragen sind für die motorischen Leistungen der Hand zu stellen. Aber die Antworten sind eher noch schwieriger. Selbst einfach erscheinende Leistungen, wie das Ergreifen eines Gegenstands, erfordern eine komplexe Abstimmung zwischen Bewegungsparametern, Sensibilität und visueller Wahrnehmung (vgl. Arbib et al. 1985). Entsprechend vielfältig sind die Bedingungen, die zu einer Störung des Greifens führen können. Wir können nach einem Gegenstand ganz unterschiedlich greifen, schnell oder langsam, auf dem kürzesten Weg oder zur Vermeidung von Hindernissen auf Umwegen, wir können dabei die Hand unterschiedlich orientieren oder beim Greifen verschiedene Finger einsetzen. Die Willkürlichkeit der Handmotorik ist die Voraussetzung für das Erlernen neuer Handleistungen; die Möglichkeit der willkürlichen Bewegung erschwert aber die Untersuchung der Steuerungsprozesse, die den Bewegungen zugrunde liegen. Im Unterschied zu den Handbewegungen können viele Parameter der Augenbewegung nicht willkürlich beeinflußt werden, z. B. können Übergänge von ballistischen Bewegungen (Sakkaden) zu langsamen Bewegungen (Rampenbewegungen) nicht willkürlich hergestellt werden. Langsame Bewegungen der Augen sind nur bei einem externen, bewegten Reiz möglich, der mit den Augen verfolgt wird. Systemorientierte Ansätze waren daher bei der Untersuchung der Augenbewegung viel erfolgreicher als bei der Handmotorik. Bei der Untersuchung der Sensibilität kann zumindest der externe Reiz (Druck, Ausmaß der passiven Bewegung) variiert und die Reaktion in Beziehung zu Reizparametern gesetzt werden (Psychophysik). Auch für diesen Untersuchungsansatz findet man keine direkte Entsprechung bei der Untersuchung der Willkürmotorik.

Technische Entwicklungen haben die Registrierung von Bewegungen, zum Beispiel durch Hochgeschwindigkeitskameras, erheblich verfeinert. Aber der Aufwand der Verfahren ist meist zu hoch für einen klinischen Einsatz. Quantitative Verfahren zur Untersuchung der Handmotorik sind im klinischen Alltag kaum anzutreffen oder beschränken sich auf Handdynamometer und gelegentliche Zeitmessungen bei verschiedenen Handleistungen. Dabei wird wohl kaum jemand bestreiten, daß quantitative Verfahren mit ausreichender Güte und Sensitivität erforderlich sind, um Verläufe zu dokumentieren, Therapieansätze zu entwickeln oder zu prüfen.

Unter dem Aspekt der Rehabilitation gestörter Handfunktionen läßt sich eine weitere Forderung an die Untersuchung von Handfunktionen ableiten. Idealerweise werden nur solche Handfunktionen untersucht, die für differentielle Therapieentscheidungen erforderlich sind. Beispiele für solche Entscheidungen sind die Zuweisung von Patienten zu unterschiedlichen Therapieprogrammen, die individuelle Anpassung oder der Abbruch eines Trainingsprogramms. Welche unterschiedlichen Trainingsprogramme für Handfunktionen liegen überhaupt vor? Welche können individuell angepaßt werden und aufgrund welcher Daten können Abbruchentscheidungen begründet werden?

Mit der einfachen Frage: „Welche Handfunktionen sollten bei Patienten mit Läsionen des zentralen Nervensystems untersucht werden?" wird man sicherlich auch manchen Experten in erhebliche Verlegenheit bringen. Zumindest hat sich in der klinischen Praxis kein einheitliches Vorgehen durchgesetzt. Schon für die Beantwortung einfachster Fragen fehlen häufig empirische Daten, und in der Konsequenz können meist nur erste Ansätze dargestellt werden.

20.2 Untersuchung der Sensibilität

Die Methodik, die Head und Holmes (1911) zur Untersuchung der Sensibilität der Hand bei zerebralen Läsionen einsetzten, gilt immer noch als Meilenstein in der Geschichte der Neurologie. In ihre Untersuchung wurden nur Patienten mit unilateralen Hirnläsionen einbezogen. Das gab ihnen die Möglichkeit, die jeweils gesunde Seite als Kontrolle heranzuziehen und ermöglichte einen Verzicht auf absolute Standards oder Normdaten. Für die Untersuchung der Sensibilität schlugen sie 20 Bereiche vor, 18 davon können auf Handleistungen bezogen werden. Beispiele für solche Bereiche sind: die Wahrnehmung von Berührung, Schmerz, Temperatur, passiver Bewegung, Größe, Form- oder Texturunterschieden, die Lokalisation von taktilen Reizen oder die räumliche Diskriminierung von zwei Reizpunkten. Für jeden der Bereiche schildern Head und Holmes sehr detailliert ihr Untersuchungsverfahren, verweisen auf mögliche Fehlerquellen und generelle Untersuchungsschwierigkeiten.

Zur Prüfung der Sensibilitätsdefizite der Hand bei unilateralen Hirnläsionen haben Head und Holmes die verschiedenen Tests (meist über 20) an beiden Händen und getrennt für die einzelnen Finger untersucht. Für eine solche Untersuchung benötigten sie in der Regel zwischen 5 und 10 h, verteilt über mehrere Sitzungen, häufig war eine noch längere Untersuchungsdauer erforderlich. Diesen heute fast unvorstellbaren Aufwand bei der Untersuchung von Patienten rechtfertigten die Autoren mit ihren Forschungszielen. Für „klinische Zwecke" sei eine weit kürzere und einfachere Prozedur erforderlich, wobei sie allerdings offen lassen, welche Aspekte der Sensibilität geprüft werden sollten.

Als Head seine Studien zur Sensibilität begann, war die allgemeine Meinung, daß für die einzelnen unterscheidbaren Modalitäten der Sensibilität spezialisierte „Endorgane" und jeweils spezifische Nervenfasern zur Informationsübertragung zur Verfügung stehen. Zu dieser Vorstellung paßte, daß in der Anatomie, dank neuer Färbetechniken, ständig neue sensorische Nervenendigungen „entdeckt" wurden. Dellon (1981) zitiert als Höhepunkt dieser Rezeptorproliferation Botezat (1912), der allein in der unbehaarten Haut 36 separate Endigungen unterschied. Head hat sich gegen diese Vorstellung eines afferenten Systems gewandt, aber auch die von ihm entwickelten theoretischen Überlegungen zur Organisation der Sensibilität haben späteren Untersuchungen der Anatomie und Neurophysiologie nicht standgehalten.

Als weitaus beständiger haben sich die differenzierten Untersuchungen an Patienten mit unterschiedlichen Läsionen des afferenten Systems erwiesen. Die Beschreibung der Ergebnisse auf der Ebene von sorgfältigen Beobachtungen ist auch heute noch lesenswert, besonders die Mitteilungen über das gemeinsame Auftreten von Störungen beziehungsweise über die Dissoziation von Störungen. Die Suche nach Dissoziationen zwischen einzelnen sensiblen Leistungen war für Head (1918) schließlich die Hauptmethode, um die Vielzahl der untersuchten Leistungen zu ordnen.

Die Wahrnehmung passiver Bewegungen, die Entdeckungsschwelle für leichte Berührungen und die Unterschiedsschwelle für Gewichte können jeweils unabhängig voneinander gestört sein. Störungen bei der Wahrnehmung passiver Bewegungen gehören nach Head zu den häufigsten Konsequenzen einer Läsion des sensorischen Kortex. Für „klinische Zwecke" kann diese Störung als eine Art Leitsymptom für eine kortikale Erkrankung angesehen werden (Head 1918, S. 107). Die Wahrnehmung passiver Bewegungen faßt Head mit der 2-Punkt-Diskrimination („compass-test") und der Lokalisation von berührten Punkten in der Hand zu einer Gruppe zusammen, da alle drei „räumliche Aspekte" der Sensibilität erfassen.

Neben der Wahrnehmung räumlicher Relationen hat Head zwei weitere Leistungsbereiche unterschieden: die Unterscheidung von Reizen unterschiedlicher Intensität und die Wahrnehmung von Ähnlichkeiten und Unterschieden. Die Bestimmung von Berührungsschwellen mit Hilfe von Tasthaaren und die Unterscheidung von Gewichten repräsentieren diese Obergruppen. Diese Einteilung der sensiblen Leistungen entstammt einer theoretischen Analyse der Aufgaben. Das Fehlen von Dissoziationen zwischen den Leistungen innerhalb eines Bereichs ist jedenfalls kein Nachweis für eine Zusammengehörigkeit der Leistungen.

Bedeutsam bleiben in jedem Fall die von Head beobachteten Dissoziationen einzelner sensibler Leistungen die bei der Zusammenstellung einer „Testbatterie" berücksichtigt werden müßten. Die Dissoziation von Leistungen schließt nicht aus, daß diese Leistungen innerhalb einer Gruppe von Patienten korrelieren. Aber für die Untersuchung des Einzelfalls helfen die eventuell beobachteten Korrelationen wenig. Ist die Dissoziation zweier Leistungen nachgewiesen, können für einen einzelnen Patienten valide Aussagen nur gemacht werden, wenn beide Leistungen untersucht werden.

Seit Henry Head hat sich das Wissen über afferente Systeme erheblich verändert. Manches scheint viel einfacher. Von der unüberschaubaren Vielfalt beschriebener „Rezeptoren" haben zum Beispiel nur ganz wenige die späteren Nachprüfungen überdauert. Können aus den Ergebnissen der Neurophysiologie und Neuroanatomie begründete Vorschläge für eine klinische Untersuchung der Sensibilität abgeleitet werden?

20.2.1 Mechanorezeptoren der Haut

Die Einführung der Mikroneurographie durch Vallbo und Hagbarth (1968) ermöglichte die Analyse peripherer taktiler Mechanismen bei Menschen mit einer Präzision, die bis dahin nur im Tierexperiment erreichbar war. Dabei werden Impulse einzelner Nervenfasern über Mikroelektroden, die im peripheren Nerv (primäre Afferenz) implantiert werden, registriert. Diese Technik erlaubt insbesondere direkte Vergleiche zwischen der Impulsaktivität und der subjektiven Erfahrung, die mit psychophysikalischen Methoden erfaßt werden kann. Der Begriff „taktile Einheit" bezieht sich auf

ein primäres afferentes Neuron, dessen sensorische Endigung (Rezeptor) hauptsächlich auf leichte Deformationen der Haut reagiert.

Nach Vallbo und Johannson (1984) können die ca. 17 000 taktilen Einheiten, die die unbehaarte Haut einer Hand versorgen, in 4 Haupttypen unterteilt werden. Die Unterteilung erfolgt aufgrund der funktionalen Eigenschaften, z.B. der Reaktion auf konstante Reize oder Reizänderungen und nach der Größe und Struktur der jeweiligen rezeptiven Felder. Unterschieden werden schnell adaptierende Einheiten (FA I und FA II) und langsam adaptierende (SA I und SA II). FA I und SA I haben kleine rezeptive Felder (zwischen 2 und 8 mm Durchmesser), während FA II und SA II unscharf begrenzte, aber in jedem Fall erheblich größere rezeptive Felder aufweisen. Die 4 Typen sind in der Hand unterschiedlich repräsentiert, wobei FA I und SA I überwiegend in den Fingerkuppen anzutreffen sind. Die sensorischen Endorgane der FA I sind wahrscheinlich die Meissner-Tastkörperchen, Merkel-Rezeptoren sind als Endorgane der SA I Einheiten nachgewiesen. Bei den taktilen

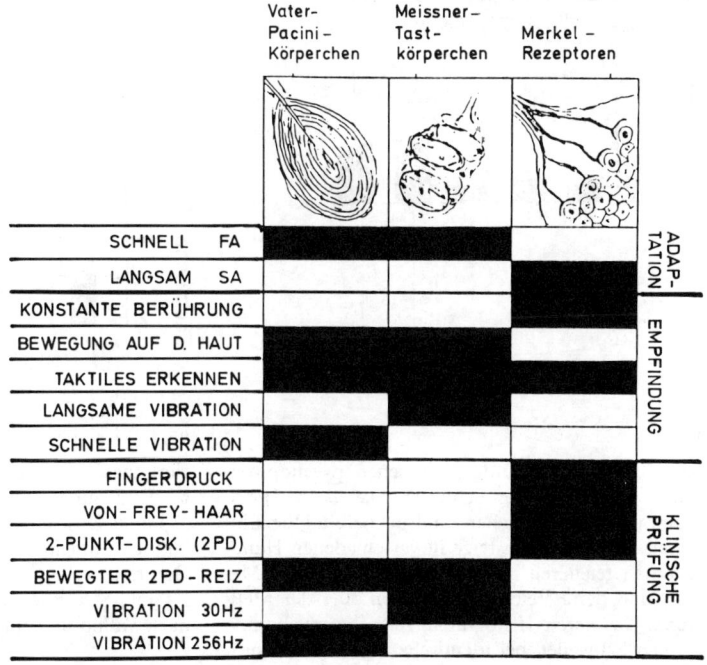

Abb. 20.1. Vorschlag einer Zuordnung klinischer Sensibilitätsprüfungen zu Hautrezeptoren. (Modifiziert nach Dellon 1981, S. 39)

363

Einheiten vom Typ II werden als Endorgane der schnell adaptierenden FA II die Vater-Pacini-Körperchen angenommen, für SA II die spindelförmigen Ruffini-Endigungen.

Auch in der Weiterleitung der Nervenimpulse bleibt die spezifische Ordnung der primären Afferenzen weitgehend erhalten. Daher ist der Versuch naheliegend, klinische Tests den verschiedenen taktilen Einheiten zuzuordnen. Dellon (1981) hat eine Zuordnung vorgeschlagen, die in Abb. 20.1 wiedergegeben ist. Die vorgeschlagene Zuordnung kann sich leider nur zum Teil auf empirische Daten berufen. Die Zuordnung von Vibrationsreizen (30 vs. 256 Hz) kann auf die Daten von Talbot et al. (1968) gestützt werden. Die Zuordnung der Schwellenbestimmung mit v. Frey-Tasthaaren zu den langsam adaptierenden Einheiten

(Merkel-Rezeptoren) wird dagegen „erschlossen". Dellon (1981) beruft sich auf Daten von Talbot et al. (1968), die gezeigt haben, daß nur die langsam adaptierenden Einheiten ansteigende Druckstärken durch einen Anstieg der Impulsrate kodieren. Daraus wird abgeleitet, daß die Bestimmung von Druckschwellen die Funktion dieser taktilen Einheiten prüft. Die Untersuchungen von Johansson und Vallbo (1979) zeigen aber eindeutig, daß die langsam adaptierenden taktilen Einheiten irrelevant für die Entdeckung von Berührungsreizen sind. Diese Eindeutigkeit der Aussage wurde möglich durch die Kombination von psychophysikalischer Schwellenbestimmung und mikroneurographischer Ableitung innerhalb der gleichen Untersuchung (vgl. Abb. 20.2a).

Auch die von Dellon (1981) vermutete Zuord-

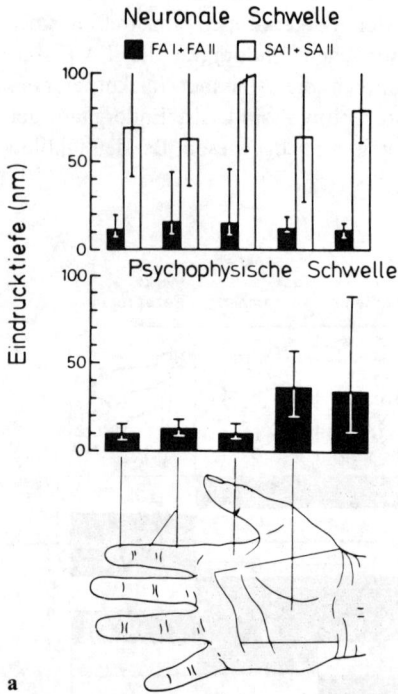

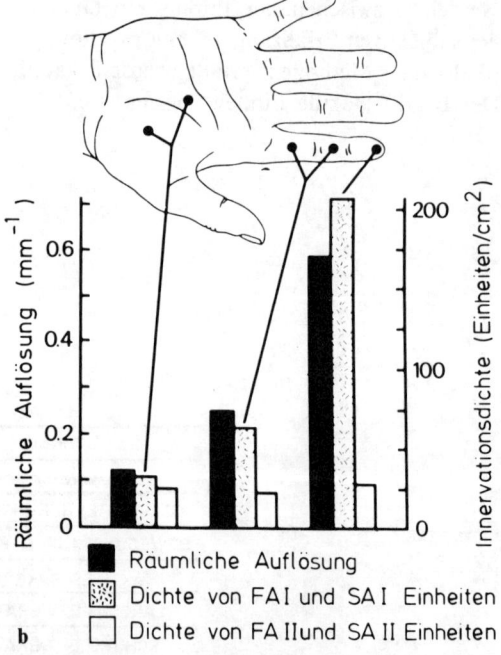

Abb. 20.2. **a** Beziehungen zwischen psychophysischer und neuronaler Schwelle. Das *obere* Histogramm zeigt, bei welcher Eindrucktiefe taktile Einheiten auf Berührungsreize in verschiedenen Handregionen reagieren. Angegeben ist jeweils der Median und der Bereich der mittleren 50% der Meßwerte. Das *untere* Histogramm zeigt die psychophysischen Schwellen bei identischen Reizen. (Modifi-

ziert nach Vallbo und Johansson 1984, S. 10) **b** Beziehung zwischen räumlicher Auflösung (2-Punkt-Diskrimination) und der Verteilungsdichte taktiler Einheiten in verschiedenen Handregionen. Die räumliche Auflösung ist als Umkehrung der 2-Punkt-Schwelle (1/mm) angegeben. (Modifiziert nach Vallbo und Johansson 1984, S. 11) nung der 2-Punkt-Diskrimination (2PD) zu den langsam adaptierenden Einheiten sollte nach den Daten von Vallbo und Johansson (1978) modifiziert werden. Die 2-Punkt-Diskrimination variiert erheblich von einem Schwellenwert von nur 1,6 mm in den Fingerkuppen bis zu ca. 19 mm in der Handinnenfläche. Diese Verteilung folgt sehr genau der Verteilungsdichte taktiler Einheiten vom Typ I (kleine rezeptive Felder), während die Einheiten vom Typ II relativ gleichmäßig über die Hand verteilt sind (vgl. Abb. 20.2 b). Die Konkordanz der Verteilung stützt die Schlußfolgerung, daß Typ-I-Einheiten (FA I und SA I) für die räumliche Auflösung verantwortlich sind, was bereits nach der Art der zugehörigen rezeptiven Felder vermutet werden konnte.

Die von Dellon (1981) vorgeschlagene Auswahl klinischer Tests zur Prüfung der Sensibilität der Hand erscheint jedoch nicht nur wegen der Zuordnungsprobleme fragwürdig, viel verwunderlicher ist seine Vernachlässigung der Kinästhesie.

20.2.2 Wahrnehmung von Fingerbewegungen und -positionen

Bei der üblichen klinischen Untersuchung der Bewegungswahrnehmung, bei der ein Untersucher einen Finger des Patienten bewegt, werden unvermeidlich auch Hautrezeptoren erregt. Die Mechanorezeptoren der Haut werden aber auch erregt, wenn keine direkte Berührung der Finger beteiligt ist. Hulliger et al. (1979) haben dies mit Hilfe der Mikroneurographie bei willkürlichen Bewegungen der Finger demonstriert (vgl. Abb. 20.3).

Nach ihren Ergebnissen reagieren alle FA-II-Einheiten und nahezu alle SA-II-Einheiten (94%) auf die Bewegung, zusätzlich ein erheblicher Anteil der FA-I- und SA-I-Einheiten (57 und 66%). Ein Beitrag der Gelenkrezeptoren scheint nach den Befunden von Hulliger et al. (1979) eher unbedeutend. Die von ihnen identifizierten Gelenkrezeptoren lieferten keine abgestuften Informationen über den jeweiligen Gelenkwinkel, sondern signalisierten lediglich die extremen Positionen. Patienten mit künstlichen Gelenken zeigen zudem keinerlei Einbußen bei der Wahrnehmung passiver Bewegungen. Dagegen ist ein Beitrag der Muskelspindeln zur Wahrnehmung von Bewegungen in-

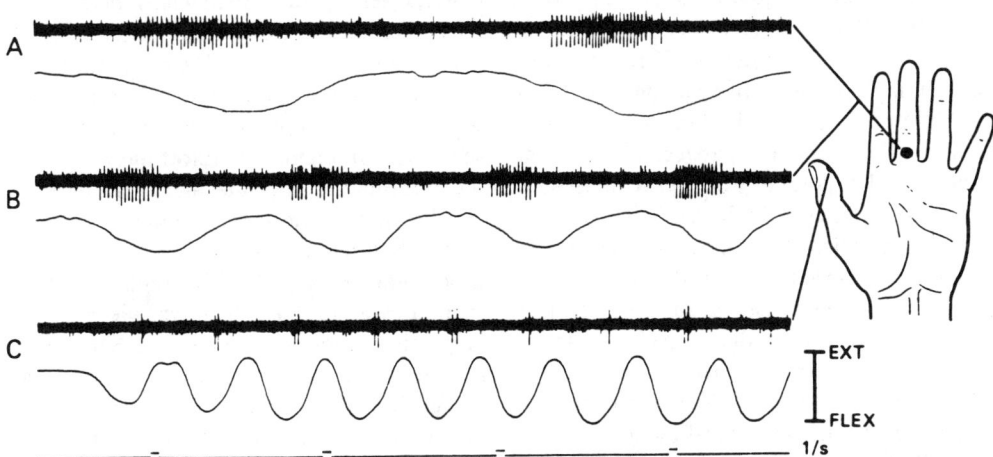

Abb. 20.3. Die Reaktion taktiler Einheiten auf aktive, alternierende Fingerbewegungen. *A* und *B* zeigen die Reaktion einer SA-II-Einheit auf Bewegungen des Mittelfingers, *C* die Reaktion einer FA-I-Einheit auf Bewegungen des Daumens. *Obere Spur:* Nervensignal; *untere Spur:* Fingerbewegungen. (Nach Hulliger et al. 1979, S. 239)

zwischen unbestritten. Übersichten finden sich bei Matthews (1977, 1982).

Für die Wahrnehmung von Bewegungen der Finger oder anderer Körperglieder stehen damit mehrere Informationssysteme zur Verfügung. Viel Forschungsaufwand ist investiert worden, um den relativen Beitrag der einzelnen Informationsquellen zu bestimmen (Übersicht bei Phillips 1986). Die Bedeutung der einzelnen Informationsquellen ist vermutlich für verschiedene Körperglieder unterschiedlich. Für die Wahrnehmung von Bewegungen der sehr leichten Finger sind Hautrezeptoren in der Umgebung der Gelenke wahrscheinlich wichtiger als bei der Wahrnehmung von Bewegungen des relativ schweren Arms im Schultergelenk.

Ähnliche Unterschiede können auch bei der Wahrnehmung von Positionen der Körperglieder vermutet werden. Knibeström (1975) hat für die langsam adaptierenden SA-II-Einheiten gezeigt, daß ihre Impulsrate in einer linearen Beziehung zu dem Gelenkwinkel des angrenzenden Gelenks steht. Wegen der langsamen Adaptation kann diese Information über die Position eines Fingers über mehrere Sekunden festgehalten werden. Danach wird die Information schwächer, und vermutlich sind kleinste Bewegungen erforderlich, um die Information über die Position zu erneuern. Phillips (1986) zitiert in diesem Zusammenhang Brodals (1973) Bericht über dessen (rein motorische) Hemiparese. Wurden die Finger für einige Zeit nicht (passiv) bewegt, hatte er kein Gefühl für die Position der Fingergelenke, obwohl die Wahrnehmung passiver Fingerbewegungen völlig normal war. Im Unterschied zum hemiparetischen Patienten halten wir die Finger vermutlich nie länger als wenige Sekunden in der exakt gleichen Position.

Für die Wahrnehmung aktiver Bewegungen stehen alle Rezeptoren, die bei passiven Bewegungen erregt werden, ebenfalls zur Verfügung. Hinzu kommt die Wahrnehmung der ausgeübten Kraft, wenn die Bewegung gegen einen Widerstand erfolgt. Ob zusätzlich über eine Rückkopplung des efferenten Motorsignals eine Wahrnehmung der „Anstrengung" („sense of effort" oder „Empfindung der In-

nervation") möglich ist, ist immer noch umstritten. Die bei aktiven Bewegungen erregten Rezeptoren in den Muskeln und Sehnen (primäre und sekundäre Endigungen der Muskelspindeln, Golgi-Sehnenorgane) liefern zum Teil widersprüchliche Informationen über die Bewegung, wodurch eine „Verrechnung" der Informationen erforderlich wird (vgl. Phillips 1986, S. 58 ff.). Wie diese Verrechnung im einzelnen erfolgt, ist noch weitgehend unklar. Für die klinische Untersuchung der Wahrnehmung von Bewegungen folgt aber zumindest, daß diese Wahrnehmungsleistung nicht auf das Funktionieren der beteiligten Rezeptorsysteme reduziert werden kann.

20.2.3 Aktives Tasten

Wenn wir die Oberfläche eines Gegenstands erfassen wollen, bewegen wir unsere Fingerkuppen mit leichtem Druck über die Oberfläche. Die Bewegung ist dabei offensichtlich wichtig. Lassen wir die Finger ruhig auf der Oberfläche ruhen, verlieren sich die subtilen Empfindungen rasch, die bei der Bewegung der Finger noch ganz deutlich waren. Die einzelnen Parameter der Bewegung (z. B. Richtung, Geschwindigkeit) sind andererseits eher unwichtig. Die Unterscheidung verschiedener Oberflächen ist für einen relativ breiten Bereich der Bewegungsgeschwindigkeit gleich gut (Morley et al. 1983). Da bei unterschiedlich raschen Bewegungen das Impulsmuster der erregten Rezeptoren entsprechend unterschiedlich ist, ergibt sich sofort die Frage, wie die Information über die invariante Oberflächenbeschaffenheit herausgefiltert wird (vgl. Darian-Smith et al. 1985).

Eine Voraussetzung für die quantitative Untersuchung von Tastleistungen war die Entwicklung von reproduzierbaren Reizen. Sandpapiere mit abgestufter Rauhigkeit (Korn) oder alltägliche Gegenstände zur Prüfung der „Stereognosie" sind zu unpräzise für die detaillierte Untersuchung einzelner Rezeptorsysteme und deren Zusammenspiel beim Tasten. Beispiele für die Entwicklung präziser Reizbedingungen finden sich in den Arbeiten der Gruppe um Darian-Smith, die aktives Tasten mit den Methoden der Mikroneurographie und der Ableitung einzelner kortikaler Zellen untersuchten (Übersichten bei Darian-Smith 1982; Darian-Smith et al. 1985).

Auch bei der klinischen Untersuchung taktiler Leistungen sind die Konstruktion der Reize und der Ablauf der Untersuchung (psychophysische Methode) von erheblicher Bedeutung. Das Benennen alltäglicher Gegenstände, die mit der Hand betastet werden, kann auch bei Sprachproblemen gestört sein. Werden die Gegenstände richtig unterschieden, bleibt offen, aufgrund welcher Merkmale die Unterscheidung getroffen wurde. Alltagsgegenstände unterscheiden sich gleichzeitig in vielen Variablen, z.B. in der Form, Größe, Oberflächenbeschaffenheit oder den thermischen Eigenschaften. Roland (1976) hat zur Untersuchung der Stereognosie speziell konstruierte, dreidimensionale Reize verwandt, die sich jeweils nur in einer Eigenschaft unterschieden. Zum Beispiel wurden Kugeln zur Untersuchung der Größendiskriminierung eingesetzt, die sich nur im Durchmesser (von 20 bis 50 mm, in Schritten von 1 mm) unterschieden, während die Oberfläche und insbesondere das Gewicht für alle Kugeln gleich waren. Die Reize zur Formunterscheidung (Elliptoide und rechtwinklige Körper) hatten neben gleichem Gewicht auch das gleiche Volumen (vgl. Roland 1975). Die Untersuchung selbst verlangte jeweils nur einen Paarvergleich. Von zwei vorgelegten Reizen mußte z.B. bei der Größendiskriminierung der „größere" herausgesucht werden. Roland (1976) fand Störungen der Stereognosie ausschließlich bei Läsionen der kontralateralen Handregion im Gyrus postcentralis. Zuvor waren in der Literatur Störungen der Stereognosie als Folge unterschiedlichster Läsionen im Parietallappen und in nicht-parietalen Regionen beschrieben worden. Ein Teil dieser Inkonsistenzen kann sicherlich auf die Unterschiede in den Untersuchungsmethoden zurückgeführt werden.

20.2.4 Gestörte Sensibilität und Handmotorik

Die Rolle afferenter Informationen aus der Peripherie für die Organisation der Motorik ist lange und häufig kontrovers diskutiert worden. Ausgangspunkt waren die Experimente von Mott u. Sherrington (1985), die bei Affen das gesamte afferente Feedback mit der Durchtrennung der entsprechenden Hinterwurzeln im Rückenmark ausschalteten. Nach unilateralen Läsionen zeigten sich erhebliche motorische Defizite in dem deafferentierten Arm. Die Affen setzten den Arm nicht mehr spontan ein, weder zum Klettern noch zum Greifen, insbesondere waren alle differenzierten Handbewegungen praktisch erloschen. Dies legte den Schluß nahe, daß afferente Rückmeldungen für die Steuerung der Motorik unabdingbar seien. Spätere Untersuchungen haben allerdings das Ausmaß der motorischen Defizite nach Deafferentierungen nicht bestätigt. Werden z.B. beide Arme deafferentiert, setzen Affen schon bald nach der Operation die Arme und Hände spontan ein und können motorische Akte unter visueller Kontrolle lernen (Taub u. Berman 1968; Taub 1976; Bossom 1974). Auch wenn Defizite bei der Kontrolle und zeitlichen Abstimmung feiner Bewegungen nach Deafferentierungen bestehen bleiben, ist es doch erstaunlich, wie viele motorische Leistungen ohne afferente Rückmeldung möglich sind. Erklärungsansätze reichen von der Diskussion eines Beitrags afferenter Fasern, die in den Vorderhörnern verlaufen (Coggeshall et al. 1975) bis zu einem zentral generierten Feedback („efference copy", „corollary discharge", McCloskey et al. 1983).

Gemessen an der komplexen Struktur afferenter Informationen sind Deafferentierungen relativ grobe Eingriffe, mit nur geringen Möglichkeiten, das Zusammenwirken von Sensibilität und Motorik genauer zu untersuchen. Bei dem Stand unserer Kenntnisse haben daher Untersuchungen der Motorik bei Patienten mit sensiblen Defiziten erhebliche Bedeutung. Ein Modellfall sind Patienten mit peripheren Neuropathien ohne wesentliche Beeinträchtigung der motorischen Nerven (vgl. Rothwell et al. 1982) oder Patienten nach operativer Behandlung verletzter Handnerven (Sunderland 1978). Bei Patienten mit kortikalen Läsionen sind dagegen isolierte Ausfälle der Sensibilität eine Ausnahme (vgl. Jeannerod et al. 1984).

Sind Defizite bei bestimmten Aspekten der Sensibilität mit motorischen Leistungsminderungen oder gar -verlusten gekoppelt? Eventuell bestehende enge Korrelationen zwischen beiden Leistungsaspekten könnten ein Auswahlkriterium für klinische Sensibilitätstests darstellen. Entsprechende Untersuchungen sind aber nur selten angestellt worden. Zweifel an der Verwendung der klassischen Sensibilitätstests, v. Frey-Tasthaare und 2-Punkt-Diskrimination, haben zuerst die Handchirurgen geäußert (vgl. Dellon 1981). Gesucht wurden brauchbare Vergleichsmaße für die Ergebnisse rekonstruktiver Operationen an Handnerven. Insbesondere Moberg (1958, 1962) hat die Idee vorangetrieben, funktionelle Handleistungen zu testen, d.h. bei einem Patienten zu beschreiben, was er mit seiner operierten Hand „tun kann". Ein typischer Test für diesen Ansatz ist der von Moberg vorgeschlagene Picking-up-Test. Dabei soll eine Anzahl von kleinen Objekten (Schrauben, Münzen, Papierklammern etc.) so schnell wie möglich vom Tisch in einen Behälter (z.B. Schale) geräumt weren. Der Test wird mit offenen und geschlossenen Augen durchgeführt. Registriert wird lediglich, ob ein Objekt aufgehoben werden kann oder nicht ($+/-$). Der Test erfordert offensichtlich motorische, aber auch spezielle sensible Funktionen. Bei 10 Patienten mit vorangegangenen Verletzungen des N. medianus, guter Rückbildung der motorischen Funktionen und keinen Parästhesien, fand Moberg (1962), daß nur die 2-Punkt-Diskrimination ausreichend mit der funktionellen Leistung im Picking-up-Test korrelierte. Die Schwellenbestimmung mit v. Frey-Tasthaaren zeigt dagegen keine eindeutige Beziehung. Dem entsprechen auch die Befunde von Onne (1962) bei Patienten nach operativen Behandlungen von Nervenläsionen, bei denen sich keine Korrelation zwischen Berührungsschwellen und 2-Punkt-Diskrimination ergab.

Die Ergebnisse nach peripheren Nervenverletzungen sind nicht unmittelbar auf Patienten mit zerebralen Läsionen übertragbar. Entsprechende Untersuchungen bei diesen Patientengruppen fehlen, und selbst einfache statistische Auswertungen über Häufigkeit und Korrelation sensibler Defizite, wie die von Semmes et al. (1960) bei Patienten mit Schußverletzungen, sind bei anderen Patientengruppen nicht wiederholt worden.

20.2.5 Vorschlag zur klinischen Untersuchung der Sensibilität

Bei der wechselvollen Geschichte der Meinungen und Konzepte über die Organisation der Sensibilität ist es kaum verwunderlich, daß sich kein einheitlicher klinischer Standard zur Untersuchung der Sensibilität entwickelt hat. Quantitative Untersuchungen der Sensibilität sind nur selten Bestandteil klinischer Routinen. Zusätzlich behindert wird die Verständigung über sensible Defizite durch die Verwendung traditioneller Begriffe wie „Tiefensensibilität" oder „epikritische" vs. „protopathische" Sensibilität, deren Bezug zu Beobachtungsdaten variiert, meist aber unklar bleibt. Statt von gestörter Tiefensensibilität zu sprechen, sollte das beobachtete Verhaltensdefizit mitgeteilt werden. Auch enger gefaßte Begriffe wie „Wahrnehmung von Fingerbewegungen (Kinästhesie)" sind zu unscharf, wenn nicht das Verfahren mitgeteilt wird, mit dem die Defizite aufgedeckt wurden. Solange keine standardisierten Verfahren eingeführt sind, müssen informative Mitteilungen über Sensibilitätsstörungen umständlich bleiben.

Es wäre eine erhebliche Vereinfachung, wenn es gelänge, sensible „Basisfunktionen" zu definieren, mit deren Hilfe „komplexere" Störungen der Sensibilität erklärt werden könnten. Besonders konsequent hat diese Idee Dellon (1981) verfolgt. Da zumindest die Hautsensibilität über die Mechanorezeptoren vermittelt wird, ist der Versuch naheliegend, den einzelnen taktilen Einheiten klinische Tests zuzuordnen. Der Ansatz scheitert jedoch daran, daß die derzeit bekannten klinischen Tests nicht spezifisch genug für die einzelnen taktilen Einheiten sind. Bestenfalls Vibrationsreize unterschiedlicher Frequenz können spezifisch zugeordnet werden. Alle anderen „einfachen" Tests wie die Bestimmung von Druckschwellen mit v. Frey-Tasthaaren oder die 2-Punkt-Diskrimination sprechen mehrere Rezeptorsysteme an. An der Wahrnehmung passiver Fingerbewegungen sind vermutlich neben den Mechanorezeptoren der Haut in der Umgebung der Gelenke, Muskelspindeln, Golgi-Sehnenorgane und möglicherweise auch Gelenkrezeptoren beteiligt. Selbst wenn der Ausfall eines beteiligten Rezeptorsystems mit einem klinischen Test demonstriert werden könnte, wäre ein Schluß auf Störungen der Kinästhesie unzulässig. Wie experimentelle Manipulationen der beteiligten Signalsysteme zeigen, können selektive Ausfälle kompensiert werden. Für klinische Anwendungen bliebe daher auch bei vorhandenen spezifischen Tests keine Wahl: Störungen der Kinästhesie können nicht abgeleitet, sondern müssen untersucht werden.

Korrelationen zwischen verschiedenen Verfahren zur Prüfung der Sensibilität können nur sehr bedingt als Grundlage zur Auswahl von Tests herangezogen werden. Korrelationen enthalten keine Information über mögliche Dissoziationen zwischen sensiblen Leistungen. Die Höhe der Korrelation hängt von der Zusammensetzung der untersuchten Patientenstichprobe ab. Enthält die Stichprobe Patienten mit geringen Störungen der Sensibilität und Patienten mit sehr schweren Störungen sensibler Leistungen, resultieren positive Korrelationen zwischen allen untersuchten Leistungen. Schließlich sind typische Ausfallmuster, die bei einer Patientengruppe (z. B. mit peripheren Nervenläsionen) gefunden wurden, nicht unmittelbar auf andere Patientengruppen (z. B. mit kortikalen Läsionen) übertragbar.

Für die Gruppe von Patienten, die in Einrichtungen zur neuropsychologischen Rehabilitation (vgl. Anhang) angetroffen wird, werden folgende Tests zur klinischen Prüfung der Handsensibilität vorgeschlagen:

a) 2-Punkt-Diskrimination: Ein Schwellenwert sollte zumindest für das äußere Fingerglied von Daumen und Zeigefinger (im Hinblick auf Präzisionsgriffe) bestimmt werden.

b) Lokalisation taktiler Reize: Gereizt wird jeweils eine der Fingerkuppen. Gefragt wird, welcher Finger gereizt wurde. Pro Finger werden mindestens 5 Reize in Zufallsfolge appliziert, die Antworten werden in einer Zuordnungsmatrix festgehalten.

c) Wahrnehmung passiver Fingerbewegungen: Untersucht werden zumindest das mittlere Fingergelenk des Zeigefingers und das äußere Daumengelenk. Bestimmt wird mit einem Winkelmesser (vgl. Head u. Holmes 1911) die minimale Bewegung (gemessen in Grad), die zum einen zur Entdeckung einer Bewegung und zum anderen zur Unterscheidung der Bewegungsrichtung erforderlich ist. Technische Geräte zur kontrollierten Bewegung der Finger sind beschrieben worden (vgl. Cohen et al. 1981) und können mit vertretbarem Aufwand nachgebaut werden.

d) Aktives Tasten: Vorgeschlagen wird die Untersuchung der dreidimensionalen Größendiskriminierung mit Kugeln von unterschiedlichem Durchmesser (vgl. Roland 1975), aber gleichem Gewicht und gleicher Oberflächenbeschaffenheit. Diese Untersuchung ist allerdings nur sinnvoll, wenn die erforderlichen motorischen Funktionen (Hantieren der Kugeln) ausreichend erhalten sind. Bei eingeschränkter Motorik kann die Diskriminierung verschiedener Oberflächen auch durch die Bewegung der Reize tangential zu den passiven Fingerkuppen untersucht werden (vgl. Darian-Smith 1982). Entscheidend für die Untersuchung ist die Verfügbarkeit reproduzierbarer und eindeutiger Reizbedingungen. Kommerzielle Angebote fehlen zwar noch, aber die geforderten Reizbedingungen können nach der vorliegenden Literatur relativ leicht erstellt werden.

Die Durchführung der vorgeschlagenen Untersuchungen an beiden Händen sollte grundsätzlich ergänzt werden durch eine systematische Befragung nach subjektiven Veränderungen der Sensibilität. Diese Befragung sollte ausdrücklich auf Mißempfindungen (Dysästhesien) eingehen (Übersicht bei Levitt 1985).

Die vorgeschlagenen Untersuchungen benötigen relativ wenig Zeit (ca. 30 min) und können daher im Verlauf eines Rehabilitationsverfahrens wiederholt eingesetzt werden. Unter dem pragmatischen Aspekt eines möglichst geringen Zeitaufwands kann z. B. auf die Untersuchung von Berührungsschwellen mit v. Frey-Tasthaaren verzichtet werden. Die Bestimmung dieser Schwellen erfordert einen erheblichen Aufwand, und Leistungsdefizite können völlig unabhängig von der funktionellen Leistungsfähigkeit der Hand auftreten (vgl. Moberg 1962). Auf die gesonderte Untersuchung der Wahrnehmung von Fingerpositionen kann ebenfalls verzichtet werden, da solche Störungen praktisch immer zusammen mit Störungen in der Wahrnehmung passiver Fingerbewegungen auftreten (vgl. Goodwin 1976).

Trotzdem kann derzeit jeder Vorschlag einer Testbatterie nur ein Vorschlag zur weiteren Erprobung sein. Es fehlt eine therapiebezogene Diagnostik, die eine Zuweisung von Patienten zu Behandlungsverfahren gestattet oder eine individuelle Anpassung und Kontrolle der Behandlung ermöglicht. Dabei wird allerdings vorausgesetzt, daß differentielle Behandlungsansätze existieren.

20.3 Ansätze zur Behandlung sensibler Defizite

Beispiele aus der Handchirurgie

Viel kann man von den Handchirurgen lernen. Die Chirurgie war immer eine pragmatische, auf Behandlung ausgerichtete Disziplin der Medizin. Verlaufsuntersuchungen und Berichte über Behandlungsergebnisse, auch wenn diese negativ ausfielen, sind in der chirurgischen Literatur üblich.

Wird einer der Handnerven durchtrennt, ist ein totaler Ausfall der Sensibilität in dem von ihm versorgten Gebiet die Folge. Wird zum Beispiel der N. medianus auf der Höhe des Handgelenks durchtrennt, fällt in der Handinnenfläche die Sensibilität im Bereich des Daumens, des 2., 3. und zum Teil des 4. Fingers sowie in der gesamten Handfläche unterhalb dieser Finger bis zum Handgelenk aus. Hinzu kommen Sensibilitätsausfälle auf der dorsalen Seite der Hand. Wird der durchtrennte Nerv wieder zusammengenäht, kehrt die Sensibilität in dem betroffenen Handgebiet nur teilweise zurück. Bei einem komplikationslosen Verlauf kehrt die „protektive" Sensibilität, d.h. die Empfindung starker Temperatur- und Schmerzreize immer zurück. Dagegen bleiben sensible Diskriminationsleistungen, die Lokalisation von Berührungsreizen oder die 2-Punkt-Diskrimination meist dauerhaft gestört. An diesen unbefriedigenden Ergebnissen haben auch die nach dem 2. Weltkrieg erheblichen Verbesserungen der Techniken in der Handchirurgie nichts verändert. In seiner Literaturübersicht, die mehr als 4000 Fälle umfaßt, findet Dellon (1981), daß bei Erwachsenen eine vollständige Rückkehr der Sensibilität (S4: 2-PD zwischen 2 und 6 mm) nach einer Nervennaht praktisch nie beobachtet wurde, und nur ca. 20% der Patienten erreichen die Stufe S3+ (2-PD zwischen 7 und 15 mm). Nur bei Kindern finden sich erheblich günstigere postoperative Ergebnisse.

Als Erklärung für diese permanenten Sensibilitätsdefizite wird meist darauf abgehoben, daß auch bei aller Verfeinerung der Operationstechniken eine korrekte Verbindung zusammengehöriger Fasern nicht erreicht werden kann. Eine zusätzliche Erklärungsmöglichkeit basiert auf neueren Untersuchungen zur topographischen Repräsentation der Körperoberfläche im somatosensiblen Kortex. Danach ist die Repräsentation nicht statisch fest, sondern wird lebenslang dynamisch aufrecht erhalten. Merzenich et al. (1983) haben dies beim Affen nach Durchtrennung des N. medianus gezeigt. Das deafferentierte kortikale Gebiet (in Area 3b und 1) geht nicht zugrunde, sondern wird „reorganisiert". Benachbarte Hautgebiete dehnen ihre kortikale Repräsentation aus, aber auch „neue" Hautbereiche „besetzen" die kortikale Region des N. medianus. Nach einer operativen Reparatur des

N. medianus konnte die gleiche Gruppe (Wall et al. 1986) zeigen, daß es zu einer erneuten Reorganisation kommt. Der N. medianus kann einen Teil seines ehemaligen Repräsentationsgebiets zurückerobern, aber das Gebiet bleibt dauerhaft kleiner. Bedeutsamer erscheint, daß die ehmalige topographische Ordnung nicht mehr erreicht wird. Die zuvor systematisch angeordneten benachbarten Hautbereiche sind nach der Nervennaht zufällig und diskontinuierlich repräsentiert.

Die offensichtlich dynamisch aufrechterhaltene Organisation der kortikalen somatosensiblen Repräsentation legt es nahe, Trainingsprogramme systematisch zu erproben. Die Veränderbarkeit sensibler Leistungen durch Training war aber lange vorher bekannt, dazu gehört z. B. die Verbesserung taktiler Diskrimination bei Blinden, die die Braille-Schrift lernen (Heinrichs u. Moorehouse 1969). Formale Programme zur Verbesserung der Sensibilität nach handchirurgischen Eingriffen werden seit etwa 15 Jahren diskutiert und sind inzwischen integrierter Bestandteil vieler Hand-Zentren. Untersuchungen zur Effektivität eines Trainings sind aber immer noch selten und umfassen zumeist nur kleine Fallzahlen. Immerhin konnte Dellon (1981) für eine Gruppe von 42 Patienten zeigen, daß über 50% nach einem Trainingsprogramm die Stufe S4 (2-PD zwischen 2 und 6 mm) erreichten. Dies ist eine beachtliche Zahl, da ohne Training praktisch kein Patient diese Stufe erreichte. Für das Wiedererlernen der richtigen Lokalisation von Berührungsreizen gibt Dellon (1981) sogar 100% Erfolge an, allerdings ohne detaillierte Daten mitzuteilen. Methodische Einwände können ebenfalls gegen die Mitteilungen von Parry (1981) über Trainingsprogramme und deren Erfolge gemacht werden.

Die verwandten Trainingsprogramme sind zumeist simpel. Zur Verbesserung der *Lokalisation* streicht zum Beispiel der Untersucher mit einem weichen Gegenstand fortlaufend über den zu trainierenden Finger. Der Patient soll visuell beobachten, was an seinem Finger passiert, dann die Augen schließen, sich auf die taktile Empfindung konzentrieren, danach die Augen wieder zur Kontrolle öffnen etc. Für ein erfolgreiches Wiedererlernen richtiger Lokalisationen setzt Dellon (1981) 3-4 Wochen an. Ähnlich ist das Verfahren von Parry (1981). Ein Patient wird an einer bestimmten Stelle innerhalb des zu trainierenden Handbereichs berührt. Ohne visuelle Kontrolle soll er danach die berührte Stelle zeigen. Ist die Lokalisation falsch, wird die Berührung unter visueller Kontrolle wiederholt und der Patient wird aufgefordert, zu versuchen, die Berührung dort zu spüren, wo er sie sieht.

Im weiteren Verlauf des Trainings konzentrieren sich die meisten Autoren auf Übungen der *Objektidentifikation*. Variiert werden die Größe und Komplexität der zu unterscheidenden Gegenstände, wobei meist versucht wird, ansteigende Schwierigkeiten der Aufgaben zu realisieren. Es erscheint offensichtlich, daß solche Prozeduren weiter systematisiert werden könnten. Die kritschen Variablen der vorgeschlagenen Trainingsprozeduren müßten noch empirisch extrahiert werden.

Beispiele aus der Neurologie

Trotz dieser Unzulänglichkeiten muß festgehalten werden, daß eine vergleichbare Forschung bei zerebral bedingten Störungen der Sensibilität fast vollständig fehlt. Nicht einmal ausreichende Untersuchungen über eine eventuelle spontane Rückbildung sensibler Defizite nach zerebralen Läsionen liegen vor. Solche einfachen Verlaufsstudien wären aber erforderlich, um Trainingseffekte von Spontanremissionen abgrenzen zu können.

Es existieren lediglich Berichte über Einzelfälle, bei denen ein Training sensibler Funktionen nach zerebralen Läsionen versucht wurde (Brown u. Stewart 1916; Ruch et al. 1938; Forster u. Shields 1959; Vinograd et al. 1962). Quantitative Angaben über die Effekte eines Trainings machen nur die älteren Arbeiten, deren experimenteller Anspruch in den folgenden Untersuchungen nicht gehalten und schon gar nicht erweitert wurde.

Brown und Stewart (1916) berichten über einen Patienten, bei dem sie 14 Monate nach einer linksseitigen Verletzung durch einen Kopfschuß versuchten, die ausgeprägten Sensibilitätsdefizite der Hand zu reduzieren. Dabei konzentrierten sich die Autoren zunächst ausschließlich auf die Verbesserung der Lokalisation von Berührungsreizen in der Hand. Neben der Frage nach der Effektivität eines solchen Trainings versuchten Brown und Stewart gleichzeitig, spezifischere Fragen zu beantworten. Falls überhaupt ein Trainingseffekt gefunden werden sollte: Welche Faktoren bedingen die Verbesserung? Ist die Verbesserung permanent oder transient? Wenn die Lokalisation in bestimmten Handregionen verbessert werden kann, wird dadurch auch die Lokalisation in anderen Regionen, z.B. benachbarten, die nicht trainiert wurden, verbessert? Generalisiert eine Verbesserung der Lokalisation auch auf andere Reize, die im Training nicht verwandt wurden? Und schließlich, werden andere Arten der Sensibilität durch das Training verändert? (Brown u. Stewart (1916, S.352). Diese Fragen könnten ebenso aus einem aktuellen Fragenkatalog zur neuropsychologischen Rehabilitationsforschung stammen. Auch 70 Jahre später gibt es keine empirische Grundlage, um diese Fragen zu beantworten.

Für ihr Trainingsexperiment wählten Brown und Stewart (1916) nur einen einzigen Finger (den Zeigefinger, D2) und schränkten das Training zudem auf 3 Punkte ein. Diese Punkte lagen auf der palmaren Fingerseite etwa in der Mitte der 3 Fingerglieder. Benachbarte Punkte auf dem Zeigefinger und analoge Punkte auf den anderen Fingern sowie auf der dorsalen Seite der Finger wurden für Kontrollmessungen ebenfalls dauerhaft markiert. Als Berührungsreiz wurde ein v. Frey-Tasthaar verwandt, dessen Stärke in der beeinträchtigten linken Hand Empfindungen knapp unterhalb der Schmerzgrenze hervorrief.

Das Training selbst war einfach. Der Patient wurde über den ausgewählten Reizpunkt informiert und aufgefordert, sich ganz auf die Empfindungen an diesem Ort zu konzentrieren. Danach wurde dieser Punkt auf dem Tasthaar wiederholt berührt (10–20 Durchgänge). Analog wurde mit den beiden anderen Reizpunkten verfahren. Anschließend wurden die drei Punkte in einer Zufallsfolge berührt (ca. 50 Durchgänge) und der Patient wurde entweder instruiert, auf die Ähnlichkeit der Empfindungen bei gleichem Reizort oder auf die Verschiedenheit bei unterschiedlichen Reizorten zu achten. Während des gesamten Trainings sollte der Patient die einzelnen Berührungen visuell beobachten. Das Training wurde an 3 Tagen, aber mehrmals am Tag durchgeführt. Kontrollmessungen an allen Reizpunkten (trainierten und nichttrainierten) wurden an 5 dem Training vorangehenden und an den 5 nachfolgenden Tagen durchgeführt. Bei diesen Messungen mußte der Patient ohne visuelle Kontrolle den jeweils berührten Punkt mit der linken Hand zeigen, entsprechend dem Verfahren von Head und Holmes (1911).

Als Ergebnis des Trainings fanden Brown und Stewart (1916) eine deutliche Verbesserung der Lokalisation bei den trainierten Punkten im Vergleich zu den Leistungen vor dem Training und im Vergleich zu den anderen nicht trainierten Fingern. Die Einzeldaten der gesamten Untersuchung werden sehr detailliert wiedergegeben und erlauben eine nachträgliche graphische Darstellung der Ergebnisse (Abb.20.4). Abbildung 20.4 zeigt deutlich, daß nach dem Training der palmaren Seite keine Verbesserung auftritt. Brown und Stewart (1916) hatten eine solche generalisierte Auswirkung aus dem Vergleich der Mittelwerte aus den 5 Tagen vor dem Training mit den 5 nachfolgenden Tagen erschlossen (eine für 1916 verzeihliche Schwäche der statistischen Auswertung). Das gleiche gilt für die Auswirkung des Trainings auf die nichttrainierten Finger (D3, D4, D5 in Abb.4). Das Training scheint damit hoch spezifisch zu sein. Wie sich aus den weiteren Mitteilungen ergibt, verbessert sich hauptsächlich die Lokalisation der trainierten Punkte auf den beiden distalen Fingergliedern. Wird dem Patienten nicht mitgeteilt, welcher Finger gereizt wird, werden nach dem Training die Finger nicht besser unterschieden als vor dem Training. Alle Ergebnisse beruhen nur auf der Untersuchung eines Falles, ihre Generalisierbarkeit wird dadurch eingeschränkt. Schwer verständlich bleibt aber, warum ähnliche Untersuchungsansätze nicht fortgeführt wurden.

Solange die Bedingungen für ein erfolgreiches Training bei sensiblen Defiziten der Hand nicht bekannt sind, ist jeder Versuch mit einem hohen Mißerfolgsrisiko belastet. Dies demonstriert auch das folgende Fallbeispiel einer Patientin, die nach einem linksseitigen Hirninfarkt im Alter von 30 Jahren erhebliche sensible Defizite bei nur geringer Beeinträchtigung der Motorik der rechten Hand aufwies. Sechs Monate nach dem Schlaganfall haben wir versucht, durch elektrische Reizung die Entdeckungsschwellen für taktile Reize zu senken.

Dazu wurde der Patientin auf die Fingerkuppen jeweils eine Reizelektrode geklebt, über die die Patientin Stromreize selber applizieren konnte. Solange die Patientin mit der linken Hand einen Schaltknopf drückte, erhöhte sich schrittweise die Stromstärke des elektrischen Reizes. Die Patientin sollte den Schaltknopf sofort loslassen, wenn sie eine erste Empfindung (z.B. leichtes „Kribbeln") verspürte. Die Stromstärke beim Abschalten wurde als jeweiliger „Schwellenwert" festgehalten. Die Patientin wurde vor jedem Durchgang darüber informiert, welcher Finger gereizt werden sollte, und aufgefordert, die Konzentration auf die Empfindungen in diesem Finger zu richten. Die Reihenfolge der Reizungen der einzelnen Finger war zufällig. In einer Sitzung, die mit allen Vorbereitungen etwa 1 h dauerte, wurde jeder Finger 10 mal gereizt.

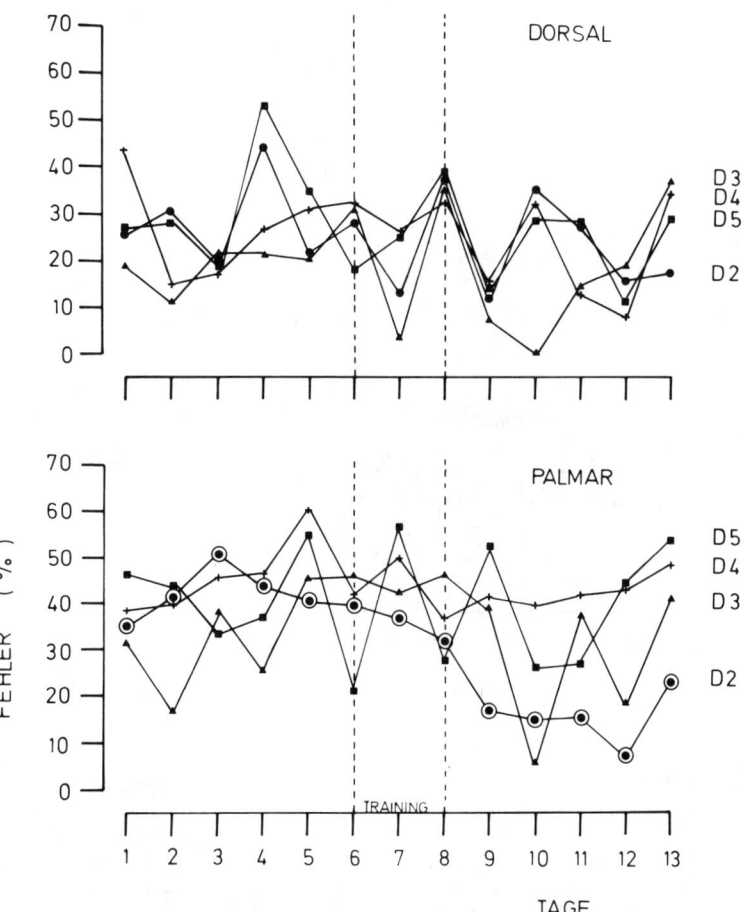

Abb. 20.4. Effekte eines Trainings zur Verbesserung der Lokalisation von Berührungspunkten bei einem Fall mit Kopfschußverletzung nach Brown und Stewart (1916). Trainiert wurde nur der Zeigefinger (D2) auf der palmaren Seite (hervorgehobene Kreise ◉), an allen anderen Fingern wurden nur Kontroll- messungen durchgeführt. (*D3* Mittelfingern; *D4* Ringfinger; *D5* Zeigefinger). Dargestellt sind Fehlerprozente bezogen auf jeweils 25 Reizungen pro Finger. Die Daten stammen aus den Tabellen I, XIII und XIV in Brown und Stewart (1916)

Nach 10 Sitzungen zeigten sich erhebliche Veränderungen der Schwellenwerte für die elektrischen Reize. Die Schwellenwerte sanken für jeden Finger deutlich unter das Ausgangsniveau und lagen am Ende des Trainings sogar unter den Vergleichswerten der linken Hand. Bei Beginn des Trainings schwankten die an der rechten Hand gemessenen Schwellenwerte in einem weiten Bereich. Dieser Schwankungsbereich nahm im Verlauf des Trainings kontinuierlich ab und erreichte Werte, die denen der linken Hand entsprachen. Abbildung 20.5a zeigt die Ergebnisse für den Mittelfinger (D3). Die Effekte des Trainings bei allen anderen Fingern waren vergleichbar. Die niedrigen Schwellenwerte blieben über die Zeit stabil, wie die Nachmessungen nach 6 Wochen (K1) und 6 Monaten (K2) zeigten. Eine Erklärung der beobachteten Schwellenveränderungen ist mit den vorliegenden Daten nicht möglich. Gegen eine Reduktion der Veränderungen auf einfache Verschiebungen des Beurteilungskriteriums sprechen die geringen Veränderungen der Schwellen in der linken Hand. Kontrollmessungen bei einer gesunden Vergleichsperson nach dem gleichen zeitlichen Plan zeigen ebenfalls keine klare Tendenz zur Verringerung der Schwellenwerte (vgl. Abb. 20.5 b). Eine entsprechend aufwendige Kontrolluntersuchung der linken Hand wurde der Patientin nicht zugemutet.
Unmittelbar nach Abschluß des Trainings wurde die Lokalisation der elektrischen Reize überprüft. Die

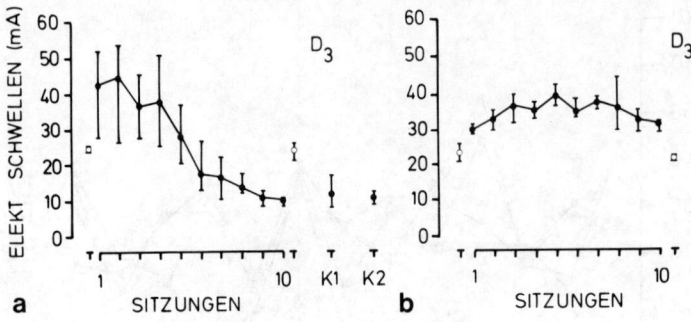

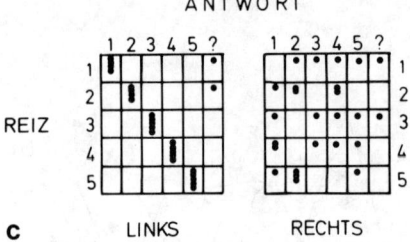

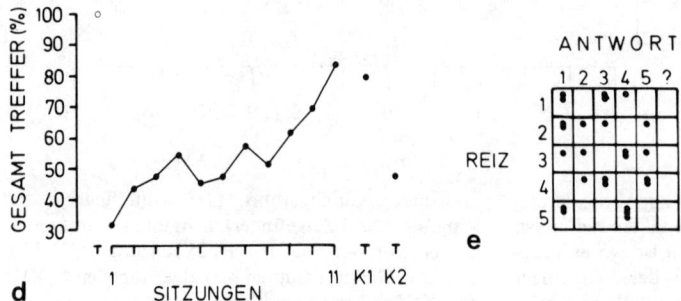

Abb. 20.5. a Auswirkung wiederholter Schwellenbestimmungen auf die Entdeckung elektrischer Reize bei einer Patientin mit sensiblen Defiziten nach Hirninfarkt (vgl. Text). Die *ausgefüllten Kreise* geben die mittleren Schwellenwerte (10 Messungen) an der Fingerkuppe des Mittelfingers *(D3)* der beeinträchtigten rechten Hand an. Die *leeren Kreise* zeigen Kontrollmessungen am Mittelfinger der linken Hand. Die *vertikalen Balken* zeigen den jeweiligen Bereich der Meßwerte (minimaler und maximaler Schwellenwert) an. *K1* Kontrolluntersuchung nach 6 Wochen; *K2* Kontrolle nach 6 Monaten. **b** Kontrollexperiment (gleiche Anordnung und Zahl der Messungen wie in **a** bei einer gesunden Vergleichsperson. **c** Lokalisation elektrischer Reize. Nach Abschluß des Trainings sollte die Patientin angeben, welcher Finger *(1...5)* jeweils gereizt wurde. Trotz der in **a** gezeigten Erniedrigung der Schwellen ist die Lokalisation der Reize in der rechten Hand schwer gestört. **d** Leistung der gleichen Patientin in einem Trainingsversuch zur Verbesserung der Lokalisation von Berührungsreizen (vgl. Text). *K1* Kontrollmessung nach 10 Wochen; *K2* Kontrolle nach 12 Monaten. **e** Lokalisation elektrischer Reize (Messung wie in **c**) 10 Wochen nach Abschluß des Lokalisationstrainings (Zeitpunkt *K1* in **d**)

experimentelle Anordnung entsprach den vorangegangenen Sitzungen. Der einzige Unterschied war, daß die Patientin nicht mehr darüber informiert wurde, welcher Finger gereizt wurde, und daß sie nach jedem Durchgang den gereizten Finger benennen oder zeigen sollte. Das Ergebnis (Abb. 20.5 c) zeigt eindeutig, daß trotz verbesserter Schwellenwerte die Lokalisationsleistung schwer gestört bleibt.

In einem anschließenden Trainingsversuch konnte die Lokalisation von Berührungsreizen innerhalb von 10 Sitzungen deutlich verbessert werden (Abb. 20.5 d). Das Training wurde analog zu dem Verfahren von Parry (1981) durchgeführt. Mit einem Stift wurde eine der Fingerkuppen berührt. War die Zuordnung der Patientin falsch, sollte sie die Augen öffnen und versuchen, den Reiz an der gesehenen Stelle zu spüren. Die Gesamtquote der „Treffer" verbesserte sich zwar von 32% auf 84%, aber diese Leistung blieb nur kurzfristig erhalten. Bei der Nachkontrolle nach 12 Monaten (K2) war die Leistung wieder auf 46% Treffer abgesunken. Zudem fand sich keine unmittelbare Generalisierung der verbesserten Lokalisation auf andere Reize. Zum Zeitpunkt der ersten Nachkontrolle (K1) 10 Wochen nach Abschluß des „Lokalisationstrainings" wurde das Experiment zur Lokalisation elektrischer Reize wiederholt. Es zeigte sich keinerlei Verbesserung im Vergleich zu den Daten vor dem Training (Abb. 20.5 e).

Bei der geringen Zahl von Untersuchungen zur Reduktion von Sensibilitätsdefiziten sind unzureichende Erfolge „erster Versuche" keine Grundlage zur Beurteilung des Potentials möglicher Veränderungen. Mißerfolge sollten vielmehr als Anlaß genommen werden, weitere Verfahren zu erproben. Nichts ist ausgereizt.

20.4 Untersuchung der Handmotorik

20.4.1 Taxonomie der Motorik

Haltung und Bewegung sind Produkte des „motorischen Apparats", bei dem neuronale Kontrolle und muskuloskelettales System zusammenwirken. Unter Haltung („posture") versteht man dabei jede statische Position eines Teils des Körpers und nicht nur, wie in der Alltagssprache, die Beschreibung einer Körperhaltung (z. B. „sitzend", „stehend"). Bewegungen sind Übergänge von einer Haltung zu einer anderen. Selbst einfach erscheinende Bewegungen sind häufig das Resultat komplexer

Abläufe. Die Bewegung der Hand entlang einer Geraden setzt eine genaue Abstimmung der Bewegungen mehrerer Gelenke voraus. Durch die Bewegung eines einzigen Gelenks (z. B. einer Außenrotation des Ellenbogens) wird die Hand auf einer Kreisbahn geführt. Die „Koordination" der Gelenke muß beim Menschen fast vollständig gelernt werden, da bei der Geburt nur elementare motorische Fähigkeiten zur Verfügung stehen.

Eine adäquate Beschreibung einer Bewegung und damit auch einer „gestörten" Bewegung muß die zeitliche und räumliche Kontinuität des Ablaufs, die Beteiligung meist mehrerer Gelenke und die Abhängigkeit der Bewegung von Lernvorgängen berücksichtigen. Bei der Beschreibung des Produkts „Bewegung" können häufig sensorische und motorische Komponenten nur unzureichend voneinander getrennt werden. Viele Bewegungen hängen von sensorischen Informationen ab, die von den Propriozeptoren, aber auch von den Exterozeptoren vermittelt werden. Der Einsatz der Hände beim differenzierten Gebrauch von Werkzeugen erfolgt meist unter visueller Kontrolle. Ist diese visuelle Kontrolle für den Ablauf der Bewegung kritisch, werden Störungen der Bewegung auch als Folge visueller Defizite auftreten. Das Verständnis einer „Bewegungsstörung" erfordert offensichtlich die Berücksichtigung aller beteiligten Systeme, z. B. der Sensibilität oder der visuellen Wahrnehmung. In der Praxis stößt man aber auf die Schwierigkeit, daß die Details der Bewegungskontrolle meist noch unklar sind. Schließlich stehen Haltung und Bewegung in einem engen Zusammenhang. Das Ausstrecken des Arms im Stehen verändert den Körperschwerpunkt, und die Stabilisierung der Körperhaltung verlangt eine zeitlich abgestimmte und genau dosierte Aktivierung der Rumpf- und Beinmuskulatur (vgl. Brooks 1986).

Neben diesen grundsätzlichen Schwierigkeiten ist die Untersuchung der Handmotorik mit einer fast unüberschaubaren Vielzahl von Bewegungsabläufen konfrontiert, die im Alltag eingesetzt werden. Beispiele sind die unterschiedlichen Griffarten (Kamakura et al. 1980), die beim Greifen und Halten von Gegenständen eingesetzt werden. Zumindest der Faustgriff („power grip") beim Halten einer Axt oder eines Hammers und der Präzisionsgriff, bei dem kleine Objekte zwischen den Fingerkuppen von Daumen und Zeigefinger gehalten werden, müßten unterschieden werden. Die Handhabung von Eßbesteck, das Öffnen und Schließen von Knöpfen, das Anzünden von Streichhölzern, die Handschrift oder die Bedienung von Haushaltsgeräten sind weitere Beispiele, nach denen Patienten mit gestörten Handfunktionen häufig gefragt werden.

Es fehlt eine akzeptierte Taxonomie motorischer Handfunktionen. Einigkeit besteht nicht einmal in bezug auf die Dimensionen, nach denen motorische Leistungen geordnet werden könnten. Klassisch ist die von Hughlings Jackson stammende Unterteilung von Bewegungen nach dem Ausmaß der Automation (vgl. Phillips 1986). Einfach Reflexe gehören zu dem einen Pol „hoch automatisierter" Bewegungen, feinste, willkürliche Bewegungen zu dem Gegenpol der „am wenigsten automatisierten" Bewegungen. Gelernte Bewegungsabläufe wie das Gehen oder das routinierte Spielen eines Musikinstruments wären in mittleren Positionen dieser Skala anzuordnen. Unabhängig von dem Aspekt der Automation werden Bewegungen häufig nach ihrem zeitlichen Verlauf unterteilt. „Ballistische" (oder sakkadische) Bewegungen sind kurz, starten und enden abrupt, „Rampenbewegungen" beginnen dagegen langsam und werden willkürlich mehr oder weniger kontinuierlich fortgesetzt. Attraktiv erscheint diese Unterscheidung, da beiden Bewegungstypen unterschiedliche Steuerungsmechanismen zugeordnet werden können. Ballistische Bewegungen verlaufen häufig so rasch, daß eine Korrektur des Ablaufs durch ein peripheres Feedback kaum in Betracht kommt. Die Bewegung muß daher „vorprogrammiert" oder „open loop" gesteuert sein. Dagegen können langsame Bewegungen aufgrund eines peripheren oder visuellen Feedbacks fortlaufend geändert und angepaßt werden („closed loop" gesteuert). Beide Bewegungstypen mögen als Abstraktionen für experimentelle Anordnungen hilfreich sein, für die Ordnung von alltäglichen Bewegungsabläufen

helfen sie wenig, da meist beide Aspekte kombiniert auftreten.

Wenig hilfreich zur Analyse gestörter Handmotorik sind die zahlreichen faktorenanalytischen Untersuchungen der Feinmotorik, die überwiegend zur Entwicklung von Ausleseverfahren für Piloten und andere Berufe durchgeführt wurden. Die umfangreichsten Arbeiten wurden von Fleishman und seinen Mitarbeitern zwischen 1950 und 1960 durchgeführt. Gemäß der faktorenanalytischen Methode sollten, ausgehend von den Leistungen in möglichst vielen motorischen Aufgaben, diejenigen Faktoren extrahiert werden, die diesen Leistungen gemeinsam sind. In der Zusammenfassung seiner Arbeiten unterscheidet Fleishman (1972) 11 Fähigkeiten (Faktoren), mit deren Hilfe motorische Leistungen möglichst sparsam beschreibbar sein sollen. Beispiele für diese „Fähigkeiten" sind:

- (F1) Präzision der Bewegungskontrolle („control precision"): Diese Fähigkeit ist für Aufgaben wichtig, die hochkontrollierte und präzise Bewegungen verlangen. (Testbeispiel: Folge-Tracking).
- (F3) Reaktionszeit: Gemeint ist die Fähigkeit zu rascher motorischer Reaktion auf einfache, z.B. visuelle, Reize.
- (F8) Fingerfertigkeit („finger dexterity"): Diese Fähigkeit ist bei der Manipulation kleiner Objekte, bei denen hauptsächlich die Finger beteiligt sind, erforderlich (Testbeispiel: Steckbrett).
- (F9) Haltungskonstanz von Armen und Händen („arm-hand-steadiness"): Die Fähigkeit, Arm- und Handstellungen präzise beibehalten zu können (Testbeispiel: Tremormeter).
- (F10) Handgelenk-Finger-Geschwindigkeit („wrist-finger-speed"): Die Fähigkeit, schnelle Wechselbewegungen durchführen zu können (Testbeispiel: Tapping-Aufgaben).

Neben den üblichen Einwänden gegen das faktorenanalytische Vorgehen richtet sich die Kritik an den von Fleishman (1972) vorgeschlagenen Faktoren und Tests auf deren hohe Spezifität. Die Bestimmung der Leistung z.B.

bei einfachen Reaktionsaufgaben oder die Messung der maximalen Anschläge in einer Tapping-Aufgabe lassen keine Schlußfolgerungen über die Leistungsfähigkeit bei komplexeren Aufgaben zu (vgl. Keele u. Hawkins 1982; Ritter 1983). Der Haupteinwand ist aber, daß die einzelnen Faktoren inhaltlich nur vage beschrieben sind und in keiner Weise auf den Prozeßablauf bei der Kontrolle motorischer Leistungen eingehen.

20.4.2 Klinische Untersuchung der Motorik

Trotz der genannten Einwände hat in der klinischen Untersuchungspraxis gerade der faktorenanalytische Ansatz überlebt. Im deutschen Sprachraum hängt dies möglicherweise mit der leichten Verfügbarkeit entsprechender Apparaturen, wie z. B. der „Motorischen Leistungsserie (MLS)„, nach Schoppe (1974) zusammen, für die auch erste „Normwerte" und Analysen bei neurologischen Patienten mit Contusio cerebri oder Epilepsie vorliegen (Hamster 1980). Dabei soll nicht bestritten werden, daß mit Hilfe dieser Tests Einschränkungen der Handmotorik bei Patienten im Vergleich zu gesunden Kontrollpersonen belegt werden können. Bei Patienten mit Läsionen innerhalb des „motorischen Apparats" geht es jedoch nur sehr selten um die Frage, „ob" eine Störung der Handmotorik vorliegt. Typischer Ausgangspunkt der Diagnostik ist das offensichtliche Defizit oder die Feststellung des Patienten, „die Hand ist nicht mehr wie vorher". Aufgabe der Diagnostik ist dann, festzustellen, welche Aspekte der Handmotorik und der zugehörigen Kontrollmechanismen gestört sind. Dazu können aber viele motorische Aufgaben, die komplexe Leistungen prüfen, kaum etwas beitragen. Die Aufgaben z. B. der MLS nach Schoppe (1974) können in ihren Aufgabenparametern nicht variiert werden, eine Kontrolle des visuellen Feedbacks ist nicht vorgesehen. Die Schwierigkeit der Aufgaben ist zumindest für Patienten mit zerebralen Läsionen häufig zu hoch und kann nicht individuell angepaßt werden. Die meisten Aufgaben erfordern das Halten und Füh-

ren eines Stiftes, was vielen Patienten mit einer spastischen Hemiparese nicht gelingen wird. Aus der Nicht-Durchführbarkeit der Aufgaben darf aber nicht auf die Gleichheit der Defizite geschlossen werden. Die Bestimmung erhaltener (Rest-) Funktionen ist eine wesentliche Aufgabe der Diagnostik gestörter Handfunktionen, denn erhaltene Funktionen können zum Ausgangspunkt eines Trainings gemacht werden.

Differenzierte Aussagen zur Handmotorik sind im Rahmen der neurologischen Routineuntersuchung selten anzutreffen. Relativ weit verbreitet ist die Kategorisierung des Lähmungsgrads einzelner Muskeln nach dem Vorschlag des British Medical Research Council (1976), die in der Fassung von Broser (1981) folgende Stufen vorsieht:

0 Fehlende Muskelaktivität (komplette Lähmung)
1 Sichtbare Kontraktion, aber ohne jeden Bewegungseffekt
2 Bewegung unter Ausschaltung der Schwerkraft des abhängigen Glied- oder Körperabschnitts möglich
3 Bewegung auch gegen Schwerkraft möglich
4 Bewegung bereits gegen mäßigen Widerstand möglich
5 Normale Kraftleistung

Zur Untersuchung der Handmotorik ist dieser Vorschlag nicht leicht umsetzbar. Selbst eine differenzierte Bewertung der zahlreichen Muskeln, die an der Bewegung der Finger beteiligt sind, erlaubt keine eindeutigen Rückschlüsse auf die erhaltenen Handfunktionen. Dies gilt um so mehr, wenn nur global der Lähmungsgrad für die „distalen" und „proximalen" Abschnitte des Arms mitgeteilt wird. Ebenfalls nur grobe Anhaltspunkte über den Zustand der Handmotorik ergeben sich aus Angaben über positive Symptome, wie Tremor oder Hyperkinesen. Solche Bewegungsstörungen können einen Patienten behindern, aber bei nicht extremen Ausprägungen auch viele praktisch relevante Handfunktionen zulassen. Erschwerend kommt hinzu, daß häufig verwandte Begriffe zur Charakterisierung von Bewegungsstörungen (z. B. „Ataxie", „Asynergie" oder

„Intentionstremor") in der Literatur nicht einheitlich verwandt werden.

Es ist naheliegend, die Störung der Handmotorik durch die Tätigkeiten zu beschreiben, die ein Patient mit der betroffenen Hand noch oder nicht mehr ausführen kann. Beispiele für solche Alltagsaufgaben finden sich in großer Zahl in der ergotherapeutischen Literatur. Ein neuerer Vorschlag zur Untersuchung der Arm-/Handfunktionen bei hemiparetischen Patienten (Wilson et al. 1984) umfaßt 17 Aufgaben, die von einfachen (Hände übereinanderlegen) bis zu relativ schwierigen Aufgaben (Einschrauben einer Glühbirne) reichen. Die Standardisierung solcher Aufgaben wäre sicher ein Vorteil, schwierig bleibt aber die Bewertung der Defizite. Soll festgehalten werden, ob ein Patient die Aufgabe, gleich wie, bewältigt, oder soll registriert werden, welche Abweichungen von der „normalen" Durchführung der Aufgaben auftreten? Strittig wird immer die Auswahl der Aufgaben bleiben, die ohne eine akzeptierte Taxonomie oder klare Ziele für die Diagnostik willkürlich bleibt.

Bei der Spannbreite möglicher Störungen der Handmotorik von der vollständigen Lähmung bis zur Beeinträchtigung diffizilster Leistungen, wie dem Klavierspiel, scheint es nicht sinnvoll, eine einheitliche diagnostische Prozedur für den gesamten Bereich zu entwerfen. Erfolgversprechender wäre eine sequentielle Prozedur, die nach einem Screening zielgerichtet vorgeht. Kann ein Patient z.B. nicht mehr Gegenstände ergreifen, könnte die Zielsetzung der nachfolgenden Diagnostik sein, herauszufinden, welche Komponenten des Greifakts erhalten bzw. gestört sind. Dazu gehört die Bewegung des Arms im „Greifraum": Ellenbogenbeugung/-streckung, Innen-/Außenrotation des Ellenbogens, die Bewegung des Arms in der Schulter beim Strecken des gesamten Arms, die Pronation und Supination des Unterarms. Für die Hand wären das Öffnen und Schließen der Faust, die Opponierbarkeit des Daumens, die differentielle Fingerbeweglichkeit und die Herstellung verschiedener Griffe (Präzisionsgriff, Schlüsselgriff) zu prüfen. Idealerweise setzt dieser Ansatz voraus, daß die einzelnen Komponenten einer Leistung,

z.B. des Greifens bekannt sind. Für das Greifen liegt eine solche Analyse bestenfalls in Ansätzen vor (vgl. Arbib et al. 1985; Jeannerod 1986). Trotzdem sind Annäherungen möglich. Zumindest kann versucht werden, notwendige Voraussetzungen für das Greifen getrennt zu untersuchen. Erwartet werden von dieser Art der Diagnostik spezifischere Hinweise für den Aufbau eines individuellen Trainings.

Eine Beschränkung der Untersuchung der Handmotorik in der klinischen Routine ist das Fehlen geeigneter Geräte zur Aufzeichnung von Bewegungen. Die zeitlich kontinuierliche Registrierung von Bewegungsparametern (Position, Kraft, Geschwindigkeit und Beschleunigung) ist nicht durch einfache Kennwerte (Zahl der Anschläge im Tapping, benötigte Zeit zum Umstecken von Stiften) zu ersetzen. Erforderlich ist eine klinisch einsetzbare Registriertechnik, die einen Anschluß der klinischen Forschung an die experimentelle Forschung spezialisierter Motoriklabors ermöglicht. Die Entwicklungen der Mikroelektronik und der Sensortechnik und der erhebliche Preisrückgang machen eine solche Entwicklung vorstellbar. Ein Beispiel für technisch aufwendige, aber klinisch leicht einsetzbare Verfahren sind die von uns entwickelten Methoden zur Untersuchung der Steuerung isometrischer Fingerkräfte (Bolsinger u. Mai 1985; Mai et al. 1985, 1988).

Die zukünftige Entwicklung bei der Untersuchung gestörter Handmotorik sollte sich darauf konzentrieren, Variablen der Motoriksteuerung direkter zu erfassen. Eine Möglichkeit ist die Untersuchung von Invarianzen, die normale Bewegungsabläufe kennzeichnen. Viviani und Terzuolo (1980) haben solche Invarianzen für gelernte Bewegungen wie das Schreiben demonstriert. Das Bewegungsmuster (definiert durch die Variationen der tangentialen Geschwindigkeit) bleibt erhalten, wenn die Schrift in der Größe variiert. Ein sehr viel einfacheres Beispiel für Invarianzen haben Freund und Büdingen (1978) beschrieben. Sollen Versuchspersonen möglichst rasch eine isometrische Kraft mit dem Zeigefinger gegen einen Druckaufnehmer ausüben, bleibt die Zeit bis zum Erreichen unterschiedlicher

Kraftvorgaben konstant. Die zeitliche Dauer ist invariant gegenüber dem produzierten Kraftniveau. Dies ist nur möglich, wenn die Geschwindigkeit des Kraftaufbaus bei höheren Kräften gesteigert wird. Eine entsprechende Untersuchung bei einem Patienten z. B. mit einer zerebellären Läsion ermöglicht eine direkte Aussage, ob dieser Aspekt der Steuerung der Motorik erhalten ist.

20.5 Ansätze zur Behandlung motorischer Defizite

Unter Übungstherapie verstehen wir den methodisch betriebenen Versuch, die durch Erkrankungen des Nervensystems verursachten Störungen der motorischen Leistungen des Organismus durch systematische Übungen auszugleichen (Foerster 1936, S. 316).

Mit dieser Definition beginnt das Kapitel „Übungstherapie" in dem *Handbuch für Neurologie* aus dem Jahre 1936. Man kann nur spekulieren, warum ein entsprechendes Kapitel in späteren Handbüchern der Neurologie nicht mehr auftaucht. Dabei wurden in der Folge zahlreiche neue Therapieansätze vorgeschlagen (z. B. Bobath 1959), zum Teil zu eigenen Therapieschulen mit eigenem Ausbildungsgang ausgebaut. Aber der „methodisch betriebene Versuch", heute würde man sagen, die zugehörige Therapieforschung wurde nicht mitentwickelt. Selbst einfache Untersuchungen der Effekte verschiedener Therapien fehlen weitgehend. Die wenigen vorliegenden Studien (z. B. Lord u. Hall 1986) zum Vergleich verschiedener Behandlungsverfahren basieren auf kleinen Stichproben, verwenden relativ grobe Maße zur Bewertung motorischer Funktionen und weisen Mängel in der Versuchsplanung auf. Immerhin konnte die behauptete Überlegenheit der neuen Therapieansätze in empirischen Überprüfungen bislang nicht bestätigt werden. Der mögliche Beitrag verschiedener Verfahren zur Reduktion motorischer Defizite ist derzeit zumindest eine offene Frage.

Da schon globale Effizienzstudien fehlen, ist es nicht verwunderlich, daß man nach einer empirischen Absicherung einzelner therapeutischer Übungen meist vergeblich sucht. Solche Untersuchungen sind dringend erforderlich, da zur Reduktion des gleichen Defizits unterschiedliche, im Extremfall sogar gegensätzliche Maßnahmen empfohlen werden. Ein Beispiel für die Richtung, in der zukünftige Forschung ausgebaut werden sollte, ist die Arbeit von Trombly und Quintana (1983). Untersucht wurden verschiedene Übungen zur Verbesserung der Extension der Finger bei Patienten nach einem Schlaganfall. Die Übungen entstammen dem ergotherapeutischen Repertoire und umfaßten z. B. die Extension der Finger gegen Widerstand (gegen ein Gummiband), die rasche Extension der Finger beim „Wegschnippen" eines Balls oder das Greifen und Loslassen von Objekten. Gemessen wurde die EMG-Aktivität der relevanten Fingermuskeln (gleichzeitig Flexoren und Extensoren) und die jeweilige Bewegung der Finger (elektrisches Goniometer) während der Übungen. Die Ergebnisse zeigen, daß nur langsame, nicht gegen Widerstand ausgeführte Extensionen der Finger zu einer selektiven Rekrutierung der Fingerextensoren führen. Diese Daten stehen in klarem Widerspruch zu einer Reihe „theoretisch" abgeleiteter Übungsempfehlungen.

Eine Verbesserung der Registrierung von Bewegungsparametern ist nicht nur für die Diagnostik motorischer Störungen erforderlich, sondern hat auch erhebliche praktische Bedeutung für die Durchführung einer Übungstherapie. Die registrierten Parameter können als artifizelles Feedback beim Wiedererlernen motorischer Leistungen eingesetzt werden. Dies ist bei vielen Patienten mit zerebralen Läsionen besonders indiziert, da in der Regel bei motorischen Ausfällen auch die Verarbeitung eines internen (propriozeptiven) Feedbacks gestört ist. Ein visuelles Feedback ist häufig beim Beginn eines Trainings, wenn keine oder nur minimale Bewegungen möglich sind, unzureichend. Die Überlegenheit eines technischen Feedbacks (EMG, Kraftmessung) gegenüber dem „natürlichen" (visuell, propriozeptiv) haben Mulder und Hulstijn (1985) für Normalpersonen, die eine neue motorische

Leistung (Abduktion der großen Zehe) lernen sollten, demonstriert.

Training der Handschrift

Ein Sonderfall ist die Handschrift. Ein wesentlicher Teil des Bewegungsablaufs manifestiert sich im Schriftbild und ist damit auch nachträglichen Analysen zugänglich. Schreiben ist bei einem routinierten Schreiber ein hoch automatisierter Ablauf, der ein großes Maß an feinmotorischer Kontrolle beinhaltet. Bei Patienten mit zerebralen Läsionen, die die Handfunktionen der dominanten Hand betreffen, ist die Handschrift immer mitbetroffen. Die Störungen sind in der Regel erheblich, daher wird bei unilateralen Läsionen meist ein Schreibtraining für die nicht betroffene Hand empfohlen. Nur wenn die dominante Seite nur leicht behindert ist oder wenn viele Funktionen im Verlauf zurückkehren, wird ein Schreibtraining der betroffenen Seite erwogen. Genauere Entscheidungshilfen für die Indikationsstellung sucht man in der Literatur vergeblich. Dafür werden gelegentlich Meinungen vertreten, für die sich keine empirische Basis finden läßt. Nach Eggers (1982) können selbst bei einer guten Motorik durch Sensibilitätsstörungen Schreibschwierigkeiten auftreten. „Vor allem ist der Schreibfluß beeinträchtigt, da die erforderlichen diadochokinetischen Bewegungen nur mit einer entsprechenden sensorischen Bewegungskontrolle möglich sind" (Eggers 1982, S.76). Dies mag plausibel klingen, ist aber bestenfalls eine Vermutung.

Für die Durchführung eines Schreibtrainings finden sich lediglich „Hinweise", die eher an das „Schreibtraining" von Schulanfängern erinnern, in jedem Fall aber ohne nähere Begründung gegeben werden. Dies ist nur deswegen erstaunlich, weil die Schrift als „geronnene Bewegungsspur" Analysen von Bewegungsfehlern und Übungsfortschritten erheblich vereinfacht. Bei nahezu allen anderen Bewegungsabläufen erfordert die Registrierung der Bewegung zusätzlichen, meist technischen Aufwand.

Bei dem Versuch, ein Schreibtraining zu entwickeln, hat man auch heute nicht viel mehr zur Verfügung als die allgemeinen Hinweise von Foerster (1936) zur Entwicklung von Übungstherapien. Ausgangspunkt sollte immer eine Analyse des normalen (ungestörten) Bewegungsablaufs sein. Im nächsten Schritt wird versucht, in dem gestörten Bewegungsablauf eines Patienten unterschiedliche Fehlertypen zu entdecken.

Die Übungsbehandlung hat ... jeden einzelnen dieser Fehler auszumerzen: der Kranke wird auf den Fehler aufmerksam gemacht und hat ihn willkürlich, unter scharfer Kontrolle der Augen zu korrigieren (Foerster 1936, S.408).

Experimentelle Analysen des Schreibens, wie in dem von Kao et al. (1986) herausgegebenen Sammelband, haben unser Wissen über die Abläufe bei ungestörter Handschrift erheblich erweitert, wenn auch eine komplette Analyse kaum in Sicht ist. Ein für die folgende Diskussion relevantes Phänomen ist die Invarianz individueller Schriftmerkmale, wenn die Schrift mit ganz unterschiedlichen Muskelgruppen (z.B. in normaler Schreibhaltung oder mit ausgestrecktem Arm an einer Tafel) produziert wird (vgl. Fig. 11 bei Marsden 1982).

Die folgenden Schriftbeispiele (Abb. 20.6 und 20.7) stammen von einer Patientin, die mit 24 Jahren einen Schlaganfall erlitt, der eine umschriebene Läsion, links parietal, im Bereich des somatosensiblen Assoziationskortex bedingte. Zum Zeitpunkt der Untersuchung (10 Wochen nach dem Ereignis) fanden sich ausgeprägte sensible Defizite in der dominanten rechten Hand. Passive Bewegungen der Finger wurden auch bei 20°-Bewegungen nicht erkannt, sondern bestenfalls beim Erreichen der Extrempositionen, eine Unterscheidung der Bewegungsrichtung war praktisch nicht möglich. Die Berührungsschwellen waren deutlich erhöht, die Lokalisation überschwelliger Reize zwischen den Fingern war erhalten aber subjektiv verändert („unsicher", „schwächer"). Alltagsgegenstände konnten taktil nicht unterschieden werden. Einen Schreibstift, den die Patientin zwischen den Fingern (in normaler Schreibhaltung) hielt, spürte sie nicht. Mit geschlossenen Augen konnte sie nicht sagen, ob sie den Stift noch festhielt oder nicht. Die motorischen Hand-

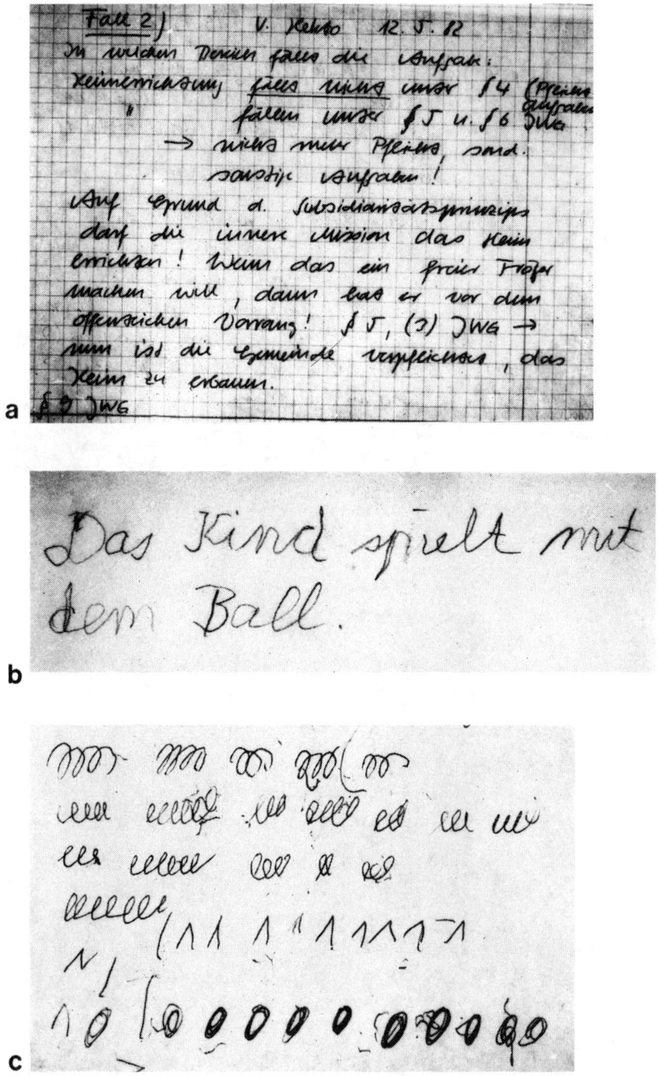

Abb. 20.6. **a** Vergleichs-schriftprobe einer Patientin vor dem Hirninfarkt (vgl. Text). **b** Schriftprobe 10 Wochen nach dem Ereignis zum Zeitpunkt der Erstuntersuchung. **c** Beispiele elementarer Schreibübungen zu Beginn des Trainings (12 Wochen nach dem Ereignis)

funktionen waren weitgehend erhalten bzw. wiedergekehrt. Die differentielle Bewegung der Finger war möglich, ebenso der Präzisionsgriff und das gemeinsame Vor- und Zurückfahren von Daumen und Zeigefinger. „Komplexere" motorische Handlungen, wie das Aufnehmen eines Schreibstifts vom Tisch, gelangen dagegen nicht. Generell waren alle Bewegungsabläufe verlangsamt, bei Tapping-Versuchen mit dem Handgelenk oder dem Zeigefinger erreichte die Patientin rechts nur ca. 50% der Leistungen der linken Hand. Abbildung 20.6a zeigt eine Schriftprobe der

Patientin vor dem Ereignis, Abb. 20.6b die Schrift zum Zeitpunkt der Erstuntersuchung (10 Wochen nach dem Ereignis). Bei dieser Schrift setzte die Patientin „spontan" weder Handgelenks- noch Fingerbewegungen ein. Die Hand wurde lediglich als starre „Greifzange" eingesetzt, die Bewegung erfolgte ausschließlich aus dem Ellbogen- und Schultergelenk. Obwohl diese beiden Gelenke praktisch nicht beeinträchtigt waren, lassen sich im Vergleich von Abb. 20.6a und 20.6b invariante individuelle Schriftzüge nicht ablesen.

Versuchsweise wurde mit der Patientin ein

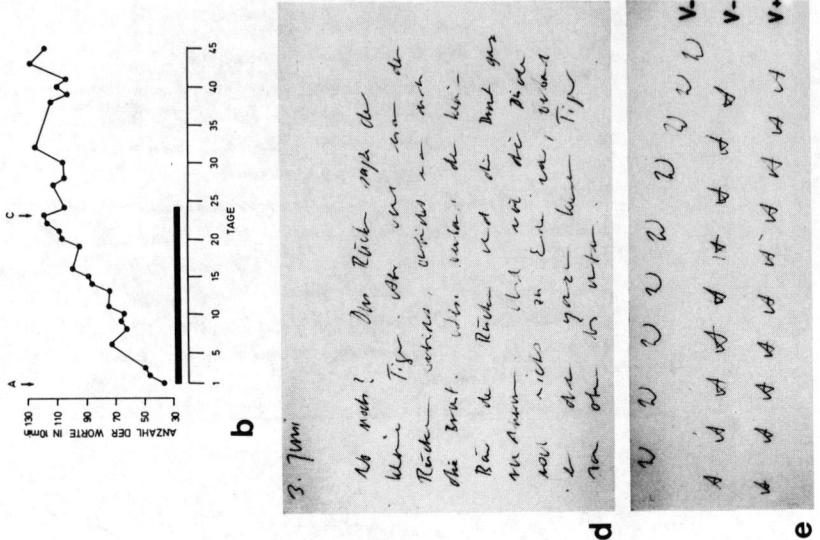

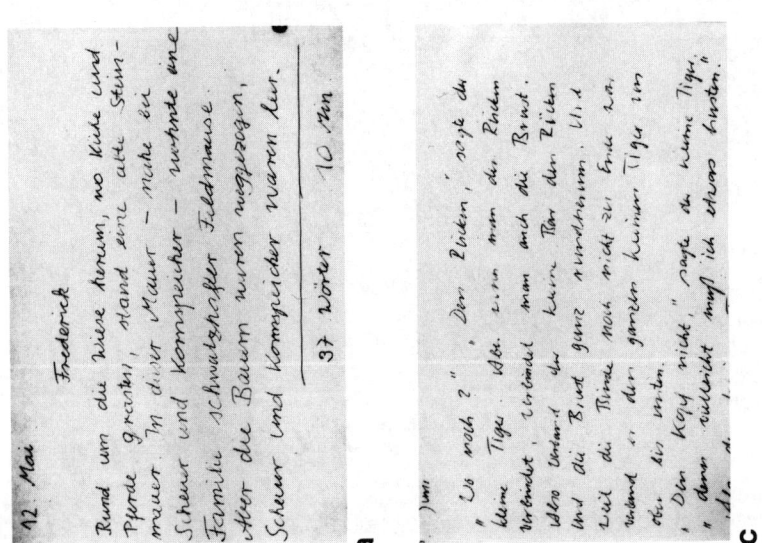

Abb. 20.7. a Erste Schriftprobe der Patientin aus Abb. 20.6 nach 2 Wochen Übung elementarer Schreibbewegungen. **b** Zahl der Worte bei einer Schreibdauer von 10 min im Verlauf des Trainings. Die Buchstaben *(A, C)* markieren die Zeitpunkte der in **a** und **c** abgebildeten Schriftproben. Der *dunkle Balken* über der Zeitachse markiert die Dauer des Schreibtrainings. **c** Schriftprobe 3 Wochen nach Beginn der Schreibübungen. **d** Schriftprobe vom gleichen Tag wie die Schriftprobe in **c**. Im Unterschied zu **c** wurde auf einer Unterlage auf den Knien und mit maximalem Tempo geschrieben. **e** Buchstaben mit visueller Kontrolle *(V +)* und ohne visuelle Kontrolle *(V −)* geschrieben. Gleicher Zeitpunkt wie die Schriftproben in **c** und **d**

Schreibtraining der behinderten rechten Hand begonnen. Dieses Training konzentrierte sich zunächst ausschließlich auf elementare Bewegungsabläufe, die beim normalen Schreiben vorkommen. Unterschieden wurden Bewegungen im Handgelenk, Bewegungen der Finger, Vor- und Zurückfahren von Daumen und Zeigefinger und Bewegungen im Ellbogen- und Schultergelenk zum horizontalen Weitertransport der Hand von links nach rechts. Buchstabenelemente oder ganze Buchstaben lassen sich als Kombinationen dieser drei Grundbewegungen darstellen. Die Art der Kombination hängt individuell von der Schreibhaltung und der Schräglage der Schrift ab. Zur Diagnostik fehlerhafter oder schwieriger Bewegungsabläufe wurden die Grundbewegungen und ihre Kombinationen einzeln untersucht. Das folgende Training beschränkte sich zunächst darauf, schwierige Bewegungselemente isoliert zu üben. Dabei wurde versucht, günstige Bedingungen für flüssige Bewegungabläufe herzustellen. Dazu gehörte die Reduktion typischer Kokontraktionen, die zu einer Versteifung des Handgelenks führen. Zu starke Kokontraktionen behindern erheblich die Beweglichkeit der Finger. Weiterhin wurde auf die Einhaltung häufiger und kurzer Entspannungspausen geachtet. Anzeichen von störender „Verkrampfung" sollten möglichst rechtzeitig erkannt und mit bewußten Pausen beantwortet werden. Schließlich wurde anfangs betont, daß der Bewegungsablauf im Vordergrund steht, nicht die Produktion „lesbarer Buchstaben". Die Gesamtgeschwindigkeit war unwichtig, aber einzelne Schriftelemente sollten schnell („gespannt") ausgeführt werden. Abbildung 20.6 c zeigt Beispiele elementarer Übungen und demonstriert eine Fülle von Schwierigkeiten. Nach der Übung isolierter Schriftelemente wurde das Abschreiben von Texten 4 Wochen nach der Erstuntersuchung eingeführt. Vereinbart wurde mit der Patientin als „Hausaufgabe" eine tägliche Schreibübung mit einer Dauer von 10 min. Die Sitzungen in der Klinik (3–4 pro Woche) wurden darauf verwandt, die Schriftproben zu analysieren. Die Patientin sollte lernen, ihre eigenen Bewegungsfehler zu erkennen, zur „Schriftexpertin"

zu werden. Schwierige Bewegungen wurden wieder isoliert geübt, neue Annäherungsmöglichkeiten erprobt. Anhaltspunkt für die Form der Bewegungsabläufe war dabei immer die Analyse der früheren Schrift. Abbildung 20.7 a zeigt die erste Schriftprobe zu Beginn des Abschreibens.

Die Zahl der Worte, die innerhalb von 10 min abgeschrieben werden konnte, steigerte sich sehr rasch (Abb. 20.7 b). Nur 3 Wochen später war das Schriftbild erheblich verändert und zeigte deutliche Ähnlichkeiten mit dem Schriftbild vor dem Ereignis (Abb. 20.7 c). Diese Schrift war nicht an eine feste Schreibhaltung fixiert. Abbildung 20.7 d ist eine Schriftprobe vom gleichen Tag wie Abb. 20.7 c aber nicht am Schreibtisch, sondern auf einer Unterlage auf den Knien und mit maximalem Tempo geschrieben. Die Sensibilität der Hand zeigte zu diesem Zeitpunkt keinerlei Verbesserungen. Trotzdem war die Produktion der Handschrift nicht ausschließlich von einer visuellen Kontrolle abhängig. Abbildung 20.7 e zeigt den Erhalt charakteristischer Schriftzüge, auch wenn diese mit geschlossenen Augen geschrieben wurden.

Die mögliche Erklärung der erheblichen Verbesserung der Handschrift durch eine spontane Rückkehr von Handfunktionen wurde nicht systematisch untersucht. Zumindest eine generelle Spontanremission ist aber unwahrscheinlich, da die Patientin beim Abschluß des Schreibtrainings noch große Schwierigkeiten in anderen motorischen Leistungen, z. B. beim Hantieren mit dem Eßbesteck aufwies.

Generalisierungen aufgrund eines einzelnen Falls verbieten sich natürlich. Eine Aufgabe zukünftiger Diagnostik bleibt, herauszufinden, welche Patienten von einem solchen Training der Handschrift profitieren. Aber auch die Inhalte des Trainings sind nur als erste Ansätze zu verstehen und erfordern eine systematische Entwicklung und Erprobung.

Literatur

Arbib MA, Iberall T, Lyons D (1985) Coordinated control programs for movement of the hand. In: Goodwin AW, Darian-Smith I (eds) Hand function and the neocortex. Springer, Berlin Heidelberg New York, pp 111-129

Bobath B (1959) Observations on adult hemiplegia and suggestions for treatment. Physiotherapy 45: 279-289

Bolsinger PP, Mai N (1985) A microcomputer system for the measurement of finger forces. J Biomed Eng 7: 51-55

Bossom J (1974) Movement without proprioception. Brain Res 71: 285-296

Botezat E (1912) Die Apparate des Gefühlssinnes der nackten und behaarten Säugetierhaut, mit Berücksichtigung des Menschen. Anat Anz 42: 278-318

Brodal A (1973) Self-observations and neuro-anatomical considerations after a stroke. Brain 96: 675-694

Broser F (1981) Topische und klinische Diagnostik neurologischer Krankheiten. Urban & Schwarzenberg, München

Brooks VB (1986) The neural basis of motor control. Oxford University Press, Oxford

Brown TG, Stewart (1916) On disturbances of the localization and discrimination of sensations in cases of cerebral lesions, and on the possibility of recovery of these functions after a process of training. Brain 39: 348-454

Coggeshall RE, Appelbaum ML, Fazen M, Stubbs TB, Sykes MT (1975) Unmyelinated axons in human ventral roots, a possible explanation for the failure of dorsal rhizotomy to relieve pain. Brain 98: 157-166

Cohen HL, Battersby WS, Regnat K, Feldman L (1981) A kinesthesiometer for assessing digital passive movement sensitivity in man. Behav Res Methods Instrument 13: 334-336

Darian-Smith I (1982) Touch in primates. Annu Rev Psychol 33: 155-194

Darian-Smith I, Goodwin A, Sugitani M, Heywood J (1985) Scanning a textured surface with the fingers: events in sensorimotor cortex. In: Goodwin AW, Darian-Smith I (eds) Hand function and the neocortex. Springer, Berlin Heidelberg New York, pp 17-43

Dellon AL (1981) Evaluation of sensibility and reeducation of sensation in the hand. Williams & Wilkins, Baltimore

Eggers O (1982) Ergotherapie bei Hemiplegie. Springer, Berlin Heidelberg New York

Fleishman EA (1972) Structure and measurement of psychomotor abilities. In: Singer RN (ed) The psychomotor domain. Lea & Febiger, Philadelphia, pp 78-169

Foerster O (1936) Übungstherapie. In: Bumke O, Foerster O (Hrsg) Handbuch für Neurologie Bd 7, Springer, Berlin, S 316-414

Forster FM, Shields CD (1959) Cortical sensory defects causing disability. Arch Phys Med Rehabil 40: 56-61

Freund HJ, Büdingen HJ (1978) The relationship between speed and amplitude of the fastest voluntary contraction of human arm muscles. Exp Brain Res 31: 1-12

Goodwin GM (1976) The sense of limb position and movement. Exerc Sport Sci Rev 4: 87-124

Hamster W (1980) Die Motorische Leistungsserie MLS. Handanweisung, Tübingen

Head H (1918) Sensation and the cerebral cortex. Brain 41: 57-253

Head H, Holmes G (1911) Sensory disturbances from cerebral lesions. Brain 34: 102-254

Heinrichs RW, Moorehouse JA (1969) Touch perception in blind diabetic subjects in relation to the reading of Braille type. N Engl J Med 280: 72-75

Hulliger M, Nordh E, Thelin AE, Vallbo AB (1979) The responses of afferent fibres from the glabrous skin of the hand during voluntary finger movements in man. J Physiol (Lond) 291: 233-249

Jeannerod M (1986) The formation of finger grip during prehension. A cortical mediated visuomotor pattern. Behav Brain Res 19: 99-116

Jeannerod M, Michel F, Prablanc C (1984) The control of hand movements in a case of hemianaesthesia following a parietal lesion. Brain 107: 899-920

Johansson RS, Vallbo AB (1979) Detection of tactile stimuli. Thresholds of afferent units related to psychophysical thresholds in the human hand. J Physiol (Lond) 297: 405-422

Kamakura N, Matsuo M, Ishii H, Mitsuboshi F, Miura Y (1980) Patterns of static prehension in normal hands. Am J Occup Ther 34: 437-445

Kao HSR, van Galen GP, Hoosain R (eds) (1986) Graphonomics: contemporary research in handwriting. North Holland, Amsterdam (Advances of psychology vol 37)

Keele SW, Hawkins HL (1982) Explorations of individual differences relevant to high level skills. J Motor Behavior 14: 3-23

Knibestöl M (1975) Stimulus-response functions of slowly adapting mechanoreceptors in the human glabrous skin area. J Physiol (Lond) 245: 63-80

Levitt M (1985) Dysesthesias and self-mutilation in humans and subhumans: a review of clinical and experimental studies. Brain Res Rev 10: 247-290

Lord JP, Hall K (1986) Neuromuskular reeducation versus traditional programs for stroke rehabilitation. Arch Phys Med Rehabil 67: 88-91

Mai N, Avarello M, Bolsinger P (1985) Maintenance of low isometric forces during prehensile grasping. Neuropsychologia 23: 805-812

Mai N, Bolsinger P, Avarello M, Diener HC, Dichgans J (1988) Control of isometric finger forces in patients with cerebellar diseases. Braun (in press)

Marsden CD (1982) The mysterious motor function of the basal ganglia: The Robert Wartenberg lecture. Neurology 32: 514–539

Matthews PBC (1977) Muscle afferents and kinaesthesia. Br Med Bull 33: 137–142

Matthews PBC (1982) Where does Sherrington's "muscular sense" originate? Muscles, joints, corollary discharges? Annu Rev Neurosci 5: 189–218

McCloskey DI, Gandevia S, Potter EK, Colebatch JG (1983) Muscle sense and effort: motor commands and judgements about muscular contractions. In: Desmedt JE (ed) Motor control mechanisms in health and disease. Raven Press, New York, pp 151–167

Merzenich MM, Kaas JH, Wall J, Nelson RJ, Sur M, Felleman D (1983) Topographic reorganization of somatosensory cortical areas 3B and 1 in adult monkeys following restricted deafferentation. Neuroscience 8: 33–55

Moberg E (1958) Objective methods for determining the functional value of sensibility in the skin. J Bone Joint Surg [Br] 40: 454–466

Moberg E (1962) Criticism and study of methods for examining sensibility in the hand. Neurology (Minneap) 12: 8–19

Morley JW, Goodwin AW, Darian-Smith I (1983) Tactile discrimination of gratings. Exp Brain Res 49: 291–299

Mott FW, Sherrington CS (1895) Experiments upon the influence of sensory nerves upon movement and nutrition of the limbs. Preliminary communication. Proc R Soc London 57: 481–488

Mulder T, Hulstijn W (1985) Sensory feedback in the learning of a novel motor task. J Motor Behav 17: 110–128

Onne L (1962) Recovery of sensibility and sudomotor activity in the hand after nerve suture. Acta Chirur Scand [Suppl] 300: 1–70

Parry CBW (1981) Rehabilitation of the hand. Butterworth, London

Phillips CG (1986) Movements of the hand. (The Sherrington lectures 17). University Press, Liverpool

Ritter M (1983) Diagnostik sensorischer und motorischer Funktionen. In: Groffmann KJ, Michel L (Hrsg) Intelligenz und Leistungsdiagnostik. Hogrefe, Göttingen, S 387–413, (Enzyklopädie der Psychologie)

Roland PE (1975) Some principles and new methods of tactile stimulation. Behav Res Methods Instrument 7: 333–338

Roland PE (1976) Astereognosis. Tactile discrimination after localized hemisheric lesions in man. Arch Neurol 33: 543–550

Rothwell JC, Traub MM, Day JA, Obeso JA, Thomas PK, Marsden CD (1982) Manual motor performance in a deafferented man. Brain 105: 515–542

Ruch TC, Fulton JF, German WJ (1938) Sensory discrimination in monkey, chimpanzee and man after lesions of the parietal lobe. J Neurol Psychiatr 39: 919–938

Schoppe KJ (1974) Das MLS-Gerät: Ein neuer Testapparat zur Messung feinmotorischer Leistungen. Diagnostica 20: 43–46

Semmes J, Weinstein S, Ghent L, Teuber HL (1960) Somatosensory changes after penetrating brain wounds in man. Harvard University Press, Cambridge

Sunderland S (1978) Nerves and nerve injuries. Churchill-Livingstone, Edinburgh

Talbot WH, Darian-Smith I, Kornhuber HH, Mountcastle VB (1968) The sense of flutter-vibration: Comparison of human capacity with response patterns of mechanoreceptive afferents from the monkey hand. J Neurophysiol 31: 301–334

Taub E (1976) Motor behavior following deafferentation in the developing and motorically mature monkey. In: Herman RM, Grillner S, Stein PSG, Stuart DG (eds) Neural control of locomotion. Plenum, New York, pp 675–705

Taub E, Berman AJ (1968) Movement and learning in the absence of sensory feedback. In: Freedman SJ (ed) The neuropsychology of spatially oriented behavior. Dorsey, Homewood, pp 173–192

Trombly CA, Quintana LA (1983) The effects of exercise on finger extension of CVA patients. Am J Occup Ther 37: 195–202

Vallbo AB, Hagbarth KE (1968) Activity from skin mechanoreceptors recorded percutaneously in awake human subjects. Exp Neurol 21: 270–289

Vallbo AB, Johansson RS (1978) The tactile sensory innervation of the glabrous skin of the human hand. In: Gordon G (ed) Active touch: the mechanisms of recognition of objects by manipulation. A multidisciplinary approach. Pergamon Press, Oxford, pp 185–199

Vallbo AB, Johansson RS (1984) Properties of cutaneous mechanoreceptors in the human hand related to touch sensation. Hum Neurobiol 3: 3–14

Vinograd A, Taylor E, Grossman S (1962) Sensory retraining of the hemiplegic hand. Am J Occup Ther 5: 246–250

Viviani P, Terzuolo C (1980) Space-time invariance in learned motor skills. In: Stelmach GE, Requin J (eds) Tutorials in motor behavior. North Holland, Amsterdam (Advances of Psychology 1, pp 525–533)

Wall JT, Kaas JH, Sur M, Nelson RJ, Felleman DJ, Merzenich MM (1986) Functional reorganization in somatosensory cortical areas 3B and 1 of adult monkeys after median nerve repair: possible relationships to sensory recovery in humans. J Neurosci 6: 218–233

Wilson DJ, Baker LL, Craddock JA (1984) Functional test for the hemiparetic upper extremity. Am J Occup Ther 38: 159–164

Anhang: Beschreibung der Patientenstichprobe einer neuropsychologischen Rehabilitationsklinik

M. PROSIEGEL

1 Einleitung

Dieser Beitrag am Ende des Buches ist „als Nachschlagekapitel" gedacht, mit dessen Hilfe der Leser beim Studium anderer Kapitel rasch auf ihn interessierende Basisdaten zurückgreifen kann.

Die folgenden Angaben basieren auf der statistischen Auswertung der Daten von 400 Patienten der Abteilung für Neuropsychologie am Städtischen Krankenhaus München-Bogenhausen. Da es sich um sehr umfangreiche Datensätze handelt (3300 Items/Patient), war diese Arbeit nur mit Hilfe einer auf einem Mittelrechner implementierten Datenbank möglich. Repräsentativ ist diese Patientenstichprobe nur insofern, als sie für Institutionen mit ähnlichen sozialtherapeutischen Zielen gilt (s. Abschn. 2). Durch diese speziellen Zielsetzungen hebt sich eine neuropsychologische Abteilung z. B. eindeutig ab von geriatrischen Institutionen.

Es wird unter anderem eingegangen auf ätiologische und pathogenetische Faktoren der zugrundeliegenden Hirnerkrankungen, auf die resultierenden neurologischen, neuropsychologischen und psychiatrischen Symptome/Syndrome sowie auf einige Rehabilitationsergebnisse.

Dabei darf keine Beantwortung komplexer neuropsychologischer Zusammenhangsfragen erwartet werden. Auch was den Erfolg neuropsychologischer Rehabilitationstherapie betrifft, werden am Schluß lediglich einige wenige Angaben zur familiären und beruflichen Wiedereingliederung gemacht; da katamnestische Studien hierzu (noch) fehlen, können sichere Aussagen über den *längerfristigen* Rehabilitationserfolg nicht getroffen werden.

Der besseren Übersicht halber wurden als Darstellungsform Zahlenaufstellungen bzw. Tabellen - jeweils mit zugehörigem kurzem, kommentierendem Text - gewählt. „Zerebrovaskuläre Erkrankungen" bzw. „Schädel-Hirn-Trauma" werden im folgenden durchweg mit CVE bzw. SHT abgekürzt, „Mehrfachnennungen möglich" mit MN.

2 Sozialtherapeutische Zielsetzungen, Patientenselektion

Die sozialtherapeutischen Zielsetzungen neuropsychologischer Rehabilitationstherapie sind

- die Vorbereitung auf eine Wiederaufnahme der Berufstätigkeit oder der Ausbildung
oder
- die Vorbereitung auf ein überwiegend selbständiges Leben zu Hause
  - mit stundenweiser Arbeitsbeschäftigung,
  - mit geringer/gelegentlicher Unterstützung durch Hilfspersonen
oder
- die Vorbereitung auf ein unselbständiges Leben zu Hause mit überwiegender Unterstützung durch Hilfspersonen.

Daraus ergeben sich für Patienten, die einer neuropsychologischen Rehabilitationstherapie (und nicht nur einer neuropsychologischen Diagnostik) zugeführt werden sollen, folgende „Auswahlkriterien":

- Patienten, die vor der Hirnschädigung im (oder in der Vorbereitung auf das) Erwerbsleben standen,
- Patienten, bei denen die „Mobilisierungsphase" weitgehend abgeschlossen ist,

- Patienten mit Erkrankungen des ZNS, die nicht „schicksalhaft" fortschreiten,
- Patienten ohne quantitative Bewußtseinsstörung oder Aktivationsstörung,
- Patienten ohne internistische oder sonstige medizinische (Begleit-)Erkrankungen, die einer systematischen Rehabilitationstherapie hinderlich im Wege stehen.

Höheres Lebensalter (> 65 Jahre) wurde unter den „Auswahlkriterien" nicht aufgeführt, weil es für sich allein betrachtet keine prognostisch ungünstige primäre Einflußgröße darstellt (s. Kap. 2). Da ein wichtiges Hauptziel neuropsychologischer Rehabilitationstherapie jedoch die berufliche Wiedereingliederung der Patienten darstellt, finden sich in der Stichprobe - dies betrifft naturgemäß besonders CVE - eher „jüngere" (Schlaganfall-)Patienten.

3 Die Patientenstichprobe

3.1 Allgemeine Patientendaten

Altersverteilung (Jahre)

	Mittel-wert	Bereich
Gesamtstichprobe (n = 400)	41,5	13–80
CVE (n = 184)	51	13–80
SHT (n = 156)	29,5	14–72

Infolge der in Abschn. 2 erläuterten „Auswahlkriterien" bzw. sozialtherapeutischen Zielsetzungen liegt das mittlere Alter (51 Jahre) der CVE-Patienten der Stichprobe deutlich unter dem repräsentativer CVE-Populationen, welches entsprechenden Literaturangaben zufolge bei ca. 70 Jahren anzusetzen ist (Übersicht bei Jongbloed 1986). Das im Mittel sehr junge Alter der SHT-Patienten beruht darauf, daß Verkehrsunfälle die häufigste SHT-Ursache sind und in Verkehrsunfälle besonders häufig Jugendliche verwickelt werden; entsprechend der Literatur liegt bei Verkehrsunfällen die Hauptinzidenz in der Altersgruppe zwischen 15 und 24 Jahren (Frankowski et al. 1985). Die beiden ätiologischen Hauptgruppen - CVE

und SHT - bedingen eine zweigipflige Altersverteilung der Patientenstichprobe.

Geschlechtsverteilung

	Männer	Frauen
Gesamtstichprobe (n = 400)	1,5	1
CVE (n = 184)	1,2	1
SHT (n = 156)	2	1

Das Überwiegen der männlichen CVE-Patienten in der Stichprobe entspricht in etwa den Verhältnissen repräsentativer CVE-Populationen (Verhältnis Männer : Frauen 1,35 : 1; Übersicht bei Kurtzke 1985). Das deutliche Überwiegen der Männer in der SHT-Gruppe beruht darauf, daß besonders häufig (jugendliche) Männer in Verkehrsunfälle verwickelt sind (Frankowski et al., 1985).

Zeit zwischen Ereignis und Aufnahme in die Abteilung für Neuropsychologie (n = 400)

< 1 Monat	4%
< 3 Monate	23%
< 6 Monate	18%
< 1 Jahr	21%
< 2 Jahre	13%
> 2 Jahre	21%

Über 40% der Patienten werden der neuropsychologischen Abteilung innerhalb des 1. Halbjahres nach dem hirnschädigenden Ereignis zugewiesen, über 60% innerhalb des 1. Jahres und über zwei Drittel innerhalb von 2 Jahren. Ein Großteil der Patienten sucht also die Abteilung für Neuropsychologie innerhalb eines Zeitraums auf, in dem die Spontanremission durch systematische Therapien unterstützt werden kann.

Mittlere Verweildauer (n = 400)

41 Tage   (Bereich: 1–314 Tage)

Was die durchschnittliche Verweildauer (41 Tage) der Patienten betrifft, so gehen in diese Zahl auch Patienten mit ein, die nur einer neuropsychologischen Diagnostik zugeführt werden. Erwähnenswert ist in diesem

Zusammenhang noch, daß sich bei vielen Patienten „Therapiepausen" bewährt haben, zum einen, um einem Hospitalismus vorzubeugen, zum anderen, um Stabilisierung und Transfer der erreichten Leistungsverbesserungen im/in den Alltag überprüfen zu können (vgl. Kap. 1). Die nach derartigen Therapiepausen wieder fortgeführten Therapien („Intervalltherapie") haben zudem den Vorteil, daß sie entsprechend den im Alltag gemachten Erfahrungen den speziellen Erfordernissen des Patienten angepaßt werden können.

3.2 Ätiologische Hauptgruppen

In diesem Abschnitt finden sich Angaben über Häufigkeit, Pathogenese, Risikofaktoren, Begleit- und Folgeerkrankungen sowie Pharmakotherapien der ätiologischen Hauptgruppen der Patientenstichprobe.

Die ätiologischen Hauptdiagnosen der 400 Patienten der Stichprobe zeigen folgende Häufigkeitsverteilung:

CVE	46%
SHT	39%
Globale zerebrale Hypoxie	4%
Zustand nach Hirntumoroperation	3,5%
Enzephalitis/Meningitis	3%
Sonstige neurologische Erkrankungen	4,5%

3.2.1 Zerebrovaskuläre Erkrankungen

Die epidemiologische Bedeutung der CVE in den westlichen Industrieländern läßt sich anhand folgender Zahlen verdeutlichen: CVE sind die dritthäufigste Todesursache; die jährlich Todesrate beträgt ca. 100/100 000 Einwohner, die jährliche Inzidenzrate ca. 150/100 000 Einwohner, die Prävalenz ca. 600/100 000 Einwohner. In einer repräsentativen Schlaganfallpopulation (also nicht in der beschriebenen Stichprobe) errechnet sich aus diesen Zahlen eine mittlere Lebenserwartung nach einem Schlaganfall von ca. 4 Jahren; das Risiko, nach einem Hirninfarkt einen erneuten zu erleiden beträgt etwa 7% für jedes darauffolgende Jahr (Übersicht bei Kurtzke 1985).

CVE - Ätiologische Untergruppen

CVE - Häufigkeit der ätiologischen Untergruppen (n= 184)

Hirninfarkte	75%
Hirnblutungen	18%
Subarachnoidalblutungen (SAB)	7%
davon mit vasospastischem Hirninfarkt	66%

Die Häufigkeit der ätiologischen Untergruppen der CVE stimmt in etwa überein mit Zahlen repräsentativer CVE-Stichproben. Aus entsprechenden, in ihren Ergebnissen etwas voneinander abweichenden Studien ergibt sich ungefähr folgende Häufigkeitsverteilung: Hirninfarkte ca. 75%, Hirnblutungen ca. 12%, SAB ca. 8%, unklare Ätiologie ca. 5% (Kurtzke 1985).

Pathogenese der Hirninfarkte (n= 138)

Hämodynamisch (Grenzzoneninfarkte, Endausbreitungsinfarkte)	39%
Kardialembolisch	22%
Primärthrombotisch	25%
Arterio-arteriell-embolisch	7%
Entzündliche Gefäßerkrankung	3%
Hirn-/Sinusvenenthrombose	4%

Was die Pathogenese der Hirninfarkte betrifft, so ist jeweils der *wahrscheinlichste* Pathomechanismus aufgeführt. In der obigen Aufstellung nicht erwähnt ist die Tatsache, daß bei ca. 10% der Hirninfarkte trotz umfassender Diagnostik die Pathogenese unklar blieb; diese Infarkte haben wir unter probabilistischen Gesichtspunkten der Kategorie „primärthrombotisch" zugeordnet. Daß der Anteil der in pathogenetischer Hinsicht unklaren Hirninfarkte so hoch ist, beruht auf dem „jungen" mittleren Alter der CVE-Patienten, aufgrund dessen in ätiologischer Hinsicht nicht von einer generalisierten Arteriosklerose ausgegangen werden kann; auch Dizinger und Ringelstein (1985) fanden in ihrer Untersuchung an 42 „jungen Erwachsenen" mit Hirninfarkt (der Altersmedian betrug 31 Jahre) bei immerhin 9 Patienten „keinen Hinweis auf die Pathogenese des Insultes".

Pathogenese der Hirnblutungen (n= 34)

Hypertone Massenblutung	42%
„Spontane" Massenblutung	23%
Blutung aus arteriovenöser Mißbildung	23%
Blutung aus arteriellem Aneurysma	12%

Bezüglich der Pathogenese der Hirnblutungen stimmen unsere Zahlen mit denen der Literatur überein, wonach hypertone Massenblutungen zahlenmäßig bei weitem überwiegen (Kase 1985).

Pathogenese der SAB (n= 12)
(nicht eingeschlossen sind traumatische SAB)

Arterielles Aneurysma	10
AV-Gefäßmißbildung	1
Unklare Blutungsquelle	1

Daß bei den SAB unserer Stichprobe in 66% vasospastische Hirninfarkte vorkommen, ist ein Selektionsartefakt. Patienten, die nach einer SAB keinen komplizierenden vasospastischen Hirninfarkt erleiden, haben häufig keine neuropsychologischen Leistungsstörungen (abgesehen von Patienten, bei denen es im Rahmen des neurochirurgischen Eingriffs zu Substanzschäden gekommen ist).
Angaben zur Häufigkeitsverteilung von Hirninfarkten und Hirnblutungen auf Gefäßterritorien bzw. auf die beiden Großhirnhemisphären finden sich in Tabelle 1. Eine Übereinstimmung dieser Zahlen mit denen repräsentativer CVE-Gruppen ist aufgrund der Selektionskriterien nicht zu erwarten. so erklärt sich beispielsweisee das deutliche Überwiegen linkshirniger Infarkte aus der Tatsache, daß die durch Läsionen der linken (und daher in aller Regel „dominanten") Hirnhälfte bedingten Sprach- oder (verbalen) Gedächtnisstörungen meist verhaltenswirksam sind. In repräsentativen Stichproben ist das Verhältnis von links- zu rechtshirnigen Infarkten nahezu ausgeglichen; so fand etwa Zülch (1985) in seiner computertomographischen Analyse von fast 1000 Hirninfarkten 56% linkshirnige und 44% rechtshirnige Infarkte. Daß unter den subtotalen (also sehr ausgedehnten) Mediainfarkten die rechtshirnigen deutlich überwiegen, hat

Tabelle 1. Häufigkeitsverteilung (in %) der Hirninfarkte und Hirnblutungen auf Gefäßterritorien bzw. Hirnregionen - computertomographische Befunde

Hirninfarkte (n = 138) (MN)	Links	Rechts
A. cerebri media		
– subtotaler Mediainfarkt	7	10
– vordere Astgruppe	4	4
– mittlere Astgruppe	7	4
– hintere Astgruppe	19	4
– striäre Arterien	20	13
A. cerebri posterior (einschl. thalamischer und splenialer Äste)	20	21
A. cerebri anterior (einschließlich A. recurrens Heubneri)	2	0
A. chorioidea anterior	7	4
Thalamusarterien	8	2
Sonstige Arterien	5	4
Vv. superficiales cerebri	6	2
Verhältnis linkshirnige : rechtshirnige Infarkte	2,5	1
Bilaterale Infarkte		
– vordere/hintere Media-Posterior-Grenzzone	4	
– A. cerebri posterior	<1	
– Thalamus	<1	
Subkortikale arteriosklerotische Enzephalopathie (SAE)	8	
Multiinfarkterkrankung	4	

Hirnblutungen (n = 34) (MN)	Links	Rechts
Frontal	23	12
Parietal	6	12
Temporal	20	12
Okzipital	6	10
Basalganglien (einschl. inneres bzw. äußeres Kapselsystem)	20	6

2 Hauptgründe: Zum einen sind in der nichtdominanten Hemisphäre kleine Mediateilinfarkte oft nicht (oder nur wenig) verhaltenswirksam; zum anderen sind die Leistungsstörungen bei linksseitigen subtotalen Mediainfarkten oft so schwer, daß derartige Patienten für eine neuropsychologische Rehabilitation nicht in Frage kommen.

Das deutliche Überwiegen hinterer (linksseitiger) Mediateilinfarkte im Vergleich zu den vorderen beruht vermutlich auf der Tatsache, daß die resultierenden Leistungsstörungen (z. B. Wernicke-Aphasie mit Oberflächenalexie, evtl. assoziiert mit räumlich-konstruktiven Störungen) ein schlechteres Zurechtkommen im Alltag bewirken als etwa eine Broca-Aphasie (infolge eines vorderen Mediateilinfarkts). Die Posteriorinfarkte sind in der Stichprobe deshalb nahezu doppelt so häufig wie in repräsentativen CVE-Populationen (20% der Infarkte in der Stichprobe gegenüber 12% in der Übersichtsarbeit von Zülch, 1985), weil ein spezieller Schwerpunkt unserer Arbeit in der Diagnostik und Therapie zerebraler Sehstörungen liegt.

Die subkortikale arteriosklerotische Enzephalopathie (SAE) stellt unter den CVE in der Stichprobe mit 8% die häufigste Ursache (beginnender) dementieller Syndrome dar. Allerdings wird die SAE nicht selten im Sinne eines „Zufallsbefundes" im Rahmen der computertomographischen Untersuchung bei Patienten entdeckt.

CVE – Risikofaktoren, Vor-, Begleit- und Folgeerkrankungen, Pharmakotherapien

In Tabelle 2 finden sich Angaben zur Häufigkeit der Risikofaktoren bzw. Begleiterkrankungen, symptomatischer zerebraler Krampfanfälle und der häufigsten Pharmakotherapien bei CVE-Patienten.

Unter den Risikofaktoren dominiert die chronische arterielle Hypertonie, unter den Begleiterkrankungen die koronare Herzerkrankung. Die Zahlen in Tabelle 2 verdeutlichen, daß die CVE-Patienten der Stichprobe (sieht man ab von jungen Patientinnen mit der Risikokonstellation „Pille" und Zigarettenrauchen) oft multimorbid sind und einer entsprechenden Pharmakotherapie bedürfen. Für eine neuropsychologische Rehabilitationsklinik ist daher unseres Erachtens ein Internist oder zumindest ein internistischer Konsiliardienst unentbehrlich. Bei etwa 10% der Hirninfarktpatienten (ausgenommen sind sinnvollerweise Infarkte nach Hirn-/Sinusvenenthrombosen und

Tabelle 2. Risikofaktoren, Begleiterkrankungen, symptomatische zerebrale Krampfanfälle, Pharmakotherapien bei CVE-Patienten (n = 184) (MN; Angaben in %)

Risikofaktoren/Begleiterkrankungen	
Arterielle Hypertonie	44
Zigarettenrauchen	29
Koronare Herzkrankheit	24
Hypercholesterinämie	23
Diabetes mellitus	16
Hyperurikämie	14
Herzinsuffizienz/Linkshypertrophiezeichen	13
Hypertriglyceridämie	12
Ovulationshemmer	11
Herzrhythmusstörung	9
Hyperkoagulabilität	7
Adipositas	6
Arterielle Hypotonie	< 5
Polyglobulie	< 5
Periphere arterielle Verschlußkrankheit	< 5
Herzvitium	< 5
Entzündliche Gefäßerkrankung	< 5
Migräne	< 5

Symptomatische zerebrale Krampfanfälle	
Gesamt	12
davon:	
– partiell-fokal	50
– generalisiert	33
– unklassifizierbar	17

Häufigste Pharmakotherapien	
Antihypertensiva	35
Thrombozytenaggregationshemmer	22
Psychopharmaka (Antidepressiva, Neuroleptika, Tranquilizer)	18
Antikonvulsiva	12
Herzglykoside	10

vasospastische Infarkte nach SAB) gingen dem Infarktereignis transiente ischämische Attacken (TIA) voraus (in Tabelle 2 nicht aufgeführt); 12% aller CVE-Patienten der Stichprobe leiden an symptomatischen zerebralen Anfällen, wobei partiell-fokale Anfälle überwiegen (darunter werden einfach-partielle, komplex-partielle und partielle Anfälle, die sich zu sekundär generalisierten Anfällen entwickeln, subsumiert). Sowohl die Häufigkeit der dem Infarktereignis vorausgegangenen TIA als auch der symptomatischen Anfälle stimmt überein mit den in der Literatur mitgeteilten Zahlen (Rosenkvist u. Olsen 1986; Whisnant 1983).

3.2.2 Schädel-Hirn-Trauma

Das Schädel-Hirn-Trauma stellt mit 39% in der Stichprobe die zweitgrößte ätiologische Hauptgruppe dar. Unter den Ursachen rangiert der Verkehrsunfall an erster Stelle. Allein in Bayern ereignen sich pro Jahr knapp 300 000 Verkehrsunfälle; dabei sterben ca. 2000–3000 Unfallopfer, 90000 werden (teils schwer) verletzt.

SHT-Ursachen, Schweregrad, (Begleit-)Komplikationen, Folgeerkrankungen, computertomographische Befunde

In Tabelle 3 finden sich Angaben über Ursachen, Schweregrad, (Begleit-)Komplikationen, symptomatische zerebrale Anfälle und computertomographische Befunde bei SHT-Patienten der Stichprobe. Da oft keine Computertomogramme aus der Zeit des akuten Ereignisses zu Verfügung standen, beziehen sich die mitgeteilten Angaben auf die Computertomographien, die im Rahmen des Aufenthalts in der Abteilung für Neuropsychologie durchgeführt wurden.

Aus Tabelle 3 geht hervor, daß zahlenmäßig das schwere gedeckte SHT überwiegt.

Unter den Begleitkomplikationen sei wegen ihrer besonderen (prognostisch ungünstigen) Bedeutung die globale zerebrale Hypoxie hervorgehoben (s. Kap. 2); meist handelt es sich um hypoxische Hypoxien, zum Beispiel infolge eines Pneumothorax im Rahmen eines Polytraumas.

Posttraumatische zerebrale Anfälle finden sich bei 10% der SHT-Patienten. Unter den partiell-fokalen Anfällen kommt dabei unter psychiatrischen Gesichtspunkten (s. Kap. 5) den komplex-partiellen Anfällen besondere Bedeutung zu. Was die Befunde der (meist um die Zeit der Aufnahme in die neuropsychologische Abteilung angefertigten) kranialen Computertomogramme betrifft, so finden sich in Übereinstimmung mit pathologisch-anato-

Tabelle 3. SHT - Ursachen, Schweregrad, (Begleit-)Komplikationen, symptomatische zerebrale Krampfanfälle und computertomographische Befunde (n = 156) (MN, Angaben in %)

Ursachen	
Verkehrsunfall	75
Sportunfall	10
Arbeitsunfall	6
Haushaltsunfall	< 5
Sonstiges	10

Schweregrad	
Schwer (Bewußtlosigkeit länger als 24 h)	90
davon:	
– gedeckt	95
– offen	5

(Begleit-)Komplikationen	
Hirnstammbeteiligung	44
Polytrauma	40
Schädelfraktur	38
Subdurales Hämatom/Hygrom	29
Globale zerebrale Hypoxie	15
Multiple intrazerebrale Blutungen	14
Traumatische SAB	16
Epidurales Hämatom	8
Hämatozephalus	6
Meningitis/Ventrikulitis/Enzephalitis	6
Hydrocephalus aresorptivus	< 5

Symptomatische zerebrale Krampfanfälle	
Symptomatische zerebrale Anfälle	10%
davon:	
– partiell-fokal	80%
– generalisiert	20%

Computertomographische Befunde	Links	Rechts
Traumatischer Substanzdefekt (einschl. Zustand nach Operation)		
– frontal	22	23
– temporal	12	9
– parietal	< 5	< 5
– okzipital	< 5	< 5
– Basalganglien (einschl. inneres bzw. äußeres Kapselsystem)	< 5	< 5
– Hirnstamm	< 5	< 5
E-vacuo-Erweiterung (einzelner oder aller Abschnitte) der inneren Liquorräume	71	
E-vacuo-Erweiterung (einzelner oder aller Abschnitte) der äußeren Liquorräume	55	
Hydrocephalus aresorptivus	< 5	

mischen Untersuchungen traumatische Substanzdefekte am häufigsten frontal und temporal; beidseitige traumatische Substanzdefekte (in den Tabellen nicht aufgeführt) finden sich bei 16% der SHT-Patienten der Stichprobe. Eine allgemeine oder umschriebene Erweiterung aller oder einzelner Abschnitte der inneren und/oder äußeren Liquorräume kann als Zeichen einer Hirnsubstanzminderung (meist im Gefolge eines generalisierten oder in bestimmten Hirnabschnitten akzentuierten Hirnödems) aufgefaßt werden.

3.2.3 Hypoxie

Die folgenden Zahlen gelten nur für Hypoxien, falls diese die ätiologische Hauptdiagnose darstellten (also beispielsweise nicht für sekundäre Hypoxien im Rahmen eines SHT).

Hypoxie-Art (n= 16) (MN)

Anoxisch	2
Hypoxisch	4
Ischämisch	8
Oligämisch	6

Die häufigsten zugrundeliegenden Ätiologien waren dabei in der Stichprobe Herzstillstand oder Kreislaufschock, weshalb zahlenmäßig die ischämischen und oligämischen Hypoxien überwiegen. In der hier nicht aufgeführten Gruppe der „sekundären" Hypoxien im Rahmen von Schädel-Hirn-Traumen dominieren die hypoxische Hypoxie (meist infolge Pneumothorax) und die oligämische Hypoxie (meist infolge Volumenmangelschock).
Das kraniale Computertomogramm der Patienten nach globaler zerebraler Hypoxie war entweder unauffällig oder zeigte eine (meist generalisierte) Erweiterung äußerer und innerer Liquorräume, eine diffuse Hypodensität der Hemisphärenmarklager beidseits oder „typische" posthypoxische (kleinfleckige) hypodense Areale (meist im Pallidum und/oder Putamen beidseits oder z. B. im okzipitalen Marklager). Aufgrund der relativ geringen Zahl „primärer" Hypoxien ist eine Zuordnung der erwähnten computertomographischen Be-

funde zu bestimmten Hypoxie-Ätiologien nicht sicher möglich. Schwere neuropsychologische Leistungsstörungen „kontrastieren" oftmals mit einem „normalen" kranialen Computertomogramm; umgekehrt kann eine diffuse Hypodensität beider Hemisphärenmarklager mit nur geringgradigen Defiziten einhergehen (in Analogie zu einigen CVE-Patienten mit subkortikaler arteriosklerotischer Enzephalopathie). In aller Regel ist – da vom Pathomechanismus her die globale zerebrale Hypoxie das „ganze" Hirn betrifft – das verfügbare Rehabilitationspotential bei Patienten mit dieser Diagnose geringer als bei Patienten mit anderen Ätiologien (s. hierzu auch Kap. 2).

3.2.4 Zustand nach Hirntumoroperation

Tumorartdiagnose (n= 16)

AV-Gefäßmißbildung	4
Meningeom	2
Epidermoid	2
Dermoid	2
Astrozytom	2
Oligodendrogliom	1
Prolaktinom	2
Basophiles Hypophysenadenom	1

Diese Zahlen sind in keiner Weise repräsentativ für Hirntumoren allgemein. Insbesondere die häufigen Gliome (Astrozytome, Oligodendrogliome, Glioblastome) sind in der Stichprobe infolge der leider immer noch geringen Heilungs- bzw. hohen Rezidivquote und der damit oft nicht gegebenen Indikation für eine längerfristige neuropsychologische Rehabilitationstherapie deutlich unterrepräsentiert.

3.2.5 Enzephalitis/Meningitis

Enzephalitis/Meningitis-Ätiologie (n= 12)

Viral		11
davon:		
Virusnachweis gelungen	2	
(beide Male Herpesvirus)		
Bakteriell		1

In der Patientenstichprobe überwiegen die kryptogenetischen viralen Enzephalitiden. Wegen der seit Verfügbarkeit von Acyclovir gegenüber früher deutlich besseren Überlebenschancen der Patienten mit Herpes-simplex-Enzephalitis ist in Zukunft mit einer Zunahme von Patienten mit dieser Diagnose in neuropsychologischen Einrichtungen zu rechnen.

3.2.6 Sonstige neurologische Erkrankungen

Diagnosen der sonstigen neurologischen Erkrankungen (n= 18)

Senile Demenz von Alzheimer-Typ (SDAT)	4
Präsenile Demenz vom Alzheimer-Typ (PSDAT)	4
Progressive supranukleäre Blicklähmung (Steele-Richardson-Olszewski-Syndrom)	4
Chorea Huntington	1
Hypothyreose	1
Polytoxikomanie	1
Schlafapnoesyndrom	1
Ätiologisch unklares dementielles Syndrom	2

Was die Demenzursachen betrifft, so sind diese Zahlen nicht repräsentativ, da einer neuropsychologischen Abteilung in aller Regel keine Patienten mit in ätiologischer Hinsicht eindeutigen Diagnosen zugewiesen werden, sondern solche, wo es um die schwierige differentialdiagnostische Abgrenzung (beginnender) dementieller Syndrome beispielsweise gegenüber „Pseudodemenzen" im Rahmen von Depressionen geht. Oftmals gelingt es trotz umfassender diagnostischer Bemühungen nur, eine diagnostische Hypothese aufzustellen, die dann erst durch Verlaufsuntersuchungen verifiziert bzw. falsifiziert werden kann.

3.3 Psychiatrische Diagnosen

In diesem Abschnitt werden die bei den Patienten der Stichprobe während ihres Aufenthalts in der neuropsychologischen Abteilung am häufigsten gestellten psychiatrischen Diagnosen vorgestellt (s. Tabelle 4). Die Klassifikation der psychischen Störungen erfolgt mittels DSM-III (Koehler u. Saß 1984). Ausführlich wird die Psychopathologie von Patienten nach erworbener Hirnschädigung in Kap. 5 behandelt.
Die häufigste psychische Störung in der Ge-

Tabelle 4. Häufigkeit psychopathologischer Syndrome (DSM-III) in der Gesamtstichprobe (n=400) (MN, Angaben in %)

Anpassungsstörungen	
Mit depressiver Stimmung	19
Mit gemischten emotionalen Zügen	3
Mit ängstlicher Stimmung	2
Mit Rückzug	2
Organisch bedingte psychische Störungen	
Organische Persönlichkeitsänderung	11,5
Multiinfarktdemenz	6
(prä-)senile Demenz	5
Organisches affektives Syndrom mit (hypo-)manischer Symptomatik	1
Organisches Wahnsyndrom	<1
Organische Halluzinose	<1
Somatoforme Störungen	
Atypische somatoforme Störung	2
Hypochondrie	<1
Konversionssyndrom	<1
Affektive Störungen	
Depressive Neurose	2
Typische (Major) Depression	1
Angstsyndrom	
Soziale Phobie	1
Paniksyndrom	1
Generalisiertes Angstsyndrom	1
Paranoide Störungen	
Akute paranoide Störung	<1

samtstichprobe ist die depressive Anpassungsstörung. Sie findet sich bei rechtshirnigen und linkshirnigen CVE in etwa gleich häufig (22% bzw. 29%); beim SHT ist sie etwas seltener (11%), was wohl u. a. als Folge der affektiven Indifferenz bei einigen SHT-Patienten mit „Stirnhirnläsionen" angesehen werden kann (s. hierzu Kap. 5 und 14).
Das in der Gesamtstichprobe zweithäufigste psychiatrische Syndrom, die organische Persönlichkeitsänderung, überwiegt beim SHT (19%) sowohl im Vergleich zu den linkshirnigen (5%) als auch den rechtshirnigen (9%) CVE, was wiederum die „Stirnhirnbeteiligung" oder aber die diffuse Hirnschädigung beim SHT widerspiegelt (s. hierzu Kap. 5 und 14). Unter den übrigen „organisch bedingten psychischen" Störungen sind zahlenmäßig noch (prä)senile Demenzen und die Multiin-

farktdemenz hervorzuheben. Unter letzterer Diagnose werden hier in Ermangelung einer eigenen DSM-III-Kategorie auch Demenzen bei subkortikaler arteriosklerotischer Enzephalopathie (SAE) subsumiert. Produktiv psychotische Symptome (im Rahmen der organischen Halluzinose oder des organischen Wahnsyndroms) sind in der Gesamtstichprobe zahlenmäßig von untergeordneter Bedeutung (s. hierzu ausführlicher Kap. 5).

Unter den somatoformen Störungen ist das atypische somatoforme Syndrom hervorzuheben, das bei (linkshirnigen) CVE und beim SHT jeweils in 5% der Fälle vorkommt.

Im Gegensatz zur Literatur (s. hierzu ausführlich Kap. 5.6.2) konnten wir unter den affektiven Störungen (Major) Depressionen (mit oder ohne Melancholie) bei den CVE-Patienten nur selten beobachten und insbesondere kein Überwiegen dieser Störung bei linkshirnigen CVE feststellen (1% bei linkshirnigen CVE, 3% bei rechtshirnigen CVE!).

Unter den Angstsyndromen fanden sich interessanterweise die soziale Phobie, das Paniksyndrom oder das generalisierte Angstsyndrom nur bei Patienten mit SHT (jeweils ca. 1% der Patienten) oder mit linkshirnigen CVE (ebenfalls jeweils ca. 1% der Patienten).

Die akute paranoide Störung konnten wir nur bei einigen der (insgesamt wenigen) Patienten mit zentraler Schwerhörigkeit bzw. Taubheit beobachten (s. auch Kap. 5 und 8).

3.4 Neuropsychologische und sensomotorische Leistungsstörungen

In diesem Abschnitt erfolgen Angaben zur Häufigkeit der neuropsychologischen und sensomotorischen Leistungsstörungen bei den Patienten der Gesamtstichprobe. Der besseren Übersicht halber wurde in Tabelle 5 keine Unterteilung bezüglich links-/rechtshirnigem oder bilateralem Läsionsort vorgenommen, obgleich die Lateralität der Schädigung natürlich Auftreten bzw. Häufigkeit der meisten Hirnleistungsstörungen determiniert.

Eine ausführliche Erörterung der einzelnen neuropsychologischen Leistungsstörungen erfolgt in den einschlägigen Kapiteln 7-20. An dieser Stelle soll daher nur kurz auf die wichtigsten bzw. häufigsten der in Tabelle 5 aufgeführten Syndrome eingegangen werden:

Aufmerksamkeitsstörungen stellen das häufigste neuropsychologische Leistungsdefizit dar; ihre Diagnostik und Therapie ist von besonderer Bedeutung für Patienten, bei denen eine berufliche Wiedereingliederung angestrebt wird (s. Kap. 10).

Gedächtnisstörungen stehen zahlenmäßig an zweiter Stelle. Hochgradige Störungen finden sich insbesondere beim SHT (Häufigkeit „temporaler" Läsionen) und bei CVE - insbesondere bei (linkshirnigen oder bilateralen) Hirninfarkten im Versorgungsgebiet der A. cerebri posterior, A. chorioidalis anterior und der polaren Thalamusarterie. Orientierungsstörungen spielen zahlenmäßig eine untergeordnete Rolle (s. Kap. 13).

Bei den (linkshirnigen) CVE spielen Sprach-/Sprechstörungen (einschließlich der Sprechapraxie) sowie schriftsprachliche Leistungsdefizite eine große Rolle. Unter den Aphasiesyndromen überwiegen dabei sowohl bei den CVE als auch beim SHT die Wernicke-Aphasie und die nicht-klassifizierbare Aphasie. In repräsentativen CVE-Populationen findet sich eine davon abweichende Häufigkeitsverteilung: Unter den klassischen Aphasiesyndromen am häufigsten ist die amnestische Aphasie, (in abnehmender Häufigkeit) gefolgt von globaler, Broca- und schließlich Wernicke-Aphasie (Kertesz und Sheppard 1981). Die Gründe für die in der beschriebenen Stichprobe gefundene andersartige Verteilung sind sicher vielfältig; Hauptursache dürfte sein, daß Wernicke-Aphasiker im Alltag besonders schlecht zurechtkommen und daher einer neuropsychologischen Rehabilitationsabteilung überdurchschnittlich häufig zugewiesen werden.

Die Häufigkeit des Vorkommens homonymer Hemianopsien (mit oder ohne begleitende visuelle Explorationsstörung) bzw. hemianoper Lesestörungen in der Stichprobe ist ein Selektionsartefakt (s. S. 390).

Alltagsrelevante Störungen des Problemlösens finden sich bei ca. 40% der SHT-Patienten (Häufigkeit „frontaler" Läsionen).

Tabelle 5. Häufigkeit neuropsychologischer und sensomotorischer Leistungsstörungen in der Gesamtstichprobe (n=400) (MN, Angaben in %)

Störungen der Aufmerksamkeit	
Verminderte Informationsverarbeitungsgeschwindigkeit	83
Gestörte Daueraufmerksamkeit	55
Erhöhte externe Ablenkbarkeit	26

Störungen der Orientierung, des Gedächtnisses und der Lernfähigkeit	
Störung des Behaltens	65
Störung der Lernfähigkeit	56
Störung des Altgedächtnisses	15
Störung der Orientierung	5

Sprachstörungen	
Wernicke-Aphasie	9,5
Nichtaphasische Sprachstörung	5
Nichtklassifizierbare Aphasie	4,5
Amnestische Aphasie	3,5
Broca-Aphasie	2,5
Globalaphasie	1
Dementielle Sprachstörung	<1
Transkortikal	
– sensorische Aphasie	<1
– motorische Aphasie	<1
– gemischte Aphasie	<1
Leitungsaphasie	<1
Sprachinitiierungsstörung	<1

Dysarthrien/Dysphonien/ Dysarthrophonien	
Nicht klassifizierbar	12
Spastisch	10
Hypoton	3
Hyperkinetisch	2
Rigid	1,5
Funktionell	1,5
Ataktisch	1,5
Dynamisch	<1

Störungen des Problemlösens	22

Zentrale Störungen	
Homonyme Hemianopsie/-amblyopie (einschl. Quadrantenanopsie/-amblyopie)	
– rechts	15,5
– links	7,5
– beidseits	1
Visuelle Explorationsstörung	
– rechts	9
– links	5
– beidseits	1,5
Hemianope Lesestörung	14,5
Akkomodationsstörung	3
Balint-Syndrom	<1

Alexien	
Oberflächenalexie	3,5
Tiefenalexie	1,5
Wortformalexie	4
Nichtklassifizierbare Alexie	3,5

Agraphien	
Phonologisch-lexikalische Agraphie	3
Wortkategorielle Agraphie	1,5
Orthographische Agraphie	<1
Globale Agraphie	1,5
Nichtklassifizierbare Agraphie	4

Akalkulien	
Primäre Akalkulie	3,5
– positionell-serielle Akalkulie	2
– operationale Alkalkulie	1,5
Sekundäre Akalkulie	9
– bei Aphasie	4,5
– bei Gedächtnisstörung	2,5
– bei räumlich-konstruktiver Störung	1,5
– bei räumlich-visueller Wahrnehmungsstörung	<1

Räumlich-konstruktive Störungen	6,5

Sprechapraxien	4

Räumlich-visuelle Wahrnehmungsstörungen	4

Störungen der Intelligenz	3

Vernachlässigungssyndrome	2

Zentrale Paresen	
Hemiparese	
– rechts	32
– links	14
Tetraparese	5

Ataxien	
Gliedkinetische Ataxie	
– rechts	4
– links	3,5
– beidseits	5,5
Stand-/Gangataxie	5
Rumpfataxie	2,5

Periphere Paresen	
Arm-/Beinplexus	1
Hirnnerv(en)	11
Sonstige(r) Nerv(en)	3,5

Handfunktionsstörungen (einschl. ideomotorische und ideatorische Apraxien)	65

Zentrale Schmerzsyndrome	1,5

Vernachlässigungsphänomene sind zwar insgesamt selten, jedoch bei rechtshirnigen CVE in immerhin 8% der Fälle anzutreffen (s. Kap. 11).

Sowohl Störungen der Handfunktionen (einschließlich ideomotorischer und ideatorischer Apraxien) als auch der Sensomotorik spielen neben den kognitiven Defiziten zahlenmäßig eine wichtige Rolle.

Was die neben CVE und SHT selteneren ätiologischen Hauptdiagnosen betrifft, so gilt für sie folgendes:

Bei der globalen zerebralen Hypoxie und den entzündlichen Hirnerkrankungen dominieren Störungen der Aufmerksamkeit, des Gedächtnisses, der Lernfähigkeit und des Problemlösens. Wegen ihres Schweregrades zeigen diese (oft assoziiert auftretenden) Leistungsstörungen häufig die Grenzen neuropsychologischer Rehabilitation auf.

Über die neuropsychologischen Leistungsstörungen im Gefolge von Hirntumoroperationen lassen sich keine allgemeingültigen Aussagen treffen, da zahlreiche Variablen eine Rolle spielen (Artdiagnose, Lokalisation, Rezidivquote des Tumors etc.).

Unter den „sonstigen neurologischen Erkrankungen" kommt den neuropsychologischen Leistungsstörungen bei (beginnenden) dementiellen Syndromen die Hauptbedeutung zu. Es handelt sich hierbei insbesondere um (initial oft leichte) Störungen der Aufmerksamkeit, der Sprache, des Sprechens, des Gedächtnisses, der Lernfähigkeit und des Problemlösens. Die Abgrenzung von „pseudodementiellen" Zustandsbildern (insbesondere bei Depressionen) ist dabei häufig eine schwierige (differential-)diagnostische Aufgabe und oft nur durch eine Längsschnittbeurteilung möglich. Es sei an dieser Stelle noch besonders hervorgehoben, daß fast alle Patienten der Stichprobe Mehrfachbehinderungen aufweisen. So zeigen z. B. über 70% der Patienten neuropsychologische Störungen aus mindestens 4 verschiedenen „Hirnleistungsbereichen".

3.5 Rehabilitationsergebnisse

Wie bereits im einleitenden Abschnitt erwähnt, liegen bisher noch keine systematischen katamnestischen Untersuchungen über den (längerfristigen) „Erfolg" neuropsychologischer Rehabilitationstherapien vor. Deshalb sind im folgenden im Vorher-Nachher-Vergleich nur statistische Daten über den Grad der Abhängigkeit sowie über die berufliche Situation der Patienten der Stichprobe aufgeführt.

Grad der Abhängigkeit (n= 400) (Angaben in %)

	Aufnahme	Entlassung
Selbständiges Leben zu Hause	65	76
Leben zu Hause mit gelegentlicher Unterstützung durch Bezugs-/Hilfspersonen	25	17
Leben mit überwiegender Unterstützung durch Bezugs-/Hilfspersonen	10	7
– zu Hause	9	5
– Altenwohn-/Pflegeheim	1	2

In bezug auf den Grad der Abhängigkeit ist die überwiegende Zahl der Patienten unserer Stichprobe in der Lage, nach der Entlassung zu Hause selbständig oder mit gelegentlicher Unterstützung durch Hilfs-/Bezugspersonen zu leben. Die Pflegeheimunterbringung ist erfreulicherweise die Ausnahme. Obige Zahlen machen deutlich, daß in der allgemeinen Rehabilitationsmedizin bewährte Meßinstrumente wie z. B. der „Barthel-Index" zur Erfolgsbeurteilung der Rehabilitation von Patienten der beschriebenen Stichprobe nicht geeignet sind; diese Instrumente erfassen basale Selbsthilfeleistungen, die bei den Patienten der Stichprobe meist nicht (mehr) gestört sind. Eine wichtige Aufgabe in der Zukunft wird es daher sein, valide Meßverfahren zu entwickeln, mit deren Hilfe – im Sinne einer funktionalen (also sich am „Funktionieren" im Alltag orientierenden) Diagnostik – das „outcome" der Patienten einer neuropsychologischen Rehabilitationseinrichtung erfaßt werden kann (vgl. Kap. 1). Erste Ansätze hierzu gibt es bereits, beispielsweise in Form des von Margaret Brown (aus der Gruppe um Leonard Diller, New York) entwickelten Inventars („Functional assessment and outcome measurement"; siehe hierzu Diller et al. 1983).

Was die berufliche Wiedereingliederung der Patienten der Stichprobe betrifft, so verdeutlicht Tabelle 6 folgendes: Patienten unter 40 Jahren haben die besten Chancen, in den Beruf oder an den Ausbildungsplatz zurückzukehren. Bei den 41- bis 60jährigen gelingt es immerhin noch bei ca. 20%, sie in das Erwerbsleben zurückzuführen; in dieser Altersgruppe nimmt jedoch die Zahl der bei Entlassung (oder in absehbarer Zeit danach) Berenteten deutlich zu. Bei den über 60jährigen steht als sozialtherapeutisches Ziel in aller Regel nicht mehr die berufliche Wiedereingliederung, sondern die Erhaltung eines möglichst selbständigen Lebens zu Hause im Vordergrund.

Schließlich muß noch hervorgehoben werden, daß das wohl wichtigste „Erfolgskriterium" neuropsychologischer Rehabilitation die subjektive Einschätzung der Änderung der Lebensqualität durch die Patienten selbst darstellt. Wenngleich auch zu letzterem Punkt noch die entsprechenden systematischen Studien (z. B. mittels „life quality tables") fehlen, so lehrt doch die eigene Erfahrung im täglichen Umgang mit den Patienten, daß die überwiegende Mehrzahl unter ihnen eine Verbesserung ihrer Lebensqualität durch die neuropsychologische Rehabilitation erfährt bzw. empfindet, was sie in die Lage versetzt, mit den Hirnleistungsstörungen im Alltag besser zurechtzukommen bzw. umzugehen.

Tabelle 6. Berufliche Wiedereingliederung der Patienten der Gesamtstichprobe in Abhängigkeit vom Lebensalter (n = 400) (Angaben in %)

	Vor der Hirn-schädi-gung	Bei Auf-nahme	Bei Ent-lassung
Alter *bis 40 Jahre*			
Teilnahme am Erwerbsleben	55	6	33
Hausfrau-/mann	3	6	6
In Berufsausbildung (einschl. Wehr-/ Zivildienst)	41	12	23
Krankenstand	1	70	29
Rente(nverfahren)	0	6	9
Alter *41–60 Jahre*			
Teilnahme am Erwerbsleben	85	4	25
Hausfrau-/mann	8	4	8
In Berufsausbildung (einschl. Wehr-/ Zivildienst)	1	0	0
Krankenstand	2	76	32
Rente(nverfahren)	4	16	35
Alter *über 60 Jahre*			
Teilnahme am Erwerbsleben	20	0	4
Hausfrau-/mann	21	21	23
In Berufsausbildung (einschl. Wehr-/ Zivildienst)	0	0	0
Krankenstand	0	17	6
Rente(nverfahren)	59	62	67

Literatur

Diller L, Fordyce W, Jacobs D, Brown M (1983) Final report - rehabilitation indicators project. New York University Medical Center, New York

Dizinger HG, Ringelstein EB (1985) Die Diagnostik des Schlaganfalls bei jungen Erwachsenen. Dtsch Med Wochenschr 46: 1759–1765

Frankowski RF, Annegers JF, Whitman S (1985) Epidemiological and descriptive studies. Part I: The descriptive epidemiology of head trauma in the United States. In: Becker DP, Povlishock JT (eds) Central nervous system trauma status report. National Institute of Neurological and Communicative Disorders and Stroke, National Institutes of Health, Bethesda, pp 33–43

Jongbloed L (1986) Prediction of function after stroke: A critical review. Stroke 17: 765–776

Kase CS (1986) Intracerebral hemorrhage: non-hypertensive causes. Stroke 17: 590–595

Kertesz A, Sheppard A (1981) The epidemiology of aphasic and cognitive impairment in stroke. Brain 104: 117–128

Koehler K, Saß H (1984) Diagnostisches und Statistisches Manual Psychischer Störungen DSM-III. Beltz, Weinheim

Kurtzke JF (1985) Epidemiology of cerebrovascular disease. In: McDowell F, Caplan LR (eds) Cerebrovascular survey report. National Institute of Neurological and Communicative Disorders and Stroke, National Institutes of Health, Bethesda, pp 1–34

Rosenkvist L, Olsen TS (1986) Epilepsy after cerebral infarction. Acta Neurol Scand 73: 548

Whisnant JP (1983) The role of the neurologist in the decline of stroke. Ann Neurol 14: 1–7

Zülch KJ (1985) The cerebral infarct. Springer, Berlin Heidelberg New York Tokyo

Sachverzeichnis

Aachener Aphasie-Test (AAT) 275, 277, 280, 286
-, psychometrische Einzelfalldiagnostik 277
AAT s. Aachener Aphasie-Test
Ablenkbarkeit 162, 164
Abulie 249
Achromatopsie 112-113
ACPC-Linie s. Fronto-Orbital-Linie
Adaptation s. Helladaptation, Dunkeladaptation
ADL
-, Evaluation 16
-, Störungen der visuellen Raumwahrnehmung 200
Affektindifferenz (s. auch Anosodiaphorie) 64,
  69-70, 77-80
Affektinkontinenz/-labilität 58
affektives Syndrom, organisches 64-65
Affektsteuerung 75-77
Agnosie, akustische 133, 137, 141, 143
Agrammatismus 275, 284
Agraphie (s. auch Schreibstörungen, aphasische)
-, globale 291
-, orthographische 291
-, phonologisch-lexikalische 291
-, Syndromklassifikation 291
-, wortkategorielle 291
Akalkulie
-, Aphasie 307-308
-, Behandlung 314-317
-, Hemianopsie 307, 309, 315
-, räumlich-konstruktive Störung 307, 309
-, therapeutische Hilfsmittel 316-317
-, Untersuchung 310-314
-, visueller Neglect 307, 315
Akinese 249
Aktionsschemata 249, 250
Alexie (s. auch Lesestörungen, aphasische)
-, globale 289-296
-, Oberflächenalexie 289-290
-, Syndromklassifikation 289-290
-, Tiefenalexie 289-290, 293
-, Wortformalexie 289-290, 293, 301-302
Allaesthesie 188
Alter
-, Rehabilitation 387
-, Altersverteilung in einer neuropsychologischen
  Patientenstichprobe 387
Altgedächtnis s. Gedächtnis
AMDPC(-System) 58, 59
Amnesie 63, 215, 225, 233, 243-244

-, anterograde 222
-, posttraumatische 222, 231
-, retrograde 222, 231
amnestisches Syndrom s. Amnesie
Anarithmetie 308, 310
anatomische Referenzsysteme 46-47
Angehörigenarbeit 101
Angstsyndrome (s. auch Anpassungsstörung mit
  ängstlicher Stimmung) 67-68
Anosmie s. Riechstörung
Anosodiaphorie 72-73
Anosognosie 72-73, 78, 189
Anpassung, an die Behinderung 1
-, Störungen 86
-, Schritte 94-96, 100-101
Anpassungsstörungen 62-63
anterograde Amnesie 222
Antizipation von Handlungskonsequenzen 254,
  261
Antrieb
-, Minderung 69
-, Steigerung 64
Apathie 64, 69, 251
Aphasie
-, amnestische 275, 276, 280
-, Akalkulie 307-308
-, Apraxie 265, 270
-, auditive Diskrimination 282, 283
-, Behandlung 278-286
-, Broca- 275
-, Dialogverhalten 276
-, globale 274, 275
-, Gruppentherapie 284, 285-286
-, Kommunikationsfähigkeit 274, 276, 278,
  280-281
-, Leitungs- 276
-, Prognose 21
-, Rest- 274
-, Sprachverständnis 275, 276, 281, 282
-, Textverständnis 282
-, transcorticale 276
-, Untersuchung 275-278
-, Wernicke- 275, 276
Apraxie 264-273
-, buccofaciale 265, 347
-, Definition 264
-, Differentialdiagnose 268-270
-, frontale (s. auch Gangapraxie, frontale) 268-269

Apraxie, Häufigkeit 265
-, gliedkinetische 269-270
-, ideatorische 264-272
-, ideomotorische 264-267, 269-272
-, konstruktive (s. auch visuo-konstruktive Störungen) 270
-, Perseveration 266-267
-, Prognose 272
-, räumlich-konstruktive Störungen 268, 270
-, räumlich-visuelle Wahrnehmungsstörungen 268-270
-, sympathische 266-267
-, Therapie 270-272
-, Untersuchung 267-268
Arbeitsversuch 89-90
Arithmetik 311, 314
Artikulation
-, Behandlung 338-340
-, Prosodie 340
-, Störungen 328-330
-, Untersuchung 328
Ataxie
-, frontale 268
-, optische 270
Atmung s. Sprechatmung
Audiometrie 134, 138
Aufmerksamkeit, Aspekte 157-159
-, akustische 133, 146
-, Behandlung 171-177
-, Einsatz computerunterstützter Verfahren 176-177
-, Störungen 133, 146, 159-164
-, Untersuchung 164-171
Aufmerksamkeitsspanne 157, 164

Balint-Syndrom 118-119
Behandlungseffekt, s. Intervention
Behandlungsverfahren, allgemein 6-8
-, spezifische 6-7
-, systematische 7
-, unspezifische 6
-, unsystematische 7
Behinderung, Definition 1
Belastungserprobung 89, 94, 104
Benton Test 199, 202
Bewältigung 61, 73
-, Aufmerksamkeitsstörungen 163-164
-, emotionale 96
-, Krankheitsbewältigung 93-96, 97
-, Strategien 86-90, 92-93
Bildgebende Verfahren 40-42
-, Craniale Computertomographie 41
-, CCT s. Craniale Computertomographie
-, Emissionsverfahren 41-42
-, Kernspintomographie 41, 47
-, Positronenemissionstomographie 42, 47
-, Single-Photon-Emissionstomographie 42
-, SPECT s. Single-Photon-Emissionstomographie
Blendungsgefühl 110

Cantho-Meatal-Linie 46
CM-Linie s. Cantho-Meatal-Linie
Computer, Einsatz
-, Agraphie 299-300
-, Akalkulie 317
-, Alexie 299-300
-, allgemein 7
-, Aufmerksamkeit 176-177
-, hemianopische Lesestörung 123-126
-, visuelles Explorationstraining 126-129
Coping (Hypothese, Verhalten) s. Bewältigung

Daueraufmerksamkeit 159
-, Störungen 161-162
-, Untersuchung 171
Delir 65
Demenz (s. auch organisch bedingte psychische Störungen) 65-66
-, Häufigkeit in einer neuropsychologischen Patientenstichprobe 393-394, 396
Depression (s. auch Anpassungsstörung) 62-67, 69, 75
-, typische (Major) Depression 67
Diskriminationsstörung
-, akustische 133, 137, 141, 143-145
DSM III 59
-, DSM III-Diagnosen 62-68
DSS (Doppel-Simultan-Stimulation) s. Reizung, bilaterale
Dunkeladaptation 109-110
Dunkelsehen 110
Dysarthrie
-, auditiv-phonetische Untersuchung 325-330
-, inspektive Untersuchung 324-325
-, Kommunikationsfähigkeit 340, 352-353, 356
Dysarthriebehandlung
-, Artikulation 338-340
-, Atmung 334-337
-, nichtsprachliche Bewegungsübungen 339
-, Phonation 337-338
-, sensible Stimulation 333
Dysosmie s. Riechstörung

Einbußen, neuropsychologische
-, Verteilung in einer Patientenstichprobe 394-396
Einfachwahlreaktionszeiten s. Reaktionszeiten
Einsichtsfähigkeit 253
Enzephalitis
-, Häufigkeit in einer neuropsychologischen Patientenstichprobe 392-393
Entscheidungsfindung 260
Entschluß(fähigkeit) 249, 261
Erkennensstörung
-, akustische 134, 137, 141, 143
Evozierte Potentiale 50-56
-, antizipatorische 54
-, akustische 50-51, 136-137, 138-140, 12-143, 145
-, Bereitschaftspotential 50, 54
-, contingent negative variation (CNV) 50, 54
-, ereigniskorrelierte 50-56

-, kognitive 52-53
-, motorische 54
-, primär-sensorische 51-52
-, somatosensorische 51-52
-, visuelle 106, 112
Exploration
-, akustische 182, 186
-, Behandlung 126-128
-, Hemianopsie 108, 109, 117-118
-, sensomotorische 182, 186, 193
-, Störung in beiden Halbfeldern 118-119
-, visuelle 107-108, 117-119
Extinktion, sensorische 185, 186

Faktoren der Hirnschädigung s. Hirnschädigung
famous faces Test 222-223, 228, 229, 231
Farbsehen 112-113
-, Verlust in einem Halbfeld, s. Hemiachromatopsie
Feedback, Behandlung
-, Sprechstörungen 321, 344-347
-, Atmungsstörungen 344-345
-, Stimmstörungen 345-346
-, Artikulationsstörungen 346
Fingerbewegungen, Wahrnehmung von 365-366
FO-Linie s. Frontookzipitallinie
„Frontalhirnsyndrom" 64, 68-70, 72, 76, 79
Frontookzipitallinie 47

Gangapraxie, frontale 268-269
Gaumensegelprothese 340, 341, 343
Gedächtnis
-, Altgedächtnis 222-225, 228, 230-231, 242
-, biographisches 224, 242
-, episodisches 223-224
-, kurzfristiges Behalten 219-221, 228, 230
-, Kurzzeitgedächtnis 219-220, 237
-, Langzeitgedächtnis 220
-, längerfristiges Behalten 221-222, 228-231, 242
-, prospektives 224-225, 230, 242-243
-, Selbsteinschätzung 218-219, 230, 237
-, semantisches 219, 223-224, 242
-, Textinformation 220, 227-229, 240-242
Gedächtnishilfen, -strategien
-, externe 235, 236, 242, 243, 244
-, interne 233, 234-235, 238-241, 244
Gedächtnisspanne 219
-, Blockspanne 219, 220, 228
-, Wortspanne 219
-, Zahlenspanne 219, 228
Gedächtnisstörungen 215, 225, 233, 243-244
-, Behandlung 232-245
-, Untersuchung 216-231
Gedanken
-, anreiz- und erwartungsbezogene 251
-, durchführungsbezogene 249
Geschlecht
-, Rehabilitation 23-24
-, Verteilung in einer neuropsychologischen Patientenstichprobe 387
Gesichterwahrnehmung s. Prosopagnosie

Greifreflexe
-, Hand 268, 270
-, Mund 270
Gruppentherapie
-, Gedächtnistherapie 233, 235

Halluzinose, organische 65
Handeln
-, alternatives 260
-, Behandlung 259-262
-, Fehler 253, 254
-, impulsiv-vorschnelles 250, 258
-, inflexibles 249
-, Routinehandlungen 249, 250, 253
-, unorganisiertes 250
-, zielgerichtetes 251
Handfunktionen s. Handmotorik
Handlungskonsequenzen s. Antizipation von Handlungskonsequenzen
Handmotorik, Funktionen 360-361
-, Behandlungsansätze 379-380
-, Störungen 367-368
-, Taxonomie 375-377
-, Untersuchung 375-379
Handschrift
-, Aspekte 380
-, Behandlungsansätze 380-383
Hauptraumrichtungen, visuelle s. Raumwahrnehmung, visuelle
Helladaptation 109-110
Hemiachromatopsie 109
Hemiamblyopie 108-109
Hemianopsie 106-107
-, Neglect 184-186
Hirnschädigung
-, Faktoren 28-37
-, Hirninfarkte 32-33
-, Hirntumoren 33
-, Hypoxie 30
-, intrazerebrale Blutung 30-31
-, (Meningo-)Enzephalitis 30
-, Schädel-Hirn-Trauma 29-30
-, Subarachnoidalblutungen 31-32
-, Zeit seit Hirnschädigung 34-35
Hirntumor
-, Häufigkeit in einer neuropsychologischen Patientenstichprobe 392, 396
Hörstörung
-, dienzephale 132, 141-142
-, nach Hirnstammläsion 132, 138-141
-, periphere 134
-, telenzephale 132
-, zerebrale 132, 137-146
-, Sprache 139-142, 144, 147
Hörtest
-, dichotischer 134, 135, 144
-, nonverbal 135-136, 144-145
-, psychoakustischer 133, 135, 145
-, Sprachaudiometrie 134, 138-139
-, Tonaudiometrie 134, 138-139, 143

Hörwahrnehmung
-, Lautheit und Tonhöhe 133, 143
-, Musik 142
-, räumlich 135, 145
-, zeitlich 136, 143
Hyperkinesen 324, 325, 328
Hypobulie 249
Hypochondrie 66-67
Hyposmie s. Riechstörung
Hypoxie, zerebrale
-, Häufigkeit in einer neuropsychologischen Patien-
tenstichprobe 392, 396

Indikationsstellung zur Behandlung 8-10
-, Dauer der Behandlung 9
-, Wahl der Interventionsverfahren 8
-, Zeitpunkt der Behandlung 9
Informationsverarbeitung 157-158
-, Beachtung mehrerer Informationen 260
-, Extraktion relevanter Information 252, 260
-, Geschwindigkeit 157-158
-, Kapazität 157-158
-, Selektivität 158
-, Störungen 159-164
-, Untersuchung 166-171
Interesselosigkeit 251
Interferenzanfälligkeit s. Ablenkbarkeit
Intervention
-, Definition 1
-, Evaluation 15-16
-, Feststellung des Effektes 10-15
-, isolierter vs generalisierter Interventionseffekt
14-15
-, Mittel 5-8
-, Rolle der Diagnostik 2-3
-, Stabilität des Interventionseffektes 13
-, technische Hilfen 7
-, Voraussetzungen 2-4
-, Wahl der Verfahren 8-9
Interventionseffekt s. Intervention

Kakosmie s. Riechstörung
Klüver-Bucy-Syndrom 74, 76
Kompensation, Definition 5
Konditionierungstechniken 259
Kontrastsehen, räumliches 111-112
Konversionssyndrom 67
Konzentrationsfähigkeit (s. auch Daueraufmerksam-
keit) 159
Krisenintervention 86
Kurzzeitgedächtnis s. Gedächtnis

Langzeitgedächtnis s. Gedächtnis
Läsionen, anatomische Evaluation
-, fokale 42
-, diffuse 44
Leistungsdefizit
-, operationale Beschreibung 3
-, Symptom- bzw. Syndromklassifikation 3

Lern- und Gedächtnistest (LGT-3) 225-226, 230,
231
Lernen 217, 221, 237-240
-, aus Fehlern 254
-, Paarassoziationen 221, 229, 238-240
Lesestörung, hemianopische 107, 122-123
-, Behandlung 122-126
-, Restgesichtsfeld 107, 109
Lesestörungen, aphasische (s. auch Alexie) 289-292
-, Behandlung 292-293, 295-304
-, Untersuchung 293-295, 304
Lokalisation, visuelle 113-115

Mehrfachwahlreaktionszeiten s. Reaktionszeiten
Meningitis s. Enzephalitis
mental effort 251
mesolimbisches System 74, 76
Mittel-Ziel-Problemlöseaufgaben 258
Mosaiktest 199, 201-203
Motivation
-, des Patienten 4
-, des Therapeuten 4
Motor Impersistence 270

Nachsorge 102
Neglect 182-184, 186, 190
-, Akalkulie 307, 315
-, akustischer 136, 146
-, Behandlung 191-196
-, Hemianopsie 184-186
-, Untersuchung 182-186
-, visueller 118
Neologismen
-, graphematische 291-292
-, phonematische 289-290
Normosmie s. Riechstörung

Objektagnosie 119-121
-, bei Einbußen „elementarer" Sehleistungen
120
Olfaktogramm 153
Orientierungsstörungen 218, 236
-, Exploration 119
-, visuell-räumliche 116-117

palatal lift s. Gaumensegelprothese
Paniksyndrom 67-68
Paragrammatismus 275, 284
Paralexien
-, morphematische 290
-, phonematische 289-290, 297
-, semantische 289-290, 297
Paragraphien
-, graphematische 291-292
-, orthographische 291-292
-, semantische 291-292
paranoide Störungen 68
Parapraxien 264, 266-267
Parosmie 151, 152

PASAT („Paced Auditory Serial Addition Task")
170
pathologisches Lachen und Weinen 58, 73-74
Patientenversammlung 85
Perseveration 249, 258
-, Apraxie 266-267
Persönlichkeitsänderung 58-60, 63-65, 69-71
-, organische 63-65
-, interiktale 60, 70-71
Phobie, soziale 67-68
Phonation
-, Behandlung 337-338
-, Prosodie 337-338
-, Störungen 327-328
-, Untersuchung 327
Planen
-, Alternativpläne 253
-, außengeleitetes 252
-, Behandlung 259-260
-, koordiniertes 253
-, ungenaues 252
Planungstest 257
Plausibilitätskontrolle 254
postkontusionelles Syndrom (s. posttraumatisches
   Syndrom)
posttraumatisches Syndrom 60-61, 66-67
posttraumatische Amnesie 222, 231
Potentiale s. evozierte Potentiale
prämorbide Persönlichkeit 58-59, 64, 67-70, 73
Prognose 21
-, Aphasie 21
-, sozialtherapeutische 94, 96, 99
proportionales Lokalisationssystem 46
Prosodie 349, 351-352, 356
-, Artikulation 340
-, Phonation 337-338
Prosopagnosie 121-122
Pseudodemenz, depressive 65-66
Pseudodepression (bei Frontalhirnschädigung) 69
pseudopsychopathisches Syndrom (bei Frontalhirnschädigung) 69
Psychiatrische Diagnosen
-, Verteilung in einer neuropsychologischen Patientenstichprobe 393-394
psychogenes Schmerzsyndrom 67
Psychose(n)
-, affektive 70-71
-, schizophrene, schizophreniforme 65, 70-71
-, traumatische 65
Psychosyndrom (s. auch organisch bedingte psychische Störungen)
-, organisches 57
-, atypisches oder gemischtes hirnorganisches 63
Psychotherapie
-, aufdeckende 87
-, differentielle 86
-, Ehe- und Familientherapie 101
-, Gruppentherapie 85, 87, 88 101, 104
-, kognitive 86, 87
-, problemorientierte 86, 87

-, systemische 87
-, Verhaltenstherapie 86, 87

Quadrantenanopsie 106-107

Raumsehen s. Raumwahrnehmung, visuelle
Raumwahrnehmung, visuelle 113-117
-, Basisleistungen 197
-, Behandlungsansätze 206-208
-, Rückbildung 199-202
-, konstruktive Apraxie 197, 268, 270
-, Störungen 197-199
-, Untersuchung 202-206
Raumrepräsentation 182-184, 187-189, 191, 194
Raumrichtungen, visuelle 115-116
Reaktionszeiten 167-168
-, einfache 167-168
-, Mehrfachwahl 168, 173-175
Realisierungsorientierung 253
Rechenstörung s. Akalkulie
Rechenzeichen 307-308, 311, 313
Referenzsysteme s. anatomische Referenzsysteme
Rehabilitation (s. auch Intervention) 1-2
-, methodische Schwierigkeiten 17-18
-, Rolle der experimentellen Psychologie 18
Rehabilitation, Einflußgrößen 21-28
-, Alter 21-23
-, Geschlecht 23-24
-, Händigkeit 24-25
-, prämorbide Persönlichkeit 25-27
-, psychosoziale Faktoren 27-28
-, Ziele 1-2, 84-85, 99
Rehabilitationsergebnisse
-, in einer neuropsychologischen Patienten-Stich-
   probe 396-397
Rehabilitationsmaßnahmen, allgemein (s. auch
   Intervention) 2-4
Reizerscheinungen, akustische 134, 146
Reizung, bilaterale 169, 183, 185, 194
Restitution, Definition 5
retrograde Amnesie 222, 231
Richtungshören, Störungen 135-136
Riechen
-, Anosmie 151-154
-, Frontalhirnschädigung 154
-, Hyposmie 151-153
-, Kakosmie 151
-, Normosmie 153
-, orbitofrontale Riechstörung 153
-, posttraumatische Amnesie 151, 155
-, präfrontale Riechstörung 152
-, Schädigungsmechanismen 153
-, Schädelhirntrauma, Schweregrad 155
-, temporale Riechstörung 153
-, Untersuchung 152-153
Rivermead-Behavioural-Memory-Test 221, 224, 227

Schädelhirntrauma
-, Häufigkeit in einer neuropsychologischen Patien-
   ten-Stichprobe 391-395

Schläfenlappen
-, Psychopathologie bei Läsionen des Schläfenlappens 70-71, 74
Schläfenlappenepilepsie 60, 67, 70-71, 77
Schreibstörungen, aphasische (s. auch Agraphie) 289-292
-, Behandlung 292-293, 295-304
-, Untersuchung 293-295, 304
Sehschärfe 110-112
-, Fixationsstörungen 111
-, Kontrastsehen 111-112
-, Restgesichtsfeld 111
-, zeitliche Instabilität 112
Selbsthilfegruppe 102
Selbstwertgefühl 96, 97, 103
Sensibilität, Funktionen 361-365
-, Behandlungsansätze 370-375
-, Störungen 367-368
-, Untersuchung 368-370
Skotom, parazentrales 106-107
somatoforme Störungen 66-67, 71
Sozialanamnese 84, 100
Sozialtherapie
-, Zielsetzungen 386-387
Spontanrückbildung 1, 11, 35-37
-, Intelligenz 36
-, kognitive Leistungsgeschwindigkeit 36
-, Gedächtnis 36-37
-, Sehen 37
-, Sprache 37
Sprachautomatismen 275
Sprachverständnis s. Aphasie
Sprechapraxie (s. auch buccofaciale Apraxie) 347-348
-, Behandlung 352-357
-, Untersuchung 348-351
Sprechatmung
-, Behandlung 334-337
-, Untersuchung 326
Sprechorgane
-, Untersuchung 324-330
Sprechtempo 329, 332, 340, 342, 350-351
Stirnhirnsyndrom s. Frontalhirnsyndrom

Tasten, aktives 366-367
Taubheit
-, reine Worttaubheit 137
-, zerebrale 137, 143
Textinformationen
-, Gedächtnis 220, 227, 228-229, 240-242
Therapie s. Behandlungsverfahren
Gesichtsfeldstörungen, homonyme 105-109

-, Gesichtsfeldausfälle, homonyme 106-108
-, Restgesichtsfeld 106, 107, 108, 109, 111
Tiefensehen 115
Token Test 275
Turm von Hanoi 257

Umstellungsfähigkeit 254, 258
utilization behaviour 250

Vergessen s. längerfristiges Behalten
Verhaltenskontrolle durch die Umwelt 259
Verhaltenstherapie s. Psychotherapie
Verlangsamung 164-165
Verlaufsmessungen 10-15
Vernachlässigung s. Neglect
Verschwommensehen 111
Verständlichkeit
-, Dysarthrie 331-347
-, Störungen 330
-, Untersuchung 330-331
Vigilanz 159
visuell evoziertes Potential
-, zerebrale Blindheit 106
-, Verschwommensehen 112
visuell-räumliche Orientierung s. Orientierung
visuo-konstruktive Störungen 197-199
-, Akalkulie 307, 309
-, Apraxie 268-270
-, Behandlungsansätze 206-208
-, Rückbildung 199-202
-, Untersuchung 202-206

Wahnsyndrom, organisches 65
Wechsler-Memory-Scale 217, 225
Wesensänderung 70
Wisconsin Card Sorting Test 256
Wortfindungsstörungen 275, 276, 279, 280, 281, 283, 285

Zahlenlesestörung 306-307
Zahlenschreibstörung 306-307, 315
Zahlenspanne 307
Zahlenverarbeitung 306, 311-312, 314-315
Zahlenverbindungstest (ZVT) 169-170
Zählstörung 308
Zeitdimension, Verlust 252
zerebrovaskuläre Erkrankungen
-, Verteilung in einer neuropsychologischen Patientenstichprobe 388-395
Ziele der Rehabilitation 1-2, 84, 85, 99
Ziffernagraphie 310
Ziffernalexie 310

aus der Reihe *Rehabilitation und Prävention*

aus der Reihe *Rehabilitation und Prävention*

Band 18

P. M. Davies, Bad Ragaz

Hemiplegie

Anleitung zu einer umfassenden Behandlung von Patienten mit Hemiplegie

Basierend auf dem Konzept von
K. und B. Bobath

Mit einem Geleitwort von W. M. Zinn

Aus dem Englischen von S. v. Mülmann,
B. Schäfer, M. Reinecke

1986. 326 Abbildungen in 492 Einzeldarstellungen. XXVII, 328 Seiten. Broschiert
DM 74,-. ISBN 3-540-12230-3

Auf der Grundlage des Konzeptes von Bobath beschreibt Pat Davies in ihrem Buch praxisnah die Behandlungsmöglichkeiten bei halbseitig Gelähmten; umfassendes Abbildungsmaterial illustriert die einzelnen Schritte.

Bei Mindestabnahme von 20 Exemplaren 20% Nachlaß pro Exemplar.

Springer-Verlag
Berlin Heidelberg New York
London Paris Tokyo

Band 20

G. D. Maitland, North Adelaide

Manipulation der peripheren Gelenke

Geleitwort von D. A. Brewerton

Aus dem Englischen übersetzt von
S. von Mülmann, B. Schäfer, M. Reinecke

1988. 320 Abbildungen, 31 Tabellen,
6 Klapptafeln. Etwa 400 Seiten.
Broschiert DM 78,-.
ISBN 3-540-18497-X

In diesem Buch werden mobilisierende Techniken für alle peripheren Gelenke beschrieben, die einzelnen Abschnitte einer Untersuchung durch passive Bewegung ausführlich erläutert und die Anwendung von Behandlungstechniken und ihre Dosierung zu den Untersuchungsbefunden der Gelenkfunktionsstörung in Beziehung gesetzt.

Band 21

U. Mellenthin-Seemann, F. Steier,
A. Schulz, H. Biester

Gelenkschutzunterweisung bei Patienten mit chronischer Polyarthritis

Leitfaden für Ergotherapeuten

1988. ISBN 3-540-18830-4
In Vorbereitung

Springer